JN293348

Q&A
移転価格税制

制度・事前確認・相互協議

佐藤正勝［編著］

髙久隆太・望月文夫

税務経理協会

はしがき

　本書は，企業の経理・税務，企画，海外営業，海外現法，海外技術等の担当者などに，移転価格税制，事前確認，相互協議の基本的知識，仕組みを理解してもらうことを目的としている。加えて，誰でもが持つ日ごろの疑問に対する答えを，Ｑ＆Ａの形で用意している。本書では，事前確認，相互協議についても詳述した。したがって，本書１冊で，移転価格税制に関連する必要分野のほぼすべてをカバーしている。なお，内容については，平成19年６月の事務運営指針改正までを含む，最新のものにしてある。以下，本書を刊行することとなった背景，理由，学習上の留意点などを，述べる。

［移転価格問題一般についての背景・重要性－４つ］

　移転価格に関わる課税の問題への関心は，世界的にも日に日に大きなものとなってきており，国際課税の領域においてその重要性が一段と増してきている。誰にとっての重要性かといえば，もちろん，納税者側と課税当局側との双方にとってである。移転価格税制に関して，最近における世界的な動きの背景には，次の４つがある。

　第一に，「国際間で行われる取引」の量が拡大していることが挙げられる。移転価格税制においては一般に，国内取引ではなく「国際取引」（ただし，関連者間取引に限られる）が課税の対象となる。すなわち，国際取引が量的に増大した結果，移転価格課税リスクも増大している。

　第二に，各国の課税当局が制度面においても，執行面においても，「移転価格課税を強化」してきていることが挙げられる。具体的には，移転価格税制を有していない国はこの税制を導入し，他方，移転価格税制をすでに有している国は，それをさらに強化するという傾向がここ10年の間においては以前よりさらに強く出てきている。その理由は，自国課税権の確保にある。すなわち一般に，

周りの国々が移転価格課税の強化に動いているときに，ひとり自国のみあえて移転価格課税をしないという態度をとる国は，特別の政治的，経済的理由を持つ国を除いては，かなり限られるであろう。結果として，移転価格課税を行う国が増加する。

　第三に，移転価格税制の「中身及びその執行基準の一部が各国間で異なる」ことが挙げられる。実体要件の違いは究極的に政府間相互協議において合意（二重課税排除）がなされないというリスクの発生を，さらに，手続き要件の違いは主として届出や申告などを期日までしなかった等によるペナルティや立証責任の負担というリスクの発生を意味する。結果として，二重課税が排除されないで残るというリスクを排除しきれない。

　第四に，移転価格税制上の「課税ルールが明確でない」取引の増加を挙げることができる。この取引の例としては，典型的には無形資産の取引が該当する。無形資産の取引の場合，客観的な価額（適正な移転価格）というものを求めることはかなり困難であるという現状にある。結果として，課税ルールが明確でない取引について，課税当局と納税者との間の見解が異なることによって，移転価格課税を受けるリスクがより大きくなる。

[日本での最近の動き－追徴件数など]

　以上の一般論は，日本にも当てはまる。移転価格税制に関する日本での最近の動きは，急である。それを現象面からピックアップしてみると，次のとおりである。

　まず，わが国の移転価格追徴件数・金額は，最近急増している。国税庁発表によれば例えば，平成11年度は追徴件数38件，追徴所得総額454億円であったが，徐々に増加し，平成17年度は追徴件数が119件，追徴所得総額が2836億円と急増している。新聞等で報道された追徴事案には，製薬会社事案（追徴所得総額1223億円），電子製品製造販売会社事案（744億円）など，大型事案が含まれている。これらは更正処分に至ったもののみの件数・金額である。他方，海外取引

などに対する税務調査において、移転価格の観点から調査が行われることは、大企業の場合であれ、中小企業の場合であれ、当たり前になってきていることを考えると、国際取引を有する企業は、必ず移転価格の観点から税務対応の準備をしておく必要性がでてきている。

次に、わが国における移転価格税制に関する議論も各方面で高まってきている。まず、自民党及び政府筋は、「平成19年度税制改正に関する答申－経済活性化を目指して－」（平成18年12月1日付け）の中の「国際課税」と題する節の記述の量の6割を移転価格税制のみについての問題点の指摘に充て、その適用基準の明確化、事前確認、相互協議の体制の整備などの対応を求めている。経済産業省は、移転価格課税に関して納税者と税務当局との意見の食い違いが大きくなってきていること等の声が強くなってきていることを踏まえ、平成18年12月に「移転価格税制研究会」を設置し、制度・執行の改善のための検討をし、改善を要する事項について税制改正を要望し、執行通達等の見直しを求めていくことにしている。なお、要望の結果、納税猶予の措置が平成19年度改正で設けられ、さらに国税庁の事務運営指針の一部が平成19年6月に改正されている。

平成19年6月の事務運営指針の改正の際、国税庁から、詳細で豊富な「参考事例」と移転価格税制執行に関する「当局としての考え方」の詳細が、改正指針とともに公表された。平成19年6月改正に対する納税者側の評価は、運営指針発遣後、間もないことから、まだ定まっていない。現時点において巷間いわれていることは、次のとおりである。すなわち、通達等が発遣された場合、従前の国税庁の態度は、通常改正通達の条文そのもののみを公的に公表するにとどまっていた。ところが今回の運営指針改正時には、詳細で膨大な解説の資料が公に示された。これは、かつてなかったことである。このことは、現在生じている移転価格課税問題の重要さをわが国当局が真摯に受け止めていることを示し、かつ、説明責任を果たそうとする当局の意気込みが感じられるとする評価がある一方、無形資産の評価の仕方等について具体的な指針が示されているわけではないこと、さらにこれらの解説書等にある文言を盾に税務調査が強行される恐れがありうること、などを挙げて、警戒する向きもある。今後の評価

を見守りたい。

［海外関連事業担当者には必須の知識］

　以上をまとめると，国際取引増加に伴い，どのような企業であっても税務調査で移転価格の観点からの対応が必要であること，したがって，移転価格課税を受けるリスクはさらに高まっていること，当局も執行通達を発遣するなど，動きが急であること，などが挙げられる。こうした状況を踏まえると，企業の経理税務，海外営業，海外現法管理，海外技術等の担当者などは，常に移転価格の問題に直面する。すなわち，だれでも，移転価格の基本的考え方，ある程度の対処の仕方を知っておく必要があることになる。

　では，企業の担当者は，移転価格上思わぬリスクを背負い込むといったことにならないためには，どのようにしたらよいであろうか。その答は，自己の責任範囲の仕事に関して，常に移転価格というものの観点から，考えることができる能力を身につけておくことである。そのためには，まず移転価格税制の基本を理解することが必要となる。ところで，筆者は，時々企業の方々から，「海外調達拠点から輸入する場合に，上乗せするパーセンテージを教えてもらいたい。」といった質問を受けることがある。しかし，移転価格は本来そのような単純な税制ではない。単純な金利が問題となるようなケースを除くと，移転価格税制は，比較対象企業，比較対象取引などの選定を通じた複雑な作業を要するのが現実である。したがって，移転価格問題に多少とも携わる者は，そうした複雑なプロセスの少なくとも基本だけは，知っておく必要がある。

［本書の構成・特色］

　そこで，本書では，「現行制度の解説」と「Ｑ＆Ａ」の2部構成とした。すなわち，制度の基本を「解説」の章で理解し，それでも生ずる疑問を「Ｑ＆Ａ」で解決するという方法である。次に，本書でカバーする範囲は，移転価格税制

そのものについての「制度」(第一編),移転価格税制に係る「事前確認」(第二編),移転価格税制に係る「相互協議」(第三編)及び「資料」(第四編)である。資料には,関連する条文(租税条約,国内税法,通達,運営指針),別表,届出書等の様式,最近の改正関係資料(平成19年6月25日改正の移転価格事務運営指針を含む)をすべて盛り込んだ。「制度」のみならず「事前確認」及び「相互協議」も本書でカバーした理由は,一般に,移転価格問題を最終的に解決し,または,効率的に処理するためには,事前確認,相互協議も理解しておく必要があるからである。具体的には,日本の課税当局から移転価格課税を受けた場合,通常は,国内法上の異議申立て,審査請求,訴訟ではなく,租税条約に基づく政府間相互協議で二重課税を解消するケースが実際上多い点に留意すべきである。また,わが国課税当局ないし外国の課税当局から一度移転価格課税を受けてしまったような場合,その後続年度の移転価格問題を効率的に処理していくためには,事前確認を申請する方がよりコストのかからない方法であることも憶えておくべきである。

[関係者のご協力への感謝]

　本書は,構想の段階から刊行まで1年強の時日を要した。それは,当初の予定を超えるものであった。当初の予定を超える期間を要した理由は,本書の原稿の脱稿の時期(19年4月)に国税庁から移転価格税制の事務運営指針の改正案が公表され,その改正案の正式確定を待って当初原稿の修正等をするという作業が入ったからである。したがって,著者の先生方には,通常のご自分のお仕事に加えて本書の原稿作成というご迷惑をおかけしたうえに,さらに原稿修正という追加的な作業もお願いすることとなった。それにもかかわらず,仕上げのための寛大なご協力をいただき,感謝したい。特に,本書の作成にあたっては,和波英雄氏から,多大なご協力をいただいた。同氏のご協力がなければ,本書は陽の目を見なかったことを考えると,誠に感謝に堪えない。
　また,税務経理協会の関係者の方々にも,感謝したい。構想段階で,快くお

引き受けいただいたからこそ出版ができたこと，前述の修正等の追加的作業が入ったことなどにより税務経理協会の方々にも，編集会議を追加的に開いていただいたり，版の組み直しなど，通常よりも多大な作業が入った。書籍企画部の武田力氏，小林規明氏，書籍製作部の酒井一佳氏ほか，税務経理協会の多くの方々に感謝申し上げたい。

　平成19年9月

編著者　佐藤 正勝

略 語 表

略語等について
　本書においては，法令等の根拠条文番号を示す場合には，略語を用いている場合がある。略語の凡例は，以下のとおりである。

【凡　例】

法人税法第22条第2項：法法22②
租税特別措置法第66条の4第2項第1号イ
：措法66の4②一イ
租税特別措置法施行令第39条の16第7項
：措令39の16⑦
法人税基本通達9－4－2：法基通9－4－2
租税特別措置法通達66の4(4)－4：措通66の4(4)－4
事務運営指針1－1：運営指針1－1
（注）　事務運営指針には，移転価格の事務運営に関するもの，相互協議の事務運営に関するものなど，複数の事務運営指針があるので，文脈によりいずれの事務運営指針であるか判断することになる。
昭和47年締結の日米租税条約：旧日米租税条約
平成16年締結の日米租税条約：新日米租税条約

目　次

はしがき

第一編　移転価格税制 …………………… 1

第1章　移転価格税制の概要 ……………………… 3

第1節　総説　3

第2章　日本の移転価格税制の概要 ……………… 9

第1節　日本の移転価格税制の概要　9
第2節　適用対象取引　10
第3節　適用対象者　10
第4節　国外関連者とは（特殊の関係）　11
第5節　独立企業間価格　13

第3章　棚卸資産の販売又は購入 ………………… 14

第1節　基本三法　14
第2節　利益法　20

第4章　棚卸資産の売買以外の取引 ……………… 31

第1節　概要　31

第2節　有形資産の貸借取引　31
　　第3節　委託製造先に対する機械設備等の貸与の取扱い　32
　　第4節　金銭の貸付け又は借入れの取扱い　32
　　第5節　役務提供の取扱い　33
　　第6節　企業グループ内役務提供
　　　　　　（Intra-Group Service：IGS）　35
　　第7節　無形資産の使用許諾等の取扱い　37
　　第8節　費用分担契約　40

第5章　損金不算入処理とその他の税制との関係 …… 46

　　第1節　国外関連取引の対価と独立企業間価格との
　　　　　差額の損金不算入　46
　　第2節　国外移転所得金額の取扱い　48
　　第3節　国外関連者に対する寄附金の損金不算入　49
　　第4節　価格調整金の取扱い　49
　　第5節　外国税務当局が算定した対価の額　50
　　第6節　別表の申告書への添付　50
　　第7節　その他の税制との関係　51

第6章　移転価格税制の執行 ……………………………… 52

　　第1節　基本方針　52
　　第2節　移転価格調査　54
　　第3節　調査時に検査を行う書類等　56
　　第4節　国外関連者が保存する資料の要求　58
　　第5節　独立企業間価格の推定　59
　　第6節　比較対象企業への質問検査権　61

第7節　更正の期間制限の特例　64
　第8節　納税の猶予　65

第7章　外国の移転価格税制 …………………… 68

　第1節　米国の移転価格税制の概要　68
　第2節　米国のペナルティ　71
　第3節　米国のドキュメンテーション　75
　第4節　ＰＡＴＡドキュメンテーション・パッケージ　80
　第5節　その他の国の移転価格税制　85

第二編　事　前　確　認 ……………………… 219

第1章　事前確認の概要 …………………………… 221

　第1節　事前確認の概要　221
　第2節　事前確認・移転価格課税・相互協議との関係　236
　第3節　最近の動向　250

第2章　事前確認の内容 …………………………… 256

　第1節　事前確認事務の流れ　256
　第2節　事前確認の実務上の留意点　262

第3章　諸外国のAPA ………………………………… 347

　　第1節　米国のAPA　347
　　第2節　米国のAPAの執行の概要　353
　　第3節　その他の国のAPA　363

第三編　相　互　協　議 ……………………… 385

第1章　相互協議の概要 ……………………………… 387

　　第1節　相互協議の意義　387
　　第2節　相互協議の類型　389
　　第3節　権限ある当局　391
　　第4節　相互協議の性格　392
　　第5節　相互協議手続と国内救済手続の関係　393
　　第6節　相互協議手続　395
　　第7節　対応的調整　400
　　第8節　納税の猶予　404

第2章　相互協議の実施状況 ………………………… 406

第3章　OECDの動向 ………………………………… 408

　　第1節　概要　408
　　第2節　仲裁規定の内容　408

第3節　今後の動き　409

第四編　資料編 …………………………………… 489

資料1	OECDモデル条約第9条・日米租税条約第9条 ……… 491
資料2	OECDモデル条約第25条・日米租税条約第25条 ……… 494
資料3(1)	移転価格税制本体条文
	（租税特別措置法第66条の4，同政令，同省令）………… 496
資料3(2)	納税猶予条文（19年度改正）
	（租税特別措置法第66条の4の2，同政令，同省令）…… 509
資料4	別表17(3) …………………………………………………… 513
資料5	租税条約実施特例法関係
	（租税条約実施特例法，関係政令，関係省令）………… 515
資料6	租税特別措置法通達（66の4関係通達）……………… 519
資料7	移転価格税制執行に関する運営指針（資料7(1)～資料7(3)）
資料7(1)	移転価格事務運営指針：移転価格事務運営要領の制定について（事務運営指針）査調7－1，官際3－1，官協1－16，課法6－7，平成13年6月1日付（平成19年6月25日付改正までを含む）（注1）………………………………………… 531
資料7(2)	別冊移転価格税制の適用に当たっての参考事例集（注2）……………………………… 560
資料7(3)－1	国外移転所得金額の返還に関する届出書（様式1）……… 644
資料7(3)－2	独立企業間価格の算定方法等の確認に関する届出書（様式2）…………………………………… 646
資料7(3)－3	独立企業間価格の算定方法等の確認通知書（様式3）…… 648

資料7(3)-4	独立企業間価格の算定方法等の確認ができない旨の通知書（様式4）	650
資料7(3)-5	独立企業間価格の算定方法等の確認取消通知書（様式5）	652
資料7(3)-6	対応的調整に伴う返還に関する届出書（様式7）	654
資料7(4)	ご意見の概要及びご意見に対する国税庁の考え方（注3）	656
資料7(5)	移転価格事務運営指針改正（案）（平成19年4月13日に国税庁が公表）（注4）	675
資料8	事前確認に関する提出書類一覧表	691
資料9	事前確認に関する通知文書一覧表	693
資料10	「よくあるご質問とその回答」（移転価格税制に関する事前確認の申出及び事前相談について）（注5）	694
資料11(1)	相互協議の手続について（事務運営指針）（注6）	701
資料11(2)	相互協議申立書（様式1）	726
資料11(3)	相互協議の合意について（通知）（様式2）	729
資料11(4)	相互協議の終了について（様式3）	730
資料11(5)	相互協議申立の取下書（様式4）	731
資料11(6)	連結加入等法人の相互協議申立の継続届出書・連結離脱等法人の相互協議申立の継続届出書（様式5）	733
資料11(7)	納税の猶予申請書（様式6-1）	735
資料11(8)	担保提供書（様式6-2）	737
資料11(9)	納税の猶予許可通知書（様式6-3）	739
資料11(10)	納税の猶予不許可通知書（様式6-4）	740
資料11(11)	納税の猶予取消通知書（様式6-5）	741
資料11(12)	納税の猶予変更通知書（様式6-6）	742

目　　次　　7

(注1)　この資料(「資料7(1)移転価格事務運営指針」)は，その後「平成19年6月25日付け査調7－21官際1－52官協1－35課法7－5改正」までのすべての改正(合計5度の改正)を盛り込んだものである。したがって，この「資料7(1)移転価格事務運営指針」は，平成19年6月25日現在において，最新の内容にしてある。

(注2)　この資料(資料7(2)別冊移転価格税制の適用に当たっての参考事例集」)は，「資料7(1)移転価格事務運営指針」の解釈運用に当たって参考となる事例を挙げたものである。典型的な事例を基に，移転価格税制適用上(価格算定方法の選び方，無形資産の取扱い，利益分割法等の適用上の留意点など)のポイントが記述されている。本件事例集は，平成19年4月13日に(案)が国税庁から公表され，その後民間からコメントを受付，一部修正のうえ，平成19年6月26日に確定版として国税庁から公表されたものである。

(注3)　この資料(「資料7(4)ご意見の概要及びご意見に対する国税庁の考え方」)は，平成19年4月13日に国税庁が公表した「移転価格事務運営指針改正(案)」(「資料7(5)「移転価格事務運営指針改正(案)(平成19年4月13日に国税庁が公表)」参照。」)及び同日公表の別冊事例集(案)に対して民間の納税者等から国税庁に寄せられたコメント，意見等に対する国税庁の回答(考え方)を示したものである。移転価格課税執行に係る国税庁の考え方が現れており，重要な資料である。

(注4)　この資料(「資料7(5)移転価格事務運営指針改正(案)(平成19年4月13日に国税庁が公表)」)は，「移転価格事務運営要領の制定について(事務運営指針)査調7－1，官際3－1，官協1－16，課法6－7，平成13年6月1日付」(ただし，平成19年4月12日時点のもの)を改正する「案」として，平成19年4月13日に国税庁が公表したものである。この資料7(5)の内容は，民間からのコメントを受けて，国税庁により一部変更された。改正後の移転価格事務運営指針(確定版)は，平成19年6月25日付けの上記「資料7(1)移転価格事務運営指針」そのものである。

(注5)　この資料(資料10：「よくあるご質問とその回答」(移転価格税制に関する事前確認の申出及び事前相談について))は，移転価格税制の事前確認の利用の促進を図るための一環として，平成19年4月2日に国税庁が公表したものである。国税庁ホームページ「移転価格税制に関する事前確認の申出及び事前相談について」をご覧いただきたい。同ホームページには，事前確認の申出，事前相談，担当窓口等利用者に必要な情報とともに，本件資料が掲載されている。

(注6)　この資料(「資料11(1)相互協議の手続について(事務運営指針)」)は，租税条約に規定する相互協議の手続の明確化を図るために国税庁が発遣している事務運営指針である。平成13年6月25日付けで発遣された事務運営指針に加えられた最新の改正(平成19年3月30日付け改正)を反映したものを，この資料11(1)～資料11(12)として掲載した。

索　　引 ……………………………………………………………………… 743

Q&A

第一編　移転価格税制

Question 1	移転価格税制の趣旨・目的	92
Question 2	移転価格税制の規定	93
Question 3	独立企業間価格の算定	95
Question 4	移転価格税制の適用取引	96
Question 5	国外関連者①	97
Question 6	国外関連者②	100
Question 7	申告調整	101
Question 8	所得移転の意思	102
Question 9	期末在庫の取扱い	104
Question10	外国法人への移転価格税制の適用	105
Question11	独立価格比準法①	106
Question12	独立価格比準法②	107
Question13	独立価格比準法③	108
Question14	独立価格比準法④	109
Question15	再販売価格基準法①	110
Question16	再販売価格基準法②	112
Question17	原価基準法①	113
Question18	原価基準法②	114
Question19	文書化と同時文書化	116
Question20	ＰＡＴＡドキュメンテーション・パッケージ	117
Question21	帳簿の保存と提出①	118
Question22	帳簿の保存と提出②	121
Question23	帳簿の保存と提出③	122
Question24	推定課税①	124
Question25	推定課税②	125
Question26	推定課税③	127
Question27	推定課税④	128
Question28	推定課税⑤	129
Question29	推定課税⑥	131

Question30	移転価格税制の対象取引	132
Question31	価格調整金	133
Question32	国外関連者に対する寄附金	134
Question33	差異の調整①	135
Question34	差異の調整②	136
Question35	取引の範囲	137
Question36	相殺取引	139
Question37	事業戦略①	140
Question38	事業戦略②	142
Question39	比較可能性①	143
Question40	比較可能性②	145
Question41	比較可能性③	146
Question42	取引価格の変動	148
Question43	値引き及び割戻しの取扱い	149
Question44	国外関連者に関する明細書（別表17⑶）	150
Question45	取引単位営業利益法の概要	151
Question46	取引単位営業利益法の意義	152
Question47	取引単位営業利益法の適用①	153
Question48	取引単位営業利益法の適用②	154
Question49	取引単位営業利益法の適用③	155
Question50	取引単位営業利益法の適用④	157
Question51	取引単位営業利益法の適用⑤ －比較対象取引が複数ある場合－	158
Question52	利益分割法の適用	159
Question53	利益分割法の種類	160
Question54	独立企業間価格幅	162
Question55	金銭の貸付け	163
Question56	金銭の貸付けに係る独立企業間価格の算定方法①	164
Question57	金銭の貸付けに係る独立企業間価格の算定方法②	165
Question58	金銭の貸付けに係る移転価格税制の適用	167
Question59	金銭の貸付けと出資の関係	168
Question60	役務提供とは	169
Question61	役務提供の基本的考え方	170

Question62	移転価格税制の対象とならない役務提供	171
Question63	役務提供取引の独立企業間価格の算定	172
Question64	役務提供取引と株主活動	173
Question65	役務提供取引の適用	174
Question66	本来の業務に付随した役務提供	175
Question67	本来の業務に付随して行われた役務提供	176
Question68	役務提供における業務の意義	177
Question69	役務提供法人への変更	178
Question70	無形資産の意義	180
Question71	無形資産の検討	181
Question72	無形資産の形成，維持又は発展の意義	183
Question73	無形資産の使用許諾	185
Question74	無形資産に対する移転価格税制の適用①	186
Question75	無益資産に対する移転価格税制の適用②	188
Question76	無形資産に対する移転価格税制の適用③	189
Question77	無形資産に対する移転価格税制の適用④	190
Question78	製造販売子会社との国外関連取引への移転価格税制への適用	191
Question79	残余利益分割法の意義	192
Question80	費用分担契約の意義	194
Question81	費用分担契約の長所	195
Question82	移転価格税制の対象となる費用分担契約の範囲	196
Question83	費用分担契約への参加	197
Question84	費用分担契約の参加者が保有する既存の無形資産の使用	200
Question85	費用分担契約に関する移転価格調査への対応	202
Question86	現地政府によるロイヤリティの規制	203
Question87	移転価格調査	204
Question88	移転価格税制の執行体制	205
Question89	移転価格調査の観点	207
Question90	移転価格調査に使用する資料	208
Question91	移転価格調査と法人税調査の異同	209
Question92	移転価格調査の選定①	210
Question93	移転価格調査の選定②	211
Question94	税務当局の姿勢	212

Question95	諸外国における移転価格税制	213
Question96	無形資産取引に対する調査	214
Question97	国外移転所得金額の返還	215
Question98	納税の猶予①	216
Question99	納税の猶予②	217
Question100	加算税	218

第二編　事前確認

Question101	移転価格課税と事前確認の違い	365
Question102	移転価格調査中の事前確認申出	367
Question103	事前確認のために提出された資料の返還	369
Question104	二国間事前確認と国内事前確認の選択	370
Question105	事前確認に要する期間	372
Question106	事前相談の受け方	373
Question107	追加資料と留意点	375
Question108	確認対象取引の範囲の決め方	377
Question109	確認対象取引の損益の切出し方	378
Question110	外国の企業の財務指標の入手	380
Question111	データベースの特徴と有用性についての留意点	382

第三編　相互協議

Question112	相互協議とは	411
Question113	相互協議の根拠規定	412
Question114	相互協議の類型	414
Question115	租税条約の規定に適合しない課税	415
Question116	移転価格課税と租税条約の規定に適合しない課税	417
Question117	外国法人（ＰＥ）課税と租税条約の規定に適合しない課税	418
Question118	源泉課税と租税条約の規定に適合しない課税	420
Question119	わが国の寄附金課税と租税条約の規定に適合しない課税	421
Question120	「課税を受けることとなる」の意味	423
Question121	権限ある当局	424

Question122	相互協議の英文名称	427
Question123	国内救済手続との関係	428
Question124	相互協議の申立てができる者	430
Question125	相互協議の申立てができる場合	432
Question126	相互協議の申立てを行う時期	434
Question127	期間制限の起算日	435
Question128	相互協議の流れ	436
Question129	事前相談	437
Question130	相互協議申立ての手続き	439
Question131	納税の猶予	440
Question132	納税の猶予の申請手続き	442
Question133	納税の猶予の申請における担保の提供	443
Question134	納税の猶予の許可	444
Question135	納税の猶予期間	445
Question136	納税の猶予の取消し	446
Question137	納税の猶予をした場合の延滞税	447
Question138	相互協議申立てに関して提出する資料の翻訳	448
Question139	相互協議申立てに関して提出する資料の説明	448
Question140	相互協議申立書の補正	449
Question141	相手国の権限ある当局への相互協議の申入れ	450
Question142	相互協議への申立者の参加	451
Question143	申立者への相互協議の進捗状況の説明	451
Question144	合意に先立っての申立者の意向の確認	452
Question145	相互協議の合意の通知	453
Question146	相互協議の終了	454
Question147	相互協議の取下げ	455
Question148	相手国の権限ある当局から相互協議の申入れがあった場合の手続き	456
Question149	居住者・内国法人等からの申立てに基づかない相互協議	457
Question150	相互協議の実施方法	459
Question151	直接会合（Face-to-face meeting）	460
Question152	相互協議申立てにあたっての留意点	461
Question153	相互協議の合意の範囲	462

Question154	部分合意	463
Question155	相互協議で合意に達しない場合	464
Question156	相互協議合意後の国内処理	465
Question157	相互協議の合意と国内法上の更正等の期間制限	467
Question158	対応的調整	468
Question159	対応的調整の方法	469
Question160	更正の請求	470
Question161	職権による減額更正	471
Question162	国外所得移転金額の取扱い	472
Question163	為替差損益の処理	473
Question164	米国における国外所得移転金額の取扱い	473
Question165	延滞税	474
Question166	米国における延滞利子	476
Question167	還付加算金	477
Question168	地方税	478
Question169	連結加入等法人に係る相互協議	479
Question170	二国間事前確認に係る相互協議	480
Question171	外国法人の事前確認に係る相互協議	481
Question172	相互協議の合意件数	482
Question173	相互協議を伴う二国間事前確認についての合意件数	483
Question174	相互協議の産業別実施状況	484
Question175	相互協議で合意した移転価格算定方法	484
Question176	相互協議で合意された相手国	485
Question177	相互協議が実施されている相手国	486

第一編
移転価格税制

第1章　移転価格税制の概要…………………………………… 3
第2章　日本の移転価格税制の概要…………………………… 9
第3章　棚卸資産の販売又は購入……………………………… 14
第4章　棚卸資産の売買以外の取引…………………………… 31
第5章　損金不算入処理とその他の税制との関係………… 46
第6章　移転価格税制の執行…………………………………… 52
第7章　外国の移転価格税制…………………………………… 68
Q&A……………………………………………………………………92

第1章　移転価格税制の概要

第1節　総　　説

1　制度の趣旨

　通信やコンピュータ，そして輸送手段などの発達により，企業のグローバル化はますます盛んになってきている。そして，これに伴い，企業は巨大化するだけでなく，多国籍化することとなった。多国籍化した企業においては，親子会社間，姉妹会社間における取引がなされているが，これら親会社と子会社等（これを関連者という）との間の財やサービスの取引に付される価格を移転価格（Transfer Price）という。多国籍企業が，国外の関連者との取引価格（移転価格）を通常の価格と異なる金額に設定すれば，一方の利益を他方に移転することが可能となる。このような場合には，関連者間で利益が移動することから，必然的に所得も移動することになる。各国に所在する関連会社の所得が移動するということは，国家の税収が移動，すなわち増減することになる。これをこのまま放置することとすれば，国家の税収に多大な影響を及ぼす可能性が生じてくる。

　そこで，この問題に対処するために，わが国を含む多くの国(注)では，移転価格税制（Transfer Pricing Taxation Legislation）を整備している。移転価格税制は，現実の取引価格ではなく，独立企業間において通常設定される価格を用いて，これを基に課税所得を計算する制度である。

（注）　大手会計事務所であるErnst & Youngによると，アルゼンチン，豪州，オーストリア，アゼルバイジャン，ベルギー，ブラジル，カナダ，チリ，中国，コロンビア，チェコ，デンマーク，エクアドル，フィンランド，フランス，ドイツ，ハンガリー，インド，インドネシア，アイルランド，イタリア，日本，カザフスタン，ルクセンブルグ，マレーシア，メキシコ，オランダ，ニュージーランド，ノルウェー，ペルー，フィリピン，ポーランド，ポルトガル，ロシア，シンガポール，スロヴァキア，南

アフリカ，韓国，スペイン，スウェーデン，スイス，台湾，タイ，ウクライナ，英国，米国，ベネズエラ，の47か国で移転価格税制が導入されているとのことである。E＆Y (2006), Transfer Pricing Global Reference Guide, October 2006. による。

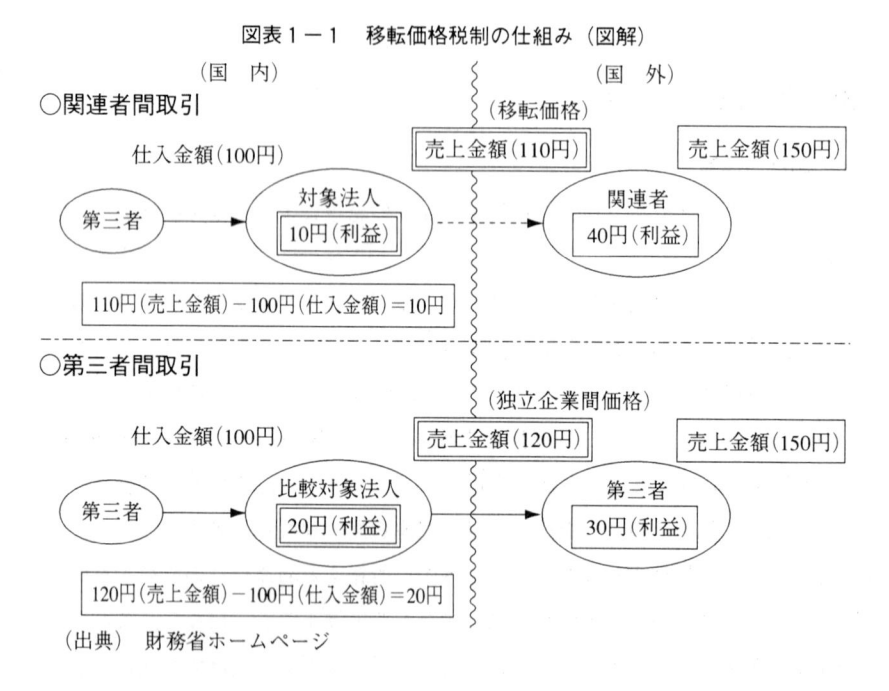

図表1－1　移転価格税制の仕組み（図解）
（国　内）　　　　　　　　　（国　外）

○関連者間取引

　　　　　　　仕入金額(100円)　　（移転価格）
　　　　　　　　　　　　　売上金額(110円)　　売上金額(150円)
　　第三者　→　対象法人　　　　　　　関連者
　　　　　　　10円(利益)　　　　　　　40円(利益)

110円(売上金額)－100円(仕入金額)＝10円

○第三者間取引

　　　　　　　仕入金額(100円)　　（独立企業間価格）
　　　　　　　　　　　　　売上金額(120円)　　売上金額(150円)
　　第三者　→　比較対象法人　→　　第三者
　　　　　　　20円(利益)　　　　　　　30円(利益)

120円(売上金額)－100円(仕入金額)＝20円

（出典）　財務省ホームページ

2　制度導入の背景

　移転価格税制は，これが適用されると国際的二重課税を発生させるという特徴があることから，世界各国の企業の国際化と歩調を合わせるかのように発展してきた，という背景がある。したがって，移転価格税制は，一国だけで制度の内容を決めるというよりは，国際間の議論に基づいて自国の制度を構築していく，という特徴を有している。

　移転価格税制をめぐる国際間の議論は，当初は，1970年代の経済開発協力機構（Organisation for Economic Co-operation and Development：ＯＥＣＤ）租税委員会の議論により検討されてきた。ＯＥＣＤ租税委員会は，1972年以来多国籍企業の課税問題を議論してきたが，1976年6月21日に「国際投資及び多国籍企業

に関するOECD加盟国政府の宣言」を採択した。同宣言はその付属書として「多国籍企業行動指針」を示し，課税については，企業に対して移転価格の操作を差し控えるべきこと及び他国における事業活動についての関連情報を含め必要な情報を税務当局に提供するよう求めた。

その後，1979年5月16日，OECD理事会は，「移転価格と多国籍企業(Transfer Price and Multinational Enterprises)」と題する報告書を採択し，公表したのである。この報告書は，OECD租税委員会第6作業部会における6年間の検討の結果をまとめたものである。そして，商品の移転，技術及び商標の移転，役務の提供，資金の貸付けのそれぞれについて独立企業間価格の算定方法を詳細に分析，検討している。OECD理事会は，この報告書の採択と同時に，各国政府に対して独立企業間価格の算定に当たり，報告書の内容を考慮に入れるべきことを勧告したのである。OECD租税委員会は，1984年に対応的調整，相互協議，多国籍銀行課税等の問題について，「移転価格と多国籍企業，3つの課税問題」と題する報告書を公表した。

OECD1979年報告書以降，経済のグローバル化がますます進行し，米国が新しい財務省規則を策定しようとしたこともあり，OECDにおいて1979年報告書をアップデートすることとなり，1992年にタスク・フォースを立ち上げた。そして，1995年7月に，OECD理事会は，1979年報告書を全面的に改訂して「多国籍企業及び税務当局のための移転価格算定に関する指針（OECD移転価格ガイドライン）」の第1章から第5章までを公表した。このガイドラインは，1996年4月に第6章及び第7章を，1997年9月に第8章を追加するなどして現在に至っている。

ついで，OECD租税委員会の第6作業部会（WP6）は，現在まで10年以上にわたり，恒久的施設への所得の帰属に関する課税問題を取り扱ってきた。恒久的施設にも独立企業原則を適用することは，OECDモデル条約7条2項において既に規定されているが，OECD移転価格ガイドラインを策定した際，この解釈をめぐり各国間で整合性が取れていなかったことが判明した。そこで，これについて各国の合意を取りつけるために，長い間議論がなされていたもの

である。ＯＥＣＤ租税委員会は，恒久的施設への所得の帰属に関する課税問題を，Ⅰ．一般原則，Ⅱ．伝統的な銀行業，Ⅲ．グローバル・トレーディング，Ⅳ．保険業に分けているが，2006年12月21日に，ⅠからⅢまでの議論の成果を公表した。近々，Ⅳの保険業についてもその議論の成果が公表されることになっている。そして，近々，恒久的施設への所得の帰属について，最終報告書を取りまとめることとしている。

一方，移転価格税制については，租税条約においても一定の定めがある。たとえば，ＯＥＣＤモデル租税条約9条においては，移転価格の問題に関して，異なる国家の間に存在する関連者間で独立企業間とは異なる条件で取引された場合には，正常な条件で取引が行われたとした場合に算出される利益に対して課税することを認めている（これを「特殊関連者条項」という）。

日本は，平成19年8月現在，45か国との間で租税条約を締結し，56の国との間で適用されている。これらの条約のすべてに上記の規定と類似の規定が導入されている。

また，2004年に発効した日米租税条約においては，9条1項において，関連者間において，独立企業間価格に基づかない価格が設定されている場合には，それぞれの国においてこれを独立企業間価格に引き直して課税を行うことができることを規定している。独立企業原則の解釈については，議定書5において，次のように規定されている。

① 企業の利得の決定に当たって，条約第9条の独立企業原則を，当該企業と当該企業に関連する企業との間の取引条件と独立の企業間の取引条件との比較に基づいて適用すること
② 取引条件の比較分析を行うについては，これに影響を与える要因として以下を考慮すること
　イ 移転された財産又は役務の特性
　ロ 当該企業及びその関連企業が使用する資産及び引き受ける危険を考慮した上での当該企業及びその関連企業の機能
　ハ 当該企業とその関連企業との間の契約条件

ニ　当該企業及びその関連企業の経済状況
　ホ　当該企業及びその関連企業が遂行する事業戦略
　議定書5は，OECD移転価格ガイドラインの趣旨を要約的に表現したものであり，OECD加盟国である日米両国が移転価格課税に関する税務執行を行うことについて確認するものである[注1]。
　さらに，交換公文3においては，日米両国の税務当局がOECD移転価格ガイドラインを遵守することについて次のように確認している。
① 二重課税は，両締約国の税務当局が移転価格課税事案の解決に適用されるべき原則について共通の理解を有している場合にのみ回避し得るとの事実認識
② 両締約国が，OECD移転価格ガイドラインに従って，企業の移転価格の調査を行い，及び事前価格取決めの申請を審査すること
③ 各締約国における移転価格課税に係る規則(移転価格の算定方法を含む)は，OECD移転価格ガイドラインと整合的である限りにおいて，本条約に基づく移転価格課税事案の解決に適用することができること
　この交換公文により，日米両国の税務当局は，今後ともOECD移転価格ガイドラインを指針として課税処分，事前価格取決めを行って二重課税を極力回避していくことを確認しているのである[注2]。
　なお，2005年に改訂された日英租税条約には，日米租税条約と同様の規定は定められていない。
　このように，移転価格税制は，国際的な議論と整合的なものであることが要請されているものであり，また，課税権の確保だけでなく，国際的な課税権の調整の問題としてもとらえる必要があるものである。
　日本国内においては，企業の国際化に伴い，移転価格の問題が顕在化することとなるが，その嚆矢となったのは，昭和52年6月の衆議院外務委員会における「多国籍企業等国際経済に関する件」である。その後，昭和56年3月の衆議院大蔵委員会において「所得の海外移転に適応した税制及び執行体制の整備について検討すること」という付帯決議が行われるなど，幾たびか国会で議論さ

れた。

　このような国会における議論を踏まえて、税制調査会は、昭和60年12月19日に次のような答申を行った。

　「近年、企業活動の国際化の進展に伴い、海外の特殊関係企業との取引の価格を操作することによる所得の海外移転、いわゆる移転価格の問題が国際課税の分野で重要となってきているが、現行法では、この点についての十分な対応が困難でありこれを放置することは、適正・公平な課税の見地から、問題のあるところである。また、諸外国において、すでに、こうした所得の海外移転に対処するための税制が整備されていることを考えると、我が国においても、これら諸外国と共通の基盤に立って、適正な国際課税を実現するため、法人が海外の特殊関係企業と取引を行った場合の課税所得の計算に関する規定を整備するとともに、資料収集等、制度の円滑な運用に資するための措置を講ずることが適当である。」

　日本の移転価格税制は、この答申に基づいて昭和61年度（1986年）の税制改正により創設されたものである。

（注1）　淺川雅嗣編著（2005）『コンメンタール　改訂　日米租税条約』大蔵財務協会、263ページ。
（注2）　同上、276〜277ページ。

第2章　日本の移転価格税制の概要

第1節　日本の移転価格税制の概要

　日本の移転価格税制は，租税特別措置法第66条の4に規定されている。基本的な仕組みは，法人が，各事業年度において，国外関連者（外国法人で，当該法人と「特殊の関係」を有する者）との間で行う資産の販売，資産の購入，役務の提供その他の取引（これを「国外関連取引」という）につき，当該法人が当該国外関連者から支払いを受ける対価の額が独立企業間価格に満たないとき，又は当該法人が当該国外関連者に支払う対価の額が独立企業間価格を超えるときは，当該国外関連取引は，独立企業間価格で行われたものとみなす（措法66の4①），というものである。

　移転価格税制は，国家の税収の確保を目的とする制度であることから，支払う対価が独立企業間価格を超えている場合，または，受け取る対価が独立企業間価格に満たない場合，というように，わが国の税収が減少する場合にのみ移転価格税制の対象となる。逆の場合，すなわち，支払う対価が独立企業間価格よりも少ない場合や受け取る対価が独立企業間価格よりも高い場合には，移転価格税制の適用はないことになる。

　また，移転価格税制の持つもう1つの特徴として，法人とその国外関連者との間の取引（国外関連取引）に移転価格税制を適用して，わが国の税務当局が課税処分を行うと，実際の取引価格と独立企業間価格との差額分に関して，わが国と国外関連者の所在地国の両方で課税されることになり，国際的二重課税が生じることになる。これは，移転価格調査が，法人の申告後しばらくして行われることから，国外関連者は，当該取引に関する所得をすでに計算しており，その所在地国において申告・納税を行っているからである。したがって，移転価格税制が適用された後の国際的二重課税をどのように排除するかが，1つの

ポイントとなる。

さらに，移転価格税制が適用されると，更正所得金額が通常の法人税調査のそれに比して，多額になるということがある。この点については後述するが，移転価格税制に関する議論が生じる大きな原因となっている。

第2節　適用対象取引

適用対象取引としては，資産の販売，資産の購入，役務の提供その他の取引（国外関連取引）であるとしている。したがって，対価性のない資本等取引はもとより，単なる金銭の贈与や債務の免除については適用対象取引には含まれないが，これらが寄附金に該当すれば，後述する国外関連者への寄附金として租税特別措置法第66条の4第3項に該当する。

わが国の移転価格税制の対象取引は，国際間の取引だけに限定されており，国内取引は対象外である。これも，米国が国内取引についても，移転価格税制を適用していることと異なっている。もっとも，最近，国内取引にも移転価格税制を適用すべきという有力な議論も主張されている[注3]。

第3節　適用対象者

わが国の移転価格税制の特徴としては，移転価格税制の適用対象となるのが，法人だけであり，個人は対象外であるということである。これは，米国が法人に限定せずに制定していることと対照的である。わが国の場合には，国際的な取引を頻繁に行っているのが法人であることから，移転価格税制の適用も法人だけに限定しているのである。

適用される法人は，わが国において所得に対する法人税及び清算所得（清算中の事業年度の所得及び残余財産の一部分配の場合の清算所得とみなされる金額も含まれる）に対する法人税について納税義務のある法人である。これには，代表者または管理人の定めのある人格のない社団等が含まれるほか，わが国に支店等の恒久的施設を有する外国法人及び不動産の譲渡所得等を有する外国法人も含まれる。

このほか，単体法人だけでなく，連結法人も対象となる（措法68の88）。また，特定信託の国際取引，さらに，外国信託会社の特定信託についても，移転価格税制の適用がある（措法68の3の5）。本書においては，原則として，単体法人の移転価格税制について記述することにする。

第4節　国外関連者とは（特殊の関係）

日本の移転価格税制上，国外関連者とは，外国法人（内国法人以外の法人（法法2四））のうち，法人と「特殊の関係」を有するものをいうことになっている。ここで，「特殊の関係」とは，次のような場合をいう（措令39の12①）。

① 2つの法人のいずれか一方の法人が他方の法人の発行済株式又は出資（自己が有する自己の株式又は出資を除く）の発行済株式等の50％以上の数又は金額の株式又は出資を直接又は間接に保有する関係（親子関係）

② 2つの法人が同一の者によってそれぞれその発行済株式等の50％以上の数又は金額の株式又は出資を直接又は間接に保有される場合における当該2つの法人の関係（兄弟姉妹関係）

③ 次に掲げる事実その他これに類する事実（④及び⑤において「特定事実」という）が存在することにより2つの法人のいずれか一方の法人が他方の法人の事業の方針の全部又は一部につき実質的に決定できる関係（実質支配関係）

　イ　当該他方の法人の役員の2分の1以上又は代表する権限を有する役員が，当該一方の法人の役員若しくは使用人を兼務している者又は当該一方の法人の役員若しくは使用人であつた者であること。

　ロ　当該他方の法人がその事業活動の相当部分を当該一方の法人との取引に依存して行っていること。

　ハ　当該他方の法人がその事業活動に必要とされる資金の相当部分を当該一方の法人からの借入れにより，又は当該一方の法人の保証を受けて調達していること。

④　ある法人と次に掲げるいずれかの法人との関係
　　イ　ある法人が，その発行済株式等の50％以上の数若しくは金額の株式若しくは出資を直接若しくは間接に保有し，又は特定事実が存在することによりその事業の方針の全部若しくは一部につき実質的に決定できる関係にある法人
　　ロ　イ又はハに掲げる法人が，その発行済株式等の50％以上の数若しくは金額の株式若しくは出資を直接若しくは間接に保有し，又は特定事実が存在することによりその事業の方針の全部若しくは一部につき実質的に決定できる関係にある法人
　　ハ　ロに掲げる法人が，その発行済株式等の50％以上の数若しくは金額の株式若しくは出資を直接若しくは間接に保有し，又は特定事実が存在することによりその事業の方針の全部若しくは一部につき実質的に決定できる関係にある法人
⑤　2つの法人がそれぞれ次に掲げるいずれかの法人に該当する場合における当該2つの法人の関係（イに規定する一の者が同一の者である場合に限るものとする）
　　イ　一の者が，その発行済株式等の50％以上の数若しくは金額の株式若しくは出資を直接若しくは間接に保有し，又は特定事実が存在することによりその事業の方針の全部若しくは一部につき実質的に決定できる関係にある法人
　　ロ　イ又はハに掲げる法人が，その発行済株式等の50％以上の数若しくは金額の株式若しくは出資を直接若しくは間接に保有し，又は特定事実が存在することによりその事業の方針の全部若しくは一部につき実質的に決定できる関係にある法人
　　ハ　ロに掲げる法人が，その発行済株式等の50％以上の数若しくは金額の株式若しくは出資を直接若しくは間接に保有し，又は特定事実が存在することによりその事業の方針の全部若しくは一部につき実質的に決定できる関係にある法人

第5節　独立企業間価格

　移転価格税制を適用して，企業の取引価格を税務上是正する場合のキーワードは，独立企業間価格である。独立企業間価格とは，観念的にいえば，関連者間取引と同様の状況下で行われた第三者間取引において付された価格，ということになる。移転価格税制とは，換言すれば，独立企業間価格を算定する税制といっても過言ではないと思われる。わが国の制度上，独立企業間価格の算出方法につき，①棚卸資産の販売又は購入と，②①以外の取引の2つに区分して規定されている。そして，さらに基本三法（及びこれらに準ずる方法。これらは比較法とも呼ばれる）と利益法の2つに区分することができる。

　上述したように，移転価格税制は，国内法で決定するほか，国際課税ルールとの整合性が重要になってくる。この点，わが国の移転価格税制もOECD移転価格ガイドラインとほぼ同様の独立企業間価格算定方法を規定している。

　OECD移転価格ガイドラインにおいては，伝統的な取引基準法(Traditional Transactional Methods)として独立価格比準法，再販売価格基準法，原価基準法の3つを規定している。これら3つの独立企業間価格算定方法は，日本では「基本三法」と呼ばれることがある。また，OECD移転価格ガイドラインにおいては，その他の方法として，利益分割法と取引単位営業利益法の2つを規定している。これら2つの方法は，基本三法が適用できない場合に適用するとされている。

（注3）　増井良啓（2002）『結合企業課税の理論』東京大学出版会。

第3章　棚卸資産の販売又は購入

　わが国においては，現在では，OECD移転価格ガイドラインとほぼ同様の独立企業間価格算定方法を規定している。すなわち，原則として基本三法を適用することとし，これらが適用できない場合に限って，基本三法に準ずる方法，利益分割法，取引単位営業利益法，及び取引単位営業利益法に準ずる方法のいずれかを用いることができるとされている。OECD移転価格ガイドラインとの差異は，基本三法に準ずる方法と取引単位営業利益法に準ずる方法が規定されている点だけであり，この点ではほぼ同様の規定であるといえる。

第1節　基本三法

　独立企業間価格とは，国外関連取引に関して次に定める方法により算定した金額をいう。ただし，4に掲げる方法は，1から3までに掲げる方法を用いることができない場合に限り，用いることができる（措法66の4②）。

1　独立価格比準法（Comparable Uncontrolled Price method：CUP法）

　特殊の関係にない売手と買手が，国外関連取引に係る棚卸資産と同種の棚卸資産を当該国外関連取引と取引段階，取引数量その他が同様の状況の下で売買した取引の対価の額（当該同種の棚卸資産を当該国外関連取引と取引段階，取引数量その他に差異のある状況の下で売買した取引がある場合において，その差異により生じる対価の額の差を調整できるときは，その調整を行った後の対価の額を含む）に相当する金額をもって当該国外関連取引の対価の額とする方法をいう。

　独立価格比準法の適用事例を図示すれば，図表3－1（次頁参照）のようになる。

　図表3－1によれば，A国の親会社P社は，B国に子会社S社を有している。ある棚卸資産をP社がS社に輸出するとして，その価格は80円であったとする。

第3章　棚卸資産の販売又は購入　15

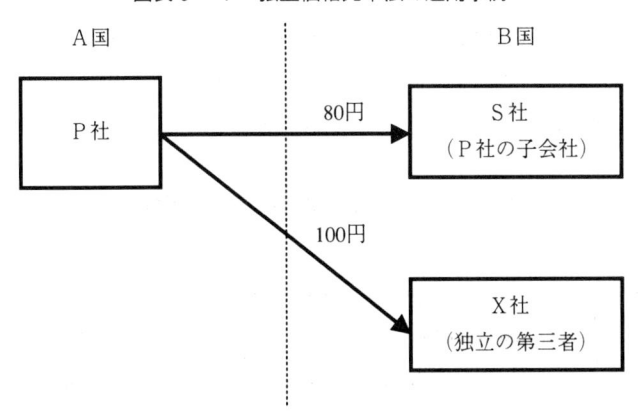

図表3－1　独立価格比準法の適用事例

```
        A国                    B国
                    80円      ┌─────────┐
     ┌─────┐  ───────────→  │   S社    │
     │ P社  │                 │(P社の子会社)│
     └─────┘  ╲              └─────────┘
              ╲ 100円
               ╲           ┌─────────┐
                ╲────────→ │   X社    │
                           │(独立の第三者)│
                           └─────────┘
```

　一方，P社はB国の第三者であるX社にも同じ棚卸資産を100円で輸出している。このような場合においては，第三者間取引であるPX間の価格100円を独立企業間価格として，PS間の取引が100円で行われたものとみなす，というものである。現状では，P社は100－80＝20を所得移転している，ということになるのである。

　この場合の比較対象取引は，国外関連取引に係る棚卸資産と同種の棚卸資産を当該国外関連取引と同様の状況の下で売買した取引（当該取引と国外関連取引とにおいて取引段階，取引数量その他に差異のある状況の下で売買した場合には，その差異により生じる同号イに規定する対価の額の差を調整することができるものに限る（措通66の4(2)－1(1)））をいう。

　そして，「同種の棚卸資産」とは，国外関連取引に係る棚卸資産と性状，構造，機能等の面において同種である棚卸資産をいう。ただし，これらの一部について差異がある場合であっても，その差異が独立価格比準法の対価の額の算定に影響を与えないと認められるときは，同種又は類似の棚卸資産として取り扱うことができる（措通66の4(2)－2）。

2　販売価格基準法（Resale Price method：ＲＰ法）

　国外関連取引に係る棚卸資産の買手が特殊の関係にない者に対して当該棚卸資産を販売した対価の額（「再販売価格」という）から通常の利潤の額を控除して計算した金額をもって当該国外関連取引の対価の額とする方法をいう。

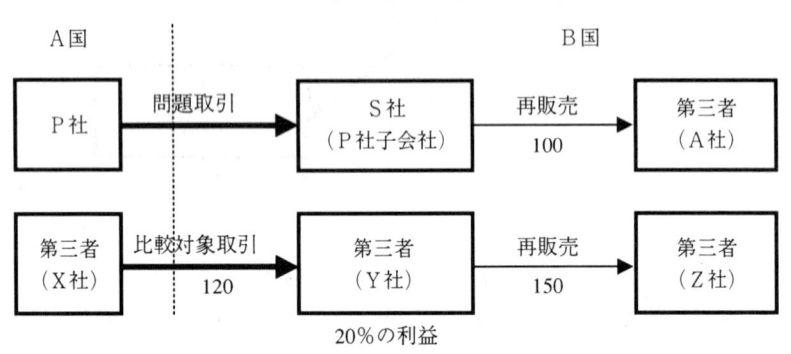

図表３－２　再販売価格基準法の適用事例

```
       A国              │              B国
  ┌──────┐  問題取引  ┌──────┐   再販売   ┌──────┐
  │ P社  │─────→│ S社  │─────→│第三者│
  │      │            │(P社子会社)│   100    │(A社) │
  └──────┘            └──────┘            └──────┘
                       │
  ┌──────┐ 比較対象取引 ┌──────┐   再販売   ┌──────┐
  │第三者│─────→│第三者│─────→│第三者│
  │(X社) │    120     │(Y社) │   150    │(Z社) │
  └──────┘            └──────┘            └──────┘
                       20％の利益
```

　再販売価格基準法の適用事例を示すと，図表３－２のとおりとなる。

　ここでいう通常の利益率（20％）は，国外関連取引に係る棚卸資産と同種又は類似の棚卸資産を，非関連者から購入した再販売者が当該同種又は類似の棚卸資産を非関連者に対して販売した比較対象取引に係る当該再販売者の売上総利益の額（当該比較対象取引に係る棚卸資産の販売による収入金額の合計額から当該比較対象取引に係る棚卸資産の原価の額の合計額を控除した金額をいう）の当該収入金額の合計額に対する割合とする。ただし，比較対象取引と当該国外関連取引に係る棚卸資産の買手が当該棚卸資産を非関連者に対して販売した取引とが売手の果たす機能その他において差異がある場合には，その差異により生ずる割合の差につき必要な調整を加えた後の割合とする（措令39の12⑥）。

　この場合の比較対象取引は，国外関連取引に係る棚卸資産と同種又は類似の棚卸資産を，非関連者から購入した者が当該同種又は類似の棚卸資産を非関連者に対して販売した取引（当該取引と国外関連取引とにおいて売手の果たす機能その他に差異がある場合には，その差異により生じる措令第39条の12第６項に規定する割合

の差につき必要な調整を加えることができるものに限る）をいう（措通66の4⑵－1⑵）。

　そして，同種又は類似の棚卸資産とは，国外関連取引に係る棚卸資産と性状，構造，機能等の面において同種又は類似である棚卸資産をいう。ただし，これらの一部について差異がある場合であっても，その差異が通常の利益率の算定に影響を与えないと認められるときは，同種又は類似の棚卸資産として取り扱うことができる（措通66の4⑵－2）。

3　原価基準法（Cost Plus method：ＣＰ法）

　国外関連取引に係る棚卸資産の売手の購入，製造その他の行為による取得の原価の額に通常の利潤の額を加算して計算した金額をもって当該国外関連取引の対価の額とする方法をいう。

　原価基準法の適用事例を図示すれば，図表3－3のとおりとなる。

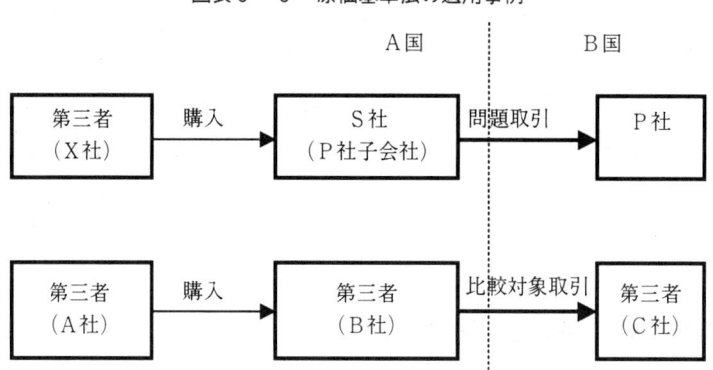

図表3－3　原価基準法の適用事例

```
            A国              B国
┌──────┐ 購入 ┌──────┐ 問題取引 ┌──┐
│第三者  │───→│  S社    │─────→│P社│
│（X社） │     │（P社子会社）│         │    │
└──────┘     └──────┘         └──┘

┌──────┐ 購入 ┌──────┐ 比較対象取引 ┌──────┐
│第三者  │───→│ 第三者 │─────→│ 第三者 │
│（A社） │     │（B社） │              │（C社） │
└──────┘     └──────┘              └──────┘
```

　ここで通常の利益率は，国外関連取引に係る棚卸資産と同種又は類似の棚卸資産を，購入（非関連者からの購入に限る），製造その他の行為により取得した販売者が当該同種又は類似の棚卸資産を非関連者に対して販売した比較対象取引に係る当該販売者の売上総利益の額（当該比較対象取引に係る棚卸資産の販売による収入金額の合計額から当該比較対象取引に係る棚卸資産の原価の額の合計額を控除した金額をいう）の当該原価の額の合計額に対する割合とする。ただし，比較対象

取引と当該国外関連取引とが売手の果たす機能その他において差異がある場合には，その差異により生ずる割合の差につき必要な調整を加えた後の割合とする（措令39の12⑦）。

この場合の比較対象取引は，国外関連取引に係る棚卸資産と同種又は類似の棚卸資産を，購入（非関連者からの購入に限る），製造その他の行為により取得した者が当該同種又は類似の棚卸資産を非関連者に対して販売した取引（当該取引と国外関連取引とにおいて売手の果たす機能その他に差異がある場合には，その差異により生じる措令第39条の12第7項に規定する割合の差につき必要な調整を加えることができるものに限る）とする（措通66の4⑵－1⑶）。

原価基準法における同種又は類似の棚卸資産については，再販売価格基準法と同義である。

4　準ずる方法

基本三法に準ずる方法については，政令や措置法通達などに規定がない。しかし，準ずる方法であるから，基本三法に準拠した合理的な方法であれば是認されるものと思われる。たとえば，製造と販売を両方行う企業の場合の取引については，2つの方法を組み合わせる方法などが考えられる。また，比較対象取引と比較する場合に，異なる種類の取引を一括して1つの算定方法を用いることなどが考えられる。

5　基本三法及び準ずる方法の適用
⑴　比較対象取引の選定

どのような取引が比較対象取引に該当するかについては，いろいろと議論がある。国税庁は，比較対象取引の選定に当たって検討すべき諸要素について，措置法通達の中で次のように例示している（措通66の4⑵－3）。

・棚卸資産の種類，役務の内容等

・取引段階（小売り又は卸売り，一次問屋又は二次問屋等の別をいう）

・取引数量

・契約条件
・取引時期
・売手又は買手の果たす機能
・売手又は買手の負担するリスク
・売手又は買手の使用する無形資産（著作権、基本通達20－1－21に定める工業所有権等のほか、顧客リスト、販売網等の重要な価値のあるものをいう。以下同じ）
・売手又は買手の事業戦略
・売手又は買手の市場参入時期
・政府の規制
・市場の状況

　これらは、あくまでも例示であるので、業種や取引内容に応じてその取引が比較対象取引になるか否かを判断することになる。

　なお、比較対象取引が複数ある場合、すなわち上記の諸要素に照らしてその類似性の程度が同等に高いと認められる複数の比較対象取引がある場合の独立企業間価格の算定に当たっては、それらの取引に係る価格又は利益率等の平均値を用いることができるとされている（事務運営指針3－3）。

(2) **差異の調整**

　基本三法及び基本三法に準ずる方法は、比較対象取引を必要とするが、これらは調査対象となる関連者間取引と取引条件その他が全く同一とは限らない。そこで、適切に比較するために差異の調整を行う必要がある。国税庁は、差異の調整方法について次のように規定している（事務運営指針3－1）。

　国外関連取引と比較対象取引との差異について調整を行う場合には、たとえば次に掲げる場合に応じ、それぞれ次に定める方法により行うことができることに留意する。

① 貿易条件について、一方の取引がＦＯＢ（本船渡し）であり、他方の取引がＣＩＦ（運賃、保険料込み渡し）である場合　比較対象取引の対価の額に運賃及び保険料相当額を加減算する方法

② 決済条件における手形一覧後の期間について，国外関連取引と比較対象取引に差異がある場合　手形一覧から決済までの期間の差に係る金利相当額を比較対象取引の対価の額に加減算する方法
③ 比較対象取引に係る契約条件に取引数量に応じた値引き，割戻し等がある場合　国外関連取引の取引数量を比較対象取引の値引き，割戻し等の条件に当てはめた場合における比較対象取引の対価の額を用いる方法
④ 機能又はリスクに係る差異があり，その機能又はリスクの程度を国外関連取引及び比較対象取引の当事者が当該機能又はリスクに関し支払った費用の額により測定できると認められる場合　当該費用の額が当該国外関連取引及び比較対象取引に係る売上又は売上原価に占める割合を用いて調整する方法

第2節　利　益　法

　かつては，米国をはじめとする各国の移転価格税制においては，基本三法だけが規定されていた。また，ＯＥＣＤが1979年に公表した「移転価格と多国籍企業」においては，利益法の代表的方法である利益分割法は，恣意的な方法とされており適用が認められていなかった。その後，1980年代に無形資産取引が本格的に行われたことなどにより，従来の基本三法では限界があったこと，経済理論上，関連者間取引は「規模の利益」や「統合の利益」を求めるのに対して，第三者間取引ではこれらの利益が追求できないことから，関連者間取引を第三者間取引に引き直すことには問題があること，が明らかになった。このことは，それまでの取引価格に着目した独立企業間価格算定方法では，複雑化する国際取引には十分に対応できないことを意味する。
　そこで，米国財務省及びＩＲＳは，1988年10月「移転価格の白書」を公表して，ミクロ経済理論を用いて，独立企業原則の適切性を主張した。その際，取引価格に着目するだけでなく，関連者間取引を行う企業の利益（率）に着目する方法が考え出された。そして，関連者間取引で得られる利益（率）の妥当性を第三者間取引で得られる利益（率）を用いて検討する方法が考え出されて，

これが認められるようになってきたのである。具体的には，後述する利益分割法，取引単位営業利益法などである。

わが国においては，1986年に移転価格税制が制定された当時から，利益分割法については規定されていたが，2004年の税制改正において取引単位営業利益法も規定されることとなった。以下，順に説明することにする。

1 利益分割法
(1) 概　　要

利益分割法は，法人と国外関連者の国外関連取引に係る所得を合算し，当該所得の発生に寄与した程度を推測するに足りる要因に応じて，法人と国外関連者に帰属させるものである。

利益分割法の歴史は，非常に古く，1920年代にはすでにスペインやフランス，ドイツなどで使用されていた方法である[注4]。

国際的には，米国の移転価格税制に係る1993年財務省規則案及び1995年ＯＥＣＤ移転価格ガイドラインに規定されてから認められるようになった方法である。現在，わが国の移転価格税制上認められている利益分割法は，寄与度（貢献度ともいう）利益分割法（Contribution Profit Split Method），残余利益分割法（Residual Profit Split Method：ＲＰＳＭ），比較利益分割法（Comparable Profit Split Method：ＣＰＳＭ）の３つである。

利益分割法は，わが国移転価格税制上，次のように規定されている。

「国外関連取引に係る棚卸資産の法第66条の４第１項の法人又は当該法人に係る同項に規定する国外関連者による購入，製造，販売その他の行為に係る所得が，当該棚卸資産に係るこれらの行為のためにこれらの者が支出した費用の額，使用した固定資産の価額その他これらの者が当該所得の発生に寄与した程度を推測するに足りる要因に応じて当該法人及び当該国外関連者に帰属するものとして計算した金額をもって当該国外関連取引の対価の額とする方法」（措令39の12⑧一）。

なお，わが国移転価格税制上，利益分割法は，原則として，国外関連取引に

係る棚卸資産の販売等により法人及び国外関連者に生じた営業利益の合計額を租税特別措置法第39条の12第8項第1号に規定する要因により分割する方法をいうことに留意すべきとされている（措通66の4(4)－1）。

　また，「利益分割法の適用に当たり，分割対象利益の配分に用いる要因は，国外関連取引の内容に応じ法人又は国外関連者が支出した人件費等の費用の額，投下資本の額等これらの者が当該分割対象利益の発生に寄与した程度を推測するにふさわしいものを用いることに留意する。なお，当該要因が複数ある場合には，それぞれの要因が分割対象利益の発生に寄与した程度に応じて，合理的に計算するものとする。」とされている（措通66の4(4)－2）。

　このほか，利益分割法の適用に当たり，法人又は国外関連者の売上原価，販売費及び一般管理費その他の費用のうち国外関連取引及びそれ以外の取引の双方に関連して生じたもの（「共通費用」）がある場合には，これらの費用の額を，個々の取引形態に応じて，たとえば当該双方の取引に係る売上金額，売上原価，使用した資産の価額，従事した使用人の数等，当該双方の取引の内容及び費用の性質に照らして合理的と認められる要素の比に応じて按分し，当該国外関連取引の分割対象利益を計算することとされている。なお，分割要因（分割対象利益の配分に用いる要因をいう）の計算を費用の額に基づいて行う場合にも，共通費用については上記に準じて計算することとされている（事務運営指針3－4）。

(2) 寄与度（貢献度）利益分割法

　この方法は，上記の租税特別措置法第39条の12第8項第1号に規定する方法であって，法人及び国外関連者が獲得した分割対象利益を，法人又は国外関連者が支出した人件費等の費用の額，投下資本の額等これらの者が当該分割対象利益の発生に寄与した程度を推測するにふさわしい要因により分割する方法である。

　なお，分割要因が複数ある場合には，各要因が分割対象利益の発生に寄与した程度に応じて，ウェイト付けするなど合理的に計算することとされる。

　この方法の問題点は，使用する要因が所得を得るのに貢献したことを示すことが困難である，ということである。たとえば，要因として従業員の役務提供

と使用する資産を選択したとすると、各事業年度の人件費と減価償却費などを要因とする必要があるが、これらだけが所得の発生に貢献したと言えるか、また、人件費と減価償却費が均等に貢献したと言えるか、という問題が生じるのである。さらに、減価償却費は定率法を用いる場合には、年々償却額が減少するが、当該資産の所得に対する貢献度が減価償却費と同様年々下がるのか、という問題もある。

寄与度利益分割法を図示すると、図表3－4のとおりとなる。

図表3－4　寄与度利益分割法の適用過程（人件費と減価償却費を分割要因とする場合）

① まず、互いに関連者であるＰ社及びＳ社の利益を合算する。

分割対象利益
＝60＋100＝160

Ｐ社の利益	Ｓ社の利益
60	100

② つぎに、Ｐ社及びＳ社の人件費と減価償却費の額を計算する。

	人件費	減価償却費	合計金額
Ｐ社	100	200	300
Ｓ社	30	70	100

このように、Ｐ社とＳ社の人件費＋減価償却費の比率は3：1となる。

③ ②の比率でＰ社とＳ社の分割対象利益を分割する。

Ｐ：Ｓ＝3：1

Ｐ社の利益	Ｓ社の利益
120	40

このように、当初はＰ社の利益は60、Ｓ社の利益は100であったが、両者の支出した人件費と減価償却費の額の比率が3対1であったことから、ＰＳ社においても同様とする。この結果、分割対象利益が160であることから、Ｐ社には120、Ｓ社には40の利益が帰属することとなる。したがって、課税上は、Ｐ社に対しては120－60＝60の増額、逆にＳ社に対しては、40－100＝－60となり60の減額となる。

(3) 比較利益分割法（Comparable Profit Split Method：ＣＰＳＭ）

この方法は、「利益分割法の適用に当たり、分割対象利益の配分を、国外関連取引と類似の状況の下で行われた非関連者間取引に係る非関連者間の分割対象利益に相当する利益の配分割合を用いて合理的に算定することができる場合に

は，当該方法により独立企業間価格を算定することができる。」（措通66の4(4)－4）と規定される方法である。

比較利益分割法を図示すると，図表3－5のとおりとなる。

図表3－5　比較利益分割法の適用過程

① まず，互いに関連者であるP社及びS社の利益を合算する。

分割対象利益
＝60＋90＝150

P社の利益	S社の利益
60	90

② つぎに，比較対象取引となる第三者の利益配分を見いだし，その利益分割割合を算定する。

A：B＝2：1

A社の利益　200	B社の利益 100

③ ②の配分結果をPS間にも適用する。

P：S＝2：1

P社の利益　100	S社の利益 50

このように，当初はP社の利益は60，S社の利益は90であったが，比較対象となるAB社の利益配分が2対1であったことから，PS社においても同様とする。この結果，分割対象利益が150であることから，P社には100，S社には50の利益が帰属することとなる。したがって，課税上は，P社に対しては100－60＝40の増額，逆にS社に対しては，50－90＝－40となり40の減額となる。

(4) 残余利益分割法

残余利益分割法は，法人又は国外関連者が重要な無形資産を有する場合に，分割対象利益のうち重要な無形資産を有しない非関連者間取引において通常得られる利益に相当する金額を当該法人及び国外関連者それぞれに配分し，当該配分した金額の残額を当該法人又は国外関連者が有する当該重要な無形資産の価値に応じて，合理的に配分する方法により独立企業間価格を算定することができる方法である。この場合，当該重要な無形資産の価値による配分を当該重要な無形資産の開発のために支出した費用等の額により行っている場合には，合理的な配分として，これを認めるとされている（措通66の4(4)－4）。

残余利益分割法の適用にあたり，分割対象利益のうち重要な無形資産を有しない非関連者間取引において通常得られる利益に相当する金額については，たとえば，当該国外関連取引の事業と同種で，市場，事業規模等が類似する法人（重要な無形資産を有する法人を除く）の事業用資産又は売上高に対する営業利益の割合等で示される利益指標に基づき計算することとされている（事務運営指針3－5）。

　残余利益分割法は，1988年の移転価格の白書によって，最初に明らかになった方法である。関連者間取引において，特許権や商標権，あるいは製造ノウハウといった無形資産が分割対象利益の発生に大きく寄与している場合，基本三法のような比較法を用いることはできない。というのは，無形資産は，本来ユニークなものであり，たとえば特許権の場合には，特許権が工業所有権の1つであり，産業上利用することができる新規の発明を独占的，排他的に利用できる権利であることから，同種又は類似のものは存在しない。また，特許権は，特許庁に出願して特許原簿に登録されると発生し，出願公告の日から15年間，他人はその発明を使用・製作・販売・頒布することはできない，という性格を有する。このように，関連者間取引に特許権が含まれている場合には，比較可能な第三者間取引は存在しないこととなり，比較法である基本三法は適用できない。このような無形資産が含まれる取引に対応する必要から，残余利益分割法が考え出されたといっても過言ではない。

　残余利益分割法は，関連者の利益をすべて合算した後に2段階で利益を分割する方法である。まず，第1段階では基本的利益の算定を行う。それぞれの関連当事者の所在国において，機能分析を行うことにより比較対象取引を見いだし，その営業利益の額を算定する。そして，これをそれぞれの関連者が分割対象利益から確保する。第2段階では，価値のある特殊な無形資産に帰属する利益をもつ関連者に対して，その貢献度に応じて残った利益を配分する。

　残余利益分割法の適用過程を図に示すと，図表3－6のとおりとなる。

図表3−6　残余利益分割法の適用過程

① 関連者間取引に係る各関連者の営業利益を合計する。

P社営業利益 (40)	S社営業利益 (60)

　＊　この場合の営業利益は，関連者間取引に係るものだけなので，財務データを加工する必要が出てくる。

② 比較対象取引を用いて基本的利益を各関連者に配分する。

P社基本的利益 (25)	S社基本的利益 (15)

　＊　基本的利益とは，各国の営業利益のうち，重要な無形資産を用いることなく獲得される営業利益を指す。

③ 残余利益（合算した営業利益から基本的利益を差し引いた利益）を分割する。

P社残余利益 (40)	S社残余利益 (20)

　＊　残余利益の分割は，各関連者の重要な無形資産の持分割合（または貢献割合）に基づいて行われる。

④ 最終的な利益配分を行う。

P社当初営業利益 (40)	P社増加利益 (25)	S社営業利益 (35)

　本事例の場合には，P社の対S社取引に係る営業利益は40であった。一方，S社の対P社取引に係る営業利益は60であった。これを合算すると100となる。これに残余利益分割法を適用するために，まず，各国の比較対象取引の営業利益率を用いて基本的利益を算定する。その結果，P社に25，S社に15が配分された。分割対象利益が100であったことから，残余利益は，100−(25+15)＝60となる。60を重要な無形資産から生じた利益として，この持分割合で分割することになる。本事例の場合には，2対1という配分結果となり，P社に35，S社に20の残余利益が配分された。残余利益分割法を採用した結果，P社には25＋40＝65，S社には15＋20＝35の利益が配分されることになった。これがP社S社におけるあるべき営業利益であるが，当初の営業利益との差額がそれぞれ25あることが明らかになった。そこで，PS間で調整する必要性が生じること

となる。

2　取引単位営業利益法（Transactional Net Margin Method：TNMM）
(1)　概　　要
　取引単位営業利益法は，1995年OECD移転価格ガイドラインに初めて規定された方法である。その後，2004年に発効した新日米租税条約において，移転価格税制はOECD移転価格ガイドラインと整合的である限り，同条約に基づく移転価格事案の解決に適用できることとされた。そこで，取引単位営業利益法は，平成16年度の税制改正において，その他政令で定める方法の1つとして導入された。

　取引単位営業利益法は，関連者間取引における売手と買手の獲得した営業利益（率）と比較対象となる第三者間取引における者の営業利益（率）を比較するものである。わが国の税法上は，以下に示すように，棚卸資産の購入が国外関連取引である場合，棚卸資産の販売が国外関連取引である場合の2つに区分されており，さらに，これらに準ずる方法が定められている。

(2)　棚卸資産の購入が国外関連取引である場合
　わが国の移転価格税制上，「国外関連取引に係る棚卸資産の買手が非関連者に対して当該棚卸資産を販売した対価の額（「再販売価格」）から，当該再販売価格に①に掲げる金額の②に掲げる金額に対する割合を乗じて計算した金額に当該国外関連取引に係る棚卸資産の販売のために要した販売費及び一般管理費の額を加算した金額を控除した金額をもつて当該国外関連取引の対価の額とする方法
　　①　当該比較対象取引に係る棚卸資産の販売による営業利益の額の合計額
　　②　当該比較対象取引に係る棚卸資産の販売による収入金額の合計額
　なお，比較対象取引と当該国外関連取引に係る棚卸資産の買手が当該棚卸資産を非関連者に対して販売した取引とが売手の果たす機能その他において差異がある場合には，その差異により生ずる割合の差につき必要な調整を加えた後の割合とする。」（措令39の12⑧二）と規定されている。

また，比較対象取引については，「国外関連取引に係る棚卸資産と同種又は類似の棚卸資産を，非関連者から購入した者が当該同種又は類似の棚卸資産を非関連者に対して販売した取引（当該取引と国外関連取引とにおいて売手の果たす機能その他に差異がある場合には，その差異により生じる割合の差につき必要な調整を加えることができるものに限る。）」（措通66の4(2)－1(4)）とされている。

　さらに，「取引単位営業利益法により独立企業間価格を算定する場合の『国外関連取引に係る棚卸資産の販売のために要した販売費及び一般管理費』」には，その販売に直接に要した費用のほか，間接に要した費用が含まれることに留意する。この場合において，国外関連取引及びそれ以外の取引の双方に関連して生じたものがある場合には，これらの費用の額を，個々の取引形態に応じて，たとえば，当該双方の取引に係る売上金額，売上原価，使用した資産の価額，従事した使用人の数等，当該双方の取引の内容及び費用の性質に照らして合理的と認められる要素の比に応じて按分する。」（事務運営指針3－6）とされている。

　この方法による独立企業間価格の算出方法は，以下のとおりである。

　　独立企業間価格
　　＝再販売価格－（再販売価格×①÷②＋販売費及び一般管理費の額）
　①　比較対象取引に係る棚卸資産の販売による営業利益の額の合計額
　②　比較対象取引に係る棚卸資産の販売による収入金額の合計額

(3)　**棚卸資産の販売が国外関連取引である場合**

　この方法については，「国外関連取引に係る棚卸資産の売手の購入，製造その他の行為による取得の原価の額（取得原価の額）に，①に掲げる金額に②に掲げる金額の③に掲げる金額に対する割合を乗じて計算した金額及び①Bに掲げる金額の合計額を加算した金額をもって当該国外関連取引の対価の額とする方法
　①　次に掲げる金額の合計額
　　A　当該取得原価の額
　　B　当該国外関連取引に係る棚卸資産の販売のために要した販売費及び一般管理費の額

② 当該比較対象取引に係る棚卸資産の販売による営業利益の額の合計額
③ 当該比較対象取引に係る棚卸資産の販売による収入金額の合計額から②に掲げる金額を控除した金額」（措令39の12⑧三）と規定されている。

なお，比較対象取引と当該国外関連取引とが売手の果たす機能その他において差異がある場合には，その差異により生ずる割合の差につき必要な調整を加えた後の割合

比較対象取引については，「国外関連取引に係る棚卸資産と同種又は類似の棚卸資産を，購入（非関連者からの購入に限る。），製造その他の行為により取得した者が当該同種又は類似の棚卸資産を非関連者に対して販売した取引（当該取引と国外関連取引とにおいて売手の果たす機能その他に差異がある場合には，その差異により生じる割合の差につき必要な調整を加えることができるものに限る。）」（措通66の4⑵－1⑸）とされている。このほか，販売費及び一般管理費については，上述の棚卸資産の購入が国外関連取引である場合と同様である。

この方法による独立企業間価格の算出方法は，以下のとおりである。

　　独立企業間価格＝｜(取得原価の額＋①)×②÷③＋①｜
① 販売費及び一般管理費の額
② 比較対象取引に係る棚卸資産の販売による営業利益の額の合計額
③ 比較対象取引に係る棚卸資産の販売による収入金額の合計額
　　－比較対象取引に係る棚卸資産の販売による営業利益の額の合計額

⑷ 取引単位営業利益法に準ずる方法

租税特別措置法施行令第39条の12第8項第4号に，取引単位営業利益法に準ずる方法の規定があるが，その内容は定められていない。一方，措置法通達には，次のようにこの方法の例示が規定されている。

① 国外関連取引に係る棚卸資産の買手が当該棚卸資産を用いて製品等の製造をし，これを非関連者に対して販売した場合において，当該製品等のその非関連者に対する販売価格から次に掲げる金額の合計額を控除した金額をもって当該国外関連取引の対価の額とする方法
　イ 当該販売価格に租税特別措置法施行令第39条の12第8項第2号に規定す

る比較対象取引に係る営業利益の額の収入金額に対する割合を乗じて計算した金額
　ロ　当該製品等に係る製造原価の額（当該国外関連取引に係る棚卸資産の対価の額を除く）
　ハ　当該製品等の販売のために要した販売費及び一般管理費の額
② 一方の国外関連者が法人から購入した棚卸資産を他方の国外関連者を通じて非関連者に対して販売した場合において，当該一方の国外関連者と当該他方の国外関連者との取引価格を通常の取引価格に引き直した上で，租税特別措置法施行令第39条の12第8項第2号に掲げる算定方法に基づいて計算した金額をもって当該法人と当該一方の国外関連者との間で行う国外関連取引に係る対価の額とする方法
（注）　この取扱いを適用する場合の「通常の取引価格」は，租税特別措置法第66条の4第2項各号に掲げる方法に準じて計算する（措通66の4(5)－1）。

（注4）　Carroll, Mitchell B. (1933), Taxation of Foreign and International Enterprises (Volume Ⅳ), Geneva, League of Nations.

第4章　棚卸資産の売買以外の取引

第1節　概　　要

　棚卸資産の販売又は購入以外の取引としては，有形資産の貸借取引，金銭の貸借取引，役務提供取引，無形資産の使用許諾又は譲渡の取引等がある。わが国の移転価格税制は，これらについて，一括して棚卸資産の売買以外の取引として，以下のように規定している。

　「次に掲げる方法（ロに掲げる方法は，イに掲げる方法を用いることができない場合に限り，用いることができる。）
　　イ　前号イからハまでに掲げる方法と同等の方法
　　ロ　前号ニに掲げる方法と同等の方法」（措法66の4②二）。

　すなわち，上記のイにおいては，基本三法と同等の方法を適用することを規定している。また，ロにおいては，基本三法に準ずる方法，利益分割法，取引単位営業利益法，及び取引単位営業利益法に準ずる方法と同等の方法を規定している。なお，租税特別措置法第66条の4第2項第2号イ及びロに規定する「同等の方法」とは，有形資産の貸借取引，金銭の貸借取引，役務提供取引，無形資産の使用許諾又は譲渡の取引等，棚卸資産の売買以外の取引において，それぞれの取引の類型に応じて同項第1号に掲げる方法に準じて独立企業間価格を算定する方法をいうと定められている（措通66の4(6)-1）。

　次に，取引形態別にわが国の取扱いを説明する。

第2節　有形資産の貸借取引

　有形資産の貸借取引について，独立価格比準法と同等の方法を適用する場合には，比較対象取引に係る資産が国外関連取引に係る資産と同種であり，かつ，比較対象取引に係る貸借時期，貸借期間，貸借期間中の資産の維持費用等の負

担関係，転貸の可否等貸借の条件が国外関連取引と同様であることを要することに留意する。また，有形資産の貸借取引について，原価基準法と同等の方法を適用する場合には，比較対象取引に係る資産が国外関連取引に係る資産と同種又は類似であり，かつ，上記の貸借の条件と同様であることを要することに留意すると定められている（措通66の4⑹－2）。

第3節 委託製造先に対する機械設備等の貸与の取扱い

法人が製品等の製造を委託している国外関連者に対して機械設備等の資産を貸与している場合には，当該製品等の製造委託取引と当該資産の貸借取引が一の取引として行われているものとして独立企業間価格を算定することができると定められている（措通66の4⑹－3）。

第4節 金銭の貸付け又は借入れの取扱い

金銭の貸借取引について独立価格比準法と同等の方法又は原価基準法と同等の方法を適用する場合には，比較対象取引に係る通貨が国外関連取引に係る通貨と同一であり，かつ，比較対象取引における貸借時期，貸借期間，金利の設定方式（固定又は変動，単利又は複利等の金利の設定方式をいう），利払方法（前払い，後払い等の利払方法をいう），借手の信用力，担保及び保証の有無その他の利率に影響を与える諸要因が国外関連取引と同様であることを要することに留意する。

(注) 独立価格比準法と同等の方法又は原価基準法と同等の方法が適用できない場合には，たとえば，国外関連取引の借手が銀行等から当該国外関連取引と同様の条件の下で借り入れたとした場合に付されるであろう利率を比較対象取引における利率として，租税特別措置法第66条の4第2項第2号ロに掲げる方法により，独立企業間価格を算定することができると定められている（措通66の4⑹－4）。

なお，上記の原則に関しては，金銭の貸付け等を業としない法人に対して，次のような特例がある。

「法人及び国外関連者がともに主として金銭の貸付け又は出資を行っていない場合において，当該法人が当該国外関連者との間で行う金銭の貸付け又は借入れについて調査を行うに当たり，措通66の4⑹－4が適用できないとき

は，次により計算した利率を独立企業間の利率として，当該貸付け又は借入れに付された利率の適否を検討する。
　① 国外関連取引の貸手が非関連者である銀行等から通貨，貸借時期，貸借期間等が同様の状況の下で借り入れたとした場合に通常付されたであろう利率
　② 国外関連取引に係る資金を，当該国外関連取引と通貨，取引時期，期間等が同様の状況の下で国債等により運用するとした場合に得られたであろう利率（①に掲げる利率を用いることができる場合を除く。）
　（注）①に掲げる利率を適用する場合においては，国外関連取引の貸手における銀行等からの実際の借入れが，①で規定する同様の状況の下での借入れに該当するときには，当該国外関連取引とひも付き関係にあるかどうかを問わないことに留意する。」（事務運営指針2－7）

このほか，次のような取扱いがある。
「金銭の貸借取引について調査を行う場合には，次の点に留意する。
　① 基本通達9－4－2（子会社等を再建する場合の無利息貸付け等）の適用がある金銭の貸付けについては，移転価格税制の適用上も適正な取引として取り扱う。
　② 国外関連取引において返済期日が明らかでない場合には，当該金銭貸借の目的等に照らし，金銭貸借の期間を合理的に算定する。」（事務運営指針2－6）

第5節　役務提供の取扱い

わが国においては，措置法通達において，役務提供の取扱いについて，役務提供取引について独立価格比準法と同等の方法を適用する場合には，比較対象取引に係る役務が国外関連取引に係る役務と同種であり，かつ，比較対象取引に係る役務提供の時期，役務提供の期間等の役務提供の条件が国外関連取引と同様であることを要することに留意する。また，役務提供取引について，原価基準法と同等の方法を適用する場合には，比較対象取引に係る役務が国外関連

取引に係る役務と同種又は類似であり,かつ,上記の役務提供の条件と同様であることを要することに留意すると取り扱われている（措通66の4(6)-5）。

次に,本来の業務に付随した役務提供については,事務運営指針において,「法人が国外関連者と行う本来の業務に付随した役務提供について調査を行うに当たり,措通66の4(6)-5が適用できない場合には,当該役務提供の総原価の額を独立企業間価格として,当該役務提供に係る対価の額の適否を検討する。この場合において,本来の業務に付随した役務提供とは,例えば,海外子会社から製品を輸入している法人が当該海外子会社の製造設備に対して行う技術指導等,役務提供を主たる事業としていない法人又は国外関連者が,本来の業務に付随して又はこれに関連して行う役務提供をいう。また,役務提供に係る総原価には,原則として,当該役務に関連する直接費のみならず,合理的な配賦基準によって計算された担当部門及び補助部門の一般管理費等間接費まで含まれることに留意する。

（注）本来の業務に付随した役務提供に該当するかどうかは,原則として,当該役務提供の目的等により判断するのであるが,次の場合には,本文にかかわらず,当該役務提供に係る総原価の額をもって独立企業間価格とする取扱いは適用しない。

　　イ　役務提供に要した費用が,法人又は国外関連者の当該役務提供を行った事業年度の原価又は費用の額の相当部分を占める場合

　　ロ　役務提供を行う際に無形資産を使用する場合等当該役務提供の対価の額を当該役務提供の総原価とすることが相当ではないと認められる場合」（事務運営指針2-9）

とされている。

なお,役務提供取引を調査する場合について,事務運営指針において,次のように定められている。

「役務提供について調査を行う場合には,次の点に留意する。

① 役務提供を行う際に無形資産を使用しているにもかかわらず,当該役務提供の対価の額に無形資産の使用に係る部分が含まれていない場合が

あること。
　　（注）　無形資産が役務提供を行う際に使用されているかどうかについて調査を行う場合には，役務の提供と無形資産の使用は概念的には別のものであることに留意し，役務の提供者が当該役務提供時に措置法通達66の4(2)－3の(8)に掲げる無形資産を用いているか，当該役務提供が役務の提供を受ける法人の活動，機能等にどのような影響を与えているか等について検討を行う。
　② 役務提供が有形資産又は無形資産の譲渡等に併せて行われており，当該役務提供に係る対価の額がこれらの資産の譲渡等の価格に含まれている場合があること。」（事務運営指針2－8）

第6節　企業グループ内役務提供（Intra-Group Service：IGS）

　また，企業グループ内役務提供取引については，事務運営指針において，次のように規定されている。
「① 法人とその国外関連者の間で行われるすべての有償性のある取引は国外関連取引に該当するのであるから，当該取引の調査の実施に当たっては，例えば，法人がその国外関連者のために行う（法人のためにその国外関連者が行う場合も含む。以下同じ。）次に掲げる経営・財務・業務・事務管理上の役務（以下「役務」という。）の提供で，当該法人から当該役務の提供がなければ，対価を支払って非関連者から当該役務の提供を受け，又は自ら当該役務を行う必要があると認められるものは，有償性のある取引に該当することに留意の上，その対価の額の適否を検討する。
　なお，法人が，その国外関連者の要請に応じて随時役務の提供を行い得るよう人員や設備等を利用可能な状態に定常的に維持している場合には，かかる状態を維持していること自体が役務の提供に該当するので，それぞれの実情に応じ，その対価の額の適否を検討する。
　また，国外関連者が，非関連者から役務の提供を受け，又は自らこれを行っている場合において，法人が当該国外関連者に対し，当該役務と重複

した役務の提供を行っていると認められるときは，当該法人が行う当該役務の提供は有償性がなく，国外関連取引には該当しない。ただし，この場合においても，例えば，当該役務の提供の重複が一時的なものにとどまると認められるもの，又は，事業判断の誤りに係るリスクを減少するため手続上重複してチェックしていると認められるものはこの限りでない。

　　イ　企画又は調整
　　ロ　予算の作成又は管理
　　ハ　会計，税務又は法務
　　ニ　債権の管理又は回収
　　ホ　情報通信システムの運用，保守又は管理
　　ヘ　キャッシュフロー又は支払能力の管理
　　ト　資金の運用又は調達
　　チ　利子率又は外国為替レートに係るリスク管理
　　リ　製造，購買，物流又はマーケティングに係る支援
　　ヌ　従業員の雇用又は教育

② 他方で国外関連者に対して親会社としての立場を有する法人が行う役務の提供に関連する諸活動であっても，例えば，親会社の株主総会開催のための活動や親会社の証券取引法に基づく有価証券報告書等を作成するための活動で，子会社である国外関連者に対する親会社の株主としての地位に基づくと認められるものについては，子会社である国外関連者の営業上，当該親会社の活動がなければ，対価を支払って非関連者から当該役務の提供を受け，又は自ら当該役務を行う必要があると認められず，有償性がなく，国外関連取引に該当しない。

　なお，親会社としての活動が，子会社に対する株主としての地位に基づく諸活動に該当するのか，役務の提供と認められる子会社の監視等に該当するかについては，それぞれの実情に則し，有償性の有無を判定することになる。」（事務運営指針2－10）

第7節　無形資産の使用許諾等の取扱い

　わが国の移転価格税制上適用される無形資産については，措通66の4(2)-3の(8)に規定がある。それによると，「著作権，基本通達20-1-21に定める工業所有権等のほか，顧客リスト，販売網等の重要な価値のあるものをいう。」とされている。そこで，法人税基本通達20-1-21は，(工業所有権等の意義)として次のように規定している。

　「『工業所有権その他の技術に関する権利，特別の技術による生産方式若しくはこれらに準ずるもの』とは，特許権，実用新案権，意匠権，商標権の工業所有権及びその実施権等のほか，これらの権利の目的にはなっていないが，生産その他業務に関し繰り返し使用し得るまでに形成された創作，すなわち，特別の原料，処方，機械，器具，工程によるなど独自の考案又は方法を用いた生産についての方式，これに準ずる秘けつ，秘伝その他特別に技術的価値を有する知識及び意匠等をいう。したがって，ノウハウはもちろん，機械，設備等の設計及び図面等に化体された生産方式，デザインもこれに含まれるが，海外における技術の動向，製品の販路，特定の品目の生産高等の情報又は機械，装置，原材料等の材質等の鑑定若しくは性能の調査，検査等は，これに該当しない。」

　これを整理すると，特許権，実用新案権，意匠権，商標権，著作権，ノウハウ，設計，生産方式，デザイン，顧客リスト，販売網等の重要な価値のあるものをいう，ということができる。このように，わが国の移転価格税制上の無形資産は，明確な定義こそ規定されていないが，通達でその範囲が定められている。そして，無形資産の範囲は，かなり広いということができる。

　一方，OECD移転価格ガイドラインのパラ6.2においては，次のように無形資産の範囲を記述している。

　「特許，商標，商号，デザイン，形式等，文学上・学術上の財産権，ノウハウ，企業秘密等の知的財産権」また，マーケティング無形資産としては，パラ6.4において，

イ　製品又はサービスの宣伝に役立つ商標，商号，顧客リスト，販売網，

ロ　関連製品に関して重要な宣伝的価値を有するユニークな名称，記号，写真等

　さらに，米国においては，「移転価格税制上の無形資産について次のものを含み，個人的な役務の提供から独立し，かつ，重要な価値を有する資産をいう。」（米国財務省規則§1．482－4(b)）
と定義されている。

イ　特許，発明，秘密方式，秘密工程，意匠，様式，ノウハウ

ロ　文学上，音楽上，美術上の著作権

ハ　商標，商号，ブランドネーム

ニ　一手販売権，ライセンス及びそれらに付随した契約

ホ　方法，プログラム，システム，手続，宣伝，調査，研究，予測，見積り，顧客リスト，技術データ

チ　その他，これらに類する項目

　わが国の移転価格税制上，無形資産の使用許諾又は譲渡の取引については，独立価格比準法と同等の方法及び原価基準法と同等の方法を適用することを想定して，措置法通達において次のように規定されている。

　「無形資産の使用許諾又は譲渡の取引について，独立価格比準法と同等の方法を適用する場合には，比較対象取引に係る無形資産が国外関連取引に係る無形資産と同種であり，かつ，比較対象取引に係る使用許諾又は譲渡の時期，使用許諾の期間等の使用許諾又は譲渡の条件が国外関連取引と同様であることを要することに留意する。また，無形資産の使用許諾又は譲渡の取引について，原価基準法と同等の方法を適用する場合には，比較対象取引に係る無形資産が国外関連取引に係る無形資産と同種又は類似であり，かつ，上記の無形資産の使用許諾又は譲渡の条件と同様であることを要することに留意する。」（措通66の4(6)－6）

　そして，事務運営指針において，調査において検討すべき無形資産について，次のように規定されている。

「調査において無形資産が法人又は国外関連者の所得にどの程度寄与しているかを検討するに当たっては，例えば，次に掲げる重要な価値を有し所得の源泉となるものを総合的に勘案することに留意する。
　イ　技術革新を要因として形成される特許権，営業秘密等
　ロ　従業員等が経営，営業，生産，研究開発，販売促進等の企業活動における経験等を通じて形成したノウハウ等
　ハ　生産工程，交渉手順及び開発，販売，資金調達等に係る取引網等
　なお，法人又は国外関連者の有する無形資産が所得の源泉となっているかどうかの検討に当たり，例えば，国外関連取引の事業と同種の事業を営み，市場，事業規模等が類似する法人のうち，所得の源泉となる無形資産を有しない法人を把握できる場合には，当該法人又は国外関連者の国外関連取引に係る利益率等の水準と当該無形資産を有しない法人の利益率等の水準との比較を行うとともに，当該法人又は国外関連者の無形資産の形成に係る活動，機能等を十分に分析することに留意する。
（注）　役務提供を行う際に無形資産が使用されている場合の役務提供と無形資産の関係については，2－8(1)の（注）に留意する。」（事務運営指針2－11）

　また，無形資産の形成，維持又は発展への貢献について，事務運営指針において，次のように規定されている。

「無形資産の使用許諾取引等について調査を行う場合には，無形資産の法的な所有関係のみならず，無形資産を形成，維持又は発展（「形成等」）させるための活動において法人又は国外関連者の行った貢献の程度も勘案する必要があることに留意する。

　なお，無形資産の形成等への貢献の程度を判断するにあたっては，当該無形資産の形成等のための意思決定，役務の提供，費用の負担及びリスクの管理において法人又は国外関連者が果たした機能等を総合的に勘案する。この場合，所得の源泉となる見通しが高い無形資産の形成等において法人又は国外関連者が単にその費用を負担しているというだけでは，貢献の程度は低い

ものであることに留意する。」（事務運営指針2－12）

さらに，無形資産の使用許諾取引について，事務運営指針において，次のように規定されている。

「法人又は国外関連者のいずれか一方が保有する無形資産を他方が使用している場合で，当事者間でその使用に関する取決めがないときには，譲渡があったと認められる場合を除き，当該無形資産の使用許諾取引があるものとして当該取引に係る独立企業間価格の算定を行うことに留意する。

なお，その使用許諾取引の開始時期については，非関連者間の取引の例を考慮するなどにより，当該無形資産の提供を受けた日，使用を開始した日又はその使用により収益を計上することとなった日のいずれかより，適切に判断する。」（事務運営指針2－13）

第8節　費用分担契約（「コスト・シェアリング契約」,「費用分担取極」ともいう）

わが国においても，平成18年3月の事務運営指針の改訂により，新たに費用分担契約に関する規定が導入された。それによると，

「費用分担契約とは，特定の無形資産を開発する等の共通の目的を有する契約当事者（「参加者」）間で，その目的の達成のために必要な活動（「研究開発等の活動」）に要する費用を，当該研究開発等の活動から生じる新たな成果によって各参加者において増加すると見込まれる収益又は減少すると見込まれる費用（「予測便益」）の各参加者の予測便益の合計額に対する割合（「予測便益割合」）によって分担することを取決め，当該研究開発等の活動から生じる新たな成果の持分を各参加者のそれぞれの分担額に応じて取得することとする契約をいい，たとえば，新製品の製造技術の開発に当たり，法人及び国外関連者のそれぞれが当該製造技術を用いて製造する新製品の販売によって享受するであろう予測便益を基礎として算定した予測便益割合を用いて，当該製造技術の開発に要する費用を法人と国外関連者との間で分担することを取決め，当該製造技術の開発から生じる新たな無形資産の持分をそれぞれの分担

額に応じて取得することとする契約がこれに該当する。」(事務運営指針2－14)
とされている。

　費用分担契約とは，ＯＥＣＤ移転価格ガイドラインの定義によれば，費用分担取極とされているが，「資産・役務・権利の精算又は獲得の費用及びリスクを分担し，参加者がこれらの資産・役務・権利に有する利益の性質及び程度を決定するため，企業間で合意された枠組みである。」とされている。費用分担取極は，1997年9月にＯＥＣＤ移転価格ガイドラインの第8章に規定された。

　一方，米国においては，費用分担契約は，1968年財務省規則には規定がなされていた。米国では，コスト・シェアリング契約といわれており，「1以上の無形資産の開発費用を，当該契約により割り当てられる無形資産の持分の使用により享受する便益を合理的に予測し，この割合に応じて当事者間で分担する契約である。」[注5]と規定されている。たとえば，複数の会社間で無形資産の開発を行う場合に，開発の結果生じる無形資産の権利の帰属関係及び開発費用の分担等を取決めておく，ということである[注6]。

　もっとも，契約当事者すべてが開発を積極的に担当することは必要ない。一方当事者が開発を担当し，他方当事者がその開発費用の一部を負担し，その見返りに将来開発に成功した無形資産に対する一定の権利を取得する契約形態であれば，コスト・シェアリング契約に該当する[注7]。

　この契約の下では，各契約参加者が開発された無形資産に対し特定の権利を得ることから，ロイヤリティの支払いは発生しない。その結果，多くの国で源泉所得税の問題を回避することができる。

　費用分担契約を締結するのは，無形資産の開発に当たり，自社だけでなく，他社からも資金の供与を受けられることから，開発に係る費用とリスクを分担することができる，という理由による。費用分担契約については，欧米企業においては頻繁に用いられており，日本企業でも，たとえば米国における研究開発については費用分担契約を行っている企業は少なくない[注8]。

　費用分担契約については，

「法人が国外関連者との間で締結した費用分担契約に基づく費用の分担（費用分担額の調整を含む。）及び持分の取得は，国外関連取引に該当し，当該費用分担契約における当該法人の予測便益割合が，当該法人の適正な予測便益割合に比して過大であると認められるときは，当該法人が分担した費用の総額のうちその過大となった割合に対応する部分の金額は，独立企業間価格を超えるものとして損金の額に算入されないことに留意する。

（注）　法人が分担した費用については，法人税に関する法令の規定に基づいて処理するのであるから，たとえば，研究開発等の活動に要する費用のうちに租税特別措置法第61条の4第3項に規定する交際費等がある場合には，適正な予測便益割合に基づき法人が分担した交際費等の額は，措通61の4(1)－23（交際費等の支出の方法）(1)の規定に準じて取り扱うこととなり，当該分担した交際費等の額を基に同条第1項の規定に基づく損金不算入額の計算を行うこととなることに留意する。」（事務運営指針2－15）

とされており，法人の予測便益割合が，当該法人の適正な予測便益割合に比して過大であると認められるときは，当該法人が分担した費用の総額のうちその過大となった割合に対応する部分の金額は，独立企業間価格を超えるものとして損金の額に算入されないこととされている。

なお，費用分担契約については，調査の際，以下の点に留意することとされている。

「法人が国外関連者との間で費用分担契約を締結している場合には，次のような点に留意の上，法人の費用分担額等の適否を検討する。

　　イ　研究開発等の活動の範囲が明確に定められているか。また，その内容が具体的かつ詳細に定められているか。

　　ロ　研究開発等の活動から生じる成果を自ら使用するなど，すべての参加者が直接的に便益を享受することが見込まれているか。

　　ハ　各参加者が分担すべき費用の額は，研究開発等の活動に要した費用の合計額を，適正に見積もった予測便益割合に基づいて配分することにより，決定されているか。

ニ 予測便益を直接的に見積もることが困難である場合，予測便益の算定に，各参加者が享受する研究開発等の活動から生じる成果から得る便益の程度を推測するに足りる合理的な基準(売上高，売上総利益，営業利益，製造又は販売の数量等）が用いられているか。

ホ 予測便益割合は，その算定の基礎となった基準の変動に応じて見直されているか。

ヘ 予測便益割合と実現便益割合（研究開発等の活動から生じた成果によって各参加者において増加した収益又は減少した費用（以下「実現便益」という）の各参加者の実現便益の合計額に対する割合をいう）とが著しく乖離している場合に，各参加者の予測便益の見積りが適正であったかどうかについての検討が行われているか。

ト 新規加入又は脱退があった場合，それまでの研究開発等の活動を通じて形成された無形資産等がある場合には，その加入又は脱退が生じた時点でその無形資産等の価値を評価し，その無形資産等に対する持分の適正な対価の授受が行われているか。」（事務運営指針2－16)。

さらに，参加者が保有する既存の無形資産に関しては，

「参加者の保有する既存の無形資産が費用分担契約における研究開発等の活動で使用されている場合には，その無形資産が他の参加者に譲渡されたと認められる場合を除き，当該無形資産を保有する参加者において，その無形資産に係る独立企業間の使用料に相当する金額が収受されているか，あるいはこれを分担したものとして費用分担額の計算が行われているかについて検討する必要があることに留意する。

（注）法人が研究開発等の活動において自ら開発行為等を行っている場合や国外関連者である参加者の実現便益がその予測便益を著しく上回っているような場合には，法人の保有する既存の無形資産が当該研究開発等の活動に使用されているかどうかを検討し，その使用があると認められた場合においては，本文の検討を行うことに留意する。」（事務運営指針2－17)

という規定がある。

　なお，費用分担契約に係る移転価格調査においては，費用分担契約書（研究開発等の活動の範囲・内容を記載した附属書類を含む）のほか，次のような書類について検査するとされている（事務運営指針２－18）。

① 費用分担契約の締結に当たって作成された書類等
　　イ　参加者の名称，所在地，資本関係及び事業内容等を記載した書類等
　　ロ　参加者が契約締結に至るまでの交渉・協議の経緯を記載した書類等
　　ハ　予測便益割合の算定方法及びそれを用いることとした理由を記載した書類等
　　ニ　費用分担額及び予測便益の算定に用いる会計基準を記載した書類等
　　ホ　予測便益割合と実現便益割合とが乖離した場合における費用分担額の調整に関する細目を記載した書類等
　　ヘ　新規加入又は脱退があった場合の無形資産等の価値の算定に関する細目を記載した書類等
　　ト　契約条件の変更並びに費用分担契約の改定又は終了に関する細目を記載した書類等
② 費用分担契約締結後の期間において作成された書類等
　　イ　各参加者が研究開発等の活動のために要した費用の総額及びその内訳並びに各参加者の費用分担額及びその計算過程を記載した書類等
　　ロ　研究開発等の活動に関する予測便益割合と実現便益割合との乖離の程度を記載した書類等
　　ハ　研究開発等の活動を通じて形成された無形資産等に対する各参加者の持分の異動状況（研究開発等の活動を通じて形成された無形資産等の価値の算定方法を含む）を記載した書類等
　　ニ　新規加入又は脱退があった場合の事情の詳細を記載した書類等
③ その他の書類等
　　イ　既存の無形資産を研究開発等の活動に使用した場合における当該既存の無形資産の内容及び使用料に相当する金額の算定に関する細目を記載

した書類等
　ロ　研究開発等の活動から生じる成果を利用することが予定されている者で，費用分担契約に参加しない者の名称，所在地等を記載した書類等

(注5)　米国財務省規則§1.482－7(a)(1)（1995年規則）
(注6)　藤枝純（1996）「米国コスト・シェアリング最終規則解説(1)」『国際税務』税務研究会，16巻3号，9ページ。
(注7)　同上。
(注8)　森信夫・中島敏・斉藤優子（2006）「米国コスト・シェアリング規則案について」『国際税務』税務研究会，26巻4号，58ページ。

第5章　損金不算入処理とその他の税制との関係

第1節　国外関連取引の対価と独立企業間価格との差額の損金不算入

　租税特別措置法第66条の4第4項は，「第1項の規定の適用がある場合における国外関連取引の対価の額と当該国外関連取引に係る同項に規定する独立企業間価格との差額（寄附金の額に該当するものを除く。）は，法人の各事業年度の所得の金額の計算上，損金の額に算入しない。」と規定している。

　国税庁は，措置法通達において，同条第1項に規定する「当該国外関連取引は，独立企業間価格で行われたものとみなす」とは，法人が国外関連者から支払いを受ける対価の額が独立企業間価格に満たない場合又は法人が国外関連者に支払う対価の額が独立企業間価格を超える場合は，その差額を益金の額に算入し，又は損金の額に算入しないことをいうのであるから留意すると規定し，さらに，この差額の調整が，寄附金の損金算入限度額，外国税額の控除限度額等に影響を及ぼす場合には，それらについても再計算することに留意することとしている（措通66の4(7)-1）。

　これを図示すれば，図表5-1と図表5-2のとおりとなる。

図表5-1　法人が国外関連者から対価を受領する場合

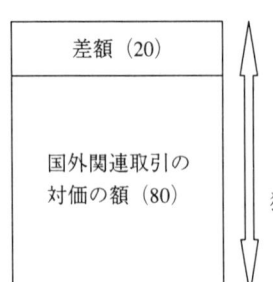

差額（20）	この場合，独立企業間価格が100であるのに対して，受領する対価の額が80であり，その結果，法人の所得金額が減少するので，差額の20を所得金額に加算する。
国外関連取引の対価の額（80）	独立企業間価格（100）

図表5－2　法人が国外関連者に対価を支払う場合

```
┌─────────────┐  ↕ 差額（20）   ┌─────────────────────────────┐
│             │                 │ この場合，独立企業間価格が80であるの │
│─ ─ ─ ─ ─ ─ ─│                 │ に対して，支払う対価の額が100であり，│
│             │                 │ その結果，法人の所得金額が減少するの │
│  国外関連取引の │                 │ で，差額の20は損金に算入されない。  │
│  対価の額（100）│ ↕ 独立企業間価格（80） └─────────────────────────────┘
│             │
└─────────────┘
```

　なお，ここで留意すべきことは，国外関連取引につき，法人が国外関連者から支払いを受ける対価の額が独立企業間価格を超える場合又は国外関連者に支払う対価の額が独立企業間価格に満たない場合における独立企業間価格との差額については，所得の金額の計算上，確定申告書等において減額できないことである（措通66の4(7)－2）。

　また，国外関連者から高価で買入れた場合の取得価額の調整について，

　「法人が国外関連取引につき国外関連者に支払う対価の額が独立企業間価格を超える場合において，その対価の額と独立企業間価格との差額の全部又は一部に相当する金額が当該事業年度終了の日において有する資産の取得価額に算入されているため当該事業年度の損金の額に算入されていないときは，その損金の額に算入されていない部分の金額に相当する金額を当該資産の取得価額から減額することができる。

（注）　この取扱いにより減価償却資産の取得価額を減額した場合には，その減額した後の金額を基礎として各事業年度（その事業年度が連結事業年度に該当する場合には，当該連結事業年度）の償却限度額を計算することに留意する。」（措通66の4(7)－3）

という規定がある。

第2節　国外移転所得金額の取扱い

　租税特別措置法第66条の4第4項に規定する国外関連取引の対価の額と当該国外関連取引に係る独立企業間価格との差額（以下「国外移転所得金額」という）は，その全部又は一部を国外関連者から返還を受けるかどうかにかかわらず，利益の社外流出として取り扱う（措通66の4(8)-1）。

　しかし，法人が国外移転所得金額の全部又は一部を合理的な期間内に国外関連者から返還を受けることとし，次に掲げる事項を記載した書面を所轄税務署長（国税局の調査課所管法人にあっては所轄国税局長）に提出した場合において，当該書面に記載した金額の返還を受けたときには，当該返還を受けた金額は益金の額に算入しないことができる（措通66の4(8)-2）。

　　イ　納税地
　　ロ　法人名
　　ハ　代表者名
　　ニ　国外関連者名及び所在地
　　ホ　返還を受ける予定の日
　　ヘ　返還を受ける金額（外貨建取引の場合は，外国通貨の金額を併記する）
　　ト　返還方法

　この場合，外貨建ての取引につき返還を受けることとして届け出る金額は，その発生の原因となった国外関連取引に係る収益，費用の円換算に用いた外国為替の売買相場によって円換算した金額とし，当該金額とその返還を受けた日の外国為替の売買相場によって円換算した金額との差額は，その返還を受けた日を含む事業年度（その事業年度が連結事業年度に該当する場合には，当該連結事業年度）の益金の額又は損金の額に算入することとされている。

　これは，わが国の規定が国外所得金額の取扱いの原則が社外流出であることから，国外関連者から国外移転所得の返還を受けた場合，雑収入として益金の額に算入することになるが，この書面を提出することにより，国外移転所得の返還を受けた事業年度において，変換を受けることとして届け出た金額を申告

書上所得金額から減算できることとして二重課税を生じさせないようにするものである。

なお，返還を受けるとして届け出た金額は，その発生の原因となった国外関連取引に係る収益，費用を円換算したものであり，返還を受けた日の為替相場で円換算した金額との差額については，返還を受けた事業年度において益金又は損金の額に算入する，ということである。

さらに，上記の措置法通達66の4(8)-2に規定する書面を提出した法人が，当該書面に記載された金額の全部又は一部について返還を受ける予定の日後に返還を受けた場合には，予定日後に返還を受けたことについて合理的な理由があるかどうかを検討した上で，措置法通達66の4(8)-2の規定の適用の有無を判断することとされている（事務運営指針1-4）。

第3節　国外関連者に対する寄附金の損金不算入

法人が，各事業年度において支出した寄附金の額のうち当該法人に係る国外関連者に対するものは，当該法人の各事業年度の所得の金額の計算上，損金の額に算入しない（措法66の4③）。

この規定は，平成3年の税制改正で導入されたものであるが，その趣旨は，国外関連者に対する寄附金，たとえば単なる金銭の贈与や債務の免除などについて，一定の限度額内で損金算入を認めると，同じ所得の海外移転であるにもかかわらず両者の取扱いにアンバランスが生じることとなったことによる。

第4節　価格調整金の取扱い

法人と国外関連者との間で価格調整金などの名目で金銭の授受が行われる場合がある。このような場合において，移転価格調査においては，当該金銭の授受が取引価格の修正によるものかどうか十分に検討することとされている（事務運営指針2-19）。これは，ある意味では当然のことを規定しているが，法人と国外関連者との間の価格調整金は，それが取引価格の修正ということであれば，移転価格税制の対象となると考えるべきであろう。

第5節　外国税務当局が算定した対価の額

　国税庁は，事務運営指針において，独立企業間価格がわが国の法令に基づき計算されることから，外国税務当局が移転価格税制に相当する制度に基づき国外関連者に対する課税を行うため算定した国外関連取引の対価の額は，必ずしも独立企業間価格とはならないと規定している。ただし，相互協議において合意された場合にはこの限りでない（事務運営指針2－20）。

第6節　別表の申告書への添付

　法人は，各事業年度において当該法人に係る国外関連者との間で取引を行った場合には，当該国外関連者の名称及び本店又は主たる事務所の所在地その他財務省令で定める事項を記載した書類を当該事業年度の確定申告書に添付しなければならないとされている（措法66の4⑮）。

　そして，租税特別措置法施行規則第22条の10において，「国外関連者に関する明細書の記載事項」として，次に掲げる事項を記載することとされる。

　　イ　国外関連者に該当する事情
　　ロ　国外関連者の資本金の額又は出資金の額及び当該国外関連者の営む主たる事業の内容
　　ハ　国外関連者の事業年度の営業収益，営業費用，営業利益及び税引前当期利益の額
　　ニ　法人が国外関連者から支払を受ける対価の額の取引種類別の総額又は当該国外関連者に支払う対価の額の取引種類別の総額
　　ホ　独立企業間価格算定方法
　　ヘ　その他参考となるべき事項

　このうち，ホに掲げる独立企業間価格算定方法については，平成15年の税制改正で新たに導入されたものである。また，国外関連取引を行う法人が，その確定申告書に「国外関連者に関する明細書」（法人税申告書別表17⑶）を添付していない場合又は当該別表の記載内容が十分でない場合には，国税庁としては，

当該別表の提出を督促し，又はその記載の内容について補正を求めるとともに，当該国外関連取引の内容について一層的確な把握に努めることとされている（事務運営指針2－3）。

第7節　その他の税制との関係

1　過少資本税制との関係

　移転価格調査にあたり，移転価格税制とともに租税特別措置法第66条の5（国外支配株主等に係る負債の利子の課税の特例）の規定を適用するときは，同条第1項に規定する「負債の利子」の算定に当たっては，独立企業間価格を超える部分の「負債の利子」を含めないことに留意するという規定がある（事務運営指針2－23）。

2　源泉所得税との関係

　移転価格調査の結果，法人が国外関連者に対して支払った利子又は使用料について，法人税の課税上独立企業間価格との差額が生ずる場合であっても，源泉所得税の対象となる利子又は使用料の額には影響しないことに留意することとされ，また，租税条約のうちには当該差額について租税条約上の軽減税率が適用されない定めがあるものがあることに留意するという規定がある（事務運営指針2－24）。

3　消費税との関係

　移転価格税制は法人税法その他法人税に関する法令の適用を定めたものであり，移転価格調査に当たり同税制が適用された場合であっても，消費税の計算には影響しないことに留意するという規定がある（事務運営指針2－25）。

第6章　移転価格税制の執行

第1節　基本方針

　国税庁は，移転価格税制に関し，事務運営の指針を整備し，移転価格税制の適正，円滑な執行を図るため，平成13年（2001年）6月1日に事務運営指針を定めた。同指針はその後，平成13年8月31日，平成14年6月20日，平成17年4月28日，平成18年3月20日に改正され，最近では平成19年6月25日に改正されている。国税庁は，移転価格税制の執行に当たり，その基本方針として，移転価格税制に係る事務については，この税制が独立企業原則に基づいていることに配意し，適正に行っていく必要があり，そのために，次に掲げる3つの基本方針に従って当該事務を運営する，としている（事務運営指針1－2）。

- イ　法人の国外関連取引に付された価格が非関連者間の取引において通常付された価格となっているかどうかを十分に検討し，問題があると認められる取引を把握した場合には，市場の状況及び業界情報等の幅広い事実の把握に努め，算定方法・比較対象取引の選定や差異調整等について的確な調査を実施する。
- ロ　独立企業間価格の算定方法及びその具体的内容等に関し，法人の申出を受け，また，当該申出に係る相互協議の合意がある場合にはその内容を踏まえ，事前確認を行うことにより，当該法人の予測可能性を確保し，移転価格税制の適正・円滑な執行を図る。
- ハ　移転価格税制に基づく課税により生じた国際的な二重課税の解決には，移転価格に関する各国税務当局による共通の認識が重要であることから，調査又は事前確認審査に当たっては，必要に応じOECD移転価格ガイドラインを参考にし，適切な執行に努める。

　このうち，イは，移転価格調査について，ロは事前確認について，ハは調査

と事前確認の両方に関する基本方針を示している。ハについては，移転価格税制が国家間の課税権の調整を目的とするものであることから，国際課税ルールであるＯＥＣＤ移転価格ガイドラインに準拠した執行を行うことを内外に明らかにしたものと理解することができる。

　ここで留意すべきことは，移転価格税制は国内法である租税特別措置法第66条の4に規定されているが，この規定は日本国内の事情のみにより規定されるべきものではないということである。すなわち，国際間の移転価格税制については，すでに1979年にはＯＥＣＤから『移転価格と多国籍企業』という報告書が公表されている。移転価格税制の特徴の1つとして，これを適用することにより，国際的二重課税が発生することから，移転価格税制については国際間で合意することが望ましいということが早くから認識されていたのである。ＯＥＣＤは，1995年に移転価格税制に関する新ガイドラインを策定したが，日本はその作業に大きく関与したといわれている。このようなことから，日本においては，移転価格税制の執行にあたっては，ＯＥＣＤ移転価格ガイドラインを尊重することにしている。事務運営指針の規定は，この点を確認したものである。

　なお，移転価格税制の執行にあたって，ＯＥＣＤ移転価格ガイドラインを尊重することは，2004年に改訂された新日米租税条約にも規定されている。

　このほか，平成19年6月25日付けの事務運営要領の改訂により，『移転価格税制の適用に当たっての参考事例集』を定めたことにより，「別冊『移転価格税制の適用に当たっての参考事例集』は，一定の前提条件を置いた設例に基づいて移転価格税制上の取扱いを取りまとめたものである。このため，別冊で取り上げた事例以外の事例があることはもとより，類似の事例であっても，前提条件が異なることにより移転価格税制上の取扱いが異なり得ることに留意の上，これを参考にして当該税制に係る事務を適切に行う。」とされた（事務運営指針1－3）。

第2節　移転価格調査

　移転価格税制における特徴の1つは，一般の法人税調査に比して，その更正所得金額が多大な金額になるということである。以下に，最近の移転価格調査における更正件数と更正所得金額を示すこととする。

図表6－1　移転価格調査に係る更正件数及び更正所得金額の推移

	2000年度	2001年度	2002年度	2003年度	2004年度	2005年度
更正件数	39	43	62	62	82	119
更正所得金額(億円)	381	857	725	758	2,168	2,836

（出典）　国税庁公表資料による。2000年度とは，2000年7月～2001年6月までの1年間をさす。

　なお，第2編で述べる事前確認との関係において，調査は，事前確認の申出により中断されないこととされ，調査にあたっては，事前確認の申出を行った法人から事前確認の審査のために収受した資料（事実に関するものを除く）を使用しないこととされている。ただし，当該資料を使用することについて当該法人の同意があるときは，この限りではない（事務運営指針2－21）。

(1)　調査の方針

　わが国においては，移転価格調査にあたっては，次のような方針が打ち出されている。

　すなわち，移転価格調査にあたっては，移転価格税制上の問題の有無を的確に判断するために，たとえば次の事項に配意して国外関連取引を検討することとされている。この場合においては，形式的な検討に陥ることなく個々の取引実態に即した検討を行うことに配意することになっている（事務運営指針2－1）。

　　イ　法人の国外関連取引に係る売上総利益率又は営業利益率等（「利益率等」）が，同様の市場で法人が非関連者と行う取引のうち，規模，取引段階その他の内容が類似する取引に係る利益率等に比べて過少となっていないか。

　　ロ　法人の国外関連取引に係る利益率等が，当該国外関連取引に係る事業と

同種で，規模，取引段階その他の内容が類似する事業を営む非関連者である他の法人の当該事業に係る利益率等に比べて過少となっていないか。
ハ　法人及び国外関連者が国外関連取引において果たす機能又は負担するリスク等を勘案した結果，法人の当該国外関連取引に係る利益が，当該国外関連者の当該国外関連取引に係る利益に比べて相対的に過少となっていないか。

このうち，イについては，調査対象となる法人において，国外関連取引と同様の市場において行う第三者間取引があった場合に，国外関連取引とこの第三者間取引における利益率等を比較して，国外関連取引の利益率等が過少となっているか否かを見るものである。また，ロについては，法人の国外関連取引における利益率等が同業他社のそれと比較して過少となっているか否かということを見るものである。さらに，ハについては，法人と国外関連者のそれぞれの果たす機能や負担するリスク等を勘案したうえで，それぞれの国外関連取引に係る利益がどのように配分されているかを見るものである。

(2) 調査に当たり配意する事項

国税庁の事務運営指針によると，国外関連取引の検討は，確定申告書及び調査等により収集した資料等を基に行うこととされている。また，独立企業間価格の算定を行うまでには，個々の取引実態に即した多面的な検討を行うこととされ，たとえば次のような方法により，移転価格税制上の問題の有無について検討し，効果的な調査展開を図るとしている（事務運営指針2－2）。

イ　法人の国外関連取引に係る事業と同種で，規模，取引段階その他の内容が概ね類似する複数の非関連取引（以下「比較対象取引の候補と考えられる取引」という）に係る利益率等の範囲内に，国外関連取引に係る利益率等があるかどうかを検討する。

ロ　国外関連取引に係る棚卸資産等が一般的に需要の変化，製品のライフサイクル等により価格が相当程度変動することにより，各事業年度又は連結事業年度ごとの情報のみで検討することが適切でないと認められる場合には，当該事業年度又は連結事業年度の前後の合理的な期間における当該国

外関連取引又は比較対象取引の候補と考えられる取引の対価の額又は利益率等の平均値等を基礎として検討する。

　ここでは，上述したOECD移転価格ガイドラインに規定されている事項について，わが国においても同様の取扱いを行うことを述べている。イにおいては，いわゆる比較対象取引の選定にあたっては，その候補が複数ある場合に，無理やりこれを1つに絞り込むのではなく，これら全体の取引に係る利益率等の範囲内に問題とする国外関連取引に係る利益率等が含まれるか否かを検討することを規定している。これは，OECD移転価格ガイドラインにおける独立企業間レンジ (arm's length range) の概念を規定しているものである。同ガイドラインにおいては，国外関連取引に係る利益率等が一定のレンジ内にある場合には，これが独立企業間価格であるという取扱いを行う場合がある（パラ1.48）。

　ロにおいては，製品サイクル等の影響等で，ある1つの事業年度だけのデータだけで判断するのではなく，その前の事業年度，または2事業年度など複数の事業年度の利益率等の平均値をもって検討の基礎とすべきことを述べている。OECD移転価格ガイドラインのパラ1.49から1.51に，これに関する記述がある。

第3節　調査時に検査を行う書類等

　国外関連取引において，移転価格税制上適正な取引価格の設定がなされているかを判断するためには，法人税調査に比して，非常に多くの資料の分析が必要となる。このようなことから，移転価格調査が開始されると，国税当局からたくさんの資料に関して提出依頼が行われる。納税者サイドとしては，自己の設定した移転価格の妥当性を主張するためにも，国税当局に対して資料提出を行うことが重要である。資料提出が重要であるもう1つの理由は，納税者が国税当局の求めに応じて資料等を提出しなかった場合には，あとで説明する比較対象企業への質問検査，そして，推定課税の適用があることである。

　国税庁は，移転価格調査にあたって検討する資料を次のように例示している（事務運営指針2－4）。国外関連取引の形態は様々であることから，次の例示

に含まれない資料等についても，現実の調査の場面では要求される可能性があることに留意すべきである。

① 法人及び国外関連者ごとの資本関係及び事業内容を記載した書類等
 イ　法人及び関連会社間の資本及び取引関係を記載した書類等
 ロ　法人及び国外関連者の沿革及び主要株主の変遷を記載した書類等
 ハ　法人にあっては有価証券報告書又は計算書類その他事業内容を記載した報告書等，国外関連者にあってはそれらに相当する報告書等
 ニ　法人及び国外関連者の主な取扱品目及びその取引金額並びに販売市場及びその規模を記載した書類等
 ホ　法人及び国外関連者の事業別の業績，事業の特色，各事業年度の特異事項等その事業の内容を記載した書類等

② 法人が独立企業間価格の算定に使用した書類等
 イ　法人が採用した比較対象取引の選定過程及び当該比較対象取引の明細を記載した書類等
 ロ　法人が複数の取引を一の取引として独立企業間価格の算定を行った場合，その基となった個別の取引の内容を記載した書類等
 ハ　法人がその独立企業間価格の算定方法を採用した理由を記載した書類その他法人が独立企業間価格算定の際に作成した書類等
 ニ　比較対象取引について差異の調整を行った場合，その調整方法及びその理由を記載した書類等

③ 国外関連取引の内容を記載した書類等
 イ　契約書又は契約内容を記載した書類等
 ロ　価格の設定方法及び法人と国外関連者との価格交渉の内容を記載した書類等
 ハ　国外関連取引に係る法人又は国外関連者の事業戦略の内容を記載した書類等
 ニ　国外関連取引に係る法人及び国外関連者の損益状況を記載した書類等
 ホ　国外関連取引について法人及び国外関連者が果たした機能又は負担した

リスクを記載した書類等
- ヘ　国外関連取引を行う際に法人又は国外関連者が使用した無形資産の内容を記載した書類等
- ト　国外関連取引に係る棚卸資産等に関する市場について行われた分析等に係る書類等
- チ　国外関連取引に係る棚卸資産等の内容を記載した書類等
- リ　国外関連取引と密接に関連する他の取引の有無及びその内容を記載した書類等

④　その他の書類等
- イ　法人及び国外関連者の経理処理基準の詳細を記載したマニュアル等
- ロ　外国税務当局による国外関連者に対する移転価格調査又は事前確認の内容を記載した書類等
- ハ　移転価格税制に相当する外国の制度にあって同制度の実効性を担保するために適正な資料作成を求める規定（いわゆるドキュメンテーション・ルール）に従って国外関連者が書類等を準備している場合の当該書類等
- ニ　その他必要と認められる書類等

第4節　国外関連者が保存する資料の要求

　国税庁の調査担当者は，法人と当該法人に係る国外関連者との間の取引に関する調査について必要があるときは，当該法人に対し，当該国外関連者が保存する帳簿書類又はその写しの提示又は提出を求めることができるとされている。この場合において，当該法人は，当該提示又は提出を求められたときは，当該帳簿書類又はその写しの入手に努めなければならない（措法66の4⑧）。

　この規定は，国外関連者が保存する帳簿書類等を国税庁の調査担当者が法人に対して要求することを正当化するとともに，要求された法人がこれについて入手の義務が課せられている，ということを示している。これは，移転価格の設定に関して，国外関連者が保存する資料によりその妥当性の検討を行うことができる場合があることから，国税当局に対して法人に国外関連者が保存する

資料等について提出要求することができるものである。もっとも，この規定に関する罰則規定は存在しないことから，法人が国外関連者の保存する資料を国外関連者に求めて，国外関連者がこれに応じていなくとも，法人が入手について努力していることが明らかな場合には，罰則が課されることはない。

第5節　独立企業間価格の推定

　国税当局の調査担当者が，法人にその各事業年度における国外関連取引に係る独立企業間価格を算定するために必要と認められる帳簿書類又はその写しの提示又は提出を求めた場合において，当該法人がこれらを遅滞なく提示し，又は提出しなかったときは，税務署長は，次の各号に掲げる方法（②に掲げる方法は，①に掲げる方法を用いることができない場合に限り，用いることができる）により算定した金額を当該独立企業間価格と推定して，当該法人の当該事業年度の所得の金額につき更正をすることができる（措法66の4⑦）。

① 当該法人の当該国外関連取引に係る事業と同種の事業を営む法人で事業規模その他の事業の内容が類似するものの当該事業に係る売上総利益率又はこれに準ずる割合として政令で定める割合を基礎とした再販売価格基準法，原価基準法又はそれらと同等の方法

② 利益分割法，取引単位営業利益法又はそれらと同等の方法に類するものとして政令で定める方法

　そして，租税特別措置法施行令第39条の12第11項において，①に規定する売上総利益率又はこれに準ずる割合は，同種の事業を営む法人で事業規模その他の事業の内容が類似するものの国外関連取引が行われた日を含む事業年度又はこれに準ずる期間内の当該事業に係る売上総利益の額の総収入金額又は総原価の額に対する割合とする，と規定されている。

　また，②に関しては，租税特別措置法施行令第39条の12第12項において，政令で定める方法は，国外関連取引が棚卸資産の販売又は購入である場合にあってはイからニまでに掲げる方法とし，国外関連取引が棚卸資産の販売又は購入以外の取引である場合にあってはイ又はホに掲げる方法とする。

イ 法人及び当該法人の国外関連者の属する企業集団の財産及び損益の状況を連結して記載した計算書類による当該国外関連取引が行われた日を含む事業年度又はこれに準ずる期間の当該国外関連取引に係る事業に係る所得が，これらの者が支出した当該国外関連取引に係る事業に係る費用の額，使用した固定資産の価額その他これらの者が当該所得の発生に寄与した程度を推測するに足りる要因に応じてこれらの者に帰属するものとして計算した金額をもって当該国外関連取引の対価の額とする方法

ロ 国外関連取引に係る棚卸資産の買手が非関連者に対して当該棚卸資産を販売した対価の額（「再販売価格」）から，当該再販売価格にAに掲げる金額のBに掲げる金額に対する割合を乗じて計算した金額に当該国外関連取引に係る棚卸資産の販売のために要した販売費及び一般管理費の額を加算した金額を控除した金額をもって当該国外関連取引の対価の額とする方法

　　A 当該国外関連取引に係る事業と同種又は類似の事業を営む法人で事業規模その他の事業の内容が類似するもの（「比較対象事業」）の当該国外関連取引が行われた日を含む事業年度又はこれに準ずる期間（「比較対象事業年度」）の当該比較対象事業に係る棚卸資産の販売による営業利益の額の合計額

　　B 当該比較対象事業年度の当該比較対象事業に係る棚卸資産の販売による収入金額の合計額

ハ 国外関連取引に係る棚卸資産の売手の購入，製造その他の行為による取得の原価の額（「取得原価の額」）に，Aに掲げる金額にBに掲げる金額のハに掲げる金額に対する割合を乗じて計算した金額及びA②に掲げる金額の合計額を加算した金額をもって当該国外関連取引の対価の額とする方法

　　A 次に掲げる金額の合計額

　　　① 当該取得原価の額

　　　② 当該国外関連取引に係る棚卸資産の販売のために要した販売費及び一般管理費の額

　　B 当該国外関連取引に係る事業と同種又は類似の事業を営む法人で事業

規模その他の事業の内容が類似するもの（「比較対象事業」）の当該国外関連取引が行われた日を含む事業年度又はこれに準ずる期間（「比較対象事業年度」）の当該比較対象事業に係る棚卸資産の販売による営業利益の額の合計額

　　Ｃ　当該比較対象事業年度の当該比較対象事業に係る棚卸資産の販売による収入金額の合計額からＢに掲げる金額を控除した金額
　ニ　ロ及びハに掲げる方法に準ずる方法
　ホ　ロ，ハ及びニに掲げる方法と同等の方法

　本来であれば，課税は実額で行われる必要があることから，推定課税の適用には慎重であるべきである。しかし，資料等の提出について，仮に納税者サイドから何ら協力が得られない場合に国税当局として何の手立てもなくこれを放置しておくことは，申告納税制度の根幹を揺るがす事態になりかねず，納税者間の不公平を生じさせる。そこで，移転価格税制の適正公平な執行を担保するために，この規定が導入されたのである。

　推定課税が行われた場合には，納税者は自己の主張する取引価格が独立企業間価格であることを立証しない限り，国税当局の算定した価格が独立企業間価格とみなされることになる。

　なお，再販売価格基準法及び原価基準法に関する規定は移転価格税制導入時より規定されていたが，利益分割法，取引単位営業利益法又はそれらと同等の方法については，平成18年度改正において新たに規定されたものである。

第６節　比較対象企業への質問検査権

　国税当局の調査担当者は，法人が国外関連取引に係る独立企業間価格算定のために必要な帳簿書類等を提示又は提出しなかった場合には，独立企業間価格を算定する必要があるとき，その必要と認められる範囲内において，当該法人の国外関連取引に係る事業と同種の事業を営む者に質問し，又はその事業に関する帳簿書類を検査することができる（措法66の4⑨）とされている。

　法人税調査においては，調査対象法人とその取引先に対して質問検査する権

限は認められているが，この規定のように取引関係のない第三者に質問検査する権限は認められていない。これに対して，移転価格税制は，比較可能な第三者間取引で成立するであろう価格や利益率を基に独立企業間価格を算定するのであるから，比較対象企業が保存する資料等が必要になる場合がある。このようなことから，平成3年の税制改正において，本項が導入されたのである。

上の図で言えば，ＰＳ間の取引が国外関連取引であり，これが問題になって

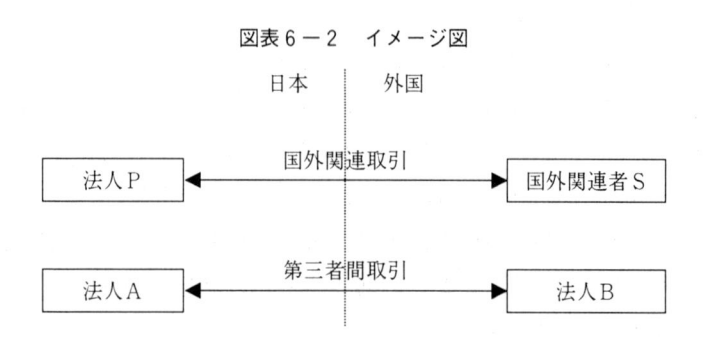

図表6－2　イメージ図

```
           日本  ｜ 外国
                 ｜
  ┌─────┐   国外関連取引   ┌──────┐
  │ 法人Ｐ │ ←─────────→ │国外関連者Ｓ│
  └─────┘                 └──────┘
                 ｜
                 ｜
  ┌─────┐   第三者間取引   ┌──────┐
  │ 法人Ａ │ ←─────────→ │  法人Ｂ  │
  └─────┘                 └──────┘
```

いるとして，Ｐの同業者であるＡが第三者であるＢとの間で行っている第三者間取引に関する資料等によりその取引価格及び利益率等を見れば，独立企業間価格の算定を行うことができることになる。

このように収集された資料等について，国税当局は，調査対象法人には開示しない。これは，当局には法人税法（及び国家公務員法）上の守秘義務が課されているからである。一方，納税者サイドとしては，国税当局が収集した資料等を見ることができないことから，情報の非対称性が生じることとなる。納税者は，国税当局が収集した資料等が適切か否かを判断することができないことから，仮に，当該資料等を用いて更正が行われた場合には，課税の根拠を知ることができないことになる。これが，いわゆるシークレット・コンパラブル問題である。

シークレット・コンパラブルについては，同業他社の行う取引価格やこれに係る利益率等につき，納税者は基本的に知ることのできない情報であることから，コンプライアンスの高い納税者であっても，いかんともしがたいものであ

る。仮に，国税当局の収集した資料等が適正なものであったとしても，納税者サイドとしては，将来にわたっても当該資料等の入手は不可能であり，後続事業年度の課税が避けられない，という欠点がある。

　この問題に対しては，制度上はいかんともしがたいところもあることから，執行上の要請として，次のような意見が出されている。

・日本公認会計士協会平成18年6月（平成19年度税制改正意見・要望書）

　「移転価格税制について，独立企業間価格算定に当たっては，税務当局は，公開情報のみに基づいて移転価格の更正を行うことができるよう明確にし，また算定に資する情報を開示すること。独立企業間価格の算定に当たっては，納税者が実際に活用できる公開情報は限られている。この結果，税務当局が納税者の知り得ない非公開情報に基づいて算定した独立企業間価格により所得の更正を行う場合，納税者側の反論は極めて限定的となり，納税者に著しく不利な制度となっていることから，将来的に外国資本がわが国から逃避しないとも限らない状況であるといっても過言ではない。移転価格税制の執行に当たっては，納税者と税務当局は共通の情報を基礎とすべきであり，税務当局は公開情報のみに基づいて移転価格の算定を行う等の適正な執行が担保されるよう制度の整備をされたい。」

　一方，国税庁からは，「推定規定又は同業者に対する質問検査規定の適用に当たっての留意事項」として，次のような事務運営指針が出されている。

　法人に対し第7項に規定する書類等の提示又は提出を求めた場合において，当該法人が第7項に規定する書類等を遅滞なく提示し，又は提出しなかったときには，同項又は同条第9項（同業者に対する質問検査規定）の規定を適用することができるのであるが，これらの規定の適用に当たっては，次の事項に配意する。

　① 　第7項に規定する書類等の提示又は提出を求める場合には，法人に対し，「当該書類等が遅滞なく提示され又は提出されないときには，租税特別措置法第66条の4第7項又は同条第9項の適用要件を満たす」旨を説明するとともに，当該説明を行った事実及びその後の法人からの提示又は提出の

状況を記録する。

② 法人が第7項に規定する書類等を遅滞なく提示し，又は提出したかどうかは，当該書類等の提示又は提出の準備に通常要する期間を考慮して判断する。

③ 租税特別措置法第66条の4第9項の規定を適用して把握した非関連者間取引を比較対象取引として選定した場合には，当該選定のために用いた条件，当該比較対象取引の内容，差異の調整方法等を法人に対し説明するのであるが，この場合には，法人税法第163条《職員の守秘義務規定》の規定に留意するとともに，当該説明を行った事実を記録する（事務運営指針2－5）。

第7節　更正の期間制限の特例

更正決定等で次の各号に掲げるものは，国税通則法第70条1項から4項までの規定にかかわらず，当該各号に定める期限又は日から6年を経過する日まで，することができる。

① 法人が当該法人に係る国外関連者との取引を独立企業間価格と異なる対価の額で行った事実に基づいてする法人税に係る更正決定

② 前号に規定する事実に基づいてする法人税に係る更正決定に伴いこれらの法人税に係る加算税についてする賦課決定

法人税調査における更正の期間制限に比して，移転価格税制にこのような特例が定められたのは，移転価格調査に多大の時間を要するほか，比較対象取引に関する情報収集が必要になることがその背景にある。このほか，上述した国外関連者が保存する資料等が必要になる場合もある。そこで，平成3年の税制改正において，更正の期間が6年間に変更されたのである。

第8節　納税の猶予

1　はじめに

　平成19年度の税制改正において，移転価格課税に関して，相互協議の申立てを行う内国法人に対して，移転価格課税に係る法人税の額及び当該法人税額に係る加算税の額の納税を猶予する制度が導入された（措法66の4の2①）。これは，①移転価格課税が行われると日本と国外関連者所在地国との間で，同一の所得に関して国際的二重課税が生ずること，②移転価格課税が行われると更正金額が多額になる場合が多いこと，③多くの事案は相互協議に進むが，その解決に数年を要するために企業側の負担が重くなること，を考慮して制定されたものである。

　移転価格課税が行われた場合においては，これまでは特段の措置は講じられてはおらず，国税通則法に規定されている納税の猶予や徴収の猶予，あるいは差押えの猶予，を選択することとなっていた。ところが，これらの制度だけでは，納税者の負担を軽減することはできなかったこともあり，新しい制度が導入されたのである。

2　移転価格課税が行われた後の通常の手続

　日本の税務当局が移転価格税制を適用して更正処分を行った場合には，通常の法人税調査などと同様，納税者はその更正通知書が発せられた日の翌日から起算して1月を経過する日までに当該更正処分により増加した税額を国に納税しなければならない（通則法②二）。このように，移転価格税制の適用においても法人税調査等と同様の手続が適用されるのである。

　そこで，納税者は，上記の日までに納税を行う必要があり，これがなされないと期限内納付が行われない場合の滞納処分手続が行われることとなる。

　納税者は，移転価格課税を受けた場合，課税処分に不満がある場合には，租税条約に基づく相互協議だけでなく，国内法に基づく救済手続（異議申立てや審査請求）を行うことになる。しかし，これらの救済手続行ったからといって，更

正処分の効力やその処分の失効または手続の続行は妨げられない（通則法105①）。

ただし，納税者（不服申立人）が異議審理庁または国税不服審判所長に対して申し立てることにより，異議申立てや審査請求の目的となった処分に係る国税の全部若しくは一部の徴収が猶予されたり，滞納処分の続行が停止されたりする場合がある（通則法105②，④）。これが「徴収の猶予」である。

また，納税者（不服審査人）が担保を提供することにより差押えをしないことを求めることもできる（通則法105③，⑤）。これがいわゆる「差押えの猶予」である。しかし，これらは，不服申立段階に限られており，訴訟に移行した段階では，これらの適用を受けることはできない。

なお，この他に震災，風水害，落雷，火災その他これらに類する災害により納税者がその財産につき相当な損失を受けた場合や納税者等の病気や廃業などの場合で納税が困難なときは，その者の申請に基づき，納税を猶予する制度（「納税の猶予」）がある（通則法46）が，この規定は災害等より納税できない場合の特例であることから，移転価格課税に伴う場合には認められることはなかった。

一方，移転価格課税が行われた後に相互協議を申し立てても更正処分に基づく増加税額に関しては，何ら猶予措置がなかった。

そこで，平成19年度税制改正において，以下に述べる「移転価格税制の納税の猶予」が定められることになったのである。

3　納税の猶予の概要

平成19年度の税制改正において，移転価格課税に関して，相互協議の申立てを行う内国法人に対して，移転価格課税に係る法人税の額及び当該法人税額に係る加算税の額の納税を猶予する制度が導入された（措法66の4の2①）。これは，移転価格課税を受け，経済的二重課税をこうむった企業の負担を軽減するため，わが国国税当局による更正処分額につき，二国間協議の申立てから協議終了後の当該更正処分額が確定するまでの間，納税の猶予を認めるものである。

具体的には，移転価格課税を受けた内国法人が，租税条約の相手国との相互

協議の申立てをし，かつ納税の猶予の制度の適用を申請した場合において，税務署長は，更正又は決定に係る国税（相互協議の対象となるものに限る）及びその加算税の額につき，その納期限から相互協議の合意に基づく更正があった日の翌日から1月を経過する日までの期間，法人税額等について納税の猶予を認めることができるというものである。

ただし，納税の猶予を申請する内国法人に，国税の滞納がある場合には，この制度を適用することはできない。

納税を猶予する場合には，猶予する金額に相当する担保を徴することとなる（同条②）。

4 延滞税の免除

納税の猶予をした国税に係る延滞税のうち猶予期間（申請の日が猶予した国税の納期限以前の日である場合には，申請の日から納期限までの期間を含む）に対応する部分は，免除することとなっている。

(注) 1 上記の改正は，平成19年4月1日以降に行われる申請について適用する。
   2 納税の猶予が終了した時には，確定した本税及びその加算税を納付することになる。なお，事前確認で確認された内容に従って自主的な修正申告に係る税額には，加算税は課されない。

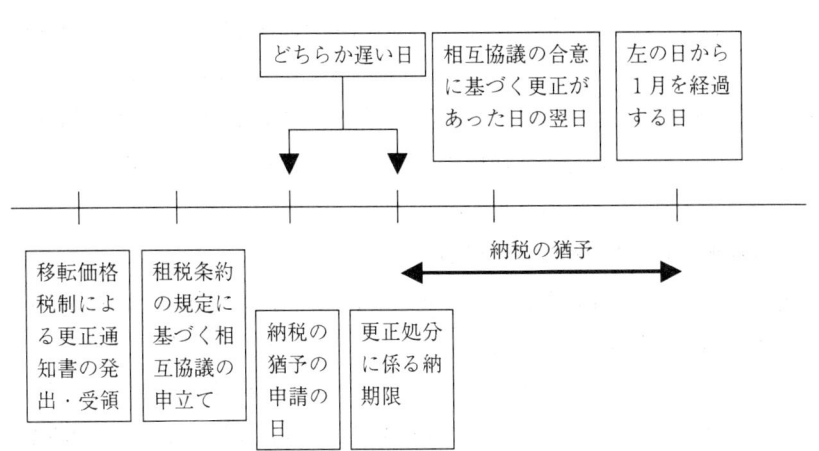

図表6－3 納税猶予の図

第7章　外国の移転価格税制

第1節　米国の移転価格税制の概要

　米国の移転価格税制は，米国内国歳入法典（Internal Revenue Code：ＩＲＣ）第482条に法的根拠がある。さらに同条に基づいて発遣されている連邦所得税規則（Income Tax Regulations）1.482－1から1.482－9Ｔまでに，詳細な取扱いが定められている。米国の移転価格税制の概要は，以下のとおりである。

1　基　本　規　定（目的，配分権限等）
(1)　目　　　　的
　ＩＲＣ第482条の目的は，納税者が関連者間取引に帰属する所得を明確に反映させることを確保し，その取引に係る租税回避を防止することにある。同条は，関連納税者の真実の課税所得がいくらであるかを決定することによって，その関連納税者を非関連納税者と租税上同等の地位に置くことを目的とする。
(2)　配分の権限
　関連納税者が真実の所得を申告しなかった場合には，税務署長は，関連納税者グループの間に所得等を配分することができる。ここにいう配分には，所得，所得控除，減免，課税の基礎または課税所得に影響を及ぼすその他の要素の配分が含まれる。この配分は，増額という形で行われることも，減額という形で行われることも，いずれもありうる。
(3)　納税者にとっての第482条の利用
　納税者は，独立企業間実績値を反映させるために必要があるときは，関連者間取引において実際に請求された価格と異なる価格で申告することができる。ただし，このことは，第482条をいつでも自由に関連納税者が適用しうる権利を認めたものではなく，また，同条の適用を税務署長に強制することを認めたも

のでもない。したがって，例えば，関連者間取引について，減額する目的で配分等を行うための期限後申告，修正申告は認められない。

2 独立企業の原則に関する基本的考え方
(1) 独立企業間基準
　独立企業間基準（Arm's Length Standard）とは，非関連者との間で独立企業の原則に従って取引をしている納税者の基準をいう。独立企業間基準は，非関連者間で（関連者間で行われている取引の状況と）同様の状況の下で実現されたはずである結果と一致するもの（関連納税者の結果）をいう（1.482−1(b)(1)）。

(2) 最適方法のルール
　複数の算定方法のいずれかが優先するものとはされない。ある特定の算定方法よりも他の算定方法がより信頼しうる手段を提供するのであれば，当該他の算定方法が用いられる。また，同一の算定方法を複数回以上適用した場合に，同様の結果が生じないような状況がある場合は，より信頼しうる独立企業間の結果を生ずる独立企業間価格を決定しなければならない。より信頼しうる独立企業間の結果を生ずるための手段は，次の2つにより決定される。ひとつは，比較可能性の程度であり，他の一つは，データ及び前提条件の質である。

(3) 比較可能性
　次のようなファクターのうち利益または価格に影響を与えるものは，評価されなければならない。
　① 機　　　能
　② 契 約 条 件
　③ リ　ス　ク
　④ 経 済 条 件
　⑤ 資産または役務
　マーケットシェア戦略，異なる地理的条件その他コンパラブルと通常は考えられない取引（たとえば破産したコンパラブルの取引）などについては，特別の考慮が払われなければならない。

(4) 独立企業間価格幅

　独立企業間価格幅（Arm's Length Range）とは，類似の比較可能性及び信頼性を有する非関連者間取引（ただし，複数の取引）に対して最適方法ルールに基づく単一の算定方法を適用した場合に得られる幅をいう。独立企業間価格幅は，インタークオータイルレンジ（「複数の非関連者間取引から得られた結果の上位四分の一と下位四分の一を除外した後に残った幅」をいう）がより信頼される（1.482－1(e)(2)(ⅲ)(B)）。

(5) 当局の処分権限の範囲 (1.482－1(f))

① 税務署長の更正処分の範囲は，租税回避事案に限られないし，所得が実現しているものに限られない。

② 真実の所得の決定上の留意点

　イ　複数の別々の取引を全体としてみたときに非常に密接に関連している場合には，全体を統合して計算することが，最も信頼できる手段とされる。

　ロ　複数の年度にわたるコンパラブル（比較対象）取引またはコンパラブル（比較対象）企業のデータを用いることが適当である場合には，複数年度のコンパラブルのデータを（納税者の同様の複数年度に対して）用いる。ただし，納税者の同様の複数年度のデータとして信頼できるデータがない場合は，他の年のデータを調整した上で用いることができる。

　ハ　しばしば，移転価格とは関係のない要因が短期的に生ずる。そのようなときは，コンパラブル取引ないしコンパラブル企業の複数年度にわたる実績値を平均して作られるレンジを用いることが適当である場合がある（1.482－1(e)(2)(ⅲ)(D)）。

3　具体的価格算定方法

① 有形資産の場合 (1.482－3(a))

　イ　独立価格比準法

　ロ　再販売価格基準法

ハ　原価基準法
　ニ　利益比較法
　ホ　利益分割法
　ヘ　明示なき算定方法
② **無形資産の場合**（1.482－4(a)）
　イ　独立取引比準法
　ロ　利益比較法
　ハ　利益分割法
　ニ　明示なき算定方法
③ **役務提供の場合**（1.482－9 T(a)）
　イ　役務提供原価法（The Services Cost method）
　ロ　独立役務提供価格法（The Comparable Uncontrolled Services Price method）
　ハ　再役務提供価格法（The Gross Services Margin method）
　ニ　役務提供原価基準法（The Cost of Services Plus method）
　ホ　利益比較法（The Comparable Profits method）
　ヘ　利益分割法（The Profit Split method）
　ト　明示なき算定方法（Unspecified methods）

第2節　米国のペナルティ

1　ペナルティの賦課の概要（§6662(a)(b)）

　申告すべき税額より過少に納付された部分（連邦所得税法6662条が適用される過少申告の部分）に対しては、本条により、当該過少申告納税額の20パーセント相当額を追加して納税しなければならない。
　本条が適用される過少申告とは、次のものに起因するものをいう。
①　法令規則に従わなかったこと
②　所得税の重大過少申告
③　重大評価誤り
④　年金債務の重大過大申告

⑤ 遺産税の重大過少評価

2 所得税の重大過少申告（§6662(d)(1)）

(1) 重大過少申告の意義

イ 原　　則

重大過少申告（Substantial Understatement of Income Tax）とは，過少とされる税額が，「①申告すべき所得税額の10パーセント相当額」または「②5,000ドル」のいずれか大きい額を超える額となる場合の申告をいう（§6662(d)(1)(A)）。

(注)　なお，6662A条に定めるペナルティと本条に定めるペナルティとの間の適用関係に注意する必要がある。

ロ 例　　外

法人（S法人及びPersonal Holding Companyを除く）の場合は，過少とされる税額が，「①申告すべき所得税額の10パーセント相当額（最低1万ドル）」または「②1千万ドル」のいずれか小さい額を超える額となる場合の申告をいう（§6662(d)(1)(B)）。

(2) 過少の意義（§6662(d)(2)）

「過少」（Understatement）とは，原則として，申告すべき税額と実際申告税額との差額のうち一定要件を満たすものをいう。

3 重大評価誤り（§6662(e)）

(1) 重大評価誤りの定義

次のいずれかに該当する場合は，「重大評価誤り」（Substantial Valuation Misstatement）があるとされる（§6662(e)(1)）。

① 正しい評価額の150パーセント以上で資産を評価した場合
② 次のいずれかに該当する場合

イ 倍又は半分

第482条に規定する者の間で行われる取引に関して，資産の価格，役務

の価格または資産の使用の価格が，同条の適用上の正しい価格に比較して，200パーセント以上である場合または50パーセント以下である場合
　ロ　5百万ドル又は10%
　　「482条課税所得額」（後述(3)参照。）が，「①5百万ドル」または「②納税者の総収入の10パーセント」超える場合（§6662(e)(1)(B)(ii)）

(2) 制　　　限

　重大評価誤り（§6662(e)）が，5,000ドル以下（法人の場合は1万ドル以下）である場合には，ペナルティは課されない（§6662(e)(2)）。

(3) **482条課税所得額の定義**（§6662(e)(3)）

　「482条課税所得額」（Net Section 482 Transfer Price Adjustment）とは，482条に基づいて課された所得（すなわち，増加した部分に相当する所得金額。具体的には，資産の価格，役務の価格または資産の使用の対価に対する移転価格調整額）をいう（§6662(e)(3)(A)）。

(4) **ペナルティの対象から除外される調整所得額**

　「①5百万ドル」または「②納税者の総収入の10パーセント」（§6662(e)(1)(B)(ii)に定めるものをいう）に該当するか否かの計算上，次の金額は，除外して計算される（§6662(e)(3)(B)）。

　①　法定価格算定方法の場合
　　次のイ，ロ及びハのすべてを満たす場合における移転価格の調整所得額に帰属する純課税所得増加額（§6662(e)(3)(B)(i)）がペナルティ免除の対象となる。
　　イ　次の2点の双方ともに立証（establish）されること
　　　a　482条の法令規則に定める法定価格算定方法（合理的と認められるものに限る）に「適正に」従って納税者が価格を決定して「いた」こと（「価格算定方法決定適合性」）
　　　b　当該法定価格算定方法を納税者が使用「した」ことに合理性があること（「価格算定方法使用適合性」）
　　ロ　次の点に該当すること

納税者が法定価格算定方法に基づいて価格を決定したことが当該文書に記載されており，かつ，当該価格算定方法の使用に合理性が「あった」ことを当該文書が立証するものであり，かつ，そのような内容を記述する文書が「申告時点において」存在して「いた」(「申告時文書化適合性」)こと及び現にその文書が所在すること(「文書維持所有義務適合性」)

ハ　期限内提出

納税者は，当該文書を，税務当局の要求から30日以内に提出すること(「迅速提出義務適合性」)

② 法定外価格算定方法の場合

次のイ，ロ及びハのすべてを満たす場合における移転価格調整額に帰属する純課税所得増加額(§6662(e)(3)(B)(ii))

イ　納税者が次の2点のすべてを立証すること

　　a　採用した価格算定方法(法定価格算定方法のいずれにも該当しない価格算定方法をいう)以外の価格算定方法による場合には，所得を正確に反映することができないこと

　　b　法定価格算定方法のいずれにも該当しない価格算定方法(以下この方法を「当該他の価格算定方法」という)を納税者が採用したこと及び当該他の価格算定方法は正確に所得を反映する結果をもたらすであろうものであったこと

ロ　次の2点の双方に該当すること

　　a　納税者が「当該他の価格算定方法」に基づいて価格を決定したことについての内容を記述する文書が「申告時点において」存在して「いた」こと(「申告時文書化適合性」)及び現にその文書が所在すること(「文書維持所有義務適合性」)

　　b　前述「イ」に掲げる要件が満たされて「いた」ことを納税者が立証すること

ハ　納税者は，当該文書を，税務当局の要求から30日以内に提出すること(「迅速提出義務適合性」)

③ 外国法人同士の間においてのみ行われる取引に帰属する移転価格調整額（当該外国法人の所得であっても，米国内事業に実質的に関連する所得に影響を与えるものを除く）（§6662(e)(3)(B)(iii)）

4 特　　　例（ペナルティの重課）(6662(h))

(1) 概　　　要

本条の適用上，総額評価誤り（gross valuation misstatement）に起因する移転価格調整額（所得増差額）に該当する場合には，6662条(a)にいうペナルティとして，20パーセントの率は適用しない。その代わりに40パーセントを適用する。

(2) 総額評価誤りの定義

「総額評価誤り」とは，次のものをいう（6662(h)(2)）。

① 6662条(e)にいう重大評価誤りの規定（前述3(1)）にいう数字を次のように変更したものをいう。

　　イ　150パーセントに代えて「200パーセント」とする。

　　ロ　200パーセントに代えて「400パーセント」とし，かつ，50パーセントに代えて「25パーセント」とする。

　　ハ　5百万ドルに代えて，「2千万ドル」とする。

　　ニ　10パーセントに代えて，「20パーセント」とする。

② 年金，遺産税についても所要の変更をする（内容省略）。

第3節　米国のドキュメンテーション

米国のドキュメンテーションの規定は，移転価格課税に関するペナルティの賦課を受けないための要件の一つとして，一定要件を満たす適切なドキュメンテーションをすることを義務付けている。これを満たさないときは，通常の移転価格課税に加えて，ペナルティが課税されるという仕組みになっている。すなわち，ペナルティの規定と絡む形で定められている。以下それらの概要をみる。

まず，関連する財務省規則1.6662-6であり，これは，「IRC482条の関連

者取引及び482条課税所得額」と題する所得税規則である。以下，2007年1月24日告示の同規則（2007年1月1日以後発効）の概要の一部を含め，解説する。

1 移転価格課税関係のペナルティの概要

6662(e)に定める重大評価誤り（Substantial Valuation Misstatement）がある場合または「482条課税所得額」（Net Section 482 Transfer Price Adjustment）がある場合は，6662(e)に定めるペナルティ（重大評価誤りに起因する過少な税額に20%を乗じて計算された額のペナルティ）が課税される。なお，6662(h)では，総額評価誤り（Gross Valuation Misstatement）に起因する場合は，40%のペナルティが課税される旨定める。

なお，重大評価誤りまたは総額評価誤りに該当するか否かの判断基準は，基本的に，申告書にどのように記載されたかで判定する。すなわち，納税者が取引時の帳簿にどのように記帳したかは関係がない（1.6662－6(a)(2)）。

2 ペナルティの適用除外

ペナルティの適用が除外されるのは，基本的に，理由の合理性及び行動の誠実さという2つの要件に関係する。

すなわち，6662条に定めるペナルティは，当該過少申告に関して，①合理的理由があること（理由の合理性），及び，②誠実に行動したこと（行動の誠実さ），の2要件を満たす場合には，課されない（6664(c)(1)）。理由の合理性と行動の誠実さの要件が満たされているか否かは，すべての事実を勘案してケース・バイ・ケースで判断される。最も重要な基準は，適切な納税義務を果たすためにした納税者の努力の程度である。

たとえば，その納税者の経験，知識及び教育等の程度を含むすべての事実を勘案した結果，単純なミスであると判断しうるようなケースは，理由の合理性と行動の誠実さの要件が満たされていることを示唆するものといえる（1.6664－4(b)(1)）。

なお，納税者がタックスアドバイザーからのアドバイスに依拠して申告した

場合も同様に，納税者の受けた教育の程度，どの程度それらに関して熟練しているか，事業の経験の深さなどを含め総合勘案される。そして，理由の合理性と行動の誠実さの要件が満たされていると判断される場合は，この2つの要件が満たされたことになる。ただし，そのアダバイザーが関連する法令に関する知識に欠けるところがあるということを，納税者が知っていたか，または合理的に考えると納税者は知っているべきであったと思われる場合は，これらの要件を満たしたことにはならない（1.6664－4(c)）。

3 理由の合理性及び行動の誠実さの要件

納税者は，第482条（移転価格課税）に関して，次の(1)または(2)の要件を満たす場合，当該納税者は，1.6664－4にいう理由の合理性及び行動の誠実さの要件を満たしたことを証明したものとして取り扱われる（1.6662－6(b)(3)）。

具体的には，次の(1)または(2)の要件を満たす場合は，次に掲げる額が，482条課税所得額から除外される（1.6662－6(d)(1)）。

(1) 法定の価格算定方法を適用する場合

法定価格算定方法要件とドキュメンテーション要件（これら2つの要件の定義は，下記①及び②の定めるところによる）との両方を満たすことを証明する場合は，その証明された額は，「482条課税所得額」の計算から除外される（1.6662－6(d)(2)(ⅰ)）。

① 法定価格算定方法要件（1.6662－6(d)(2)(ⅱ)）

納税者が「合理的方法」（in a reasonable manner）で価格算定方法を選択し，適用した場合は，「法定価格算定方法要件」（Specified Method Requirement）を満たしたものとされる。合理的方法であったか否かは，その価格算定方法が最も信頼しうるものであるという結論を納税者が合理的に導いたかどうかによる。信頼しうる結論を合理的に示したものとされるためには，納税者がベスト・メソッド・ルールの理念に従って，法定の他の価格算定方法の適用可能性を計るための努力を合理的に行うことが必要である。まとめると，「信頼しうる結論を合理的に導いた」かどうかの判断基準と

しては，例えば次のようなものが考えられる。

イ　納税者の経験，知識の程度

ロ　利用しうるデータがどのくらいあったか，そのデータがどの程度深く分析されたか（データの調査がどの程度完全であったのかを判定するためには，さらなるデータを入手するためにどのくらいの費用をかけたのかが参考になる。また，納税者は，後述のドキュメンテーションを保存しておく必要がある）

ハ　482条に定める他の要件にどの程度従ったか

ニ　弁護士，会計士，エコノミストなどの専門家による分析に合理的に依拠したかどうか

② ドキュメンテーション要件（1.6662－6(d)(2)(iii)）

イ　次の3つの要件を満たす場合は，ここにいう「ドキュメンテーション要件」は満たされたものとされる。

a　納税者がベスト・メソッド・ルールの理念にかなう最も信頼しうる計測手段を提供できる価格算定方法であるという結論を合理的に導いたことを証明するに十分なドキュメンテーションを備え付けている場合

b　当該課税年度の税務調査に関してなされた書類要求から30日以内に当該ドキュメンテーションをIRSに提出する場合

c　当該ドキュメンテーションが，申告書提出時に存在している場合（特定の場合を除く。なお，特定の場合とは，1.6662－6(d)(2)(iii)(B)(9) and (10)に定めるものをいう）

ロ　ここにいうドキュメンテーションとは，次の2つをいう。

a　主要文書（The Principal Documents）

主要文書には次のようなものが含まれる。

ⅰ　事業内容の記述，経済分析，法律分析

ⅱ　納税者の組織，関連者等

ⅲ　482条規則が要求するその他の書類

ⅳ　他の価格算定方法の記述とそれが採用されなかった理由

        ⅴ　コンパラブルの記述，比較可能性の記述，差異調整の内容
        ⅵ　経済的分析，予測の記述
        ⅶ　関連するデータの記述
        ⅷ　帳簿システムの記述
      ｂ　背景文書（Background Documents）
     重要な前提，結論，ポジションなどは，主要文書以外の文書によっても基礎付けられ，支持される場合がある。これらの文書が背景文書である。背景文書はどのような場合においても保持していなければならないという文書ではない。主要文書がＩＲＳから要求された場合，背景文書を必ず提出する必要があるわけではない。ただし，背景文書自体を特別にＩＲＳが要求する場合は，当該背景文書を30日以内に提出する義務がある。

⑵　**法定外の価格算定方法を適用する場合**（1.6662－6(d)(3)）

　法定外価格算定方法要件とドキュメンテーション要件（これら２つの要件の定義は，下記①及び②の定めるところによる）との両方を満たすことを証明する場合は，その証明された額は，482条課税所得額の計算から除外される（1.6662－6(d)(3)(i)）。

　①　法定外価格算定方法要件

　　　次のイまたはロのいずれかの要件を満たす場合は，法定外価格算定方法であるその価格算定方法は，法定外価格算定方法要件を満たしたものとされる（1.6662－6(d)(3)(ii)(A)）。

　　イ　次の２つの要件を満たす場合は，法定外価格算定方法要件を満たすものとされる（1.6662－6(d)(3)(ii)(B)）。

　　　ａ　法定価格算定方法によった場合には信頼しうる計測手段となり得ないという結論を合理的に導いたこと

　　　ｂ　選択し適用した法定外価格算定方法は信頼しうる計測手段となり得るという結論を合理的に導いたこと

　　ロ　次の要件を満たす場合，納税者は，法定外価格算定方法要件を満たし

たものとされる（1.6662－6(d)(3)(ⅱ)(C)）。その要件とは，納税者が合理的方法で，その法定外価格算定方法を選択し，適用したことである。納税者の選択，適用が合理的であったかどうかは，原則としてすべての事実を総合勘案した上で，当該価格算定方法が信頼しうる計測手段となるということについて，合理的に結論が導かれているかどうかによる。なお，納税者は，他の法定外価格算定方法よりも，納税者が選択した法定外価格算定方法のほうがより信頼しうる計測手段となるということを説明する必要はない。

② ドキュメンテーション要件（1.6662－6(d)(3)(ⅲ)）

イ 納税者が次の3点を証明するのに十分なドキュメンテーションを備え付けている場合は，このドキュメンテーション要件を満たしたものとされる。

a 法定外価格算定方法要件（1.6662－6(d)(3)(ⅱ)に定めるものをいう。前述①参照）を満たすこと。

b 当該ドキュメンテーションをIRSが要求してから30日以内にIRSに提出すること

c 当該ドキュメンテーションは，申告時に存在していること

ロ ドキュメンテーションの定義については，前述(1)②参照（1.6662－6(d)(2)(ⅲ)）。

第4節 PATAドキュメンテーション・パッケージ

日本にも，ドキュメンテーションに関連する規定がないわけではない。過去の移転価格税務調査に関する運営指針（平成13年6月1日「移転価格事務運営要領の制定について（事務運営指針）」）「2－4（調査時に検査を行う書類）」があり，事前確認に関する運営指針（同指針）の「5－2（資料の添付）」がある。しかし，必ずしも，直接的に文書化を求める規定とはなっていない。他方，日本の権限のある当局は，平成15年に米国，カナダ，オーストラリアとの間で合意した取り決めにおいてドキュメンテーションないし文書化の具体的内容を定めている。

日本の当局が関与し，外部に公表しているドキュメンテーションの立場としては，この取決めが参考になる。日本の移転価格税務執行において，本件パッケージが参考になると思われるので，要約を以下に掲げる。

環太平洋税務長官会議（Pacific Association of Tax Administrators：ＰＡＴＡ）では，平成15年3月に，移転価格のドキュメンテーションに関する加盟国間の合意を公表した。この合意は，「環太平洋税務長官会議（ＰＡＴＡ）移転価格の文書化に関するパッケージ（Pacific Association of Tax Administrators (PATA) Transfer Pricing Documentation Package）という。

（注） 環太平洋税務長官会議（ＰＡＴＡ）は，租税条約の情報交換規定を根拠として，日本，オーストラリア，カナダ及び米国の4か国の税務当局が，税の執行上の共通の諸問題について意見交換を行う場所であった。しかし，平成18年1月，英国（ロンドン郊外のリーズ城）で開催された8か国（日本，米国，カナダ，オーストラリア，英国，フランス，中国，インド）の税務長官会合において，これら8か国に新たにドイツ及び韓国の2か国を加えた計10か国の税務長官会合（名称は「リーズキャッスルグループ」）を設けることに同意がなされ，その結果，環太平洋税務長官会議（ＰＡＴＡ）は解消されている。

1 趣旨・目的

① 納税者は，このドキュメンテーション・パッケージに記された基準に従ったすべての文書を準備することにより，それぞれの国の法律上で要求された基準を満たすことができる。

② この統一的なドキュメンテーション・パッケージを適用する選択肢を用意することにより，納税者が効率的に有用な移転価格に関する文書を準備・保存し，課税当局の求めに応じてより迅速に文書を提出すること及び移転価格上の罰則の回避が可能になると考える。

③ このドキュメンテーション・パッケージは，ＯＥＣＤ移転価格ガイドラインの第五章に記された文書化に関する一般原則と整合的なものとなっている。

2 罰則回避のための3原則

このパッケージの適用を選択した納税者が各国の移転価格税制上の文書化に関する罰則を回避するためには，次の①から③の3つの原則を満たす必要がある。

① 多国籍企業は，課税当局の決定したルールに従い，独立企業原則に則った移転価格の設定のために十分な努力を行うこと

(注) その努力とは，国外関連取引の分析，独立の第三者間で行われた比較対象取引の選定，ＰＡＴＡ参加国の移転価格ルール，関連条約，ＯＥＣＤ移転価格ガイドラインに則った各国の移転価格税制に基づく合理的な移転価格算定手法の選定・適用を行うことをいう。

② 多国籍企業は，独立企業原則に従った移転価格設定を行う過程で同時文書 (Contemporaneous documentation) を作成し，保存すること

(注) 同時文書とは，その対象となった取引が行われた時点で存在していた文書，あるいは各国の規定に基づく納税申告書の提出期限（延長が行われた場合には延長期限）までに作成された文書で，その間に生じた取引に関連する情報を含んだものをいう。第二の基準を満たす文書は，別表に掲げられている。

③ 多国籍企業は，課税当局の求めに応じ，迅速に文書を提出すること

前述の文書を課税当局の求めに応じて迅速に提出する必要がある。ＰＡＴＡ参加国の要求により，ＰＡＴＡ参加国の関連ルールに一致して，課税当局に提出される必要がある。

3 文書化の具体的内容

別表に掲げられている納税者が提出すべき文書の概要は次の(1)から(10)のとおりである。

(1) 資本関係・取引関係

国外関連取引に参加する国外関連者及びその関係（沿革及び重要な資本関係の変更を含む）また，直接・間接に国外関連取引の価格設定に影響を与える取引を行っている関連会社も含む。

(2) 事業の特色・市場の状況

・事業の概要（納税者の歴史，事業に与える経済的，法的要因，販売市場

- ・関連者間取引
- ・国外関連取引の監理部署
- ・納税者の資産・サービスに与える経済的, 法的要因
- ・市場構造・同業他社の数, 競争の程度
- ・関連する無形資産の内容
- ・当該年度とその5年前までの年次報告書
- ・関連者間取引の機能, 資産, リスク
- ・関連者の資本関係

(3) **国外関連取引**
- ・取引される資産, 役務提供の内容, それらに付随する資産, 無形資産
- ・関連者間取引の当事者, 範囲, 時期, 頻度, 種類, 価格, 地理的市場
- ・使用通貨, 契約条件など
- ・関連者間取引に関する契約書

(4) **前提条件・事業戦略・経営方針**
- ・事業戦略, 相殺取引, 市場浸透戦略, 販売チャネルの選択

(5) **費用分担契約**
- ・費用分担契約の契約書の写し等
- ・費用分担契約参加者
- ・費用分担契約から利益を受ける他の関連会社のリスト
- ・その他

(6) **比較可能性**
- ・比較対象企業の内容（有形資産の形状, 品質, 入手可能性, 役務提供の種類, 範囲, 無形資産の取引形態, 種類, 付与される権利, 無形資産から生ずる予測便益等）
- ・非関連者間取引において, 取引価格に影響を与える要因を示した部署
- ・比較可能性の検討に用いた要素
- ・取引対象となる資産・役務の性質
- ・資産・役務の機能（その重要性）
- ・使用資産

- リスク（市場リスク，金融リスク，貸し倒れリスク）
- 契約条件
- 事業戦略
- 経済状況（地理的場所，市場規模，競争の程度，代替品の入手可能性）
- 比較対象取引選定の基準
- 差異調整（内容と行った理由）
- 取引と比較対象企業のグルーピング
- 代替的移転価格算定方法
- 移転価格幅に関する情報複数年度データの内容とそれを用いた理由

(7) **価格算定方法**
- 価格算定方法の内容，選択した理由その背景とした経済的分析，経済的予測等の内容
- 使用されなかった方法とその理由

(8) **算定方法の適用**
- 前提条件の内容とそれを採用して理由を記録した文書
- 差異調整等を記録した文書

(9) **補助的資料**
- 補足資料

(10) **文 書 目 録**

4　ペナルティ免除規定の有無

　オーストラリア，カナダ及びアメリカは，ＰＡＴＡドキュメンテーション・パッケージの原則に則って作成した文書の場合は移転価格に関するペナルティが免除できる規定を有している。

　［参考］

　日本には，特別にドキュメンテーションのためのペナルティ等は存在しない。すなわち，次のような規定にとどまる。まず，租税特別措置法第66条の4（移転価格税制）には，第8項に国外関連資料の入手努力義務があり，第15項に国外

関連取引の内容の申告書添付義務がある。なお，罰則としては，同条第9項から14項までにおいて，納税者と同業の者に対する質問検査権の規定があり，質問検査に対する忌避等の場合に10万円以下の罰金が定められている。また，法人税法本法では，第159条で，偽り不正は，5年以下の懲役または500万円以下（特定の場合，追徴税額まで増加）の罰金に処し，または併科される。また，その行為者でない者のうち法人等に対しても同様の罰金刑を科する（同法164条）。さらに，法人税法第160条では，正当な理由なく，提出期限までに，申告書を提出しなかった法人代表者等は，1年以下の懲役または20万円以下の罰金を定め，また，その行為者でない者のうち法人に対しても同様の罰金刑を科する（同法164条）。なお，このほか，国税通則法では，第60条から69条までにおいて附帯税が定められている。

第5節　その他の国の移転価格税制

1　概　　要

　世界各国の移転価格税制は，区々である。第一のタイプは，移転価格税制専用の規定を有するタイプの税制である。これには，わが国の租税特別措置法第66条の4のようないわゆる移転価格税制のみを目的とする税制を有する国が該当する。第二のタイプは，一般的な租税回避防止規定を有するタイプの税制である。これには，例えばシンガポール（シンガポール所得税法33条，53条2A等）や香港（内国歳入法第20条，61条等）のように，居住者及び非居住者の取引に関する租税回避防止規定，一般的な租税回避防止規定が該当する。そのほか，法令というよりは通達レベルで対処する国，暫定的な法令の導入で対処する国などがある。以下では，近年急激に増加しているアジアとの貿易，資本投資を背景に，アジアの主な国の移転価格税制（後述「3」）を概観する。

2　地域別概要
(1)　欧州地域

　欧州諸国は，移転価格税制について例えば，イギリス，ドイツ，フランスな

どのように経験の豊富な国が多い。欧州の国々の移転価格税制は，基本的にはOECDガイドラインに沿った内容の税制を導入している。しかし，個々にみると，その執行や，ドキュメンテーション，ペナルティの内容などに，若干の違いも見られる。ベルギー，スウェーデン，スペイン，イタリア，オランダ，デンマーク，アイルランド，ルクセンブルグ，オーストリアなども税制を有している。東欧では，ポーランド，ハンガリー，ロシアなどは，移転価格課税の経験を重ねつつある。このほか，正式な制度導入未済の国も含め，リトアニア，ラトビア，エストニア，スロバキア，チェコ，スロベニア，マルタ，キプロスなどがある。

(2) 北米南米地域

北米では，カナダ，メキシコがあり，南米では，例えばブラジル，アルゼンチン，コロンビア，エクアドル，ボリビア，コスタリカ，ベネズエラなどである。

(3) アジア・オセアニア地域

豪，韓国，マレイシア，タイ，インドネシア，フィリピン，インド，シンガポール，台湾，ベトナムなどがある。

3 アジアの主要国の税制

(1) 韓　　国

韓国の移転価格税制は，概ねOECDのガイドラインに沿ったものであり，その概要は次のとおりである。

① 関連者の定義

関連者の定義は，形式基準が50％以上の資本所有関係，実質支配基準も定められている。

実質支配基準は，事業，資金，無形資産について，その50％以上が，他方の企業に依拠しているような場合に，関連者と定義する。例えば，一方の企業の事業の50％以上が他方の企業との取引である場合などである。

② 価格算定方法

価格算定方法は，(a)独立価格比準法，(b)再販売価格基準法，(c)原価基準法，(d)利益分割法，(e)取引単位営業利益法，(f)ベリーレシオ法の6つである。これらの順に優先して適用されるが，基本三法が用いられないことが証明された場合にはじめて，利益法的な価格算定方法の使用が認められる。

③ その他の特徴

税務調査において税務当局から要求された情報を一定期限までに提出しなかったなどの場合には，3千万ウォンのペナルティが課される。立証責任は一般的に税務当局にあるが，移転価格課税に関しては，納税者が合理的な証明をしない場合は，納税者が負担する。

(2) 台　　湾

従前は関連者間取引を一般的に規制する規定（1971年所得税法41条の1）で対処していたが，2004年に，移転価格税制が導入された。関連者の定義が非常に特徴的な規定となっている。また，ドキュメンテーションルールが新しく2005年に導入された。

① 関連者の定義

次に掲げる関係を特殊関係と定義する。

イ　20％以上の資本所有関係にある場合（間接，兄弟関係を含む）

ロ　他方の法人の最大株主でかつ当該他方の法人の資本の10％以上を所有する場合

ハ　他方の企業の資本の20％以上を所有し，かつ，当該他方の企業の役員の半分以上を支配する場合

ニ　同一の者が複数の企業の社長，ＣＥＯを兼ねている場合，一方の企業の社長と他方の企業の社長とが法律（Civil Code）に定める特定の関係にある場合

ホ　人事，財務または経営に対して直接・間接に支配権を有する場合（例えば，ＣＥＯ等を指名する権限を有する場合，特許権等の許諾権限を50％以上有する場合，その企業の年間購入量の50％以上について権限を有する場合，その企

業の年間販売量の50％以上につき権限を有する場合，企業の借入金の20％以上について保証する他の企業がある場合)
　　ヘ　ある企業が他の企業と共同事業を行う場合
　　ト　その他一方の企業が他方の企業の人事，財務，経営，管理上の決定に対して支配を及ぼすものと認められる事実がある場合
②　価格算定方法
　例えば有形資産に関する価格算定方法は，次のとおりである。基本的にベストメソッドルールが適用される。
　　イ　独立価格比準法
　　ロ　再販売価格基準法
　　ハ　原価基準法
　　ニ　利益比較法
　　ホ　利益分割法
　　ヘ　その他大蔵省が認める方法
③　罰　　　則
　例えば次のような要件に該当する場合は，追徴税額の２倍の罰金が課される。
　　イ　申告した価格があるべき価格に比して，200％以上高いか，逆に，50％以下であった場合
　　ロ　税務調査の結果の追徴所得が，申告した課税所得額の10％以上となった場合，または，年間営業利益の３％以上となった場合
④　その他の特徴
　ドキュメンテーションに関する規定の内容は，申告時までに一定の情報を文書化し，移転価格税務調査開始から１ヶ月以内に提出するというものである。文書化すべき内容は，事業概要，支配関係，関連者間取引等通常要求されるものと同様のものである。ただし，年間営業収入と営業外収入の合計１億新台湾ドルを超えない，または，関連者間取引額が年間１億新台湾ドル未満である等の一定の要件に該当する場合は，より簡易なドキュ

メンテーションとする規定（セーフ・ハーバー・ルール）がある。なお，移転価格課税の場合，立証責任は一般的に納税者にある。

(3) インド

インドは，2002年にいわゆる移転価格税制（1961年インド所得税法中の92条以降の規定）を導入した。国際取引が対象となる。なお，国際取引とは，原則として，関連者間取引の当事者の一方が少なくともインド居住者でない場合における取引をいう。

① 価格算定方法

独立企業間価格は，次のいずれかの方法のうち最も適切な方法によって算定される。すなわち，(a)独立価格比準法，(b)再販売価格基準法，(c)原価基準法，(d)利益分割法，(e)取引単位営業利益法，(f)その他税務当局が認める算定方法，である。これらの順に優先して適用されるが，基本三法が用いられないことが証明された場合にはじめて，利益法的な価格算定方法の使用が認められる。

② 関連者の定義

一方の企業が他方の企業の資本の26％以上を所有する場合は，関連者とされる。また，借入金額が借入企業の総資産の51％以上である場合，借入金総額の10％以上が他方の企業によって保証されている場合なども，関連者とされる。さらに，役員の過半数の指名権限を他方の企業が有する場合など，一方の企業の活動が他方の企業の特許権等に依拠している場合，一方の企業と他方の企業とが共通の利害関係にある場合，などは，関連者とされる。

③ ドキュメンテーション

納税者は，国際取引に関して，通常ドキュメンテーションの対象となる情報を記載した文書（支配関係，事業の状況等）のほかに，市場の分析結果，利益計画の予想と，コンパラブルの適切性の記述などを文書化しておく必要がある。さらに，移転価格課税の対象となる国際取引の価格がアームズレングスであることを証する会計士の報告書を，納税者は準備し，賦課年

度の10月31日までに税務当局に対して提出する必要がある。

④ 執　　行

インド中央政府は，2001年に所得税規則（10A－10e of the Income-tax Rules 1962）を改正して，いくつかの詳細なルールを公表している（21 Aug., 2001）。

イ　取引の一括化

たとえばまず，比較可能性の検証にあたり，納税者の複数の取引のうち類似する取引については，コンパラブル取引と比較するに当たり，一括（Aggregation of Transactions）して取り扱われる。これはOECDガイドラインの考え方に沿ったものであると説明されている。

ロ　複数年度のデータの使用

同様に，複数年度のデータを使用することが認められる旨，同規則では定めている。すなわち，問題の事業年度以前の2年間のデータが，移転価格の決定に影響すると認められる場合は，当該2年間のデータを納税者が使用することができる。なお，この取扱いも，国際的な取扱い（例えば，ビジネスサイクルや経済的状況の変化という影響を取り除く目的で3年から5年間のデータを考慮すること等）と整合するものである。

ハ　独立企業間価格は5％の幅を許容

価格算定方法を適用して得られた独立企業間価格が複数ある場合，基本的には，算術平均値を独立企業間価格とする考え方をとるものと思われる。しかし，当該算術平均からの乖離が5％以下である場合には，それを独立企業間価格とみることが許容されているようである。

⑤ その他事項

税務調査に基づく追徴の場合は，一定の要件の下に追徴税額の3倍までのペナルティが課されることがある。さらに，文書の保存義務または提出義務に違反する場合には，取引金額の2％相当額のペナルティが課される等，種々のペナルティが定められている。

(4) ベトナム

　ベトナムの移転価格税制は，2005年に整備された。まだ，執行の経験が浅いことから，今後種々の問題点に当面しつつ，執行されていくものと思われる。
　① 関連者の定義
　　次のような場合に関連者とされる。関連者の定義は広いものとなっている。
　　イ　一方の企業が他方の企業の20％以上（間接所有を含み，兄弟関係にある者を含む）の資本を所有する場合
　　ロ　最大株主がある企業の10％以上を所有する場合
　　ハ　ある企業の中長期借入金の50％超を貸し付ける場合または保証する場合
　　ニ　一方の企業が役員の半分超を指名する権限がある場合等
　　ホ　製品原価の50％超を，他方の企業の無形資産の使用対価として支払っている場合
　　ヘ　製品原材料の50％超を供給する場合，製品販売の50％超を支配する場合
　　ト　2つの企業が共同事業を行う場合，など。
　② 価格算定方法
　　価格算定方法は，(a)独立価格比準法，(b)再販売価格基準法，(c)原価基準法，(d)利益比較法，(e)利益分割法，の5つと解釈されている。これらのうち最も適切な算定方法が用いられる。
　③ その他の事項
　　納税者は，法定の様式で情報を提出するほかに，税務当局から要求された情報を原則として30日以内に提出しなければならない。ペナルティに関しては，移転価格税制専用のものはないが，脱税事件とみなされる場合は，最高5倍までの税額が課される。

QUESTION 1　移転価格税制の趣旨・目的

移転価格税制の趣旨・目的について説明して下さい。

ANSWER

移転価格税制の趣旨・目的は，経済社会の国際化に対応することにあります。

【解説】

　経済の国際化により，多国籍企業のグループ内取引が飛躍的に増大している。このような企業グループ内の財やサービスの取引に伴う価格は，一般に移転価格（Transfer Price）と呼ばれている。

　多国籍企業は，企業グループが所在する各国の社会・経済・政治体制の違いを利用することができ，特に課税面では，多国籍企業全体の租税負担の最少化を図るため，各国の租税法制の長所や短所を最大限利用しているといわれている。

　そのため，企業グループ間において取引が行われる場合に，第三者間で通常設定される対価とは異なる価格で取引される傾向がある。これをそのまま是認すると，所得の国際間の移動が生じて，その結果として，各国における税収に歪みが生じることになる。たとえば，日本の法人が，外国子会社に製品を正常な対価と異なる対価，具体的には安い対価で販売したとすると，日本の法人の利益が通常の場合に比して減少することから，日本の税収が減少する。日本の税務当局としては，国家の税収確保の観点からこの問題に適切に対処する必要が出てくる。このような観点から制定される移転価格税制とは，ある意味では，先進国のように所得課税に依存する国家として，当然整備しなければならない「税制のインフラ」とも言えるものである。

QUESTION 2　移転価格税制の規定

移転価格税制には、どのような規定があるのでしょうか。

ANSWER

租税特別措置法66条の4に基本的な規定、そして66条の4の2に納税猶予制度の規定があり、措置法施行令、措置法施行規則で補完しています。この他、国税庁が定める措置法通達及び事務運営指針があり、日米租税条約やOECDモデル租税条約があります。

【解説】

日本の移転価格税制は、法人の国外関連取引だけに適用されるが、単体納税を行う法人に関しては、租税特別措置法66条の4に規定がある（この他、連結納税を行う法人に関しては、措置法68条の88に規定があるが、66条の4とほとんど同じであることから、連結法人に係る解説は省略する）。そして、措置法の規定を受けて、措置法令39条の12、措置法規則22条の10に規定がある。また、国税庁がこれら法令の解釈指針としての措置法通達（法令解釈通達）として、66の4(1)-1から66の4(8)-2までを定めている。国税庁は、さらに、措置法66条の4に関し、事務運営指針を整備し、移転価格税制の適正、円滑な執行を図っている。所得税や法人税などには、事務運営指針はあまり定められていないが、移転価格税制については、複雑・難解な税制であることから、特に、事務運営指針が定められている。

これらがわが国における移転価格税制の法令及び通達であるが、移転価格税制が各国の課税権の調整という側面を有することから、国内法だけでなく、一部の租税条約にも規定がある。具体的には、日米租税条約9条に規定があるほか、同条約の議定書5、交換公文3に移転価格税制、特に日米両国がOECD移転価格ガイドラインを尊重すべきであるとの定めがある。なお、OECDが定めたモデル租税条約9条においても、日米租税条約と類似の規定が置かれて

いる。

　OECD移転価格ガイドラインについては，国税庁の事務運営指針1－2(3)において，これを「必要に応じ，参考にする」としている。

```
移転価格税制に関する法令・通達

┌─────────────────────────┐        ┌──────┐  ┌──────┐
│ ┌─────────────────────┐ │        │日 米 │  │OECD  │
│ │ 移転価格税制を規定する法令 │ │        │租 税 │  │モデル│
│ └─────────────────────┘ │        │条 約 │  │租 税 │
│ ┌─────────────────────┐ │        │      │  │条 約 │
│ │ 措置法66条の4，66条の4の2 │ │        └──────┘  └──────┘
│ └─────────────────────┘ │
│ ┌─────────────────────┐ │
│ │ 措置法令39条の12，39条の12の2│
│ └─────────────────────┘ │
│ ┌─────────────────────┐ │
│ │ 措置法規則22条の10        │ │
│ └─────────────────────┘ │
└─────────────────────────┘
              ⇕
┌─────────────────────────┐
│  措置法通達（法令解釈通達）  │
└─────────────────────────┘
              ⇕
┌─────────────────────────┐
│       事務運営指針        │
└─────────────────────────┘
```

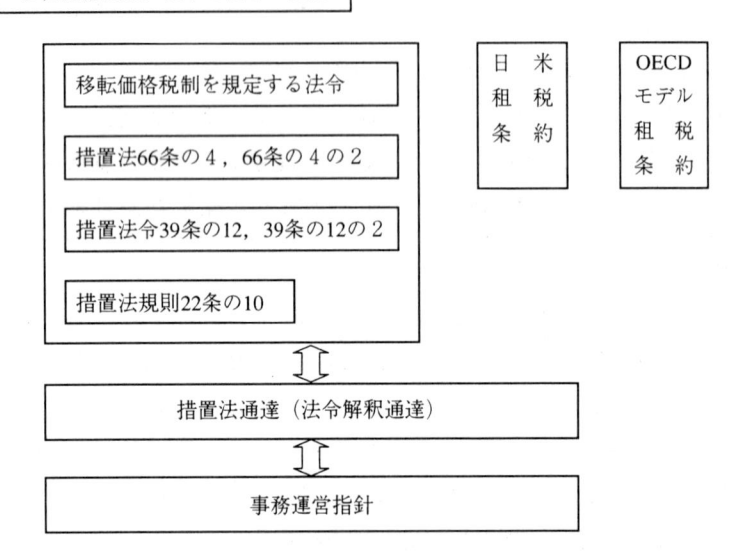

QUESTION 3　独立企業間価格の算定

独立企業間価格とはどのように算出するのですか

ANSWER

措置法66条の4第2項に独立企業間価格算定方法が規定されています。

【解説】

　日本の移転価格税制上、独立企業間価格とは、措置法66条の4第2項により算出された金額をいう。すなわち、同条同項には、「前項に規定する独立企業間価格とは、国外関連取引が次の各号に掲げる取引のいずれに該当するかに応じ当該各号に定める方法により算出した金額をいう。」と規定されている。

　そして、独立企業間価格の算定方法について、①棚卸資産の販売又は購入と②①以外の取引、の2つの取引に分けて規定されている。このうち、①の棚卸資産の販売又は購入に関しては、同条同項第1号には、独立価格比準法(Comparable Uncontrolled Price method：CUP法)、再販売価格基準法（Resale Price method：RP法)、原価基準法（Cost Plus method：CP法）(以下、これら3つの方法をあわせて「基本三法」という)、基本三法に準ずる方法その他政令で定める方法、といった方法が規定されている。

　措置法令39条の12第8項には、その他政令で定める方法が規定されており、第1号には利益分割法（Profit Split method：PS法）が、第2号から第4号までには取引単位営業利益法（Transactional Net Margin Method：TNMM）及びこれに準ずる方法が規定されている。

　なお、基本三法に準ずる方法については、通達等で特に規定はされていないが、たとえば、CUP法とCP法を併用する場合などを準ずる方法とすることができるとされている。

　次に、②の取引については、①の方法と基本的には同様であるが、措置法66

条の４第２項第２号においては，「イ　前号イからハまでに掲げる方法と同等の方法，ロ　前号ニに掲げる方法と同等の方法」と規定されている。前者は，基本三法と同等の方法であり，後者は基本三法に準ずる方法又はその他政令で定める方法と同等の方法であるといえる。

QUESTION 4　移転価格税制の適用取引

移転価格税制が適用される取引はどのようなものですか

ANSWER

移転価格税制が適用される取引は，次の取引です（措置法66条の４第１項）。すなわち，①法人とその国外関連者との間の資産の販売，資産の購入，役務の提供その他の取引（これを「国外関連取引」という），②法人が国外関連者から支払を受ける対価の額が独立企業間価格に満たない取引又は法人が国外関連者に支払う対価の額が独立企業間価格を上回る取引です。

【解説】

　移転価格税制が適用される取引は，措置法66条の４第１項によれば，①法人とその国外関連者との間の資産の販売，資産の購入，役務の提供その他の取引（これを「国外関連取引」という），及び②法人が国外関連者から支払を受ける対価の額が独立企業間価格に満たない取引又は法人が国外関連者に支払う対価の額が独立企業間価格を上回る取引である。

　取引の相手方は，国外関連者に限定されているが，法人が国外関連者との取引を非関連者を通じて行っている場合には，当該法人と非関連者との間の取引は，国外関連取引とみなされる（措法66の４⑥）。具体的には，法人と非関連者との間の取引の対象となる資産が国外関連者に販売，譲渡，貸付け又は提供されることが当該取引を行った時において契約その他によりあらかじめ定まってい

る場合で，かつ，当該販売，譲渡，貸付け又は提供に係る対価の額が当該法人と当該国外関連者との間で実質的に決定されていると認められる場合及び当該法人に係る国外関連者と非関連者との間の取引の対象となる資産が同項の法人に販売，譲渡，貸付け又は提供されることが当該取引を行った時において契約その他によりあらかじめ定まっている場合で，かつ，当該販売，譲渡，貸付け又は提供に係る対価の額が当該法人と当該国外関連者との間で実質的に決定されていると認められる場合とされている（措令39の12⑨）。

ただし，国外関連者との取引であっても，わが国に支店等の恒久的施設を有する国外関連者（法法141①～③）との取引のうち，その取引が国外関連者の法人税の課税対象所得（国内源泉所得）に係る取引については，適用対象外とされている（措法66の4①，措令39条の12⑤）。

QUESTION 5　国外関連者①

国外関連者とはどのような者をいうのでしょうか

ANSWER

国外関連者とは，いわゆる親子会社や兄弟姉妹会社をいうが，これ以外にも，実質所有関係にある外国法人，連鎖関係にある外国法人など様々な外国法人があります。

【解説】

国外関連者とは，簡単に言えば，法人と資本関係で50％以上の関係を持つか，実質的に支配関係のある外国法人をいうこととされている。国外関連者について，移転価格税制上は，措法66条の4第1項において，次のように規定されている。

国外関連者とは，「外国法人で，当該法人との間にいずれか一方の法人が他方の法人の発行済株式又は出資（当該他方の法人が有する自己の株式又は出資を除

く。）の総数又は総額の100分の50以上の数又は金額の株式又は出資を直接又は間接に保有する関係その他の政令で定める特殊の関係（「特殊の関係」という。）のあるものをいう。」とされている。

そこで，措置法令39条の12第１項の規定を見ることになるが，これが非常に複雑なものとなっている。以下，順次説明することにする。

第１号　これは，いわゆる親子会社を示しているもので，２の法人のいずれか一方の法人が他方の法人の発行済株式又は出資（自己が有する自己の株式又は出資を除く）の総数又は総額の100分の50以上の数又は金額の株式又は出資を直接又は間接に保有する関係をいう。

第２号　これは，いわゆる兄弟会社（姉妹会社）を示すもので，２の法人が同一の者によってそれぞれその発行済株式の100分の50以上の数又は金額の株式又は出資を直接又は間接に保有される場合における当該２の法人の関係をいう。

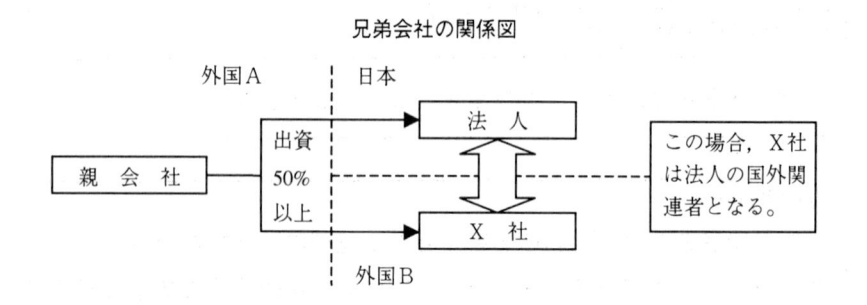

兄弟会社の関係図

```
         外国A      |    日本
                    |
                  ┌─────┐
              ┌──→│ 法 人 │     ┌────────────┐
┌───────┐出資│   └─────┘     │この場合，X社│
│親 会 社│50%│      ↕         │は法人の国外関│
└───────┘以上│   ┌─────┐     │連者となる。 │
              └──→│ X 社 │     └────────────┘
                    |  └─────┘
                    |    外国B
```

第３号　この規定は，実質支配基準という。

①他方の法人の役員の半数以上又は代表権を有する役員が，一方の法人の役員若しくは使用人を兼務しているか又はかつて一方の法人の役員若しくは使用人であった場合，②他方の法人がその事業活動の相当部分をその一方の法人との取引に依存して行っている場合，③他方の法人がその事業活動に必要とされる資金の相当部分を一方の法人からの借入れにより，又は一方の法人の保証を受けて調達している場合をいう。

第4号　形式基準と実質基準の連鎖関係

法人と外国法人との間に，形式基準（50%以上の持株関係）と実質基準（実質支配関係）が連鎖している場合をいう。

形式基準と実質基準の連鎖関係図

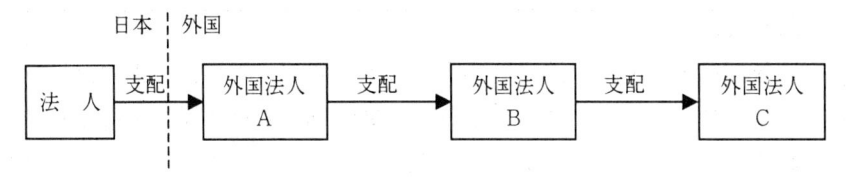

```
        日本 | 外国
┌─────┐ 支配 ┌─────┐ 支配 ┌─────┐ 支配 ┌─────┐
│法　人│ ───→ │外国法人│ ───→ │外国法人│ ───→ │外国法人│
│     │      │  A   │      │  B   │      │  C   │
└─────┘      └─────┘      └─────┘      └─────┘
```

上の図でいう「支配」とは，形式基準（50%以上の持株関係）又は実質基準（実質支配関係）を満たしている場合をいう。この図のように，法人が外国法人Aを通じて，外国法人B及び外国法人Cを支配していると見て，外国法人A，B，Cすべてを国外関連者として処理するというものである。

第5号　法人及び外国法人がそれぞれ同一の者との間で形式基準（50%以上の持株関係）又は実質基準（実質支配関係）を満たすことにより，法人及び外国法人の間にこれらと同様な関係が生じていると認められる関係である。

同一の者との間での形式基準と実質基準の関係図

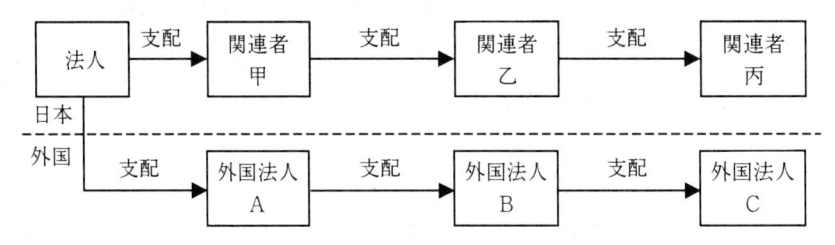

```
┌─────┐ 支配 ┌─────┐ 支配 ┌─────┐ 支配 ┌─────┐
│法　人│ ───→ │関連者│ ───→ │関連者│ ───→ │関連者│
│     │  │   │  甲  │      │  乙  │      │  丙  │
└─────┘  │   └─────┘      └─────┘      └─────┘
日本     │
─────────┼────────────────────────────────────
外国     │ 支配 ┌─────┐ 支配 ┌─────┐ 支配 ┌─────┐
         └──→ │外国法人│ ───→ │外国法人│ ───→ │外国法人│
              │  A   │      │  B   │      │  C   │
              └─────┘      └─────┘      └─────┘
```

QUESTION 6 　国外関連者②

実質所有要件とはどのような場合を指すのでしょうか。

ANSWER

実質所有要件とは，法人と外国法人との間に，①半分以上の役員を派遣していること，②相当部分の事業活動の依存関係があること，③相当部分の資金の依存関係があること，をいいます。

【解説】

外国法人が国外関連者となるか否かについては，法人と当該国外関連者とが支配関係にある場合をいう。措置法令39条の12第1項3号には，実質基準については，

① 半分以上の役員を派遣していること
② 相当部分の事業活動の依存関係
③ 相当部分の資金の依存関係

を規定している。

たとえば，外国法人の10人の役員のうち，法人から5人以上を派遣している場合，当該外国法人の輸入総額のうち90%が法人からのものである場合，また，当該外国法人の借入金がすべて法人からのものである場合，などがこれに相当する。

実質所有要件とは，形式基準に該当しない場合であっても，実質的な支配関係がある場合について移転価格税制の対象とすることを念頭においている規定である。

このほか，措置法令第39条の12第1項第3号に規定する「その他これに類する事実」に該当する場合にも実質所有関係があるとされている。「その他これに類する事実」には，たとえば，次に掲げるような事実が含まれる（措通66の4(1)－3）。

① 一方の法人が他方の法人から提供される事業活動の基本となる著作権，工業所有権，ノウハウ等に依存してその事業活動を行っていること。
② 一方の法人の役員の2分の1以上又は代表する権限を有する役員が他方の法人によって実質的に決定されていると認められる事実があること。

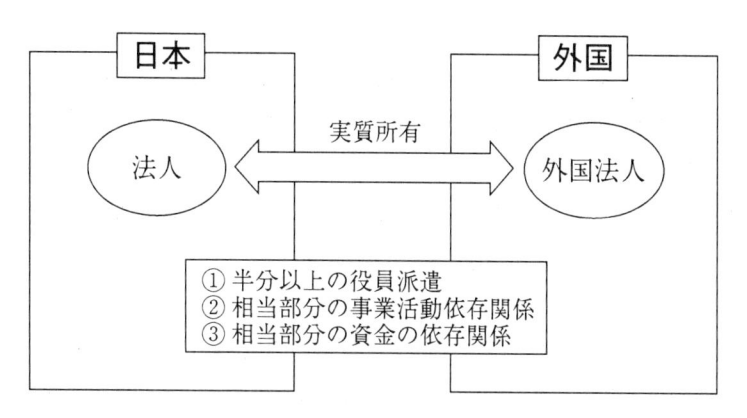

```
┌─────────日本─────────┐         ┌─────────外国─────────┐
│                      │  実質所有  │                      │
│      （法人）        │ ⇔        │    （外国法人）      │
│                      │          │                      │
│   ┌──────────────────────────────────┐                 │
│   │ ① 半分以上の役員派遣              │                 │
│   │ ② 相当部分の事業活動依存関係      │                 │
│   │ ③ 相当部分の資金の依存関係        │                 │
│   └──────────────────────────────────┘                 │
└──────────────────────┘         └──────────────────────┘
```

QUESTION 7　申告調整

当社が計算したところによると，当社が国外関連者から輸入する際の取引価格は，独立企業間価格よりも低いことが判明しました。そこで，この差額について，申告調整することを考えていますがこれは可能でしょうか。

ANSWER

決算調整は可能ですが，申告調整は認められません。

【解説】

移転価格税制は，日本の税収を確保するために規定されている税制である。これを言い換えると，措置法66条の4第1項にあるように，「法人が国外関連者から支払を受ける対価の額が独立企業間価格に満たないとき，又は法人が国

外関連者に支払う対価の額が独立企業間価格を超えるときは，当該国外関連取引は，独立企業間価格で行われたものとみなす。」ということになる。

そして，措置法66条の4第4項では，国外関連取引の対価の額と独立企業間価格との差額（寄附金の額に該当するものを除く）は，法人の各事業年度の所得の金額の計算上，損金の額に算入しない，と規定されている。

本問については，措置法通達66の4(7)－1が参考になる。それによると，「これらの差額は益金の額に算入されるが，損金に算入しない」とされている。これを申告調整にあてはめて考えると，法人が支払いを受ける場合に，その金額が独立企業間価格に満たない場合には，別表4でその差額を加算することになるのに対して，その金額が独立企業間価格を超えている場合には，別表4で減算することはできない，ということになる。

仮に，貴社が申告調整ではなく，決算調整を行い，独立企業間価格との差額を減算するということであれば，これは認められるのではないかと考えられる。

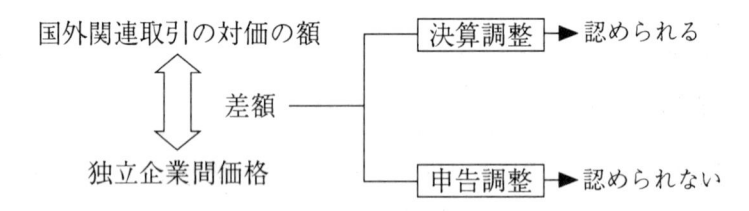

```
国外関連取引の対価の額
        ↕        ─┬─ 決算調整 → 認められる
       差額 ─────┤
  独立企業間価格    └─ 申告調整 → 認められない
```

QUESTION 8　所得移転の意思

当社は，先般，移転価格調査を受け，X国に所在する子会社Aとの取引に関して多額の更正処分を受けました。当社としては，子会社Aに対して所得移転をする意思はまったくなかったにもかかわらず課税されました。当社のように，所得移転をする意思がない場合にも，移転価格税制は適用されるのでしょうか。

ANSWER
移転価格税制の適用には，所得移転の意思は関係ありません。

【解説】
　移転価格税制は，国外関連取引を通じた所得の海外移転に対処するためのものである。国外関連取引を通じて日本に帰属すべき所得が，子会社等の国外関連者に移転したと認定された場合においては，会社の意思にかかわりなく，つまり，国際的租税回避の意図の有無に関係なく，本税制は適用されることになる。

　この考え方は，日本独自のものではなく，世界各国においてコンセンサスが得られている。1995年に改訂されたOECD移転価格ガイドラインのパラ1.2に次のように記述されている。

　「独立企業間取引に近づけるべく調整を行う必要性は，特定の価格を支払うという当事者間の契約上の義務，あるいは租税の額を最小限に抑えようという当事者の意図とは無関係に生じるということである。……税務上の調整は，租税を最小限に抑えることや租税回避という意図がまったくない場合にも行うことが適切な場合がある。移転価格算定の検討は，たとえ移転価格政策が脱税又は租税回避の目的に用いられているかもしれない場合であっても，それらの問題の検討と混同すべきではない。」

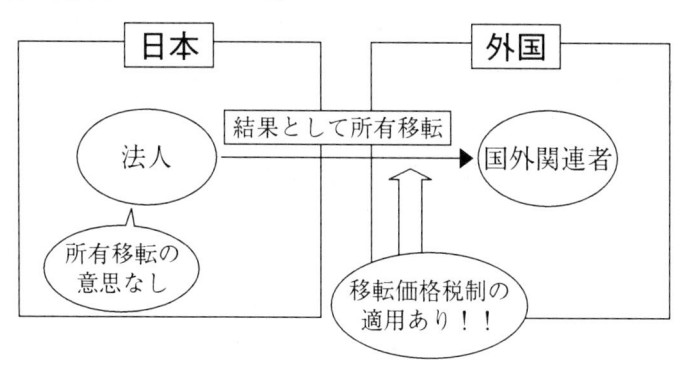

```
┌─── 日本 ───┐      ┌── 外国 ──┐
│            │ 結果として所有移転 │         │
│   法人    ──────────────▶  国外関連者  │
│     │      │          ⇧       │         │
│  所有移転の │    移転価格税制の           │
│  意思なし  │     適用あり！！            │
└────────────┘      └──────────┘
```

QUESTION 9　期末在庫の取扱い

当社は，先般来，移転価格調査を受けておりますが，外国親会社から買い入れる棚卸資産の価格が高価であるとして課税されるとのことです。この場合，外国親会社から買い入れたものであっても，期末在庫になっているものもありますが，その取扱いはどのようになるのでしょうか。

ANSWER

期末在庫の部分は，取得価額から減算されることになります。

【解説】

本問のように，外国親会社から棚卸資産を独立企業間価格よりも高価で買い入れた場合には，その対価の額と独立企業間価格との差額が所得金額に加算されることとなる。しかし，高価で買い入れた棚卸資産の一部が期末に在庫として残っている場合には，買い入れたもの全てについて移転価格税制の対象にしてしまうと，売上原価に計上されていない部分についても所得金額に加算されてしまうことになる。

そこで，このようなことの生じないように措置法通達66の4(7)-3が定められている。高価買入れがあった場合においては，損金に計上されていない部分（期末在庫の部分）の金額をその取得価額から減算することになる。

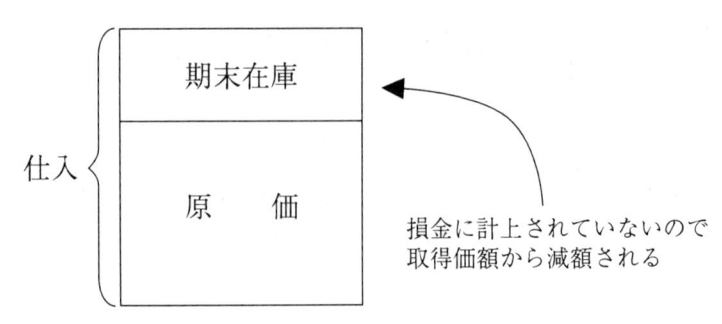

```
        ┌─────────────┐
        │   期末在庫    │ ◀── 損金に計上されていないので
   仕入 ├─────────────┤     取得価額から減額される
        │              │
        │   原  価    │
        │              │
        └─────────────┘
```

QUESTION 10　外国法人への移転価格税制の適用

当社は，A国法人の日本支店です。法人税法上は，外国法人となると思われますが，当社のような場合でも，移転価格税制の対象となるのでしょうか。

ANSWER

外国法人であっても，国外関連取引があれば移転価格税制の対象となります。

【解説】

措置法66条の4第1項に規定する法人は，内国法人だけを意味するものではない。したがって，外国法人である支店であっても，国外関連取引があれば，移転価格税制の対象となるということになる。

この場合の国外関連取引は，通常の場合と同様，国外関連者との取引になるので，貴社の場合には，本店との取引はこれには該当しない（本支店間取引）。あくまでも国外関連者との取引が移転価格税制の対象となる。

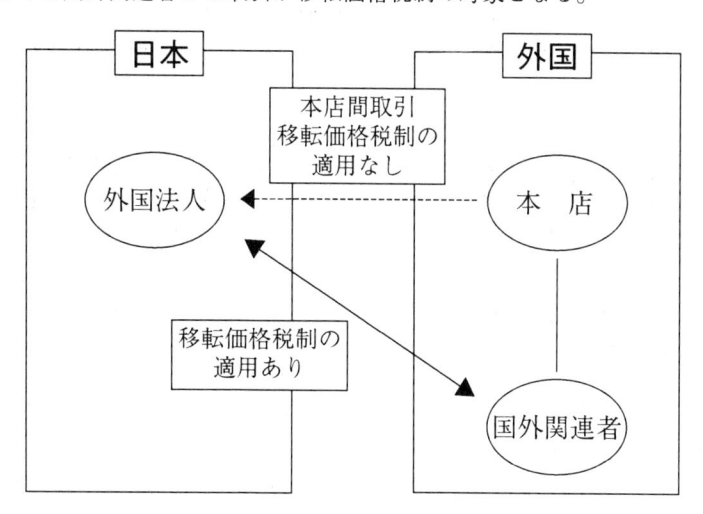

```
         日本                    外国
                  本店間取引
                  移転価格税制の
                    適用なし
      ┌─────┐  ←------   ┌─────┐
      │外国法人│            │ 本 店 │
      └─────┘            └─────┘
          ↑                    │
          │                    │
     移転価格税制の              ↓
       適用あり            ┌─────┐
          └──────────│国外関連者│
                          └─────┘
```

QUESTION 11 独立価格比準法①

独立価格比準法について，例をあげて説明して下さい。

ANSWER

ご質問については，以下のようになります。

【解説】

　日本法人Xは，外国子会社（100％を出資）Yに棚卸資産を販売している。一方，Xは，同じ棚卸資産をYが所在する国の第三者Bにも販売している。さらに，日本法人A（Xとは第三者の関係にある）は，Xと同種の棚卸資産をBに対して販売している。

　以上を図示すれば，以下のとおりとなる。

独立価格比準法の適用図

```
           日本  |  外国
                 |
  ┌─────┐   (a)   |   ┌─────┐
  │ 法 人 X │─────────→│ 子会社 Y │
  └─────┘         |   └─────┘
       \          |
        \  (b)    |
         \        |      
          \       |      
  ┌─────┐   (c)   ↓   ┌─────┐
  │第三者法人│─────────→│第三者法人│
  │   A   │       |   │   B   │
  └─────┘         |   └─────┘
```

　この場合，独立企業間価格は，(b)または(c)となる。独立価格比準法においては，同種の製品を同じ状況下で販売したときの価格を用いるということになる。したがって，(a)の価格が独立企業間価格であるか否かについては，(b)または(c)を参照して決定されることになる。

　ちなみに，(b)は法人Xの内部取引であることから，内部比較対象取引と呼ば

れ，(c)については，法人Xとは関係ないところ（外部）で行われた取引であることから，外部比較対象取引と呼ばれている。

QUESTION 12 独立価格比準法②

独立価格比準法を適用するためには，比較可能性はどのように判断するのでしょうか。

ANSWER

独立価格比準法を適用するためには，国外関連取引に係る棚卸資産と同種の棚卸資産を，当該国外関連取引と同様の状況の下で売買した取引を比較対象取引とすることになります。

【解説】

独立価格比準法においては，国外関連取引と比較対象取引について，価格そのものを比較することになる。そこで，国外関連取引に係る棚卸資産と同種の棚卸資産を，当該国外関連取引と同様の状況の下で売買した取引を比較対象取引とすることになる。この場合，比較対象取引が，国外関連取引と取引段階，取引数量その他に差異のある状況の下で売買した場合には，その差異について調整することができる場合に限る。

同様の状況の下については，たとえば，次のようなことが考慮されるべきと考えられる。

① 取引段階については，小売なのか卸売なのか
② 取引数量
③ 取引時期（時期がずれることにより経済状況が異なってくるため）
④ 取引市場（市場が異なることにより競争条件が異なるため）
⑤ 商標（ブランド価値がある場合には，価格設定条件が異なるため）

QUESTION 13　独立価格比準法③

　当社は，電子製品を製造しています。当社は，この製品をＡ国にある販売子会社に輸出するとともに，同じＡ国にある第三者に対して子会社に輸出する数量の80％程度をＯＥＭ供給しております。販売子会社は自社ブランドで販売しておりますが，第三者取引については，その会社が独自の商標を付して販売しております。このような場合でも，同種の製品の取引ということで独立価格比準法の適用は可能でしょうか。

ANSWER

　ブランド価値に差異がないか，これを適切に調整することができる場合には，比較対象取引となり，独立価格比準法の適用は可能となります。

【解説】

　独立企業間価格を算定する方法として，独立価格比準法を用いる場合には，
① 　国外関連取引に係る棚卸資産と同種の棚卸資産であること
② 　国外関連取引と取引段階，取引数量その他が同様の状況の下で売買されていること

が要件となる。

　本問の場合には，①については問題ないものと思われる。②の要件についても，取引段階や取引数量についてもほとんど問題ないと思われる。しかし，販売子会社は，貴社のブランドを用いて販売するのに対して，第三者に販売される製品は，第三者ブランドで販売されるとのことなので，ブランド価値に差があるものと思われる。

　そこで，貴社が，独立価格比準法を用いて独立企業間価格を算定する場合には，異なるブランドの価値が同価値であると認められるか，又は，両者のブラ

ンド価値が異なるとしてこれに関して合理的に差異の調整ができる場合に認められることになると思われる。

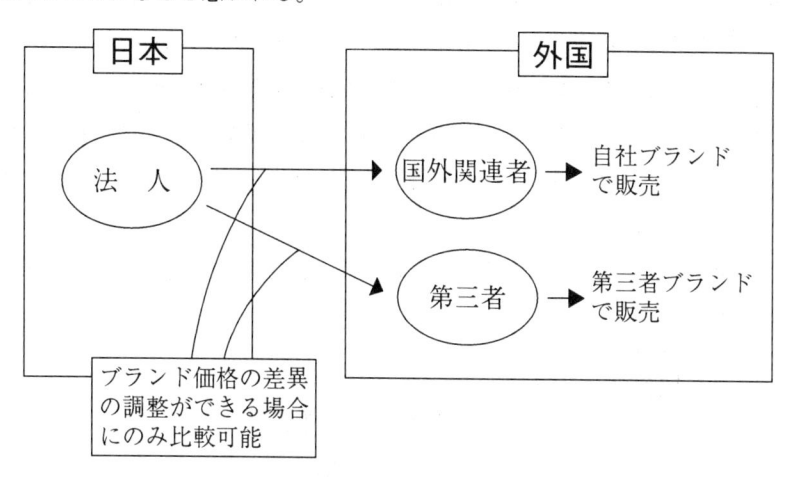

```
┌─日本──────┐    ┌─外国──────────────┐
│            │    │                        │
│  ┌────┐  │    │  ┌──────┐  自社ブランド │
│  │法 人│──┼────┼─▶│国外関連者│─▶ で販売      │
│  └────┘  │    │  └──────┘              │
│      │     │    │                        │
│      │     │    │  ┌────┐  第三者ブランド │
│      └─────┼────┼─▶│第三者│─▶ で販売      │
│            │    │  └────┘                │
│ ┌──────────┐│   │                        │
│ │ブランド価格の差異││                        │
│ │の調整ができる場合││                        │
│ │にのみ比較可能  ││                        │
│ └──────────┘│   │                        │
└──────────┘    └──────────────────┘
```

QUESTION 14 独立価格比準法④

当社は，家具のメーカーです。当社は，A国及びB国に販売子会社を有しているほか，C国及びD国の第三者に当社製品を販売し，当社のブランドで販売してもらっています。当社としては，ブランド価値を維持の観点から値崩れしないよう，全世界統一価格でこれらの会社に同一価格で輸出し，小売価格も同一価格としています。当社は，このような理由から取引数量の多寡による値引き等は行っていません。このような場合，独立価格比準法を使用することは可能でしょうか。

ANSWER

独立価格比準法の適用が可能であると考えられます。

110　第一編　移転価格税制

【解説】
　本問の場合においては，同種の棚卸資産を販売していることは明らかである。また，取引数量に差異があっても，取引価格を変更しない政策を採用しているとのことである。もともと独立価格比準法を採用する場合の要件は，価格に影響を及ぼす要因について，それが同様であることが望ましいとしているものである。貴社は，全世界統一価格を維持し，小売価格についても同一価格としているとのことである。

　したがって，本問のような場合においては，独立価格比準法の適用が可能であると考えられる。

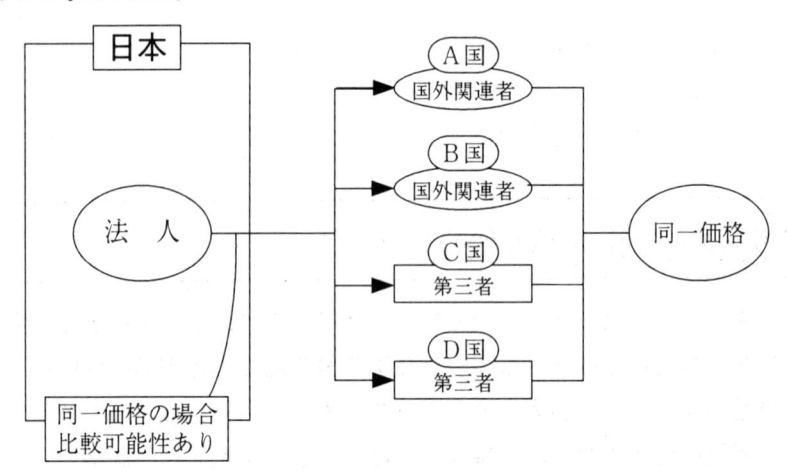

```
        ┌──────────────┐                ┌─────┐
        │     日本      │              →│ A国  │
        │              │              │国外関連者│
        │              │              └─────┘
        │              │              ┌─────┐
        │              │              │ B国  │
        │   ┌────┐     │            →│国外関連者│        ┌──────┐
        │   │法人 │─────┼────────→    └─────┘        →│同一価格│
        │   └────┘     │              ┌─────┐        └──────┘
        │      │       │            →│ C国  │
        │      │       │              │第三者 │
        │      │       │              └─────┘
        │      │       │              ┌─────┐
        │      │       │            →│ D国  │
        │      │       │              │第三者 │
        │   ┌──┴───────┐              └─────┘
        │   │同一価格の場合│
        │   │比較可能性あり│
        │   └──────────┘
        └──────────────┘
```

QUESTION 15	再販売価格基準法①
再販売価格基準法とは，どのような方法ですか。	

ANSWER
　再販売価格基準法は，法人の獲得する売上総利益率に着目する方法です。

【解説】

再販売価格基準法は，法人の獲得する売上総利益率に着目する方法であるが，次の例で説明する。

再販売価格基準法の適用例

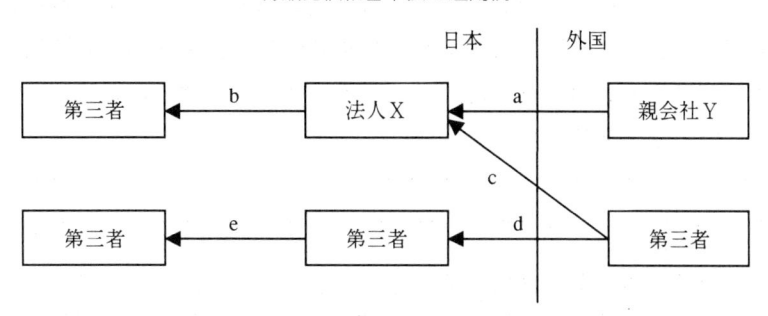

```
          日本 | 外国
第三者 ←b― 法人X ←a― 親会社Y
                ↖
                  c
                    ↖
第三者 ←e― 第三者 ←d― 第三者
```

この場合，法人Xが親会社に支払う対価の額が a，法人Xがこれを第三者に販売する価格が b であるとすると，Xのこの取引に係る独立企業間価格は，b－b×通常の利益率，になる。これを算出する方法は，次の２つである。

まず，Xが親会社ではなく第三者から仕入れる c を用いる場合である。この場合，Xは第三者と取引を行うので，c で仕入れ，b で販売した差額（売上総利益）についての率を用いることにより，独立企業間価格を算定することができる。

次に，いずれも第三者である d と e の価格を用いることも可能である。d で仕入れて e で販売した第三者が獲得する売上総利益率を，法人Xの行う国外関連取引に適用するのである。この場合の，独立企業間価格の算出方法は，e－(e－d)÷e ということになる。

なお，再販売価格基準法は，通常の場合，卸売業者の輸入取引に適用されることになる。

QUESTION 16 再販売価格基準法②

当社は，機械部品の輸入会社です。日本の機械メーカーの求めに応じて，外国親会社及び第三者から部品を輸入しています。当社のような場合には，卸売業者に該当しますので，再販売価格基準法が適しているといわれました。どのように独立企業間価格を算定すればいいのかご教示下さい。

ANSWER

再販売価格基準法適用の要件を満たすことが必要です。

【解説】

本問の場合は，日本の機械メーカーの要請に基づいて，法人が外国親会社又は外国の第三者から機械部品を購入して，これを販売しているとのことである。このような場合には，再販売価格基準法の適用が考えられる。この場合，留意すべきことは，「国外関連取引に係る棚卸資産と同種又は類似の棚卸資産を非関連者から購入した者が当該同種又は類似の棚卸資産を非関連者に対して販売した取引」であることである。法人が取り扱う機械部品が親会社から輸入したものと第三者から輸入したものが同種又は類似であることが必要となる。

また，再販売価格基準法を適用する場合には，法人のそれぞれの取引に関する機能が同一であることが求められる。質問からすれば，法人は，外国親会社から輸入する場合においても，また，第三者から輸入する場合においても同一の機能を果たしていると思われるので，再販売価格基準法の適用が可能であると考えられる。

そこで，実際に再販売価格基準法を適用する場合には，これら２つの取引に係る差異の有無を確認する必要がある。具体的には，取引条件や配送，商標，取引数量などである。これらについて，差異がある場合には適切に調整を行う必要がある。

そのうえで，通常の利益率を算定することになる。この場合，第三者から輸入して販売する売上総利益率が通常の利益率になるので，これと国外関連取引に係る売上総利益率を比較して，これに差異がある場合には移転価格税制上の調整が必要になる場合がある。

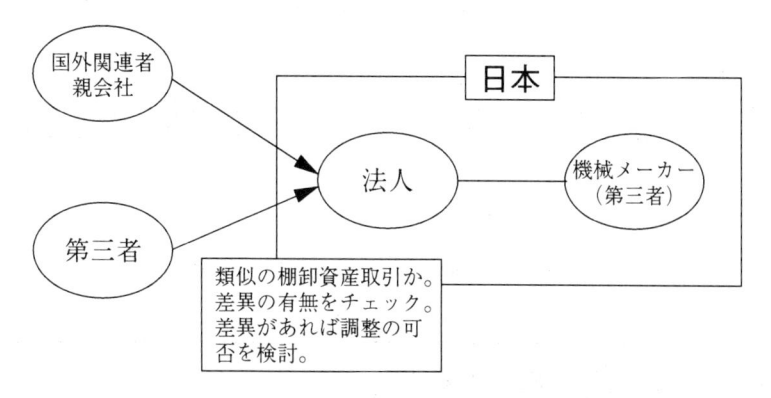

```
    国外関連者
     親会社
        ＼
         ＼→      日本
            ＼
             法人  ←  機械メーカー
            ／         （第三者）
    第三者 ／
          類似の棚卸資産取引か。
          差異の有無をチェック。
          差異があれば調整の可
          否を検討。
```

QUESTION 17　原価基準法①

原価基準法について説明して下さい。

ANSWER

原価基準法については，次のとおりです。

【解説】

原価基準法については，次ページの図で説明する。

図では，法人Xが子会社Yに輸出する価格aが独立企業間価格であるか否かが問題になる。Xが第三者に輸出する場合には，独立企業間価格＝b＋（b×通常の利益率）になる。通常の利益率は，第三者に対する価格であるcを基準に算定する。すなわち，通常の利益率＝（c－b）÷bである。

一方，法人Xは，子会社Y以外には輸出していない場合，すなわち，cがない場合，第三者間取引を基準に通常の利益率を算定する。具体的には，

原価基準法の適用事例

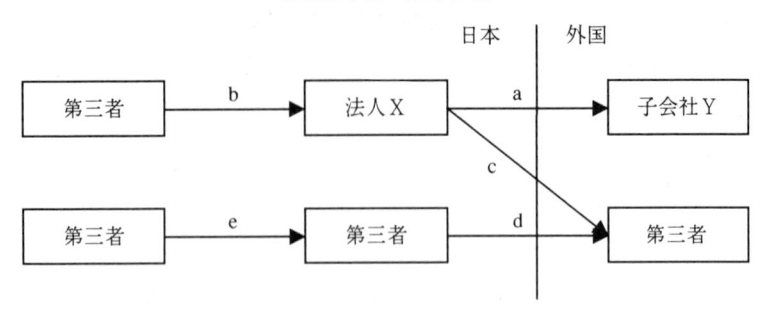

```
                    日本 | 外国
[第三者] ─b→ [法人X] ─a→ [子会社Y]
                        ╲
                         c
                          ╲
[第三者] ─e→ [第三者] ─d→ [第三者]
```

通常の利益率＝（d－e）÷eである。

原価基準法は，通常の場合，製造業者の輸出取引に適用されることになる。

QUESTION 18　原価基準法②

　当社は，電子部品を日本で調達し，Ａ国親会社及びＡ国の第三者に供給している商社です。当社は，外国親会社に輸出する場合には，取引価格の多寡によりマージンを設定しています。すなわち，当社の受け取るマージンは１回の取引価格が１億円を超える場合には仕入価格の１％，1,000万円以上１億円未満は２％，1,000万円未満は３％，100万円未満は４％です。一方，第三者との取引においては，このような事前の契約はなく，取引ごとに交渉してマージンを得ています。第三者との取引数量は全体の20％程度で，１回の取引価格は100万円未満がほとんどです。第三者から得るマージンは平均すれば３～４％です。このような場合，どのように独立企業間価格の設定をすべきでしょうか。

ANSWER

第三者間取引を比較対象取引とするためには，取引内容を詳細に分析する必要があります。具体的には，1回の取引価格とマージンとの関係を分析する必要があります。

【解説】

本問の場合には，類似の棚卸資産を同じA国の関連者と第三者に販売していることから，取引に関するマージンを用いた原価基準法を採用することが考えられる。

法人と親会社との取引においては，高額の取引があるためにマージン率が少なくなっているが，法人が行う事業の内容（商社機能）からは法人の取引に生じる原価を回収するのに十分であるとも考えられる。一方，第三者との取引においては，1回の取引価格が少額な場合が多く，手間がかかることを考えれば，第三者との取引に係るマージンが高いことも合理的であるとも考えられる。

原価基準法を用いる場合においては，法人の営む機能も考えれば，第三者との取引に係るマージンを参考にすることが考えられる。第三者との取引価格が高額なものについて，法人がどの程度のマージンを確保しているのか，また，低額な取引についてはどうか，といった分析が必要になると思われる。仮に，第三者との取引価格が高額な場合に国外関連取引と同程度のマージンである場合には問題とならないと思われる。しかし，低額な取引の場合に第三者との取引では5％以上のマージンを確保しているにもかかわらず，国外関連取引においては，最大4％ということであれば，国外関連取引に係る取引におけるマージンが低く，移転価格税制の適用がある場合もある。

いずれにしても，法人には，国外関連取引と類似した第三者間取引があるということであり，これらに関する分析を適切に行うことが重要であると思われる。

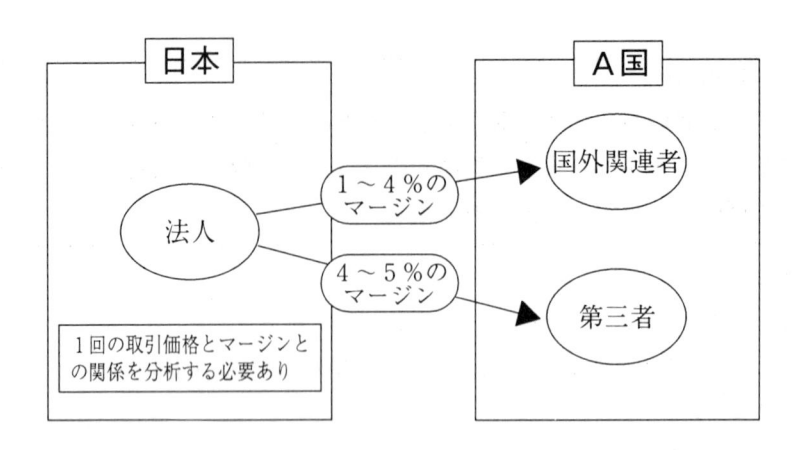

```
┌─────────────────────────┐      ┌─────────────────────────┐
│      日本               │      │      A国                │
│                         │      │                         │
│              1～4％の   │──────▶│   ┌─────────┐          │
│    ┌─────┐  マージン    │      │   │国外関連者│          │
│    │     │──────────────│      │   └─────────┘          │
│    │ 法人│              │      │                         │
│    │     │──────────────│      │   ┌─────────┐          │
│    └─────┘  4～5％の    │──────▶│   │ 第三者  │          │
│              マージン    │      │   └─────────┘          │
│  ┌──────────────────┐   │      │                         │
│  │1回の取引価格とマージンと│   │      │                         │
│  │の関係を分析する必要あり│   │      │                         │
│  └──────────────────┘   │      │                         │
└─────────────────────────┘      └─────────────────────────┘
```

QUESTION 19　文書化と同時文書化

文書化と同時文書化について，説明して下さい。

ANSWER

文書化とは，移転価格税制上の独立企業間価格算定の根拠となる書類等を作成し，保存することを意味します。一方，同時文書化とは，文書化を確定申告書提出時には，既に完成しているか，または，その後，税務当局の要求に基づいて速やかに提出できる程度に完成させていることをいいます。

【解説】

　文書化(documentation)とは，移転価格税制上の独立企業間価格算定の根拠となる書類等を作成し，保存することを意味する。一方，同時文書化(contemporaneous documentation)とは，文書化を確定申告書提出時には，すでに完成しているか，または，その後，税務当局の要求に基づいて速やかに提出できる程度に完成させていることをいう。

　通常の場合，文書化を担保するために，厳しい罰則規定があることから，文

書化規定をペナルティ規定などという場合がある。日本には，文書化という制度は存在しない。しかし，移転価格税制上，特に，同時文書化については，次の2つの観点から有益であるとされている。

① 納税者に対して移転価格の設定に関する文書作成を求めることにより，納税者に税務当局の提示に耐え得る的確な価格算定を促し，納税コンプライアンスの向上が期待できること。
② 移転価格調査時における独立企業間価格の検証を容易ならしめ，調査の効率化に資することにより，納税者及び税務当局双方のコスト低減に寄与すること。

このようなことから，移転価格税制を適正かつ円滑に執行するため，文書化規定の有無にかかわらず，国外関連取引における価格の決定根拠その他の資料提示について納税者及びその取引相手先である国外関連者の協力が極めて重要であるとされている。

QUESTION 20　PATAドキュメンテーション・パッケージ

PATAドキュメンテーション・パッケージとは何ですか。

ANSWER

PATAドキュメンテーション・パッケージとは，移転価格税制の執行に関し納税者に予測可能性を与えることを目的として，納税者が作成・保存すべき書類等について，PATA加盟国（豪州，カナダ，米国，日本）の税務執行当局共通の認識を示したものです。

【解説】

PATAドキュメンテーション・パッケージとは，移転価格税制の執行に関し納税者が作成・保存すべき書類等について，PATA加盟国（豪州，カナダ，米国，日本）の税務執行当局共通の認識を示したものである。

118　第一編　移転価格税制

この内容については，以下の3つの原則を満たす必要があるとされている。
① 多国籍企業は，課税当局の決定したルールに従い，独立企業原則に則った移転価格の設定のために十分な努力を行うこと
② 多国籍企業は，独立企業原則に従った移転価格設定を行う過程で同時文書（contemporaneous documentation）を作成し，保存すること
③ 多国籍企業は，課税当局の求めに応じ，迅速に文書を提出すること

このうち，②については，具体的に，10項目，48種類の文書が表に掲げられている。

このPATAドキュメンテーション・パッケージについては，日本は，他の3か国とは異なり，移転価格のドキュメンテーションによるペナルティの適用回避という意味合いはないが，各国が要求する文書化の基準が共通なものであれば，当局の効率的な執行と納税者の負担の軽減・予測可能性の確保に資することから意義があるとされている。

なお，PATAは2006年1月に発展的に解消し，新たに10か国（日・米・豪・加・英・仏・独・中・韓・印）でリーズ・キャッスル・グループが結成され，第1回会合が2007年1月にカナダで行われた。

QUESTION 21　帳簿の保存と提出①

アメリカの移転価格税制上，「文書化」規定があり，税務当局の要求から30日以内に提出しないと非常に重い罰則が課されていると聞いています。日本では移転価格調査における情報提供義務についてはどのようになっているのでしょうか。

ANSWER

日本には，移転価格税制に係る文書化規定はありません。

【解説】

　日本においては，いわゆる文書化（documentation）規定はない。したがって，税務当局の依頼に対して，一律に何日以内に帳簿書類等の提出をしなければならず，また，それに従わなかった場合の罰則などは規定されていない。

　しかし，日本においては，税務職員に対しては納税者に対して質問し，納税者の保存する書類等の検査を行う権限が与えられている。そして，税務職員が調査において検討すべき書類等について事務運営指針2－4において定められている。そこで，納税者サイドとしても，以下に掲げる書類等については，作成し保存しておく必要がある。

(1) 法人及び国外関連者ごとの資本関係及び事業内容を記載した書類等

　イ　法人及び関連会社間の資本及び取引関係を記載した書類等

　ロ　法人及び国外関連者の沿革及び主要株主の変遷を記載した書類等

　ハ　法人にあっては有価証券報告書又は計算書類その他事業内容を記載した報告書等，国外関連者にあってはそれらに相当する報告書等

　ニ　法人及び国外関連者の主な取扱品目及びその取引金額並びに販売市場及びその規模を記載した書類等

　ホ　法人及び国外関連者の事業別の業績，事業の特色，各事業年度の特異事項等その事業の内容を記載した書類等

(2) 法人が独立企業間価格の算定に使用した書類等

　イ　法人が採用した比較対象取引の選定過程及び当該比較対象取引の明細を記載した書類等

　ロ　法人が複数の取引を一の取引として独立企業間価格の算定を行った場合，その基となった個別の取引の内容を記載した書類等

　ハ　法人がその独立企業間価格の算定方法を採用した理由を記載した書類その他法人が独立企業間価格算定の際に作成した書類等

　ニ　比較対象取引について差異の調整を行った場合，その調整方法及びその理由を記載した書類等

(3) 国外関連取引の内容を記載した書類等
　イ　契約書又は契約内容を記載した書類等
　ロ　価格の設定方法及び法人と国外関連者との価格交渉の内容を記載した書類等
　ハ　国外関連取引に係る法人又は国外関連者の事業戦略の内容を記載した書類等
　ニ　国外関連取引に係る法人及び国外関連者の損益状況を記載した書類等
　ホ　国外関連取引について法人及び国外関連者が果たした機能又は負担したリスクを記載した書類等
　ヘ　国外関連取引を行う際に法人又は国外関連者が使用した無形資産の内容を記載した書類等
　ト　国外関連取引に係る棚卸資産等に関する市場について行われた分析等に係る書類等
　チ　国外関連取引に係る棚卸資産等の内容を記載した書類等
　リ　国外関連取引と密接に関連する他の取引の有無及びその内容を記載した書類等
(4) その他の書類等
　イ　法人及び国外関連者の経理処理基準の詳細を記載したマニュアル等
　ロ　外国税務当局による国外関連者に対する移転価格調査又は事前確認の内容を記載した書類等
　ハ　移転価格税制に相当する外国の制度にあって同制度の実効性を担保するために適正な資料作成を求める規定（いわゆるドキュメンテーション・ルール）に従って国外関連者が書類等を準備している場合の当該書類等
　ニ　その他必要と認められる書類等

QUESTION 22　帳簿の保存と提出②

当社は，Ａ国親会社の日本子会社です。今般，移転価格調査において，国外関連者の沿革及び主要株主の変遷，また親会社の主要製品，販売規模等を示す書類を提出するように要求されました。しかし，当社は子会社であり，親会社は公開会社ではないことから，当局から要求された書類を提出することができません。そこで，調査官から要求された書類等に関して，親会社に提出依頼を行いましたが，十分な返答が得られません。このような場合，どのようにすればいいのでしょうか。

ANSWER

日本の移転価格調査について，親会社に十分な協力要請をする必要があります。親会社の協力が全く得られないと，推定課税や同業者への反面調査が行われることになります。

【解説】

国外関連者の沿革や主要株主の変遷や，同じく国外関連者の扱う主要製品や販売規模等を示す書類については，国外関連取引の調査を行う場合にもっとも基本となる書類等に該当する。国税庁が公表している事務運営指針においても，これらについて調査すると記述されている。

そこで，法人においても，親会社の協力を得て，これらの書類等についても提出すべきであると考えられる。日本においては，いわゆる文書化義務はなく，これらの書類等を提出しなかったからといって，直ちに罰則金が課されるわけではない。しかし，移転価格調査を行うための基本的な書類等を提出しないということは，移転価格調査に協力しないと宣言しているようなものである。

国外関連者に対する情報提出依頼は，措置法66条の４第８項に規定があり，貴社には入手努力義務があることはもちろんであるが，基本的な書類等につい

て提出されない場合には，調査が始められない。

したがって，移転価格調査の予告があった場合には，国外関連者に対して資料提出に応じてくれるよう，早急な手配が必要になる。そうでないと，いわゆる推定課税や同業他社に対する反面調査などにより，高額な課税がなされる可能性が高くなる。

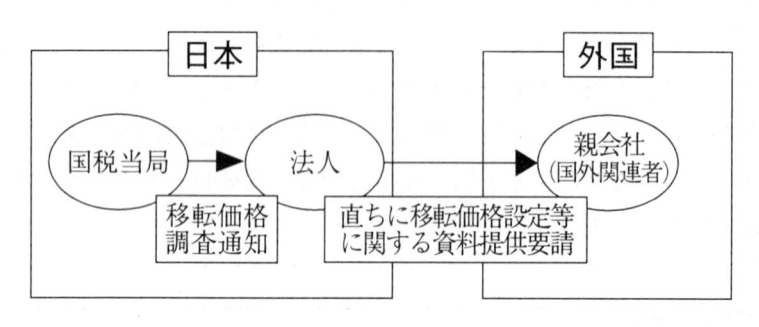

```
┌─────────日本─────────┐  ┌──外国──┐
│  国税当局 ──▶ 法人  │──▶│ 親会社  │
│           移転価格   直ちに移転価格設定等│(国外関連者)│
│           調査通知   に関する資料提供要請│        │
└─────────────────────┘  └────────┘
```

QUESTION 23　帳簿の保存と提出③

当社は，現在，移転価格調査を受けています。今般，国外関連者への書類の依頼を要求されました。聞くところによると，国外関連者の所在地国は，国外への情報の提供を禁止しているとのことです。また，国外関連者は，当社の親会社に該当します。したがって，国外関連者に書類を依頼しても，当社へ送付されない可能性が極めて高いと思われます。このような場合であっても，国外関連者へ書類の依頼をしなければなりませんか？

ANSWER

可能な限り国外関連者の情報を入手するよう努力すべきです。

【解説】

　税務当局は，法人と国外関連者との間の取引について，それが独立企業間価格で行われているか否かを見極めるために，国外関連者が所有する書類の入手をするよう貴社に依頼したものと思われる。

　この場合，法人が取り得る手段は，次の２つということになる。１つは，法人にある資料と貴社が入手できる資料を用いて，国外関連取引が独立企業間価格で行われていることを示すことである。もし，これができれば，国外関連者が所有する書類を用いずに済むことから，国外関連者への書類の依頼をする必要がなくなる。

　もう１つは，貴社だけで国外関連取引が独立企業間価格で行われたことを示すことができない場合には，国外関連者への書類の依頼を行うことである。この場合，税務当局から要求があったら，直ちに，すなわちその日のうちに依頼を行うべきである。仮に，税務当局からの要求に応えない場合には，措置法66条の４第８項の規定である「国外関連者の書類の入手努力義務」に反することになる。この規定は努力義務を規定したものであることから，これに違反しても罰則は課されないが，税務当局との信頼関係が失われ，推定課税や同業他社への質問検査権の行使に途を開くことになる。

　いずれにしても，可能な限り書類等の入手努力をしておくことが重要と思われる。

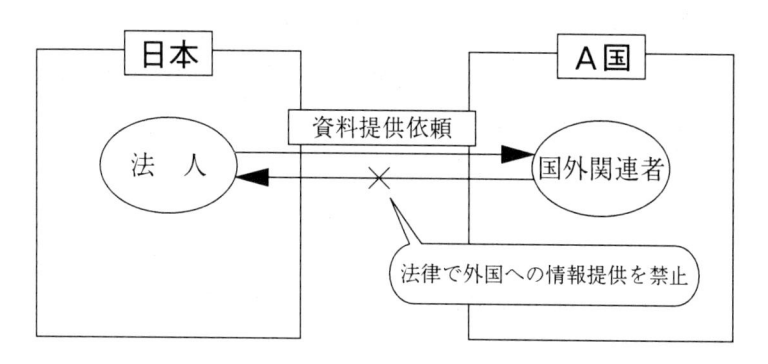

```
┌─────────────────┐  ┌─────────────────┐
│     日本         │  │      A国        │
│            資料提供依頼              │
│  ( 法 人 )━━━━━━━━▶( 国外関連者 )    │
│          ◀━━━━━━×━━                 │
│                                    │
│              ┌──────────────────┐  │
│              │法律で外国への情報 │  │
│              │提供を禁止        │  │
│              └──────────────────┘  │
└─────────────────┘  └─────────────────┘
```

QUESTION 24　推定課税①

いわゆる推定課税については，法律上，国外関連取引が独立企業間価格で行われたことを示す書類等の提示又は提出がされない場合に行われるとありますが，法人がこれらの書類等を提示又は提出しなかった場合には，直ちに推定課税が適用されるのでしょうか。

ANSWER

ケース・バイ・ケースですが，直ちに推定課税が適用されることはないと思われます。推定課税の第1の目的は，法人からの書類等の提出を担保することにあります。

【解説】

移転価格税制上，税務当局が独立企業間価格の算定に必要な書類等の提示を求めた場合，法人が遅滞なくこれに応じなかったときには，いわゆる推定課税を行うことができるとされている（措法66の4⑦）。

しかし，法人が独立企業間価格を算定するのに必要な書類等を提出しなかったからといって，直ちに推定課税が適用されるとは限らない。もちろん，ケース・バイ・ケースであるが，推定課税の趣旨は，移転価格調査にあたって法人からの書類等の提出を担保するために規定されたものだからである。

だからといって，税務当局に独立企業間価格の算定に必要な書類等の提出をしなくともよいというわけではない。

日本においては，申告納税制度を採用しているので，納税者の所得金額は納税者自らが算定することになる。このことは，移転価格税制上の独立企業間価格も納税者が算定していることを意味することから，移転価格調査があった場合において，税務当局からこれに関する書類等の提出要求があった場合には，これに対応する必要がある。法人としても，自己の設定した国外関連取引の対価の額が独立企業間価格であることを積極的に説明することは，自己の正当性

を主張するためにも必要なことと思われる。

　なお，仮に，国外関連者へ依頼する書類が独立企業間価格を算定するために必要な書類等に該当する場合においては，これが入手できない場合には，税務当局は推定課税を適用することができることになる。

　この場合，事務運営指針2－5(1)によれば，「措置法66条の4第7項に規定する書類等の提示又は提出を求める場合には，法人に対し，当該書類等が遅滞なく提示され又は提出されないときには，措置法第66条の4第7項又は同条第9項の適用要件を満たす旨を説明するとともに，当該説明を行った事実及びその後の法人からの提示又は提出の状況を記録する。」こととされている。

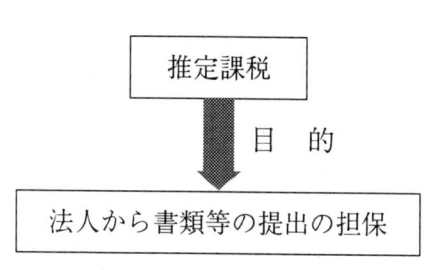

```
┌──────────┐
│  推定課税  │
└─────┬────┘
      │ 目　的
      ▼
┌──────────────────┐
│ 法人から書類等の提出の担保 │
└──────────────────┘
```

QUESTION 25　推定課税②

　推定課税が適用された場合，納税者としては，どのように対処する必要がありますか。

ANSWER

　まず，独立企業間価格を算定するために必要な書類等を遅滞なく提出したことを示すこと，次に，税務当局が用いた利益率等が不合理であることを示すことです。

【解説】

　税務署長が，措置法66条の4第7項に基づく推定課税を行った場合には，当該事業年度の独立企業間価格が推定されたことになる。納税者として，これに対処するには，次のような方法が考えられる。

　推定課税に関しては，独立企業間価格が推定されたものであることから，これに対する反証を適切に行う，ということである。具体的には，

① 移転価格調査において，税務当局から要求のあった「独立企業間価格を算定するために必要な帳簿書類等」を提出したことを示すことである。これは，別の言い方をすれば，移転価格調査において，税務当局からの資料提出依頼に関しては，いつどのような依頼（提出要求）があったのか，それに対して法人として，いつ，どのような帳簿書類等を提出したのか，について，詳細な記録をつける必要があるということである。

② 次に，税務当局からの資料提出依頼に対して，「遅滞なく」帳簿書類等の提出を行ったことを示すことが考えられる。

③ また，税務署長が行った推定課税において用いられた利益率等が法律の定める要件に適合していない，ということを主張することが考えられる。この場合，推定課税がどのような方法により行われたのか，により主張が変わってくる。再販売価格基準法や原価基準法に基づいた方法を用いる場合には，いわゆる同業種，同規模の法人の売上総利益率等の数値を用いることになるが，これらの法人が同業種，同規模でないことなどを示すことがある。このほか，利益分割法に基づく方法により推定課税が行われた場合には，用いられた分割要因が，所得の獲得に貢献していないことを示すこととなると思われる。

　いずれにしても，納税者としては，自己の主張する価格が法定された方法による独立企業間価格であることを立証しない限り，税務当局の算定したものが独立企業間価格として適正なものとなることに注意する必要がある。

QUESTION 26 　推定課税③

独立企業間価格を算定するために必要な帳簿書類等を「遅滞なく」提示又は提出しなかった場合には，いわゆる推定課税や同業他社への反面調査が行われるとのことですが，「遅滞なく」というのは，どのような場合を指すのでしょうか。

ANSWER

「遅滞なく」，というのは，「直ちに」，又は「速やかに」ということを意味します。要するに，要求された資料等を提出することができる場合には，すぐに提出することです。また，要求された資料等について，作成する場合には作成に要する期間経過後すぐに，ということです。

【解説】

独立企業間価格を算定するために必要な帳簿書類等の提出依頼を税務当局から受けた場合には，「遅滞なく」これらを提出する必要がある。この場合の「遅滞なく」については，「当該書類等の提示又は提出の準備に通常要する期間を考慮して判断する。」(事務運営指針2－5⑵)とされている。

日本においては，アメリカ等にみられるいわゆる「文書化」義務は規定されていないので，具体的に何日以内，という規定はない。そこで，依頼(提出要求)される帳簿書類等の状況(種類や分量，所在場所など)によって，これを提出するために必要な期間を考慮して判断することとされているのである。

したがって，依頼(提出要求)された帳簿書類等が，自分の手許にあるか，または古いものなので倉庫にあるのか，あるいはもともとそのような書類等は作成していないので新たに作成する必要があるのか，さらに国外関連者により保管されているものか，などいろいろな状況によって提出できる日時が変わってくる。

いずれにしても,「遅滞なく」ということであるから,依頼(提出要求)があったときから,直ちに対応する,ということが基本になる。

QUESTION 27　推定課税④

　税務当局の調査官から独立企業間価格の算定に必要な帳簿書類等の提出を求められたため,過日,これに関する書類を提出したところ,「この書類だけでは,独立企業間価格の算定に必要な書類を提出したことにはならない。速やかに,当該書類を提出してほしい。」と言われました。当社としては,提出した書類以上のものは社内には存在せず,税務当局の提出要求に対応するためには,新たに書類を作成しなければなりません。そうなると,少なく見積もっても1か月程度の時間がかかります。このような場合には,「遅滞なく」提出しなかったことになり,推定課税や同業者への反面調査が行われるのでしょうか。

ANSWER

　1か月以内に作成することについて,税務当局から了解を取り付ける必要があります。

【解説】

　本問の場合には,法人が提出した書類だけでは,税務当局としては,独立企業間価格の算定ができないと判断したものと考えられる。法人が対応すべきことは,次の2つになると思われる。

　まず,法人が提出した書類によって,実際に独立企業間価格を算定できることを示すことである。

　次に,税務当局がいうように,法人が提出した書類だけでは独立企業間価格の算定ができないということであれば,新たな資料を作成しなければならない。

その場合，1か月程度の日数がかかるということであれば，税務当局の了解を取り付けた上で作業に取り掛かるということになると思われる。

しかしながら，わが国が申告納税制度を採用していること，及び措置法66条の4によれば，確定申告をする際には，既に法人の国外関連取引に関して独立企業間価格が算定されていることになるので，法人には独立企業間価格の算定に必要な書類等が存在していることになる。したがって，税務当局からの指摘により，法人が提出した書類等が「独立企業間価格を算定するために必要な書類等」に該当しないということが明らかになれば，推定課税や同業者への反面調査が行われる可能性は高くなるということになる。

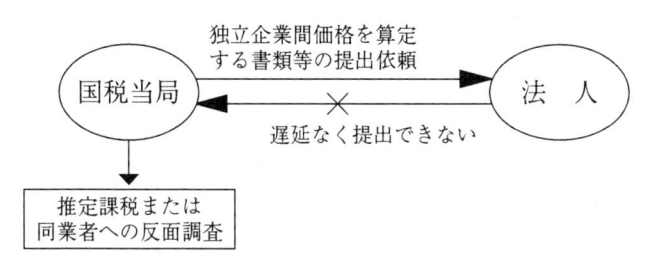

```
              独立企業間価格を算定
              する書類等の提出依頼
   ┌─────┐ ──────────→ ┌─────┐
   │国税当局│ ←────×───── │ 法 人 │
   └─────┘   遅延なく提出できない  └─────┘
       │
       ↓
   ┌─────────┐
   │推定課税または    │
   │同業者への反面調査│
   └─────────┘
```

QUESTION 28　推定課税⑤

当社は，先般来，移転価格調査を受けておりましたが，調査官から「貴社からは独立企業間価格を算定するために必要な書類等が遅滞なく提出されなかった。そこで，同業他社に対して情報収集を行う。」旨の連絡を受けました。当社としては，同業他社に当社が移転価格調査を受けていることを知られることは，好ましいこととは思っておりませんので，これを中止してほしいと思っています。これは可能でしょうか。また，この場合の同業他社というのは，どの会社を指すのでしょうか。

ANSWER

措置法66条の4第9項が適用される場合の同業他社とは，ケース・バイ・ケースですが，貴社が行う国外関連取引と類似の取引を行っている法人です。

【解説】

　まず，法人が独立企業間価格の算定に必要な書類等の提出を遅滞なく行っていなかった場合には，税務当局は，措置法66条の4第9項に基づいて，同業他社に対して情報収集を行うことができることとなっている。これを中止させるためには，これらの資料を大至急提出する以外に途はない。

　しかし，仮に，同業他社への情報収集が行われる場合には，税務職員には守秘義務が課されているから，同業他社で法人の名前が出ることはない。したがって，同業他社に，法人が現在，移転価格調査を受けていることを知られることはないといえる。

　また，この場合の同業他社の範囲については，ケース・バイ・ケースであるとしかいえないが，法人が行う国外関連取引と類似の取引を行っている会社等であろう。ただし，法人の調査に関連して，税務当局が収集したい情報を有している会社等，ということになる。具体的には，法人が取り扱っているのと同種の製品を取り扱っている会社等，法人と事業が同種で，規模が類似する会社等，法人と類似の技術を使用している会社等，法人と同様の研究開発活動を行っている会社等，などが考えられる。

QUESTION 29　推定課税⑥

当社は，調査官から「貴社が独立企業間価格算定のために必要な書類等の提出を行わなかったので，貴社の同業者に情報収集する。」と言われました。税務当局が同業他社から収集した情報は，当社に開示してもらえるのでしょうか。

ANSWER

税務当局が措置法66条の4第9項の規定に基づいて，同業他社から収集した資料等については，守秘義務の関係から，貴社に対して開示されることはありません。

【解説】

　税務当局が措置法66条の4第9項の規定に基づいて，同業他社から収集した資料等については，守秘義務の関係から，法人に対して開示されることはない。しかし，仮に，同業他社から収集した資料等を用いて，法人の国外関連取引について独立企業間価格を算定する場合においては，税務職員に対して守秘義務に反しない程度において，採用した課税方法や比較対象取引等の情報については，是非説明を求めるべきである。というのは，法人の今後の事業形態が変更されない限り，将来の事業年度についても，同様の移転価格課税が予想されるからである。課税されると法人税本税だけでなく，加算税や延滞税も課されることになる。法人としては，このようなことのないよう，将来の事業年度のこともにらんで，税務当局から説明を受ける必要があると思われる。

QUESTION 30 移転価格税制の対象取引

移転価格税制の対象となる取引の範囲を説明して下さい。たとえば，当社が外国子会社のために，権利の取得を行いましたが，これは単なる請負取引に当たることから，移転価格税制の対象とはならないと思われますが，いかがでしょうか。

ANSWER
本問の場合には，移転価格税制の対象取引となると思われます。

【解説】

移転価格税制の対象となる取引は，

① 資産の販売

② 資産の購入

③ 役務の提供

④ その他の取引，とされている。

これを細分化すれば，棚卸資産の販売や購入，棚卸資産以外の資産の販売や購入，無形資産の販売，購入，使用許諾，保証取引，資金の貸付け，などに区分される。

このように，移転価格税制の対象となる取引は，対価の授受を伴う取引すべてといっても過言ではない。

本問の取引は，移転価格税制上，法人が外国子会社に対して，役務の提供をしたことになるので，本税制の対象取引となると考えられる。

QUESTION 31 | 価格調整金

当社は，当期の事業年度末に赤字が予想されたことから，Ａ国親会社から取引価格を調整するための一時金を送金してもらうこととしました。この金額について，移転価格税制上，問題となる場合があるか。

ANSWER

Ａ国親会社から送金される金額の性質を特定する場合がありますが，この場合には，価格調整金に該当すると考えられ，これを国外関連取引の金額に含めて，所得移転の有無を判定することになると思われます。

【解説】

本問のような場合には，まず，法人がＡ国親会社から受領する金額の性質を特定する必要がある。通常考えられるのは，期中に行った国外関連取引の金額を期末に調整する性質を持つ価格調整金である。このほか，期中の取引価格に関係なく行われる親会社から貴社への寄附金の可能性もある。

法人がＡ国親会社から受ける金額が価格調整金に該当する場合には，期中に行った国外関連取引の金額を期末に調整することになるので，価格調整金を含んだところで，当該事業年度における国外関連取引の金額が独立企業間価格と差額があるのか否かを検討する必要があると思われる。仮に，価格調整金があったために，独立企業間価格との差額が生じ，これにより日本の税収が減少したと認められる場合には，税務当局から更正処分を受ける可能性がある。

国税庁の事務運営指針２－19には，「法人が価格調整金等の名目で国外関連者との間で金銭の授受を行っている場合には，当該金銭の授受が取引価格の修正によるものかどうか十分に検討する。」と定められている。

なお，期末の一時金が期中の取引と一切関係がない場合には，単なる金銭の

贈与に該当するので，国外関連者からの寄附金に該当し，受領した金額を益金の額に算入することになる。

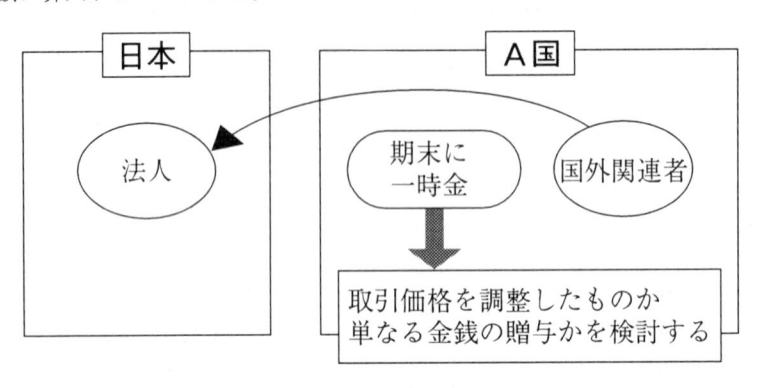

```
[日本]                    [A国]
  ┌─────┐           ┌─────┐    ┌─────────┐
  │ 法人 │◄──────────│期末に│    │国外関連者│
  └─────┘           │一時金│    └─────────┘
                    └──┬──┘
                       ▼
              ┌──────────────────────┐
              │取引価格を調整したものか│
              │単なる金銭の贈与かを検討する│
              └──────────────────────┘
```

QUESTION 32　国外関連者に対する寄附金

当社はA国に製造子会社を有しているが，最近業績不振で赤字続きです。このため，製造子会社の一般管理費の一部を当社が負担することとしました。この場合，移転価格税制の問題はありますか。

ANSWER

貴社が外国製造子会社の一般管理費の一部を負担することは，移転価格税制上の国外関連者に対する寄附金に該当する可能性が高いと考えられます。

【解説】
　法人が外国製造子会社の一般管理費の一部を負担することは，移転価格税制上の国外関連者に対する寄附金に該当する可能性が高いと考えられる。というのは，法人が子会社の一般管理費を負担することは，単なる金銭の贈与を行ったこと，すなわち対価のない取引を行ったこととなり，これは贈与と認められるからである。

措置法66条の4第3項には，国外関連者に対する寄附金の規定があり，これによると，支出した国外関連者に対する寄附金は全額損金不算入になることになっている。

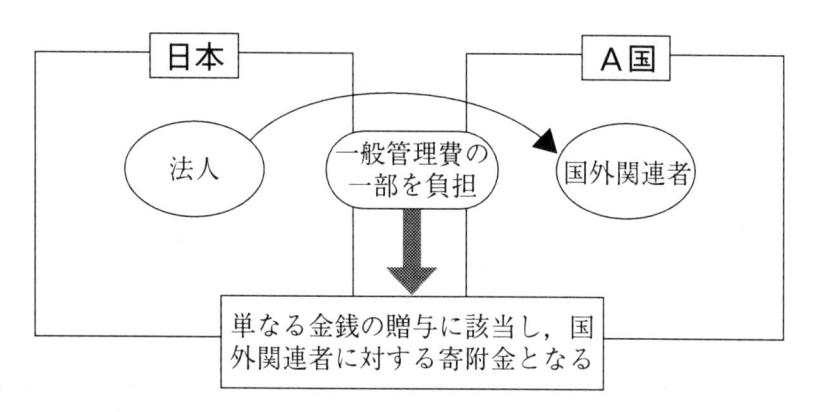

```
┌─────────────日本─────────────┐  ┌───A国───┐
│                              │  │         │
│   ┌────┐   ┌─────────┐       │──▶ ┌──────┐ │
│   │法人│   │一般管理費の│      │  │国外関連者│ │
│   └────┘   │一部を負担 │      │  └──────┘ │
│            └─────────┘       │  │         │
│                 │            │  │         │
│                 ▼            │  │         │
│   ┌────────────────────┐     │  │         │
│   │単なる金銭の贈与に該当し，国│     │  │         │
│   │外関連者に対する寄附金となる│     │  │         │
│   └────────────────────┘     │  │         │
└──────────────────────────────┘  └─────────┘
```

QUESTION 33　差異の調整①

当社は，国外関連者と第三者とほぼ同様の取引を行っていますが，取引の内容が若干異なっています。独立企業間価格を算定する場合に，国外関連取引と第三者間取引との間で差異がある場合には，これを調整する必要があると思われますが，どのようにしたらいいのでしょうか。

ANSWER

国外関連取引と第三者間取引についての機能やリスクについて，調整することになります。具体的には，支払った費用により調整できる場合には，売上高や売上原価に占める割合を用いるなどして調整します。

【解説】

　独立企業間価格を算定する場合に，国外関連取引と第三者間取引との間に差異があり，これを適切に調整することができる場合には，差異を調整した後の金額が独立企業間価格となる。具体的には，国外関連取引と第三者間取引に関して，機能又はリスクに係る差異があり，その機能又はリスクの程度を国外関連取引及び比較対象取引の当事者が当該機能又はリスクに関し支払った費用の額により測定できると認められる場合が考えられる。このような場合には，当該費用の額が当該国外関連取引及び比較対象取引に係る売上又は売上原価に占める割合を用いて調整する方法により，差異の調整を行うことができる（事務運営指針3－1⑷）。

QUESTION 34　差異の調整②

　当社は，A国にある国外関連者と同じくA国にある第三者に対して，同種の棚卸資産を販売しております。これら2つの取引の差異は，貿易条件だけとなっております。このような場合，差異の調整を行えば，第三者間取引を用いて独立企業間価格の算定ができることになると思われます。どのようにしたらいいでしょうか。

ANSWER

　貿易条件の場合には，運賃や保険料を差し引くなどにより調整を行うことができます。

【解説】

　たとえば，第三者間価格がCIF価格，国外関連者との取引がFOB価格となっているような場合には，第三者との取引の対価の額から，運賃と保険料を差し引くことによって，独立企業間価格を算定できると思われる。この場合，その他の取引条件が同じであることが必要になる（事務運営指針3－1⑴）。

貿易条件の差異の調整

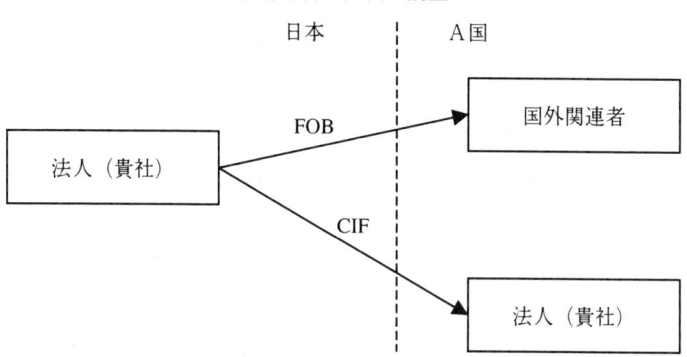

```
          日本  ｜  A国
                ｜
              FOB
  法人（貴社） ─────→ 国外関連者
          ＼   ｜
           CIF
            ＼ ｜
             ＼→ 法人（貴社）
```

QUESTION 35　取引の範囲

　移転価格税制の適用上，どのように取引の範囲を決定するのでしょうか。

ANSWER

　基本的には，個別の国外関連取引により取引の範囲を決定しますが，合理的と認められれば，同一の製品グループに属する取引や同一の事業セグメントに属する取引を1つの取引とすることもできます。

【解説】

　移転価格税制上，国外関連取引が独立企業間価格で行われているか否かを決定するのは，個別の取引ごとであることが原則である。これは，独立企業間価格算定の際，比較対象取引の選定が必要になるが，いくつもの取引をまとめて比較することは，正確な比較ができないことになり，このような場合，国外関連取引とそもそも同種又は類似した第三者間取引を見いだすことが困難になることもあるからである。

しかし，一定の場合においては，取引をいくつかまとめて1つの取引とすることができることとされている。措置法通達66の4(3)-1は，次のように規定している。

「独立企業間価格の算定は，原則として，個別の取引ごとに行うのであるが，たとえば，次に掲げる場合には，これらの取引を一の取引として独立企業間価格を算定することができる。

(1) 国外関連取引について，同一の製品グループに属する取引，同一の事業セグメントに属する取引等を考慮して価格設定が行われており，独立企業間価格についてもこれらの単位で算定することが合理的であると認められる場合

(2) 国外関連取引について，生産用部品の販売取引と当該生産用部品に係る製造ノウハウの使用許諾取引等が一体として行われており，独立企業間価格についても一体として算定することが合理的であると認められる場合」

このうち，(1)については，いわゆるパッケージ取引やバスケット取引といわれるものについては，同一の製品グループや同一の事業セグメントに属する取引をまとめたほうが合理的な場合がある。この場合には，1つの取引として扱うことができるということである。

また，(2)については，「生産用部品の販売取引と当該生産用部品に係る製造ノウハウの使用許諾取引等が一体として行われている」ような場合には，1つの取引とできるということになる。

しかし，パッケージ取引やバスケット取引がすべて全体とまとめて1つの取引とすべきであるといっているのではないことに留意する必要がある。これは，最終的には，事案により異なるが，原則は，個別の取引ごとに検討する必要があるということになる。

同一製品グループ

国外関連 取　引①	国外関連 取　引②
国外関連取引③	

※　原則は①②③を別個に検討。
　ただし，合理的な場合は①〜③を合計して１つの取引とすることができる。

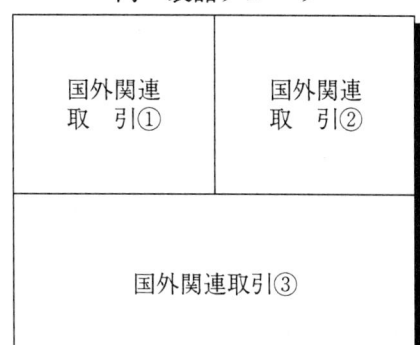

QUESTION 36　相殺取引

　当社は，国外関連取引を行うにあたり，ある製品は高額に，別の製品については新規参入ということで安価に販売する場合があります。このような場合には，安価に販売するものだけについて移転価格税制が適用されるのでしょうか。

ANSWER

　２つの取引が相殺取引とみなされ，１つの取引とされる場合があります。

【解説】

　移転価格税制を適用する場合には，原則として，個別の取引ごとに判断することから，国外関連者に対して安価な対価の額で販売した取引については，それにより日本の税収が減少することになるので，これだけについて，独立企業間価格との比較を行うこととなる。

しかしながら，一方では，高価な対価の額で販売を行っている取引があり，これが上述した取引（安価な販売）と相互に関連していることが，取引関係資料の記載その他の状況からみて客観的に明らかな場合においては，これら2つの取引を合わせて1つの取引として移転価格税制を適用することが実態に合う場合がある。

そこで，国外関連取引において，1つの取引に係る対価の額が独立企業間価格と異なる場合であっても，同一の者との間において別の取引において相殺取引を行っていることが，客観的にみて明らかな場合には，2つの取引を1つの取引として取り扱い，これらの価格の差を調整したところで，これが独立企業間価格で行われているか否かを判断することになる（措通66の4⑶-2）。

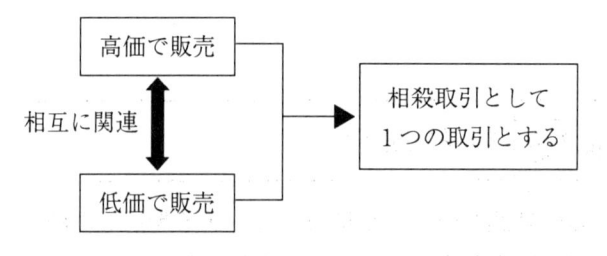

```
┌──────────┐
│ 高価で販売 │
└──────────┘      ┌──────────────┐
 ↕ 相互に関連  →  │ 相殺取引として │
┌──────────┐      │ 1つの取引とする │
│ 低価で販売 │      └──────────────┘
└──────────┘
```

QUESTION 37　事業戦略①

当社は，電気機器メーカーです。昨年，A国に販売子会社Xを設立しましたが，A国内で当社ブランドを浸透させるべく，Xに市場価格よりも安価で販売させることとしました。そこで，Xに十分なマージンを確保させるため，当社からXへの輸出価格は，通常よりも安価で行いたいと考えております。Xは，十分なマージンを得ることにより，同業他社と同等もしくはそれ以上の広告宣伝を行うことができます。このような場合，移転価格税制上問題はあるのでしょうか。

> **ANSWER**
> 　貴社の方針が所得の移転ではなく，事業戦略として認められるためには，安価での国外関連取引が長期的には貴社の利益に資するものであり，一時的なもので，かつ，国外関連者に利益を留保するものではないことを十分に立証することが必要です。

【解説】
　法人が外国に自社ブランドを浸透させるべく，販売子会社に安価で自社製品を販売させるべく，そして同社に十分な広告宣伝をさせるための資金を補填する意味で，通常よりも安価で輸出する，というのは，いわゆる事業戦略に該当すると思われる。

　この場合，事業戦略を採用していることが，法人が安価で販売子会社に輸出していることを直ちに正当化するものではないと思われる。法人としては，事業戦略について十分な説明が求められることになる。すなわち，安価で輸出することが長期的な利益を見込んでおり，あくまで一時的であること，また，安価で輸出することにより販売子会社であるXに多くの利益を留保させるものではないこと，などである。

　したがって，長期間にわたり安価での輸出を行うことや，販売子会社に多額の利益が留保されることになれば，明らかに所得の移転と判断されることになると思われる。また，外国市場での法人ブランドの浸透という目的のために，販売子会社自身も市場において安価で販売していたこと，そして，安価で販売子会社に輸出したことが一時的であること，さらに，販売子会社は同業者に比してより多くの広告宣伝を行ったこと，などについて税務当局に十分な説明を行うことが求められると思われる。

142　第一編　移転価格税制

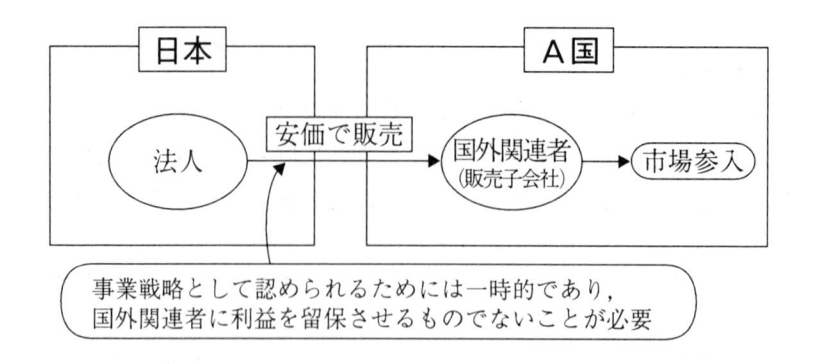

```
┌─日本──────────┐  ┌─A国─────────────────┐
│                    │  │                          │
│   ┌───┐ 安価で販売 │  │  ┌─────┐   ┌─────┐   │
│   │法人│─────→  │  │  │国外関連者│→│市場参入│   │
│   └───┘         │  │  │(販売子会社)│  └─────┘   │
│      ↑           │  │  └─────┘              │
└──────┼──────┘  └──────────────────┘
       │
   ╭───┴─────────────────────────╮
   │ 事業戦略として認められるためには一時的であり，    │
   │ 国外関連者に利益を留保させるものでないことが必要  │
   ╰─────────────────────────────╯
```

QUESTION 38　事業戦略②

　当社は精密機器製造業者ですが，最近，同業者間でのシェア争いが激しさを増しています。そこで，原価を下回る価格での販売を行うこととしました。これは，国外関連取引に限らず第三者間取引においても同様です。このような場合，移転価格税制上問題となるのでしょうか。

ANSWER

　国外関連取引と第三者間取引がともに原価を下回る価格で販売したことについて，同条件であり，かつ一時的であるかを検討する必要があります。

【解説】

　本問の場合には，同業者とのシェア争いの激化により，国外関連取引だけでなく，第三者間取引においても原価を下回る価格での販売ということであることから，これだけの理由から移転価格税制上の問題が指摘されることはないと思われる。

　ただし，長期間にわたり原価を下回る販売が行われると法人の存立にもかか

わることから，このような特殊な販売は一時的であると思われる。国外関連取引が移転価格税制上問題とならないのは，第三者間取引と同様の状況下で同様の条件で取引されることが要件となる。したがって，第三者間取引は一時的に原価を下回る価格で販売していたが，国外関連取引については長期間原価を下回る価格で販売しているということになれば，移転価格税制上の問題が指摘されることになろう。

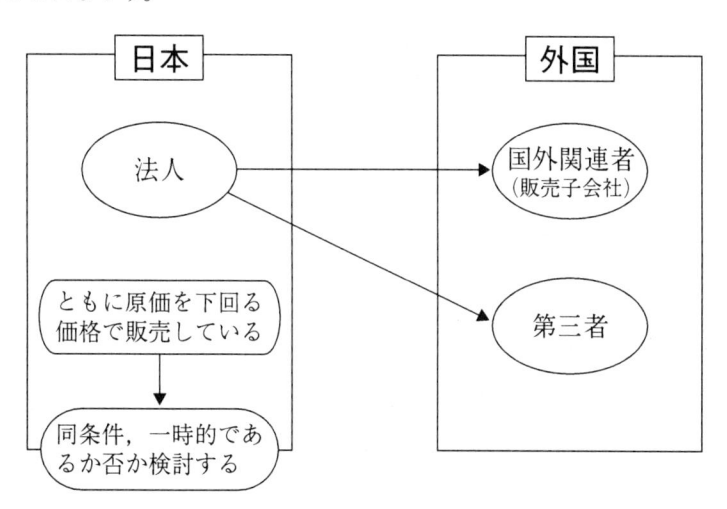

```
┌─────日本─────┐      ┌─────外国─────┐
│               │      │               │
│   ┌─────┐    │      │  ┌───────┐   │
│   │ 法人 │────┼──────┼─▶│国外関連者│   │
│   └──┬──┘    │      │  │(販売子会社)│  │
│      │ ＼    │      │  └───────┘   │
│      │  ＼   │      │               │
│      ▼   ＼  │      │  ┌───────┐   │
│ ┌────────┐ ＼┼──────┼─▶│ 第三者 │   │
│ │ともに原価を│  │      │  └───────┘   │
│ │下回る価格で│  │      │               │
│ │販売している│  │      └───────────────┘
│ └────┬───┘  │
│      ▼       │
│ ┌────────┐  │
│ │同条件，一時│ │
│ │的であるか否│ │
│ │か検討する │  │
│ └────────┘  │
└───────────────┘
```

QUESTION 39　比較可能性①

比較対象取引を選定する場合に基準となるものはありますか。

ANSWER

　比較対象取引の選定基準には，以下に示すようにいろいろな要素があります。

【解説】

　国外関連取引とこれと比較対象取引となる第三者間取引を選定する際には，いろいろな面から検討する必要性がある。すなわち，一面的に見て，取扱い製品が同種だからこれは比較対象取引となる，ということでは，独立企業間価格算定が適切に行われるとは限らない。

　そこで，第三者間取引が比較対象取引となるかについては，次のような諸要素の類似性に基づいて判断する必要がある（措通66の4(2)－3）。

① 棚卸資産の種類，役務の内容等
② 取引段階（小売り又は卸売り，一次問屋又は二次問屋等の別をいう）
③ 取引数量
④ 契約条件
⑤ 取引時期
⑥ 売手又は買手の果たす機能
⑦ 売手又は買手の負担するリスク
⑧ 売手又は買手の使用する無形資産（著作権，基本通達20－1－21に定める工業所有権等のほか，顧客リスト，販売網等の重要な価値のあるものをいう。以下同じ）
⑨ 売手又は買手の事業戦略
⑩ 売手又は買手の市場参入時期
⑪ 政府の規制
⑫ 市場の状況

ただし，これらの項目は，あくまでも例示である。これ以外の要素を用いて比較可能性を判断することも認められる。また，もちろん，これら全てが同種または類似していなければ比較対象取引とはならない，というわけではない。比較対象取引とすべき取引とは，上にあげた事項を総合的に勘案して決定することが重要であると思われる。

QUESTION 40　比較可能性②

　当社は，A国の国外関連者にある製品を販売しておりますが，B国の第三者にも同じ製品を販売しています。国外関連取引について独立企業間価格を算定する場合に，B国の第三者に対して販売する価格を基準として独立企業間価格を算定することは可能でしょうか。

ANSWER

　A国とB国における経済的諸条件に関する差異がないか，または差異がある場合にはこれを適切に調整できる場合には，比較対象取引となります。

【解説】

　比較対象取引を選定する場合には，市場が同一であることが望ましいことはいうまでもない。市場が同一であれば，規制や競争条件など，比較する場合の条件が同じになるからである。逆にいえば，市場が異なっていたとしても，経済条件などが類似していれば，差異の調整を行うことによって比較対象取引とすることができる，ということを意味する。この点で，Q39に述べた諸要素が参考資料になると思われる。

　たとえば，政府の規制という項目があるが，ある国と別の国とでは，ある製品に対する政府の規制が異なるということが多くある。また，国が異なることにより，製品の市場の状況が大きく異なることもあろう。

　また，これ以外にも，国により商慣習が異なることがあるので，これが価格付けに影響を与える場合もあるだろうし，流通や小売の状況も異なるであろう。結論としては，これらの諸要素が同じ又は類似している場合には，市場が異なる場合においても，差異の調整を適切に行うことができる，という条件付きで比較対象取引とすることができることになる。

　しかし，現実的には，国が異なる場合には，経済的な諸条件が異なる場合が

多く存在すると考えられるので，できる限り同一の国（市場）において比較対象取引は選定すべきであると考えられる。

ただし，上述したように，経済的諸条件について，同一又は異なっていてもこれを適切に調整することができる場合には，異なる市場から比較対象取引を選定できることがある場合がある。

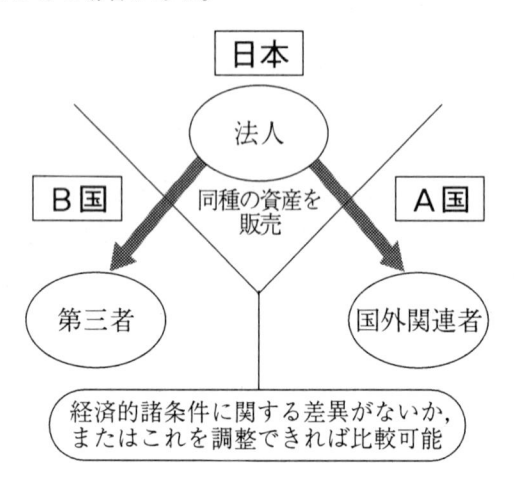

```
                    日本
                    ┌──┐
                    │法人│
                    └──┘
        B国    同種の資産を    A国
      ┌──┐       販売       ┌──┐
      └──┘                  └──┘
         ↙                    ↘
      ┌──────┐         ┌──────────┐
      │第三者 │         │国外関連者│
      └──────┘         └──────────┘

        経済的諸条件に関する差異がないか，
        またはこれを調整できれば比較可能
```

QUESTION 41　比較可能性③

当社は，化学製品の販売業です。A国に所在する親会社から棚卸資産を購入して日本国内の第三者に販売しています。当社は，親会社が取り扱わない製品については，同じA国の第三者Xから仕入れて，これを日本国内で販売しています。当社としては，両方とも同じA国から仕入れたものであり，かつ，化学製品でもあることから，Xとの取引を比較対象取引とすることを考えていますが，取扱い数量が親会社からの仕入れの5％程度になっています。このような取引数量に大幅な開きがある場合であっても，Xとの取引は比較対象取引となるのでしょうか。

ANSWER

取引数量の差異が価格に影響を与えないか，又は与えている場合に差異の調整が可能であれば，比較対象取引となると思われます。

【解説】

本問のような場合には，次のことを考慮すべきであると考える。まず，関連者間取引と第三者間取引が同様の状況下で行われているということである。すなわち，関連者間取引は継続的に行われている一方，第三者間取引が単発，または短期的に行われた場合には，比較対象取引とはならないということである。

次に，取引数量が異なることが，価格に影響を与えていないことが明らかであること，又は，取引数量が異なることにより価格に影響を与えるが，これについて合理的に差異の調整ができること，ということである。

このように，価格に影響を与える要因に対して合理的な調整が可能であれば，取引数量に差異がある場合においても，比較対象取引になりえると思われる。

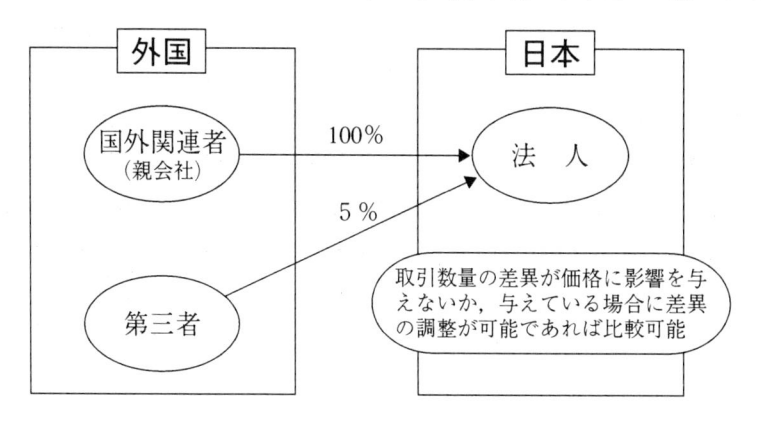

QUESTION 42 取引価格の変動

当社がＡ国親会社から仕入れる製品は，季節及び新製品の販売により，取引価格が変動することにより利益率も大きく変動します。このような場合に，どのように利益率を算定すればいいのでしょうか。

ANSWER

国外関連取引に係る棚卸資産の価格変動が激しい場合には，単一の事業年度ではなく，合理的な複数の事業年度の対価の額の平均値等を基礎として検討することが認められる場合があります。

【解説】

国外関連取引に係る棚卸資産等が一般的に需要の変化等により価格が相当程度変動することは，まま見られることである。このような場合には，独立企業間価格を算定するに際して，各事業年度又は連結事業年度ごとの情報のみで検討することが適切でないと認められる場合もある。そこで，当該事業年度又は連結事業年度以前の合理的な期間における当該国外関連取引の対価の額の平均値等を基礎として検討することが，事務運営指針２－２(1)で定められている。

この場合，合理的な期間がどの程度を指すかについては，業種により異なる。たとえば，おおむね３年ごとに新製品が販売され，それにより価格が大きく変動するような場合においては，３年間が合理的な期間になると思われる。

QUESTION 43　値引き及び割戻しの取扱い

　国外関連取引と類似した第三者間取引があることから，これを比較対象取引としたいと考えております。しかし，国外関連取引については，値引きや割戻しが行われている一方，第三者間取引においては，これらが行われておりません。このような場合は，どのようにすればいいのでしょうか。

ANSWER

　国外関連取引について値引きや割戻しが行われている場合においては，取引数量等に基づいて行われることが多いと思われることから，これらについて差異の調整を行うのが相当と思われます。

【解説】

　措置法第66条の4の規定の適用上，国外関連取引と比較対象取引との間で異なる条件の値引き，割戻し等が行われている場合には，当該値引き，割戻し等に係る条件の差異を調整したところにより同条第4項に規定する差額を算定することとされている。

　一般的には，取引数量等に基づいて値引き等が行われることが多いと思われるので，国外関連取引と比較対象取引とを合理的に比較するためには，これらについて差異の調整を行うのが相当である（措通66の4(3)-4）。

QUESTION 44 　国外関連者に関する明細書（別表17(3)）

確定申告を行う場合，移転価格税制に関してどのような書類を提出する必要があるのでしょうか。

ANSWER

国外関連者に関する明細書（別表17(3)）を記載して提出しなければなりません。

【解説】

　移転価格税制上，確定申告書に添付しなければならない書類として別表17(3)がある。これは，「国外関連者に関する明細書」と呼ばれるものであるが，具体的には，次の記載事項が措置法施行規則22条の10により定められている。

① 　国外関連者に該当する事情

② 　国外関連者の資本金の額又は出資金の額及び当該国外関連者の営む主たる事業の内容

③ 　法人の当該事業年度終了の日以前の同日に最も近い日に終了する当該法人に係る国外関連者の事業年度の営業収益，営業費用，営業利益及び税引前当期利益の額

④ 　法人が国外関連者から支払を受ける対価の額の取引種類別の総額又は当該国外関連者に支払う対価の額の取引種類別の総額

⑤ 　独立企業間価格算定の方法のうち，国外関連者から支払を受ける対価の額又は国外関連者に支払う対価の額について法人が選定した独立企業間価格算定方法（1の取引種類につきその選定した算定の方法が2以上ある場合には，そのうち主たる算定の方法）

⑥ 　その他参考となるべき事項

　なお，国外関連取引を行う法人が，その確定申告書に「国外関連者に関する明細書」（法人税申告書別表17(3)）を添付していない場合又は当該別表の記載内容

が十分でない場合には，税務当局は，当該別表の提出を督促し，又はその記載の内容について補正を求めるとともに，当該国外関連取引の内容について一層的確な把握に努めることとされている（事務運営指針2-3）。

QUESTION 45　取引単位営業利益法の概要

平成16年度の税制改正で取引単位営業利益法が導入されましたが，その理由と概要を説明して下さい。

ANSWER

取引単位営業利益法の導入は，納税者の予測可能性を高めるための措置です。また，これは，営業利益に基づいて独立企業間価格を算定する方法です。

【解説】

政府税制調査会の平成16年度税制改正に関する答申において，OECD移転価格ガイドラインに沿った新たな独立企業間価格算定方法の導入が図られれば，納税に関する予測可能性を一層高めることが期待されるとの指摘があった。また，新日米租税条約の交換公文において，両国間で，移転価格課税事案や事前確認事案についてOECD移転価格ガイドラインに従ってその問題解決を図ることとされている。このような状況を踏まえ，独立企業間価格の算定方法にOECD移転価格ガイドラインで認められている取引単位営業利益法が追加された。

これ以外にも，事前確認においては，すでに営業利益率を基準とする方法が取り入れられていた。

取引単位営業利益法は，比較対象取引の営業利益率を基準として国外関連取引の独立企業間価格を算定する方法である。取引単位営業利益法は，措置法令39条の12第8項第2号，第3号及び第4号に規定されているので，「その他政

令で定める方法」の1つであり，利益分割法と同列の方法となる。したがって，基本三法が適用できない場合にのみ適用することができる。

QUESTION 46 取引単位営業利益法の意義

取引単位営業利益法は，米国で用いられているＣＰＭと同じと考えてよろしいのでしょうか。

ANSWER

取引単位営業利益法も，ＣＰＭも，ともに営業利益率をもとに独立企業間価格を算定する方法ですが，前者は取引単位で，後者は会社全体で検討する，という大きな違いがあります。

【解説】

取引単位営業利益法も，ＣＰＭも，ともに営業利益率をもとに独立企業間価格を算定することから，これら２つの方法が同じ算定方法であるのではないか，という疑問が出てくるのは当然のことと思われる。

しかし，名称が異なるように，その内容も異なっていると理解されている。取引単位営業利益法は，文字通り取引単位で営業利益を比較する方法であるが，ＣＰＭは，取引単位ではなく，会社単位で比較する方法である。したがって，ＣＰＭを用いる場合には，比較対象取引は国外関連取引だけでなく，国内取引も含まれるし，第三者間取引だけでなく，関連者間取引も含まれることになる。

ただし，取引単位営業利益法を事前確認（ＡＰＡ）で用いる場合には，比較対象取引を国外関連取引と第三者間取引とに区分することが現実的には不可能な場合があることから，このような場合には，取引単位営業利益法を用いた結果はＣＰＭを用いたものと同じということになる。

QUESTION 47　取引単位営業利益法の適用①

当社は，棚卸資産の輸入取引を行う法人ですが，取引単位営業利益法の具体的な適用方法について，説明して下さい。

ANSWER

棚卸資産の輸入取引を行う法人が取引単位営業利益法を具体的に適用する方法は，以下のとおりです。

【解説】

取引単位営業利益法については，本問の法人のように再販売を行う場合には，比較対象取引に係る売上高営業利益率を用いて独立企業間価格を算出することになる。

まず，非関連者への再販売価格に比較対象取引の売上高営業利益率を乗じたものに再販売に要した販売費及び一般管理費の額を加算する。これを再販売価格から控除したものが独立企業間価格となる。

これを算式で示せば，

　　独立企業間価格＝再販売価格－（再販売価格×比較対象取引の売上高営業
　　　　　　　　　　利益率＋販売費及び一般管理費の額）

となる。

比較対象取引に係る売上高営業利益率を用いて独立企業間価格を算定する方法（措置法令39の12⑧二に掲げる方法）

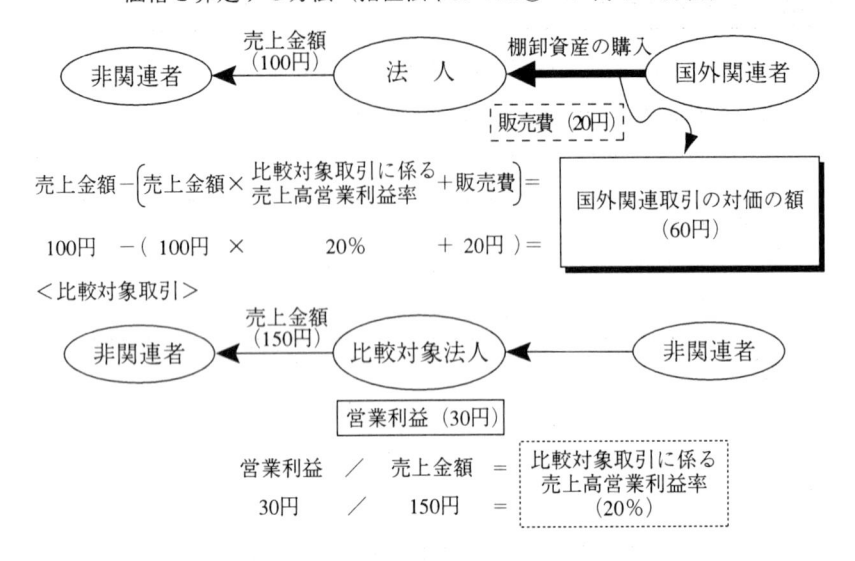

```
                        売上金額              棚卸資産の購入
              ┌──────┐ （100円） ┌──────┐ ←━━━━━━━ ┌──────────┐
              │非関連者│←────────│ 法 人 │             │ 国外関連者 │
              └──────┘          └──────┘             └──────────┘
                                販売費（20円）              │
                                                            ↓
  売上金額 −｛売上金額 × 比較対象取引に係る + 販売費｝=   ┌──────────────┐
                         売上高営業利益率                   │国外関連取引の対価の額│
  100円  −（ 100円 ×     20%      + 20円 ）=            │    （60円）      │
                                                        └──────────────┘
```

＜比較対象取引＞
```
                        売上金額
              ┌──────┐ （150円） ┌────────┐          ┌──────┐
              │非関連者│←────────│比較対象法人│←────────│非関連者│
              └──────┘          └────────┘          └──────┘
                                営業利益（30円）

              営業利益  ／  売上金額  =  比較対象取引に係る
                                        売上高営業利益率
              30円    ／    150円  =      （20%）
```

QUESTION 48　取引単位営業利益法の適用②

当社は，棚卸資産の輸出を行う法人ですが，取引単位営業利益法の具体的な適用方法について，説明して下さい。

ANSWER

棚卸資産の輸出取引を行う法人が取引単位営業利益法を具体的に適用する方法は，以下のとおりです。

【解説】

棚卸資産の輸出を行う法人については，比較対象取引に係る総費用営業利益率を用いて独立企業間価格を算定する方法を使用する。

法人の総費用の額（売上原価と販売費及び一般管理費の合計）に比較対象取引に係る総費用営業利益率を乗じ，これに国外関連取引に係る販売費及び一般管理

費を加算する。これに，法人が取得した棚卸資産の取得原価を加算することにより，独立企業間価格を算定することができる。

これを算式で示せば，

　　　独立企業間価格＝貴社が取得した棚卸資産の取得原価の額＋（貴社の総費用×比較対象取引の総費用営業利益率＋国外関連取引に係る販売費及び一般管理費）

となる。

比較対象取引に係る総費用営業利益率を用いて独立企業間価格を算定する方法（措置法令39の12⑧三に掲げる方法）

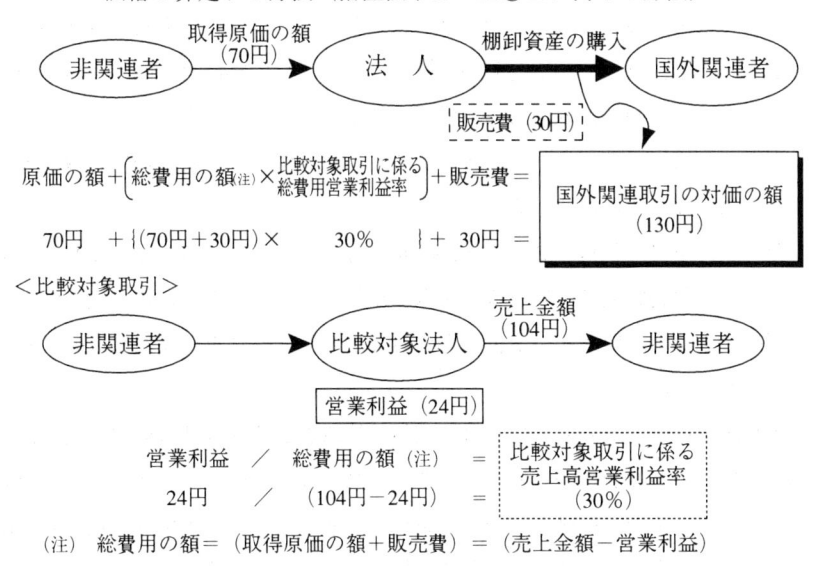

```
        取得原価の額              棚卸資産の購入
非関連者 ─────→  法 人  ─────────→ 国外関連者
          (70円)              
                        販売費(30円)
```

原価の額＋(総費用の額(注)×比較対象取引に係る総費用営業利益率)＋販売費 ＝ 国外関連取引の対価の額（130円）

70円　＋｛(70円＋30円)×　30%　｝＋ 30円 ＝

＜比較対象取引＞

```
                          売上金額
                          (104円)
非関連者 ─────→ 比較対象法人 ─────→ 非関連者
                  営業利益（24円）
```

営業利益　／　総費用の額(注)　＝　比較対象取引に係る
　24円　／　(104円－24円)　＝　売上高営業利益率
　　　　　　　　　　　　　　　　　　（30%）

（注）総費用の額＝（取得原価の額＋販売費）＝（売上金額－営業利益）

QUESTION 49　取引単位営業利益法の適用③

　取引単位営業利益法における販売のために要した販売費及び一般管理費について，どのように算出すればいいのでしょうか。

Answer

　ケース・バイ・ケースであり，費用の種類により算出方法が異なります。

【解説】

　移転価格税制の適用にあたっては，国外関連取引の価格を対象とするものであることから，その取引単位ごとに売上，原価，粗利益等をセグメント化し，セグメント単位での利益率を算出する作業が必要になる。その結果，一般的には，売上総利益，営業利益についてもセグメント単位で算出することになる。

　多くの企業においては，取引ごとの粗利益計算は，経営上も必要度が高いことから，売上，原価，売上総利益までのセグメント作業はだいたい行っていると思われる。しかし，取引ごとに営業利益までのセグメント作業が行われている場合は少ないと考えられる。そうなると，販売費及び一般管理費を取引単位に合理的に配分する作業が必要になる。

　そこで，事務運営指針3－6が2005年4月の改訂で導入された。これを簡単にいうと，販売費及び一般管理費を取引単位に配分する場合には，直接費のほか間接費も含め，費用の性質，取引内容に照らしてこれを合理的に区分する，というものである。

　事務運営指針3－6においては，国外関連取引とそれ以外の取引の双方に関連して生じた共通費用がある場合のその配賦については，たとえば，双方の取引に係る売上金額，原価，使用した資産の価額，従事した使用人の数を要素にして，その要素の比によって合理的に按分するとされている。

　具体的には，営業関連費用については，これが売上高と強いひも付き関係にある費用であることから，売上高の比によって配分するのが相当であると考えられる。一方，減価償却費を配分する方法としては，使用した資産の価額の比で分けるのも合理的かもしれない。また，ＯＡ関連やシステム関連費用については，これらに従事した使用人の数で按分する方法も考えられる。

QUESTION 50　取引単位営業利益法の適用④

当社は電子機器の製造業を営んでいますが，10年ほど前に生産拠点を国内からＡ国に移管し，製造子会社を設立しました。当社とＡ国製造子会社の国外関連取引に関して取引単位営業利益法を適用して課税される可能性はありますか。

ANSWER

貴社とＡ国製造子会社との国外関連取引に，取引単位営業利益法を適用する可能性はあると思われます。

【解説】

法人が，外国製造子会社に製造技術などの無形資産を供与している一方，製造子会社自身は重要な無形資産を所有していない場合が考えられる。具体的には，次に述べるように適用する。

まず，Ａ国製造子会社の類似企業が行う製品取引を比較対象取引として，取引単位営業利益法を同社に適用することにより，Ａ国製造子会社の製造機能に見合った適正な営業利益を算定する。次に，Ａ国製造子会社が実際に獲得した営業利益から，上記で算定した営業利益を控除した残余の利益は，日本親会社である貴社が形成した無形資産をＡ国製造子会社が使用したことによって生じた利益，すなわち，無形資産の供与に係る貴社に帰属する利益として，それを貴社がＡ国製造子会社から収受することになる。

このように，取引単位営業利益法は，棚卸取引が日本親会社である貴社を経由せず，いわゆる外－外取引で行われている場合には，無形資産取引の算定方法としては，とりわけ有効な方法であるといえる。

したがって，貴社とＡ国製造子会社との国外関連取引に取引単位営業利益法を適用する可能性はあるということができる。

QUESTION 51 取引単位営業利益法の適用⑤ －比較対象取引が複数ある場合

比較対象取引が複数ある場合の独立企業間価格の算定について，説明して下さい。

ANSWER

比較対象取引が複数ある場合には，その利益率の平均値を用いることができます。

【解説】

2005年4月28日付けで事務運営指針の改訂が行われ，「比較対象取引が複数ある場合の独立企業間価格の算定」が3－2として追加された。

独立企業間価格の算定においては，比較対象取引を見いだして，その価格（指標）をあてはめるという作業を行うが，従来においては，複数の取引を採用してこれを平均化するということはあまり行われていなかった。国税当局においては，いちばん近似する取引を1つ選定してこの価格（指標）が独立企業間価格であるという判断を行ってきた。

しかし，取引単位営業利益法の導入により，営業利益率ベースで比較対象取引を選定することになりました。独立企業間価格の算定の基礎指標が営業利益であるために，1つの比較対象取引を選定することが妥当であるのか，といった疑問も生じてくる。

そこで，利益率の平均値（統計上代表するような平均値）を用いることができるという定めが置かれることになったものである。

比較対象取引の選定を行った結果，国外関連取引と類似性の程度が同等に高いと認められる取引が複数ある場合，すなわち，いずれも優劣つけ難い取引が複数存在する場合の独立企業間価格の算定については，その複数の取引に係る価格や利益率等の平均値を用いることができることになった。

QUESTION 52 利益分割法の適用

利益分割法を用いる場合に，国外関連取引に係る営業利益はどのように算出するのでしょうか。

ANSWER

法人が国外関連取引に係る営業利益を算出している場合には，これが合理的であると認められる場合には，それを採用します。また，法人が国外関連取引に係る営業利益を算出していない場合には，税務当局の要求に従い合理的に営業利益を算出することになります。

【解説】

利益分割法を採用する場合においても，基本的に取引単位で適用することになる。法人が，全世界に10社の子会社を有しており，このうちの1社（X）との国外関連取引が問題となる場合には，法人の対Xとの取引に係る営業利益を算出する必要がある。

具体的には，法人が子会社の利益管理をどのように行っているか，による。多くの大企業は，子会社との取引において十分な利益を計上しているか否かを見るために，対子会社の売上高や営業利益などを算出している場合が多く見受けられる。そこで，法人が国外関連取引に係る営業利益を算出している場合には，これが合理的であると認められる場合には，それをそのまま採用することになる。

一方，法人が対子会社の数値を算出していなかった場合においては，税務当局の要求に応じる形で対X取引に係る営業利益を合理的に算出することになると思われる。

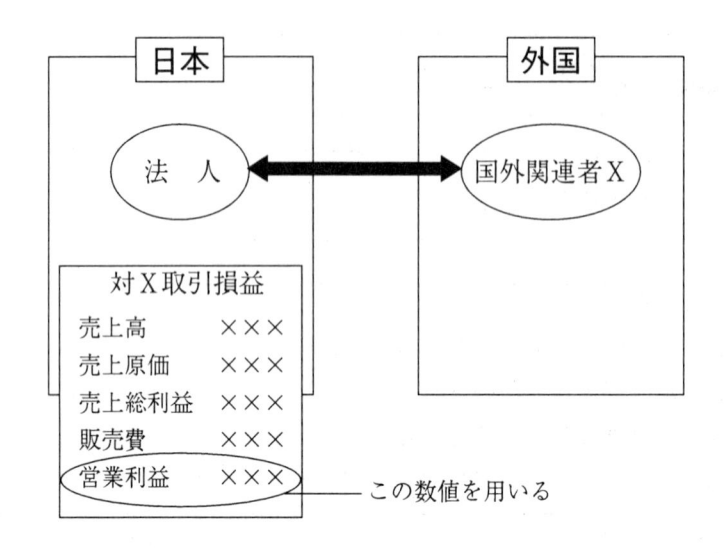

```
┌──────────┐        ┌──────────┐
│   日本   │        │   外国   │
│  ┌───┐   │        │ ┌──────┐ │
│  │法 人│ │◄──────►│ │国外関連者X│ │
│  └───┘   │        │ └──────┘ │
│ ┌─────────┐       │          │
│ │対X取引損益│      │          │
│ │売上高  ×××│     │          │
│ │売上原価 ×××│    │          │
│ │売上総利益×××│   │          │
│ │販売費  ×××│     │          │
│ │(営業利益 ×××)│──── この数値を用いる
│ └─────────┘       │          │
└──────────┘        └──────────┘
```

QUESTION 53 利益分割法の種類

利益分割法にはいろいろな種類があるとのことですが，どのようなものがあるのでしょうか。

ANSWER

日本においては，寄与度利益分割法，比較利益分割法及び残余利益分割法の3つの方法が認められています。

【解説】

利益分割法は，我が国においては措置法令39条の12第8項第1号に規定がある。それによると，国外関連取引を通じて得られた関連当事者の利益を合算し，これを当該利益の発生に寄与したと思われる要因に応じて，各関連当事者間で分配する方法であるとされている。利益分割に用いる要因に関しては，支出した費用の額，使用した固定資産の価額その他とされている。この方法を一般に寄与度利益分割法という。

このほかの利益分割法としては，措置法通達66の4⑷－4において比較利益分割法が，同66の4⑷－5において残余利益分割法が含まれる旨定められている。比較利益分割法とは，国外関連取引と類似の状況の下で行われた非関連者間取引に係る非関連者間の分割対象利益に相当する利益の配分割合を用いて合理的に算定する方法である。また，残余利益分割法とは，法人又は国外関連者が重要な無形資産を有する場合に，分割対象利益のうち重要な無形資産を有しない非関連者間取引において通常得られる利益に相当する金額を当該法人及び国外関連者それぞれに配分し，当該配分した金額の残額を当該法人又は国外関連者が有する当該重要な無形資産の価値に応じて，合理的に配分する方法により独立企業間価格を算定する方法とされている。

さらに，OECD移転価格ガイドラインにおいては，パラ3.24において使用資本を用いた利益分割法についても言及されているが，「この方法を選択する前に他の利益分割法が検討されるべきである。」と書かれているようにOECDはこの方法を推奨してはいないと考えられている。米国や日本にも，この方法に関する規定はなく，今日ではこの方法は，あまり用いられていない。

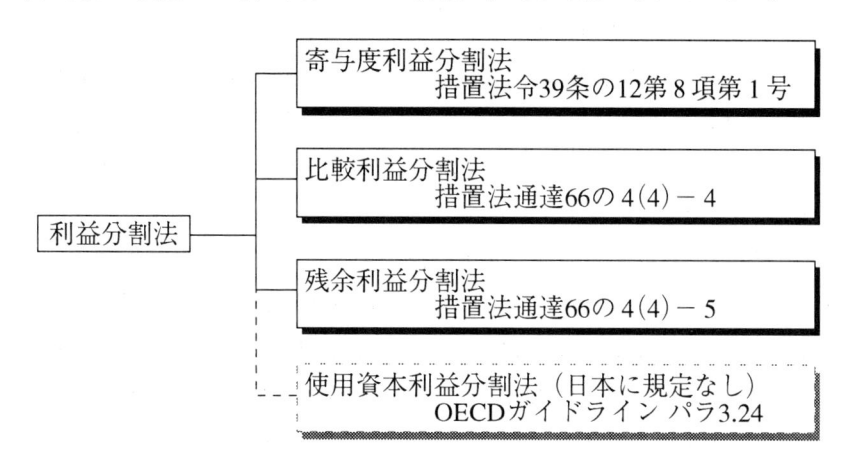

```
                  ┌─ 寄与度利益分割法
                  │      措置法令39条の12第8項第1号
                  │
                  ├─ 比較利益分割法
                  │      措置法通達66の4⑷－4
利益分割法 ───────┤
                  ├─ 残余利益分割法
                  │      措置法通達66の4⑷－5
                  │
                  └╌ 使用資本利益分割法（日本に規定なし）
                         OECDガイドライン パラ3.24
```

QUESTION 54　独立企業間価格幅

独立企業間価格に幅があるといわれていますが，これについて説明して下さい。

ANSWER

日本においては，米国などとは異なり，比較対象取引が複数ある場合の取扱いを定めましたが，積極的に幅の概念を認めたものではありません。

【解説】

独立企業間価格が１つの数値なのか，それとも一定の幅をもったものであるのか，については，いくつかの考え方がある。措置法66条の４においては，独立企業間価格は独立企業間価格算定方法を用いて算出された価格であるとしているので，たとえば，１つの比較対象取引に基づいて１つの算定方法を用いて算出された結果は，１つの数値になることになる。

しかし，比較対象取引が複数存在する場合には，差異の調整を行った後においても，複数の結果が得られることになる。このように，複数の比較対象取引に基づいて算定した場合には，独立企業間価格が複数得られることになり，これらから幅が設定できることになる，ということになる。

幅の概念については，ＯＥＣＤ移転価格ガイドラインや米国においては，積極的に認められているとも理解できる。一方，わが国においては，事務運営指針２－２(1)に「法人の国外関連取引に係る事業と同種で，規模，取引段階その他の内容が概ね類似する複数の非関連取引（比較対象取引の候補と考えられる取引）に係る利益率等の範囲内に，国外関連取引に係る利益率等があるかどうかを検討する。」とされていることから，一応，幅の考え方を認めているようにも考えられる。また，Ｑ51にあるように取引単位営業利益法に関しては，複数の比較対象取引がある場合の取扱いも定められている。ただし，国税庁が積極

的に独立企業間価格の幅について考えているとは思われない。

しかし，法人としては，自己の収集できる資料により，上記のように複数の比較対象取引が得られ，これに適切な差異の調整を行い，なお複数の数値が得られる場合には，国外関連取引の対価の額がこの複数の数値の範囲（つまり幅）内に入っている場合においては，移転価格税制上の問題は，指摘される可能性は低いと考えられる。

QUESTION 55　金銭の貸付け

当社は内国法人ですが，外国子会社に金銭を貸し付けることを考えています。移転価格税制上，留意すべき点をご教示下さい。

ANSWER

国外関連者に金銭の貸付けを行う場合には，第三者に貸し付ける場合と同様の金利を付さなければなりません。

【解説】

金銭の貸付けについても，国外関連者に対するものであれば，移転価格税制の対象となる。金銭の貸付けを行う場合には，第三者間において同様の状況の下で貸付けの際に付される金利と同じ金利が付されていれば，移転価格税制上の問題は生じないことになると思われる。

この場合，次に掲げる事項に留意すべきである。

① 貸付通貨が同一であること
② 貸付時期
③ 貸付期間
④ 金利設定方法（固定又は変動，単利又は複利）
⑤ 利払方法（前払い又は後払い）
⑥ 借手の信用力，担保及び保証の有無

⑦　その他利率に影響を与える諸要因

　これらは，金銭の貸付けが第三者と同様に行われたかをチェックする必要最小限のものである。少なくとも，これらの点で，第三者に貸し付ける場合と同様でなければ，移転価格税制上問題となる場合があると考えるべきである。

QUESTION 56　金銭の貸付けに係る独立企業間価格の算定方法①

　金銭の貸付けに関しては，どのような独立企業間価格算定方法があるのでしょうか。

ANSWER

　措置法通達66の4(6)-4には，独立価格比準法と同等の方法，及び原価基準法と同等の方法が定められています。このほか，法人及び国外関連者がともに主として金銭の貸付け又は出資を行っていない場合においては，事務運営指針2-7において，(1)国外関連取引の貸手が非関連者である銀行等から通貨，貸借時期，貸借期間等が同様の状況の下で借り入れたとした場合に通常付されたであろう利率，(2)国外関連取引に係る資金を，当該国外関連取引と通貨，取引時期，期間等が同様の状況の下で国債等により運用するとした場合に得られたであろう利率が適用できるとしています。

【解説】

　措置法通達66の4(6)-4には，独立価格比準法と同等の方法，及び原価基準法と同等の方法が定められている。

　それによると，まず，国外関連取引と比較対象取引において，貸付通貨が同一であることを求めている。そのうえで，比較対象取引が①貸借時期，②貸借期間，③金利の設定方式，④利払方法，⑤借手の信用力，⑥担保及び保証の有無，⑦その他利率に影響を与える諸要因，が国外関連取引と同様であることを

要するとしている。

　そうなると，比較対象取引がほとんどないのでは，と考えられるが，同通達の注において，たとえば，国外関連取引の借手が銀行等から当該国外関連取引と同様の条件の下で借り入れたとした場合に付されるであろう利率を比較対象取引における利率として独立企業間価格とすることができることとされている。

　このほか，法人及び国外関連者がともに主として金銭の貸付け又は出資を行っていない場合においては，事務運営指針2－7において，措置法通達66の4⑹－4が適用できない場合の独立企業間価格の算定方法として，⑴国外関連取引の貸手が非関連者である銀行等から通貨，貸借時期，貸借期間等が同様の状況の下で借り入れたとした場合に通常付されたであろう利率，⑵国外関連取引に係る資金を，当該国外関連取引と通貨，取引時期，期間等が同様の状況の下で国債等により運用するとした場合に得られたであろう利率（⑴に掲げる利率を用いることができる場合を除く）が適用できるとしている。ただし，（注）において，⑴に掲げる利率を適用する場合においては，国外関連取引の貸手における銀行等からの実際の借入れが，⑴で規定する同様の状況の下での借入れに該当するときには，当該国外関連取引とひも付き関係にあるかどうかを問わないことに留意するとされている。

QUESTION 57　金銭の貸付けに係る独立企業間価格の算定方法②

　当社は，衣料品メーカーですが，A国製造子会社に対して，10億円の貸付け（期間5年）を行うこととしました。当社は，キャッシュ・フローが潤沢ではないことから，これを現在行っている銀行借入（長期借入金。金利1％）から行うことを考えております。この場合，移転価格税制の適用があると思われますが，金利はどのように設定すればいいのでしょうか。

Answer

　貴社の行う貸付けが「金融業を業としない者が行う貸付け」に該当すると思われますので，事務運営指針2－7に定める方法により算定することになります。

【解説】

　まず，法人が，この貸付けと比較可能な第三者間取引（貸付け）を行っているか否かを検討するが，法人が衣料品メーカーということでこれはないものと考えられる。そして，このような第三者間取引がないものとすると，今度は，貴社の行う貸付けが「金融業を業としない者が行う貸付け」に該当するか，ということになるが，法人は衣料品メーカーであることから，金融業を業としない者に該当すると思われる。

　金銭の貸付けを業としない法人の貸付金利について，独立価格比準法と同等の方法又は原価基準法と同等の方法が適用できない場合には，事務運営指針2－7に掲げる方法により，独立企業間価格を算定することになる。具体的には，

(1)　国外関連取引の貸手が非関連者である銀行等から通貨，貸借時期，貸借期間等が同様の状況の下で借入れたとした場合に通常付されたであろう利率

(2)　国外関連取引に係る資金を，当該国外関連取引と通貨，取引時期，期間等が同様の状況の下で国債等により運用するとした場合に得られたであろう利率（(1)に掲げる利率を用いることができる場合を除く）

(注)　(1)に掲げる利率を適用する場合においては，国外関連取引の貸手における銀行等からの実際の借入れが，(1)で規定する同様の状況の下での借入れに該当するときには，当該国外関連取引とひも付き関係にあるかどうかを問わないことに留意する。

　以上のことからは，事務運営指針2－7の(1)を適用することが考えられるので，法人（国外関連取引の貸手）が非関連者である銀行から同様の状況下で借入れたとした場合に通常付される金利を用いることが適切であると考えられる。

QUESTION 58 　金銭の貸付けに係る移転価格税制の適用

当社は，今般，外国子会社への貸付金利が低すぎるとして更正処分を受けました。当局は，独立価格比準法と同等の方法に準ずる方法ということで，実在しない比較対象取引を用いています。このような更正処分は有効でしょうか。

ANSWER

実在しない比較対象取引であっても，それが金融市場で付された実際の金利に基づいている場合においては，比較対象取引として有効であり，当該更正処分も有効となります。

【解説】

　税務当局が用いた比較対象取引は，金融市場で付された実際の金利を用いて，法人が外国子会社に対して貸し付けた通貨，貸付時期，貸付期間をもとに算出した金利であると思われる。この取引は，実際に行われた取引であるか否かはともかくとして，法人が本来外国子会社から徴すべき金利を指しているものと思われる。

　税務当局は，独立価格比準法と同等の方法に準ずる方法を採用したとのことであるが，当局が用いた金利は，まさに金融市場で付された金利に基づいたものと考えられるので，独立価格比準法と同等の方法に準ずる方法であると考えられる。

　確かに，移転価格税制は関連者間取引を第三者間取引と同等の状況においた場合の価格とすることが基本となるので，比較対象取引は実在する第三者間価格であることを想定していると考えることもできる。

　しかし，本問の場合には，当局の算定した独立企業間価格のもととなるのは，実際の金融市場で付された金利であり，これに基づいて独立企業間価格を算定していることから，まさに準ずる方法の典型例とも言えるものである。した

がって，税務当局の用いた比較対象取引は，それ自体は実在していないが，準ずる方法として比較対象取引となるものと考えられる。

QUESTION 59　金銭の貸付けと出資の関係

当社は，A国に製造子会社を有しています。今般，新たな製造設備を導入するために資金が必要になったことから，当社から子会社に対して資金の貸付けを行うことを考えていますが，この貸付けはいずれ当社からの出資に振り替えようと考えております。しかし，これについては，未定の部分も多く，とりあえずは金銭消費貸借契約書を作成して，貸付けとしたいと思っています。このような場合にも，金利について独立企業間価格の算定が必要になりますか。

ANSWER

金銭消費貸借契約書を作成していることから，出資ではなく，金銭の貸付けとして取り扱われます。

【解説】

本問は，とりあえず子会社に資金を貸し付けておいて，近い将来，これを出資に振り替えるとのことであるが，このような場合であっても金銭消費貸借契約書が締結されている以上は，国外関連者に対する貸付け（すなわち，国外関連取引）となるので，金利の設定に関して，独立企業間価格を算定することが必要である。

金利を独立企業間価格とするためには，措置法通達66の4(6)－4の定めに従うことになるが，貴社の場合には，製造業であり，金銭の貸付け等を業としない法人に該当することになることから，これが適用できない場合においては，事務運営指針2－7を用いて独立企業間価格を算定することになると思われる。

QUESTION 60 役務提供とは

移転価格税制の対象となる役務提供について，説明して下さい。

ANSWER

役務提供取引のうち，有償性のあるもの，すなわち通常第三者間において有償で行われると思われるものについては，移転価格税制の対象となります。

【解説】

　法人とその国外関連者の間で行われるすべての有償性のある取引は，国外関連取引に該当するのであるとされている。たとえば，法人がその国外関連者のために行う（法人のためにその国外関連者が行う場合も含む。以下同じ）次頁に掲げる経営・財務・業務・事務管理上の役務（以下「役務」という）の提供で，当該法人から当該役務の提供がなければ，対価を支払って非関連者から当該役務の提供を受け，又は自ら当該役務を行う必要があると認められるものは，有償性のある取引に該当することになる。

　なお，法人が，その国外関連者の要請に応じて随時役務の提供を行い得るよう人員や設備等を利用可能な状態に定常的に維持している場合には，かかる状態を維持していること自体が役務の提供に該当するとされている。

　また，国外関連者が，非関連者から役務の提供を受け，又は自らこれを行っている場合において，法人が当該国外関連者に対し，当該役務と重複した役務の提供を行っていると認められるときは，当該法人が行う当該役務の提供は有償性がなく，国外関連取引には該当しないこととされている。ただし，この場合においても，たとえば，当該役務の提供の重複が一時的なものにとどまると認められるもの，又は，事業判断の誤りに係るリスクを減少するため手続上重複してチェックしていると認められるものはこの限りでないとされている。

イ　企画又は調整
ロ　予算の作成又は管理
ハ　会計，税務又は法務
ニ　債権の管理又は回収
ホ　情報通信システムの運用，保守又は管理
ヘ　キャッシュフロー又は支払能力の管理
ト　資金の運用又は調達
チ　利子率又は外国為替レートに係るリスク管理
リ　製造，購買，物流又はマーケティングに係る支援
ヌ　従業員の雇用又は教育

QUESTION 61　役務提供の基本的考え方

移転価格税制上の役務提供についての基本的な考え方を説明して下さい。

Answer

役務提供の場合には，それが行われたか否かがあいまいな場合もあり，また経済価値は様々です。そこで，役務提供についての移転価格税制の適用にあたっては，取引として的確に認識した上，それぞれの内容，経済的価値を検討する必要があると思われます。

【解説】

法人が国外関連者に対して何らかの役務提供をすれば，移転価格税制上これについて適正な価格つまり独立企業間価格を収受したものとして所得計算をすることになる。

しかし，役務提供が行われたか否かが明確でない場合がしばしばある。また，棚卸資産取引，無形資産供与取引と関連して役務提供が行われる場合も多く，

移転価格税制を適用する上で役務提供をどのように認識するかとの問題がある。

さらに，役務提供の内容に関しては，事務的なもの，単純なものもあれば，重要な無形資産を使用するものもあり，また，役務提供を受ける側において補助的な位置付けであるものもあれば，その事業の中核をなすようなものも考えられる。したがって，役務提供の経済的な価値は様々と考えられる。

このようなことから，役務提供についての移転価格税制の適用にあたっては，取引として的確に認識した上，場合により棚卸資産取引等との関連を踏まえながら，それぞれの内容，経済的価値を検討する必要があると考えられる。

QUESTION 62 移転価格税制の対象とならない役務提供

移転価格税制の対象とならない役務提供について，説明して下さい。

ANSWER

株主活動に基づく役務提供については，移転価格税制の対象となりません。

【解説】

移転価格税制の対象とならない役務提供の典型的なものとして，「株主活動に基づく役務提供」がある。すなわち，国外関連者に対して親会社としての立場を有する法人が行う役務の提供に関連する諸活動であっても，たとえば，親会社の株主総会開催のための活動や親会社の金融商品取引法に基づく有価証券報告書等を作成するための活動で，子会社である国外関連者に対する親会社の株主としての地位に基づくと認められるものについては，子会社である国外関連者の営業上，当該親会社の活動がなければ，対価を支払って非関連者から当該役務の提供を受け，又は自ら当該役務を行う必要があると認められないことから，有償性がなく，国外関連取引に該当しないとされている。

なお，親会社としての活動が，子会社に対する株主としての地位に基づく諸活動に該当するのか，役務の提供と認められる子会社の監視等に該当するかについては，それぞれの実情に則し，有償性の有無を判定するとされている。

QUESTION 63 役務提供取引の独立企業間価格の算定

役務提供に関する独立企業間価格の算定方法について説明して下さい。

ANSWER

役務提供については，独立企業間価格の算定方法について，独立価格比準法と同等の方法と原価基準法と同等の方法の2つの方法が考えらます。このほか，これらの方法が適用できない場合には，役務提供の総原価の額を独立企業間価格とすることができるとされています。

【解説】

役務提供については，基本三法のうち，独立価格比準法と同等の方法と原価基準法と同等の方法の2つの方法が考えられる（措通66の4(6)-5）。

このうち，独立価格比準法と同等の方法に関しては，比較対象取引に係る役務が，国外関連取引に係る役務と同種であり，かつ，比較対象取引に係る役務提供の時期，役務提供の期間等の役務提供の条件が国外関連取引と同様であることを要するとされている。

つぎに，原価基準法と同等の方法を適用する場合には，比較対象取引に係る役務が国外関連取引に係る役務と同種又は類似であり，かつ，上記の役務提供の条件と同様であることを要するとされている。

比較対象取引の選定に当たっては，基本三法の場合と同様，役務提供の内容や取引の条件など価格に影響を与える要素を検討することが必要である。

なお，事務運営指針2-9において，上記の措置法通達66の4(6)-5が適用できない場合において，「当該役務提供の総原価の額を独立企業間価格として，当該役務提供に係る対価の額の適否を検討する。」としている。また，「役務提供に係る総原価には，原則として，当該役務に関連する直接費のみならず，合理的な配賦基準によって計算された担当部門及び補助部門の一般管理費等間接費まで含まれることに留意する。」こととされている。

QUESTION 64　役務提供取引と株主活動

企業グループ内役務提供取引と株主活動との関係について説明して下さい。

ANSWER

企業グループ内役務提供取引に関しては，グループ企業からの役務の提供がない場合に，あえて対価を支払って第三者から役務の提供を受けるか，又は，自らそのような役務を行うかどうかという大原則に従って判断することが重要です。

【解説】

たとえば，事業部や社内カンパニー制を採用しているような法人では，その各事業部や社内カンパニー制の管理下の子会社等に対する役務提供については，ひもつきの度合いが高いということもあり，有償性が認識され，対価の授受が行われている傾向が多いと思われる。その一方で，本社機能を受け持つ，いわゆるコーポレート部門が行う役務提供取引については，いわゆる株主活動に該当するのではないかということで，自らのための活動であり，したがって有償性がないという認識を有しているケースが見受けられる。

株主活動とは，親会社が子会社の株主としての地位に基づくもので，たとえば，親会社の株主総会開催のための活動や親会社の金融商品取引法に基づく有

価証券報告書等を作成するための活動で，子会社である国外関連者に対する親会社の株主としての地位に基づくと認められるものを有償性がないと確認的に規定されている。

いずれにせよ，有償性の有無の判断については，グループ企業からの役務の提供がない場合に，あえて対価を支払って第三者から役務の提供を受けるか，又は，自らそのような役務を行うかどうかという大原則に戻って，個々のケースに応じて判断していくことになるものと思われる。

```
            役務提供取引か
             株主活動か
    法人  ←――――↕――――→  国外関連者
             有償性が
             ポイント！
```

QUESTION 65　役務提供取引の適用

当社は，製造業を営む法人ですが，最近，Ａ国に製造子会社を設立しました。当社は，工場の本格稼動に備えて，複数の従業員を一定期間にわたって子会社に派遣し，現地作業員の指導に当たらせるとともに，製造機械の試運転を監督させています。このような場合，移転価格税制の対象となるのでしょうか。

ANSWER

貴社の行う取引は，貴社従業員が外国子会社に対して役務提供を行ったことを意味し，移転価格税制の対象となるものです。

【解説】

本問の場合，法人の行う取引は，法人従業員が国外関連者に対して役務提供を行ったことを意味し，移転価格税制の対象となるものである（事務運営指針2

−10を参照)。

　この場合，どのように独立企業間価格を算定するかということが問題となるが，役務提供取引の場合にも，棚卸資産取引の場合と基本的には同様となる。したがって，最初に，独立価格比準法，再販売価格基準法，原価基準法の3つの方法と同等の方法を検討することになるが，役務提供の場合に，再販売ということは考えにくいので，独立価格比準法と同等の方法，又は，原価基準法と同等の方法を採用することになると思われる。

　本問の場合，製造子会社に対する役務提供と同様の役務提供を第三者に対しても行っているとした場合には，独立価格比準法と同等の方法が考えられる。また，これがない場合には，原価基準法と同等の方法を採用することになる。さらに，これらの方法が適用できない場合には，当該役務提供に係る総原価の額を独立企業間価格とすることも認められている。

　いずれにしても，国外関連者に対して，法人の従業員が一定の役務提供を行った場合には，移転価格税制の対象取引となるので，注意が必要である。

QUESTION 66　本来の業務に付随した役務提供

　本来の業務に付随した役務提供に関する移転価格税制上の取扱いについて，説明して下さい。

ANSWER

　移転価格税制上，本来の業務に付随した役務提供とは，役務提供を主たる事業としていない法人又は国外関連者が，本来の業務に付随して又はこれに関連して行う役務提供をいいます。

【解説】

　移転価格税制上，「本来の業務に付随した役務提供とは，たとえば，海外子会社から製品を輸入している法人が当該海外子会社の製造設備に対して行う技術

指導等，役務提供を主たる事業としていない法人又は国外関連者が，本来の業務に付随して又はこれに関連して行う役務提供をいう。」（事務運営指針2－9）とされている。

本来の業務に付随した役務提供について独立企業間価格を算定する場合には，独立価格比準法と同等の方法，又は，原価基準法と同等の方法を採用することになるが，これが適用できない場合には，当該役務提供の総原価をもって独立企業間価格とすることができる。

なお，「本来の業務に付随した役務提供に該当するかどうかは，原則として，当該役務提供の目的等により判断するのであるが，次の場合には，2－9の本文にかかわらず，当該役務提供に係る総原価の額をもって独立企業間価格とする取り扱いは適用しない。」とされており，次の場合については，以下の2点をあげている。

　イ　役務提供に要した費用が，法人又は国外関連者の当該役務提供を行った事業年度の原価又は費用の額の相当部分を占める場合
　ロ　役務提供を行う際に無形資産を使用する場合等当該役務提供の対価の額を当該役務提供の総原価とすることが相当ではないと認められる場合

QUESTION 67　本来の業務に付随して行われた役務提供

役務提供が，本来の業務に付随して行われたか否かを判断する基準があるのでしょうか。

ANSWER

最終的にはケース・バイ・ケースになりますが，貴社が製造業者の場合，国外関連者に対する役務提供については，本来の業務に付随して行われたものと判断することができると思われます。

【解説】

　行われた役務提供が本来の業務に付随して行われたか否かを判断する基準は，特にはないと思われるので，最終的にはケース・バイ・ケースになると思われる。しかし，法人の業種が製造業である場合には，製造子会社等への役務提供は，多くの場合には本来の業務に付随して行われたとされると思われる。

　しかし，役務提供を行う際に無形資産を使用する場合等当該役務提供の対価の額を当該役務提供の総原価とすることが相当ではないと認められる場合もあることから，当該役務提供の内容をよく検討する必要もある。無形資産を使用する場合とは，もともと日本国内で行っていた製造業務を外国子会社に移管する際，日本で使用していたノウハウなどを外国子会社に使用させる場合などが考えられる。

　このほか，役務提供に要した費用が，法人又は国外関連者の当該役務提供を行った事業年度の原価又は費用の額の相当部分を占めている場合においても，付随した役務提供とはいえないことになる。

QUESTION 68　役務提供における業務の意義

役務提供に関して「本来の業務に付随した」という言い方がありますが，この場合の業務とはどのようなものを指すのでしょうか。

ANSWER

　この場合の「業務」については，法人全体の業務ということではなく，特定の製造業務，販売業務などの狭い意味で考えるべきと考えます。

【解説】

　役務提供が「法人が国外関連者と行う本来の業務に付随した」ものであるかに関しての「業務」の意味については，これは法人全体の業務ということでは

なく，より限定的に，特定の製造業務，販売業務といったものであると考えられる。

事務運営指針2-9においては，本来の業務に付随した役務提供の例として，「海外子会社から製品を輸入している法人が当該海外子会社の製造設備に対して行う技術指導」をあげているが，これからは，業務は，特定の製造業務，販売業務と限定的に理解することが適切と思われる。

他の国外関連取引に関してもそうであるが，そもそも，役務提供について独立企業間価格を算定する場合には，算定方法にもよるが，基本的な考えとして，役務提供を行う者が一定の利益を上げるということがあると思われる。このような考えからすれば，総原価をもって独立企業間価格とするとの取扱いは，例外的なものであり，その適用は限定的であるべきと思われる。

ちなみに，この考え方は，ОЕＣＤ移転価格ガイドラインのパラ7.37においても支持されている。したがって，事務運営指針に定める総原価法は限定的に適用することが適切であると思われる。

QUESTION 69　役務提供法人への変更

当社は，外国親会社が製造する製品を輸入し，日本国内で販売してきました。今般，取引形態の変更を行い，当社は，マーケティングを行う役務提供法人とすることとなりました。これに伴い，これまでは当社が輸入してきた製品は，第三者である国内の販売先に直接販売されることになりました。このような場合，移転価格税制上の問題はあるのでしょうか。

ANSWER

貴社の機能自体が変更せずに，単に取引経路を変更したとみなされ，移転価格税制上問題となる可能性があります。

【解説】

 本問の法人のような取引形態の変更に伴い，日本子会社の所得が，たとえば，発生経費の105％といった算定によって外国親会社から受け取る手数料になり，従前に比して利益水準が低下する場合がある。このような場合においては，移転価格税制の問題として，実質的な事業内容を検討したうえで，これに見合った利益水準が日本子会社に確保されているかを検討することになる。

 こうした取引形態の変更に伴い利益水準を下げる理由として，日本子会社が役務提供法人になったことから，在庫リスク，貸倒リスク等マーケティングに関するリスクが低減したという主張がある。このような主張に対しては，製品価格の安定性，顧客の特性といった市場の状況について検討する必要がある。また，日本子会社の受け取る手数料の算定方式，日本子会社の役務提供の具体的な内容，事業全体の収益性等事業実態の検討を行ったうえで，適切な利益水準について判断することになる。

 このほか，従来日本子会社が再販売していたことに関連して，顧客リスト，販売ノウハウ等のマーケティング無形資産を形成し，保有していることが考えられる。そうなると，役務提供法人になった後も，その無形資産を使用してマーケティング活動を行っていると考えられ，これが利益水準に影響を与えることになる。なお，本問のような役務提供法人に関しては，事業実態によっては，代理人ＰＥに該当する場合も考えられる。

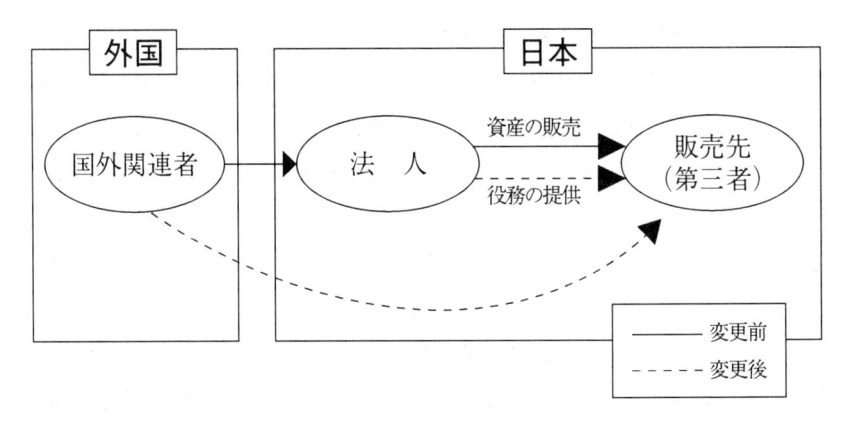

QUESTION 70　無形資産の意義

移転価格税制上問題となる無形資産とはどのようなものですか。

ANSWER

移転価格税制上問題となる無形資産とは，措置法通達に，「著作権，基本通達20－1－21に定める工業所有権等のほか，顧客リスト，販売網等の重要な価値のあるもの」と定められています。

【解説】

　移転価格税制上問題となる無形資産とは，措置法通達66の4(2)－3に規定がある。それによると，「著作権，基本通達20－1－21に定める工業所有権等のほか，顧客リスト，販売網等の重要な価値のあるものをいう。」とある。これは，事務運営指針1－1（用語の意味）の(19)においても，「無形資産　措置法通達66の4(2)－3の(8)に規定する無形資産をいう。」という規定により確認されている。

　そこで，法人税基本通達20－1－21であるが，「工業所有権等とは，特許権，実用新案権，意匠権，商標権の工業所有権及びその実施権等のほか，これらの権利の目的にはなっていないが，生産その他業務に関し繰り返し使用し得るまでに形成された創作，すなわち，特別の原料，処方，機械，器具，工程によるなど独自の考案又は方法を用いた生産についての方式，これに準ずる秘けつ，秘伝その他特別に技術的価値を有する知識及び意匠等をいう。したがって，ノウハウはもちろん，機械，設備等の設計及び図面等に化体された生産方式，デザインもこれに含まれるが，海外における技術の動向，製品の販路，特定の品目の生産高等の情報又は機械，装置，原材料等の材質等の鑑定若しくは性能の調査，検査等は，これに該当しない。」とされている。

　したがって，わが国の移転価格税制上，無形資産の定義とはいえないが，無形資産の範囲は定められていることになる。ただし，何が「重要な価値のある

もの」かについては，議論のあるところかもしれない。

ちなみに，米国の移転価格税制上，無形資産の定義について次のような規定がある。

「移転価格税制上の無形資産について次のものを含み，個人的な役務の提供から独立し，かつ，重要な価値を有する資産をいう。」(米国財務省規則§1.482－4(b))。

　イ　特許，発明，秘密方式，秘密工程，意匠，様式，ノウハウ
　ロ　文学上，音楽上，美術上の著作権
　ハ　商標，商号，ブランドネーム
　ニ　一手販売権，ライセンスおよびそれらに付随した契約
　ホ　方法，プログラム，システム，手続，宣伝，調査，研究，予測，見積り，顧客リスト，技術データ
　チ　その他，これらに類する項目」

一方，OECD移転価格ガイドラインのパラ6.2においては，次のように無形資産の範囲を記述している。

「特許，商標，商号，デザイン，形式等，文学上・学術上の財産権，ノウハウ，企業秘密等の知的財産権」

また，マーケティング無形資産としては，「イ　製品又はサービスの宣伝に役立つ商標，商号，顧客リスト，販売網，ロ　関連製品に関して重要な宣伝的価値を有するユニークな名称，記号，写真等」

QUESTION 71　無形資産の検討

移転価格調査においては，無形資産についてどのように検討されるのでしょうか。

ANSWER

　移転価格調査においては，①技術革新を要因として形成される特許権，営業秘密等，②従業員等が経営，営業，生産，研究開発，販売促進等の企業活動における経験等を通じて形成したノウハウ等，③生産工程，交渉手順及び開発，販売，資金調達等に係る取引網等，といった重要な価値が所得の源泉となるかを総合的に勘案することになります。

【解説】

　移転価格調査においては，国外関連取引において無形資産がどのように作用しているのかを総合的に検討することになる。具体的には，平成19年6月25日付で改正された事務運営指針2－11にあるように，「調査において無形資産が法人又は国外関連者の所得にどの程度寄与しているかを検討するに当たっては，例えば，次に掲げる重要な価値を有し所得の源泉となるものを総合的に勘案することに留意する。

　イ　技術革新を要因として形成される特許権，営業秘密等
　ロ　従業員等が経営，営業，生産，研究開発，販売促進等の企業活動における経験等を通じて形成したノウハウ等
　ハ　生産工程，交渉手順及び開発，販売，資金調達等に係る取引網等

　なお，法人又は国外関連者の有する無形資産が所得の源泉となっているかどうかの検討に当たり，例えば，国外関連取引の事業と同種の事業を営み，市場，事業規模等が類似する法人のうち，所得の源泉となる無形資産を有しない法人を把握できる場合には，当該法人又は国外関連者の国外関連取引に係る利益率等の水準と当該無形資産を有しない法人の利益率等の水準との比較を行うとともに，当該法人又は国外関連者の無形資産の形成に係る活動，機能等を十分に分析することに留意する。

　(注)　役務提供を行う際に無形資産が使用されている場合の役務提供と無形資産の関係については，2－8(1)の（注）に留意する。」ということになる。

したがって，法人の立場からは，上記のイからハまでに規定された無形資産について，自社及び国外関連者にどの程度存在するのか，そして，それらがどの程度所得の発生に寄与しているのか，ということについて分析しておくことが望まれる。

QUESTION 72　無形資産の形成，維持又は発展の意義

無形資産の形成，維持又は発展への貢献については，どのように考えればいいのでしょうか。

ANSWER

無形資産の形成等のために行った意思決定，役務の提供，費用の負担及びリスクの管理において果たした機能等を総合的に勘案することになります。

【解説】

事務運営指針2-12においては，「無形資産の使用許諾取引等について調査を行う場合には，無形資産の法的な所有関係のみならず，無形資産を形成，維持又は発展（以下「形成等」という。）させるための活動において法人又は国外関連者の行った貢献の程度も勘案する必要があることに留意する。なお，無形資産の形成等への貢献の程度を判断するにあたっては，当該無形資産の形成等のための意思決定，役務の提供，費用の負担及びリスクの管理において法人又は国外関連者が果たした機能等を総合的に勘案する。この場合，所得の源泉となる見通しが高い無形資産の形成等において法人又は国外関連者が単にその費用を負担しているというだけでは，貢献の程度は低いものであることに留意する。」と規定されている。

事務運営指針において，無形資産の形成等へ貢献する具体的要素について説明されている。これらは，無形資産の形成等のために行った意思決定，役務の

提供，費用の負担及びリスクの管理において果たした機能等を総合的に勘案することを明らかにしたとされている。2006年3月の事務運営指針起草者の解説によると，「『これらの機能を総合的に勘案する』とは，あくまで個別の内容に応じた検討を行うことが前提となることから，その具体的方法を画一的に言及することはできませんが，『意思決定』や『リスクの管理』に係る計数化については，今後の検討課題であると考えられます。その他に，たとえば，法人又は国外関連者のそれぞれの無形資産の形成等に対する費用の負担額をベースとして，これに他の3つの要素の貢献の有無を検討し，勘案するなどの方法が1つの方法として考えられるところです。」として，総合的に勘案することについて示唆している。

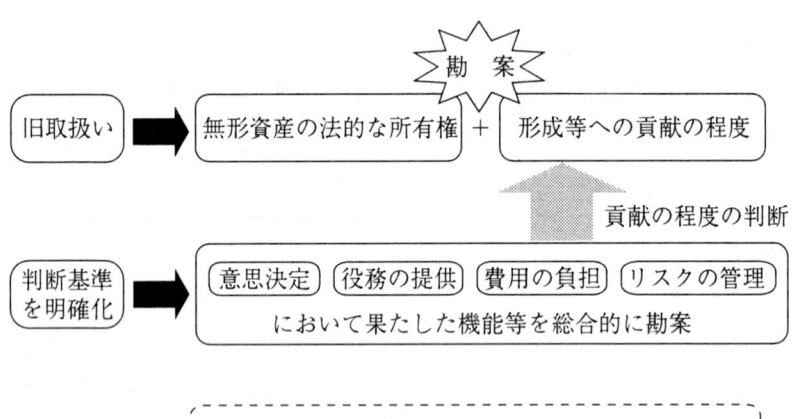

```
                              勘 案
旧取扱い  →  無形資産の法的な所有権 + 形成等への貢献の程度
                                        ↑
                                        貢献の程度の判断
判断基準
を明確化  →  意思決定  役務の提供  費用の負担  リスクの管理
             において果たした機能等を総合的に勘案

したがって…  所得の源泉となる見通しが高い場合に，単に費用を負担し
              ているだけでは貢献の程度は低いものとなることに留意
```

QUESTION 73 無形資産の使用許諾

無形資産の使用許諾取引について説明して下さい。

ANSWER

無形資産については，法人と国外関連者間の契約や対価の取決めがない場合であっても，実態があれば移転価格税制の適用があります。その際，譲渡取引があったと認められる場合を除いて，使用許諾取引とする，と定められています。

【解説】

無形資産の使用に係る対価等の額の取決めがない場合には，譲渡取引又は使用許諾取引のいずれかの認定を行うことになる。その際，事務運営指針2－13において，「譲渡があったと認められる場合を除き，当該無形資産の使用許諾取引があるものとして当該取引に係る独立企業間価格の算定を行う。」こととされた。

これは，無形資産の移転については，譲渡よりも無形資産に関する権利を対象とするライセンス契約に基づく使用料の形態を採用することのほうが一般的であることによるもので，ＯＥＣＤ移転価格ガイドラインのパラ6.16にも同趣旨の記載がある。

また，事務運営指針2－13において，使用許諾取引の開始時期については，非関連者間の取引の例を考慮するなどにより，当該無形資産の提供を受けた日，使用を開始した日又はその使用により収益を計上することとなった日のいずれかにより，適切に判断することを明確にしている。

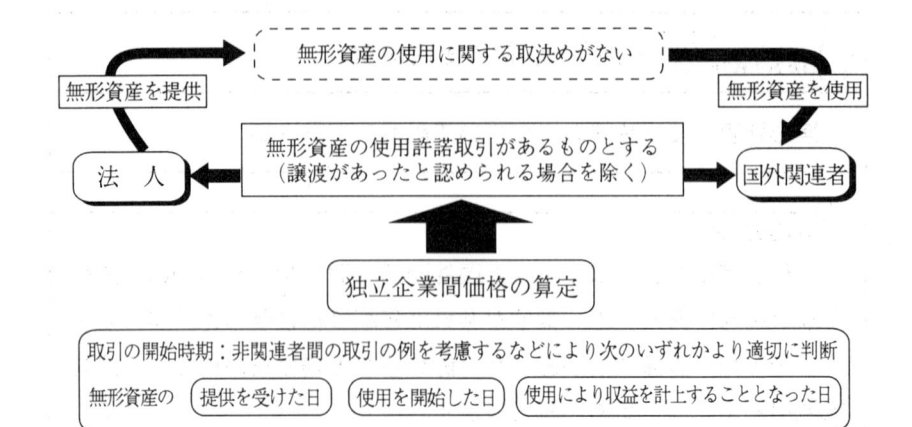

```
    無形資産を提供 →     無形資産の使用に関する取決めがない     ← 無形資産を使用
         ↑                                                              ↓
       法　人  ←   無形資産の使用許諾取引があるものとする   →  国外関連者
                  （譲渡があったと認められる場合を除く）
                              ↑
                      独立企業間価格の算定
```

取引の開始時期：非関連者間の取引の例を考慮するなどにより次のいずれかより適切に判断
無形資産の　[提供を受けた日]　[使用を開始した日]　[使用により収益を計上することとなった日]

QUESTION 74　無形資産に対する移転価格税制の適用①

当社は，機械の製造販売を行っております。10年ほど前に外国に製造子会社を設立しており，国内では製造活動は行っていませんが，研究開発拠点は国内にあります。製造子会社は，当社の指示に基づいて現地で材料を調達し，製品を製造し，主に欧米諸国の第三者に輸出しております。当社は，子会社設立から10年経過し，経営も安定していることから，経営は全て子会社に任せており，製造主任を1名派遣しているだけです。今般，当社のような業態の同業他社に移転価格課税がなされたとの噂を聞きました。当社にも同様の調査があるのでしょうか。

ANSWER

貴社の場合には，国外関連者に対して無形資産の使用許諾及び役務提供を行っていると認められると思われます。これに係る適切な対価を得ているか否かの検討が必要になります。

【解説】

本問の法人は，10年前に外国製造子会社を設立し，現在は本格稼動しており，経営が安定していることから全て現地に任せてはいるものの，研究開発は国内で行い，製品が安定的に製造されているかをチェックするために，製造主任を常駐させているとのことである。

本問の問いだけでは，親子間の契約関係は不明である。設立後10年経過し，経営が安定しているというものの，法人の指示に基づいて材料の調達や製造活動を行っているということは，国外関連者は法人のノウハウやブランドを使用しているとも思われる。

そうなると，これらの無形資産の対価を受領しているか否かということが問題となる。製造子会社は，法人の無形資産（この場合はノウハウやブランドなど）に関して使用許諾を受けていると考えられるので，その対価の授受がなされる必要があるのである。

無形資産の他には，法人から出向している従業員の行う役務提供に関する対価の授受が行われているか，ということも問題となると思われる。

このように，法人が国外関連者に対して行っている無形資産の実施許諾や従業員による役務提供に関して，どのようなことを行っているのか，どのような対価の授受がなされているのか，ということについて，適切に資料を整理しておくことが重要と思われる。

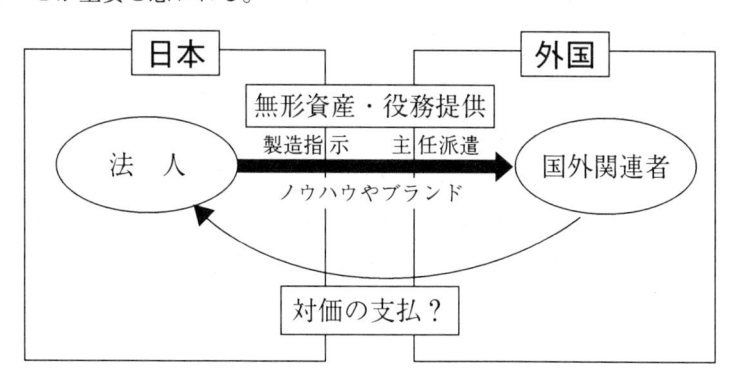

QUESTION 75 無形資産に対する移転価格税制の適用②

当社は、製造業を営んでいます。先般、Ａ国に製造子会社を設立しましたが、100％子会社であり、連結決算の対象となることから、当社の経営、経理、人事、生産などのシステムを取り入れることとしました。そのため、当社から従業員を派遣し、システム立ち上げを行わせました。現在は、現地採用者が総務部長に就任して、当社の経営システムに準拠しております。このような場合、移転価格税制上何か問題はあるでしょうか。

ANSWER

貴社は、製造子会社に生産工程、交渉手順等の無形資産の使用許諾をしていることになることから、適切な対価を受け取る必要があります。

【解説】

国税庁が公表している事務運営指針２－11によると、「生産工程、交渉手順及び開発、販売、資金調達等に係る販売網等」は無形資産として重要な価値を有するか否かを総合的に検討することになっている。これは、子会社等の国外関連者が超過収益を計上している場合、その源泉が、これらの無形資産に基因する場合には、これを供与している者に対しても適切な収益を帰属させなければならない、ということを意味する。

法人と国外関連者の場合には、当該国外関連者が法人の経営システムをそのまま取り入れ、これにより超過収益を得ていたとすれば、これに対して法人に対価を支払うことが必要になると思われる。

QUESTION 76　無形資産に対する移転価格税制の適用③

当社は製造業を営んでおりますが，製造子会社は東南アジアのA国に所在しています。これまでは，製造子会社が製造した製品は，一旦当社を経由して，欧米諸国に輸出する形態を採用しておりましたが，今般，製造子会社から直接欧米諸国に輸出することとなり，商流上，当社を経由しないこととなりました。移転価格税制上，考慮することはありますか。なお，部品の調達は，原則として現地調達をしているので，今後は，製造子会社は当社との取引は一切なくなります。

ANSWER

貴社が，使用許諾している無形資産に係る対価の額を受け取る必要があるか否かを，検討する必要があります。

【解説】

これまでは，商流上，法人を経由することから，国外関連者に関して法人から提供された技術供与などに対する対価を製品価格に付加することにより回収することができた。しかし，商流が断ち切られると，製品価格に付加する形態による無形資産の使用許諾の対価を受領することができなくなる。

このような場合，国外関連者が法人の研究開発の成果や他の技術供与を受けている場合には，これに関する対価を得る必要がある。すなわち，同じようなことが第三者間で行われた場合に，対価の授受があると認められる取引については，関連者間取引についても同様に取り扱う必要があるからである。

通常の場合，製造拠点の移転に伴って国内にあった製造拠点を外国に移転する場合には，これが別会社となったとしても，引き続き日本親会社の管理下に置かれ，製造量や品質などについて親会社の指示に基づいて活動が行われると思われる。また，製造する場合においては，日本親会社の持つ無形資産（特許

権などの工業所有権やノウハウ，生産管理体制など）を使用していると思われる。

　これらの無形資産取引については，日本の法人の場合には特に契約を行うことなく，実施されている場合が多く見受けられる。いずれにしても，無形資産に関する実施許諾がなされていると認められる場合には，これに関する対価の授受が必要になってくる。

QUESTION 77　無形資産に対する移転価格税制の適用④

　当社は自動車会社ですが，国内でも海外でも確固たる地位を築いており，ブランド価値もかなり高いと自負しております。最近，販売子会社Ｘが所在するＡ国で移転価格調査を受けていたところ，Ａ国の税務当局から，販売子会社Ｘにはマーケティング無形資産があることから，これに関するロイヤリティを当社が支払わなければならない，という理由で更正処分を受けそうです。これは，どのように考えればいいのでしょうか。

ANSWER

　一定の場合に，マーケティング無形資産を販売会社が保有しているというのは，世界各国に共通している考え方であると思われます。貴社の販売子会社Ｘが，Ａ国において顧客リストや販売網などのマーケティング無形資産を有すると認められれば，Ａ国の更正処分には理由があることになります。

【解説】

　いわゆるマーケティング無形資産とは，ＯＥＣＤ移転価格ガイドラインのパラ6.2によれば，「イ　製品又はサービスの宣伝に役立つ商標，商号，顧客リスト，販売網，ロ　関連製品に関して重要な宣伝的価値を有するユニークな名称，企業，写真等」と規定されている。

法人の国外関連者がA国において，販売網を整備し，顧客リストを保持する場合などについては，国外関連者がこれらのマーケティング無形資産を有することになる。法人及び国外関連者がいわゆる超過収益を獲得している場合において，その源泉がこれらのマーケティング無形資産によると認められる場合には，法人から国外関連者に対して何らかの対価を支払う必要が出てくる可能性もある。

　ただし，これ以外の無形資産が法人に存在し，これが法人及び国外関連者の超過収益の源泉になっているとすれば，法人にも超過収益が帰属すべきことになり，かなり複雑なことになる。

　いずれにしても，超過収益が発生し，その源泉が無形資産にあるということを明らかにする必要がある。その後，A国に存在するマーケティング無形資産がどの程度超過収益の獲得に貢献したか，ということを確定させる必要があると思われる。

QUESTION 78　製造販売子会社との国外関連取引への移転価格税制への適用

　当社は，電気製品製造業を営んでいるが，10年ほど前からA国に製造販売子会社Xを設立しました。Xは，当社の指示に基づいて，当社が提供する製造ノウハウ等を用いて，当社の下請メーカーの現地子会社等から原材料や部品を調達し，製造を行い，自社でA国内で販売活動を行っています。このような場合，移転価格税制上問題となるのは，どのようなことでしょうか。

ANSWER

　貴社が製造販売子会社に使用許諾している無形資産や役務提供があれば，これに対して適正な対価を受け取っているか否かを検討する必要があります。

【解説】

 本問の事例の場合，法人が製造ノウハウ等を提供し，国外関連者である製造販売子会社Xが製造し，自ら販売するというケースである。国外関連者は，法人との取引は一切ないということになるが，法人が提供する無形資産や役務提供を使用していることになると思われる。

 この場合は，国外関連者が製造機能だけでなく，販売機能をも有していることから，当該国外関連者の販売機能，そして同社の構築した販売ネットワークの経済的価値といったものを検討する必要がある。

 しかし，いずれにしても，無形資産あるいは役務提供の供与が行われているということに変わりはないので，それらに対する適正な対価を収受する必要がある。

QUESTION 79　残余利益分割法の意義

 無形資産取引について独立企業間価格を算定するために残余利益分割法が頻繁に用いられているという記事を読みました。これについて説明して下さい。

ANSWER

 無形資産取引の場合には，その性格がユニークなので，比較対象取引が見いだせない場合が多く，この場合，残余利益分割法が有効な独立企業間価格算定方法ということになります。

【解説】

 無形資産は性格上，ユニークであり，国外関連取引に係る無形資産と同種又は類似の無形資産を見いだすことは，実務上非常に困難である。このため，いわゆる基本三法の適用がなかなか難しい，ということになる。また，同様の理由から取引単位営業利益法の適用も難しいことから，残された独立企業間価格

算定方法としては利益分割法だけになる。

　利益分割法にもいろいろな方法があるが，比較対象取引を用いる比較利益分割法の適用は，基本三法と同様の理由から困難である。また，寄与度利益分割法についても，無形資産の評価を通常行わないことから，これも適用できないことになる。そこで，残余利益分割法の適用を考えることになる。

　残余利益分割法は，関連当事者の営業利益を合算して，分割対象利益を算出する。これを2段階で，関連当事者間で分配することになる。第1段階においては，比較対象取引を用いて，基本的利益を算出する。製造業だとすれば，重要な無形資産を含まないで獲得できる製造に係る利益を算定することになる。分割対象利益から基本的利益を差し引いて出る利益が残余利益である。これが，重要な無形資産を用いることにより獲得できる超過収益ということになる。第2段階として，関連当事者が有する重要な無形資産の価値を算出する。そして，これの割合を用いて，残余利益を分配することになる。しかし，実際には重要な無形資産の価値を算定することは難しいことから，重要な無形資産に関連して支出した費用の額などを用いて按分比率を算定する場合が多いと思われる。

　このように，残余利益分割法を用いることによって，ユニークな性格を有する無形資産取引に関する独立企業間価格を算定することができることになる。

　残余利益分割法における問題点は，第1段階の基本的利益の算定の際，基本三法と同様に比較対象取引を見いだす必要があるが，これが妥当か否かということ，そして，残余利益を分配する基準となる重要な無形資産の価値の算出について，確立した方法がないこと，ということになる。

QUESTION 80 費用分担契約の意義

費用分担契約とは何ですか。

ANSWER

費用分担契約とは，要約すれば，特定の無形資産を開発するという共通の目的を有する参加者間で，これに要する費用を分担し，予測便益割合により新しい成果から生じる収益を分担する取決めをいいます。

【解説】

費用分担契約とは，特定の無形資産を開発する等の共通の目的を有する契約当事者（「参加者」）間で，その目的の達成のために必要な活動（「研究開発等の活動」）に要する費用を，当該研究開発等の活動から生じる新たな成果によって各参加者において増加すると見込まれる収益又は減少すると見込まれる費用（「予測便益」）の各参加者の予測便益の合計額に対する割合（「予測便益割合」）によって分担することを取り決め，当該研究開発等の活動から生じる新たな成果の持分を各参加者のそれぞれの分担額に応じて取得することとする契約をいう。

たとえば，新製品の製造技術の開発にあたり，法人及び国外関連者のそれぞれが当該製造技術を用いて製造する新製品の販売によって享受するであろう予測便益を基礎として算定した予測便益割合を用いて，当該製造技術の開発に要する費用を法人と国外関連者との間で分担することを取り決め，当該製造技術の開発から生じる新たな無形資産の持分をそれぞれの分担額に応じて取得することとする契約がこれに該当する（事務運営指針2-14）。

ここで留意すべきは，共通の目的が漠然としたものではなく，特定の無形資産の開発などの具体的なものである必要があるということである。

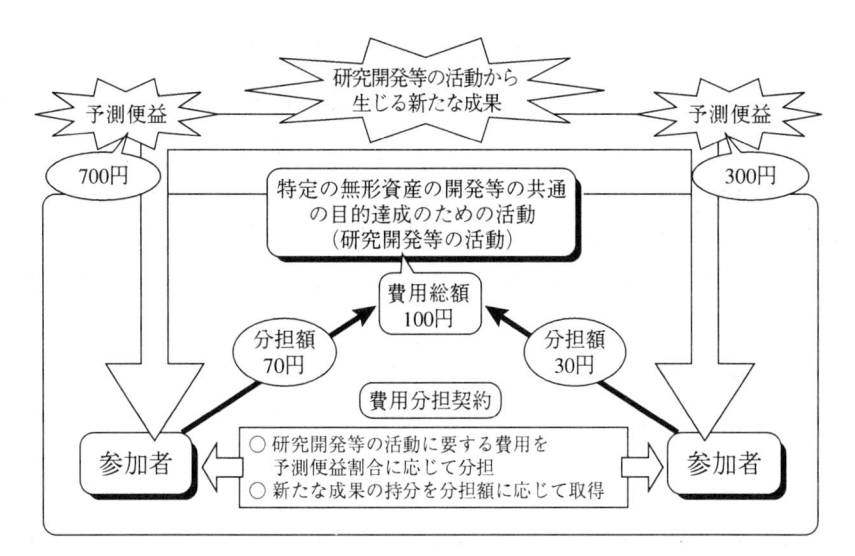

```
         研究開発等の活動から
         生じる新たな成果
予測便益                                予測便益
 700円    特定の無形資産の開発等の共通    300円
         の目的達成のための活動
         （研究開発等の活動）
              費用総額
              100円
         分担額          分担額
         70円            30円
              費用分担契約
         ○ 研究開発等の活動に要する費用を
参加者       予測便益割合に応じて分担        参加者
         ○ 新たな成果の持分を分担額に応じて取得
```

・予 測 便 益＝研究開発等の活動から生じる新たな成果によって各参加者において
　　　　　　　増加すると見込まれる収益又は減少すると見込まれる費用
・予測便益割合＝予測便益／各参加者の予測便益の合計

QUESTION 81　費用分担契約の長所

費用分担契約の長所をご教示下さい。

ANSWER

費用分担契約の長所は，関連者間における無形資産の帰属問題が発生しないこと，ロイヤリティの支払いが生じないことから源泉税の問題が発生しないことなどにあります。

【解説】

　費用分担契約においては，たとえば，複数の会社間で無形資産の開発を行う場合に，開発の結果生じる無形資産の権利の帰属関係および開発費用の分担等を取り決めておく，ということになるが，契約当事者すべてが開発を積極的に

担当することは必要ない。一方当事者が開発を担当し，他方当事者がその開発費用の一部を負担し，その見返りに将来開発に成功した無形資産に対する一定の権利を取得する契約形態であれば，費用分担契約に該当する。

費用分担契約の下では，各契約参加者が開発された無形資産に対し特定の権利を得ることから，関連者間における無形資産の帰属の問題が発生しないばかりか，ロイヤリティの支払いが発生しない。その結果，多くの国で源泉所得税の問題を回避することができる。

また，費用分担契約は，無形資産の開発に当たり，自社だけでなく，他社からも資金の供与を受けられることから，開発に係る費用とリスクを分担することができる，という長所も有している。

QUESTION 82 移転価格税制の対象となる費用分担契約の範囲

費用分担契約が移転価格税制の対象となるとのことですが，どの部分が国外関連取引に該当するのでしょうか。また，独立企業間価格との関係はどのようになるのでしょうか。ご教示下さい。

ANSWER

費用分担契約において，各参加者が支払う金額が，措置法66条の4に規定する国外関連者との間で行う資産の販売等に該当します。また，この場合の独立企業間価格ですが，費用分担契約における法人の予測便益割合が，当該法人の適正な予測便益割合に比して過大な場合には，当該金額について損金の額に算入されないことになります。

【解説】

費用分担契約においては，特定の無形資産を開発するため，これら共通の目的を有する各参加者が対価（目的達成のために必要な活動に要する費用）を支払っ

て，それぞれの参加者との間で持分を取得する取引であると認められる。これは，措置法66条の4に規定する国外関連取引，すなわち，「法人が国外関連者との間で資産の販売，資産の購入，役務の提供その他の取引を行った場合」に該当すると考えられる。

また，費用分担契約における法人の予測便益割合が，当該法人の適正な予測便益割合に比して過大であると認められるときは，当該法人が分担した費用の総額のうちその過大となった割合に対応する部分の金額は，独立企業間価格を超えるものとして損金の額に算入されないこととされている。

【費用分担契約の取扱い】

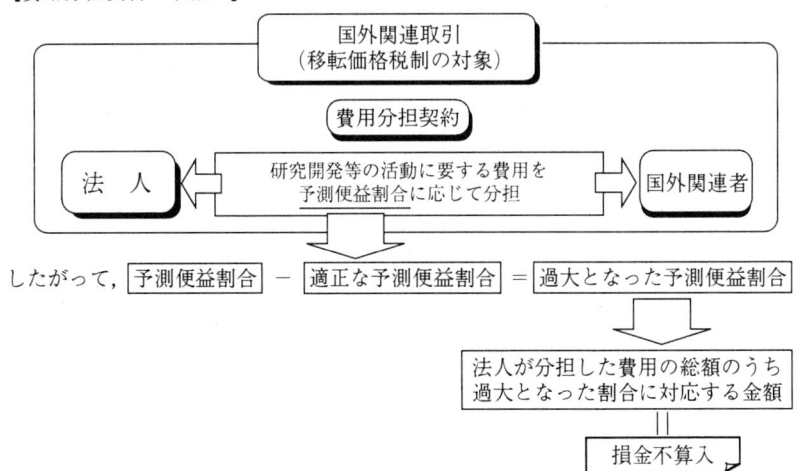

```
                    ┌─────────────────────┐
                    │    国外関連取引       │
                    │ (移転価格税制の対象)  │
                    └─────────────────────┘
                       ┌──費用分担契約──┐
   ┌─────┐     研究開発等の活動に要する費用を    ┌──────────┐
   │ 法 人 │◀══    予測便益割合に応じて分担    ══▶│ 国外関連者 │
   └─────┘                                       └──────────┘
                              ▼
```

したがって，|予測便益割合| － |適正な予測便益割合| ＝ |過大となった予測便益割合|

↓
|法人が分担した費用の総額のうち過大となった割合に対応する金額|
＝
|損金不算入|

QUESTION 83　費用分担契約への参加

当社は，Ａ国親会社の指示により，グループにおける費用分担契約に参加することを考えています。移転価格税制上，考慮すべき事項についてご教示下さい。

ANSWER

　研究開発等の範囲が明確で内容が具体的かつ詳細であることなど，7項目が事務運営指針2－16に定めがあります。

【解説】

　法人が負担した分担額等が適切であるか否かについては，次の点に留意すべきである（事務運営指針2－16）。

　イ　研究開発等の活動の範囲が明確に定められているか。また，その内容が具体的かつ詳細に定められているか。

　たとえば，法人の一部門全体の活動を研究開発等の活動とするなど，その対象活動が広範囲にわたり，当該活動に要する費用の区分が明確でない費用分担契約も考えられるが，将来も含めてその範囲及び内容に疑義が生じないようにすることが重要である。

　ロ　研究開発等の活動から生じる成果を自ら使用するなど，すべての参加者が直接的に便益を享受することが見込まれているか。

　これは，たとえば，製造特許の研究開発を目的とする費用分担契約は，原則として特許技術を自ら使用する製造会社だけが参加者となり得る。間接的な参加では，参加者の予測便益を適切に算定できないことが想定されるので，予測便益を真に合理的に算定できる者のみを参加者とする，という趣旨である。

　ハ　各参加者が分担すべき費用の額は，研究開発等の活動に要した費用の合計額を，適正に見積もった予測便益割合に基づいて配分することにより，決定されているか。

　ニ　予測便益を直接的に見積もることが困難である場合，予測便益の算定に，各参加者が享受する研究開発等の活動から生じる成果から得る便益の程度を推測するに足りる合理的な基準（売上高，売上総利益，営業利益，製造又は販売の数量等）が用いられているか。

　これは，日本においても，ＯＥＣＤ移転価格ガイドライン（パラ8.19）と同様，「便益を直接的に見積もる方法」のほかに，「売上等の特定の数値を用いて

間接的に見積もる方法」を用いることを明らかにしたものである。

　ホ　予測便益割合は，その算定の基礎となった基準の変動に応じて見直されているか。

　これは，できるだけ精度の高い予測便益割合を算定するため，その算定の基礎となった基準を不断に見直す必要があるということを示している。

　ヘ　予測便益割合と実現便益割合（研究開発等の活動から生じた成果によって各参加者において増加した収益又は減少した費用（以下「実現便益」という）の各参加者の実現便益の合計額に対する割合をいう）とが著しく乖離している場合に，各参加者の予測便益の見積りが適正であったかどうかについての検討が行われているか。

　これも，OECD移転価格ガイドラインとの整合性を図ったものである。同ガイドラインのパラ8.20においては，「実際の結果が見通しと著しく乖離した状態においては，税務当局は，後知恵を用いることなく当時合理的に予見可能であった新事実をすべて考慮に入れながら，作られた見通しが比較可能な状況において独立企業により信頼できると考えられるかどうか調査するよう促されるかもしれない。」と規定している。

　ト　新規加入又は脱退があった場合，それまでの研究開発等の活動を通じて形成された無形資産等がある場合には，その加入又は脱退が生じた時点でその無形資産等の価値を評価し，その無形資産等に対する持分の適正な対価の授受が行われているか。

　これも，OECD移転価格ガイドラインとの整合性を図ったものである。同ガイドラインのパラ8.32には，「バイ・イン支払いの金額は，新規参加者が取得する権利の独立企業間価格を基礎にして新規参加者が費用分担契約の下で受け取るすべての予想便益の相対的なシェアを考慮に入れて決定すべきである。それまでの費用分担契約活動の結果が無価値の可能性もあるが，その場合にはバイ・イン支払いは行われない。」と規定されている。

【費用分担契約に関する留意事項】

===留意事項===

イ	研究開発等の範囲が明確で内容が具体的かつ詳細
ロ	成果を自ら使用するなど，参加者が直接的な便益を享受
ハ	各参加者が分担する費用の額 ⇒ 適正な予測便益割合に基づいて決定
ニ	予測便益の直接的な見積りが困難な場合 ⇒ 実現便益を推測できる合理的な基準（売上高，製造又は販売の数量等）の使用
ホ	予測便益割合 ⇒ 算定基準となった基準の変動に応じて見直し
ヘ	予測便益割合と実現便益割合との著しい乖離 ⇒ 予測便益の見積りが適正であったかどうかの検討
ト	新規加入又は脱退があった場合 ⇒ それまでの研究開発で形成された無形資産等の価値を評価し，持分の適正な対価の授受

QUESTION 84　費用分担契約の参加者が保有する既存の無形資産の使用

費用分担契約の参加者が保有する既存の無形資産の使用について，説明して下さい。

ANSWER

費用分担契約の参加者が保有する既存の無形資産を使用している場合には，これに係る使用料を分担したものとして費用分担額の計算が行われているか，又は，使用料相当額が収受されているか，が問題になります。

【解説】

事務運営指針2－17によると，参加者の保有する既存の無形資産が研究開発等の活動で使用されている場合には，その無形資産が他の参加者に譲渡されていると認められる場合を除き，当該既存の無形資産を保有する参加者は，その無形資産に係る独立企業間の使用料相当額を収受するか，あるいはこれを分担したものとして各参加者の費用分担額の計算が行われているかについて検討する必要がある。

また，法人が研究開発等の活動において自ら開発行為等を行っている場合や国外関連者である参加者の実現便益がその予想便益を著しく上回る場合には，法人の保有する既存の無形資産が当該研究開発等の活動に使用されているかどうかを検討したうえで，上記の検討を行うことも求められる。

【費用分担契約における既存の無形資産の使用】

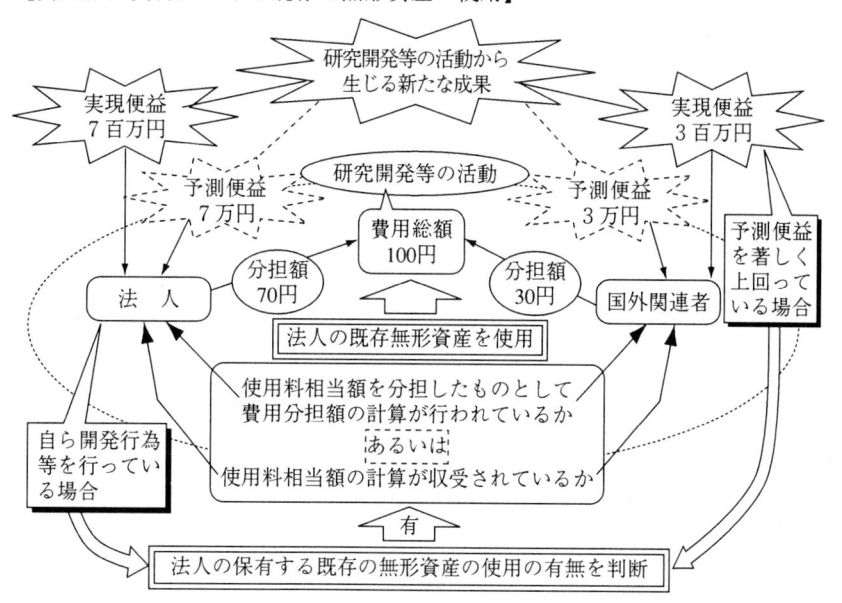

```
                    研究開発等の活動から
                      生じる新たな成果
   実現便益                                    実現便益
   7百万円                                      3百万円

           予測便益    研究開発等の活動    予測便益
            7万円                          3万円         予測便益
                      費用総額                          を著しく
                       100円                            上回って
         分担額                  分担額                  いる場合
    法 人  70円                    30円   国外関連者
                  法人の既存無形資産を使用

                使用料相当額を分担したものとして
                費用分担額の計算が行われているか
                          あるいは
                使用料相当額の計算が収受されているか

   自ら開発行為                有
   等を行ってい
   る場合         法人の保有する既存の無形資産の使用の有無を判断
```

QUESTION 85　費用分担契約に関する移転価格調査への対応

費用分担契約に関して，移転価格調査を受ける場合には，どのような書類を準備しておけばいいのでしょうか。

ANSWER

移転価格調査においては，費用分担契約書のほか，これに関する書類等幅広く検討されます。

【解説】

　費用分担契約は，関連者間で将来の便益の予測に基づいて費用を分担するという特性をもつことから，文書化の重要性が非常に高いということになる。そこで，契約内容を的確に把握し，移転価格税制上の観点から検討するために必要な書類等として，費用分担契約書（これには，研究開発等の活動の範囲・内容を記載した付属書類を含む）のほか，費用分担契約の締結に当たって作成された書類等，費用分担契約締結後の期間において作成された書類等，また，その他の書類等，幅広い書類等を検査することになっている。

　具体的には，事務運営指針2－18に記載されているが，移転価格税制上の検討を速やかに行うためにも，このような書類等を作成・保存しておくことが勧められる。

QUESTION 86　現地政府によるロイヤリティの規制

当社は機械の製造業を営んでいますが，Ａ国に製造子会社を有しています。同社は，当社が開発した特許権やノウハウといった無形資産を使用して製品の製造を行っていることから，当社としてはロイヤリティを徴収しています。Ａ国においては，政府が製造子会社に書類を提出させるなどして，各事業年度の適正ロイヤリティを算定します。したがって，当社としては現地政府の指導に基づいてロイヤリティ料率を決定せざるを得ない状況です。

このような場合に，当社の行う国外関連取引に関して移転価格税制の適用はあるのでしょうか。

ANSWER

ご質問の状況下において，ロイヤリティ料率が低率であることを理由に更正処分を行うか否かは，取扱いが示されていないことから明らかではありませんが，ロイヤリティについて当事者間で自由に決定できないなど「市場の状況」との関係がありますので，一定の考慮は払われると思われます。

【解説】

移転価格税制は，基本的には，関連者間取引を第三者間取引と税法上，同様の位置づけとするものである。したがって，法人の行う国外関連取引により受領すべきロイヤリティ料率が第三者間取引における料率に比して低率であれば，当然，移転価格税制の適用があると考えられる。

しかし，進出先国の政府の規制（法令や行政指導等）により，ロイヤリティ料率が当事者間で自由に決められないということになると，これは，関連者間取引だけの問題というよりは，第三者間取引をも含む全ての取引に適用されるということになることも考えられる。そうなると，措置法通達66の4(2)-3でい

う比較対象取引の選定にあたり考慮すべき要素である「政府の規制」と「市場の状況」との関係が問題になると思われる。

わが国の税務当局が，このような状況下において，ロイヤリティ料率が低率であることを理由に更正処分を行うか否かは，取扱いが示されていないことから明らかではない。しかし，現地において，関連者間取引だけでなく，第三者間取引についても政府の規制が及んでいる場合には，市場の状況について一定の考慮がなされるべきとも思われる。

いずれにしても，現状においては，現地国政府に提出した書類ややり取りなど，ロイヤリティ料率算定に至る経緯を示す資料を適切に保存しておくことが重要になると思われる。

QUESTION 87 　移転価格調査

最近，日本の税務当局による移転価格課税に関する新聞記事を多く見ます。税務当局の姿勢は変化しているのでしょうか。

ANSWER

税務当局の方針の変化というよりは，社会経済情勢の変化に対応しているものと思われます。

【解説】

日本においては，移転価格税制が導入された1986年以降，移転価格調査については国税庁による一元管理が行われていた。これは，国税局ごと，税務署ごとに個別に事案の処理をするのではなく，国税庁において一括して管理することにより執行の統一性を確保しようとするものであった。しかし，2001年に事務運営指針が制定されてからは，一元管理を廃止し，国税局，税務署の判断により行われるようになった。

執行状況に関しては，社会経済情勢の変化に伴って，若干ながら変化してい

ると思われる。たとえば，移転価格税制導入後しばらくの間は，内資系企業に対する課税はそれほどではなかったと思われる。一方，外資系企業に対する課税に関する報道はいくつか行われていた。これは，外資系企業を狙い撃ちした，というよりは，当時は，棚卸資産取引を中心にした結果であると見ることができる。すなわち，当時は，棚卸資産取引においては，内資系企業にはあまり問題はなかったものの，外資系企業にはいくつか問題があったということである。

最近は，日本親会社と外国子会社との間の取引に対する課税に関する報道が多くなされている。これは，最近は内資系企業だけを調査対象としているということを意味するものではない。そうではなく，移転価格調査が棚卸資産取引だけでなく，無形資産取引に対しても行われるようになったからであると思われる。内資系企業は，子会社等から無形資産の使用許諾等に関して十分な対価を得ていなかったと判断されたものによると思われる。一方，外資系企業は，無形資産取引に関しては，あまり問題がないということであると思われる。

QUESTION 88 移転価格税制の執行体制

日本の移転価格税制の執行体制はどのようになっているのでしょうか。

ANSWER

日本における移転価格税制の執行体制は，以下のようになっていますが，年々その人員は増加しています。

【解説】

日本の移転価格税制の執行体制は，次のようになっているが，毎年，従事する人数は増加している。

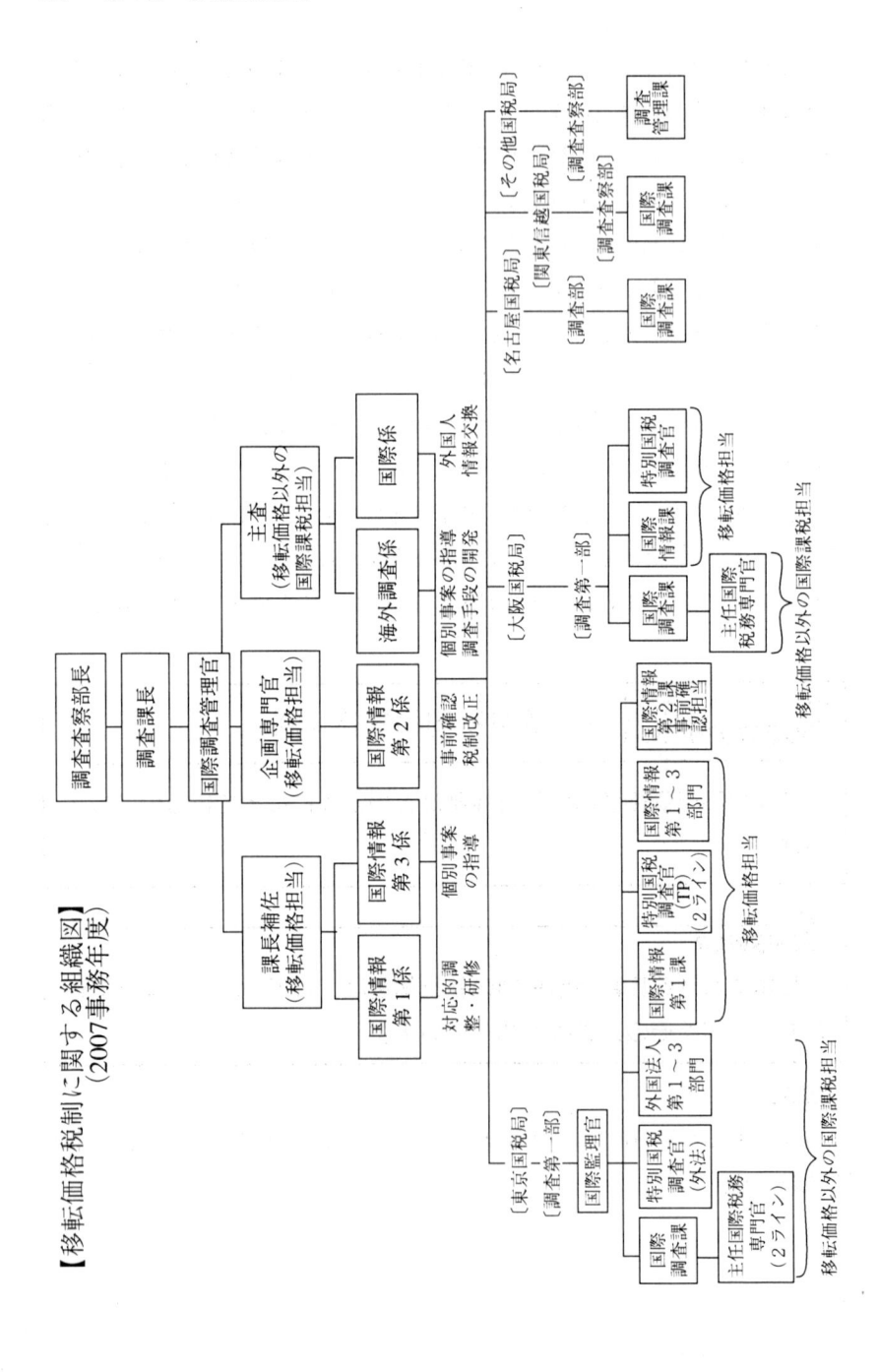

【移転価格税制に関する組織図】（2007事務年度）

[東京国税局]
[調査第一部]
- 国際監理官
  - 主任国際税務専門官（2ライン）― 移転価格以外の国際課税担当
  - 特別国税調査官（外法）― 外国法人第1～3部門 ― 国際調査課
  - 特別国税調査官（TP）（2ライン）― 国際情報第1課／国際情報第2課事前確認担当 ― 移転価格担当
- 調査査察部長
  - 調査課長
    - 国際調査管理官
      - 課長補佐（移転価格担当）
        - 国際情報第1係（移転価格担当）
        - 国際情報第3係
      - 企画専門官（移転価格担当）
        - 国際情報第2係
        - 海外調査係
      - 主査（移転価格以外の国際課税担当）
        - 国際係
        - 外国人情報交換
    - 対応的調整・研修
    - 個別事案の指導
    - 事前確認　税制改正
    - 個別事案の指導　調査手段の開発

[大阪国税局]
[調査第一部]
- 国際調査課
  - 国際情報課
  - 特別国税調査官
- 主任国税務専門官 ― 移転価格以外の国際課税担当
- 移転価格担当

[名古屋国税局]
[調査部]
- 国際調査課

[関東信越国税局]
[調査部]
- 国際調査課

[その他国税局]
[調査査察部]
- 調査管理課

QUESTION 89　移転価格調査の観点

移転価格調査は，どのような観点から行われるのでしょうか。

ANSWER

　国外関連取引については，その状況だけでなく，市場の状況や業界情報の収集などを行うなど幅広く事実を把握することになっています。

【解説】

　事務運営指針の1-2(1)には，「法人の国外関連取引に付された価格が非関連者間の取引において通常付された価格となっているかどうかを十分に検討し，問題があると認められる取引を把握した場合には，市場の状況及び業界情報等の幅広い事実の把握に努め，算定方法・比較対象取引の選定や差異調整等について的確な調査を実施する。」と定められている。したがって，国外関連取引に係る対価の額が，独立企業間価格と開きがあるか否かという観点に基づいて，市場や業界の状況を見ながら，算定方法などの検討を進めることとされている。

　上記の基本方針を踏まえて，国税庁では，国外関連取引の検討にあたり，形式的な検討に陥ることのないよう，次のような事項に配意することとしている（事務運営指針2-1）。

(1)　法人の国外関連取引に係る売上総利益率又は営業利益率等（以下「利益率等」という）が，同様の市場で法人が非関連者と行う取引のうち，規模，取引段階その他の内容が類似する取引に係る利益率等に比べて過少となっていないか。

(2)　法人の国外関連取引に係る利益率等が，当該国外関連取引に係る事業と同種で，規模，取引段階その他の内容が類似する事業を営む非関連者である他の法人の当該事業に係る利益率等に比べて過少となっていないか。

(3)　法人及び国外関連者が国外関連取引において果たす機能又は負担するリス

ク等を勘案した結果，法人の当該国外関連取引に係る利益が，当該国外関連者の当該国外関連取引に係る利益に比べて相対的に過少となっていないか。

QUESTION 90　移転価格調査に使用する資料

移転価格調査においては，実際にはどのような資料を基に検討が進められるのでしょうか。

ANSWER

当初は，確定申告書に添付された国外関連者に関する明細書（別表17(3)）などの資料を中心に検討しますが，個々の調査で収集した資料をもとに検討が進められていきます。

【解説】

移転価格調査において国外関連取引の検討を行う場合には，まず，別表17(3)を含む確定申告書の資料を参考にする。そのうえで，個々の調査によって収集した資料を検討することになる。

また，国外関連取引の検討は，たとえば，次のような検討方法により，効果的な調査展開を図るとしている（事務運営指針2－2）。

(1) 法人の国外関連取引に係る事業と同種で，規模，取引段階その他の内容が概ね類似する複数の非関連取引（以下「比較対象取引の候補と考えられる取引」という）に係る利益率等の範囲内に，国外関連取引に係る利益率等があるかどうかを検討する。

(2) 国外関連取引に係る棚卸資産等が一般的に需要の変化，製品のライフサイクル等により価格が相当程度変動することにより，各事業年度又は連結事業年度ごとの情報のみで検討することが適切でないと認められる場合には，当該事業年度又は連結事業年度の前後の合理的な期間における当該国外関連取引又は比較対象取引の候補と考えられる取引の対価の額又は利益率等の平均

値等を基礎として検討する。

したがって，調査担当者は，調査対象となる国外関連取引に関する情報を多面的に収集することになる。

QUESTION 91 移転価格調査と法人税調査の異同

当社は，このたび初めて移転価格調査を受けることになりました。移転価格調査は，通常の法人税調査とどのように異なるのでしょうか。

ANSWER

調査期間が長いことや更正金額が多額になることがあります。

【解説】

移転価格税制は，法人の行う国外関連取引に係る対価の額が独立企業間価格で行われているかどうかをチェックするものなので，通常の法人税調査に比して，かなり長期にわたって行われる。調査期間は，特に決まっているわけではないが，長いものでは2年から3年かかるものもある。また，新聞報道にも見られるように，いったん更正されると更正金額がかなりの多額になる場合が多くなる。

調査の対象となる書類等については，通常の法人税調査の場合には，帳簿書類等が主体になるのに対して，移転価格調査においては移転価格設定方法に関する書類等を調査することから，経理部以外に保管されている書類等も検査の対象となる。また，子会社の経営などに関する基本方針等も調査の対象となるので，経理部以外の部署の幹部に対して質問する場合もある。このほか，法人に保管されていない書類のうち，移転価格調査に必要であるということで，当局から作成を依頼される資料もあると思われる。

なお，法人が子会社の場合には，親会社が保存する資料等に対する資料提出

依頼があるかもしれない。いずれにしても，移転価格調査が行われる場合には，法人の関係する部署だけでなく，国外関連者に対しても周知するとともに，必要書類の提出に関して円滑に進めることができるようにしておくことが望ましいといえる。

QUESTION 92　移転価格調査の選定①

当社は，移転価格調査を受けることになりました。当社としては，国外関連取引に係る対価の額については，適正に行ってきたところであり，調査を受ける理由はないと思っております。どのような基準で調査対象の選定が行われるのでしょうか。

ANSWER

あくまでもケース・バイ・ケースですが，確定申告書（添付資料を含む）や業界情報がもとになっています。

【解説】

移転価格調査の選定基準は，あくまでもケース・バイ・ケースだと思われる。だからといって，アットランダムに選定されているわけでもないと思われる。

税務当局としては，納税者から提出される別表17(3)をもとに，事業報告書，有価証券報告書，業界情報などを参考として選定しているものと思われる。

納税者に関する情報により，①国外関連取引の額が多額なもの，②事前確認制度を利用していない国外関連取引，③国外関連者に多額の利益が帰属しているもの，④法人がロイヤリティを徴収すべきであるにもかかわらずこれを徴収していないと思われるもの，などについては，移転価格調査の対象となり得るものと思われる。

いずれにしても，まったく問題とならない場合には選定されないので，移転価格調査が行われるということは，何らかの理由があるということになる。

QUESTION 93　移転価格調査の選定②

当社は，これまでの研究開発の成果や経営の効率化などによって，同業他社との比較においても抜群に高い利益率をあげています。このような場合であっても，移転価格税制の対象とされる場合があるのでしょうか。

ANSWER

貴社の利益率が抜群に高いことが，移転価格調査を行わない理由にはなりません。

【解説】

　移転価格税制は，法人の利益率が高いか否かを検討する税制ではない。法人が行う国外関連取引による対価の額が適正か否かを見るものである。したがって，法人が高い利益率をあげているとしても，国外関連者がさらに高い利益率をあげており，これが法人の研究開発の成果に基因する場合などは，移転価格税制の対象となると思われる。

　国外関連取引に係る対価の額が相当であるか否かは，法人及び国外関連者が果たす機能や負担するリスクなどの諸要素によって左右される。したがって，法人がどんなに利益率が高くとも，何の機能も果たさず，またほとんどリスクを負担していない国外関連者が高い利益率を計上していれば，それは移転価格税制上問題となる可能性が高いといえる。

　したがって，法人自身の利益率だけでなく，国外関連取引に関する法人及び国外関連者の果たす機能や負担するリスクなどに関する検討が必要になる。

QUESTION 94 税務当局の姿勢

最近の報道によれば，移転価格課税を受けた法人の多くは，「異議申立てを行う」とコメントしているように思われます。移転価格税制においては，税務当局と納税者との意見の一致はないのでしょうか。また，税務当局は，納税者の主張に耳を傾けることなく課税を行うのでしょうか。

ANSWER

税務当局と納税者との間の意見が一致しないのは，独立企業間価格の算定が困難であるからであるといえます。貴社としても，自己の国外関連取引について，十分な検討と税務当局への説明が必要です。

【解説】

移転価格税制は，通常の法人税に比して，独立企業間価格を算定することから，税務当局と納税者の間で意見の一致を見ることが困難な税制であるといわれている。これは，「一物一価」が理論的には言えるが，現実にはなかなかあてはまらないことにも原因があるが，何といっても独立企業間価格の算定が困難である，ということに尽きるといえる。

独立価格比準法などの基本三法においては，比較対象取引が必要になるが，一般の納税者は，これを見いだすことは非常に困難である。関連者間取引と同じような比較対象取引を行っている法人は，あまりないと思われる。そうなると，基本三法は現実には使用できないことから，利益分割法や取引単位営業利益法の使用を行うことになるが，これらの方法は利益（率）を基準に独立企業間価格を算定することもあり，納税者の理解が十分に得られている方法とは言えない。

しかし，納税者の多くが独立企業間価格の算定に関して，十分な時間をかけ

て検討してこなかったことも事実である。移転価格調査が入ってから，独立企業間価格の算定についてあわてて検討している法人が多いのも事実である。

今後は，法人の側も事前に移転価格税制について，十分な検討を行うことが望まれる。

QUESTION 95 諸外国における移転価格税制

移転価格税制は，多くの国で導入されているとのことですが，これらの国における適用状況はどのようになっているのでしょうか。

ANSWER

日本だけでなく，多くの国で積極的な運用が行われています。

【解説】

移転価格税制は，日本だけでなく，多くの国で導入されている。大手会計事務所の Ernst & Young が2006年10月現在で発表したところでは，47か国において移転価格税制は導入されている。

このうち，アメリカは早くから移転価格税制の執行を強化している。また，オーストラリアやフランス，ドイツ，イギリス，カナダなどの主要国でも，最近は移転価格税制の執行が強化されているという報告がある。

このほか，2000年代に入ると，韓国や中国，インド，タイ，などアジア諸国でも移転価格税制に関する規則や通達などが着々と整備され，また調査件数も着実に増加しているといわれてきている。

このようなことから，移転価格税制は，国際課税分野において最も重要な税制であるということができ，各国ともに執行を強化していると考えるべきと思われる。

QUESTION 96　無形資産取引に対する調査

最近は，日本においては，無形資産取引に関する移転価格調査がさかんに行われているということを聞きました。これについて，説明して下さい。

ANSWER

無形資産に対する移転価格調査の結果が新聞等で明らかになっていますが，これは法人が無形資産に関する対価を国外関連者から十分に受け取っていないと判断されていることに基因すると思われます。

【解説】

最近の新聞報道などによると，移転価格税制が日本親会社と外国子会社との国外関連取引に適用されている事案が増えているようである。これには，次のような理由が考えられる。

① 日本親会社が開発した無形資産（技術革新に係るもの）を外国子会社に使用許諾しているが，これに対するリターンが少ないと思われる場合があること。

② 日本親会社が役務提供をした結果として，外国子会社が超過収益を獲得していると思われるが，日本親会社には十分な超過収益が帰属していないと思われる場合があること。

③ 特に外国子会社が製造業を営む場合に，日本親会社が人的・経営的に多くの資源を用いてこれを補助しているにもかかわらず，日本親会社に十分な収益が帰属していない場合があること。

なお，無形資産については，事務運営指針2－11から2－13において記述されているので，十分にチェックしておくことが望ましいと思われる。

QUESTION 97　国外移転所得金額の返還

当社は，先般，国外関連者との間の取引について移転価格課税を受けました。そこで，国外移転所得金額の一部を国外関連者から返還を受けたいと考えています。これは，益金となるのでしょうか。また，具体的にどのようにしたらいいのでしょうか。

ANSWER

国外移転所得金額については，当初の更正で益金に加算していますので，これについて返還を受けた場合に益金にすると二重課税となってしまいます。そこで，益金不算入の措置が採られています。

【解説】

国外移転所得金額の返還については，措置法通達66の4(8)-2において，法人が国外移転所得金額の全部又は一部を合理的な期間内に国外関連者から，返還を受ける場合に一定の書面を所轄税務署長等に提出し，当該書面に記載した金額の返還を受けた場合には，当該金額が益金不算入となるという取扱いが規定されている。

これは，社外流出として法人の所得金額に加算した国外移転所得金額の全部又は一部について，返還を受けた場合に同金額を益金として課税することは，二重課税となることからこれを回避しようというものである。

また，「一定の書面」については，上記通達に記載事項が記述されているが，事務運営指針において「国外移転所得金額の返還に関する届出書」が定められ，これによることができることになっている（事務運営指針4-1の注書きを参照）。

なお，2006年3月20日に事務運営指針4-1が改訂されたが，これは，「予定日後に返還を受けた」ことを検討する，という本来の趣旨を明確に表現することとされたものである。

QUESTION 98　納税の猶予①

平成19年度の税制改正において，移転価格調査に基づく更正処分があった場合に「納税の猶予」の制度ができたということですが，これについて説明して下さい。

ANSWER

移転価格調査に基づく更正処分があった場合に，相互協議を申請した場合には，納税の猶予の制度を利用することができます。

【解説】

平成19年度の税制改正において，二重課税に伴う企業の負担を軽減するため，わが国国税当局による更正処分額につき，二国間協議の申立てから協議終了後の当該更正処分額が確定するまでの間，納税の猶予を認めることとされた。

具体的には，納税者が移転価格課税を受け，租税条約の相手国との相互協議の申立てをした場合において，その申立てをした者が申請をしたときは，更正又は決定に係る国税及びその加算税の額につき，その納期限（申請が納期限後であるときは，申請の日）から相互協議の合意に基づく更正があった日の翌日から1月を経過する日までの期間，納税の猶予が認められることとなった。

なお，納税を猶予する場合には，猶予する金額に相当する担保を徴することとされました。また，納税の猶予が認められるのは，相互協議の対象となるものに限られるので，異議申立て，不服審査，訴訟の提起を行う場合には納税の猶予の制度を利用することはできない。さらに，相互協議で合意がなされなかった場合の納税の猶予が適用されるのは，相互協議で合意が行われなかった旨の通知が，国税庁長官からなされた日から1月を経過するまでの期間になる。

QUESTION 99　納税の猶予②

当社は，先般，移転価格調査を受け，多額の更正処分を受けました。当社としては，この処分に不服ですので，異議申立てをしたいと考えております。平成19年度の税制改正により，移転価格調査に基づく更正に関して「納税の猶予」の制度ができたと聞いておりますので，当社としてもこれを適用したいと考えておりますが，差し支えありませんか。

ANSWER

納税の猶予は，相互協議を申請する場合にのみ認められます。異議申立ての場合には認められません。

【解説】

平成19年度の税制改正において，移転価格調査に基づく更正処分に関して，納税の猶予制度が新設された。これは，更正処分を受けた納税者が，相互協議の申立てを行い，併せて納税の猶予の申請を行った場合に認められるものである。したがって，相互協議を行わずに，国内の権利救済制度（異議申立て，不服審査，訴訟）を適用する場合には，この制度を適用することはできない。

なお，納税の猶予は適用できないが，徴収の猶予がなされる場合がある。この制度は，国税通則法105条2項に規定されているもので，異議申立てを受けた異議審理庁は，必要があると認めるときは，異議申立人の申立てにより，又は職権で，異議申立ての目的となった処分に係る国税の全部若しくは一部の徴収を猶予し，若しくは滞納処分の続行を停止し，又はこれらを命ずることができるとされている。これを「徴収の猶予」という。

また，異議審理庁は，異議申立人が，担保を提供して，異議申立ての目的となった処分に係る国税につき，滞納処分による差押えをしないこと又は既にされている滞納処分による差押えを解除することを求めた場合において，相当と

認めるときは，その差押えをせず，若しくはその差押えを解除し，又はこれらを命ずることができるという「差押えの猶予」という制度もある（国税通則法105条3項）。これら徴収の猶予や差押えの猶予があった場合には，延滞税14.6％の半分が免除される。

QUESTION 100　加算税

相互協議や異議申立て，不服申立て，訴訟を行う場合には，移転価格課税に係る法人税額や加算税は納付しなくてもいいのでしょうか。

ANSWER

相互協議を申請した場合にのみ，加算税については軽減されることになりました。

【解説】

平成19年度の税制改正において，移転価格課税に基づく更正処分を受けた者が相互協議を申し立て，さらに，納税の猶予を申請した場合には，その納期限（申請が納期限後であるときは，申請の日）から相互協議の合意に基づく更正があった日（合意が行われなかった等の場合には，国税庁長官がその旨の通知をした日）の翌日から1月を経過する日までの期間，納税の猶予が認められることになった。この間においては，法人税本税と加算税について納付する必要はない。この場合，納税者は担保を徴されることになっている。

しかし，納税の猶予が認められるのは，相互協議の場合だけである。したがって，異議申立て，不服審査，訴訟を行う場合には，更正処分に基づく法人税額と加算税を原則として納付しなければ所定の延滞税が課されることになる。

ただし，徴収の猶予や差押えの猶予という制度（Q99を参照）が認められる場合がある。

第二編
事前確認

第1章　事前確認の概要……………………………221
第2章　事前確認の内容……………………………256
第3章　諸外国のＡＰＡ……………………………347
Ｑ＆Ａ………………………………………………365

第1章　事前確認の概要

第1節　事前確認の概要

1　事前確認制度の意義

(1)　国税庁の説明文書として，事前確認制度については，以下のような定義が掲げられている。

(2)　平成19年6月25日付の庁通達「移転価格事務運営要領の制定について（事務運営指針）」（査調7－21他）の「第1章　定義及び基本方針」（定義）1－1では，「事前確認」とは，「税務署長又は国税局長が，法人が採用する最も合理的と認められる独立企業間価格の算定方法及びその具体的内容等について確認を行うこと」とあっさりとした定義がなされている。

(3)　平成18年10月に国税庁のホームページに発表された「事前確認の概要」の1頁では，「事前確認」とは，「納税者が税務当局に申し出た独立企業間価格の算定方法等について，税務当局がその合理性を検証し確認を与えた場合には，納税者がその内容に基づき申告を行っている限り，移転価格課税を行わない制度」と事前確認制度の意義をより明確にしている。

(4)　平成19年4月2日付で国税庁のホームページに発表された「移転価格税制に関する事前確認の申出及び事前相談について」では，「事前確認」とは，「移転価格課税に関する納税者の皆様の予測可能性を確保するため，納税者の皆様の申出に基づき，その申出の対象となった国外関連取引に係る独立企業間価格の算定方法及びその具体的内容等（以下「独立企業間価格の算定方法等」といいます。）について，税務署長等が事前に確認を行うこと」と納税者に向けてのメッセージの形で詳細な説明がなされている。

(5)　「事前確認制度」は，「ＡＰＡ」と一般に略称で呼ばれることが多い。「ＡＰＡ」は，米国では Advance Pricing Agreement，また，ＯＥＣＤでは

Advance Pricing Arrangement の略称として用いられている。
(6)　移転価格の課税問題を紛争の解決手段という観点から見れば，解決手段としては事前確認制度以外にも行政不服申立制度としての異議申立てや審査請求のほか，訴訟及び相互協議等が考えられるが，これらは課税された後の手段であり，事前確認制度は，将来の課税リスクを回避することを目的としている点が大きく異なる。移転価格調査に伴って要求される長期間の対応と事務負担を軽減できる事前確認制度は，訴訟等の紛争解決手段を補完ないし代替する手段として有効な制度といえる。

2　事前確認制度の目的

(1)　「事前確認制度の目的」は，平成18年10月に国税庁のホームページに発表されている「事前確認の概要」の２頁によれば，「独立企業間価格の算定に関して，税務当局と納税者との間で事前に確認することにより，移転価格課税に関する納税者の予測可能性を確保し，移転価格税制の適正・円滑な執行を図ることにある。」とされる。

(2)　納税者が移転価格調査を本格的に受ける場合，調査は長期間に及ぶことが多く，また，更正金額も多額となることが多い。その後，国際的二重課税の解消のために相互協議を通じて行う場合にも解決に到るまで長期間の覚悟が必要となる。事前確認制度を利用すれば，このような課税リスクや負担を避け，法的安定性を確保することが可能であり，近年同制度の利用が高まっている。

(3)　国税庁の発表した「事前確認の概要」で述べている事前確認制度の目的を噛み砕いて理解すると以下のようになるであろう。

　イ　「独立企業間価格の算定」が事前確認の対象となる。ただし，独立企業間価格の算定を対象にすると一口に言っても，後で述べるように，国内事前確認と二国間事前確認の選択，確認法人及び国外関連者の機能・リスク分析，検証対象法人の選択，確認対象取引の範囲及び取引単位の設定，比較対象法人の選定方法と使用する公開データの決定，独立企業間価格の算

定方法の選択，目標利益率レンジの設定方法，差異の調整，確認対象事業年度の範囲の決定，遡及年度適用の有無，重要な前提条件，補償調整等様々な項目について設計しなければならない。事前確認の申出内容を設計するために必要な検討項目の詳細は，第2章の「事前確認の内容」で説明する。

ロ 「納税者と税務当局」が事前確認の当事者となる。国内事前確認では，日本の納税者と国税庁が当事者ということになるが，二国間事前確認では，相手国の納税者（国外関連者）及び税務当局も当事者に入ってくることになる。国内事前確認と二国間事前確認の違い等の詳細については，第1章の第2節「事前確認・移転価格課税・相互協議との関係」で説明する。

ハ 「事前に確認する」とは，将来の事業年度について事前に確認することを意味する。将来の事業年度の利益率等について，税務当局から事前にお墨付きを得ることが事前確認制度の特徴である。過去年度についてその適否が問われる移転価格課税とは対象が異なる。なお，税務当局から将来年度について確認を得られる場合に，同様の確認内容を過去年度にも適用できる場合もある。過去年度の遡及適用の検討については，第2章第2節「事前確認の実務上の留意点」の「8　その他実務上の留意点」の「⑸　確認対象事業年度前の各事業年度への準用（ロールバック）」でその詳細を説明する。

ニ 「移転価格課税に関する納税者の予測可能性を確保」とは，やや抽象的な言い方でわかりにくいかもしれないが，その具体的な意味は，「将来年度において一定の範囲（幅）に利益率等が収まれば移転価格課税のリスクを回避できる」ということである。納税者にとっては，どのような取引がどのように課税されるのかが具体的かつ明確に予測できることが必要である。これが可能となれば，事前に予測したとおりの税額を納付すればよいので，納税者の事業を法的に安定させることができる。事前確認制度を利用して，確認を得た後，事前に予測可能な一定の範囲の利益率等を確保していれば，税務当局から突然多額の課税を受けるリスクを回避し，法的安

定性を確保することができる。事前確認を申し出ようとする最大の理由はここにある。

　移転価格課税を受ければ、多くの場合、その追徴税額は多額となることが多く、自動的に国際的な二重課税が生じる。いったん移転価格課税を受けてしまうと、相互協議等の手段を利用しても二重課税が解消されるまで長期間悩まされ続けるわけで、このような課税問題を回避して予測可能性と法的安定性を確保することを目的として事前確認制度は設けられている。

ホ　「移転価格税制の適正・円滑な執行を図る」というのは、移転価格課税と事前確認を移転価格税制の両輪とし、従来の税制では見られない複雑でわかりにくく専門的・技術的な側面を持つ移転価格税制を移転価格課税のみならず事前確認制度も活用し、適正・円滑に税制を運用しようとする税務当局の意思表明として理解することができる。

3　事前確認の効果

(1)　事務運営指針5－16では、「所轄税務署長は、確認法人が確認事業年度において事前確認の内容に適合した申告を行っている場合には、確認取引は独立企業間価格で行われたものとして取り扱う。」と規定している。事前確認の効果とは、納税者が事前確認の内容に適合した申告を行っていれば、確認対象取引は独立企業間価格で行われたものとみなされ、税務当局から確認対象取引についてのお墨付きが得られるということである。この結果、事前確認通知を受理した後、確認対象事業年度については、あらためて移転価格調査を受けることはないといえる。ただし、重要な前提条件に明示された条件、たとえば、事業形態が大きく変化した、合併によって取引基盤が大きく変更になった、取引規模等が大きく増減した等のように経営条件や基盤が大きく変わったような場合には、移転価格の実態調査が行われる場合も考えられる。そのような場合でも、事前確認を受けている事実は十分尊重されるであろうし、いきなり確認内容を否定される可能性は低い。

(2)　事前確認制度の創設時の目的：事前確認制度が創設された昭和62年当初は、

国内の納税者と国税庁との間の事前確認，つまり国内事前確認（ユニラテラルＡＰＡ，略称ではユニＡＰＡ）が想定されていた。つまり外国の納税者（国外関連者）や外国税務当局を拘束しないが，国税庁は確認を与えた国内の納税者に対してのみ信義則により拘束されるという国内事前確認のみを予定していたものと思われる。現在は，国内事前確認よりも将来年度の予測可能性や法的安定性がさらに担保される二国間事前確認（バイラテラルＡＰＡ，略称ではバイＡＰＡ）を推奨する執行方針が明確にされていることから，二国間事前確認の場合，二国間の税務当局の相互協議の合意に基づいた確認内容が信義則により法的に拘束されるということができる。

(3) 事前確認制度のメリット：事前確認制度は，納税者にとっては予測可能性の確保や課税リスクの回避などの点でメリットが大きいと同時に，税務当局にとっても徴税コストや調査事務負担の軽減等のメリットがある。

　イ　納税者にとっては移転価格課税が行われない，言い換えれば，事前確認制度を利用して確認を得られれば，課税リスクを回避できるという点が事前確認の最大のメリットといえる。納税者にとっては，移転価格課税のリスクを事前に回避して，税務上のリスクを予想できる範囲内に収めることができ，移転価格調査によって多額の課税を受ける懸念を払拭して，安心して経営に専念できるため，近年，事前確認制度を積極的に活用する企業が増える傾向にある。

　ロ　一方，税務当局にとっては，納税者が自主的に独立企業間価格の算定方法等を申し出た内容を検討することができるため，膨大な時間をかけて情報収集して移転価格課税を行わないで済むという事務量削減の面での効果が大きい。また，納税者が自ら申し出るため，納税者の協力が得られやすいといった点も事前確認制度のメリットといえる。

(4) 事前確認制度の長所と短所をまとめると以下のように整理できよう。

図表1－1　事前確認制度の長所と短所

納　税　者	税　務　当　局
（長　所） ・将来年度の課税問題について予測可能性と法的安定性が得られる。 ・ロールバック（過去年度の遡及適用）が認められれば，過去年度についても予測可能性と法的安定性が得られる。 ・移転価格問題に関する事務負担やコストを軽減できる。確認内容を更新する場合は特に軽減できる。 ・二国間事前確認の場合には，自国のほか，関連取引の相手国の課税リスクも回避できる。 ・仮に確認された利益率幅（レンジ）を逸脱して増額調整が必要な場合でも加算税は課されない。	（長　所） ・移転価格調査に比べて納税者の協力が得やすい。 ・納税者の申出による審査のため効率的な情報収集が可能となる。 ・移転価格調査に比べて事務負担やコストが軽減できる。 ・移転価格調査に比べて比較的短期間に審査を終えることができる。
（短　所） ・詳細な機能・リスク分析等を自らのコストで行うため，移転価格調査では不要な事務負担をしなければならない。 ・税務当局の意向が反映されるため，納税者の申出どおりの確認内容が認められるとは限らない。 ・事前確認を申請するために税務専門家を必要とする場合が多く，相当のコストがかかる。	（短　所） ・原則として将来年度という不確定な要素を含んだ内容を審査するため，移転価格調査と比べて信頼度が相対的に低い。 ・あくまで納税者の申し出た確認対象取引のみに限定して審査するため，疑義のある取引があったとしても対象外となる。 ・質問検査権を行使できないため，納税者の提出した資料の信憑性を判断しにくい。 ・確認の信頼性を高めるために重要な前提条件を厳密にすればするほど確認の効果が低減する。

(5) なお，事前確認制度の長所と短所については，「OECD移転価格ガイドライン」（「Transfer Pricing Guidelines for Multinational Enterprises and Tax Administrations」）の「第4章のF条の事前確認取極（Advance pricing arrangements）」のパラ4.143～4.155にも説明がある。

4 事前確認制度の根拠

(1) 事前確認の法的性格：税務当局から事前確認を得たといっても、それは法令を根拠として認められるものではなく、確認という行政上の事実行為にすぎない。したがって、税務当局は確認という行政上の事実行為により信義則上の義務を負うのみである。納税者と税務当局との間で行われる紳士協定のようなものにすぎないので、納税者にとっては不安が残るかもしれないが、税務当局としては、いったん確認した行政上の事実行為を安易に撤回したり、また無効にすることはなく、納税者が定められた条件と義務を怠ることがなければ確認された事実行為は遵守されると考えられる。

(2) 事前確認に関係する庁通達：事前確認制度は、移転価格税制の重要な施策の一つとして、庁通達により運用されている。現在、事前確認制度そのものを定めた法令はない。

(3) 事前確認制度の創設以来、現在まで公表されてきた事前確認に関係する庁通達は以下のとおりである。

　イ　昭和62年4月24日付の庁通達「独立企業間価格の算定方法等の確認について」（査調5－1他）

　ロ　平成11年10月25日付の庁通達「独立企業間価格の算定方法の確認について（事務運営指針）」（査調8－1他）

　ハ　平成13年6月1日付の庁通達「移転価格事務運営要領の制定について（事務運営指針）」（査調7－1他）

　ニ　平成17年4月28日付の庁通達「「移転価格事務運営要領」の一部改正について（事務運営指針）」（査調7－3他）

　ホ　平成17年4月28日付の庁通達「連結法人に係る移転価格事務運営要領の制定について（事務運営指針）」（査調7－4他）

　ヘ　平成18年3月20日付の庁通達「「移転価格事務運営要領」の一部改正について（事務運営指針）」（査調7－2他）

　ト　平成19年6月25日付の庁通達「「移転価格事務運営要領」の一部改正について（事務運営指針）」（査調7－21他）

(4) わが国では昭和61年に移転価格税制が導入され，これに併せて，世界に先駆けて事前確認制度も昭和62年4月に庁通達「独立企業間価格の算定方法等の確認について」（査調5－1他）が発遣された。その後，平成11年10月の庁通達「独立企業間価格の算定方法の確認について（事務運営指針）」（査調8－1他）が発遣され，事前確認手続きと事前確認審査の明確化が図られた。さらに平成13年6月には，平成11年10月の庁通達を廃止して，平成13年6月の庁通達「移転価格事務運営要領の制定について（事務運営指針）」（査調7－1他）を発遣するとともに，事前確認部分（同庁通達の第5章「事前確認手続」5－1～5－22）が平成13年6月の庁通達に抱合された。つまり，平成11年10月の庁通達は，平成13年6月の庁通達の第5章「事前確認手続」に発展的に取り込まれたことになる。

(5) さらに，平成17年4月の庁通達「「移転価格事務運営要領」の一部改正について（事務運営指針）」（査調7－3他）により事前確認手続きの整備・拡充がなされ，同年月の庁通達「連結法人に係る移転価格事務運営要領の制定について」（事務運営指針）（査調7－4他）では連結法人が事前確認申請する場合の申出の手続についても整備され，平成18年3月の庁通達でも事前確認に関する部分についてはそのまま引き継がれた。

(6) 旧62年庁通達と旧11年庁通達・旧13年庁通達との違い：事前確認制度を導入した昭和62年当初は，国内事前確認を想定していたが，平成11年庁通達から平成13年通達にかけて，二国間事前確認を原則とすることが明確化された。同時に，申請件数の増加に伴い，事前確認の審査は国税局が主体となって担当する方針が打ち出されている。

(7) 旧13年庁通達と17年庁通達との違い：二国間事前確認を原則としたことから相互協議の相手国ごとに確認申出書を作成することが必要となり，確認申出書は国外関連者の所在地ごとに作成して提出するよう明示したこと，確認対象事業年度を原則として3事業年度であったのを実態に即して原則として3事業年度から5事業年度と幅をもたせたこと，更新の申出期限を原則として確認対象事業年度開始の日の前日までと明確にしたこと，連結法人への対

応が盛り込まれたこと等が主な改正点である。

(8) その後，平成19年4月2日付で，国税庁のホームページに「移転価格税制に関する事前確認の申出及び事前相談について」が掲載された。同サイトでは，事前確認審査の担当者の増員をはじめ体制整備を図ること及び事前確認制度の積極的活用を勧めることを明確にし，「事前確認の申出について」，「事前相談について」，「事前相談及び事前確認の担当窓口」，「よくあるご質問とその回答」及び「用語の解説」もあわせて掲載しており，国税庁調査課が，事前確認制度の広報活動を積極的に行おうとする姿勢が顕著となっている。

(9) また，これに続いて平成19年4月13日付で，国税庁のホームページに移転価格事務運営要領（事前確認部分を含む）に対する意見募集の公示がなされた。国税庁調査課では，同年5月12日までパブリックコメント（意見募集）を求めた後に，改定作業が行われた。意見募集にあたっては，移転価格事務運営要領（事務運営指針）の新旧対照表のほか，詳細な事例集「移転価格税制の適用に当たっての参考事例集」がはじめて公開されており注目に値する。事前確認に関する部分では，事前確認の方針として，案件の重要性や複雑性を勘案したメリハリのある審査を的確・迅速に行うこと及び事前相談の的確な対応が打ち出されている。これに伴い，的確・迅速に審査が行えるように，申出書提出時の形式審査の実施，事前相談における説明の充実と資料提出の要請，資料提出等についての納税者の協力の必要性，事前確認が適用でない場合の明示，年次報告書の調査等，審査に必要な条件や留意事項をより一層明確にしようする姿勢が伺える。

(10) 以上のように，平成19年には事務運営指針の大幅な見直しが行われ，最新の指針として平成19年6月25日付の庁通達「「移転価格事務運営要領」の一部改正について（事務運営指針）」（査調7-21他）が発遣され，現在に至っている。

5　OECD移転価格ガイドライン

(1) 「19年庁新通達」では，基本方針の1－2(3)において，「移転価格税制に基づく課税により生じた国際的な二重課税の解決には，移転価格に関する各国税務当局による共通の認識が重要であることから，調査又は事前確認審査に当たっては，必要に応じOECD移転価格ガイドラインを参考にし，適切な執行に努める。」と述べている。「OECD移転価格ガイドライン」は，事前確認も含め，移転価格税制を執行する上での国際的な共通指針として認識されている。(http://www.oecd.org/home)

(2) 「OECD移転価格ガイドライン」(「Transfer Pricing Guidelines for Multi-national Enterprises and Tax Administrations」)の「第4章のF条の事前確認取極（Advance pricing arrangements）」のパラ4.124～4.166及び別添の「相互協議を伴う事前確認実施上のガイドライン」(「Guideline For Conducting Advance Pricing Arrangement Under The Mutual Agreement Procedure （"MAP APAs"）」のパラ1～87において，OECD加盟国の共通認識としての事前確認に関する指針が掲げられている。以下，重要な考え方に関する部分について要点を述べる。

　イ　事前確認（APA，Advance Pricing Arrangement）の定義：Glossary 及びパラ4.124では，「事前確認（APA）は，関連者間取引について，その取引を行なう前に，一定の定められた期間における取引に関する価格を決定する目的で，適切な基準（たとえば，手法，比較対象取引及びその適切な調整，将来の出来事についての重要な前提等）を決定する取極めである。」と説明されている。

　　事務運営指針の1－1で事前確認について定義している「独立企業間価格の算定方法及びその具体的内容等」とOECD移転価格ガイドラインの「適切な基準（たとえば，手法，比較対象取引及びその適切な調整，将来の出来事についての重要な前提等）」はほぼ同様の意味と解することができる。

　　また，別添の「相互協議を伴う事前確認実施上のガイドライン」のパラ3では，「APAという用語は，一または複数の納税者と税務当局との間

で潜在的に起こりうる租税紛争を事前に解決することを意図した手続き上の取極めのことである。」と定義している。ここでいう「納税者と税務当局との間で潜在的に起こりうる租税紛争」とは移転価格課税リスクを指しており，ＡＰＡは移転価格課税リスクを事前に解決する手段として位置づけられている。

ロ　事前確認には納税者の協力が欠かせない（パラ4.134）

　　事前確認を成功させるためには納税者の協力が不可欠である。納税者が自主的に事前確認を申請する以上，納税者は当然のこととして税務当局に協力しなければならない。税務当局が，事前確認審査や相互協議に必要と判断される追加資料（たとえば，取引対象となる産業・市場に関する資料，対象国に関するデータ及び確認対象法人と関連者の機能分析等）の提出を求めてきた場合，納税者は情報提供に努めなければならない。

ハ　納税者が事前確認を遵守する限り移転価格調査はしない（パラ4.136）

　　納税者が事前確認で確認された事項を遵守している限り，税務当局は移転価格課税をしないことを確認することが求められる。これが「3　事前確認の効果」で述べたように事前確認制度でもっとも期待される効果である。税務当局が確認内容を一方的に破棄して調査に移行するようなことがあれば，納税者は事前確認申請をしなくなる。逆に言えば，事前確認の確認が無効となる条件を明確にしておくことが必要となる。

ニ　国内法の事前確認締結のための手当て（パラ4.138）

　　租税条約を締結し，相互協議の条項を有していれば，国内法で事前確認を締結するための根拠を有しなくても，租税条約が国内法に優先する限り，事前確認の合意をすることが可能であると示唆している。この考えを税務当局が支持すれば，二国間事前確認において，事前確認に関する国内法が手当てされていなくても合意が可能となる。

ホ　柔軟性が必要（パラ4.150）

　　事前確認が柔軟的でない場合，独立企業間原則を十分反映しないことになる。二重課税のリスクを回避するためには，移転価格課税に比して事前

確認は柔軟的であることが求められる。
ヘ　納税者が入手可能な比較対象情報は公開データのみである（パラ4.155）
　　事前確認は，納税者が適用したい算定方法を確認するものであるから，その算定方法は，納税者にとって入手可能な情報，すなわち公開情報及び内部データに基づいて適用することが可能なものとなる。
ト　事前確認手続きは不必要に煩雑なものであってはならない（パラ4.156）
　　納税者の協力が得られない場合，事前確認審査や相互協議は行えなくなるので，納税者の協力義務は当然だが，協力義務にも限度があり，税務当局は事前確認手続きが不必要に煩雑とならないよう努めるべきである。
チ　事前確認で納税者が提供した情報は調査では使わない（パラ4.157）
　　事前確認申請において，納税者が提供した情報は移転価格調査では使うべきではない。但し，事実に関する情報は除かれる。逆に言えば，事実に関する情報であれば，事前確認で提出された情報は移転価格調査で使用することが許される。
リ　営業上の秘密等の情報・書類の守秘の確保（パラ4.158）
　　事前確認手続きにおいて，営業上の秘密及びその他センシティヴな情報の守秘義務を確保すべきとしている。納税者は，競争相手に漏れると困る営業上の秘密も提供することがある。このような営業上の秘密が第三者に漏れると納税者は積極的に協力することができなくなる。したがって，事前確認を行う審査部署や相互協議部局は，いわゆるファイア・ウォールと情報管理体制を構築し，守秘義務を確実に確保することが求められる。
ヌ　二国間事前確認を推奨（パラ4.131, 4.163）
　　ＯＥＣＤ移転価格ガイドラインでは，二国間事前確認を原則としており，第4章の各パラグラフは全て二国間事前確認を前提に議論されている。国税庁も二国間事前確認を原則的な方法として推奨している。二国間事前確認を前提に考えると，各国の事前確認制度に係る規定や取扱いは，移転価格課税に比べて，その類似性や親和性が比較的高い。一国の独自の執行方針で課税が行われる傾向の強い移転価格課税に比べて，二国間事前確認で

は，相互協議を前提にしたコンプロマイズの精神が活かされやすく，確認手法をはじめその自由度も広いため，柔軟的な対応が可能ということができる。

6 事前確認制度の関係部署

(1) 事前確認制度に関係する国税庁の組織としては以下の部署がある。海外取引の増加や移転価格課税問題の頻発を反映して，申出件数は増加傾向にあり，国税庁は，事前確認審査を迅速に行えるよう担当職員を増員し，組織拡充を図っている。

　イ　国税局審査部局：国税局の国際調査課（東京局と大阪局では国際情報課）及び国税局法人税課が担当している。資本金1億円以上の法人は国税局が管理しており，国税局の国際調査課または国際情報課が事前相談，申出書の収受，申出書の審査及び確認通知を担当している。資本金が1億円未満の法人は税務署の管轄で，国税局法人税課が事前相談，申出書の収受，申出書の審査，確認通知を担当することとされている。実際には資本金1億円以上の大規模法人が事前確認を申し出るケースが圧倒的に多く，ほとんどの事案は国際調査課または国際情報課で審査が行われている。また，事前確認の審査要員の多くは東京局や大阪局などの都市局の国際情報課や国際調査課に配置されており，現実には税務署所管法人の申出の場合には，所定の所掌換え手続を行って調査課所管とした上で，国際情報課や国際調査課で審査が行われることが多い。

　ロ　国税庁調査課：事前確認の審査結果は，国税局審査部局から国税庁調査課へ上申され，その後相互協議室に報告される。国税庁調査課では，国際調査管理官の下，国税局の事前確認事務の管理・指導を行っている。

　ハ　相互協議部局：国税庁相互協議室（1999年7月設置）が担当している。相互協議室では，相互協議室長及び国際企画官の下，相手国ごとに相互協議の担当者を決め，事前相談，局担当者との情報交換・意見交換，対外的に権限ある当局としての基本ポジションの策定，相手国税務当局との相互協

議を行って，確認内容について合意するまでを担当する。相互協議室では，事前確認事案のほか，移転価格課税事案，国際的源泉課税事案，ＰＥ課税事案等，国際的二重課税に係る相互協議も行っている。

(2) 従来，国税庁調査課が事前確認審査を行っていたが，事前確認件数の増加に伴い国税庁調査課による一元管理の方針は廃止され，現在は，国税局（特に，東京，大阪，名古屋等申請件数の多い国税局の担当課）が審査を行うようになった。ただし，庁調査課・相互協議室も必要に応じて審査に加わったり，局担当課に対し審査状況等について報告を求めることもある。

(3) 局の審査担当者及び相互協議室は，「第２章　事前確認の内容」で述べる審査項目について個別に検討していくことになるが，申し出された独立企業間価格の算定方法等が合理的でないと判断した場合でも，いきなり申出書の取下げを求めるよりも，申出内容を修正することで確認できないかを検討する等柔軟な対応をしてくれることが多い。

(4) 移転価格・事前確認担当部署の組織図及び事前確認事務の担当者数（平成19年７月現在）は以下のとおりである。

図表１－２　事前確認事務の担当者数

【国税庁相互協議室】

```
                        国際業務課長
                             │
        ┌────────────────────┴────────────┐
        │                                  │
    相互協議室長                        国際企画官
        │                                  │
 ┌──┬──┬──┬──┬──┐              ┌──┬──┐
課長  課長 企画  課長 チーフ             課長 チーフ
補佐  補佐 専門官 補佐                   補佐
 │    │   │    │   │                │   │
相互  (チーフ)(チーフ)相互 (チーフ)       (チーフ)相互
協議                協議                      協議
第1係               第3係                     第2係
(4名) (3名) (2名) (3名) (2名)              (3名) (3名)
```

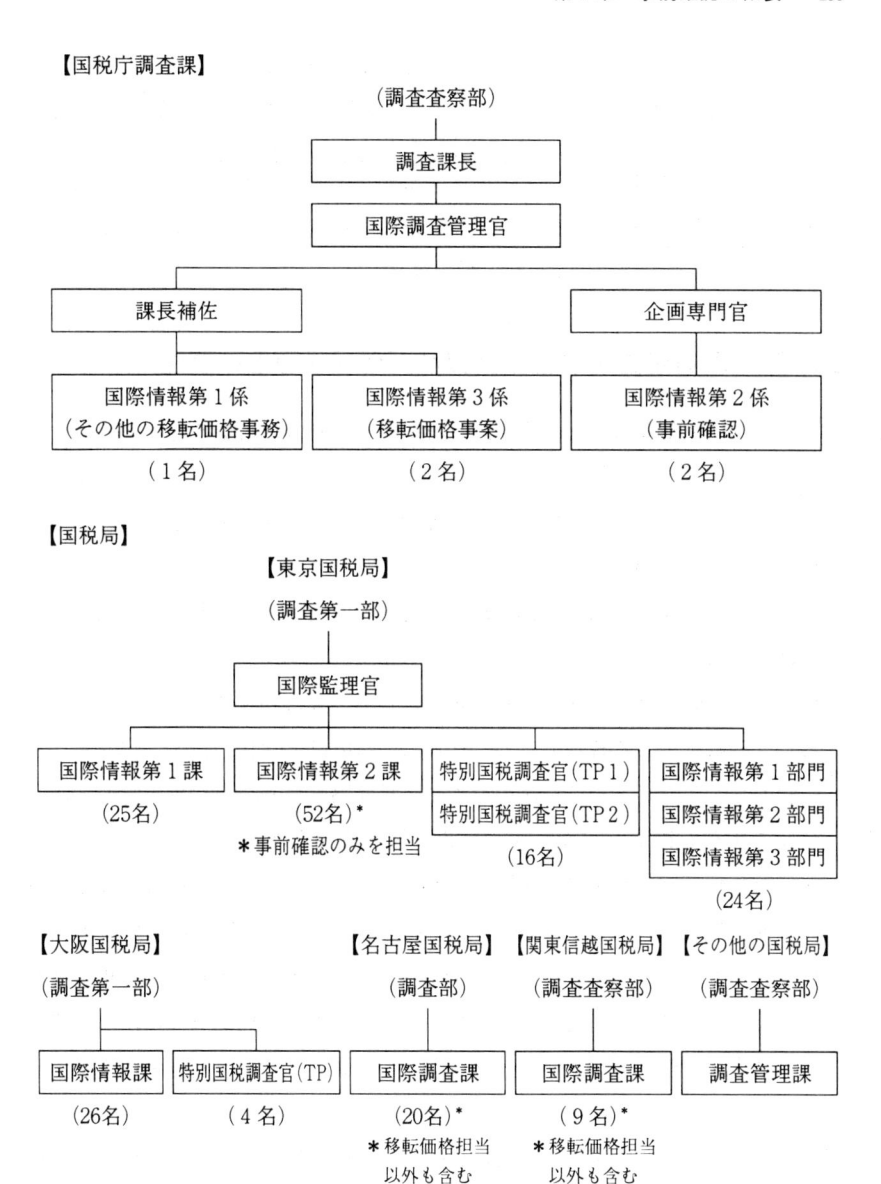

第1章 事前確認の概要　235

【国税庁調査課】

(調査査察部)

調査課長

国際調査管理官

├─ 課長補佐
│　├─ 国際情報第1係（その他の移転価格事務）（1名）
│　└─ 国際情報第3係（移転価格事案）（2名）
└─ 企画専門官
　　└─ 国際情報第2係（事前確認）（2名）

【国税局】

【東京国税局】
(調査第一部)

国際監理官
├─ 国際情報第1課（25名）
├─ 国際情報第2課（52名）＊　＊事前確認のみを担当
├─ 特別国税調査官(TP1)／特別国税調査官(TP2)（16名）
└─ 国際情報第1部門／国際情報第2部門／国際情報第3部門（24名）

【大阪国税局】
(調査第一部)
├─ 国際情報課（26名）
└─ 特別国税調査官(TP)（4名）

【名古屋国税局】
(調査部)
└─ 国際調査課（20名）＊
　　＊移転価格担当以外も含む

【関東信越国税局】
(調査査察部)
└─ 国際調査課（9名）＊
　　＊移転価格担当以外も含む

【その他の国税局】
(調査査察部)
└─ 調査管理課

図表1－3　事前確認事務の担当者数

部署＼事業年度	2003年度 (平15)	2004年度 (平16)	2005年度 (平17)	2006年度 (平18)	2007年度 (平19)
国税局　審査担当者	18名	25名	34名	34名	68名
国税庁　相互協議担当者	17名	19名	24名	24名	29名

(注)　年度は7月1日から翌年6月30日の期間

第2節　事前確認・移転価格課税・相互協議との関係

1　移転価格税制執行における事前確認制度の位置づけと重要性

(1)　移転価格課税は，税務当局の意思で調査対象を選定し，問題があれば追徴課税を行う。一方，事前確認は，納税者の意思と判断で申請し，移転価格にかかる確認を求めるものである。

(2)　移転価格課税と事前確認は移転価格税制の両輪の関係にある。移転価格税制は，従来の税制では見られない複雑で専門的・技術的な側面を持っており，いったん移転価格課税を受けると多額の追徴課税に及ぶことが多く，企業にとって脅威といえる税制である。さらに，移転価格課税の結果，国際的二重課税が生じるため，その解決のためには相互協議や異議申立て・訴訟という煩雑な手続を踏まねばならず，事務コスト負担も重い。このような特徴をもった移転価格税制を適正・円滑に執行しようとするために導入されたのが事前確認制度である。「第1章　事前確認の概要」の「第1節　事前確認の概要」の「3　事前確認の効果」で述べたように，事前確認制度を利用することで，納税者及び税務当局は移転価格税制の執行に係る事務負担を軽減するとともに，納税者は予測可能性を確保して課税リスクを回避することが可能となる。

(3)　移転価格税制の本来的な目的は自国の課税権の確保にあるが，税務当局が移転価格課税のみで対応するとなると，膨大な移転価格対象取引を長期間かけて調査しなければならず，執行上困難な対応が求められる。このような執行上の難点をカバーして，本来の導入の目的を果たす上でも事前確認制度は

有効な手段と考えられる。移転価格課税と事前確認を併せ持ち円滑に執行することが税務当局には求められており，両者は両輪の関係にあると位置づけることができる。

2 移転価格課税と事前確認の違い

(1) 移転価格課税と事前確認では，移転価格という側面を取り扱う点で基本的な考え方は同じであり，共通する部分も多くあるものの，以下のように多くの点で異なっている。事前確認の申請を希望する場合には，以下に述べるような両者の違いを十分念頭において検討するとよい。

(2) 目的：税務当局からみれば，移転価格課税も事前確認も共に課税権の確保が主たる目的といえる。ただし，移転価格課税の場合は，外国へ所得が移転することによる課税権の不当な侵害に対して積極的に対応しようとする姿勢が基本にあるのに対して，事前確認の場合は，納税者からの確認申出を受け止めて，外国への所得移転を防止する受動的な姿勢である点に違いがある。一方，納税者からみれば，移転価格課税を受けないよう適正申告に努めるという強制効果があるのに対して，事前確認では，あくまで納税者が予測可能性を確保し，課税リスクを回避して法的安定性を求めるという納税者側に立脚した制度といえる。

(3) 事務の流れ：移転価格課税と事前確認では目的の違いがあるため，事務の流れも異なる。移転価格課税では，税務当局の意思と主導のもと，問題のある取引について課税を目指して行われる流れとなっているのに対して，事前確認では，納税者の意思で申出を行い，確認通知を得ることを目的とする流れとなる。移転価格課税では，税務当局が調査対象先を自ら選び，実地調査を行って，取引価格（利益率）が独立企業間価格（独立企業間利益率）と異なり，申告所得が過少と判断した場合には，移転価格課税を行う。したがって，税務当局側に主導権（イニシアチヴ）がある。一方，事前確認の場合には，納税者が自らの意思で事前確認の申請をするかどうかを決定し，合意内容に同意するか否かも自ら決断することができる。したがって，納税者側に主導権

(イニシアチヴ）があるといえる。具体的には，審査の対象とする国外関連取引をどの範囲にするか，どのような移転価格の算定方法を採用するか，比較対象取引をどのように選定するか等，申出内容の基本的事項は納税者が主導して決定することができる。

(4) 着手又は申請：移転価格課税では，税務当局の判断で調査対象が選定されて着手に及ぶ。一方，事前確認では，課税リスク等を懸念する納税者の判断で確認対象が選定されて審査が着手される。なお，事前確認審査は申出に必要な事務コストはかかるが，税務当局の行う事前確認審査や相互協議は無償である（米国では有償となっている）。

(5) 調査権限と納税者の義務：移転価格課税の場合には，法令に定められた質問検査権に基づいて調査が行われる。調査対象は，一定の条件のもと，同業他社にも及ぶ。納税者は独立企業間価格の算定に必要とされる資料を提出する義務を負うことになる。一方，事前確認では，申出の対象となった取引や移転価格手法等の審査に必要な資料を求められ，これらの資料の提出に協力する義務がある。

(6) 情報の範囲：移転価格課税の場合には，公開データに限らず，質問検査権に基づいて同業他社を含めて幅広く情報収集がなされる。税務当局内部の課税資料等も活用される。納税者にはアクセスできない非公開情報も移転価格調査では利用される。一方，事前確認の場合の情報の範囲は，あくまで納税者が入手可能な公開データや社内の内部情報に限られる。納税者が入手できない非公開の情報は審査では利用されない。特に，比較対象取引の選定において，移転価格課税では税務当局が調査権限に基づいて収集した非公開データの使用もできるが，事前確認では納税者が自ら申し出るものであり，比較対象取引の選定は，納税者が入手可能な情報（公開データや内部データ）のみを使用することとなる。

　なお，移転価格調査と事前確認が重なった場合，事前確認制度を利用する納税者の信頼を確保するために，事前確認審査の過程で納税者から提出された資料は，事実に関するものを除き，移転価格調査では使用しないルールと

なっている。

　事務運営指針2－21によれば，移転価格調査に当たっては，確認申出法人から事前確認の審査のために収受した資料（事実に関するものを除く）は使用しないこととされている。したがって，事前確認の審査において納税者から提出された資料は事実に関するものを除き調査担当部署には渡されることはない。逆にいえば，事実に関するものは移転価格調査で使われることがあるともいえる。

(注1)　「事実に関するもの」とは，財務諸表，同付属書類，資本関係図，取引関係図，事業概況書等法人が通常作成している事業内容について客観的事実を述べた資料をいい，それ以外のものとは，税務当局の求めに応じ，確認を得る目的のために作成された特別な資料と解される。

(注2)　移転価格調査に当たって，事前確認の審査のために収受した資料を使用することについて法人の同意があるときは使用できる。

(7)　対象取引：どの取引を移転価格調査の対象とするかは税務当局が判断し，決定する。事前確認の場合には，納税者が確認対象取引を選択する。税務当局は密接に関連する取引も確認対象とするよう要請する場合があるが，一義的には納税者の判断が優先される。

(8)　独立企業間価格の算定方法：法令に従い，どのような手法を適用して移転価格課税を行うかは税務当局の判断による。一方，事前確認では，原則として納税者が合理的と判断した手法が検討され，法令に縛られず柔軟的な発想で合理的と認められる手法も受け入れられる可能性がある。

(9)　比較対象取引：移転価格課税の場合には，法令に従って，比較対象取引の取引単位やセグメント単位が絞り込まれる。事前確認において，公開データを使用する場合には，比較対象企業の全社ベースの損益数値しか得られない場合が多く，セグメント単位等に分解することは実務的に不可能であり，全社ベースの数値を使用するのが通例である。

(10)　対象期間と時効：移転価格課税は過去年度について行われるが，事前確認は将来年度について行われる点が大きく異なる。移転価格課税では，既に申告済の過去年度について国外関連取引の価格と調査後に認定された独立企業

間価格との差額を追徴課税されるのに対して，事前確認では，過去の比較対象取引に係る損益実績等を基に独立企業間価格の算定方法の妥当性，適正な利益率等を検討して，将来年度について確認を与えるものである。

移転価格課税では過去の事業年度を調査対象とし，対象期間は過去6事業年度までとなっている。将来年度について事前確認を得ていても，過去の事業年度はオープンイヤーとして調査対象となり得る。一方，事前確認では将来の事業年度を確認対象とし，原則として3事業年度から5事業年度を対象とする。将来年度に係る目標利益率レンジを過去の事業年度にも遡及して適用するロールバックが認められれば，オープンイヤーは塞ぐことができ，調査対象外として認められる。

(注) 遡及年度への適用（ロールバック）：一定の条件を満たした場合には，将来年度に係る目標利益率レンジ（独立企業間価格とみなされる利益率の幅）を過去年度にも適用することが確認内容として認められる。

⑪ 法律効果：移転価格課税では法令に基づき更正処分がされる。更正処分に至らない場合には指導や是認処理という場合もある。事前確認では庁通達（事務運営指針）に則って行政上の事実行為としての確認行為がなされる。税務当局の確認行為は確認通知によってなされる。

⑫ 根拠法令：移転価格課税の根拠法令は，租税特別措置法第66条の4である。事前確認は，事務運営指針「平成19年6月25日付の庁通達「移転価格事務運営要領」の一部改正について（事務運営指針）（査調7－21他）」を根拠として運営されている。

⑬ 優先度：移転価格調査が事前確認に優先するのが原則とされている。事務運営指針2－21で，「調査は，事前確認の申出により中断されないことに留意する。」とあるように，移転価格の調査着手後に事前確認の申出が提出されても，移転価格調査が中断されることはない。したがって，移転価格調査が事前確認審査に優先して継続する。調査の結果，更正処分を受けた場合には，相互協議または不服審査の申立てを行うことが多いが，事前確認の内容も相互協議の合意内容や裁決の結果の影響を受けることになるので，移転価格調

査と事前確認との関係に十分配慮して，いつの時点でどのような内容の事前確認申請をするべきか，申出内容の修正等の検討が必要となる。なお，事案の進捗状況によっては，移転価格調査を中断して事前確認へ移行するケースも考えられる。

(14) 加算税等：移転価格課税に伴い過少申告加算税及び延滞税が賦課される。移転価格調査を予知して行われた修正申告の場合も同様に過少申告加算税及び延滞税が賦課される。事前確認では，増額調整が必要な場合でも，過少申告加算税は課されないが，延滞税は課される。

事務運営指針5-11の(2)では「なお，事前確認の申出の審査は，法人税に関する調査には該当しないことに留意する。」となお書きの説明がある。事前確認審査は，移転価格調査には該当しないため，事前確認の合意に基づいて申出前の事業年度について修正申告書を提出しても過少申告加算税は課されない。事前確認審査は，納税者の自主的申出に基づくものであり，事前確認の合意の結果，増額の修正が行われるとしても加算税が課されることはない。

(注) 平成19年度の税制改正により，移転価格課税に関して納税の猶予制度が新設され，猶予期間中の本税及び加算税の納税が猶予され，かつ，延滞税は免除されることとなった（詳細は，第一編・第6章・第8節の「納税の猶予」を参照）。

(15) ＡＬＰの数値と幅の概念の使用：移転価格課税の場合，ＡＬＰ（独立企業間価格）はピンポイント発想で求められるため，幅（レンジ）の概念は採用されない。ただし，幅の概念は検証手段として使用されることがある。一方，事前確認の場合には，国外に所得移転がないと認められるレンジ（一定の利益率幅）で確認する。事前確認の場合は，納税者が入手可能な比較対象企業の情報に基づいて審査が行われるため，複数の比較対象企業の財務数値を使って，レンジ（一定の利益率幅）を設定することになる。なお，重回帰分析等の統計的手法が検証方法として利用されることが多いのも事前確認の特徴である。

(16) 課税または確認後の方策：移転価格課税を受けた後，事前確認申請を行って将来年度の課税リスクを回避することができる。既に事前確認を申し出て

確認通知を得ている場合には，更新手続を行い確認対象事業年度以後の事業年度について確認を求める。国内事前確認で確認を得ている場合には，更新時に二国間事前確認への変更も検討し，課税リスクの軽減を図ることができる。

⒄ 平均値の使用：移転価格課税の場合，原則として平均値は使われない。同等の比較対象取引が複数ある場合に例外的に平均値が使用されることはある。事前確認の場合には，公開データに限られる場合，複数の比較対象取引を抽出し加重平均値等を使用することが多い。

⒅ 比較対象性の捉え方：移転価格課税では法令に従い厳密性が重視されるが，事前確認では柔軟性が重視される。税務当局が移転価格課税を行う場合，調査対象法人の取引価格が独立企業間価格と乖離していることを立証し，特定の移転価格算定手法を適用する場合，損益数値等を精査して移転価格課税する厳密性が求められる。一方，納税者が事前確認を申請する場合，審査担当者や相互協議担当者は，限られた公開データ等に基づいて審査や協議を行わざるを得ないため，柔軟的な対応が求められる。

⒆ 販管費の調整：移転価格課税では，販管費中の差異を調整する場合でも，価格に直接影響する科目等を抽出・特定して調整するのを原則としている。一方，事前確認では，比較対象企業の販管費の内訳明細等詳細データの入手が困難な場合が多いこともあり，検証対象取引の販管費全体と比較対象法人のそれとを比較して差異を調整するケースが多い。

⒇ 財務数値の切出し：移転価格課税では，問題とされる取引も比較対象取引もセグメント単位あるいは取引単位に損益を区分して比較が行われる。一方，事前確認では，内部比較対象取引を使用できる場合を除き，公開データを使用する制約から，比較対象法人全体の財務数値（全社ベースの数値）を使用せざるを得ない場合が多い。

　　（注）　移転価格課税で問題とされる取引と確認の対象とされる取引は，ともに法人の詳細な財務数値の入手・提出が可能であり，移転価格課税の場合と事前確認の場合で財務数値の切出し精度に違いは考えられない。

(21) 担当者：移転価格課税は国税局又は税務署の移転価格調査担当者が行う。課税後行われる相互協議は，国税庁相互協議室の事案担当者が行う。事前確認審査は二国間事前確認・国内事前確認ともに局署の事前確認審査担当者が行う。審査後行われる相互協議は，二国間事前確認についてのみ相互協議室の事案担当者が行う。

図表1－4　移転価格課税と事前確認の比較表

No.	項　目	移転価格課税	事前確認
1	目的	税務当局：課税権の確保，課税権の不当な侵害への対抗策 納税者：適正申告	税務当局：課税権の確保，調査等事務量の軽減 納税者：納税者の予測可能性を確保し，法的安定性を高めて，課税リスクを回避
2	事務の流れ	税務当局：選定作業⇒選定実態調査⇒実態調査⇒実地調査⇒更正処理（税務当局に主導権あり）	納税者：事前相談⇒確認申出書提出⇒審査⇒相互協議⇒合意⇒確認通知（納税者に主導権あり）
3	着手又は申請	税務当局の選定による。	納税者の任意の申出による。（無償）
4	調査権限と納税者の義務	税務当局：調査法人へ質問検査権限及び同業他社への調査権限あり 納税者：独立企業間価格の算定に必要な資料を提出する協力義務	税務当局：事前確認審査に必要な資料要求することができる。 納税者：独立企業間価格の算定に必要な資料を提出する協力義務
5	情報の範囲	公開データに限らず幅広く情報収集する。 同業他社への情報収集権限あり 非公開データの使用も可	公開データ及び審査対象法人の内部情報のみ 同業他社への情報収集権限なし 非公開データの使用は不可
6	対象取引	税務当局が選択	納税者が選択（第一義的には納税者が選択するが，当局は対象取引の範囲等の変更を要求可）
7	独立企業間価格の算定手法	税務務当局が認定した手法 法令に従った手法のみ選択	納税者が選択した手法 法令に縛られず合理的手法の選択も可
8	比較対象取引	セグメント単位	全社ベースがほとんど

9	対象期間と時効	過去事業年度を対象 時効：6事業年度 将来年度：調査対象外 オープンイヤー：原則課税対象	過去事業年度で将来事業年度を予測 原則：3事業年度から5事業年度 将来年度：審査対象 遡及適用（ロールバック）：可 ただし、ユニAPAは原則不可
10	法律効果	法令に基づく更正処分 他に指導、是認の場合もあり	事務運営指針に基づく確認・不確認の通知による。行政上の事実行為としての効果
11	根拠法令	租税特別措置法第66条の4	移転価格事務運営要領（事務運営指針）
12	優先度	調査中に事前確認申請があっても、調査が優先	調査から事前確認へ移行という可能性もあり
13	加算税等	過少申告加算税・延滞税の賦課あり。調査を予知して行われた修正申告も同様 （注）平成19年度の税制改正により、納税の猶予制度が新設され、猶予期間中の本税及び加算税の納税が猶予され、かつ、延滞税は免除されることとなった。	加算税の賦課なし。確認内容に従い増額調整を行う修正申告の場合、加算税の賦課はないが、延滞税の賦課はあり
14	ALPの数値とレンジ(幅)概念の使用	ピンポイント発想で、レンジ（幅）の概念はなし レンジは主に検証手段として使用	レンジ発想、幅の概念を使用 統計的手法も活用
15	課税または確認後の方策	事前確認申請により課税リスクを回避	事前確認の更新により課税リスクを回避 国内事前確認から二国間事前確認への変更検討
16	平均値の使用	原則、平均値の使用なし	原則、加重平均値等の使用あり
17	比較対象性の捉え方	厳密性重視の考え方	柔軟的な考え方。ただし、公開データによる裏づけが必須
18	販管費の調整	販管費中、価格に影響ある項目のみ抽出して差異の調整を行うのが原則	販管費の総額を比較して差異の調整を行うことが多い。

| 19 | 財務数値の切出し | セグメント（切出し）損益で比較する。 | 全社ベースの比較対象取引の損益（公開データを使用する場合）を比較することが多い。 |
| 20 | 担当者 | 局署の移転価格調査担当者及び国税庁相互協議室の担当者 | 局署の事前確認審査担当者（バイAPA・ユニAPA共）及び国税庁相互協議室の担当者（バイAPAのみ） |

3 国内事前確認と二国間事前確認の違い

(1) 事前確認には，国内事前確認（ユニラテラルAPA，略称ではユニAPA）と二国間事前確認（バイラテラルAPA，略称ではバイAPA）の2つがある。

　（注）　この他，グローバル・トレーディングについて事前確認を行う場合，多国間事前確認となるケースもある。

(2) 国内事前確認：国内事前確認は，国内の納税者が日本の税務当局である国税庁との二者間で事前確認を行うもので，相互協議は行わないため，日本の税務当局が課税するリスクは回避できても，外国税務当局によって課税されるリスクの回避は保証されない。つまり，国内で確認内容を遵守していたとしても，外国税務当局から移転価格課税されるリスクは回避できない。

(3) 二国間事前確認：他方，二国間事前確認は，国内の納税者と国税庁のほか，国外関連者とその所在国の税務当局も関わる四者間の確認であり，外国税務当局との相互協議を伴い，両国の納税者と両国の税務当局が合意すれば，いずれの国の税務当局からも移転価格課税されるリスクを回避することができる。

(4) 二国間事前確認が原則：国税庁は，国際的指針であるOECD移転価格ガイドラインに沿って二国間事前確認を推奨しており，二国間事前確認を原則としている。19年庁通達の事務運営指針5－12では，以下のように相互協議の申立てを勧奨して二国間事前確認を勧めている。

> (1) 局担当課は，確認申出法人が事前確認について相互協議の申立てを行っていない場合には，二重課税を回避し，予測可能性を確保する観点から，〔当該確認申出法人がどのような申出を行うかについて適切に判断できるよう必要な情報の提供等を行い，当該確認申出法人が相互協議を伴う事前確認を受ける意向であると確認された場合には，〕相互協議の申立てを行うよう勧しょうする。
> (2) 局担当課は，法人又は当該国外関連者が外国の税務当局に事前相談又は事前確認の申出を行っていることを把握した場合には，当該法人に対し，我が国にも速やかに事前相談又は事前確認の申出を行うよう勧しょうする。
> (3) 局担当課は，確認申出法人が事前確認について相互協議を求める場合には，確認申出書のほか，平成13年6月25日付官協1－39ほか7課共同「相互協議の手続について」（事務運営指針）に定める相互協議申立書を提出するよう指導する。

(5) 国内事前確認と二国間事前確認の比較：国内事前確認と二国間事前確認を比較した場合，以下のような点が異なっている。事前確認を申し出ようとする法人はこの2つの確認方式の違いを十分検討していずれかを選択することとなる。

(6) 外国税務当局に課税されるリスク：国内事前確認の場合，外国税務当局に課税されるリスク回避が保証されない。国内事前確認はあくまで，国内の納税者と国税庁との間の合意に止まるので，外国税務当局が移転価格調査を行い，国外関連者に対して課税してくるリスクは回避できない。本来的に移転価格課税のリスクを回避しようというのであれば，二国間事前確認によらざるを得ない。

(7) 租税条約の有無：国外関連者の所在する国の税務当局と日本との間で租税条約が結ばれている場合にのみ，二国間事前確認を申請できる。したがって，相手国と日本との間で租税条約が締結されていない場合には，国内事前確認

しか選択肢はない。つまり，租税条約があれば国内事前確認でも二国間事前確認どちらも可能であり，租税条約がなければ国内事前確認のみ可能ということである。

(注) 二国間事前確認を申請する場合には，租税条約の中に相互協議の合意に従って一方の締結国が税の還付を行って二重課税を解消するという対応的調整の規定があるかないかが重要である。対応的調整の合意がなされ，減額の調整が行われなければ二重課税は解消されないので，単に租税条約が締結されているというのみで安易に二国間事前確認の申出をすると対応的調整ができないということもあり得る。相互協議室に照会する等して対応的調整の有無を確かめてから申出をしなければならない。

(8) 補償調整（目標利益率レンジの上限値を超えた場合の税務処理）：国内事前確認で，日本の申出法人が検証対象法人の場合，下限値は設定されるが上限値は設定されない。仮に，実績値が上限値を超えた場合，いいかえれば所得金額が確認で合意された利益水準を上回って上限値を超えた場合でも，納税者が自由に申告調整で所得金額を減額することができず，また，税務当局が減額更正できる根拠法令がないため，事前確認に係る価格の調整（補償調整）を行うことができない。二国間事前確認では実績値が上限値を超えたことが申告前に判明した場合，納税者は相互協議で合意した方法により申告調整で所得金額を減額することができる。また，実績値が上限値を超えたことが申告後に判明した場合，税務当局に対して更正の請求を行って減額することができる。

(9) 過去年度への遡及適用（ロールバック）：国内事前確認では，確認された目標利益率レンジを過去年度へ遡及適用（ロールバックと称されている）することは原則として認められないが，二国間事前確認では，遡及適用も可能である。過去年度へ遡及適用（ロールバック）が相互協議で合意されると，所得金額の減額については租税条約実施特例法に基づいて行われ，増額については法人の自主修正申告（過少申告加算税は課されない）に基づき行われる。

(10) 確認までの期間と事務負担：国内事前確認は，相互協議を伴わないため，確認を得るまでの期間は一般的に二国間事前確認よりも短くなる。また，国

内事前確認は，二国間事前確認に比べれば，自国の税務当局に対してのみに申請すれば足り，労力とコストも比較的少なくて済む。

(11) 国際的指針によるチェック：二国間事前確認では相手国税務当局と相互協議が行われ，相互協議の場では，ОＥＣＤ移転価格ガイドラインなどの国際的指針が拠り所となる。国際的指針に沿った合理的な内容でないと，合意に至るのは容易ではない。国際的指針に沿わない事前確認の申出の場合には，膨大な資料を提出して多くの手間をかけても，相互協議で大幅に内容変更を迫られることがあり得る点も注意が必要である。

(12) 国内事前確認と二国間事前確認を比較し，その違いを整理すると以下のようになる。

図表1－5　国内事前確認と二国間事前確認の比較表

項　　目	国内事前確認	二国間事前確認
確認の効果	国内の課税リスクしか回避できない。	国内及び相手国の課税リスクを回避できる。
申請条件	租税条約の有無にかかわらず申請できる。	租税条約がある場合のみ申請できる。
相互協議の有無	無	有
対応的調整の有無	無	有
提出書類	事前確認申出書のみ	事前確認申出書と相互協議申立書を同時提出
目標利益率幅	上限値または下限値の一方のみ設定	上限値・下限値を設定
補償調整	増額のみ調整が可能	増額・減額の調整が可能
遡及適用	原則として遡及適用なし	遡及適用が可能
確認までの期間	比較的短い。	相互協議を伴うので国内事前確認よりかかる。
事務負担	二国間事前確認より比較的軽い。	翻訳等のコストが国内事前確認よりかかる。
選択の判断要素	・多数の国外関連取引を有する場合等 ・租税条約がない場合	・取引規模が大きく事業上重要な取引 ・国税庁が推奨する方式

4 事前確認制度と相互協議の関係

(1) 事前確認制度と相互協議：二国間事前確認の場合には，国外関連者の所在する税務当局との間で租税条約に基づく相互協議を行って，事前確認の内容について両国間で合意することにより確認される。その結果，二重課税のリスクも排除することが可能となる。このように二国間事前確認と相互協議手続とは制度的に切っても切れない関係にある。

(2) 租税条約と対応的調整：現在，わが国は56の国との間で45の租税条約を締結している。これらの租税条約はすべて同じ内容というわけではない。二国間事前確認を申請する場合には，個々の租税条約の「特殊関連企業条項」の中に「対応的調整」という規定があるかないかという点が極めて重要となる。「特殊関連企業条項」というのは，移転価格の対象となる国外関連取引について定めた条項で，この条項の中に一方の締結国の税務当局が移転価格課税を行った場合に，どのようにして相互協議の合意を実現するかについての規定が盛り込まれている。この規定のことを一般に「対応的調整」と呼んでいる。対応的調整の合意がなされ，減額の調整が行われなければ二重課税は解消されないのであるから，単に租税条約が締結されているからというのみで二国間事前確認の申出をすると後になって困難な目に遭うかもしれない。事前相談等の段階で，相互協議室に照会する等して租税条約の締結国で対応的調整が行われるか否かを確かめてから正式の事前確認の申出をしなければならない。

(3) 租税条約と相互協議手続等：二国間で租税条約を締結している場合でも，相互協議を行う手続が整備されていない，相互協議手続が有効に機能していない等の問題が生じる場合がある。また相互協議そのものの経験が乏しい相手国税務当局との間で，二国間事前確認が相互協議の場で現実に可能かどうか等という問題もある。国税庁相互協議室等に事前に照会してこれらの問題がクリアできるかどうかを確認しておく必要がある。

(4) 事前確認申出の際における相互協議申立ての勧奨：国税庁では，二重課税を回避し，予測可能性を確保する観点から，事前確認の申出を希望する法人

に対して，相互協議の申立てを併せて行うよう勧奨している。しかしながら，相互協議を伴う二国間事前確認を選択するか相互協議を必要としない国内事前確認を選択するかはあくまで申出法人の判断で行うので，二国間事前確認を強制されるわけではない。

(注) 事務運営指針5－12を参照

(5) 審査部局と相互協議部局との連携：二国間事前確認の場合には，審査を担当する国税局審査部局と相互協議を担当する国税庁相互協議室は，事前相談，審査，相互協議の合意に至る各段階で，緊密な連携をとって意見交換・情報交換を行い，事前確認事務を早期に処理するよう努めることとされおり，国税内部の事務運営においても二国間事前確認と相互協議手続は密接に関係している。

(注) 事務運営指針5－13を参照

第3節　最近の動向

1　事前確認制度を有する主な国

(1) 事前確認制度を有する主な国：日本では，1986年（昭和61年）に移転価格税制が導入され，翌年の1987年（昭和62年）には世界ではじめて事前確認制度が導入された。その根拠として公表されたのが，昭和62年4月24日付の庁通達「独立企業間価格の算定方法等の確認について」（査調5－1他）であった。事前確認制度は現在30か国以上で導入されている。事前確認制度を有する主な国（カッコ内は制度の導入年）を掲げると以下のとおりである。

　　日本（1987年），米国（1991年），カナダ（1994年），ニュージーランド（1994年），オーストラリア（1995年），メキシコ（1995年），韓国（1996年），ブラジル（1997年），中国（1998年），英国（1999年），フランス（1999年），オランダ（1999年），ドイツ（2000年）

(2) 二国間事前確認事案が行われる国：「最近の相互協議を伴う事前確認の状況について」（月刊国際税務VOL.27　2007.1・角田伸広相互協議室長）によれば，

平成17事務年度（平成17年7月から平成18年6月の期間）において，わが国において二国間事前確認の相互協議が行われている国は16か国となっている。

図表1－6　事前確認の相互協議が行われている国

地　域	事　前　確　認　が　行　わ　れ　て　い　る　国
北中南米	米国，カナダ
欧　　州	デンマーク，スイス，イギリス，ドイツ，ベルギー，オランダ，フランス，スウェーデン
オセアニア	オーストラリア，ニュージーランド
ア ジ ア	中国，タイ，シンガポール，韓国

2　わが国における事前確認の発生及び処理件数

(1)　ここ数年，事前確認申請の発生件数は増加しており，二次，三次の更新を申請する事前確認も増加している。米国をはじめ欧米との二国間事前確認事案のほか，2004年には中国とはじめて二国間事前確認の合意がなされるなど，地域的な広がりも見られる。最近の二国間事前確認事案の発生，処理，繰越の件数等は以下の図表のとおりである。

図表1－7　二国間事前確認の発生・処理・繰越件数　　（単位：件数）

年度＼件数	1987〜1999年の累計 昭和62年度〜平成11年度	2000年 平成12年度	2001年 平成13年度	2002年 平成14年度	2003年 平成15年度	2004年 平成16年度	2005年 平成17年度
発生件数	121	48	42	47	80	63	92
処理件数	69	29	25	47	39	49	65
繰越件数	52	71	88	88	129	143	170

（注1）　国税庁発表資料「事前確認の状況　APAレポート（2003〜2006）」をもとに著者が作成
（注2）　国税庁発表資料「事前確認の状況　APAレポート（2003〜2006）」をもとに著者が作成
（注3）　年度は7月1日から翌年6月30日の期間
（注4）　上記件数は，相互協議を伴う二国間事前確認の処理件数。国内事前確認は含まれない。
（注5）　二国間事前確認の件数は相互協議室が毎年発表しているが，国内事前確認の件数や内訳は担当部署である庁調査課から詳細は発表されていない。

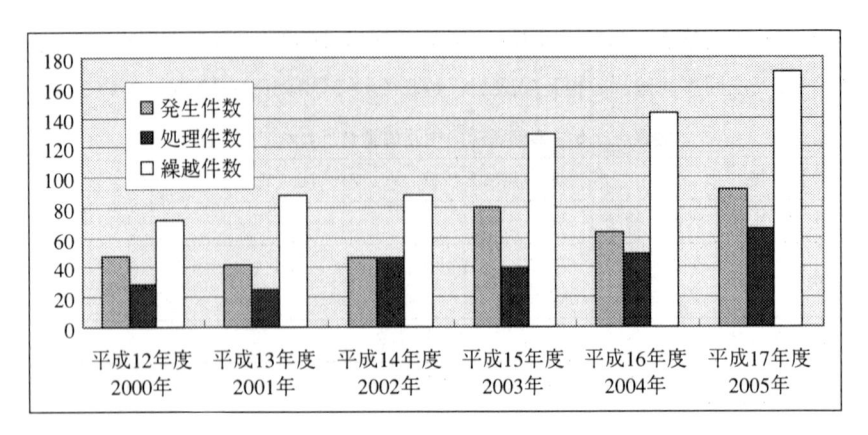

図表1－8　二国間事前確認事案の分析

図表1－8－1　【業種別内訳】　　　（単位：法人数）

年度 件数	2000年 平成12年度	2001年 平成13年度	2002年 平成14年度	2003年 平成15年度	2004年 平成16年度	2005年 平成17年度
製　造　業	11	20	22	19	35	31
卸・小売業	4	4	13	17	13	27
そ　の　他	2	1	12	3	1	7

図表1－8－2　対象取引別内訳　　　（単位：法人数）

年度 件数	2000年 平成12年度	2001年 平成13年度	2002年 平成14年度	2003年 平成15年度	2004年 平成16年度	2005年 平成17年度
棚卸取引	15	24	31	27	53	55
役務取引	8	9	20	15	12	30
そ　の　他*	9	11	11	14	8	20

＊　その他は，ロイヤルティ取引，グローバルトレーディング等が含まれている。

図表1－8－3　移転価格算定方法別内訳　　　（単位：法人数）

年度 件数	2000年 平成12年度	2001年 平成13年度	2002年 平成14年度	2003年 平成15年度	2004年 平成16年度	2005年 平成17年度
基本三法	16	17	31	23	24	46
その他の方法	7	12	23	23	27	21

図表1-8-4　地域別内訳　　　　（単位：法人数）

年度 件数	2000年 平成12年度	2001年 平成13年度	2002年 平成14年度	2003年 平成15年度	2004年 平成16年度	2005年 平成17年度
米　　　州	20	18	24	16	20	29
アジア・大洋州	4	5	17	18	26	27
そ の 他	5	2	6	5	3	9

（注1）　国税庁発表資料「事前確認の状況　APAレポート（2003～2006）」をもとに著者が作成
（注2）　年度は7月1日から翌年6月30日の期間
（注3）　上記件数は，相互協議を伴う二国間事前確認の合意件数。国内事前確認は含まれない。

図表1-9　国内事前確認と二国間事前確認の発生・処理件数

【国内事前確認】　　　　　　　　　　　　　　　　　　　（単位：件数）

年度 件数	1987年～2002年の累計 昭和62年度～平成14年度	2003年 平成15年度	2004年 平成16年度
発生件数	44	5	8
処理件数	33	5	7

【二国間事前確認】　　　　　　　　　　　　　　　　　　（単位：件数）

年度 件数	1987～2002年の累計 昭和62～平成14年度	2003年 平成15年度	2004年 平成16年度
発生件数	258	80	63
処理件数	170	39	49

（注1）　国税庁発表資料「事前確認の状況　APAレポート（2003～2006）」をもとに著者が作成
（注2）　年度は7月1日から翌年6月30日の期間

図表1－10　相互協議の発生件数（事前確認・移転価格課税・その他

(単位：件数)

	二国間事前確認			移転価格課税			その他			合計		
	発生	処理	繰越	発生	処理	繰越	発生	処理	繰越	発生	処理	繰越
2000年(平成12年度)	48	29	71	14	29	33	12	7	35	74	65	139
2001年(平成13年度)	42	25	88	30	26	37	16	26	25	88	77	150
2002年(平成14年度)	47	47	88	19	19	37	28	14	39	94	80	164
2003年(平成15年度)	80	39	129	30	19	48	12	25	26	122	83	203
2004年(平成16年度)	63	49	143	8	27	29	19	16	29	90	92	201
2005年(平成17年度)	92	65	170	27	15	41	10	13	26	129	93	237

（注1）　国税庁発表資料「事前確認の状況APAレポート（2003～2006）」をもとに著者が作成
（注2）　年度は7月1日から翌年6月30日の期間
（注3）　上記件数は，相互協議を伴うに二国間事前確認の処理件数。国内事前確認は含まれない。
（注4）　相互協議の発生件数の5割以上が二国間事前確認事案となっている。

3　PATA加盟国の事前確認

(1)　PATA加盟国とは，環太平洋税務長官会合の加盟国のことで，日本，米国，カナダ，オーストラリアの4か国をいう。PATAは Pacific Association of Tax Administrators の略号である。

(2)　PATA加盟国の税務執行当局の最高責任者は，租税条約の情報交換規定に基づいて，毎年開催される4か国による環太平洋税務長官会合の場で，共通する税務上の問題について長年にわたって意見交換を行ってきた。PATA加盟国では，毎年，事前確認に関するレポート（APAレポート）をホームページ等で公表しているので，加盟国の事前確認の取組状況を把握することができる。

(3)　その後，2006年1月に英国ロンドン郊外のリーズ城で開催された8か国（日本，米国，カナダ，オーストラリアのPATA加盟4か国及び英国，フランス，中国，インド）の税務長官会合において，この8か国にドイツ，韓国を加えた

10か国の税務長官会合（通称，リーズキャッスルグループ会合）を設けることが合意されて，環太平洋税務長官会合は2005年10月の会合を最後に発展的に解消されている。

図表1－11　ＰＡＴＡ加盟国の事前確認の処理件数

(単位：件数)

年 国名	2000年 (平12)	2001年 (平13)	2002年 (平14)	2003年 (平15)	2004年 (平16)
日　　本	29	25	47	39	49
米　　国	32	25	79	39	44
カナダ	5	11	5	15	17
オーストラリア	10	13	7	8	18

(出典)　ＰＡＴＡ加盟国のＡＰＡレポート
(注)　二国間事前確認の処理件数。国内事前確認は含まれない。

第2章　事前確認の内容

第1節　事前確認事務の流れ

1　二国間事前確認の流れ

(1)　二国間事前確認（相互協議を伴う事前確認）の場合，以下の手順に従って確認事務がすすめられる。二国間事前確認事務の大きな流れは，次の4段階に分けることができる。

> 第1段階（申出段階）：事前相談から事前確認申出書の提出まで
> ⇩
> 第2段階（審査段階）：申出内容の審査から審査結果の報告まで
> ⇩
> 第3段階（協議段階）：相互協議，合意，申出書の修正から確認通知まで
> ⇩
> 第4段階（報告段階）：年次報告書の検討

(2)　第1段階（申出段階）：事前相談から事前確認申出書の提出までの段階である。申出法人は，社内の関係部署との協議を踏まえて，申出内容に係る基本方針を取りまとめた後，国税の担当者との事前相談に臨むこととなる。その後，申出書の提出に必要な記載事項及び添付資料の準備・作成を行って，事前確認申出書（正式名は，「独立企業間価格の算定方法等の確認に関する申出書」）を提出する。二国間事前確認では，同時に相互協議申立書を提出する必要がある。また，二国間の事前確認であるので，相手国税務当局にも同様の文書を提出する。この段階では，一般的に半年程度の準備期間が必要と思われる。

(3) 第2段階（審査段階）：審査部局において申出内容の審査から審査結果の報告が行われるまでの段階である。審査担当者は，申出書及び添付資料の検討，追加資料の請求，公開データの収集や比較対象企業の検討を行い，審査結果を文書にして国税庁調査課を通じて相互協議室に報告する。この間，調査課や相互協議室とも情報交換や意見交換が行われる。審査を開始してから，事案の内容にもよるが概ね1年弱の期間を要しているものと思われる。

(4) 第3段階（協議段階）：相互協議室が相手国の権限ある税務当局と事前確認に関する相互協議を行い，確認内容の交渉から合意，申出書の修正，確認通知に至るまでの段階である。相互協議室は，相互協議において合意に達すると審査部局に通知し，申出書の修正及び確認通知の送付を指示する。相互協議の開始から合意に達するまで，平均して2年弱の期間を要しているものと思われる。

(5) 第4段階（報告段階）：確認通知を受領したのち，申出法人は定められた期限内に年次報告書を提出し，審査部局は提出された年次報告書の内容を検討し，合意内容が遵守されているかを確認する段階である。事案の内容にもよるが比較的短期間に処理されている。

(6) 以上の二国間事前確認の流れを表形式にまとめると次頁のとおりである。

図表2－1　二国間事前確認の流れ

	手　順	担当部署	主　な　事　務
申出段階	事前相談	局審査部局 （庁調査課等）	法人から事前相談の要請を受けて面談。必要に応じて国税庁調査課・相互協議室が参加する。
	確認申出書・相互協議申立書の提出	局審査部局 所轄税務署	「独立企業間価格の算定方法等の確認に関する申出書」と「相互協議申立書」を同時に提出。形式審査を経て受理される。 （注）　相手国税務当局にも同様の文書の提出が必要
審査段階	申出内容の審査	局審査部局 （庁調査課等）	申出内容の検討、追加資料の請求、公開データ・比較対象企業の検討等を行う。局担当課は、審査状況について国税庁調査課・相互協議室と意見交換も行いながら審査する。
	審査結果の報告	局審査部局	国税局から国税庁調査課、さらに相互協議室へと報告される。
協議段階	相互協議	相互協議室	相互協議の状況について国税局審査部局と意見交換を行いながら協議をすすめる。相互主義に基づき、自国及び相手国で協議を実施
	合　意	相互協議室	相手国税務当局と仮合意、本合意を文書で取り交わす。納税者へ合意内容を説明し、納税者の合意を得る。その後、相互協議室から国税庁調査課、さらに国税局審査部局へ通知される。
	申出書の修正	局審査部局	相互協議の合意内容に基づき、納税者から、当初の申出書の修正を受理する。
	確認通知	局審査部局	合意内容に従って申出法人に確認通知を送付する。
報告段階	年次報告書の検討	局審査部局	納税者から提出された年次報告書を検討し、確認内容が遵守されているか、重要な前提条件に変更はないか等を検討する。

（注1）　二国間事前確認の場合には、相互協議が実施されるので、相互協議室は事前相談の段階から、年次報告書の検討に至るまで関与する。事前確認の内容についての合意は、国税庁、相手国税務当局、申出法人及び相手国関連者の四者間で行われる。

（注2）　二国間事前確認の場合には、国内事前確認と異なり、「事前確認申出書」のほか、「相互協議申立書」の提出が必要となる点に留意が必要である。

第2章　事前確認の内容　259

図表2－2　二国間事前確認の流れ

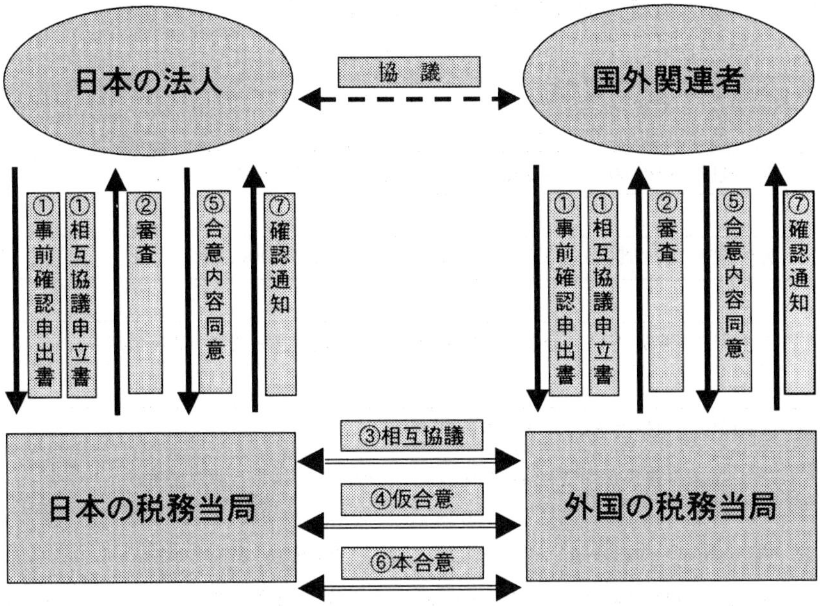

日本の法人 ←‑‑協議‑‑→ 国外関連者

日本の法人側：
① 事前確認申出書
① 相互協議申立書
② 審査
⑤ 合意内容同意
⑦ 確認通知

国外関連者側：
① 事前確認申出書
① 相互協議申立書
② 審査
⑤ 合意内容同意
⑦ 確認通知

日本の税務当局 ←→ 外国の税務当局
③相互協議
④仮合意
⑥本合意

2 国内事前確認の流れ

(1) 国内事前確認（相互協議を伴わない事前確認）の場合，以下の手順に従って確認事務が進められる。国内事前確認事務の大きな流れは，次の４段階に分けることができる。

第１段階（申出段階）：事前相談から事前確認申出書の提出まで

⇩

第２段階（審査段階）：申出内容の審査から審査結果の報告まで

⇩

第３段階（協議段階）：合意，申出書の修正から確認通知まで（相互協議なし）

⇩

第４段階（報告段階）：年次報告書の検討

　（注）　国内事前確認は相互協議を伴わないため，第３段階で相互協議は行われない。

(2) 第１段階（申出段階）：事前相談から申出書の提出までの段階である。この段階での事務作業は，二国間事前確認の場合と同様である。ただし，相互協議室は原則として参加しない。

(3) 第２段階（審査段階）：審査部局において申出内容の審査から審査結果の報告が行われるまでの段階である。この段階の事務作業も，二国間事前確認の場合と同様である。ただし，相互協議室は原則として参加しない。

(4) 第３段階（協議段階）：申出法人と審査部局との間で協議を行い，確認内容の合意，申出書の修正，確認通知に至るまでの段階である。ここでも相互協議室は関与しない。

(5) 第４段階（報告段階）：確認通知を受領したのち，二国間事前確認の場合と同様に，申出法人は年次報告書を提出し，審査部局は年次報告書を検討し，合意内容が遵守されているかを確認する段階である。

(6) 以上の国内事前確認の流れを表形式にまとめると次頁のとおりである。

図表2－3 国内事前確認の流れ

	手　順	担当部署	主　な　事　務
申出段階	事前相談	局審査部局	法人から事前相談の要請を受けて面談。必要に応じて国税庁調査課が参加する。相互協議室は原則として参加しない。
	確認申出書の提出	局審査部局 所轄税務署	「独立企業間価格の算定方法等の確認に関する申出書」の形式審査を経て受理する。
審査段階	申出内容の審査	局審査部局 （庁調査課）	申出内容の検討，追加資料の請求，公開データ・比較対象企業の検討等を行う。局担当課は，審査状況について国税庁調査課と意見交換も行いながら審査する。相互協議室は原則として参加しない。
	審査結果の報告	局審査部局	国税局から国税庁調査課へ報告される。
協議段階	合　意	庁調査課	国税庁調査が承認した後，納税者と合意する。納税者と書面による合意文書は取り交わさない。相互協議室は関与しない。
	申出書の修正	局審査部局	合意内容に基づき，納税者から，当初の申出書の修正を受理する。
	確認通知	局審査部局	合意内容に従って申出法人に確認通知を送付する。
報告段階	年次報告書の検討	局審査部局	納税者から提出された年次報告書を検討し，確認内容が遵守されているか，重要な前提条件に変更はないか等を検討する。

（注）　国内事前確認の場合には，相互協議は実施されないので，相互協議室は原則として関与しない。事前確認の内容についての合意は，あくまで申出法人と国税庁（審査は国税局審査部局が行い，確認の権限は国税庁調査課及び法人税課にある）との間で行われる点が二国間事前確認と異なる。

図表2－4　国内事前確認の流れ

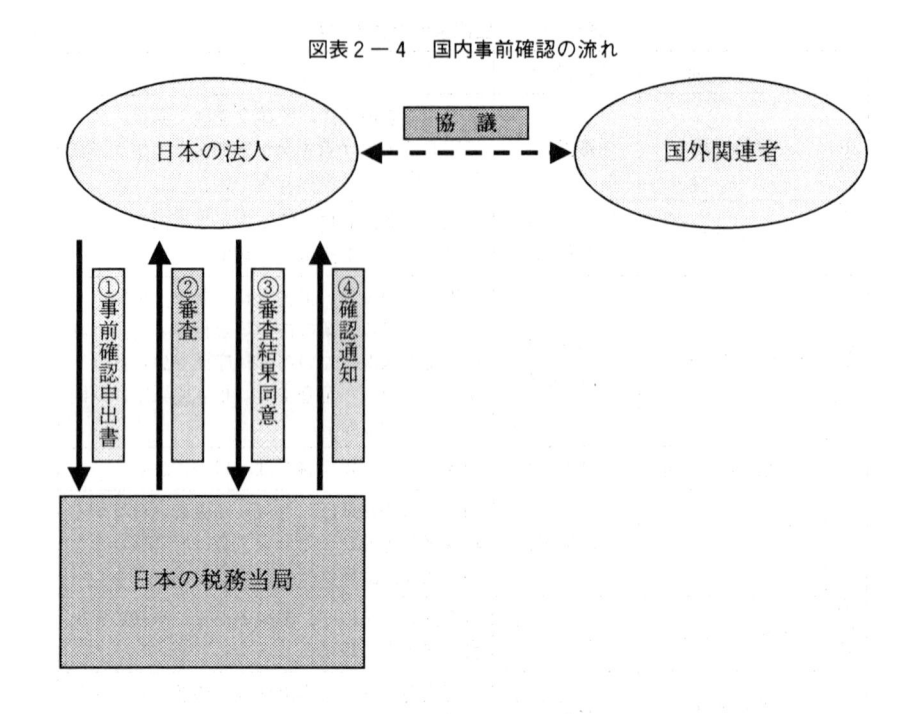

```
     日本の法人  ←----協 議----→  国外関連者

       ↓①事前確認申出書
       ↑②審査
       ↑③審査結果同意
       ↑④確認通知

     日本の税務当局
```

第2節　事前確認の実務上の留意点

1　事前相談

(1)　事前相談の実際

イ　平成19年4月2日付けで国税庁ホームページに「移転価格税制に関する事前確認の申出及び事前相談について」と題する情報が掲載されている。この中には，事前相談の申出の仕方，事前相談における相談項目，相談窓口，よくある質問と回答等，事前相談全般について丁寧な解説が掲載されている。はじめて事前相談を受けようとする法人は，まずこの国税庁のウェブサイトを読み，事前相談の意義と具体的な実務を理解してから，事前相談及び確認申出をどうすすめていくか方針を固めていくとよい。

ロ　事務運営指針5－10において，二国間事前確認に係る事前相談の場合には，「局担当課は，法人から事前相談があった場合には，これに応ずる。この場合，局担当課からの連絡を受け，庁担当課（相互協議を伴う事前確認に係る相談にあっては，庁相互協議室を含む）は，原則として，これに加わる。」と規定されている。

ハ　同様の趣旨は，「相互協議手続きについて（事務運営指針）」の「5　事前相談の(2)」において，二国間事前確認に係る事前相談の場合には，「事前確認に係る申立て前の相談については，庁相互協議室からの連絡を受け，庁主管課又は局担当課は必要に応じてこれに加わる」と規定している。

ニ　さらに，「相互協議手続きについて（事務運営指針）」の「5　事前相談の(2)の注書き」において，相互協議を伴う二国間事前確認の場合の事前相談では，庁相互協議室と局担当課のいずれもが相談窓口となると規定している。

ホ　これらの規定から読み取れることは，二国間事前確認に係る事前相談の場合には，庁相互協議室に相談を持ち込んでもよいし，局担当課に持ち込んでもよく，いずれの場合でも，事前相談の内容に応じて庁と局の間で連絡をとりあって事前相談の場に両者が参加するという柔軟的な運営の仕方を示しているものと理解できる。

ヘ　事務運営指針には説明がないが，国内事前確認に係る事前相談の場合には，原則として庁相互協議室は関与しないため，事前相談には参加しない。したがって，局担当課が事前相談の窓口となり，必要に応じて庁調査課が参加するという運営の仕方となっている。

ト　局担当課：資本金1億円未満の税務署所管法人の場合は各国税局の法人課税課が，資本金1億円以上の国税局所管法人の場合は局調査課等が事前相談の窓口となる。国税局ごとの担当課を掲げると次頁のとおりである。

(平成19年4月2日現在)

事前相談窓口 国税局名	調査課所管法人の場合の 事前相談の担当課	署所管法人の場合の 事前相談の担当課
東京国税局	調査第一部国際情報第二課	課税二部法人税課
大阪国税局	調査第一部国際情報課	課税二部法人税課
名古屋国税局	調査部国際調査課	課税二部法人税課
関東信越国税局	調査査察部国際調査課	課税二部法人税課
札幌,仙台,金沢,広島,高松,福岡,熊本の各国税局	調査査察部調査管理課	課税二部法人税課(札幌,仙台,広島,福岡局) 課税部法人税課(金沢,高松,熊本局)
沖縄国税事務所	調査課	法人税課

チ 国税局ごとの担当課は以上のとおりであるが,実質的な事前相談の多くは,事前確認申請が集中する東京,大阪,名古屋等大都市を管轄する局担当課で行われているようである。

リ 庁担当課及び庁相互協議室:国税庁調査課と国税庁法人税課が庁担当課となる。事前相談を受ける担当は局担当課だが,事案の重要性等を勘案して庁担当課や庁相互協議室も事前相談に加わることが多い。庁相互協議室が事前相談に加わるのは,相互協議を伴う事前確認,つまり二国間事前確認の場合に限られるため,国内事前確認の場合には参加しない。

ヌ なお,相互協議を伴う事前確認の場合には,わが国のみでなく相手国税務当局とも同時併行して事前相談することが必要となってくる点にも留意が必要である。

ル 相談者:相談を依頼する者は,申出法人自身でも税務代理人でもかまわない。申出法人単独で事前相談を申し出てももちろんかまわないが,独立企業間価格の算定等には専門的・技術的知識が必要とされるため,移転価格税制に精通した税理士等の支援が求められることが多く,税理士等が税務代理人として事前相談を受けることが認められている。申出法人と税務代理人が同席して相談することも多い。

ヲ 匿名の相談：代理人による匿名の相談も含め，相談は匿名で行ってもよい。ただし，事前確認の詳細について本格的に相談したいのであれば，実名を示して面談するのが望ましい。

ワ 相談の手段：電話相談も可能だが，事前確認の詳細について本格的に相談したいのであれば，直接面談するのが望ましい。

カ 事前相談のメリット：法人が申し出ようとする独立企業間価格の算定方法や採用しようとする比較対象法人のデータ等が税務当局に受け入れられるかどうかを打診することができる，審査部局や相互協議部局の立場や考え方がわかる，申出書を提出した後の先行きを見通すことができる等のメリットがある。審査や相互協議が円滑に，かつ，効率的にすすめられていくには，申請法人と担当部局との協力関係や信頼関係が基盤となる。事前相談は確認法人と担当部局との協力関係や信頼関係を構築する上でも有用である。

ヨ 事前相談の費用：日本では，事前相談及び事前確認審査は無料で行われている。

タ 説明文書の作成：事前相談の進度にあわせて説明文書を準備して提示すると効率的である。初期段階では，簡単な取引図と申出書の記載事項について概略を記載した書面を提示して相談を受けるとよい。

ソ 事前相談で想定される聴取事項：実際に審査及び相互協議において予想される問題点を想定しながら質疑応答が行われる。

(2) 確認対象事業年度の選択

イ 確認対象事業年度：事務運営指針5－7では，確認対象事業年度を原則として3事業年度から5事業年度とすると規定している。したがって，申出法人は，合理的な予測が可能な期間として原則として3事業年度から5事業年度の範囲で選択することになる。旧庁通達では，確認対象事業年度を原則として3事業年度としていたが，平成17年4月の庁通達で3事業年度から5事業年度と幅を持たせている。申出書提出時点での将来年度が3事業年度あったとしても，申出から確認通知が送付されるまでに相当期間（平均的には2年程度と言われている）かかるため，確認通知を受領した時点で既に将来年度は

1事業年度かあるいは既に申告済といった状況になってしまうことが多い。そうすると相互協議の合意に基づいた確認通知を受理する直前や直後に更新の申出を急いで出さなければならない。3事業年度とした場合，実務上将来年度の予測可能性の担保期間が十分でないこともあり，確認対象事業年度を5事業年度まで延長した配慮を行ったものとなっている。いずれにしても，合理的に予測が可能な将来年度を確認対象期間として決定することになる。

(3) 局担当課と庁相互協議室との連絡・協議

イ 事務運営指針5－13によると，確認申出法人が事前確認について相互協議を求める場合には，局担当課，庁担当課及び庁相互協議室は，必要に応じ協議を行うこととなっている。

ロ 局担当課，庁調査課及び庁相互協議室は，事前相談の段階から可能な限り同席し，意見交換と方針のすり合わせを図りながらすすめ，審査の処理促進に資すため積極的な関与を行う方針が採られている。

ハ わが国では，審査は局担当課が，外国税務当局との相互協議は庁相互協議室が担当する分業体制で事前確認事務を行っている点が特徴的である。したがって，両部署の連携プレーが必要となってくるため，事前相談の段階から積極的に関係部署が関わり意見交換・情報交換することが求められている。

2 確認申出書・相互協議申立書の提出

(1) 事前確認の申出書の記載要領

イ 事前確認を希望する納税者が，「独立企業間価格の算定方法等の確認に関する申出書」を提出することで，事前確認事務が正式にスタートする。申請の仕方については，事務運営指針の5－2，5－3，5－4，5－5，5－6，5－7，5－22で留意点が説明されている。事務運営指針に従って申出書の記載要領を整理すると次頁のとおりである。

図表2－5　事前確認の申出書等の記載要領

項　目	区　分	留　意　点　等
提出先	署所管法人	所轄税務署の法人課税部門（税務署長宛て）
	局所管法人	（東京局）調査第一部国際情報第二課（国税局長宛て，以下同じ） （大阪局）調査第一部国際情報課 （名古屋局）調査部国際調査課 （関東信越局）調査査察部国際調査課 （札幌，仙台，金沢，広島，高松，福岡，熊本局）調査査察部調査管理課 （沖縄国税事務所）調査課
提出期限	新規の場合	確認対象事業年度のうち最初の事業年度に係る確定申告書の提出期限まで （注）　確定申告書の提出期限が延長されている場合には，その延長された期限まで
	更新の場合	原則として確認対象事業年度開始の日の前日まで
提出部数	署所管法人	（国内事前確認の場合）3部，（二国間事前確認の場合）4部
	局所管法人	（国内事前確認の場合）2部，（二国間事前確認の場合）3部
提出書類		「独立企業間価格の算定方法等の確認に関する申出書」及び「添付資料」 （注1）　二国間事前確認を前提にして，国外関連者の所在地ごとに申出書を作成することに留意 （注2）　二国間事前確認の場合には，同時に「相互協議申立書」の提出も必要
記載項目		「独立企業間価格の算定方法等の確認に関する申出書」の裏面の記載要領に従って記載する。 （注）　単体法人の場合と連結法人の場合で記載項目が異なるので留意 主な記載項目は以下のとおりである。 （単体法人の場合） ・申出法人に関する事項（法人名，納税地，代表者氏名，責任者氏名，事業種目，資本金） ・国外関連者に関する事項（名称，本店又は主たる事務所の所在地，代表者氏名，事業種目） （連結法人の場合） ・連結親法人に関する事項（法人名，納税地，代表者氏名，責任者氏名，事業種目，資本金） ・連結子法人に関する事項（法人名，本店又は主たる事務所の所在地，代

表者氏名，責任者氏名，事業種目，資本金) （事前確認の対象と算定方法） ・確認対象事業年度(原則として3事業年度から5事業年度の範囲で選択) ・事前確認対象国外関連取引 ・独立企業間価格の算定方法（例，原価基準法，再販売価格基準法，残余利益分割法等） （二国間事前確認の場合） ・相互協議の希望の有無（「有」は二国間事前確認，「無」は国内事前確認となる） ・相手国名（相互協議の相手国名を記載する） ・過去年度への遡及適用の希望の有無（いわゆるロールバックの適用の希望を選択） 　（注）　国内事前確認では原則として遡及適用が認められないので，「無」を丸で囲む。 ・遡及適用を希望する対象事業年度

ロ　事務運営指針5－2：事前確認の申出期限を確定申告書の提出期限（期限の延長含む）までであることを確認的に規定している。また，確認申出書の提出部数も規定している。

ハ　事務運営指針5－3：確認の申出書に審査を行う上で必要な資料の添付を求めること及びその必要な資料の具体的内容について規定している。これらの資料は確認の審査を行うに当たり必要となるものであり，これらの資料が提出されない場合には適正な審査を行うことができないことを明示している。

ニ　事務運営指針5－4：確認申出書に添付された資料のうち，外国語で記載されたものについては，日本語訳を添付するよう求めている。外資系内国法人の場合は，通常本国の親会社で申出書と添付資料が検討された後，日本語に翻訳されることが多い。逆に内資系内国法人の場合は，日本の親会社で申出書と添付資料が検討された後，外国語に翻訳されることが多い。いずれにしても親会社主導で事前確認の申出が行われるのが通常であろう。

ホ　事務運営指針5－5：税務署の法人課税部門又は国税局の国際情報課等の受付窓口では，収受した確認申出書の記載事項について記載誤り若しくは記載漏れがないかどうか又は事務運営指針（資料の添付）5－3に規定する資料

の添付の有無等について検討し，不備がある場合には，申出法人に対して補正を求めることを規定している。

ヘ　事務運営指針5－6：確認申出書について，国税庁の担当課への送付，回付の手続を規定している。申出書の提出先は，国税局によって異なる部署となっている。なお，二国間事前確認の場合には，事前確認申出書は局に提出し，相互協議申立書は局所管法人であっても税務署に提出する。つまり，相互協議申立書の提出先は局所管法人であっても税務署となり，事前確認申出書と提出先が異なる。税務署に提出された相互協議申立書のうち1部は庁相互協議室へ送付され，局担当課へは庁調査課経由で副本が回付されてくる。

(2) 添付資料

イ　「独立企業間価格の算定方法等の確認に関する申出書」に添付すべき資料としては以下のものがある。

　　必ず添付することが求められている資料のほか，申出後に審査担当者から求められる追加資料も多い。

ロ　申出時に提出が求められる添付資料は次頁のとおりである。「独立企業間価格の算定方法等の確認に関する申出書」の裏面の記載要領及び事務運営指針の5－3にも同様の添付資料が掲げられている。

図表2−6　事前確認の申出における添付資料

添付資料名	具体的内容
取引図・組織図	確認対象取引及び関連する取引に係る取引関係・取引規模を示した概要図及び確認対象法人及び国外関連者の組織概要図
独立企業間価格の算定方法	採用しようとする独立企業間価格の算定手法とその具体的内容を記載するとともに，それが最も合理的であることの説明
重要な前提条件	事前確認を継続する上で前提となる重要な事業上や経済上の前提条件
確認対象取引	取引及び資金の流れ，取引条件，取引価格の決定方法，決済通貨，為替リスクの負担関係等の確認対象取引の詳細
資本関係・実質的支配関係	確認申出法人と国外関連者との間の直接若しくは間接の資本関係図及び実質的支配関係の説明
機能分析	確認申出法人及び国外関連者が果たす機能及び負担するリスクをそれぞれの機能及びリスクごとに分析整理したもの
過去3年分の営業業績	確認申出法人及び国外関連者の過去3事業年度分の損益実績を含む財務諸表，税務申告書その他事業の内容に関する資料
事業計画・事業予測	将来の事業計画，事業予測に関する資料
課税・訴訟等の状況	国外関連者の移転価格に係る調査，不服申立て，訴訟等が行われている場合のその概要及び過去の課税状況
過年度へ遡及適用した場合の結果	独立企業間価格の算定方法等を前3事業年度に適用した場合の数値結果
その他事前確認にあたり必要な資料	確認対象取引に関する産業分析や市場分析 確認の対象となる製品及び製品のライフサイクルの詳細説明 比較対象取引の選定プロセスと結果 確認対象法人及び国外関連者の事業戦略，事業モデル及び沿革 補償調整の仕方

(注)　その他事前確認にあたり必要な資料の具体的内容に掲げた資料は，申出書と同時に添付資料として添付することが望ましい。

(3) 事前確認の申出における留意点
イ　確認申出書の補正：また，申出の段階で，確認申出書の記載事項について記載誤りや記載漏れがないか，添付資料のチェックが行われ，不備がある場合には，申出法人に対して補正を求められる。提出期限ぎりぎりになって申し出る場合には，とくにチェックが必要である。
ロ　添付資料：添付資料をどの程度詳細に準備すべきかについては，事前相談の段階でできるだけ相談しておくとよい。
ハ　添付資料の翻訳：外国語で記載された資料は，日本語訳を添付するよう求められる。図表等は和訳が不要とされる場合がある。契約書等も全文の和訳でなくとも抄訳や要約で認められる場合もある。外国語の資料のどこまで翻訳すべきかについても，事前相談の段階や審査の段階で担当者と予め相談しておくとよい。

(4) 追加資料の例示
イ　追加資料：「独立企業間価格の算定方法等の確認に関する申出書」には，「申出の後，添付した資料のほかに審査のために必要な資料の提出を求められた場合には，速やかに提出します。」という文面が印刷されている。申出法人の協力があってはじめてスムーズに審査が進行するので，追加資料の範囲や具体的内容についても，審査担当者とのコミュニケーションを常に図り，協力関係・信頼関係を維持していくことが必要である。どのような追加資料がどの程度必要となるかは事案ごとに異なる。追加資料の提出依頼を受けてから，資料の作成に相当の日数を要する場合もあるので，審査担当者と十分相談・協議のうえ，速やかに準備することが早期の確認につながる。
ロ　審査の開始後に求められる追加資料としては次のようなものが挙げられる。
　(イ)　申出方針及び国外関連者の機能分析のさらなる詳細説明
　(ロ)　検証対象法人の選択方法についての詳細説明
　(ハ)　確認対象取引の範囲と取引単位の設定の方法
　(ニ)　比較対象法人の選定方法と使用した公開データ等の明細
　(ホ)　採用する比較対象取引の事業年度の範囲

(ヘ) 差異の調整方法の詳細
(ト) 利益分割ファクターの決定と測定方法（利益分割法を採用する場合）
(チ) 目標利益率レンジの設定方法
(リ) 採用した目標利益率レンジを確認対象事業年度前の各事業年度へ準用した場合の数値結果の詳細

図表2－7　事前確認申請に係る説明資料

		項　　　目	具　体　的　内　容　等
1	1.1 1.2 1.3 1.4 1.5 1.6	事前確認申請の概要 事前確認申出の目的 確認対象取引に係る当事者 確認対象取引 確認対象事業年度 移転価格の算定方法 重要な前提条件	事前確認申請の要約を記載
2	2.1 2.2	○○業界の概要 ○○業界の特徴 日本の○○業界市場	業界の概要，特徴，技術開発，競争状況，統計資料等 日本市場の概要，特徴，技術開発，競争状況，統計資料等
3	3.1 3.2 3.3	申出法人の会社概要 申出法人の組織の概要 確認対象取引に係る申出法人の事業概要 確認対象取引に係る製品の説明	 組織図，資本関係図，取引図等を含む 沿革，事業戦略，財務諸表，税務申告書，年次報告書等 製品案内，製品の特徴，製品価格，価格推移，価格設定方法等
4	4.1 4.2 4.3	国外関連者の会社概要 国外関連者の組織の概要 確認対象取引に係る国外関連者の事業概要 確認対象取引に係る製品の説明	 3に同じ 3に同じ 3に同じ
5	5.1 5.2 5.3 5.4	確認対象取引 確認対象取引の概要 確認対象取引のセグメント情報 確認対象取引に係る移転価格の算定方法 確認対象取引に関連する契約	 取引金額，取引条件，価格設定方法等 取引単位の選択と取引範囲の決定等 実際に行われている移転価格の算定方法等 独占販売契約，使用料契約，技術援助契約等

6		機能及びリスク分析	
	6.1	機能分析 研究開発機能,製造機能,販売及びマーケティング機能等	ほかに経営管理機能,情報サービス機能等
	6.2	リスク分析 販売リスク,在庫リスク,為替リスク,信用リスク等	ほかに研究開発リスク,製造物責任リスク等
	6.3	資産分析 有形資産分析及び無形資産分析	基礎研究,製品開発,特許,商標,製造・販売ノウハウ等を含む
	6.4	要約	
7		移転価格の算定方法の選定	
	7.1	日本及び相手国の移転価格税制からの検討	適用可能な移転価格算定方法の検討
	7.2	OECD移転価格ガイドラインからの検討	国際的指針としてのガイドラインの確認
	7.3	検証対象法人の決定	移転価格算定方法と検証可能な法人の選択
	7.4	移転価格の算定方法の選定方法と考え方	○○法等が採用できない理由,○○法を採用した理由
8		独立企業間レンジの選定と決定	
	8.1	検証対象法人の財務データ	
	8.2	公開データ及び非公開データの活用	使用する公開データの種類と内容,非公開情報の有無
	8.3	比較対象法人の選定方法と考え方 選定基準,比較対象法人の抽出の範囲と選定方法等	定量基準と定性基準の設定,一次選定と二次選定の方法
	8.4	比較対象法人の利益率に係る差異の調整	差異の調整項目の決定と調整方法
	8.5	独立企業間レンジの決定 基準レンジの設定方法,差異の調整方法,独立企業間レンジの算定等	平均値の算出方法,四分位レンジ・フルレンジ等の選択
	8.6	基準レンジの適用結果	検証対象法人の損益数値に基準レンジを適用した結果
9		重要な前提条件	前提となる重要な事業上及び経済上の諸条件
10		その他	
	10.1	補償調整の方法	基準レンジをはずれた場合の具体的調整方法
	10.2	遡及適用の希望	基準レンジを過年度に適用した場合の結果を含む
	10.3	過去の移転価格調査の課税状況	課税,是認を含む過去の移転価格調査の実績

(注1) 6の「機能及びリスク分析」に係る内容を3の「申出法人の会社概要」及び4の「国外関連者の会社概要」のそれぞれの中に含めて記載してもよい。

(注2) 二国間事前確認を申請する場合には,上記のほか,相手国の事前確認手続で必要とされる項目を追加する。

3 申出内容の検討

(1) 申出にあたっての留意事項

イ　事前確認審査の対象となる資料：事前確認の申出内容を審査するにあたっても，検討すべき項目は移転価格調査と基本的にほぼ同じと考えてよい。したがって，事前確認の申出書を審査する場合も，事務運営指針2－4に掲げられた以下のような資料が検討されることになるので，事前に準備しておくことが求められる。

図表2－8　事前確認審査の対象となる資料
（事務運営指針（調査時に検査を行う書類等）2－4による）

区　分	事前確認審査の対象となる資料
法人及び国外関連者の概要関係	資本関係／取引関係／法人の沿革及び主要株主の変遷／有価証券報告書又は計算書類等／主な取扱品目及び取引金額／販売市場及び規模／事業別の業績／事業の特色／各事業年度の特異事項
確認対象取引関係	確認対象取引の内容／契約内容／価格の設定方法及び価格交渉の内容／事業戦略の内容／申出法人及び国外関連者の確認対象取引に係る損益状況／申出法人及び国外関連者の機能又はリスクの内容／使用した無形資産の内容／市場分析／棚卸資産等の内容／確認対象取引と密接に関連する他の取引の有無及びその内容
独立企業間価格の算定関係	比較対象取引の選定過程及び比較対象取引の明細／複数の取引を一の取引として独立企業間価格の算定を行った場合のその基となった個別の取引の内容／独立企業間価格の算定方法を採用した理由／独立企業間価格算定の際に作成した書類／比較対象取引に係る差異の調整方法及びその理由
その他	確認対象取引に係る経理処理基準マニュアル／外国税務当局による移転価格調査又は事前確認の内容／ドキュメンテーション・ルールに従って国外関連者が準備している書類

ロ　事前確認審査と移転価格調査は基本的に同じ：事務運営指針5－11の(2)では，「局担当課は，2－1及び2－2の規定その他の第2章及び第3章の規定の例により事前確認審査を行う。」とある。事務運営指針の2－1は「調査の方針」，2－2は「調査にあたり配意する事項」を指しており，事前確認審査も移転価格調査と同様に行うことが明示されている。したがって，事前確認審査で検討される項目も移転価格調査で必要とされる項目もほぼ同じ

と考えてよい。

(注) 移転価格課税と事前確認の違いについては，第1章「事前確認の概要」の第2節「事前確認・移転価格課税・相互協議との関係」の「2 移転価格課税と事前確認の違い」を参照

ハ 事前確認審査と移転価格調査で異なる点：事務運営指針から事前確認審査と移転価格調査の検討項目は基本的に同じと考えられるといっても，以下のような違いがある。

(イ) 検討資料の範囲の違い：事前確認審査では，納税者から提出された資料に基づいて，申出の算定方法が最も合理的かどうかが審査される。つまり，公開データ及び内部資料等，納税者が入手可能な資料のみに基づいて審査される。一方，移転価格調査では，納税者から提出された公開データや納税者が管理保管している内部資料に限らず，非公開の情報や調査を通じて独自に入手した情報も活用される。公開データと納税者の内部資料のみで審査を行う点が事前確認審査の特徴といえる。この他申出法人の属する業界を分析した公開の業界レポートや業種レポート等も公開情報として活用される。

(ロ) 検討対象の違い：事前確認審査の対象は，あくまで申出内容の範囲に限られており，確認対象取引以外の取引や関連者について詳細に検討されることはない。また，事前確認で申し出た移転価格手法の適否を検討するのが基本であって，これに代わる手法を新たに検討したりすることも原則としてない。一方，移転価格調査では，税務当局の方針で様々な移転価格手法が検討される。

(ハ) ただし，事務運営指針5-11の(4)にあるように「局担当課は，確認申出法人が申し出た独立企業間価格の算定方法等が最も合理的であると認められない場合には，当該確認申出法人に対し，申出の修正を求めることができる。」とあるように，不合理な算定手法を採用した申出までそのまま認めることはない。事前相談の段階で算定方法をはじめ重要な審査項目について基本的な了解をとっておかないと大幅な修正を求められることにもなる

ので十分注意が必要である。
ニ　事前確認審査で検討されるポイント：国税庁の発表資料「事前確認の概況（2006年・平成18年10月）」では，次の点を中心に審査を行うと公表している。
　　(イ)　事前確認を申し出た納税者及び国外関連者の事業実態，国外関連取引の事実関係の把握（申出法人及び国外関連者の実態と申出手法の整合性がチェックされる）
　　(ロ)　審査の際の基礎データを過年度の実績値に適用した場合における所得移転の蓋然性の有無の検討
　　(ハ)　独立企業間価格の算定方法の妥当性の検討
　　(ニ)　比較対象取引の比較可能性の検討（棚卸資産の種類・役務の内容等，取引段階，取引数量，契約条件，取引当事者が果たす機能及び負担するリスク，無形資産，事業戦略，市場参入時期，市場の状況）
ホ　審査にあたって特に注目されるポイント：局担当課が具体的に審査するにあたって特に検討するポイントは，概ね以下に掲げた項目に集約されると思われる。申出を行うにあたっては，以下の審査ポイントを念頭に置いた上で，申出資料の準備を心掛けなければならない。同様の審査ポイントについては，平成19年4月2日に国税庁のホームページに発表された「移転価格税制に関する事前確認の申出及び事前相談について」の「よくあるご質問とその回答」の「質問1－ヘ」にも記載されている。
　　(イ)　独立企業間価格の算定方法と検証対象法人の選択：独立企業間価格の算定方法は適切か，検証対象法人が適切に選択されているか。
　　(ロ)　確認対象取引の範囲と取引単位の選択：国外関連取引のうち確認対象取引とする範囲は適切であるか，確認対象取引における取引単位の設定の仕方が適切であるか。
　　(ハ)　比較対象法人の選定と公開データの使用：移転価格算定方法を選択する場合の比較対象法人の選定が適切に行われているか，公開データの使用方法に問題がないか。
　　(ニ)　差異の調整：差異の調整は適切に選択されているか，合理的な計算が行

われているか。
　　(ホ) 利益分割ファクターの決定と測定：利益分割法を算定方法として選択する場合に，利益分割ファクターの決定と測定が適切に行われているか。
　　(ヘ) レンジの設定と補償調整の方法：目標利益水準に係るレンジの設定方法と補償調整の方法とが適切に行われているか。
　　(ト) 事業年度等：使用する比較対象法人の事業年度の範囲は適切か，平均値等の求め方は妥当か。
　　(チ) 重要な前提条件：重要な前提条件が適切に設定されているか。
ヘ　事前確認で提出された資料の取扱い：確認申出法人が提出した資料については，移転価格調査との関係で次の制約が課されている。すなわち，事務運営指針2－21によれば，移転価格調査にあたっては，確認申出法人から事前確認の審査のために収受した資料（事実に関するものを除く）は使用しないこととされている。したがって，事前確認の審査において納税者から提出された資料は事実に関するものを除き調査担当部署で使用されることはない。逆にいえば，事実に関するものは移転価格調査で使われることがある。
　　(注1)　「事実に関するもの」とは，資本関係図，取引関係図，事業概況書，財務諸表，同付属書類等，法人が通常作成している事業に関する客観的事実を述べた資料をいい，それ以外のものとは，税務当局の求めに応じ，確認を得る目的のために特別に作成された資料と解される。
　　(注2)　移転価格調査にあたって，事前確認の審査のために収受した資料を使用することについて法人の同意があるときは使用できる。
ト　事前確認のために税務当局に提出された資料は申出法人に返還されることはない。したがって，税務当局に資料を提出する場合には，必ず申出法人の控えも提出して収受印を押印したもらった上で，会社控えを保管しておく。
チ　二国間事前確認の申出においては，事前確認申出書と同時に相互協議申立書も提出する必要があるので，提出期限（最初の確認対象事業年度に係る確定申告書の提出期限）までに間に合うよう申出書及び説明資料を準備しておく。
リ　相互協議担当者との連携・協調：事務運営指針5－13で述べられているように，相互協議申立ての段階で，事案を担当する相互協議担当者が明らかに

なるので，審査の段階から，局の審査担当者は相互協議担当者との連絡を行って，相互協議開始予定時期までに審査が終了するよう努めることになる。

ヌ　なお，「第2章　事前確認の内容」の「第2節　事前確認の実務上の留意点」の「2　事前確認申出書・相互協議申立書の提出」に掲げた「事前確認申請に係る説明資料」を参考に，申出書の説明資料を提出期限までに準備・作成しておく。

(2) 実態把握と資料収集

イ　機能・リスク分析：審査担当者は，事前確認審査にあたって，申出法人と国外関連者が確認対象取引について果たしている機能及び負担しているリスクを分析すること等を中心に実態把握と資料収集に努める。申出手法は，実態に適合した合理的な算定手法である必要があり，その判断のためには取引当事者の機能・リスク等を分析することが前提となる。比較法を用いる場合の基本的姿勢として，申出法人と国外関連者のうち，機能・リスク等が少ない方を検証対象法人として選択する方が，一般的に比較対象を見つけやすいし，偏差が少ない。また，再販売価格基準法（RP法）や原価基準法（CP法）を用いる場合は，独立価格基準法（CUP法）に比べて，棚卸資産の類似性よりも機能・リスクの類似性がより重視されるため，機能・リスク分析はより一層精緻に行うことが求められる。しかしながら，一見同じ機能，たとえば販売機能を果たしている場合であっても，棚卸資産の違いが価格や利益率に直接大きく影響を与え，これが逆に機能の違いになって現れている場合もある。機能やリスクの正確な分析と判断がなければ，現実に適合した合理的な移転価格算定手法の選択も困難となり，審査結果の信頼性も低下する。事前確認審査のどのような段階であっても，取引当事者の機能・リスクを的確に把握しておくことが絶対条件であるといっても過言ではない。審査の後になって説明を欠いた機能やリスクを指摘されないよう，申出法人は，申出法人と国外関連者が果たしている機能や負担しているリスクを十分納得いくよう説明することが求められる。

ロ　また，申出法人と国外関連者の機能及びリスクを詳細に実態把握して，整

理しておかなければ，申出法人と国外関連者のいずれかを検証対象法人として選択したらよいか判断もできないし，採用する独立企業間価格の算定方法も選択もできない。

ハ　機能分析の中でも，法人の中枢機能は何であるかを明確に実態把握しておくことは特に重要である。たとえば，主要な機能としては研究開発機能，製造機能，販売機能等が挙げられるし，取引段階としては製造，卸売，小売等が，無形資産の分類としては製造無形資産，販売無形資産等が典型的なものである。しかしながら，一口に販売機能といっても店舗販売，通信カタログ販売，インターネット販売では販売機能は大きく異なるので同一視することはできないであろうし，製造機能といっても自社工場で製造している場合とアウトソーシングして外注に依存している場合では同様とはいえないであろう。財務諸表のみでは見えない機能やリスクについて可能な限り詳細な分析を行うとともに，所得を生み出す重要な機能（中枢機能等）が何かを特定できるようにしておく。以下に機能分析及びリスク分析のための簡単な整理表を例として掲げる。

図表２－９　機能分析表の例

機　能　の　内　容	申出法人	国外関連者
【研究開発機能】 　研究開発戦略，基礎研究，製品開発，製品設計，生産技術開発等		
【製造機能】 　生産計画，設備投資，原材料・部品調達，工程管理，品質管理，在庫管理，ＰＬ負担，生産技術支援等		
【販売】 　市場動向調査，製品戦略，販売戦略，販売計画，販売員教育，広告宣伝活動，販売活動，顧客管理，価格交渉・価格決定，受注・発注業務，物流業務，在庫管理，アフターサービス・製品保証等		
【一般管理業務】 　人事管理，福利厚生，会計業務，財務管理等		

図表2－10　リスク分析表の例

リスクの内容	申出法人	国外関連者
販売リスク，在庫リスク，為替リスク，信用リスク，製品保証リスク等		

◎：当該業務を主として果たし，またリスクを負担している。
○：当該業務を分担し，またはリスクを負担している。
△：当該業務の補助的な業務を果たしている。
無：当該業務に全く関与していない。

ニ　審査では，まず，基本的事項として審査対象法人及び国外関連者の組織や事業の概要を把握し，確認対象取引以外の取引も含めて，申出法人がどのような海外取引を行っているかその概要が確認される。また，審査対象法人及び国外関連者がおかれている市場のポジション，市場の動向や特殊性，市場シェア等，確認対象取引を取り巻く市場環境も検討される。審査対象法人及び国外関連者の機能分析を含む実態把握や確認対象取引の検討は，事前確認申出書の添付資料のほか，審査対象法人に対して提出を依頼した追加資料（事前確認の申出の審査のために必要と認められる資料）に基づいて行われる。審査担当者は，必要に応じて，審査対象法人の関連部署への聴取を行うことも多い。事前確認の申出書添付資料の範囲は，事務運営指針5－3に示されており，申出書に資料の添付がない場合には，申出法人に対して資料の提出が要請される。

ホ　提出資料：事前確認審査では，事務運営指針5－3に掲げられた以下の申出書添付資料が精査されることになる。「図表2－8　事前確認審査の対象となる資料」に掲げた資料リストと比較してみて欲しい。移転価格調査では検討対象とならない重要な前提条件，事業予測，遡及適用した場合の数値結果等，事前確認に特有の資料が盛り込まれている。

図表2－11　事前確認申出書の添付資料

添付資料名	具体的内容
取引図及び組織図	確認対象取引及び関連する取引に係る取引概要図 確認対象法人及び国外関連者の組織概要図
独立企業間価格の算定方法	採用しようとする独立企業間価格の算定手法とその具体的内容を記載するとともに，それが最も合理的であることの説明
重要な前提条件	事前確認を継続する上で前提となる事業上や経済上の前提条件
確認対象取引	取引及び資金の流れ，取引条件，取引価格の決定方法，決済通貨，為替リスクの負担関係等の確認対象取引の詳細
資本関係又は実質的支配関係	確認申出法人と国外関連者との間の直接若しくは間接の資本関係図及び実質的支配関係の説明
機能分析	確認申出法人及び国外関連者が果たす機能及び負担するリスクをそれぞれの機能及びリスクごとに整理分析したもの
過去3年分の営業業績	確認申出法人及び国外関連者の過去3事業年度分の損益実績を含む財務諸表，税務申告書その他事業の内容に関する資料
事業計画及び事業予測	将来の事業計画，事業予測に関する資料
課税及び訴訟等の状況	国外関連者の移転価格に係る調査，不服申立て，訴訟等が行われている場合のその概要及び過去の課税状況
過去年度へ遡及適用した場合の結果	独立企業間価格の算定方法等を前3事業年度に適用した場合の数値結果
その他事前確認にあたり必要な資料	確認対象取引に関する産業分析や市場分析 確認の対象となる製品の詳細説明 比較対象取引の選定プロセスと結果 確認対象法人及び国外関連者の事業戦略，事業モデル及び沿革 補償調整の仕方

ヘ　追加資料：次に，事務運営指針5－11の(3)にあるように，「局担当課は，事前確認審査のため，5－3に規定する資料以外の資料が必要と認められる場合には，確認申出法人にその旨を説明し，当該資料の提出を求める。」とあるように，追加資料が求められる。また，「独立企業間価格の算定方法等の確認に関する申出書」には，「申出の後，添付した資料のほかに審査のために必要な資料の提出を求められた場合には，速やかに提出します。」とい

う一文も印刷されている。したがって，追加資料が求められることを前提に準備しておくことが望ましい。追加資料は，審査担当者からの提出依頼を受けてから作成や準備のために相当の事務量や日数を要する場合も多い。審査担当者と事前に十分相談し，早めに準備できるよう心掛けておくことが早期の確認につながる。

ト　税務当局の部内資料：実態把握や資料収集においては，申出法人から提出される資料のほかにも，申告書や法人税調査資料などの内部資料も活用される。特に，移転価格課税を受けた後続の事業年度について出された事前確認の申出を審査する場合は，調査において問題となった事項等について再検討される。

(3) 独立企業間価格の算定方法と検証対象法人の選択

イ　独立企業間価格の算定方法と検証対象法人の選択：独立企業間価格の算定方法と検証対象法人の選択は確認対象取引に係る二国間での所得配分を大枠で決定してしまうので非常に重要な項目といえる。申出を行う際に，どのような算定手法をどのような分析に基づいて選択するのか，また，検証対象法人を申出法人と国外関連者のいずれを選択するかは初期の段階から十分時間をかけて判断しなければならない。独立企業間価格の算定方法と検証対象法人の選択を適切に行うためには，次の点の検討が欠かせない。

(イ)　確認対象取引に係る取引当事者の果たしている機能と負担しているリスク

(ロ)　確認対象取引に係る利益配分状況

(ハ)　市場の状況と取引当事者の市場における位置付け

(ニ)　公開データの入手可能性及び信頼性

ロ　比較法と利益分割法の選択：独立企業間価格の算定手法を選択する上での大きな分かれ道は，比較法を選択するか，利益分割法を選択するかという問題である。十分な数の信頼できる比較対象法人のデータがあれば，まずは比較法の適用を検討することになる。比較対象法人が全くないような場合には比較法を適用できないので，利益分割法を選択することになる。特に，重要

な無形資産を取引当事者双方が有していることが実態として明らかな場合には，残余利益分割法を選択することになる。取引当事者双方に価値の高い無形資産がある場合に片方の当事者に重要な無形資産を有しない比較対象法人を適用すると適切な結果が得られないことが多く，一般的には利益分割法を検討することになる。

ハ 検証対象法人の選択：検証対象法人の選択というのは，取引当事者のうち，どちらの法人を算定方法の適用対象とするかということである。検証対象法人が複雑な機能を有していたり，比較対象法人を把握するのに必要な公開データが見出せないといった場合には，検証対象法人として選択することは困難となる。実務的に可能な検証対象法人を選択では，確認対象取引にかかわる当事者のうち，比較的機能が簡単で，公開データから比較対象法人が見つけやすい一方を選択することが多い。理想的な比較対象法人を把握することが困難な場合も多いので，選択肢を拡大する等柔軟な発想も必要となる。

ニ 移転価格算定方法：事前確認において使用されている算定方法の概要は，次の表のとおりである。算定方法は，まず比較法と利益分割法に大別される。比較法では，検証対象法人に一定の利益を確保させ，残りの利益はもう一方の取引当事者に配分する。これに対して利益分割法では，確認対象取引に係る合算損益を確認対象取引の双方の取引当事者に配分するという違いがある。独立企業間価格の算定方法の選択にあたっては，算定方法と検証対象法人の選択が二国間での所得配分を大枠で決定してしまうことを十分すぎるほど念頭において検討していかなければならない。

図表2－12　事前確認で使用される独立企業間価格の算定方法

算定方法		利益指標	適用上のポイント	問題点
基本三法	CUP法	取引価格	製品が同種の場合に適用	同種の取引を見出すことが極めて困難
	RP法	売上総利益率	製品が同種又は類似の場合に適用 販売機能等の類似性に着目した方法	同種又は類似の製品を扱う比較対象企業の把握が困難。販売機能等の差異調整が困難な場合が多い。
	CP法	売上原価マークアップ率	製品が同種又は類似の場合に適用 製造機能等の類似性に着目した方法	機能に応じた適正マークアップの算出が困難。製造原価等のコストの差異調整が困難な場合が多い。
その他の方法	基本三法に準ずる方法	上記に準ずる指標	基本三法の要件を緩和して適用	緩和可能な範囲の決定で議論が多い。
	PS法	合算営業利益を一定の按分比率で配分	基本三法が適用できない場合に，申出法人と国外関連者の機能に応じて合算営業利益を分割する方法	分割ファクターの決定及び合理的説明が困難な場合が多い。
	TNMM法	取引単位の営業利益率	取引価格や売上総利益より機能の差異による影響を受けない営業利益で比較する方法	取引単位ごとの営業利益を切り出すことが実務的に困難。また，販管費の配賦の精度等，営業損益の切出し方法の精度に問題が残る。
法令に定めのない算定方法	CPM法	全社ベース営業利益率	比較対象法人の全体ベースの営業利益率を使用するため，適用が容易 ただし，比較対象法人と検証対象法人の製品や機能の類似性を高める必要性がある。	会社全体での比較となるため，比較可能性が不十分で，信頼性が低い。
	修正RP法	全社ベース売上総利益率		CPM法と実質的に同じ結果になる。
	修正CP法	総費用営業利益率		CPM法と実質的に同じ結果になる。

（注）　法令に定めのない算定方法：法令に定めのない独立企業間価格の算定方法の例をここに掲げたが，事前確認において確認手法として認められるかどうか問題が残るものの，現実には確認手法として受け入れられることが多いようである。

ホ 最も合理的な方法の意義：事務運営指針1－1では、「事前確認とは税務署長又は国税局長が、法人が採用する最も合理的と認められる独立企業間価格の算定方法及びその具体的内容等について確認を行なうこと」と定義がなされている。ここで言う「最も合理的な方法」は、措置法第66の4第2項に規定する独立企業間価格の算定方法のみに限られるかという問題がある。措置法に規定されている算定方法とは、独立価格比準法、再販売価格基準法（RP法）、原価基準法（CP法）の基本三法及びこれらに準ずる方法、並びに利益分割法（PS法）、取引単位営業利益法（TNMM）、さらにこれらと同等の方法ということになる。二国間事前確認を申し出る場合、日本と相手国でそれぞれ法令上認められている算定方法に違いがある場合にどうするか。たとえば、米国で認められているが、日本では認められない利益比準法（CPM）を最も合理的な算定方法として申請することができるか。事前確認では柔軟的な対応が求められており、準ずる方法や同等の方法として認められる可能性がある。

ヘ 利益分割法の位置付け：わが国で実際に利用される利益分割法は、「寄与度利益分割法」、「残余利益分割法」、「比較利益分割法」の3つである。利益分割法は、次の理由によって、事前確認において重要な手法と位置付けられる。

(イ) 重要な無形資産を含む取引の場合、比較法は比較可能性のフィルターをクリアしなければならないという算定方法としての限界があり、残余利益分割法が利用される場合が多い。

(ロ) 利益分割法の適用は、双方の取引当事者が合算損益を分け合うため、確認対象取引に係る合算損益のレベルが低い場合でも、所得が創造されることを回避できる。

(ハ) 国際金融取引等のグローバル・トレーディングに適用可能な手法は、その特殊性から利益分割法が主となること。

(ニ) 確認対象取引に係る利益配分状況の検証も基本的には利益分割法的な思考に基づくものである。

ト　利益指標の選択：利益指標には，売上総利益率，売上原価マークアップ率，取引単位営業利益率，合算営業利益の配分比率等がある。営業利益率と一口にいっても，取引単位営業利益率，総費用営業利益率，営業資産営業利益率，営業費用営業利益率といった様々なバリエーションが考えられる。利益率指標は，適用される算定方法と共に根幹をなしており，算定方法の選択いかんで利益率指標も自動的に決まる。事前確認の申出では，公開データとして得られる損益情報が限られることが多いため，利益指標として営業利益率をベースにした算定方法が提案される場合が多い。また，営業利益率を利益指標として使用しない場合においても，審査では営業利益率に着目した利益配分状況の検証が行われる。これは，売上総利益に比べて，営業利益は法人の本来の事業活動から獲得されたリターンを直接反映した結果利益であり，所得に直結する指標と考えられるからである。

【算定方法と検証対象法人の選択】

どちらの法人を検証対象法人として選択するか？

申出法人　　　　　国外関連者

どのような算定手法を適用するか？（CUP, RP, CP, PS, TNMM）

(4)　確認対象取引の範囲と取引単位の設定

イ　確認対象取引の範囲：事前確認の申出においてどの取引のどの範囲を対象とするかという問題である。原則として申出法人が自ら選択した取引範囲が認められるが，その場合に検討すべきポイントは以下のとおりである。

(イ)　密接に関連のある取引：関連者間で行われる全ての取引を事前確認の対象とするか，あるいは一部分の取引のみを対象とするか。たとえば，親子会社間で棚卸取引と使用料取引の両方ある場合に，確認対象取引をどうす

るか。棚卸取引と使用料取引は密接に関連しており、一体として事業活動が行われていると判断される場合に、棚卸取引のみ、あるいは使用料取引のみを確認対象とするのは合理的な判断とは認められないであろう。

　また、確認対象取引の範囲を選択する場合には、個々の取引の事業上のつながりを分析しなければならない。たとえば、①同一グループの製品価格がプロダクトミックスとして総合的に決められている場合に一部の製品のみを確認対象取引にできるか、②製品は低価格で販売し、販売後のサービス提供や消耗品の販売で利益を上げるビジネスモデルを戦略的に採用している場合に製品のみを確認対象取引にできるか、③売る（販売）・修理する（サービス）・貸す（レンタル）を一体の事業モデルとしている場合に一部の事業分野のみを確認対象にできるか等が考えられる。このような場合、それぞれの取引を分離して別個に考えるのは合理的とは言えないであろう。

(ロ)　確認対象取引と算定方法の選択：また、棚卸取引と使用料取引のそれぞれについて、別々の算定手法を適用すべきか、両取引を一体として一つの算定方法を適用すべきかという確認対象取引にかかる算定方法の選択の問題がある。確認対象取引の範囲と算定方法の選択は密接に関係する。

(ハ)　取引規模と確認対象取引の選択：関連者間で行われる取引のうち、金額のわずかな取引を含めて確認対象とするか、あるいは除外して取引規模の大きい取引のみを確認対象とするかという取引規模と確認対象取引の選択の問題がある。取引の規模や重要性等も加味して、合理的な取引の範囲を確認対象として選択し、これに適切な算定方法を組み合わせなければならない。

(ニ)　移転価格調査で問題にされそうな取引：移転価格調査で問題にされそうな取引のみを確認対象取引とすることができるか。申出法人にとっては、費用と時間の節約になり都合がいいものの、取引範囲の妥当性を無視した選択は認められにくい。このような視点から確認対象取引と算定方法の選択について、事前確認を申し出る場合には最初に検討されなければならない。

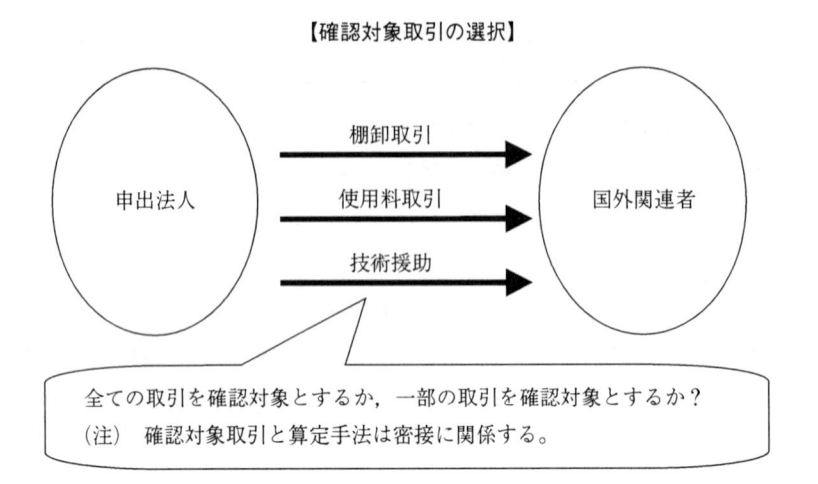

【確認対象取引の選択】

申出法人 → 国外関連者
- 棚卸取引
- 使用料取引
- 技術援助

全ての取引を確認対象とするか，一部の取引を確認対象とするか？
（注）確認対象取引と算定手法は密接に関係する。

ロ　取引単位の設定：事前確認の申出を行うにあたって，取引単位をどのように捉えるかは，確認対象取引の範囲とともに極めて重要な検討項目である。

(イ)　グルーピングすべき取引の範囲：わが国の移転価格税制では，独立企業間価格の算定は，原則として個別の取引ごとに行い，一定の場合にグルーピングした取引やセグメントを取引単位とすることができるとされている。取引単位について，措置法通達66の4(3)-1（取引単位）では，次のように説明されている。

　独立企業間価格の算定は，原則として，個別の取引ごとに行うのであるが，たとえば，次に掲げる場合には，これらの取引を一の取引として独立企業間価格を算定することができる。

(1)　国外関連取引について，同一の製品グループに属する取引，同一の事業セグメントに属する取引等を考慮して価格設定が行われており，独立企業間価格についてもこれらの単位で算定することが合理的であると認められる場合

(2)　国外関連取引について，生産用部品の販売取引と当該生産用部品に係る製造ノーハウの使用許諾取引等が一体として行われており，

独立企業間価格についても一体として算定することが合理的である
と認められる場合

(ロ) 内部データと外部データの情報の差：取引単位の設定を判断するにあたって，確認対象取引に係る切出しデータの範囲と比較対象法人のデータの範囲とを区分して，それぞれ取引単位を検討する。取引単位の設定に係るポイントとして，①申出法人の事業実態からみてグルーピングに適した範囲の取引となっているか，②確認対象取引の損益等の切出しが可能か，③比較対象法人に係る公開データの範囲が適切に選ばれているか等がある。

このうち，①と②については，申出法人の内部データの問題である。申出法人は，一般的に言って切出しデータ処理の簡便性と事務負担の観点から，できるだけ取引単位を広げたいと考えるかもしれない。この場合，取引関係の密接性，事業実態や損益管理の一体性を合理的に説明できなければならない。

一方，③は，比較対象法人に係る外部データの問題である。比較法における比較対象法人の利益率や残余利益分割法における基礎的利益を抽出する場合，比較対象法人の公開データ（外部データ）を必要とするが，公開データを使用する事前確認の場合，比較対象法人のデータは，会社単位となる場合がほとんどであり，会社全体の売上高と営業利益程度しか取れないため，個別の取引単位のデータやセグメント損益は入手できないことが多い。その場合，仮に，比較対象法人の公開データが会社単位であることに引きずられると，内部データである確認対象取引の取引単位も際限なく広がり，比較対象性をますます薄めてしまう結果となる。検証対象法人の取引単位ごとの利益率を算出するために必要なデータは，申出法人が保有しているのが通常であるから，取引単位をどのように選択しようとも，取引単位ごとの損益を計算することは本来的に可能なはずである。検証対象法人については合理的な取引単位ごとに区分した上で損益を引き出し，その取引単位ごとに比較可能な法人の全社データと比較することで信頼度が

高くなる。確認対象取引の取引単位と比較対象法人のそれとの整合性を保つことには困難が多い。

(ハ) 取引単位ごとの損益データの入手可能性：取引単位の損益が分離・抽出できなくては取引単位ごとの検討ができない。特に，国外関連者が保有するデータを使用しなければ取引単位ごとの損益が分からない場合，入手可能かどうかが実務上問題となる。一般的にいって，親会社及び親会社側の税務当局は比較的詳細な損益データは入手し易く，逆に子会社及び子会社側の税務当局はデータの入手が困難な場合が多い。このような損益情報の入手可能性の格差は可能な限り解消するよう努めなければならない。

(ニ) 共通経費の配賦：取引単位ごとの営業利益を算出するには，販売費及び一般管理費等共通費の配賦を適切に行う必要がある。特定の取引に関する営業損益を人為的に切り出す場合，間接経費の配賦の如何で，各セグメントの損益の額や利益率が大きく変わるので，合理的な配賦基準に基づき可能な限り精緻な計算を行わなければならない。

(ホ) 関連取引と非関連取引の区分：確認対象取引の範囲は，審査対象法人と国外関連者との間の国外関連取引である。確認対象取引の中に非関連取引が含まれる場合には，これを除外してセグメント損益を抽出しなければならない。同様に，関連取引を多く含むと想定できる比較対象法人は比較対象から除外しなければならない。

(ヘ) 例示：たとえば，申出法人は国外関連者に対して製品Ａと製品Ｂという２つの製品を輸出しているケースを考えてみる。この場合，さらに申出法人は国外関連者に対して製品Ａと製品Ｂの補修サービス等の目的で部品も輸出しているとする。製品Ａは普及品のため競争が激しく低価格が設定されており，輸出に係る売上利益率は30％と低く，製品Ｂは新製品のため高価格が設定されており，輸出に係る売上利益率が50％と高かったとする。製品Ａと製品Ｂを別々の取引単位とみると，申出法人の所在国の税務当局側では，製品Ａの移転価格（輸出価格）が低すぎないかが気になるし，逆に国外関連者の所在国の税務当局側では製品Ｂの移転価格（輸入価格）が高す

ぎないかといった点が気になるだろう。このような場合，製品Aと製品Bを合わせて一つの取引単位として認めることができるか，別々の取引単位として検討するのがよいか検討しなければならない。さらに，国外関連者が所在地国で製品Aや製品Bを販売するに際して，補修サービスが欠かせないため補修用の部品を申出法人から購入する必要があるような場合，やはり部品の購入価格が別途移転価格上の問題となる可能性もあり得る。このような場合，製品A，製品Bの取引に加えて補修用部品取引も含めて一つの取引単位として選択するほうが合理的な取引単位といえるかもしれない。この場合でも，国外関連者の販売先が製品輸出について，製品A・製品Bを一つのまとまった製品群として価格交渉しているとか，製品A・製品B・補修用部品の損益管理を事業部において一体で行っているとか，一体の取引とみられる合理的な事実関係の説明が必要となる。

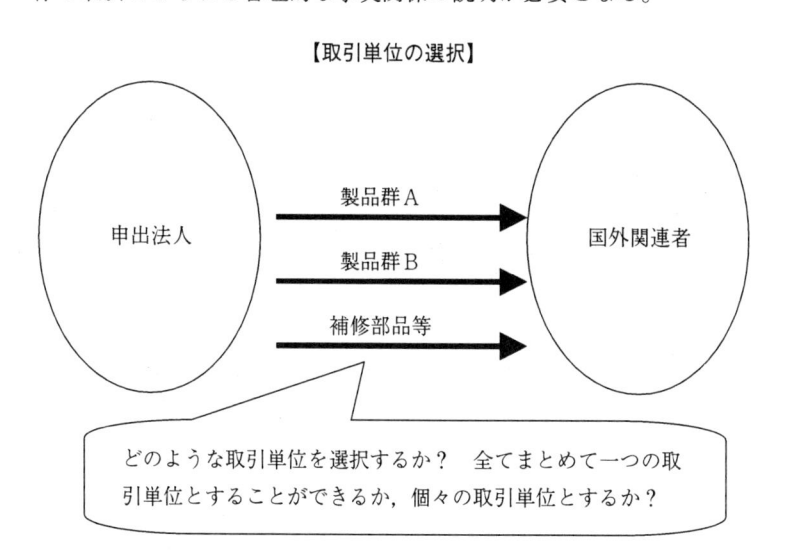

【取引単位の選択】

申出法人 →製品群A→ 国外関連者
　　　　 →製品群B→
　　　　 →補修部品等→

どのような取引単位を選択するか？　全てまとめて一つの取引単位とすることができるか，個々の取引単位とするか？

(5) **比較対象法人の選定と公開データ**

イ　比較対象法人の選定の流れ（消去法）：比較対象法人をどのように選択するかは，独立企業間価格の算定において決定的な影響を与える極めて大きなポイントとなる。比較対象法人の選定にあたっては一般に消去法を用いて行う。

手順としては，以下の段階に沿って行うことになろう。

(イ) 検証対象法人の機能分析
・検証対象法人（申出法人又は国外関連者のいずれかを選択）の機能分析を確認し，比較可能な業種の範囲を把握した上で，業種を特定する。

⇩

(ロ) 粗選定：公開データベースによる業種検索
・公開データベースを使って特定した業種のデータ検索を行う。
・当初は業種の範囲を広めに設定し，十分な数の比較対象法人候補を抽出する。
（はじめから業種を絞り込みすぎると必要な比較対象法人数が得られない）

⇩

(ハ) 定量的条件による絞込み
・定量的条件を設定し比較対象法人候補を絞り込む。
・例，取引規模で絞り込む，情報不足の比較対象企業候補を除外する。

⇩

(ニ) 定性的条件による絞込み
・定性的条件を加えてさらに比較対象法人候補を絞り込む。
・例，対売上研究開発費比率，取引全体に占める国外関連取引比率

⇩

(ホ) 比較対象法人の決定
・定量的条件，定性的条件の最終的見直しを行い，比較対象法人候補の総合評価を行う。
・企業の事業情報を詳細に検討して最終的な比較対象法人を決定する。

⇩

(ヘ) 差異の調整
・検証対象法人と絞り込んだ比較対象法人との差異を調整する。
・例，決済条件，棚卸保有水準，運転資本調整等

⇩

(ト) レンジの設定
・比較対象法人の差異の調整後の数値を使用して目標レンジを設定する。
・適切なレンジ設定方法（四分位法，フルレンジ，標準偏差レンジ等）を採用する。

（注1） (イ)と(ロ)の作業は，順番どおりにスムーズにいくとは限らない。検証対象法人の機能分析に基づき業種を特定する場合，あまり限定しすぎると必要な数の比較対象法人が抽出できない。そのような場合，検証対象法

人の属する業種や機能をやや広めにとるなどして，比較対象法人数を確保する等の工夫が必要となる。(イ)と(ロ)の間をキャッチボールしながら，比較対象法人の粗選定を行う。恣意的な業種選定に偏らないよう留意する。

(注2)　(ハ)と(ニ)の作業も，順序よくスムーズにいかないことが多いだろう。この場合も，定量的条件や定性的条件をいろいろ入れ替えてみて，比較対象法人候補を絞り込んでいく。条件設定が必要な比較対象法人数を得るだけのための恣意的な設定とならないよう留意する。

(注3)　(ホ)と(ヘ)と(ト)も同様に，順序よくすすむとは限らない。極端に少ない比較対象法人数に絞るとレンジの設定ができないし，差異の調整にあまりこだわりすぎると予想したレンジの設定にならない。比較可能性が保たれる範囲で比較対象法人を抽出すること，大きな利益率の変更が生じるような差異の調整は比較対象性を否定しかねないので再検討する，レンジの設定方法を工夫する等の試行錯誤が必要となる。

(イ)　検証対象法人の機能分析

① 既に，第2節の「3　申出内容の検討」の「(2)　実態把握と資料収集」において機能・リスク分析の意義とポイントについて述べたように，申出法人と国外関連者の機能及びリスクを詳細に比較検討し，整理しておかなければ，申出法人と国外関連者のいずれかを検証対象法人として選択したらよいか判断できないし，採用すべき独立企業間価格の算定方法も決定できない。

② ここでは，申出法人と国外関連者のいずれかを検証対象法人として選択した後に，選択した検証対象法人の機能やリスクに見合う比較対象法人をどのように選定するかを検討していく。具体的には，業種を特定して比較対象法人候補を粗選定し，さらに定量的条件及び定性的条件を設定して絞り込み，最終的な比較対象法人を決定していく。この比較対象法人の選定過程で，検証対象法人の機能分析結果をもう一度確認しておき，比較対象法人に係る様々な情報を吟味する上で活用するよう心掛ける。

③ 比較対象法人を選定するために利用される公開データの情報量は極めて限定的である。検証対象法人の機能やリスクを十分念頭において，限られた公開情報の中でどのように比較対象法人を抽出し，選定していくか。機械的に選定できるわけではないので，定量的分析と定性的分析を組み合わせながら

試行錯誤を行いながら絞り込んでいかざるを得ない。

④ 措置法関係通達第66の4⑵−3（比較対象取引の選定にあたって検討すべき要素）に掲げられている12要素を詳細に検討することができれば理想的だろうが，実際には公開データの情報量は限られており，精密な比較は不可能である。財務データベース，企業ホームページ，業界や市場レポート，製品情報等様々な公開情報を駆使して，可能な限り検証対象法人と類似する業種から比較対象候補を絞り込んでいくしかない。

⑤ 特定の市場や国・地域で公開データが極端に限られているようなケースでは，検証対象法人の機能に着目して，利用可能な公開データを使って検索する業種や国・地域を拡大していかなければ必要とする数の比較対象法人が得られない場合も多いだろう。このような場合にも，検証対象法人の中核的機能をしっかりとおさえておかなければ，比較対象法人の範囲等を拡大することについての合理的な説明ができなくなる。

⑥ 関連者間取引を行う販売子会社は，独立の販売子会社に比べると事業リスクが低いことが多いかもしれない。そのような場合，関連者間取引を行う販売子会社と同業の独立企業の中から，リスク負担が同様の比較対象企業を見つけるのは難しいだろう。むしろ，業種が異なる独立企業の方が機能面での比較可能性が高いことがあるかもしれない。必ず同業種から比較対象企業を見つけなくてはいけないとこだわらず，柔軟な発想で比較可能性を模索していくことも大事である。たとえば，販社でも負担するリスクが低い場合は，サービス業の方が機能やリスクの類似性が高いといえることもあり得る。必ずしも同業種である必要はないが，業種が違う場合には，それが合理的である理由を十分に説明できなければならない。

⑦ そうは言っても，販売製品の類似性が全くないのに，機能だけが類似しているからといって利益率も同様となるということもない。個々のケースで判断するしかないが，販売する製品が違えば利益率が違うと考えるのが普通である。言い換えれば，製品の類似性は比較可能性に影響を与えると考えられるので，業種が異なるものを比較対象として採用する場合には，それが合理

的である理由を十分に説明できなければならない。現実的で，かつ，合理的な説明のつく比較対象法人を抽出する努力が求められる。

㈹　**粗選定：公開データベースによる業種検索**
①　粗選定では，検証対象法人の実態把握に基づき，確認対象取引の業種分類と同様または類似する業種の法人を抽出する作業を行う。比較対象法人候補の抽出作業は，各種データベースから適切な業種コードに基づき，比較対象法人候補を仮選定することから始める。同時に，業種コード以外の選定基準（キーワード検索等）を加えながら比較対象候補法人の絞込みを行う。
②　たとえば，自動車部品を米国に輸出している製造業者の場合，業種コード3714（自動車部品及び付属品，ＳＩＣコード）等から比較対象法人候補をリストアップし，キーワード検索（たとえば，「Automobile, manufacture, and parts」）を加えて，さらに絞り込むといった手順である。
③　このようにして絞り込まれた比較対象法人候補の財務データをエクセル等に落としこみ，一覧表を作成する。

【公開データベースの利用上の注意】
a　単一の公開データベースにのみ依存せず，可能な限り複数のデータベースを使うことが望ましい。
b　公開データベースの活用にあたっては，そのデータベースの正確性や特徴を理解して利用する。
c　公開データベースのほか，業界団体が取りまとめている業界分析レポート等，比較対象性を検討するうえで参考となる資料もあわせて活用する。

図表2－13　主な公開データベース

対象企業	公開データベースの例示
全世界	Osiris
日本企業	JADE, CD Eyes 50, 日経テレコン21, 企業概要データベースCOSMOS1, 企業概要データベースCOSMOS2, 外資系企業総覧, 海外企業総覧
米国企業	Compustat, Mergent, Disclosure, Osiris, Worldscope
欧州企業	Amadeus
韓国企業	Kis－Line
豪州企業	Who Australian Business Who's Who, IBIS, Mergent
シンガポール	Singapore 1000, Osiris
その他	Malaysia 1000　ダンレポート, Lexis・Nexis, Oriana

① Osiris（ビューロー・バン・ダイク社）：世界の上場企業約3万社の財務データ（業種・役員・出資関係・財務諸表等）を収録。オンラインサービスで情報を提供

② JADE（ビューロー・バン・ダイク社）：日本の上場・未上場企業約10万社の財務データを分析できるＣＤ－ＲＯＭ。ビューロバンダイク社と帝国データバンク社との共同制作による財務分析ソフト

③ CD Eyes 50（東京商工リサーチ社）：日本全国の大企業から中小企業のデータ売上上位約50万社を1枚のＣＤ－ＲＯＭ化。32項目の検索キーを組み合わせて企業を抽出できる。企業コード，上場区分，商号，代表者，所在地等の基本情報が収録されている。

④ 日経テレコン21（日経テレコン社）：日経テレコン21は，インターネットで情報を提供する会員制のビジネスサービスであり，100万社を超える企業情報，人事情報，マーケット情報等の各種専門情報を提供している。124誌の記事情報，100万社超の企業情報・人事情報等幅広い情報を提供。企業情報としては日本経済新聞のデジタルメディア，東京商工リサーチ，帝国データバンク等の企業情報や財務情報をまとめて検索できる。

⑤ 企業概要データベースＣＯＳＭＯＳ１（帝国データバンク）：58万社の企業単

独財務ファイル，企業連結財務ファイル3,500社の検索可能

⑥　企業概要データベース COSMOS 2（帝国データバンク）：124万社の企業概要ファイルが検索可能

⑦　外資系企業総覧（東洋経済新報社）：日本企業のうち外資系企業の詳細情報を集録したＣＤ－ＲＯＭ

⑧　海外企業総覧（東洋経済新報社）：日本企業4,000社余りの海外現地法人の企業情報を集録したＣＤ－ＲＯＭ

⑨　Compustat（スタンダード＆プアーズ社）：米国版とグローバル版がある。米国版は米国上場企業10,000社以上，上場廃止企業11,500社以上，カナダ企業1,400社以上を掲載。データ量が豊富であり，米国との取引では不可欠のデータベース。米国ＩＲＳも多用している。

⑩　Mergent（マージェント社）：米国ニューヨークに本社を置く情報提供会社マージェント社の企業財務情報。米国上場企業15,000社及びその他の国の上場企業20,000社の過去最大15年分の財務情報をオンラインで提供。Compustatと同様にデータ量が豊富で頻繁に利用される。業種別のＳＩＣコードを使って業種を絞り込める。

⑪　Amadeus（ビューロー・バン・ダイク社）：欧州企業30カ国20万社の財務データを収録したＣＤ－ＲＯＭ。データの加工・分析が可能。ビューロバンダイク社と欧州の情報提供会社との共同制作による財務分析ソフト

⑫　Kis－Line（韓国信用評価社）：約42万社のデータが搭載されている。企業名のほか，韓国産業分類コードによる選定も可能。個別企業のデータを抽出することは可能だが，複数企業の財務データを表形式で処理することは困難

⑬　Business Who's Who of Australia（ＡＳＩＣ（オーストラリア証券投資委員会））：39,293社の事業概要データ(財務データなし)が搭載されている。ＳＩＣコードにより選択が可能である。

⑭　IBIS：「Australian and New Zealand IBIS Business Information Service database」の略称。豪州の上位2,000社が搭載されている。ＡＮＺＳＩＣコード（豪州，ＮＺ用のＳＩＣコード）により選択が可能である。

⑮ Singapore 1000（DP Information Group）：シンガポールの信用情報提供会社が提供するシンガポールのトップ1,000社の財務情報をＣＤ－ＲＯＭで提供

⑯ Malaysia 1000（Companies Commission of Malaysia 等の共同事業）マレーシアのトップ1,000社の財務情報を書籍で提供

⑰ ダンレポート（ダン＆ブラッドストリート社）：世界200か国，7,000万社という膨大な数の企業情報を提供。企業名，所在地，電話番号，事業内容，設立年等をオンラインサービスで提供。財務情報が少ないため利用価値は低い。

⑱ Lexis・Nexis（レクシスネクシス・グループ）：上場企業約３万社及び未上場企業約５万社の企業情報・法令・判例の検索が可能

⑲ Oriana（ビューロー・バン・ダイク社）：アジア各国の上場・非上場企業約10万社の財務データがＣＤ－ＲＯＭに収録されている。

【インターネットから得られる財務情報】

① EDINET：日本の上場法人の有価証券報告書が入手可能
　（http://info.edinet.go.jp）

② EDGAR：米国の上場法人の有価証券報告書が入手可能。ＥＤＧＡＲとは，「Electronic Data Gathering, Analysis and Retrieval」の略で，米国証券取引委員会（ＳＥＣ）が運営する企業情報ウエブサイト
　（http://www.sec.gov）

③ HOOVERS：米国の上場企業の情報が入手可能
　（http://www.hoovers.com）

④ WSRN：米国 Wall Street Net Research のホームページ。米国の上場企業の情報が入手可能（http://www.wsrn.com）

⑤ ネット・チャイナ：中国上場企業の財務データ等が入手可能
　（http://www.netchina.co.jp）

⑥ 各国の証券取引所のホームページ：上場企業の有価証券報告書の内容を見ることができる場合がある。

【連結データの制約】

① 現在，公開されている企業財務データは，連結会計ベースとなっているこ

とが多い。この場合，連結親会社の個別データが活用できるかどうかの検討が必要となる。
② 連結親会社の単体の財務データが入手できない場合で，連結ベースのデータに頼らざるを得ない状況においても，海外の連結子会社への売上割合が高いと見込まれる法人は比較対象候補とはならないので，除外しなければならない。
③ また，連結子会社の業種が親会社の業種と大きく異なる法人が多く含まれているような場合には，比較可能性の観点から問題があると考えられるので，そのような法人が比較対象取引候補に含まれていないか十分な検討を行う必要がある。

(ハ) **定量的条件による絞込み**

定量的条件としては，たとえば，売上規模が大きく違う法人，連年欠損金を計上している法人等は比較に問題があるため，比較対象法人候補から除外すべきと考えられる。また，研究開発費比率が大きく違えば研究開発費機能の差が大きいとみなせるので，同様に除外すべきかもしれない。どの程度の違いがあれば除外するかはケースバイケースであり，定量的条件を一律に規定することは困難だが，可能な限り客観的な基準を設定する努力が求められる。この場合，統計的な分析を行って条件設定の客観性と合理性について補足を試みることができる。たとえば，売上規模と利益率の相関関係が統計的に認められた場合には，相関関係の高い範囲の売上規模の比較対象法人候補に絞り込み，その他の法人は排除するといった使い方ができるかもしれない。

【比較対象法人候補を除外する定量的条件の例】
① 売上規模が大きく異なる法人：一定規模以上または以下の法人を比較対象法人候補から除外する。
② 連年欠損金を計上している法人：事業継続に問題がある法人を比較対象法人候補から除外する。
③ 研究開発費の対売上比率：研究開発機能に大きな差異があるとみなして，

比較対象法人候補から除外する。
④ 損益科目の一部が欠落している法人，特定事業年度の財務データがない法人：財務データの不備のため，比較対象法人候補から除外する。

㈡ 定性的条件による絞込み

　定性的条件としては，たとえば，取引段階が小売と卸売のように異なる，販売市場が全く異なる，製品の価格・機能・特徴が大幅に相違する，事業戦略や事業モデルが明確に異なる，重要な無形資産を保有している，会社更生法の適用法人や破産手続き中の法人，取引相手のほとんどが国外関連者であることが明白な法人等，比較対象法人候補として不適切な法人を除外するため定性的条件を設定する。こうした条件設定に役立つ情報は公開情報の中から事業の概要や紹介を詳しく読むことによって得られる場合が多い。

【比較対象法人候補を除外する定性的条件の例】
① 異なる取引段階・機能：小売業と卸売業のように販売機能等が明らかに異なる場合，比較対象法人候補から除外する。
② 異なる市場：業務用の販売市場と消費者向けの販売市場のように市場が明らかに異なる場合，比較対象法人候補から除外する。
③ 製品の大幅な違い：製品の価格，機能，特徴が明白に異なり，製品の類似性を確保できない場合，比較対象法人候補から除外する。
④ 事業形態や事業モデルの大きな違い：製品の販売業とレンタル業のように事業形態が大きく異なる場合，比較対象法人候補から除外する。
⑤ 重要な無形資産の保有：事業の詳細説明から，製造に欠かせない重要な特許の使用許諾を得ていることが判明している場合，比較対象法人候補から除外する。
⑥ 事業の継続性：会社更生法の適用を受け再建中の法人や破産手続きを行っていることが明らかな法人を比較対象法人候補から除外する。
⑦ 国外関連者間取引割合：取引相手がほとんど国外関連者であることが明らかな場合，比較対象法人候補から除外する。

(ホ) 比較対象法人の決定

① 詳細検討：定量的条件・定性的条件を設定して，比較対象法人候補を一定数に絞り込んだ後，比較対象法人の総合評価を行う。機能の類似性を示す指標（自社製品割合，研究開発費比率等の細かいデータ等）を詳細に検討していく。このへんが科学というよりアートの部分で，必要とする数の比較対象法人数を想定しながらも，比較対象性の諸要素を何度も繰り返し検討し，定量あるいは定性的条件の設定のしかたを工夫し，最終的に適度の比較対象法人数に絞り込んでいく。

② 最終決定：比較対象法人が適度な数になるまで絞り込む。申出法人の業種・業態にもよるが，一般的にいって比較対象法人を10数社程度に絞り込むのがよいだろう。最後に何社残すかは，データの正確性，客観性，データの分散度合い等によって判断する。

(ヘ) 差異の調整

① 差異の調整の基本的考え方：確認対象取引と比較対象取引との間で，製品，機能，契約条件等の実質的な差異がある場合には，調整が必要となる。ここで言う「実質的な」というのは，「価格に重大な影響を及ぼす」という意味である。理論的には全ての差異を調整すべきであるが，事前確認では情報量の限られた公開データのみを使用することが多くなるため，厳密な差異の調整を行うことは不可能である。したがって，実務的には，実行可能でかつ事前確認に係る当事者全員が納得できる内容の差異調整を行う。

② 逆に価格に重大な影響を及ぼす実質的な差異の存在が明らかであるが，その差異の合理的な調整が不可能であれば，比較対象法人候補から除外することが必要となる。

③ 定性的な差異と定量的な差異：定性的な差異とは，その差異があることによって取引価格や利益率に影響を数量的に把握することが困難なものといえる。また，定量的な差異とは，その差異が取引規模や取引量等，数量的に把握できるもので，取引価格や利益率に影響を及ぼすものといえる。現実には，

定性的な差異と定量的な差異を峻別することは難しく，差異自体を数量的に把握することも容易ではない。

④ 事前確認でよく行われる差異調整

実務上一般的に行われている差異調整項目としては，次のようなものが挙げられる。あくまで調整の考え方を理解するための参考にすぎず，確立された調整方法ではないので留意願いたい。

A　運転資本調整
B　営業費用の差異調整
C　棚卸資産の評価方法の差異調整
D　為替リスクの調整
E　会計処理の差異調整
F　スタートアップ調整

A　運転資本調整（アセット・インテンシティ・アジャストメント）

a　運転資本調整（Asset Intensity Adjustment）は，売掛金・買掛金の決済期間及び棚卸資産の保有状況が利益率に影響していると考えて行う調整方法である。売掛金や買掛金の決済までの期間の差が価格に影響を与えるであろうことは一般に認識されている。それがどれほどのものであるかを正確に測ることは困難であるが，理論上妥当との考え方に基づいて，利子率（短期プライムレート等）を用いて調整を行う。

b　売掛金：現金売上と掛け売上とを比較すると，資金回収までの期間に係る金利を考慮して売値の設定が行われていると考える。同じ製品を販売する場合でも，現金売上と掛け売上とでは，資金回収までの期間利息を考慮すると，現金売上に比べて掛け売上のほうが金利相当分高い売値価格の設定がなされ，その分売上総利益率も高くなると考える。このように売上金の回収期間に差異があれば，売上に占める売掛金の割合を比較する等して，金利相当額を調整することができる。

c　買掛金：現金仕入と掛け仕入とを比較すると，仕入代金の支払いまでの期間に係る金利を考慮して仕入値の設定が行われていると考える。同じ製

品を仕入れる場合でも，現金仕入と掛け仕入とでは，決済までの期間利息を考慮すると，現金仕入に比べて掛け仕入のほうが金利相当分高い仕入値の設定がなされ，その分売上総利益率も低くなると考える。このように仕入に係る決済期間に差異があれば，仕入に占める買掛金の割合を比較する等して，金利相当額を調整することができる。

d　在庫：棚卸資産の保有水準の違いは，顧客に異なるサービスを提供していることを反映していると考える。つまり，在庫を保有していない仕入先から商品を購入する場合，顧客は仕入先が商品を手当てするまでの期間待機しなければならないが，仕入先が多くの在庫を保有していれば迅速に商品の提供を受けることができる。仕入先は，注文を受けて顧客に納品するまでの期間が短い場合には，納品までの期間が長い場合に比べて，より高い価格で請求でき，売上総利益率はその分が高くなると考える。

e　利子率：売掛金と買掛金には金利が元々含まれていると考える。そのため売掛金と買掛金については現在価値に引き直すために，利子率／(1＋利子率) を使用することが多い。在庫を抱える負担を仕入先が迅速に商品供給するための機能負担分と考えると，在庫にも仕入先の金利が含まれていることが考えられるので，同様に利子率／(1＋利子率) を使用する。棚卸資産には金利が含まれないと考えるのであれば，利子率をそのまま使って調整を行うことになる。

（参考）　決済条件の差異調整（簡易な例）
・検証対象法人と比較対象法人の売上に係る決済期間の差：1年
・利子率：年4％
・検証対象法人の決済条件：納品時に即日決済
・比較対象法人の決済条件：納品後1年経過時に決済
・比較対象法人の利益率：10％
・比較対象法人の売上高100万円×4％＝4万円（決済条件の差異調整額，売上高の4％相当）
・10％－4％＝6％（比較対象法人の利益率を4％減少させる）

B 営業費用の差異調整

a 一般に，販売機能を果たすために支出される営業費用は利益と相関関係にあると考えられる。販社の粗利益と営業費用の関係をみると相関関係が見出せることが多い。しかしながら，営業費用項目のすべてが利益に貢献しているともいい難い面がある。商品の調達力，たとえば，売れ筋の製品に関し，特定の市場で独占販売権を有する場合等，営業費用とは別の要因が価格や利益率に影響を与えている場合もある。

b そこで，営業費のうち確実に価格や利益に影響を与えていると認められている項目を抽出し，合理的な調整を行うことが考えられる。たとえば，研究開発費の支出割合を用いて以下のように調整する方法が考えられる。

（参考） 研究開発費を用いた差異調整（簡易な例）

	確認対象取引	比較対象取引
売　　上	100	100
粗　利　益	50	60
研究開発費	10	15

研究開発費の差異＝15％－10％＝5％
独立企業粗利益率＝60％－5％＝55％

c 国外関連者を検証対象法人とする場合，外国の比較対象取引の公開データが限られることから，営業費用全体が価格又は利益率に影響を与えていると前提して，営業費用全体を用いた調整が考えられる。たとえば，営業費全体の支出割合を用いて以下のように調整する方法が考えられる。

（参考） 営業費を用いた差異調整（簡易な例）

	確認対象取引	比較対象取引
売　　上	100	100
粗　利　益	50	60
営　業　費	45	50
営業利益	5	10

営業費の差異　＝50％－45％＝5％
独立企業粗利益率＝60％－5％＝55％

C 棚卸資産の評価方法の差異調整

　棚卸資産の評価方法は各国で異なっている場合がある。先入先出法（FIFO）と後入先出法（LIFO）とでは，期末棚卸評価に差異が生じている。たとえば，物価が上昇する経済環境下では，販売価格は最新の物価水準を反映できるが，棚卸評価方法に先入先出法（FIFO）を採用している場合には，販売収益に対応する原価は，棚卸資産を取得した時点の物価水準で計上されてしまう。一方，後入先出法（LIFO）では，最新物価水準を反映した販売価格に最近の物価水準を反映した仕入価格に対応させることができるので，棚卸資産評価がもたらす水増し利益を排除できる。そこで，検証対象法人が後入先出法（LIFO）を採用し，比較対象法人が先入先出法（FIFO）を採用しているような場合に，比較対象法人の棚卸評価を後入先出法（LIFO）に引き直し計算する調整を行うことが考えられる。

D 為替変動リスクの調整

　a 為替変動リスクについて様々な調整方法に工夫を凝らしたとしても，十分に実効性があるかは疑問が多く，また，実際に為替が安定している場合には調整が必要ないので，実務的には，重要な前提条件の中に為替変動に関する条件を盛り込むことで対応する例が多いと思われる。

　b 為替リスクを前提条件に盛り込む方法：たとえば，「為替レートが1ドルに対して110円を超えないことを前提として事前確認の合意を行う。為替レートが1ドルに対して110円を超えた場合には，事前確認の合意内容を再検討する」といった前提条件を設定する。

　c 為替リスクを一方の当事者に一部負担させる方法：たとえば，再販売価格基準法で確認し，確認時点の為替が1ドル＝120円の場合であったとすると，確認対象事業年度において為替変動が1ドル＝115円〜125円の間に収まっていれば調整はしない，これを上下に超える場合は，1円あたり何パーセントか目標利益率レンジを変動させて調整するという方法である。この結果，目標利益率レンジをはみ出した当事者のいずれかは，為替変動によるリスクを負担することとなる。

d　為替リスクの差異の調整方法は確立された方法がなく，個々の事案を通じて適切な方法がいろいろ試されているのが現状である。為替リスクを定量化することは困難であり，調整しても結果の信頼性を高めることにはならないというのが実務家の一般的考え方である。したがって，為替リスクの負担の状況が類似する比較可能な取引を比較対象として選択するのが最も現実的な対応である。

e　為替リスクの調整にあたっては，①為替変動による価格への影響度合い（例，1円円高となった場合利益がX億円減少する），②為替が変動した場合の取引当事者間の負担割合（例，親子会社間で60：40の割合で利益減少額を負担する），③為替変動による原価高相当額を販売価格にいくら転化できるか（例，原価が4割上昇した場合，売値を1割引き上げる）等を実態把握した上で，条件設定を行い，以下の例示のように調整を行うことが可能である。一例をここで紹介するが，確立された絶対的な方法はないので，為替リスクについての考え方を理解する一助とされたい。

（参考）　為替の変動が利益率に与える影響試算（簡単な例）
・現在1ドル：120円
・輸入品原価：1ドル（＝120円）
・販売価格：240円
・販社の利益率：50％
・利益＝120円（＝240円－120円）⇒現在の独立企業間価格
・10％の円安⇒輸入品価格132円（＝120円×1.1）で12円のアップ
・パススルー率を50％とする⇒販売価格240円＋12円×50％＝246円
・利益：246円－132円＝114円（当初利益120円に比べて6円の利益減）
・リスク負担割合：50％（6円の利益減を双方が3円ずつ負担）
・販社の利益額＝114円－3円＝111円⇒円安後の独立企業間価格
・利益率＝45.1％（＝111円÷246円×100）

（注）　1ドル120円の下では50％がＡＬＰ（独立企業間価格利益率）とします。円安になって1ドル132円になると，45.1％がＡＬＰになると考える。10％円が安くなったときには，目標利益率を当初の50％から45.1％に下げるような調整を事前確認の算定方法に盛り込むことによって，ある程度為替が変動しても対応可能な事前確認を設計することができる。

E　会計処理の差異調整

　減価償却法，繰延資産会計，退職給付会計，営業外収益・営業外費用の計上方法等，国内外の会計処理の基準は異なっている場合が多く，差異を認識できる。しかしながら，現実的には，会計処理を統一するために必要な比較対象企業の財務情報が入手できなければ差異の調整は困難である。ある程度十分な財務情報等が入手できる場合に，推計的手法を使って会計処理の差異を調整することを試みることは可能である。また，期間損益に関わる会計処理の違いは，長い目でみれば差異は自動的に埋められていくと考えて，あまりこだわらない柔軟的な考え方も認められるであろう。

F　スタートアップ調整

　スタートアップ調整というのは，製造業者が製造設備等の立上げ時に一時的に投資が先行し，収益の実現が先行投資に比べて遅れる財務状況を考慮して行う調整を言う。たとえば，海外に製造子会社を設立すると，初期投資として，工場等の設備投資，従業員の雇用，研修訓練等，事業の立上げに必要な様々な先行投資が行われるのが通常である。立上げ時に先行投資がなされるが，製品はその後実際に工場が稼動してからはじめて出荷されるため，売上計上は通常稼動時に比べ低くなるし，計上時期も先行投資から一定の時期が経過してから発生する。このような場合，スタートアップコストと売上・利益との関係を精査してスタートアップ調整を盛り込むことが考えられる。

(ト)　**レンジの設定**

① レンジを設定する理由：事前確認でレンジをつくる理由は，ＯＥＣＤ移転価格ガイドライン4.128にあるように，将来の利益を確実に予測できるということはほとんどあり得ず，また，独立企業の利益率そのものも変化し易いものであるため，事前確認では，重要な前提を適切に設定すること及び幅(レンジ)を用いることにより，信頼性を高めることができるという考え方に基づいている。予測の信頼性を担保するために，重要な前提を明確にすることと一定の目標利益率レンジを設定することがワンセットとして事前確認では求

められている。

　また，ＯＥＣＤ移転価格ガイドライン（iv）独立企業間価格幅の使用1.45〜1.48にあるように，移転価格の算定は厳密な科学でないことから，信頼性が相対的に同等といういくつかの数値からなる幅が生じることが多く，それぞれの数値の実質的な偏差は差異の調整が正確にできるのであれば縮まるかもしれないが，現実にはそのような正確な差異の調整はできないことのほうが多い。このように事前確認では，現実的な要請から幅の概念を使用する必要性が述べられている。

　さらに，ＯＥＣＤ移転価格ガイドライン MAP APAs の取扱いに関するガイドライン49と50では，レンジの概念は重要な前提条件が崩れたかどうかの決定の手段として使用されるとしている。このように将来の独立企業間価格を予測する事前確認の特殊性から，独立企業間価格に幅を持たせて信頼性を高める手段としてレンジの設定が利用されるようになった。

② 　一般的な確認の内容：確認対象法人の利益率が目標利益率レンジの中に収まっていれば移転価格上の問題はないものとするのが一般的な確認の仕方である。事前確認では，所得移転がないと推定できる範囲を利益水準指標（レンジ）で確認する場合が多く，独立企業間価格をピンポイント（特定の数値）で算定する移転価格調査とは異なる。

③ 　使用する比較対象法人の事業年度：比較対象法人のどの事業年度のデータを活用するかによって，独立企業間価格レンジは異なってくる。レンジを設定するにあたって，比較対象法人の事業年度の範囲をどのように設定するか，複数年度のデータをどのように平均するかといった問題が，レンジの設定に直接影響を及ぼす。

④ 　使用する事業年度の範囲：一般的には，各年度の特殊事情の影響を排除する考えから，確認対象事業年度前の直近の連続する３事業年度程度のデータを使用することが多い。

⑤ 　平均値の求め方：平均値の計算方法としては，複数年度の利益合計額を複数年度の売上高等の合計額で割る「加重平均法」が一般的に採用されている。

各年度の利益率を単純に合計して事業年度数で除する「単純平均法」の採用も考えられるが，事業年度間の取引規模の差が利益率に反映されないという問題があるため一般的には使用されない。

⑥　プーリング法：通常，比較対象法人は10社程度なければ四分位レンジを設定できないが，比較対象法人数が2ないし3程度しかどうしても見つからず四分位レンジを設定できない場合の窮余の策として，「プーリング」という方法がある。プーリング法は，複数事業年度の各年度のデータを全て用いてレンジを作られる。たとえば，比較対象法人が2つしかないが，それぞれ3年分のデータがあるような場合に，6つのデータを全て独立企業間価格のデータとして，四分位の数値を求める方法である。あるいは，比較対象法人としては的確性を有しているが，一部の事業年度の損益が不明で，虫食い状態となっている場合に，比較対象法人数が少ないため，どうしても不十分なデータしかない比較対象法人を使用せざるを得ないような場合，このようなプーリング法を使用することも現実的な方策として考えられる。

⑦　レンジの設定にあたっては，①異常に古いデータが混在していないか，②特定の事業年度のデータが恣意的に活用されていないか，③どのような計算方法で平均値（平均利益率）が求められているかなどが審査される。

⑧　レンジの設定方法：一般的に以下のようなレンジの設定方法が使われる。

方　　法	採用されるケース	設　定　方　法
四分位レンジ	最も一般的に用いられる方法	比較対象法人の利益率データを上下4区分し，1／4から3／4の範囲の値を使用する。
フルレンジ	比較対象法人数が少ない場合	比較対象法人の利益率データの最高値と最低値を使用する。
標準偏差レンジ	4分位レンジでは幅が狭い場合	比較対象法人の利益率データの標準偏差を求め，中位値に加減算して設定する。

⑨　四分位レンジ：比較法の場合で最も一般的に用いられている方法で比較対象法人の利益率データを上下4つに区分し，1／4から3／4の範囲の値を

使用する方法である。つまり，上限の１／４と下限の３／４をカットしてレンジを設定する。
⑩ フルレンジ：比較対象法人数が少ない場合等に用いられ，比較対象法人の利益率データの最高値と最低値をそのままレンジとして使用する方法である。
⑪ 標準偏差レンジ：四分位レンジではレンジの幅が狭すぎる場合に，比較対象法人の利益率データの標準偏差を求め，中位値に加減算してレンジを設定する方法である。
⑫ 比較対象法人の事業年度の設定方式：比較対象法人のどの事業年度のデータをどのように活用するかによって，目標とする目標利益率が異なってくる。目標利益率を具体的にどのような方式で設定するかについて，次のような方式が考えられる。
⑬ 固定方式：各年度の特殊事情の影響を排除すべきとの考えから，確認対象事業年度の直近の複数事業年度のデータを固定する方式。たとえば，確認対象事業年度前の３事業年度から５事業年度の利益率の平均値を目標利益率として固定する方法である。市場の状況が安定していると見込まれるのであれば過去の実績で固定する方式を採用することも合理性がある。ただし，固定方式を採用するとしても，為替の変動など利益率に大きく影響を与える要因が考えられる場合には，そのような変動要因を平準化するような調整法を組み込んだ算定方法や重要な前提条件を工夫しなければならない。
⑭ 更新方式：毎事業年度，比較対象データの最も古い事業年度を外し，新しく到来した事業年度を加えて目標利益率を算出する移動平均的な更新の方式。この方式はローリング方式とも呼ばれる。毎年更新することによって，市場の状況の変化を織り込むことができるというメリットがある反面，申出法人にとっては事業年度終了の時点でも目標値がなかなか分からないという問題が生じる。さらに，比較対象として選択した企業が依然として比較可能かどうかを更新の際に検討してみないと分からないという問題もあり安定感に欠けるという面がある。
⑮ その他の方法：以上は比較法で使用される場合だが，利益法の場合にはハ

イブリッド・レンジ等が使われることもあるだろう。

⑯　ハイブリッド・レンジ：利益分割法の場合では，一般的に2種類の分割の ファクターを用いて利益分割割合を求める利益分割法のレンジがある。基本 的な方法は，2種類の分割ファクターを用いて異なる利益分割割合を求め， 重なる部分をレンジとして設定する。その他，取引単位営業利益法（TNM M）と利益分割法を組み合わせたハイブリッド・レンジの場合では，取引単 位営業利益法のレンジと利益分割法のレンジの重なった部分をレンジとする 方法もある。

⑰　無調整領域の設定：比較対象の数が少ない場合には，ひとつの数値だけを 目標値として，その上下に予測される変動を見越して無調整領域を設定する という方法も考えられる。

⑱　合算損失の場合の取扱い：比較対象法人の選定が適切と認められる場合に， レンジの下限値にマイナスが設定されることもあり得る。下限値がマイナス であるということのみの理由で，比較対象法人が入れ替えられたりするのは 合理性がない。たとえば，実際に確認法人と国外関連者間の合算損益が赤字 であるのに，一方の国で税金を払わされることを回避するために，検証対象 法人のレンジについて下限値をマイナスとするのみならず，合算損失が生じ た場合には，検証対象法人の利益率をゼロとすることを重要な前提条件の中 に盛り込んでおくことも考えられる。

⑲　レンジの設定と補償調整の方法：確認対象取引の実績値が目標利益率レン ジから外れた場合，実績値を確認内容に合致するよう移転価格を調整するこ とを補償調整というが，補償調整の方法を事前確認の内容として盛り込むの が一般的である。補償調整の方法を盛り込んでおかないと，幅から外れたと きに申出法人も税務当局もどうすればいいのか分からなくなる。基本的な調 整方法としては，次の2つの方法がある。一般的にはエッジまでの調整が行 われることが多いと思われる。

⑳　エッジ（レンジの端）までの調整：目標レンジから外れた場合に，目標レン ジの端まで調整する方法

㉑ ミッドポイント（中位値）までの調整：目標レンジから外れた場合に，目標レンジの中位値まで調整する方法

図表２—14　実績値がレンジから外れた場合の調整方法

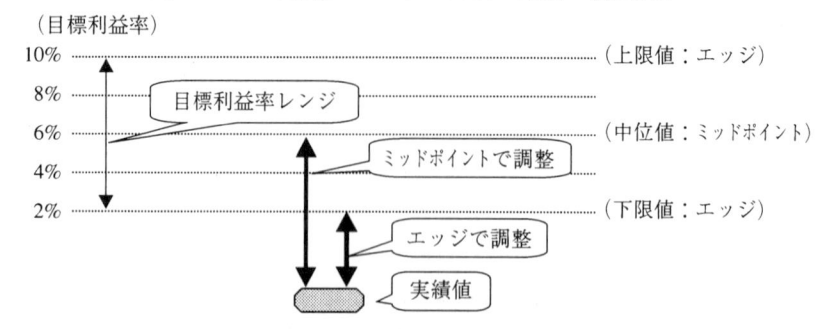

（目標利益率）
- 10% ―――――――――――――――（上限値：エッジ）
- 8%
- 6% 目標利益率レンジ ―――――――（中位値：ミッドポイント）
- 4% ミッドポイントで調整
- 2% ―――――――――――――――（下限値：エッジ）

エッジで調整

実績値

㉒ 補償調整を行う時期：確認対象期間の年ごとに行うのが原則的な方法であるが，相互協議においては実務上の効率性を考慮して何年か分の差額をまとめて調整する方法で合意することもあるようだ。特に，相互協議では相手国との合意に基づいて，租税条約と国内法の認める範囲内で柔軟な解決を図ることもある。

㉓ レンジが設定されない場合：二国間事前確認の場合でも，特定のロイヤルティ料率（たとえば５％）を確認する場合や特定の利益分割割合（たとえば50対50）を確認する場合にはレンジは設定されない。

㉔ 国内事前確認の場合と二国間事前確認の場合の違い：二国間事前確認（相互協議を伴う場合）には，確認レンジを設定するのが基本である。一方，国内事前確認（相互協議を伴わない場合）には，レンジの一方の値（上限値又は下限値）のみで確認を行うのが原則である。ただし，審査対象法人に対して，確認通知には示されないレンジの他方の値を算出した過程とともに，所得減額となる補償調整を申告調整又は減額更正のいずれによっても行えない旨を盛り込むことになる。これは，国内事前確認の場合には，①所得減算を行う法的根拠がないため補償調整を行うことができず，かつ，②補償調整と結びつかない数値を示す理由もないこと，また，補償調整と結びつかない数値を示すことによっての確認法人に不要な誤解を与えるおそれがあるためと解される。

(6) 利益分割ファクターの決定と測定（利益分割法）

イ　利益分割ファクターの決定と測定上の問題点：これまで比較法を前提に説明をしてきたが，ここでは，利益分割法を採用する場合のポイントを説明していく。利益分割法を採用する場合の重要な問題点としては以下のようなものが挙げられる。

(イ)　利益分割ファクターの合理性の説明が困難：移転価格の算定方法は，比較法と利益分割法に大別される。利益分割法は，国外関連取引の当事者双方の利益状況を全体として検証対象とするため，「所得の創造」を生じない長所がある。しかし，利益分割法の最大の問題点は，納税者自らのデータで独立企業間価格の算定を行えるというメリットが存在する一方で，利益を分割するために用いる分割ファクターの合理性についての説明が困難で，客観的裏付けに大きな制約があるということである。利益分割法を採用する場合には，国外関連者の中心となる機能が何であるか（販売機能，製造機能，研究開発機能等）を分析し，その機能を具現化する具体的な財務数値は何であるべきか（人件費，減価償却費，研究開発費，広告宣伝費等）を検討することが不可欠となる。確認申出法人と国外関連者の機能を分析し，統計的分析等を用いて相関関係を説明して，どのような財務指標（研究開発費，販売費，人件費，減価償却費）が利益分割ファクターとして採用する機能の程度を表すかを特定していくという困難な作業を乗り越えていかなければならない。

(ロ)　利益分割ファクターの選択が困難（定性的説明と定量的説明の必要性）：利益分割ファクターの選び方次第によって申出法人と国外関連者にそれぞれ配分される利益は大きく変動する。具体的な利益分割ファクターとして損益計算書項目と貸借対照表項目が考えられるが，定性的説明のほかに，可能な限り定量的説明も加えるよう努め，利益分割法の合理性と客観性を補強しなければならない。定量的説明の例として，公開データを利用して製造に係る人件費と営業利益の統計的相関分析を行い，両者間に強い相関関係があることを示して，人件費を利益分割ファクターとして使用する根拠

とするといった例が考えられるが，分割対象利益に貢献・影響する要因を定量的に裏付けた上で，分割ファクターを選定できるケースは稀である。研究開発費をかければかけるほど，利益が増えるという傾向が長期的な一般的知見としてはいえるとしても，財務データを用いて研究開発費と利益との因果関係を証明することは困難な場合が多いであろう。分割ファクターとして採用する機能の正当性は定性的説明と定量的説明の双方を検討することによって補足することが求められる所以である。

(ハ) 利益分割ファクターの測定が困難：分割対象利益（残余利益分割法では超過利益）に貢献・影響する合理的な分割ファクターの特定ができたとしても，次に，分割ファクターの測定をどのように行うかという問題がある。まず，分割ファクターとして採用すべき金額が，その費目の全額であるか，その一部の金額（たとえば，超過利益に関係する範囲）に限るべきか，すなわち，どのように該当費目の中から，具体的金額を抽出するかという問題を解決しなければならない。超過利益に関係する費目金額（残余利益分割法の場合には超過利益に寄与したコストと考えられる金額）をどの範囲に特定して抽出するかは技術的にも，理論的にも極めて困難なことが多い。具体的金額の測定をどのように行うかは，公開データを利用した定量的検討は不可欠であるが，同時に定性的検討も同時に検討していかなければならない。

(ニ) 無形資産の存否の判断：利益分割法，特に残余利益分割法は，申出法人と国外関連者の双方が無形資産を保有している場合に適した方法であるが，無形資産を保有しているかどうかを判定すること自体が難しい。特に，マーケティング無形資産のように登録されているわけでもなく，その存否を巡って結論が得られない場合も多い。無形資産の保有を定量的に検証する例として，特定の業種・業態に属する検証対象法人について，その所在地国の同業他社の売上高と営業利益率の統計的分布を分析して，その法人が業界の平均利益率よりも高い利益率を上げていることを示す等が考えられる。

ロ　残余利益分割法適用上の留意点
　(イ)　重要な無形資産の保有の有無と利益分割ファクター：残余利益分割法は，分割対象利益（合算利益）を基本的利益（通常利益）と残余利益（超過利益）とに2段階に分けて計算し，それぞれの利益を申出法人と国外関連者に配分する方法である。この手法を適用する場合の重要なポイントは，確認対象取引の取引当事者双方が保有する重要な無形資産の判定と利益分割ファクターの決定及び測定である。最大のポイントは，採用する分割ファクターが分割対象となる残余利益（超過利益）に貢献する要因であることを定性的にも，定量的にも説明できるかどうかである。残余利益分割法の適用は，取引当事者双方がともに重要な無形資産を保有することが前提となるので，事前確認審査にあたっては，重要な無形資産の保有の事実について，定性的にも定量的にも説明できなければならない。重要な無形資産の保有の判定如何で，本来，基本的利益の配分を行うだけで十分なはずの一方の取引当事者に対して，余計な利益（超過利益の一部）を配分してしまうことにもなりかねない。取引当事者の双方がともに重要な無形資産を保有することを証明するには困難が多いが，残余利益分割法を採用しようとする場合には，必ず通らなければならない道である。
　(ロ)　基本的利益の計算：また，残余利益分割法における取引当事者双方の基本的利益の計算では，申出法人と国外関連者の双方に与えられる基本的な利益を分割対象利益から先取りすることになる。先取りする基本的利益は，業界の基本的な利益率を超える利益率で示される超過利益以外の利益であるので，業界の平均的利益水準までの先取りとなるのであれば，問題はあまりないと思われる。

(7)　確認対象事業年度

イ　確認対象事業年度：事務運営指針5－7によれば，「確認対象事業年度は，原則として3業年度から5事業年度とする」とある。旧事務運営指針では，3事業年度を原則としていたが，新事務運営指針で3事業年度から5事業年度と幅を持たせた表現に変更されている。「原則として」という言葉が挿入

されている点について，税務当局の柔軟的な取扱いが想定される。たとえば，二国間事前確認で最終的に合意するまでに2年近くかかってしまう場合，確認対象事業年度が3年というのでは，確認通知を受領した時点で既に確認対象の最終事業年度が到達してしまっていることがあり得る。そこで3年から5年と幅をもたせて納税者の実情に即した対応が可能なように変更したものと思われる。これと同様に，二国間事前確認において，相互協議の合意直前に更新時期が迫り，納税者が更新すべきか否かの判断に悩むような場合等が考えられることから例外的な措置がとれるよう更新の申出期限にも「原則として」という言葉を挿入して，柔軟な対応が可能なように変更したものと思われる。

ロ　確認対象事業年度と重要な前提条件との関係：事業環境を取り巻く変化や技術革新のスピードは今まで以上に早まっている。新製品の市場投入のサイクルはますます短くなっており，企業の合従連衡も日常茶飯事となってきている。できるだけ長期間の将来年度について確認を得られれば，その分長期間の法的安定性は確保できるかもしれないが，事業を行う上での前提条件は思いのほか早く変化するおそれがある。確認対象事業年度をどの程度の期間とするかは，次に述べる重要な前提条件に変化がない限りにおいてという条件付であることに配慮が必要となる。何事業年度を確認対象事業年度とすべきかについては，このように申出法人の事業内容や事業環境の変化と重要な前提条件との関係を総合的に勘案して決めるしかないが，一般には5事業年度程度を確認対象期間としているケースが多いであろう。

(8)　**重要な前提条件**

イ　必須の検討事項：事務運営指針5－3(ハ)では，「事前確認を行い，かつ，事前確認を継続する上で前提となる重要な事業上又は経済上の諸条件に関する資料」を申出書の資料として添付するよう求めており，事前確認を申し出る場合には，必ず検討しておく必要がある。確認対象事業年度は原則として3事業年度から5事業年度であるが，その間に大きな経済的変化や業績の変動があった場合，確認内容が適切でなくなる可能性がある。そのため，どうい

う変化が起きた場合に，確認はどうなるのかを決めておく必要がある。これが「重要な前提条件」の問題である。重要な前提条件は，事前確認の継続についての要否を決定する重要な取極めであり，その設定にあたっては，確認内容に影響する将来の変動要因の十分な分析が必要である。なお，重要な前提条件に抵触した場合には，事前確認の取消し，改定又は存続するための新たな確認が必要となってくる。

ロ　一般的な表現：一般的に重要な前提条件として用いられる表現としては，次のようなものがある。

　(イ)　事業内容や事業組織に大きな変更がないこと

　(ロ)　事業を取り巻く法令等に大きな改正がないこと

　(ハ)　事業を取り巻く経済条件（為替レート等）に大きな変動がないこと

ハ　具体的な条件を設定する場合：申出法人の状況に応じて，より具体的な条件を付けることも考えられる。たとえば，対米ドルレートが1ドルあたり100円より高くなった場合には確認の見直しを申し出ることとするといったような設定を行う。

ニ　重要な前提条件を満たさない場合の取扱い：重要な前提条件を満たさなくなった場合，どのような取扱いをするのかについても確認事項に盛り込む必要がある。言い換えれば，重要な前提条件を満たさなくなった場合に，確認の効果がどうなるのかを定めておかなければならない。一般的には，①確認を取り消す，②確認法人から改訂を申し出る，③二国間事前確認事案の場合には，相手国との間で相互協議を行って決めるといった条件を盛り込んでおくことが多い。

ホ　柔軟的な設定が重要：細かい前提条件を設定してもかまわないが，あまり細かく厳密に設定すると柔軟な運用に支障が出てくる。予測不可能なことが起きた場合には関係者間で協議するということにしておけば，どのような事態が起きても柔軟的に対応することが可能となる。また，確認した利益率算定の基となった要因のうち，重要なものについては，前提条件として盛り込んでおき，その条件を逸脱した場合には，再検討するといった予測不可能な

事態への対処を盛り込んでおく方法も考えられる。為替変動の例では，対米ドルレートが1ドルあたり100円から120円までは調整で対応するが，それを超える変動の場合は再検討するとか，現在の売上が何パーセント以上大きく変動した場合や申出法人や国外関連者の果たす機能が著しく異なることとなった場合は再検討するといった文言を重要な前提条件として盛り込んでおく。

(参考1) PATA二国間事前確認手続執行ガイダンス・付録B（平成16年6月25日公表）では，「重要な前提条件とは，納税者が申請した移転価格算定方法にとって，納税者，第三者，産業又は事業上若しくは経済上の条件の観点から重要な事実の継続的存在を言う。重要な前提条件を満たさない場合，重要な条件が納税者の支配下にあるか否かにかかわらず，二国間事前確認に関する再協議又は取消しが生ずることがある。納税者の支配下にある重要な前提条件は，たとえば，事業活動を遂行するための特別の方法又は特定の法人若しくは事業の構造を含む。納税者の支配下にない重要な前提条件は，たとえば，予想される事業活動量である。」と説明されている。

(参考2) 米国内国歳入庁（Rev. Proc. 96-53）では，「重要な前提条件とは，（納税者の管理下にあると否とに関わらず）納税者，第三者，属する業界，又は事業上・経済上の状況に係る事実であり，当該事実の継続的な存在が，納税者の提案する移転価格算定方法に不可欠なものを言う。重要な前提条件には，たとえば，事業活動を遂行するための特別の方法，法人若しくは事業の特定の構造，又は予想される事業量の幅が含まれる。」と説明されている。

(参考3) 米国国税庁（Rev. Proc. 96-53）における重要な前提条件の分類（1991年度〜1999年度，米国内国歳入庁研修資料（APA Training Materials）では，重要な前提条件について，以下のように詳細な分類が掲げられている。
(http://www.irs.gov/pub/irs-apa/critical_assumptions.pdf)

  1 事業上の前提条件
   ・コストまたは費用に係る前提条件：コスト・費用の分配方法，コスト・費用の変動の限度（例）米国子会社のリストラ費用が一定の上限を超えないこと
   ・売上に係る前提条件：売上割合の制限，売上金額の上限，売上予測，受入れ可能な販売トレンドの特定
   ・事業変更に係る前提条件：顧客，製品，機能とリスク，事業方法等が実質的に変わらないこと

・その他の事業上の前提条件：新設・廃止された関連会社の取扱い，棚卸資産変動の限度，完成品輸入割合の限度
2 法令上の前提条件
・法令上の前提条件：相互協議合意の性格と適用範囲
・その他の法令上の前提条件：倒産，解散，関税法の改正，重要な規制の変更，輸出入障壁，特定の形式による販売契約の維持
・追加的な法令上の前提条件：棚卸資産・製造設備の権原者，補償・保証・製造物責任の範囲
3 税務上の前提条件
・予測租税債務，調査期限の制限，特定の支出に係る税効果，所得源泉地，サブパートFに係る所得，ＰＥ，外国税額控除限度額等
4 財務上の前提条件
・合算損失の制限，無形資産による所得の予測，バイイン支払，為替変動リスク，負債に係る有効な事業上の理由
・各種財務指標（利益分割比率，ベリー比，営業利益率，売上総利益率）の制限（例）子会社の売上総利益率がＡ％～Ｂ％の範囲から外れないこと，及び親子間の合算営業利益率が，親会社のコントロールを超えた妥当な経済的理由によることなく，Ｃ％～Ｄ％の範囲から外れないこと
5 会計上の前提条件
・ＧＡＡＰの使用，会計監査人の肯定的意見，時価会計，関連会社間の会計処理方法の一貫性，為替差損益の会計処理方法，財務会計及び税務会計上の処理方法に変更がないこと
6 経済上の前提条件
・金利及びその変動
・市場の状況，技術，製造物責任，製品デザイン，製造工程，市場シェアに著しい変動がないこと

(9) **統計的手法**

イ 申出内容の合理性を客観的に補強説明するために統計的手法を活用することができる。データの整備等準備が必要だが，利用可能な場合には統計的手法の活用を検討してみるといい。

　移転価格における統計分析の例としては，次のような場合がある。

(イ) 売上の変動を調整するための統計的手法の活用：相手国の販社の利益率

が低下した原因が大幅な売上低下によることを説明する場合に，検証対象法人と比較対象法人の両者について，売上変動がなかった場合における想定営業利益率を回帰分析等により算定し，統計的な分析結果をもって利益率と売上高との相関関係を説明する。

(ロ) 利益分割ファクターを定量的に特定するための統計的手法の活用：残余利益分割法の適用を説明する場合に，残余利益の分割指標として何が適切であるかについて，公開データや確認対象法人の長期間の損益データを統計的に利用して，超過減価償却費等が残余利益の分割指標として合理的であることを説明する。

(ハ) 無形資産の持つ超過収益力の測定のための統計的手法の活用：無形資産を超過収益力の源泉としてとらえて，超過収益力をどう認定するかを説明する場合に，たとえば，超過販管費という尺度を設定し，超過収益部分を公開データ等を利用して統計的に処理し，超過販管費と超過収益力との相関関係を説明する。

4　審査結果の報告

(1) 審査結果の決裁及び庁調査課への上申：各国税局担当課での決裁を了した後，審査を終了した事案は，国税庁調査課の国際情報係経由で国際調査管理官宛てへ上申される。二国間事前確認の場合には，さらに相互協議室へ報告される。

(2) 都市局による地方局事案の支援：都市局（東京局，大阪局，名古屋局）に事前確認の審査担当者が集中して配置されていることから，都市局以外の事前確認事案について都市局の審査担当者が支援することがある。ただし，審査結果はあくまで所轄の各国税局担当課での決裁を了した後，国税庁調査課へ上申され，二国間事前確認の場合には，さらに相互協議室へ報告される。

5 相 互 協 議

(1) 相互協議を伴う事前確認：相互協議を伴う事前確認は二国間事前確認に限られるので，以下では二国間事前確認を申し出る場合における相互協議についてどのような点に留意すべきかについて述べる。

(2) 相互協議における合意義務：税務当局は相互協議において合意する強制的な義務はなく，あくまで努力義務が課されているにすぎない。稀に相互協議が決裂し合意に至らないケースもある。

(3) 相互協議の申立ての判断：局担当課や庁相互協議室は相互協議の申立てを勧奨するが，二国間事前確認として相互協議を申し立てるか否かは，あくまで納税者の意向が尊重されるので，強制されるわけではない。納税者が相互協議申立書を正式に提出してはじめて二国間事前確認事案として取り扱われ，相互協議がスタートすることになる。

(4) 対応的調整の有無：二国間事前確認を行う場合，租税条約の特殊関連企業条項の中に対応的調整の規定があるかないかが極めて重要なポイントとなる。租税条約の条項の中に国際的な二重課税の排除を行うための対応的調整の規定が盛り込まれていない場合には，事前確認で合意したとしても減額や還付の調整（補償調整）ができない。さらに，租税条約の条項の中に対応的調整の規定があったとしても相手国税務当局が現実には対応的調整に応じないこともあるので注意しなければならない。なお，ＯＥＣＤ加盟国では，対応的調整の条項を含んだＯＥＣＤモデル条約に準拠する方針に従って，租税条約の中に対応的調整がなくともＯＥＣＤモデル条約の規定を踏まえた解釈や税務執行が行われるため，対応的調整が可能とされており，減額や還付の処理がなされるようである。いずれにしても実務上，二重課税の排除を行う対応的調整が可能かどうかについて，事前確認の申出を行う前に，相互協議室に照会する等して事前に確認しておくことが必要となる。

(5) 締結した租税条約に対応的調整規定がある国：「最近の相互協議を伴う事前確認の状況について」（月刊国際税務 VOL.27　2007.1・角田伸広相互協議室長）によれば，わが国は現在56か国と45の租税条約を締結しており，このうち

対応的調整規定のある国は以下の19か国となっている。

図表2-15 租税条約で対応的調整規定のある国

地域	対応的調査規定のある国
北中南米	米国，カナダ，メキシコ
欧州	イギリス，ノールウェー，ルクスンブルグ，フランス，スウェーデン
東欧	ブルガリア
中近東	イスラエル，トルコ
アフリカ	南アフリカ
アジア	インド，バングラデッシュ，タイ，シンガポール，ヴィエトナム，韓国，マレーシア

(6) 二国間事前確認事案が行われる国：「最近の相互協議を伴う事前確認の状況について」(月刊国際税務 VOL.27 2007.1・角田伸広相互協議室長)によれば、平成17事務年度(平成17年7月から平成18年6月の期間)において二国間事前確認の相互協議が行われている国は以下の16か国となっている。

図表2-16 事前確認の相互協議が行われている国

地域	事前確認が行われている国
北中南米	米国，カナダ
欧州	デンマーク，スイス，イギリス，ドイツ，ベルギー，オランダ，フランス，スウェーデン
オセアニア	オーストラリア，ニュージーランド
アジア	中国，タイ，シンガポール，韓国

(7) 相互協議の流れ：相互協議室では一般的に以下の流れに従って，事前確認に係る相互協議が行われている。

---

① 事前確認申出書・相互協議申立書の収受：税務署法人課税部門または局担当課に提出された事前確認申出書及び相互協議申立書が相互協議室に回付され，相互協議事務が正式に開始される。

⇩

② 相手国税務当局への相互協議の申し入れ：相互協議申立書に基づいて，相手国税務当局へ相互協議の申し入れが書面により行われる。

⇩

③ 局担当課の審査結果を入手：局の審査を終了した事案は，国税局での決裁を了した後，国税庁調査課を経由して相互協議室へ報告される。

⇩

④ 日本側のポジションペーパーを作成及び送付：局審査案をもとに相互協議室の事案担当者は日本側のポジションペーパーを作成し，相手国税務当局へ送付する。

⇩

⑤ 相互協議：直接会合のほか，電話・ファックス等を利用して意見交換も行われる。直接会合は，年に2回から数回程度実施される。

⇩

⑥ 仮合意成立：相手国税務当局との間で仮合意が成立する。

⇩

⑦ 納税者への打診：仮合意の内容を申出法人に打診し，承認を得る。

⇩

⑧ 合意成立：申出法人の承認に基づき相手国税務当局との間で合意が成立する。

⇩

⑨ 合意案の作成：最終的な合意案が相手国税務当局との間で合意され，合意文書が作成される。

⇩

⑩ 合意通知：相互協議室から庁調査課を経由して局担当課へ合意結果が通知される。

⇩

⑪ 確認通知：局担当課で確認通知を作成し，申出法人へ通知する。

(8) 事務運営指針5－12：事前確認は相互協議を伴う二国間事前確認が原則であることを前提とし，法人又は国外関連者が外国の税務当局に事前相談又は事前確認を行っている場合には，速やかに事前相談又は事前確認の申出を行うよう勧奨するとともに，相互協議申立書を提出するよう指導することとしている。

(9) 事務運営指針5－13：事前確認審査の処理促進を図り，局担当課の審査案と相互協議室のポジションペーパーの内容に一貫性を持たせるためには，局担当課，調査課及び相互協議室との間の連携を密にする必要がある。二国間事前確認では，局担当課が審査結果を庁に上申した後，相互協議が本格的に開始されるが，局審査担当者は，必要に応じて，あるいは，相互協議担当者の求めに応じて，審査結果について補足説明をするほか，協議担当者と事案内容について意見交換を行って相互協議を支援する。事務運営指針ではこのような関係部署間の連絡・協議の必要性を明確にしている。

(10) 相互協議部局の担当：相互協議室では国別に事前確認事案を担当している。したがって，同時に複数の相手国に所在する国外関連者との取引について事前確認の申出を行った場合，それぞれの国別に事案担当者が相手国税務当局と相互協議を行うことになるので，合意内容もそれぞれ異なることになる。

(11) 基本的な協議事項：基本的な協議事項は審査項目と同様である。主な協議事項としては以下のようなものが挙げられる。

　　イ　事前確認申請に記載されている事実関係の確認
　　ロ　申出法人及び関連者の機能及びリスク分析結果の検討
　　ハ　独立企業間価格の算定方法と検証対象法人の選択
　　ニ　確認対象取引の範囲と取引単位
　　ホ　比較対象法人の選定
　　ヘ　差異の調整方法
　　ト　利益分割法の場合における利益分割ファクターの決定と測定
　　チ　目標利益レンジの設定と補償調整の方法
　　リ　確認対象事業年度

ヌ　重要な前提条件
ル　遡及年度への適用の有無
(注)　相互協議の詳細については，「第3編　相互協議」を参照。

6　申出書の修正・取下げ・確認通知

(1) 事務運営指針5-8：事情の変更等を把握した場合，あるいは，相互協議の合意を含めた審査の結果を踏まえ，申出に係る独立企業間価格の算定方法等が最も合理的であると認められない場合には，確認申出法人に対し申出の修正が求められることとなる。

(2) 事務運営指針5-9：申出法人は，確認等の通知を受ける前であれば，どの段階においても確認の申出を取り下げることができる。

(3) 事務運営指針5-15：

> (1)　局担当課は，相互協議の対象となった申出につき，庁担当課を通じて庁相互協議室から相互協議の合意結果について連絡を受けた場合には，当該合意結果に従い，確認申出法人に対し申出の修正を求める等所要の処理を行った上で，当該合意結果に基づき事前確認する旨を速やかに所轄税務署長に連絡する。
>
> (2)　局担当課は，相互協議の対象となった申出につき，庁担当課を通じて庁相互協議室から相互協議の合意が成立しなかった旨の連絡を受けた場合には，確認申出法人から申出を取り下げるか又は相互協議によることなく事前確認を求めるかについて意見を聴取し，5-9又は5-15(3)若しくは5-15(4)に定める処理を速やかに行う。
>
> (3)　局担当課は，相互協議を求めていない申出につき，事前確認審査の結果，申出に係る独立企業間価格の算定方法等が最も合理的であると認められる場合には，当該独立企業間価格の算定方法等を事前確認する旨を速やかに所轄税務署長に連絡する。
>
> (4)　局担当課は，事前確認審査の結果，申出に係る独立企業間価格の

算定方法等が最も合理的であると認められない場合，確認申出法人が5－3に規定する資料の添付を怠った場合，5－11⑶の資料の提出に応じない場合又は5－14⑴の規定に基づき事前確認できないと判断した場合には，庁担当課（相互協議を伴う事前確認の申出にあっては，庁相互協議室を含む。）と協議の上，当該独立企業間価格の算定方法等を事前確認できない旨を速やかに所轄税務署長に連絡する。

⑸　所轄税務署長は，局担当課から5－15⑴若しくは5－15⑶又は5－15⑷の連絡を受け，確認申出法人に対し，「独立企業間価格の算定方法等の確認通知書（別紙様式3）又は「独立企業間価格の算定方法等の確認ができない旨の通知書」（別紙様式4）により事前確認する旨又は事前確認できない旨の通知を速やかに行う。

⑷　事前確認の申出書を提出した後，最終的に確認通知等が得られるまでには，相互協議の合意や確認結果を踏まえて，申出書の修正を提出したり，事情により取下げ書を提出して事前確認の申出を終結させたり，確認通知や不確認通知を受領する等の手続がある。これらを二国間事前確認の場合と国内事前確認の場合に分けて整理すると以下のようになる。

⑸　二国間事前確認の場合の対応

　イ　相互協議の合意が成立する場合と成立しない場合に分かれる。

　ロ　相互協議の合意が成立する場合は，さらに合意内容が申出内容と同じ場合と異なる場合に分かれる。

　ハ　相互協議の合意内容が申出内容と同じ場合には，局担当課から確認通知が送付されるのを待てばよい。

　ニ　審査結果が申出内容と異なる場合には，修正の申出書を提出してはじめて，確認通知が送付される。新規の申出では，申出内容どおり認められることは少ないと思われる。逆に更新の申出では，既に確認を得た内容と同様の更新を申し出るような場合，申出内容がそのまま認められることが多いと思われる。

ホ　合意内容が申出内容と異なり，申出内容の修正を伴う場合は，局担当課は申出法人に対し申出の修正を求める。申出法人は，合意内容を受け入れ，合意結果に従って申出の内容を修正することとなる。修正を伴う合意内容に同意できない場合には，取下げ書を提出する。取下げ書の提出がない場合には，局担当課から不確認通知が発出される。

ヘ　相互協議の合意が不成立の場合，通常，取下げ書を提出する。取下げ書が提出されない場合には，不確認通知書が発出される。また，相互協議によることなく国内のみの確認（国内事前確認）を求めるかについて申出法人から意見聴取を行い，国内事前確認を求めない場合は取下げ書の提出，国内事前確認を承諾する場合は確認の処理が行われる。

ト　相互協議が合意となり相互協議室より庁調査課経由で合意の連絡文書が局担当課に送付されると，局担当課では，合意内容を確認し，不明な点は相互協議室へ照会する。その後，申出法人に対し，相互協議合意内容に沿った修正申出書のしょうようを行う。

(6)　修正申出書の提出部数等は，当初申出書の場合と同じである。

図表2－17　二国間事前確認に係る相互協議等の結果と申出法人の対応

相互協議の結果	相互協議の内容	対応	結果
相互協議の合意成立	申出内容どおり合意	同意	確認通知書を受理
	申出内容と合意内容が異なる	同意	修正の申出⇒確認通知書を受理
		不同意	・取下げ書提出 ・取下げ書提出なし⇒不確認通知書を受理
相互協議の合意不成立			・取下げ書提出 ・取下げ書提出なし⇒不確認通知書を受理 ・国内事前確認に変更

(7) 国内事前確認の場合の対応

イ 審査結果が申出内容と同じ場合と異なる場合に分かれる。

ロ 審査結果と申出内容が同じ場合には、局担当課から確認通知が送付されるのを待てばよい。

ハ 審査結果が申出内容と異なる場合には、修正の申出書を提出してはじめて、確認通知が発出される。新規の申出では、申出内容どおり認められることは少ないと思われる。逆に更新の申出では、既に確認を得た内容と同様の更新を申し出るような場合、申出内容がそのまま認められることが多いと思われる。

ニ 局担当課は、申出事案の審査が終了次第、庁調査課の了承を得た後、申出法人に対して審査結果に添った形での修正の申出書をしょうようする。申出法人が修正の申出書を提出した後、修正申出を確認する形で確認通知が発出される。

ホ 申出法人が審査結果に同意できない場合には、申出法人は、当初の事前確認申出書の取下げ書を提出する。申出法人が審査結果に同意できず、かつ、取下げ書の提出がされない場合には、不確認通知が発出される。通常は取下げ書の提出をもって終了する。

ヘ 修正の申出書の提出部数や提出先は、当初申出書の場合と同じである。

図表2－18 国内事前確認に係る審査結果と申出法人の対応

審査の結果	対応	結　果
審査結果と申出内容が同じ	同　意	確認通知書を受理
審査結果と申出内容が異なる	同　意	修正の申出⇒確認通知書を受理
	不同意	① 取下げ書提出 ② 取下げ書提出なし⇒不確認通知書を受理
申出内容を不承認		① 取下げ書提出 ② 取下げ書提出なし⇒不確認通知書を受理

(8) その他

イ 事務運営指針5-3に規定する必要な資料等が提出されない場合には，適正な審査を行うことができないため，不確認通知が行われることになるので留意が必要である。

ロ 確認通知書及び不確認通知書は，国税局長名又は税務署長名により簡易書留で発送される。

ハ 不確認通知書には，確認できない理由が簡潔に記されているが，詳細は局担当者や庁相互協議室の担当者から直接聞くとよい。

7 年次報告書の検討

(1) 年次報告書の提出の目的：確認法人は，確認通知を受理した後，確認の内容に適合した取引を行っていることについて税務当局に対して説明する目的で年次報告書を提出する。一方，税務当局は，確認法人が自己監査を行って提出した年次報告書を尊重しつつ，年次報告書をもとにして確認内容の遵守状況を検討する。

(2) 年次報告書：「独立企業間価格の算定方法等の確認通知書」の文面に「本件確認に係る報告書については，確認事業年度の各事業年度又は確認連結事業年度の各連結事業年度終了の日から，〇ヵ月以内に提出して下さい。」という記載がある。この本件確認に係る報告書が「年次報告書」にあたる。

(3) 事務運営指針5-17：所轄税務署長は，事前確認の通知を受けた法人（確認法人）に対し，事前確認を受けた国外関連取引（確認取引）に係る各事業年度の確定申告書の提出期限又は所轄税務署長が「あらかじめ定める期間」内に，次の事項を記載した報告書を提出するよう求めることとされている。

イ あらかじめ定める期間：年次報告書の提出期限は，相互協議の合意で定められているか，定められていない場合には，確認通知の際に審査担当者が確認対象法人と相談の上，合理的な期間を定めることとされている。確定申告書提出後3か月～9か月程度の範囲で期限を設けることが多い。

(4) 年次報告の内容：事務運営指針5-17では以下の内容を年次報告書で説

明することを求めている。

　　イ　適合性：確認法人が事前確認の内容に適合した申告を行っていることの説明
　　ロ　確認対象取引の損益：確認取引に係る確認法人及び当該国外関連者の損益（事前確認の内容により局担当課が必要と認める場合に限る）
　　ハ　重要な前提条件：事前確認の前提となった重要な事業上又は経済上の諸条件の変動の有無に関する説明
　　ニ　補償調整：確認取引の結果が事前確認の内容に適合しなかった場合に、確認法人が行った事務運営指針5－19に規定する価格の調整の説明
　　ホ　財務状況：確認事業年度に係る確認法人及び当該国外関連者の財務状況
　　ヘ　その他参考事項：その他確認法人が事前確認の内容に適合した申告を行っているかどうかを検討する上で参考となる事項
(5)　年次報告書の提出部数：提出部数は、調査課所管法人は2部、税務署所管法人は3部となっている。
(6)　事務運営指針5－18：局担当課は、確認法人から年次報告書が提出されると、年次報告書の内容を検討し、必要に応じて補足資料を依頼して事前確認の内容に適合した申告が行われているかどうかを検討する。局担当課は、検討結果を庁調査課に報告し、二国間事前確認事案の場合には、庁調査課を通じて検討結果を庁相互協議室に連絡する。二国間事前確認事案の場合には、検討結果によっては「価格の調整」（補償調整）の適否等につき相互協議が必要となることがあるので、相互協議室に連絡することが必要となる。
(7)　基本的な検討項目：年次報告書の基本的な検討項目としては以下のようなものが考えられる。
　　イ　年次報告書の期限内提出
　　ロ　年次報告書に記載された主な内容
　　ハ　重要な前提条件の検討（重要な前提条件に大きな変化や変更がないか、重要な前提条件を充足しているか等の検討）
　　ニ　適用された基礎データや実績値の妥当性・真実性

ホ　補償調整が生じる場合，その理由，算定過程，申告処理方法の妥当性（同様に，調整額が生じない場合には，その妥当性の検討）

　　ヘ　申出法人及び国外関連者の財務状況

　　ト　確認対象取引に係る国外関連者間の損益状況

(8)　年次報告書の検討：年次報告書の検討は局担当課が行っている。年次報告書の記載事項が正しいかどうかは書面だけでは分からない場合もあり，また説明の根拠となる資料入手及び検討のために，局審査担当者は年次報告書を提出した会社に出向いてチェックすることもある。せっかく長期間の労力をかけて確認を得ても，年次報告書の提出や準備をいい加減にすると取消しの憂き目に遭うかもしれない。期限を守り，報告書の内容をチェックしておくことが望まれる。

(9)　事前確認の取消し：確認法人が事前確認の内容に適合した申告を行わなかった場合，年次報告書を提出しなかった場合又は報告書に重大な誤りがあった場合などには，当該事実の発生した事業年度以後の事業年度について事前確認が取り消される。取消しにあたっては，庁調査課と協議が行われる。なお，二国間事前確認の場合において取消事由が生じている場合には，局担当課は，庁調査課を通じ，庁相互協議室と協議して，事前確認を取り消す旨の相互協議の合意を受けた後に取消しを行うこととなる。

(10)　年次報告書の審査後の取扱い：年次報告書等の審査の結果，申告内容が確認内容に合致していないことが判明した場合には補償調整が必要となる。所得金額が過少となっていた場合には，修正申告書の提出により所得金額の増額が行われる。逆に，所得金額が過大となっていた場合には，二国間事前確認の場合には補償調整に関する相互協議申立書を提出し，相互協議の合意内容に従って所得金額の減額処理が行われる。

(11)　以上，年次報告書の提出と検討について整理すると次頁のとおりである。

図表2-19　年次報告書の提出と検討

項　　目	具　体　的　内　容
年次報告書の目的	（確認法人）確認内容に適合した取引を行っていることを書面で説明する。（税務当局）年次報告書を尊重しつつ確認内容の遵守状況を検討する。
年次報告書の提出期限	確認法人との協議を尊重し，合理的と認められる期間内に提出する。 確定申告提出後3ヶ月から9ヶ月の範囲が目安
年次報告書の内容	適合性，確認対象取引の損益，重要な前提条件，補償調整，財務状況，その他参考事項について説明する。
年次報告書の提出部数	調査課所管法人は2部，税務署所管法人は3部
年次報告書の検討と報告	局担当課が検討する。検討結果は，国内事前確認の場合は庁調査課へ，二国間事前確認の場合は庁調査課を経由して庁相互協議室へ報告される。
年次報告書を提出しない場合，確認内容に適合しない申告である場合	年次報告書を提出しなかったり，年次報告書に重大な誤りがあった場合には，事前確認が取り消される。申告内容が確認内容に合致していない場合には，補償調整が行われる。
関係する事務運営指針	事務運営指針5-17・5-18

8　その他実務上の留意点

(1)　**補償調整**

イ　事務運営指針5-19：事務運営指針では，確認内容に適合した申告を行うための価格の調整（補償調整）について移転価格上の調整の問題として取り扱うこととし，申告調整による場合及び修正申告による場合それぞれのケースに応じて確認内容に適合した申告を行うための調整方法を明示している。

ロ　補償調整（Compensating Adjustment）：一般的には，税務当局と納税者との間で独立企業間価格等について合意した内容と実際の取引結果が異なる場合に行われる事後的調整を言う。事前確認制度では，確認対象取引の実績値が確認内容と異なっている場合の調整を指す。より端的にいえば，確認対象取引の実績値が目標利益率レンジから外れた場合に，実績値を確認内容に合致させるよう調整する方法を意味する。

ハ　補償調整の方法：確認対象取引に係る損益の実績値が確認内容に適合しないことが判明した場合には，確認法人は以下の調整を行うこととなる。

　(イ)　決算調整：確定決算において，損益の実績値を事前確認の利益水準に合致させるための会計上の調整を行うことをいう。

　(ロ)　申告調整：損益の実績値が事前確認の利益水準に満たないことが決算調整後に判明した場合，申告書の別表で申告加算を行うことをいう。

　(ハ)　修正申告：損益の実績値が事前確認の利益水準に満たないことが申告書の提出後に判明した場合，修正申告を行うことをいう。

　(ニ)　相互協議の合意に基づく更正の請求（対応的調整）：損益の実績値が事前確認の利益水準を超えることが決算調整後に判明した場合，相互協議の申立てを行い，税務当局間の相互協議で合意が得られれば，相互協議の合意に従って更正の請求に基づく還付処理を受けることができる（実特法第7条）。

　　（注）　所得金額が過大になっていた場合には，二国間事前確認に係る相互協議の合意のほかに，補償調整についての新たな相互協議の合意がなければ申告調整により所得金額を修正することができない。

ニ　補償調整による増額修正に対する加算税の不適用：事務運営指針5－11の(2)では「なお，事前確認の申出の審査は，法人税に関する調査には該当しないことに留意する。」となお書きの説明がある。事前確認の申出の審査は，移転価格調査には該当しないため，事前確認の合意に基づいて申出前の事業年度について修正申告書を提出しても加算税は課されない。事前確認審査は，納税者の自主的申出に基づくものであり，事前確認の合意の結果，増額の修正が行われるとしても加算税が課されることはない。ただし，確定申告後に行われる修正申告で増加した税額に対して延滞税は課される。

ホ　事務運営指針5－19：参考に補償調整に係る事務運営指針5－19を次頁に掲げる。

(1) 所轄税務署長は，確認法人が事前確認の内容に適合した申告を行うために確定決算において行う必要な調整は，移転価格上適正な取引として取り扱う。

(2) 局担当課は，確認法人のその事前確認に係る価格の調整（以下「補償調整」という。）について，次に掲げる区分に応じ，それぞれ次に掲げる処理を行うよう指導する。

　イ　確認法人は，確認事業年度に係る確定申告前に，確定決算が事前確認の内容に適合していないことにより，所得金額が過少となることが判明した場合には，申告調整により所得金額を修正する。

　ロ　確認法人は，確認事業年度に係る確定申告後に，確定申告が事前確認の内容に適合していないことにより，所得金額が過少となっていたことが判明した場合には，速やかに修正申告書を提出する。

　ハ　確認法人は，確認事業年度に係る確定申告前に，確定決算が相互協議の合意が成立した事前確認の内容に適合していないことにより，所得金額が過大となることが判明した場合には，補償調整に係る相互協議の合意内容に従い，申告調整により所得金額を修正することができる。

　ニ　確認法人は，確認事業年度に係る確定申告後に，確定申告が相互協議の合意が成立した事前確認の内容に適合していないことにより，所得金額が過大となっていたことが判明した場合には，補償調整に係る相互協議の合意内容に従い，租税条約実施特例法第7条第1項に基づき更正の請求を行うことができる。

ヘ 補償調整に関する取扱いを整理すると以下の表のとおりである。

図表2－20 補償調整の区分と調整方法

ケース	調整の増減	確認の種類	時　期	調整手段	補償調整の条件
所得金額が過少となっているケース	増額調整	バイ	確定申告前	申告調整 決算調整	相互協議申立書を提出し，相互協議の補償調整に係る合意内容に従う
			確定申告後	修正申告	審査部局，相互協議部局へ報告する
		ユニ	確定申告前	申告調整	審査部局に報告する
			確定申告後	修正申告	審査部局に報告する
所得金額が過大となっているケース	減額調整	バイ	確定申告前	申告調整	相互協議申立書を提出し，相互協議の補償調整に係る合意内容に従う
			確定申告後	申告調整	相互協議申立書を提出し，相互協議の補償調整の合意内容に従い，実特法第7条に基づく更正の請求が必要
		ユニ	確定申告前	なし	原則として補償調整されない
			確定申告後	なし	原則として補償調整されない

(注) 実特法:「租税条約の実施に伴う所得税法，法人税法及び地方税法の特例等に関する法律」の略称

ト エッジとミッドポイント：具体的に調整する場合，目標レンジのエッジまで調整するかミッドポイントまで調整するかという問題がある。エッジというのは，目標レンジの「端」という意味であり，エッジまでの調整という場合は，目標レンジの上限値または下限値と実績値との乖離部分を調整することを言う。ミッドポイントというのは，目標レンジの「中位値」という意味であり，ミッドポイントまでの調整という場合は，目標レンジの中位値と実績値との乖離部分を調整することを言う。補償調整では，エッジまでの調整を行うのが一般的と思われる。

(2) 事前確認の改定

イ　事務運営指針5−20：事務運営指針では，確認法人から，確認事業年度のうちのいずれかの事業年度において，事前確認を継続する上で前提となる重要な事業上又は経済上の諸条件等について事情の変更が生じたことにより改定の申出がなされた場合には，5−1から5−19までの規定に準じて所要の処理を行うこととしている。

ロ　事務運営指針では，事前確認を継続する上で前提となる重要な事業上又は経済上の諸条件等について事情の変更を改定申出の理由としている。具体的には，吸収合併によって法人組織が変更になった，取引形態や流通経路が変更になった，取引先が大幅に変更となった，商品構成が大きくかわった，確認付与時の状況と著しく異なる経済事情が生じた等が考えられる。これら事前確認の前提となった事実関係に変化が生じた場合には，事前確認の変更が必要となるため，改定の申出が必要となる。改定の方法は，原則として新規申出と同じ手続きで行われる。

ハ　重要な前提条件について，事情の変更があるにもかかわらず改定の申出が行わない場合には，当該事情の変更が生じた事業年度以降の事業年度について，確認を取り消されることとなるので注意が必要である。

ニ　重要な前提条件に抵触するような事実が生じた場合の対応としては，①事前確認の取消し，②事前確認の改定，③新たな事前確認の申出のいずれかとなる。

(3) 事前確認の取消し

イ　事務運営指針5−21：次のように規定されている。

> (1)　局担当課は，次のイからハまでに該当する場合には当該事実の発生した事業年度（その事業年度が連結事業年度に該当する場合には，当該連結事業年度）以後の事業年度について，ニに該当する場合には確認事業年度について，事前確認を取り消す旨を所轄税務署長に連絡する。

イ　確認法人が5-20（著者による(注)重要な事業上又は経済上の諸条件等について事情の変更が生じた場合）に規定する事情が生じたにもかかわらず事前確認の改定の申出を行わなかった場合
　　ロ　確認法人が事前確認の内容に適合した申告を行わなかった場合
　　ハ　確認法人が5-17に規定する報告書を提出しなかった場合又は報告書に重大な誤りがあった場合
　　ニ　事前確認の基礎とした事実関係が真実でない場合又は申出の内容に重大な誤りがあった場合
　(2)　(1)の取消しの連絡を行う場合，局担当課は必要に応じ庁担当課と協議を行う。
　(3)　相互協議の合意が成立した事前確認について(1)の取消事由が生じている場合には，局担当課は，庁担当課を通じ，庁相互協議室と協議し，当該事前確認につき事前確認を取り消す旨の相互協議の合意を受け，その旨を所轄税務署長に連絡する。
　(4)　所轄税務署長は，局担当課からの連絡を受け事前確認を取り消す場合には，確認法人に対し，「独立企業間価格の算定方法等の確認取消通知書」（別紙様式5）により事前確認を取り消す旨の通知を行う。

ロ　事務運営指針では，確認法人と税務当局との信頼関係を消失させる事実が生じた場合には，その理由について確認法人に説明を求めた上で，当該事実の生じた事業年度以降の事業年度について確認を取り消すことを規定している。

ハ　取消し処分の対象となる事実：確認申出の時点で，提出した資料情報に誤りや偽りがあり，当初から事実でないことが判明した場合には，遡及して取り消される。取消し処分の対象となる事実には，次の事実が該当する。
　(イ)　重要な前提条件に変更があったにも関わらず，改定の申出がない場合
　(ロ)　確認内容に適合した申告を行わない場合

(ハ)　年次報告書を提出しない場合又は報告書に重大な誤りがある場合
　(ニ)　申出の基礎となった事実関係が真実でない場合又は申出の内容に重大な誤りがある場合
ニ　実際には，年次報告書の検討の過程で，上記の取消しに該当する事実がないかチェックされることが多いと思われる。年次報告書の検討を待つまでもなく，確認法人が確認事項と前提条件を実績値等と照らし合わせて重大な誤りがないか検討し，誤りを発見・把握した場合には，自主的に税務当局に申し出て相談するのが望ましい。
ホ　取消しを決定するにあたっては，局担当課，庁調査課及び相互協議室で協議を行うものとされている。納税者にとっても税務当局にとっても時間と労力をかけて確認に至ったものを安易に取り消すことは望ましくなく，取消しの決定を行う場合には慎重な対応が求められている。
ヘ　局担当課は，取消しが必要な事実を把握した場合には，関係各部署との協議を終えて，事前確認を取り消す旨を所轄税務署長に連絡する。
ト　国内事前確認の場合は，局担当課・庁担当課の協議の結果，取消しの決定がなされれば，申出法人へ取消通知（「独立企業間価格の算定方法等の確認取消し通知書」（様式5））が送付されることとなる。
チ　二国間事前確認の場合は，局担当課・庁担当課の協議を経て，事前確認を取り消す旨の相互協議の合意を受けてからはじめて，申出法人へ取消通知が送付される。
リ　事前確認の取消しは，確認の効果と同様に事実上の行政行為にすぎない。したがって，申出法人に対して権利義務を生じさせる効果はないため，事前確認の取消しの事実に基づいて，行政不服申立や訴訟等の対象となる処分あるいは公権力の行使とみなされることはないと思われる。

(4)　**事前確認の更新**

イ　事務運営指針5−22：確認法人から事前確認の更新の申出がなされた場合には，5−1から5−21までの規定に準じて所要の処理を行う。ただし，事前確認の更新の申出は，原則として確認対象事業年度開始の日の前日までに，

確認申出書を法人の納税地の所轄税務署長に提出することにより行うものとする。
ロ　事前確認の対象期間が終了した後の事業年度（後続年度）について，事前確認の更新の申出を行おうとする場合には，新規の申出に準じて手続を行うことが求められる。したがって，前回の申出書で資料を提出しているから更新の申出書では省略するというような考え方は望ましくない。前回の申出で提出した資料やデータは保管しておき，更新の手続を進める際に有効に活用することが望ましい。
ハ　また，事前確認の更新の申出期限は，新規の申出期限とは異なり，原則として更新しようとする確認対象事業年度開始の日の前日までとなっているので注意が必要である。

(5)　確認対象事業年度前の各事業年度への準用（ロールバック）
イ　事務運営指針5－23：「確認申出法人から確認対象事業年度における独立企業間価格の算定方法等を確認対象事業年度前の各事業年度（その事業年度が連結事業年度に該当する場合には，当該連結事業年度。以下5－23において同じ。）に準用したい旨の申出があった場合において，その事前確認の申出が相互協議の申立てを伴うものであって，当該独立企業間価格の算定方法等が確認対象事業年度前の各事業年度においても最も合理的と認められるときは，5－15，5－16，5－19及び5－21の規定に準じて所要の処理を行う。」と規定されている。
ロ　ロールバック：ロールバックとは，確認対象事業年度における独立企業間価格の算定方法等を確認対象事業年度前の各事業年度にも適用することをいい，事務運営指針では「確認対象事業年度前の各事業年度への準用」という表現が使われている。また，国税庁ＡＰＡレポートでは，「遡及適用（ロールバック）」の用語をそのまま用いている。一般的に確認対象事業年度の確認手法を過去年度にも遡及して適用することを「ロールバック」と呼んでいる。
ハ　ロールバックの意義：申出法人がロールバックを希望するケースは，確認対象事業年度前について，または外国の移転価格課税を受けた，あるいは，

受ける可能性がある場合に多いと思われる。ロールバックが認められれば，過去年度についても移転価格課税のリスクを回避することが可能となる。過去年度に補償調整が生じて増額調整が必要な場合でも，過少申告加算税も回避できるメリットもある。

ニ　二国間事前確認の場合：相互協議を伴う二国間事前確認では，ロールバックを行うか否かの最終的判断は相互協議室が行う。申出法人がロールバックを希望している場合，局担当課は，将来年度に係る事前確認の審査結果をロールバック対象期間に適用した場合に得られる数値データを試算し報告する。なお，相互協議の合意に基づき行われるロールバックによる申告所得の変更がある場合，減額については租税条約実施特例法に基づいて行われ，増額については確認対象法人の自主修正に基づき行われる。

ホ　国内事前確認の場合：相互協議を伴わない国内事前確認においてロールバックを無条件に認めると，ロールバックの対象年度が所得減額の場合においても何らかの対応が必要となる。その場合，更正の請求に期間制限を設けている現行の規定に反することになるため，原則としてロールバックは国内事前確認の場合には適用されないものと思われる。

ヘ　二国間事前確認と国内事前確認の取扱いの違い：移転価格税制上では，国外関連取引が独立企業間価格で行われていないため所得が過少となる場合に限り，独立企業間価格で国外関連取引が行われたものとみなして再計算を行うことを基本としており，遡及適用した場合においても，調整が生じるのは所得が過少となっている場合（言い換えれば，増額調整となる場合）に限られるものと思われる。ただし，遡及事業年度について相互協議の合意が成立しており，独立企業間価格により国外関連取引が行われたものとして確認法人の所得を計算した場合，所得が過大となるときには，いわゆる対応的調整の手続に従い減額更正を行うことは認められている。

(6)　本支店間取引への準用

イ　事務運営指針5-24：法施行令第176条第1項第7号に掲げる事業を行う法人のわが国に所在する支店と当該法人の国外にある本店又は支店との間の

取引について，当該本店が所在する国の税務当局から事前確認に類する申出に係る相互協議の申入れがあり，かつ，当該わが国に所在する支店が事前確認の申出に準じた申出を行う場合には，5－1から5－23までの規定に準じて所要の処理を行う。
ロ　支店のような外国法人は，事前確認に係る相互協議を申し立てることができないが，本店がその所在地国において事前確認に係る相互協議を申し立てることができる。たとえば，米国に本店，日本に支店があるような場合，日本支店は外国法人に該当し，日本で事前確認の相互協議を申し立てることは認められていないが，米国本店が米国で事前確認の相互協議を申し立てることはできる。この場合，日本に支店（恒久的施設）が，事前確認の申出をしていれば，相互協議は可能である。

(7) 連結納税法人の事前確認の申出
イ　事務運営指針5－25：申出法人が連結グループに加入等した場合の取扱いについては，次のように規定されている。

> (1) 確認申出法人が連結法人となった場合で，その法人（以下「連結加入等法人」という。）が引続き事前確認の申出を行うときは，連結加入等法人に係る連結親法人の納税地の所轄税務署長は，当該連結親法人に対し，「連結加入等法人の事前確認の継続届出書」（別紙様式6）を速やかに提出するよう求める。
> 　なお，届出書の提出部数は，調査課所管法人にあっては，2部（当該連結親法人が相互協議を求めている場合には，3部），調査課所管法人以外の連結法人にあっては，3部（当該連結親法人が相互協議を求めている場合には，4部）とする。
> (2) (1)の連結親法人からその納税地の所轄税務署長に対し，(1)に定める届出書の提出があった場合には，当該税務署長は，当該届出書の写しをその連結加入等法人の本店又は主たる事務所の所在地の所轄税務署長に送付し，署法人課税部門又は局調査課は5－5及び5－

6の規定に準じて処理を行う。また，相互協議を求めているものについては，庁担当課は届出書1部を庁相互協議室に回付する。

(3) (1)の連結親法人から(1)に定める届出書の提出があった場合のその連結加入等法人に係る事前確認については，当該連結親法人からその納税地の所轄税務署長に対し，連結指針5－2に規定する事前確認の申出がなされたものとして，その後については連結指針5－1から5－25までの規定を適用する。

ロ　連結事務運営指針5－24：申出法人が他の連結グループに加入した場合の取扱いについては，次のように規定されている。

(1) 審査対象連結法人が他の連結グループの連結法人となった場合で，その法人（以下「連結加入法人」という。）が引続き事前確認の申出を行うときは，連結加入法人に係る連結親法人の納税地の所轄税務署長は，当該連結親法人に対し，「連結加入等法人の事前確認の継続届出書」（別紙様式6）を速やかに提出するよう求める。

　なお，届出書の提出部数は，調査課所管法人にあっては，2部（当該連結親法人が相互協議を求めている場合には，3部），調査課所管法人以外の連結法人にあっては，3部（当該連結親法人が相互協議を求めている場合には，4部）とする。

（注）　連結申告法人以外の法人が事前確認の申出を行った後，連結納税を開始又は連結グループに加入した場合の取扱いについては，単体指針5－25の規定による。

(2) (1)の連結親法人からその納税地の所轄税務署長に対し，(1)に定める届出書の提出があった場合には，当該税務署長は，当該届出書の写しをその連結加入法人の本店又は主たる事務所の所在地の所轄税務署長及びその連結加入法人の連結親法人であった法人の納税地の所轄税務署長に送付し，署法人課税部門又は局調査課は5－5及び5－6の規定に準じて処理を行う。また，相互協議を求めているも

のについては，庁担当課は届出書1部を庁相互協議室に回付する。
(3) (1)の連結親法人から(1)に定める届出書の提出があった場合のその連結加入等法人に係る事前確認については，当該連結親法人からその納税地の所轄税務署長に対し，5－2に規定する事前確認の申出がなされたものとして，その後については5－1から5－23までの規定を適用する。

ハ 連結事務運営指針5－25：連結法人が連結グループから離脱等した場合の取扱いについては，次のように規定されている。

(1) 審査対象連結法人が連結申告法人以外の法人となった場合で，その法人（以下「連結離脱等法人」という。）が引き続き事前確認の申出を行うときは，連結離脱等法人の納税地の所轄税務署長は，連結離脱等法人に対し，「連結離脱等法人の事前確認の継続届出書」（別紙様式6）を速やかに提出するよう求める。

なお，届出書の提出部数は，調査課所管法人にあっては，2部（連結離脱等法人が相互協議を求めている場合には，3部），調査課所管法人以外の連結法人にあっては，3部（連結離脱等法人が相互協議を求めている場合には，4部）とする。

(2) (1)の連結離脱等法人からその納税地の所轄税務署長に対し，(1)に定める届出書の提出があった場合には，当該所轄税務署長は，当該届出書の写しを連結離脱等法人の連結親法人であった法人の納税地の所轄税務署長に送付し，署法人課税部門又は局調査課は5－5及び5－6の規定に準じて処理を行う。また，相互協議を求めているものについては，庁担当課は届出書1部を庁相互協議室に回付する。

(3) (1)の連結離脱等法人から(1)に定める届出書の提出があった場合の当該連結離脱等法人に係る事前確認については，当該連結離脱等法人からその納税地の所轄税務署長に対し，単体指針5－2に規定す

> る事前確認の申出がなされたものとして、その後については単体指
> 針5－1から5－25までの規定を適用する。

ニ 連結グループへの加入：事前確認の申出を行っていた法人が連結法人グループに加入し連結が開始された場合には、連結親法人が所轄税務署長に対して届出書を提出すれば、連結親法人から事前確認の申出があったものとみなされ、その後は連結法人の事前確認制度が適用される。つまり、新たに連結対象の法人に加入し、連結開始となった法人がある場合には、連結親会社が届出書を提出すれば、事前確認の申出を行ったものとみなされる。

ホ 連結グループからの離脱：逆に、当初、事前確認の申出を行っていた連結法人が、連結グループから離脱した場合には、その法人の所轄税務署長に対して届出書を提出すれば、事前確認の申出があったものとみなし、その後は単体法人の事前確認制度が適用される。つまり、連結子会社が連結グループから離脱しても届出書を提出することで、連結の事前確認は単体の事前確認とみなして有効なものとして継続される。

ヘ 事前確認の申出を行った連結法人が連結法人でなくなった場合：連結を離脱又は連結を取り消した場合には、その法人の納税地の所轄税務署長に対して、届出書を提出すれば、当該法人から事前確認の申出があったものとして、以後、単体法人の事前確認制度として適用ができる。

ト 連結法人に係る事務運営指針の要点：

　(イ) 事前確認の申出：連結法人の国外関連取引に係る事前確認の申出は、連結親法人がその納税地の所轄税務署長に対して行い、その税務署署長は、審査結果の通知を連結親法人に対して行う。つまり、連結法人が行う事前確認の申出では、連結親法人が申請も通知も窓口となる。

　(ロ) 確認対象事業年度：単体法人が行う場合と同様に、確認対象事業年度は原則として3年から5年

　(ハ) 申出に係る審査：審査対象法人が連結親会社である場合、その納税地の所轄部署の担当課が審査を行う。連結子法人の場合には、原則として、連

結子法人に係る連結親法人の納税地の所轄部署が審査を行う。ただし，必要に応じて，連結子法人の所轄部署が審査に加わることがある。つまり，審査は連結親法人を所轄する担当課が行うが，必要があれば連結子法人の所轄部署も審査に加わる。申出書の審査は連結親法人の所轄部署が中心となって行うことになる。

㈡　年次報告書の提出：年次報告書の審査は，申出の審査の場合と同様に，連結親法人に係るものであれば，当然その所轄部署が審査を行うが，連結子法人に係るものも，その連結親法人の所轄部署が行う。必要に応じて，連結子法人を所轄する部署も審査に加わる。連結子法人の所轄部署が行った審査の結果は連結親法人の所轄部署に報告される。つまり，年次報告書の審査は連結親法人の所轄部署が中心となって行うことになる。

㈭　事前確認の効果：連結法人が事前確認の内容に適合した申告を行っている場合には，その事前確認の対象とした取引は独立企業間価格で行われたものとして取り扱われる。

㈬　遡及適用（ロールバック）：連結法人から遡及適用の申出があった場合，遡及適用することに合理性がある場合には認められる。

図表2−21 【単体法人と連結子法人の事前確認】

ケース区分 項　　目	連結法人から単体法人となったケース 申出時は連結法人だったが、申出後に連結から離脱して単体法人となった場合	単体法人から連結子法人となったケース 申出時は単体法人だったが、申出後に連結に加入して連結子法人となった場合
審査対象となる法人	単体法人	連結子法人
確認申出を行う法人	単体法人	連結親法人
審査を行う部署	単体法人を所轄する国税局	連結親法人を所轄する国税局
相互協議の合意の通知先	単体法人	連結親法人
確認通知を行う部署	単体法人を所轄する国税局	連結親法人を所轄する国税局
確認通知を受け取る法人	単体法人	連結親法人
年次報告書を提出する法人	単体法人	連結親法人
年次報告書を提出する先	単体法人を所轄する国税局	連結親法人を所轄する国税局
年次報告書を審査する部署	単体法人を所轄する国税局	連結親法人を所轄する国税局

第3章　諸外国のAPA

第1節　米国のAPA

　米国では1991年に事前確認手続（Advance Pricing Agreement：APA）が導入されている（Rev. Proc.91-22）。その後，1996年（Rev. Proc.96-53），1998年（Notice 98-65），2004年（Rev. Proc.2004-40）と歳入手続が改訂され，現在の歳入手続 Rev. Proc.2006-09にいたっている。

1　APAの目的等
(1)　APAの目的（Sec. 1）

　この歳入手続（Rev. Proc.2006-09）は，申請手続き，審査手続き，APAの効果・執行について定める。この歳入手続は，Rev. Proc.2004-40, 2004-2に代わるものである。

(2)　APAの性格，趣旨等（Sec. 2）
　　イ　概　　　要

　　APAの性格は，自発的な手続きである。目的は，効率的な税務行政の実現にある。具体的には，コンプライアンスコストを減らすとともに，予測可能性を確保することが目的である。これらの目的の実現は，協力的な態様により将来の事項について問題解決が図られることに特徴がある。
　　ロ　審査対象事案の決定のための理念（Sec. 2.03）

　　適切な税務行政の理念に反する事案は，APA申請を受理しないし，審査を開始している事案については審査を中止する。
　　ハ　骨　　　格（Sec. 2.04(1)）

　　APAは，納税者とIRSとが，関連取引についての税法令上ベストの価格算定方法を事前に設定するための合意である。APA自体は，何かをリー

ドする主たる手続きというのではない。むしろ，これまでに存在している租税条約，司法上，執行上の制度を補完するものとして位置付けられる。
　ニ　対象取引のＩＲＳによる変更（Sec. 2.04(3)）
　　申請された対象取引をＩＲＳが拡大したり，申請された価格算定方法が申請された対象取引にとって適切でないとＩＲＳが決定したりすることがある。
　ホ　ＡＰＡ政策委員会（Sec. 2.09）
　　ＡＰＡ政策委員会は，実質的に重要なＡＰＡの政策を決定する。参加者は，国際担当チーフカウンセル，ＡＰＡ担当課長，中規模法人担当課長（国際），財務省の国際担当のカウンセル及び他の上級職員である。
(3)　ＡＰＡの留意点
　イ　ロールバックの適用の原則（Sec. 2.12）
　　ロールバックは，申請対象年度前の年度に遡及することが，①事実，②法律及び③原始記録の保存の有無の３点において問題がないときに，適用するというのが，ＩＲＳの政策である。ただし，ユニラテラルＡＰＡの場合は，ロールバック年の申告所得が減少する場合には，ロールバックは適用しない。
　ロ　調査との関係（Sec. 2.12）
　　ＡＰＡ申請により，調査その他の手続きが妨げられることはない。
　ハ　ＡＰＡ課長
　　ＡＰＡ課長は，適切な税務行政に合致する限りにおいて，この歳入手続の定めと異なる内容（提出期限，申請の内容）を指示することができる（Sec. 2.06）。

2　事前相談（Prefiling Conferences：PFC）

(1)　相談日程の決定（Sec. 3.03）
　納税者は，相談日の候補として３つの異なる日を提案すべきである。そして，２回目は，第１回目の日から２週間以上あけなければならない。
(2)　申請書の提出（Sec. 3.06）
　申請書は，相談日の１週間前までには，届けなければならない。なお，申請

書が20頁を超える場合は，ファックスではなく，8部コピーと製本1部を物理的に届けなければならない。

3 申請の内容，手数料，情報開示

偽証罪の適用を受ける宣誓（Sec. 4.09）が求められる。手数料は，一般に5万ドル，更新手数料は35,000ドル，ＡＰＡ申請内容の修正のための費用は10,000ドルである。また，小規模納税者（ＳＢＴ）はＡＰＡ申請費用は，22,500ドルである（Sec. 4.12）。

追加的情報が必要となるとＩＲＳが考える場合，これを提供することをＡＰＡプログラム当局は，求めることができる。基本的に，納税者は，すべての事実及び情報を適時にアップデートする義務がある。たとえば，提供した情報が誤りであることがＡＰＡ執行後に判明した場合，次の年次報告書にその誤りを開示しなければならない。ＡＰＡ審査中の段階においては，コンパラブルの財務データを常にアップデートしなければならない。また，ＡＰＡ審査中に，ある特定の課税年度が終了した場合には，その終了した課税年度の実績値に対して価格算定方法を適用した計算を示さなければならない。本歳入手続に規定する情報提供義務に反した場合は，審査が遅れることがありうるし，ＡＰＡ審査を拒否することがある（Sec. 6）。

4 ＡＰＡの審査（Sec. 6）

申請内容がすべて提出された日から12か月以内に米国のポジションが作成完了するように，スケジュールが作成されなければならない（Sec. 6.01）。ＡＰＡチームは，納税者と議論しつつ，追加資料を要求し，審査する。帳簿等の審査は，税務調査ではない（Sec. 6.06）。ＡＰＡチームリーダー指名後45日以内に第1回目の会議が開催されなければならない。さらに，ケースプラン（追加情報の提出，企業訪問，当局による情報の評価，会合の日，相互協議担当者とＡＰＡ審査担当者との会議などの日程）の内容が，当局と納税者との間で署名される。目標の日までに間に合わなかったときは，その理由がすぐ説明されなければならない

し，それを治癒する努力がなされる。当局がＡＰＡを拒否したときは，納税者は，少なくとも１回は会議を開いてその理由を説明してもらえる権利がある（Sec. 6.07）。

5 相互協議

(1) 相互協議は，関係租税条約の規定または歳入手続89－8に従い，要求することができる。相手国側からなされたＡＰＡ申請はこの歳入手続または歳入手続2002－52に従って行われる（Sec. 7.01）。

(2) 相互協議の合意を納税者が受け入れたくないときは，取り下げることができる。その場合，ＩＲＳは，ユニラテラルＡＰＡを納税者と締結するか否かを検討する。

6 ロールバック

ＩＲＳは，ロールバックの適用の申請がない場合であっても，過年度に対して類似の価格算定方法を適用すべきかどうかを決定することができる（Sec. 8.01）。納税者は，ＡＰＡの執行前であればいつでもロールバックの申請をすることができる。遡及する年度をどこまでにするか，ＡＰＡの対象となる将来年度の期間を何年間にするか，に関してそのバランスがＩＲＳによって考慮され，さらに，現在進行中の税務調査があればそのことをもＩＲＳが考慮して，納税者からのロールバックの要求の受入れの可否を決定する（Sec. 8.02）。

7 小規模納税者

(1) 小規模納税者に関する特別規定（Sec. 9）

　小規模納税者（a small business taxpayer：SBT）とは，本歳入手続「4.12(6)」にいうような総収入が２億ドル以下のような納税者を言う。本歳入手続「4.12(6)」では，このほか，ＡＰＡ対象取引の合計額が，「年に５千万ドル以下」であり，かつ，「そのうち無形資産が含まれているＡＰＡ対象取引に関しては１千万ドル以下」となる納税者も，小規模納税者としての申請がで

きる。
(2) 小規模納税者以外の申請者の場合とは異なり，正式申請前から審査手続きを進める。なるべく前倒しで審査を進める。たとえば，ＰＦＣの前に，審査当局から，とりあえずの結論を聞いておくなどである。審査の日程は，ＡＰＡ申請から6か月以内に相手国との交渉ポジション（またはユニラテラルＡＰＡ）を固められるようなスケジュールとする。
(3) 審査当局との会議の場所は，小規模納税者にとって便利な場所とする。また，テレビ会議を利用する。
(4) 審査当局は，コンパラブルの選定，差異調整などで，小規模納税者を支援する。
(5) 申請のための記載事項等に関して，小規模納税者以外の申請者の場合と比較し，モデルＡＰＡに厳密に従っていない申請内容も認められる場合がある。

8　法的効果 (Sec. 10)

ＡＰＡは，納税者とＩＲＳの両方を拘束する合意である。

9　ＡＰＡの執行

(1) 納税者は，課税年度終了後に，実績を示す年次報告書をＩＲＳに提出しなければならない。提出の目的は，ＡＰＡの条件を満たしていることを示すことにある。
(2) ＡＰＡ一次調整 (APA primary adjustments)
　(a) ＡＰＡ一次調整の意義
　　納税者は，実際に行う税務申告の中で，その課税年度の実績値が，ＡＰＡで定められた価格算定方法に反していなかったという事実を示す必要がある。しかし，現実的には，たとえば利益比較法（ＣＰＭ）の場合についていえば，いまだ特定の営業利益のレンジが判明していないという状況が発生しうる。このような状況が発生した場合であっても，当該納税者は，修正申告書 (amended return) などを提出して，「合意された価格算定方法

による課税所得に修正すること」，そして，ＡＰＡの内容を遵守できたという結果を発生させる必要がある。この追徴に似た処理に関しては，米国税法の追徴税額，ペナルティ，利子に関する規定が適用される。納税者がＡＰＡ一次調整を行った場合は，（このＡＰＡ一次調整により直接影響を受ける他方の当事者たる）外国の関連者に対して対応的調整(correlative adjustment)が行われなければならない（Sec.11.02(1)）。

(b) 第二次調整

次の「(c)」にいうＡＰＡ歳入手続処理をしなかった場合は，ＡＰＡ一次調整に引き続き，第二次調整が行われなければならない。その理由は，納税者の設定した勘定科目に対応した処理（会計勘定を整合させるための調整のこと）を行う必要があるかである。その場合，すなわち，第二次調整が行われた場合は，課税額が発生する余地がある。この点について１．482－１(g)(3)参照（注）（Sec.11.02(2)）。

(注) なお，会計勘定を整合させるための調整には，主として「配当」または「出資」とする取扱いが一般的であるが，税の問題が発生しない形での所得配分額の戻しということもありうる。

(c) 「ＡＰＡ歳入手続処理」の意義

納税者がＡＰＡ一次調整の処理を行った場合，当該納税者及びその外国関連者は，「ＡＰＡ歳入手続処理」(APA Revenue Procedure Treatment) を選択することができる。ＡＰＡ歳入手続処理とは，「ＡＰＡ一次調整相当額を当該外国関連者に支払いまたは当該外国関連者から受領することを目的とする勘定科目を，ＡＰＡ一次調整が適用される課税年度末日現在において，たてる」ことを言う。当該額は，原則としてＡＰＡ一次調整に係る課税年度の申告期限から90日以内に支払われ，かつ，利子はつかない（Sec.11.02(3)）。

(3) 税務調査

納税者が提出した税務申告書についてＩＲＳがすることは，次の５点に制限されている。したがって，納税者の価格算定方法について，再度検討する

ということはない (Sec.11.03(1))。すなわち，①ＡＰＡの条件に従っているか，②年次報告書の正確性，③価格算定方法の計算とデータの正確性，④重要な前提条件が満たされていること，⑤守備一貫した価格算定方法の適用が行われていること，である (Sec.11.03)。

10 発　　効

この歳入手続は，2006年2月1日から適用する。

第2節　米国のＡＰＡの執行の概要

米国では，ＡＰＡプログラムについてのレポートを公開することが，法律（§521(b) of Pub.L.106-170）で定められている。現在までに，7回レポートが公表された。7回目である2005年レポート（2006年3月31日公表）の概要は，次のとおりである。この第2節では日本のＡＰＡのレポートとの相違点をみるのが目的であり，そのために，主として特徴的な点をまとめることとした。詳細は省略したので，必要に応じ原文を参照されたい。

1 概　　要

(1)　モデルＡＰＡ契約書が公表されている。
(2)　ＡＰＡ部門（APA Office）は4つの課（Branch）から構成されている。スタッフの人数は，33人である。内，事案の担当者（チームリーダー）が17人エコノミストが5人である。このほかは，ＡＰＡ部長1人，部長補佐2人，課長が一人ずつ4人，秘書等（部長秘書1人を含む）が5人である。
(3)　ＡＰＡ部門職員に対する研修が重要視されており，その研修マニュアルが公開されている。

2 統　　計（その１－申請処理繰越）

(1) 申 請 件 数

(a) 総 件 数

	［直近年度］	［累計］
米　　国	82件（2005年）(注2)	928件（1991－2005の合計）
日　　本	92件（平成17年度）	不明

(注１) 米国は，暦年（2005年１－12月），日本は事務年度（平成17事務年度は平成17年７月１日～平成18年６月30日）である。日本は，相互協議を伴うものの件数である。以下同じ。

(注２) 82件のうち，Bilateral APAが61件，ユニラテラルＡＰＡが21件である。

(b) 詳　　細　（省略）

(2) 処 理 件 数

(a) 総 件 数

	［直近年度］	［累計］
米　　国	53件（2005年）	610件（1991－2005の合計）
日　　本	65件（平成17年度）	不明

(注) 小規模納税者（ＳＢＴ）事案は，2005年は合計10件であった。なお，これに要した処理期間は，平均17か月であった。

(b) ユニ，バイ，マルチの別（米国のみ）

	ユニラテラルＡＰＡ	Bilateral APA	マルチＡＰＡ	合計
2005年	28	25	0	53
累計	282	320	8	610

(c) 更新ＡＰＡ，修正ＡＰＡ（2005年のみ）

・更新ＡＰＡは，16件（内ユニラテラルＡＰＡが７件），修正ＡＰＡは１件である。

(3) 未処理件数（米国のみ）

	ユニラテラルＡＰＡ	Bilateral ＡＰＡ	マルチＡＰＡ	合計
2005年	45	195	0	240
内新規	25	133	0	
内更新	20	62	0	

(4) 取り消されたＡＰＡ
・累計5件
(5) 取り下げされたＡＰＡ
・累計11件（内ユニラテラルＡＰＡ6件）

3　統　　計（その2－処理に要した期間（月数））2005年の平均

	新規	更新
全体	35	33
内ユニラテラルＡＰＡ	18	24
内 Bilateral ＡＰＡ	51	42

4　1件ごとの所要月数
・最短5か月，最長83か月。【表3】（省略）

5　ＩＲＳの相互協議ポジション作成を要した件数（2005年合計）
・47件【表4，5】（省略）

6　未処理たる期間が何ヶ月続いているか（事案ごとの月数）
・最短1か月，最長111か月（バイラテラルＡＰＡの場合）【表7，8】（省略）

7　小規模納税者（ＳＢＴ）の処理に要した期間
・新規事案は平均19か月，更新事案は平均17か月【表9，10】（省略）

8　産業別の件数

・電子製品製造業，電子製品製造設備製造業などの件数が多い。

【表11】　（省略）

9　米系か外資系か，外資系の米国ＰＥか

外資系企業が34社，米系が16社，外国法人の米国支店が3社である。

10　対象取引　【表13】　（省略）

・動産の米国向け販売　28件
・米国企業による役務提供　17件
・外国法人による無形資産の提供　15件
・外国法人による役務提供　8件
・米国から外国への動産の販売　8件
・米系企業による無形資産の提供（件数省略。以下同じ）
・外国法人による金融商品
・外国法人の米国内支店の金融商品
・コストシェアリング
・その他の取引

11　役務提供の内訳　【表14】　（省略）

・マーケティング　13件
・Ｒ＆Ｄ　13件
・間接部門　10件
・販売サポート　9件
・技術提供　9件
・卸売り　7件
・製品サポート　7件
・会計　6件

・本店コスト　6件
・監理　5件
・ロジスティック　5件
・法律事務　4件
・免許実施事務（件数省略。以下同じ）
・請求事務
・通信サービス
・組み立て
・コンマニ
・購入事務
・保証サービス
・目的地サービス（ホテル予約事務）
・テスト，据付
・貸付保証

12　検証対象者の機能
・卸売42件，マーケティング26件，製造19件，Ｒ＆Ｄ19件など。
【表15】　（省略）

13　検証対象者が引き受けたリスク
・マーケットリスク62件，一般事業リスク57件，信用・回収リスク54件など。
【表16，17】　（省略）

14　検証対象者の組織の特徴
・米国の卸売業　27件
・検証対象者が2社以上　15件
・米国の役務提供業者　15件
・米国の製造業者　11件

- 外国の役務提供業者　6件
- 外国の金融商品のディーラー（件数省略。以下同じ）
- 米国の無形資産の提供者
- 米国の無形資産の許諾を受けた者
- コストシェアリングに参加している米国の者
- 外国の製造業者
- 外国の無形資産の許諾者
- その他

15　価格算定方法（2005年処理済のもの）【表18－20】　（省略）

(1) 無形資産及び有形資産に適用された価格算定方法
- ＣＰＭ：合計37件（内訳の指標の件数は以下のとおり）
  - 指　標：営業利益　　　　16
  - 　　　　Berry ratio　　　 6
  - 　　　　粗利益　　　　　 5
  - 　　　　総原価＋マークアップ　4
  - 　　　　ROA or ROCE　　　6
- ＲＰＳＭ　　6件
- その他　（省略）

(2) 役務提供に適用された価格算定方法（「原価＋マークアップ」法8件など）

(3) 金融商品に適用され価格算定方法（計6件）
- ＰＳ法　　　3件
- 支店間配分　3件

16　重要な前提条件　【表21】　（省略）

- 事業内容の実質的な変化：53件
- 税法，会計のルール変更：53件
- 資産の状況の変化：　　　 5件

・マークツーマーケット：(件数省略。以下同じ)
・最小販売額
・輸出入の非関税障壁
・販売予算額
・通貨変動
・販管費の売上に対する相対的比率
・金融指標その他

17　コンパラブルをどこから入手してきたか　【表22】　(省略)
　・Compustat：　　　　　　　　　46件
　・Disclosure：　　　　　　　　　17件
　・Worldscope：　　　　　　　　12件
　・Moody's：　　　　　　　　　　8件
　・競争に関する納税者の情報：3件
　・Amadeus：　　　　　　　　　　3件
　・Japan Company Book：　　　　3件
　・Mergent FIS：　　　　　　　　3件
　・その他：　　　　　　　　　　　4件

18　コンパラブルをどのような基準で選んできたか　【表23】　(省略)
　・機能：　　　　　　60件
　・リスク：　　　　　48件
　・同種の業種：　　　44件
　・同種の製品：　　　37件
　・同種の無形資産：　36件
　・同様の期間：　　　 9件

19 差異調整（コンパラブルまたは検証対象者に対する調整）【表24】（省略）
(1) 貸借対照表調整
　・在庫：　　　　36件
　・支払い勘定：　34件
　・受取勘定：　　33件
　・資産・設備等：5件
(2) 会計調整
　・LIFO to FIFO：　　　　　　　　　　　　　　13件
　・費目振替え（原価から営業費用へ）等の調整：3件
　・その他：　　　　　　　　　　　　　　　　　3件
(3) ＰＬＩ調整：　4件
(4) その他の調整
　・R＆D：　　　3件
　・のれんと償却：3件
　・その他：　　　3件

20 コンパラブルから企業を排除するときの基準は何だったか【表25】（省略）
(1) 類似性の要素
　・売上：　　　　　　　　30件
　・R&D vs.　売上：　　　21件
　・SGA vs.　売上：　　　 7件
　・外国販売額 vs.　全販売額：3件
　・PP&E vs.　全資産：　　3件
　・広告費用 vs.　売上：　　3件
　・Non-startup or start-up：3件
　・PP&E/sales：　　　　　3件
(2) 財務上の危険
　・破産：　　　　　　　　31件

- 1年以上の損失： 17件
- 監査人の否定的意見：13件
- 大きな企業再編： 4件

21 レンジのタイプ 【表26】 (省略)
- インタークオータイルレンジ： 52件
- 一つのポイント： 11件
- 幅の下限： 4件
- ＣＰＭレンジ内のいずれかのポイント：4件
- フルレンジ： 3件
- 金融商品の統計による結果： 3件
- その他： 6件

22 レンジからはずれた場合の課税のやり方 【表27】 (省略)
- 単年度における最も近い値まで調整する： 30件
- 複数年度平均における最も近い値まで調整する：14件
- 特定のポイントまで調整する： 13件
- 現行年度の中央値まで調整する： 11件
- その他まで調整する： 7件
- 複数年度平均の中央値まで調整する： 3件
- 単年度の最近接値まで調整する： 3件
- その他： 3件

23 ＡＰＡの期間 【表28】 (省略)
- 3年： 2件
- 4年： 3件
- 5年： 27件
- 6年： 4件

- 7年：　　11件
- 8年：　　 3件
- 9年：　　 1件
- 10年以上： 2件

24　ロールバックした年数　【表29】　（省略）
- 1年：　　 4件
- 2年：　　 4件
- 3年：　　 2件
- 4年：　　 1件
- 5年以上： 3件

25　年次報告書のドキュメンテーションの内容　【表30】　（省略）

年次報告書において提供することが要求されている書類

① 　ＡＰＡ申請時の納税者の事業内容とその年度の実際の結果としての事業内容：53件
② 　重要な前提が満たされなかった事情：53件
③ 　会計手法の変更等：53件
④ 　財務比率の変更，補償調整の実施内容：53件
⑤ 　価格算定方法に合致していることを根拠つけるための財務分析：53件
⑥ 　組織図：52件
⑦ 　米国のＧＡＡＰに従った財務諸表の作成：48件
⑧ 　公認会計士の意見：47件
⑨ 　その他

26　提出された年次報告書のＩＲＳによる審査　【表31】　（省略）
- 2005年12月31日現在審査未済の年次報告書の数：350件
- 2005年中に審査が終わった年次報告書の数：　　146件

・その他（件数省略）

27　別　　　添
・モデルＡＰＡ契約書

第3節　その他の国のＡＰＡ

1　概　　要

　ＡＰＡの導入国数は，移転価格税制の導入国数よりもかなり少ないように思われる。導入している国は，移転価格課税の経験が比較的多い国と思われる。

　ＡＰＡの法的根拠も国により異なる。正式の法令に規定している国，通達等のレベルに規定する国，さらに，ＡＰＡ専用（すなわち，移転価格税制のため）の特別規定を有する国，税制一般の事前確認の規定で対応している国がある。

　欧州においては，イギリス，フランス，オランダ，スペイン，ベルギーなどは，ＡＰＡ専用の規定を有している。その他の国は，必ずしもＡＰＡ専用の規定を有しないものもあるが，いくつかの国は，国内法の一般的な事前取決め規定や租税条約の相互協議条項に基づいてＡＰＡを締結する旨述べている。なお，ドイツは，2006年10月にＡＰＡのガイドラインを公表している。

　北米，南米においては，米国以外では，カナダ，メキシコなどがＡＰＡを導入しており，ともに経験が深い国である。

2　アジアの関係国のＡＰＡ

(1)　オーストラリア

　オーストラリアは，1991年からＡＰＡを施行しており，ＡＰＡの経験が最も深い国の一つである。これまでに108件のＡＰＡを完了させ，2005年には27件を処理したとされている。オーストラリア国税庁（ＡＴＯ）の本庁にＡＰＡの専門チームが置かれている。

(2) 韓　　　国

　韓国は1996年からＡＰＡを施行している。納税者はＡＰＡ対象年度の最初の年度の末日までにＡＰＡを申請する。承認を得た場合には，法定申告期限から6か月以内に年次報告書を提出する。申請を取り下げる場合は，申請書情報は納税者に返還される。

(3) 台　　　湾

　台湾のＡＰＡは，大規模事業者に対してのみ適用される点が特色である。具体的には，ＡＰＡ対象の年間取引額が10億新台湾ドル以上か，総取引額が5億新台湾ドル以上（その他の要件も満たす必要がある）の企業が申請することができる。

(4) インドネシア

　2001年からＡＰＡが導入されている。二国間ＡＰＡも制度的に締結可能である。

(5) マレーシア

　2006年現在，マレーシアにはＡＰＡに特別に言及した法令等は存在しない。

(6) タ　　　イ

　タイ税務当局は，基本的態度としてはＡＰＡを拒否しないとしている。しかし，実際の事案の執行は，それほど多くないと思われる。

(7) ベトナム

　2006年現在，ベトナムにはＡＰＡに特別に言及した法令等は存在しない。

QUESTION 101　移転価格課税と事前確認の違い

当社では過去に移転価格調査を経験しましたが，今後の課税リスクの回避と事業経営の安定性を考え，事前確認申請を検討しています。どのような点に気をつけて検討を始めればいいでしょうか。

ANSWER

事前相談を申入れて事前確認の必要性と手続きを十分検討してからスタートします。事前確認の申請を行う際には，第2章第2節の「事前確認の実務上の留意点」で説明するように様々な準備と検討が必要となってきます。事前確認で得られる予測可能性や法的安定性等のメリットと確認通知を得るまでの時間，必要となる事務負担やコストを十分考慮した上で，事前確認申請を行うかどうかを決めてください。

KYEWORD

事前確認と移転価格課税の違い，事前相談，社内の協力体制，資料の準備

【解説】

　貴社は，既に移転価格調査を経験されておりますが，事前確認の申請にあたっては，事前確認と移転価格課税の違いを十分理解しておくことが必要です（第1章「第2節　事前確認・移転価格課税・相互協議との関係」の「2　移転価格課税と事前確認との違い」を参照）。

　まずは，税務当局に事前相談（匿名での相談も可能）を申し入れて，事前確認に必要な資料や考え方等について十分質疑を行い，貴社の方針を固めていくとよいでしょう。

　事前確認の申請をしてから確認通知を受領するまでには相当の日数と事務量

を要しますので，社内での協力体制や資料の準備等が十分可能かどうかを検討します。貴社は既に移転価格調査を経験されておられるので，移転価格調査において要求された資料や指摘事項については理解されていると思います。事前確認で検討すべき事項も基本的には移転価格調査と同じです。ただし，事前確認では，比較対象法人や比較対象取引の情報は極めて限られるため，公開データの入手や入手可能な内部データの準備が不可欠となります。

審査担当者や相互協議担当者は，納税者から提出された資料に基づいて，申出の算定方法が最も合意的かどうかを審査します。原則として公開データや納税者が入手可能な内部資料のみに基づいて審査が行われます。

事前確認の審査において納税者から提出された資料は事実に関するものを除き調査担当部署には渡さないこととされておりますが，企業秘密に関する情報が必要になる場合がありますので，十分検討しておくことも必要です。

また，二国間事前確認では相互協議部局と緊密に協議することも求められます。お互いの立場の違い等を踏まえて相互に信頼・協力関係を醸成することが必要となります。

実際に事前確認の申出を行う際には，第2章第2節の「事前確認の実務上の留意点」で述べるように様々な準備と検討が必要となります。事前確認手続きとはどのようなものか十分理解を深めてからすすめるようにしてください。

【根拠条文等】

事務運営指針・移転価格税制に関する事前確認の申出及び事前相談について

QUESTION 102　移転価格調査中の事前確認申出

当社では，移転価格調査を現在受けていますが，調査が終了する前でも事前確認を申し出ることは可能でしょうか。

ANSWER

移転価格調査中に事前確認の申出を行うことができます。

KYEWORD

調査は事前確認の申出により中断されない，事実に関するもの，ファイア・ウォール

【解説】

移転価格調査と事前確認の申出は別個のものとして取り扱われます。したがって，事前確認の申出がなされても，既に開始された調査が自動的に中止されるというようなことはありません。事前確認の申出を行えば調査が回避できるというような考え方を認めると，とりあえず事前確認を申請しておいて調査を回避できることになるため認められません。

事務運営指針2－21の(1)では，「調査は，事前確認の申出により中断されないことに留意する。」と明示されていますので，調査はあくまで調査として事前確認の申出の有無にかかわらず進められますので注意してください。

逆に，調査中に事前確認の申出を行うと，事前確認の申出で提出した資料が調査に利用されるのではないかといった懸念が生じます。そこで，事務運営指針2－21の(2)では，「調査にあたっては，事前確認の申出を行った法人（以下「確認申出法人」という。）から事前確認審査のために収受した資料（事実に関するものを除く。）を使用しない。」と明示されています。これを，通称「ファイア・ウォール」と呼んでいます。

ただし，事前確認の審査のために提出された資料のうち，事実に関するもの

を除くと規定されているので，国外関連取引や事業の概要，損益データ，資本関係等通常作成される客観的事実を述べた書類は調査で利用することが可能となっています。事実に関するもの以外とは，事前確認のためだけに必要とされた資料，たとえば事前確認だけのための特別な取扱いや考え方等が該当します。

さらに，事務運営指針2－21の(2)の後半では，「当該資料を使用することについて当該法人の同意があるときは，この限りではない。」と説明されています。つまり，納税者が同意すれば，事前確認のために提出した資料を調査に利用することが可能となっています。

もし，調査中に事前確認の申出が行われた場合，調査と審査が同時併行して進められるかという疑問があります。一概にはいえませんが，通常は既に開始された調査が優先されます。調査で合理的と判断した算定方法と事前確認で申し出た算定手法が異なる，過去年度は移転価格調査により課税されて，その後相互協議で合意した結果と事前確認で申し出た算定手法が異なるといった厄介な問題が生じることもあります。

いずれにしても，調査経過，課税の可能性，相互協議の推移といった点を総合的に判断して事前確認を申請すべきかどうかを決定することになります。

【根拠条文等】
　事務運営指針2－21

QUESTION 103 事前確認のために提出された資料の返還

事前確認のために税務当局に提出された資料は返還されますか。

ANSWER

事前確認のために提出された資料が納税者に返還されることはありません。

KYEWORD

事前確認に必要な資料

【解説】

　事前確認のために税務当局に提出された資料は，確認されるか確認されないかを問わず返還されることはありません。取下げを申し出た場合でも返還されることはありません。したがって，税務当局に事前確認に係る資料を提出する場合には，必ず申出法人の控えも提出して収受印を押印したもらった上で，会社控えを保管しておくべきです。会社控えがあれば，審査担当者から照会があった場合でも，回答が容易となりますし，将来，再度事前確認の申請を行う場合には有効利用することもできます。

　なお，事前確認に必要な資料は，事務運営指針5－3に掲げられている資料のほか，事前確認審査担当者等が追加要求した資料も含まれますので，どのような資料をいつ提出したかを記録管理しておくことが望まれます。

【根拠条文等】

　事務運営指針5－1～5－5

QUESTION 104　二国間事前確認と国内事前確認の選択

当社は，米国はじめ数カ国に海外子会社を有しています。現在，移転価格課税リスクを回避するために事前確認の申請を検討しています。この場合，どのような判断材料や検討ポイントに基づいて二国間事前確認と国内事前確認のいずれかを選択すればいいのでしょうか。

ANSWER

　海外子会社の所在する相手国との間で租税条約が結ばれている場合には，原則として二国間事前確認の申請を検討することになります。タックスヘイブン国など租税条約が結ばれていない場合には，国内事前確認を選択するしかありません。

　その他，確認申請の対象とする取引の重要性や取引規模，必要とされる財務データや分析資料の作成等のために必要とされる事務量とコスト，自国および相手国のそれぞれの税務当局による移転価格課税の可能性やリスク等を総合的に勘案して，二国間事前確認とするか，国内事前確認を選択するかを決定します。

KYEWORD

租税条約，取引の重要性，事務負担，移転価格課税のリスク

【解説】

　海外子会社の所在する相手国との間で租税条約が結ばれている場合には，原則として二国間事前確認の申請を検討することになります。ただし，二国間で租税条約を締結している場合でも，事前確認について対応的調整が可能か，相互協議を行う手続が整備されているか，相互協議手続が有効に機能しているかどうか，相互協議そのものの経験が乏しい相手国との間で二国間事前確認が現

実に可能かどうか等を事前に調べておく必要があります。国税庁相互協議室等に事前に照会して確認するといいでしょう。

　以上の検討の結果，二国間事前確認を進めていくには困難が多いと判断した場合には，国内事前確認を選択することになりますが，二重課税発生のリスクを完全に回避することはできない点は承知しておく必要があります。特に，補償調整やロールバックの不適用といったデメリットも考慮しておく必要があります。

　また，多数の国に関連者を有して取引を行っている場合には，それぞれ国の税務当局と自国の税務当局が二国間事前確認について多数の相互協議を行うことになるので，資料の準備等のため相当の事務量とコストを覚悟しなければなりません。外国税務当局の立場や考え方はそれぞれ異なるので，同様の取引を多数の国に所在する関連者と行っているとしても，相互協議の合意内容がすべて一致することはありません。海外に多数の子会社を有している場合に，多数の子会社との取引について二国間事前確認を申請すると，予想以上に合意までの時間がかかるかもしれません。このような点を勘案すれば，国内事前確認で最低限のリスクを回避し，解決を図ることにも価値があります。

　その他，確認申請の対象とする取引の重要性や取引規模，必要とされる財務データや分析資料の作成等のために要する事務量とコスト，自国および相手国のそれぞれの税務当局による移転価格課税の可能性やリスク等を総合的に勘案して，二国間事前確認とするか，国内事前確認を選択するかを決定することになります。

　二国間事前確認と国内事前確認のいずれを選択するかについては，第1章第2節の「3　国内事前確認と二国間事前確認の違い」をよく理解してすすめてください。

【根拠条文等】
　　事務運営指針

QUESTION 105　事前確認に要する期間

事前確認の申請をしてから，確認を得るまでにどのくらいの期間がかかりますか。

ANSWER

事前確認に要する期間は，事案の内容により一概にはいえませんが，平均して申出から合意まで2年弱というのが目安です。

KYEWORD

新規の事前確認，更新の事前確認

【解説】

　2006年10月（平成18年10月）に国税庁から発表された「事前確認の概要」16頁には「処理に要する期間は，新規事案の場合，後続年度の場合，補償調整の場合等事案により異なりますが，1件あたりの平均的な処理期間は，おおむね2年弱となっています。」と説明されています。

　また，2004年6月に発表された環太平洋税務長官会合のガイダンスでは，相互協議を伴う二国間事前確認の目標処理期限を2年と設定しています。ただし，この期限は各国を拘束するものではなく，あくまで努力目標とされています。

　確認対象取引の規模等が大きいため重要性が高く慎重な審査を要する，取引が複雑で審査や分析に時間がかかる，移転価格調査が同時に併行して行われていて調整が必要となる場合等，様々な要因で合意までに要する期間は案件によって異なってきます。

　また，申出書を提出してからすぐに審査が行われればいいのですが，担当職員を申出件数に合わせて柔軟的に増減することは難しいため，発生件数が急増したような場合には，審査開始まで時間がかかることもあります。

　ただし，新規の事前確認について確認を得た後，後続年度について同様の取

引内容について更新する事前確認の場合には，前提条件等に大きな変化がなければ，審査期間も短縮化され，必要とされるコストもかなり軽減されるでしょう。

【根拠条文等】

国税庁記者発表資料「事前確認の概要　平成18年10月」

QUESTION 106　事前相談の受け方

当社は，事前確認の申出にあたって事前相談を申し入れたいと考えています。どのような点に留意して事前相談に臨めばいいでしょうか。

ANSWER

事前相談を申し出る以前の準備として，①確認対象取引の決定と事業上の位置づけ，②機能・リスクの概要，③過去年度の損益実績及び将来年度の損益予測，④移転価格調査の可能性等を検討しておきます。これらの準備段階を経て事前相談の申込を行います。

事前相談にあたって検討すべき必須項目を検討します。「事務運営指針」5－3に掲げられている項目は事前確認の申出の際に添付資料として求められますので準備しておく必要があります。

事前相談で検討される注目点を検討します。事前相談の結果，事前確認の申出後に必要となる追加資料を想定し，準備に要する時間と労力，社内の協力体制等を検討しておきます。

KYEWORD

事前相談を申し出る以前の準備，検討すべき必須項目，検討される注目点

【解説】

　事前相談を申し出る以前の準備として，移転価格課税リスク等を総合的に検討した上で，まず①事前確認の対象としたい取引の範囲を決定します。この場合，事前確認対象取引として想定する貴社と国外関連者との間の取引の事業上の位置づけ（事業戦略上の重要性，安定した成熟市場か成長市場か，価格変動が激しい取引か安定した取引か，市況や為替変動をはじめ経済・社会環境に大きく影響を受ける取引かどうか等）を検討しておきます。次に，②貴社と国外関連者が果たしている機能・リスクの概要（研究開発・製造・販売にわたる様々な機能とリスクの分析），③過去年度の損益実績（過去3年程度の損益実績を比較分析，将来年度の損益予測，特に，今後3年程度の損益と環境変化を予測）等を把握しておきます。あわせて，④移転価格調査の可能性も確認しておきます。

　事前相談にあたって検討すべき必須項目としては，「事務運営指針」5－3に掲げられている以下のようなものがあります。

　確認対象取引の概要，確認対象取引を行う組織の概要，事前確認を求めようとする移転価格手法とその具体的内容，重要な事業上又は経済上の前提条件，確認対象取引の詳細（取引及び資金の流れ，使用通貨，決済条件等），確認申出法人と国外関連者の資本関係，確認申出法人と国外関連者の果たす機能，過去3事業年度の損益実績，将来の事業予測や事業計画，過去の移転価格調査の経験や課税状況，事前確認を求めようとする移転価格手法を過去3事業年度に適用した場合の結果等

　　（注1）　平成19年4月2日付けの国税庁ホームページ「移転価格税制に関する事前確認の申出及び事前相談について」中にある「よくあるご質問とその回答」にも，「（ご参考）　事前確認申出時の提出書類」と題する箇所で提出資料の詳細が説明されています。

　事前相談で検討される注目点としては，上記の必須項目を前提に以下のような点が検討されていくものと考えられます。

　①事前確認を申請しようとする主目的，②確認対象となる取引の範囲は適当か，③確認を求めようとする算定手法は適切か，④利益分割法を採用する場合には，利益分割要因の決定と測定方法は妥当か，⑤国内事前確認とするか二国

間事前確認とするか，⑥確認の対象とする事業年度は適切か，⑦遡及適用（ロールバック）を希望するか，⑧検証対象法人を確認申出法人とするか国外関連者とするか，⑨比較対象法人にかかる公開データの利用は可能か，⑩利益水準指標や目標利益率レンジの設定方法は適当か，⑪補償調整の方法は検討されているか，⑫事業分析，管理会計データ等の提出が十分期待できるか，⑬特殊事情としてどのようなものが含まれているか，⑭重要な前提条件が十分検討されているか，⑮納税者の協力（特に，資料の提出）は十分得られそうか，⑯移転価格に関する潜在的な問題がないか，⑰新規の申請か更新の申請か等

【根拠条文等】

　事務運営指針5－3，5－10

QUESTION 107　追加資料と留意点

　当社では事前確認申出書を提出した後，所轄国税局の審査担当者から審査を開始した旨の連絡を受けました。審査担当者から今後どのような追加資料が求められるでしょうか。また，どのような点に気をつけて対応すればいいでしょうか。

ANSWER

　追加資料の範囲や内容については，審査担当者とコミュニケーションを常に図り，緊密な協力・信頼関係を維持していくことが必要です。どのような追加資料がどの程度必要かはケースバイケースであり，追加資料の提出依頼を受けてから，資料の作成や準備に相当の事務量や日数を要する場合もあるので，審査担当者と十分協議の上，早めに準備しておくことが肝要です。

> **K**YEWORD
> 審査担当者との協議

【解説】

　対応の仕方は結論のとおりですが，追加資料として依頼される書類としては以下のようなものが考えられます。

・申出法人及び国外関連者の機能分析のさらなる詳細資料
・検証対象法人の選択の過程を説明した資料
・確認対象取引の範囲と取引単位の設定の検討資料
・比較対象法人の選定方法にあたって検討した詳細資料及び使用した公開データの元情報
・差異の調整に係る計算明細
・利益分割ファクターの決定と測定にあたっての検討資料
（利益分割法を採用する場合）
・利益率目標レンジを設定するにあたっての詳細及び補償調整の具体的検討資料
・採用する比較対象取引の事業年度の合理性を説明する資料
・採用した目標レンジを確認対象事業年度前の各事業年度への準用した場合の結果数値

　（注1）　申出法人全体の事業概況，事業戦略や事業モデルの特徴も聴取されることが多い。
　（注2）　複数の業種に跨って事業を行っている法人の場合は，全体や連結の損益情報のほか，セグメント別や業種別の損益情報も必要となります。
　　　　　審査担当者は，以上のような追加資料を請求するほか，必要に応じて，確認対象取引にかかわる工場や関連部署にも臨場して聴取を行うこともあります。

【根拠条文等】

　事務運営指針：2－1，2－2，2－4，5－3，5－4，5－11

QUESTION 108　確認対象取引の範囲の決め方

事前確認の申請にあたって，確認対象取引の範囲をどのように決めればいいでしょうか。

ANSWER

貴社にとって，経営上重要な主要取引であるとか，独立企業間価格の算定に不安があり是非とも確認を得たいと考える取引を自ら選択して申し出ることが可能ですが，取引関係の密接性，確認対象取引と算定手法の整合性，損益管理の一体性等の点に十分留意して確認対象取引の範囲を選択してください。

KYEWORD

取引関係の密接性，確認対象取引と算定手法の整合性，損益管理の一体性

【解説】

　事前確認制度はあくまで納税者の自主的な選択で申し出る制度です。したがって，確認を受けたい取引の種類や範囲も自ら選択して申し出ることができます。一般的には，既に移転価格課税を受けたことのある取引，将来的に移転価格調査が懸念される取引，取引規模が大きく重要な取引，取引価格の算定が社内保有の情報だけでは困難な取引等が確認対象取引として考えられます。ただし，①複数の相互に関連する取引がある場合にどこまでの範囲を確認対象取引とするか，②確認対象取引と適用する算定方法との整合性はどうか，③事業としての損益管理の一体性があるか，④取引規模の観点から確認対象取引をどの範囲にするか，⑤問題のある取引のみを確認対象とすることができるか等を検討しておくことが必要となります。

【根拠条文等】

措置法通達66の4(3)-1

QUESTION 109 確認対象取引の損益の切出し方

当社では以下のような取引を行っていますが，確認対象取引を取引Aのみに限定した事前確認の申出をしたいと考えていますが，どのように損益を切出し計算すべきか助言ください。

取引A：当社（製造業者）は，国外関連者A社（販売子会社）へ製品Xを輸出している。

取引B1：当社は，国外関連者B社から製品Xに係る部品を仕入れ，製品Xの製造原価に含めている。

取引B2：取引Aの製品Xとセット販売される付属品を国外関連者B社経由で国外関連者A社に販売している。

取引C：国外関連者A社は，自国の非関連者及び他の国外関連者C社に製品X及び付属品を販売している。

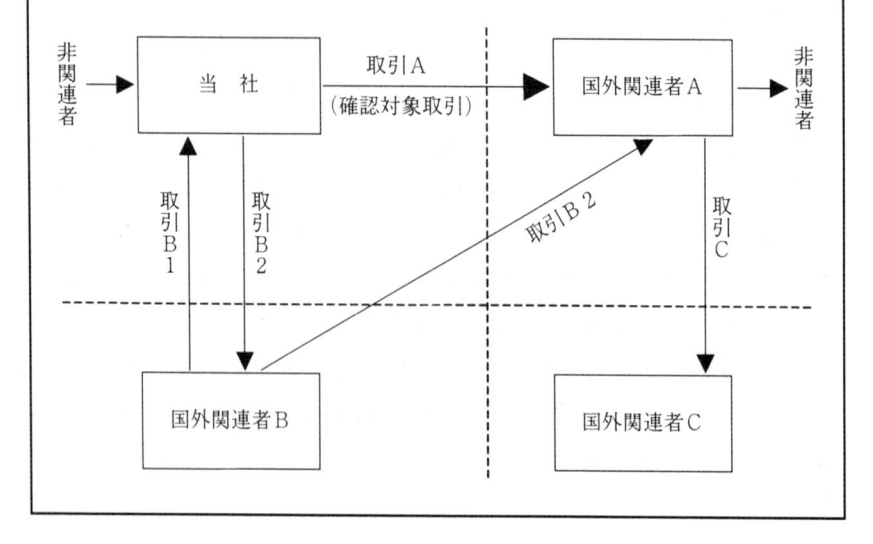

ANSWER

　上図の取引Aを確認対象取引とする場合，取引B1，取引B2及び取引Cは製品Aと結びついた連鎖取引と考えられる。取引Aのみを確認対象とする場合には，取引B1，取引B2及び取引Cは，独立企業間価格で取引が行われるという前提条件を設定した上で，申出を行う必要があります。また，損益等の切出し計算は，貴社，A社，B社，C社間の取引をそれぞれ分解して算出します。

KYEWORD

連鎖取引，切出し計算

【解説】

　取引Aを確認対象取引として申請する場合には以下のように貴社，A社，B社，C社間の取引をそれぞれ分解して切出し計算します。

- 貴社の取引Aに係る購入価額
    ＝非関連者からの購入価額＋国外関連者Bからの部品購入価額
- 貴社の輸出売上高
    ＝国外関連者Aに対する製品輸出売上＋国外関連者Bに対する付属品輸出売上
- 国外関連者A社の輸入原価
    ＝国外関連者Aからの輸入原価＋国外関連者Bからの輸入原価
- 国外関連者A社の売上高
    ＝非関連者に対する売上高＋国外関連者Cに対する売上高

　貴社と国外関連者Bとは，独立企業間価格で取引が行われていると前提条件を置いたうえで，取引Aに係る営業利益を以下のように計算して算出します。

- 貴社の取引Aに係る営業利益
    ＝貴社の取引Aに係る売上総利益－適正に配賦された販管費

・国外関連者Ａ社の取引Ａに係る営業利益

　＝Ａ社の取引Ａに係る売上総利益－適正に配賦された販管費

（注）　販管費は、売上に直結した直接費及び合理的な配分指標によって計算された間接費の合計

【根拠条文等】

　措置法通達66の4(3)－1

QUESTION 110　外国の企業の財務指標の入手

　当社は、米国とシンガポールに子会社を有し、将来の事業予測可能性を高めるために、事前確認の申請の検討を開始しました。そこで、当社とそれぞれの子会社との間の取引価格や利益率の妥当性について検討するため、まず、これらの子会社の所在地国の第三者の財務指標を入手したいので、どの国にどのような形でデータベースとして所在しているのかについて、教えていただけないでしょうか。

ANSWER

　無料で入手可能な公開財務情報は限られており、貴社のみで必要な公開財務情報を入手するのは困難かもしれません。①事前確認に精通した税務専門家に相談する、②局担当課等に事前相談を申し入れてアドバイスを受ける、③必要とされる有料の公開財務情報の種類を特定する、④有料の公開財務情報の入手に係るコスト等を見積もる、⑤事前確認申請に要する時間とコストを総合的に勘案して、事前確認申請が事業上のリスク軽減と採算に見合うものかを判断するといった観点から検討することになります。

> **KYEWORD**
> 専門家のアドバイス，局担当課へ事前相談，無料・有料の公開財務情報の検討，事前確認に要する時間とコスト

【解説】

　比較対象企業を選定するために公開の財務情報が入手できなければ事前確認申請は不可能に近いといっても過言ではありません。無料の米国企業の公開財務情報としては，インターネットから得られるものとしては，ＥＤＧＡＲ，ＨＯＯＶＥＲＳ，ＷＳＲＮ等があります。しかしこれらのウェブサイトから入手できる財務情報は原則として上場企業に限られるため，十分とはいえません。有料の米国企業の財務情報としては，Mergent や Compustat がよく使われているようです。シンガポール企業の財務情報は，米国のように豊富ではないようです。有料のシンガポール企業の財務情報としては Singapore 1000等があります。公開の財務情報やインターネット財務情報については，「第2章　第2節　3　申出内容の検討(5)比較対象法人の選定と公開データ　粗選定：公開データベースによる業種検索」で詳しく説明していますので参照ください。

【根拠条文等】

　特になし

QUESTION 111　データベースの特徴と有用性についての留意点

当社と国外関連者との取引は，近年増大しており，移転価格課税リスクの観点から，取引価格を見直す必要があると考えております。そこで，当社に類似する企業の情報を収集するため，当社は公開データベースの操作マニュアルを参照して勉強するつもりです。ここで，データベースの使用上の留意点があれば，教えていただけないでしょうか。たとえば，対象としているデータベースでは，収集されている損益項目では，営業利益ベースのみであり，粗利益率レベルの指標ではないので，損益比較は営業利益レベルでのみ行うことが可能となっています。このようなケースで使用上の注意点があれば，ご教示下さい。

ANSWER

・単一の公開データベースだけでなく，可能な限り複数のデータベースを利用して，データの正確性や特徴を比較検討してみてください。
・公開されている企業財務データは，連結会計ベースによる数値であることが多いので，連結親会社の個別データが活用できるかについても検討してください。
・また，公開データベースのみならず，業界団体が取りまとめている業界や市場レポート等もできるだけ収集して，比較検討するようにしてください。
・損益項目が営業利益のみで売上総利益が記載されていなければ，基本三法の適用はできません。取引単位営業利益法や利益分割法等，営業利益を利益指標とする算定手法の検討をすすめていくことになります。

> **KYEWORD**
> データの正確性や特徴，連結会計ベースの数値，業界レポート等の活用，損益項目

【解説】

　結論で述べた留意点のほか，財務情報の提供会社によっては，他企業と比較しやすいように公表数値に独自の修正を加えている場合がありますので，注意が必要です。また，減価償却費の会計処理についても，売上原価に計上したり，販管費に計上したり法人によって異なっている場合があります。複数のデータベースを比較検討して，会計処理基準を統一し，比較可能性を高める等の工夫も必要となります。

　公開データベースの数値と各企業のホームページで掲載されている決算情報やIR情報とも見比べてみることも有益です。

【根拠条文等】

　なし

第三編
相互協議

第1章　相互協議の概要……………………………………387
第2章　相互協議の実施状況…………………………………406
第3章　ＯＥＣＤの動向………………………………………408
Ｑ＆Ａ……………………………………………………………411

第1章　相互協議の概要

第1節　相互協議の意義

　わが国で移転価格課税が行われた事案に係る新聞報道を見かけることがある。
　その際，納税者は移転価格課税の取消しを求める異議申立てを行うとともに，移転価格課税によって生じた二重課税の排除を求め政府間協議を求める旨のコメントを通常発していることが多い。
　1980年代，日本企業の米国子会社が日本親会社との取引に関して米国内国歳入庁（IRS）から移転価格課税を受け，移転価格課税によって生じた二重課税の排除のための政府間協議が実施された旨の報道がなされたことがある。その際，日米間で税額の配分について議論したことからそのような政府間協議が日米税金戦争と表現されたこともある。
　国外関連者との取引について，わが国で移転価格課税が行われた場合であっても，他国で移転価格課税が行われた場合であっても，一方の国で所得を増加したにもかかわらず他方の国では所得を自動的に減額しないことから，いわゆる二重課税が生じることとなる。このような二重課税については，通常政府間協議（これを「相互協議」という）によって排除される（ただし租税条約締結国でなくてはならない）。
　相互協議は，納税者から見れば二重課税排除のための重要な手段であり，課税当局から見れば，国家間の課税権の調整を意味するものである。
　二重課税は移転価格課税のみによって生じるものではない。同一の納税者による一の取引又は一の所得（たとえば使用料（ロイヤルティ））について，居住地国と源泉地国の双方の国が課税することにより二重課税が生じることがある。このような二重課税については，居住地国が，租税条約又は国内法に規定を設け，国外源泉所得に対する課税権を放棄する（国外所得免除方式）か，又は居住

地国において国外源泉所得も課税所得に含めて課税するが，その算出税額から源泉地国で納付した税額を控除する（外国税額控除方式）ことによって回避される。しかし，居住地国の課税当局が源泉地国で納付した税額を控除することを認めない場合がある。そのような場合は二重課税が残ってしまい，納税者の申立てに基づく相互協議によって解決される。

　このような二重課税が生じることは，二重課税の排除を目的とする租税条約の趣旨に反する。また，国内法の規定によっては双方の国の居住者（いわゆる「双方居住者」）として課税されることや，租税条約の規定では課税されないこととなっているにもかかわらず課税されるといった条文に直接反する課税が行われる場合もある。そこで，租税条約は，相互協議（Mutual Agreement Procedure）条項を定め，租税条約の規定に適合しない課税が行われた場合には協議により解決を図り，納税者を救済することとしている。すなわち，租税条約は，納税者が租税条約の規定に適合しない課税を受け又は受けるおそれがある場合には，国内法令で定める不服申立てなどの救済手続とは別に，権限ある当局に対し相互協議の申立てをすることができることを規定している。権限ある当局とは，実質的には国税庁長官官房相互協議室（以下「相互協議室」という）を指す。

　ここで，「国内法令で定める不服申立てなどの国内救済手続とは別に」と規定されているように，相互協議の申立ては，国内法によって認められた救済手続とは別個のもので，租税条約によって納税者に与えられた権利である。したがって，納税者は，国内法による救済手続を採っているか否かにかかわらず，相互協議の申立てをすることができることとなる。すなわち，相互協議とは，国内法の外において，租税条約に基づき，租税条約の規定に適合しない課税について権限ある当局間で協議を通じて解決を図ることによって，納税者を救済する制度であると言える。

　また，租税条約の規定は抽象的にならざるを得ず，その解釈が各国で異なること，又はその規定の具体的適用において各国で違いがあること等により，個別の課税事案とは別に租税条約の解釈等を巡る相互協議が行われることもある。

第2節　相互協議の類型

相互協議には，その内容に応じ，①「租税条約に適合しない課税」を受けた場合に納税者の申立てを受けて行われる個別協議，②「租税条約の解釈又は適用に関して生じる困難又は疑義」を解決するための解釈協議，③「租税条約に定めのない場合における二重課税の排除」を目的として行われる立法協議，の三つの類型がある。

これらの相互協議は，租税条約では一般に別個の条項に分けて規定されており，第一は「個別事案条項（specific case provision）」，第二は「解釈条項（interpretative provision）」，第三は「立法条項（legislative provision）」と呼ばれる。

1　租税条約に適合しない課税を受けた場合に納税者の申立てを受けて行われる個別協議

租税条約に適合しない課税を受けた場合に納税者の申立てを受けて行われる個別課税事案にかかる相互協議である。通常，相互協議と言えば個別協議を意味する。

2　租税条約の解釈又は適用に関して生ずる困難又は疑義を解決するための相互協議

租税条約は全てを網羅する具体的な規定振りとはなっておらず，国によって解釈が異なること，適用に際して困難が生じることが往々にしてある。そのような場合に行われる相互協議である。

OECDモデル条約第25条第3項前段では，「両締結国の権限ある当局は，この条約の解釈又は適用に関して生ずる困難又は疑義を合意によって解決するよう努める。」と規定されており，わが国が締結した租税条約の多くに同様の規定が設けられている。

ただし，日米租税条約第25条第3項では両当局間で協議できる事項として次の4点を例示している。

① 一方の締約国の企業が他方の締約国内に有する恒久的施設への所得，所得控除，税額控除その他の租税の減免の帰属
② 二以上の者の間における所得，所得控除，税額控除その他の租税の減免の配分
③ この条約の適用に関する相違（次に掲げる事項に関する相違を含む）の解消
　イ　特定の所得の分類
　ロ　者の分類
　ハ　特定の所得に対する源泉に関する規則の適用
　ニ　この条約において用いられる用語の意義
④ 事前価格取決め

なお，わが国が締結した他の租税条約では，このような規定は置かれていないが，同様に解釈すべきである。

3　租税条約に定めのない場合における二重課税を排除するための相互協議

「租税条約に定めのない二重課税」とは，たとえば，両締約国以外の第三国の居住者が両締約国にそれぞれ恒久的施設（Permanent Establishment：ＰＥ）を設けており，それらのＰＥに帰属する所得に対する両締約国の課税に関して，二重課税が生じるような場合をいう。

このような場合，当該居住者は第三国の居住者であるため，上記１及び２の相互協議を実施することはできないが，「この条約に定めのない場合における二重課税を除去するため，相互に協議することができる」旨の規定があれば，当該二重課税を排除するため，両締約国の権限ある当局は相互協議を行うことができることとなる。

ＯＥＣＤモデル条約第25条第３項後段では，「両締結国の権限ある当局は，また，この条約に定めのない場合における二重課税を除去するため，相互に協議することができる。」と規定されており，わが国が締結した租税条約の多くに同様の規定が設けられている。

第3節　権限ある当局

　相互協議の申立ては，居住者が自己が居住者である締約国の「権限ある当局（Competent Authority）」に対して行い，それを受けて，協議は両締約国の権限ある当局によって行われるが，この権限ある当局については各租税条約で定義されている。

　わが国が締結した租税条約では，わが国の権限ある当局は，財務大臣又は権限を与えられたその代理者とされている。ちなみに，米国の場合は，財務長官又は権限を与えられたその代理者とされており，英国の場合は，内国歳入委員会又は内国歳入委員会が権限を与えた代理者をいうとされている。このように，ほとんどの租税条約締約国がわが国と同様財政当局の責任者を権限ある当局としている。

　では，わが国の場合，権限を与えられたその代理者とは，具体的には，誰を指すか。通常，それは，条約の一般的解釈等に係ることについては主税局長，条約の執行（個別事案）に係ることについては国税庁長官及びさらに権限の与えられた国税審議官（国際担当）と言われている。

　租税条約の実施に伴う所得税法，法人税法及び地方税法の特例等に関する法律（実施特例法）では，権限ある当局に関して，財務大臣が締約相手国の権限ある当局との間で租税条約に基づく合意をしたときは，税務署長はわが国の居住者の所得に対し更正することができる（実施特例法7①）旨，及び財務大臣が締約相手国の権限ある当局との間で租税条約に基づき地方公共団体が課する租税に係る合意をするときは，あらかじめ総務大臣に協議し，その結果に基づいて合意するよう（同法8①）規定しているだけである。

　また，租税条約の実施に伴う所得税法，法人税法及び地方税法の特例等に関する法律の施行に関する省令（実施特例法省令）においても，わが国居住者又は内国法人で相手国の居住者でないものは，租税条約に基づく相互協議のための申立書を，その納税者の所轄税務署長を経由して，国税庁長官に提出することができる旨規定しているだけであり（実施特例法省令12），どの部署又は職員が権

限ある当局であるかについては何ら規定していない。このように，権限の委任は実施特例法を根拠に行われるのではない。

　一方，財務省の組織面については，財務省の外局として国税庁が設置されており（財務省設置法18），国税庁は，内国税を賦課徴収することを主たる任務とする（同法19）。そして，国税庁では，長官官房に国税審議官（国際担当）が置かれ，長官の命を受けて，国税庁の所管行政に属する国際的に処理を要する事項についての調査，企画及び立案に参画し，関係事務を総括整理することとされていることから，国税庁長官は外国の税務当局と直接協議する権限ある当局としての権限を国税審議官に委任したものと思われる。

第4節　相互協議の性格

1　相互協議の法的性格

　相互協議は問題の法的解決を目指すものであるから，機能的には国税不服審判所又は裁判所における審理と類似しているが，訴訟手続のような公式な司法審査手続ではなく，裁判所のような中立的な争訟裁断機関が決定を下すものでもない。相互協議は，国家間の課税権の調整という性格をもつ行政手続である。当事国の権限ある当局間で協議を行い，解決を図るという点ではおよそ訴訟とは異なるものであり，訴訟では納税者は参画できるが，相互協議では納税者は協議に直接参画することはできない。

　また，訴訟では白黒決着をつけるが，相互協議では灰色のまま合意することもありうる。相互協議の目的が，課税の適否を判断するというよりも二重課税の排除にあるからである。

2　合意に対する不服申立て及び訴訟

　審査請求及び異議申立ては，「行政庁の処分」に対してすることができることとなっている（行審法4①）。また，行政庁の公権力の行使に関しては不服の訴訟（抗告訴訟）を提起することができ（行訴法3①），行政庁が法令に基づく申請

に対し，相当の期間内になんらかの処分又は裁決をすべきにもかかわらず，これをしない場合には，不作為違法確認訴訟を提起することができることとなっている（行訴法3⑤）。ここでいう行政庁の処分とは，「行政庁により，具体的事実を規律するために，公権力の行使として，外部に対してなされる直接の法的効果を生ずる行為である。」と定義されている。

相互協議の合意自体は，法人の権利義務に直接の法的効果を生じるものではないところから，行政処分ではない。しかし，相互協議の合意に基づき行われる処分は，行政処分であるから，納税者はこれに不服がある場合には，不服申立て又は訴訟を提起することができる。ただし，納税者がその合意に同意し，その同意を受けて行政庁が処分をした場合には不服申立て又は訴訟の提起はできない。

つぎに，権限ある当局が納税者の納得できるような合意に達しなかった場合に，納税者はそれに対する不服申立て又は不作為違法確認訴訟を提起することができるか。権限ある当局が申立書を受理後理由なく相当期間不作為の状態に置いた場合は，申立者は不作為違法確認訴訟を提起することができるであろう。しかし，納得のいく合意が得られなかった，あるいは決裂した場合には，納税者は権限ある当局の努力義務違反は問えるものの，実際にはその立証は困難である。

第5節　相互協議手続と国内救済手続の関係

納税者が自己が受けた課税処分に不服がある場合，各国の国内法は一般的に，納税者が行政段階における救済（不服申立て）と裁判所における救済（訴訟）と二つの救済手続を採ることを認めている。租税条約に基づく相互協議手続は，これらの国内法上の救済手続とは別個の独立した救済手続として設けられている。したがって，納税者は，自己が受けた課税処分についてその国の国内法上の救済手続によらないで相互協議を申し立てることが可能であるし，また，国内法上の救済手続を採るとともに相互協議を申し立てることも可能である。こ

のような場合について，判決が下るまで相互協議の合意を延期するよう納税者が要請することを認めたり，他方，判決と合意との間の相違又は矛盾を回避することも必要であるとし，相互協議の合意の内容を納税者が受け入れること及び納税者が訴訟を取り下げることを条件として，相互協議の合意内容を実施することを規定している国もある。

相互協議の根拠規定が租税条約であることは前述した。したがって，相互協議は租税条約締結国との間でしか行えない。国外関連者の所在地国が租税条約締結国である場合には，相互協議手続と国内救済手続との関係が問題となるが，租税条約非締結国である場合には，相互協議手続を申し立てることはできず，国内救済手続のみ申し立てられる。

これを表にすると以下のとおりである。

国外関連者の所在地国	国内救済手続	相互協議手続
租税条約締結国	○	○
租税条約非締結国	○	×

さて，国内救済手続と相互協議手続にはどのような相違があるか。

国内救済手続では，課税処分が全部取消しなら二重課税が排除されるが，一部取消し又は棄却の場合，二重課税は残ることとなる。これに対して，相互協議手続では，合意されれば，相手国で対応的調整（減額調整）が行われ，二重課税が排除されるというメリットがある。

また，国内救済手続のうち訴訟においては，多くの費用と時間がかかるほか，事案の内容がオープンになる。これに対し，相互協議においては，ある程度の費用と時間がかかるものの，協議は秘密裏に行われる。なお，納税者は合意内容に納得できない場合はその合意を拒否することもできる。

国内救済手続	① 課税処分が全部取消しなら二重課税が排除されるが，一部取消し又は棄却の場合，二重課税は残る。 ② 訴訟は公開
相互協議	① 合意されれば，相手国で対応的調整（減額調整）が行われ，二重課税が排除される。 ② 非公開

第6節　相互協議手続

1　申立てができる者と申立先

　租税条約では，自己が居住者である締約国の権限ある当局へ相互協議の申立てを行うことができるとされている（OECDモデル条約25①）。このように一方の締約国の権限ある当局に対して相互協議の申立てができる者は，当該一方の国の居住者に限られている。

　わが国国内法では，所得税法第2条1項3号に規定する居住者又は法人税法第2条3号に規定する内国法人で相手国の居住者でないものがわが国の権限ある当局に対して相互協議の申立てを行うことができると規定されている（実施特例法省令12）。

2　相互協議の申立要件

　相互協議は，租税条約の規定に基づき行われるものであるから，相互協議を申し立てるには，相手国との間で租税条約が締結されていることが前提となる。

　つぎに，一方の締約国の居住者が相互協議を申し立てるには，いずれか一方の又は双方の締約国の措置により租税条約の規定に適合しない課税を受けた場合又は受けるおそれがある場合に該当しなければならない。この場合の「措置」については，租税条約上また国内法上明確な規定が置かれていないが，通常の更正又は決定の処分のみならず，移転価格に関する申告調整における自主加算又は使用料等の支払いに係る源泉所得税の自主納付，更に諸規則の制定及びそのための提案等の動きが含まれるものと解される。

「二重課税」が「租税条約の規定に適合しない課税」に該当するとの明文の規定はないが，租税条約が法律的二重課税については外国税額控除方式等によりこれを回避することとしていることから，結果として二重課税が生じるような措置は，「租税条約の規定に適合しない課税」に該当する。しかし，二重課税が存在していなくとも，当該措置が租税条約の規定に直接違反する場合には，相互協議の対象となる。たとえば，日米租税条約第17条に規定する退職年金のように，租税条約により居住地国においてのみ課税することができるとされている特定の所得に対し源泉地国が課税し，かつ，居住地国では当該所得に課税していない場合は，二重課税は生じていないが，条約の規定に直接違反することとなる。

また，一方の締約国の国民であって他方の締約国の居住者である者が，他方の締約国で差別的な課税取扱い（ＯＥＣＤモデル条約24①）を受ける場合も，相互協議の対象となる。

3 申立ての期間制限及びその起算日

(1) 申立ての期間制限

申立ては，租税条約の規定に適合しない課税に係る当該措置の最初の通知の日から3年以内にしなければならないと規定されている（ＯＥＣＤモデル条約25①）。以前わが国が締結した租税条約の多くは，期間制限についての規定が設けられていなかったが，わが国が最近締結又は改定した租税条約では，3年（ただし対カナダ条約では2年）の期間制限が設けられている。期間制限についての規定が設けられていない場合，理論的には無期限ということになるが，実際上は，税務当局又は納税者における税務書類の保存等の期間に限りがあること等から，納税者は，租税条約の規定に適合しない課税を受け又は受けるに至ると認める場合にはできるかぎり速やかに申立てを行うべきである。もっとも，納税者側にとっても二重課税をできるだけ早く解消したいわけであるから，早期に申し立てるはずである。

(2) 起算日

「租税条約の規定に適合しない課税に係る当該措置の最初の通知の日」とは，具体的にいつの時点を指すか。OECDモデル条約コメンタリー第25条パラ18では，納税者に最も有利に解釈されるべきであるとして，「かかる課税が，行政上の一般的な決定又は措置に従って課されるべきものであったとしても，期間制限は，かかる課税に結びつく個々の措置の通知があった日から計算されるべきである。すなわち，納税者にとって最も有利な解釈に基づき，賦課通知書，督促状，又は租税の賦課徴収のためのその他の書類によって立証されるような課税の措置そのものが行われた日から期間が進行する。租税が源泉徴収によって課される場合には，その所得が支払われた時から期間が進行する。しかし，もし納税者がそれ以後に源泉徴収が行われたことを知ったことを証明したときには，その知った日から期間が進行する。更に，この条約に適合しない課税を生じた決定又は措置が両締約国においてなされた決定又は措置の組合せである場合には，最も遅い決定又は措置が最初に通知された日から期間が進行する。」と説明している。

4 協議の開始

権限ある当局は，納税者による申立てを正当と認めるが，満足すべき解決を与えることができない場合には，この条約の規定に適合しない課税を回避するため，他方の締約国の権限ある当局との合意によってその事案を解決するよう努めるものとされている（OECDモデル条約25②）。

まず，権限ある当局は，当該申立てが正当であるか否かを判断する必要がある。正当と認める場合とは，租税条約の規定に適合しない課税が行われているか，又はそのおそれがある必要があり，相互協議による救済が必要である場合である。その判断は，権限ある当局の自由裁量事項ではなく，法の解釈の問題であって，正当であると認められるときは，権限ある当局は，他に満足すべき解決策がない限り，相手国の権限ある当局に協議の申入れをしなければならないと解するべきである。

5 納税者の参加

　納税者は，相互協議に参画することはできない。かつて，OECD租税委員会において，納税者の参加について議論されたことがあるが，そこでは，納税者は，相互協議手続に参加する権利を有するべきであり，また，少なくとも両方の締約国の権限ある当局に対して事案を申し立て，協議の進展状況について知りうる権利を有するべきであると主張された。

　さらに，当該納税者が相互協議に立会う権利をも有するべきであるとの提案が産業界の代表者によってなされたことがある。事実関係及び論旨について権限ある当局に誤解が生じないようにするには，納税者の参加も有効である場合もある。この提案は，相互協議手続が訴訟に類似した手続であり，納税者の利益に影響を与える訴訟においては，納税者は意見を述べる権利を有しているという見解に基づくものである。しかしながら，相互協議手続は，納税者と権限ある当局との間の訴訟手続ではない。納税者は，相互協議の合意に納得しない場合は，国内救済手続を採ることにより，自己にとってより満足のゆく解決を図る機会を依然として有している。こうしたことから，租税委員会では，納税者が権限ある当局間の協議に立会い，協議の場で意見を述べる正式な権利を有するというのは不適当であるとの結論に達した。

6 合意の実施

　成立したすべての合意は，両締約国の法令上のいかなる期間制限にもかかわらず，実施されなければならない（OECDモデル条約25②後段）。すなわち，協議によって合意がなされた場合には，権限ある当局は，その合意に従って課税上の手続きを実施しなければならない。

　合意の実施について，OECDモデル条約25条第2項後段のような規定を設けていない場合，すなわち「期間制限にもかかわらず……」との文言がない場合，国内法の期間制限を適用することができるとの考えもあり得る。しかしながら，国税通則法における相互協議による合意があった場合の期間制限の特例に関する規定（通法23, 通令6及び71）をみると，相互協議による合意は，国内

法による通常の期間制限を超えて実施されることは明らかである。

　ところで，権限ある当局間の合意さえあれば，国内法の規定にかかわらず租税を課したり，還付することができるのであろうか。これについては，権限ある当局は国内法をオーバーライドして合意することができるとする考えとできないとする考えがある。前者は，権限ある当局は，租税条約の規定に適合しない課税を排除するための権限を租税条約によって与えられたのであるから，その範囲内である限り国内法をオーバーライドできると考えるものである。これに対し，後者は，そもそも自国の国内法をオーバーライドするものについては，本来的には合意が成立しえない，すなわち，たとえ租税条約の規定に適合しない課税を排除するためであっても国内法をオーバーライドすることはできないと考えるものである。

　日本国憲法第98条第2項において，「日本国が締約した条約及び確立された国際法規は，これを誠実に遵守することを必要とする」と規定されており，条約と国内法の規定が抵触した場合は，条約の規定が優先されることとなっている。具体的には，ある所得について，国内法では課税されるが，租税条約によって課税されないとなっている場合は，租税条約の規定が優先され，課税されないこととなる（逆に，租税条約で課税されるとなっていても，国内法に課税できる旨の規定がなければ課税できない）。

　対応的調整に係る期間制限，制限税率適用等条約の直接適用に係るものについては，国内法をオーバーライドすることは可能であるが，延滞税や加算税に関する取扱い等そうでないものについては，国内法をオーバーライドすることは不可能であろう。

　なお，わが国の場合は，申告納税方式による国税に係る更正等については租税条約の合意があった場合に特則を設けていることから，オーバーライドの問題は生じない。また，延滞税及び還付加算金については一定の要件の下であれば免除等を可能とする国内法の整備がなされている。

第7節　対応的調整

1　対応的調整の意義

　わが国の親会社と条約締結相手国の子会社との間の取引について一方の国の税務当局が，移転価格税制を適用して増額調整（これを「当初調整（Initial Adjustment）」という）を行った場合，他方の国で既に課税所得に含められている一部の所得が，一方の国の法人の課税所得にも含められることとなり，同一の所得に両国が課税することとなる。このような二重課税は，企業グループ全体としてみた場合のもので，同一納税者に対し二つの国が課税する法律的二重課税（居住地国と源泉地図との課税権の競合）と区別して，経済的二重課税と言われる。法律的二重課税については，外国税額免除方式又は外国所得免除方式等の方法により制度的に排除が行われているが，国際的な人的・物的交流や経済取引が円滑に行われるためには，このような経済的二重課税も排除される必要がある。しかし，そのためには，両国の権限ある当局間での相互協議において原則として合意が成立し，この合意に基づいて一方又は他方の国がその国の納税者の課税所得を減額調整する必要がある。この減額調整を「対応的調整（Correlative Adjustment）」と呼んでいる。

　なお，対応的調整は，必ずしも相互協議を経ないで行われる場合（いわゆる「自動的調整」）があるが，これは，一方の締約国による当初調整が行われた場合に，他方の締約国が当該一方の国と相互協議を行うことなくその調整を合理的なものと認め，自発的に対応的調整を行うものである。わが国の場合は，国内法において，対応的調整を行うには相互協議による合意が必要とされているから自動的調整を行えないこととなる。

2　租税条約上の規定

　対応的調整に関する規定は，1963年ＯＥＣＤモデル条約では設けられておらず，1977年改訂ＯＥＣＤモデル条約において設けられた。すなわち，各締約国に対し関連者間の取引につき，独立企業間価格による課税を認めた同条約第9

条（特殊関連企業条項）第2項は，「一方の締約国において租税を課された当該一方の国の企業の利得を他方の締約国が当該他方の締約国の企業の利得に算入して租税を課する場合において，当該一方の締約国が，その算入された利得が，双方の企業の間に設けられた条件が独立の企業の間に設けられたであろう条件であったとしたならば当該他方の締約国の企業の利得となったとみられる利得であるときは，当該一方の締約国は，当該利得に対して当該一方の締約国において課された租税の額について適当な調整を行う。この調整に当たっては，この条約の他の規定に妥当な考慮を払うものとし，両締約国の権限ある当局は必要がある場合には，相互に協議する。」と規定している。

ところが，旧日米租税条約等かつてわが国が締結した租税条約では，対応的調整に関する規定が設けられていなかった。これは，わが国がOECDモデル条約第9条第2項を租税条約に導入することに留保を付しているからであると説明されていた。留保の理由は，本条項が自動的調整を定めたものとの認識によるとされている。しかし，モデル条約コメンタリーが指摘するように，本条項は自動的調整を規定するものではなく，税務当局間の相互協議手続を経て対応的調整を行うことを予定しているのであるから，留保を付す理由はなかったわけである。

ところで，わが国が留保していることによって，対応的調整を行う義務がないとの見解があるが，わが国が留保しているのは，対応的調整は相互協議を経て相手国の課税にわが国が納得した場合にのみ行うべきと考えているからであって，相互協議で合意に達した場合は対応的調整を行うのは条約上の義務である。最近改定された日米租税条約第9条第2項では，OECDモデル条約と同様の規定が設けられており，そのような議論が不要となっている。

なお，わが国が対応的調整を行う場合の直接の根拠規定は，租税条約における相互協議条項であり，その具体的方法を確認的に規定したのが実施特例法第7条である。したがって，当然のことながら，わが国と租税条約を締結していない国との間では対応的調整によって納税者を経済的二重課税から救済することはできない。

3 国内法上の規定

わが国が対応的調整を行う場合の規定は、国税通則法と実施特例法に定められている。

(1) 国税通則法の規定

納税者が提出した納税申告書に記載された納付すべき税額が過大である等の場合、納税者は、当該申告書の法定申告期限から1年以内に限り、更正の請求ができることとなっている（通法23①）。しかし、かつて相互協議の申立てに期間制限はなく（最近では期間制限が規定されているが）、解決までにかなりの期間を要することから、この規定では、相互協議による合意があった場合に更正の請求ができない事態が発生する。そこで、昭和45年の改正により、相互協議が行われ合意に達した場合の更正の請求についての特例が設けられた。すなわち、相互協議により、申告、更正又は決定に係る課税標準等又は税額等に関し、その内容と異なる内容の合意が行われたときは、当該理由の生じた日の翌日から起算して2か月以内に更正の請求をすることができることとなった（通法23②、通令6①四）。また、税務当局側が行う減額更正については、法定申告期限から5年を経過する日までとなっている（通法70②）が、これについても特例が設けられており、相互協議による合意があった場合には、当該合意があった日から3年間は更正等をすることができる（通法71①二）こととされた。これにより、国内の通常の期間制限を超えての対応的調整が可能となり、租税条約と国内法が整合することとなった。

ところで、国税通則法第23条に規定する「当該理由の生じた日」とは、「合意の日」を指すものであるが、「合意の日」とは具体的にいつを指すのか明確ではない。合意の日は、権限ある当局が合意文書を発出した日、又は納税者が当該文書を受領した日と解することができる。「調印の日」とするとの見解もあるが、更正の請求を行う納税者の立場に立てば、「合意内容が関係納税者に通知された日」とする見解が妥当であろう。

(2) 実施特例法の規定

1986（昭和61）年に移転価格税制が導入された際、実施特例法が改正され、

移転価格税制の適用にかかる合意があった場合の対応的調整の規定が設けられた。実施特例法第7条第1項では,「租税条約の相手国の法令に基づき,相手国居住者等と居住者（カッコ内省略），内国法人又は特定信託（カッコ内省略）の信託財産について当該特定信託の受託者である法人との間で行われた取引の対価の額と異なる金額を当該取引の対価の額として当該相手国居住者等に係る租税（当該租税条約の適用がある租税に限る）の課税標準又は欠損金額が計算される場合において，当該課税標準又は欠損金額の計算の基礎となる当該取引の対価の額につき，財務大臣が当該わが国以外の締約国の権限ある当局との間で当該租税条約に基づく合意をしたときは，当該居住者，内国法人又は特定信託受託者である法人の国税通則法第23条第1項又は第2項の規定による更正の請求に基づき，税務署長は，当該取引がその合意した金額で行われたとした場合に計算される当該居住者の各年分の所得の金額，当該内国法人の各事業年度の所得の金額（カッコ内省略）若しくは各連結事業年度の連結所得の金額又は当該特定信託の受託者である法人の当該特定信託の各計算期間の所得の金額を基礎として，同法第24条又は第26条の規定による更正をすることができる。」と規定されている。

4 対応的調整の方法

(1) 所得調整か税額調整か

対応的調整の方法として，関連企業が相手国で支払った追徴税額を一定の限度を設けてわが国で納付する租税から控除する方法（税額調整）と，関連企業が相手国で増額された所得に見合う額をわが国での課税所得から減額する方法（所得調整）とある。

対応的調整の方法については，租税条約上は特に規定されていない。したがって，わが国では，実施特例法第7条第1項において，所得調整の方法を採用し，関連企業との取引価格を相手国と合意した金額に修正して課税所得を計算し直すことを明確にしている。

(2) 遡及年度調整か現年度調整か

　いつ対応的調整を行うかについては，外国で調整の対象とされた取引が現実に行われた事業年度に遡及してこれを行う方法（遡及年度調整）と，外国で増額された所得に見合う額を一括して進行年度で調整する方法（現年度調整）とがある。

　わが国は，該当する事業年度の適用税率の差異等を考慮すると現年度調整を原則的な方法とすることは妥当ではなく，また，諸外国における取扱いとも平仄を合わせる必要があることを理由として，遡及年度調整を採用している。

　しかし，両当局間の合意を基礎として親子会社間の帳簿処理が行われ，それに基づいて現年度調整にすることは，日本の法人税理論からいって妥当性があるように思われるし，更に税の還付を要しないという点で，税務当局が受け入れやすい方法であるようにも思われるとする見解もある。企業会計におけるゴーイング・コンサーンの観点からも，過年度分の価格を修正する前期損益修正により，税務上も現年度で調整することが適当ではないかと思われる。というのは，遡及年度調整の場合には，為替レートの変動による為替差損益の問題や既に納付した税額の還付等の問題がある。これに対し，現年度調整の場合には，為替等の問題のほか延滞利子に係る問題を回避することができ，また，簡便性の点からも望ましい方法ではないかと思われる。

第8節　納税の猶予

　従来，居住者等が移転価格課税事案に係る相互協議を申し立てた場合，申立者は一旦追徴税額を納付しなければならなかった。

　しかし，平成19年度税制改正により，居住者等が移転価格課税につき租税条約の規定に基づき相互協議の申立てをした場合には，その申立てに係る国税の額（加算税の額も含む）を限度として，その申立者の申請に基づき，一定の期間に限り，納税の猶予を行うことが認められることとなった。

　この猶予は，納期限及び申請日のいずれか遅い日を始期とし，相互協議の合

意に基づく更正があった日の翌日から1月を経過する日を終期とする期間について認められるものである。

　納税の猶予をする場合には，猶予する金額に相当する担保を提供する必要がある。ただし，猶予に係る税額が少額である場合又は担保を提供することができない特別な事情がある場合には，担保を提供しないことも認められる。

　納税の猶予が認められるときは，猶予をすること及び猶予に係る金額等が申請者に通知され，また，納税の猶予が認められないときは，その旨申請者に通知される。

　納税の猶予を受けた者が次の事由に該当する場合には，納税の猶予が取り消されることもある。

① 申請者が申立てを取り下げたとき。
② 相互協議に必要な書類の提出等につき申請者が協力しないとき。
③ 繰上請求の事由がある場合において，その者が猶予に係る国税を猶予期間内に完納することができないと認められるとき。
④ 猶予に係る国税につき提供された担保について税務署長等が行った担保の変更等の命令に応じないとき。
⑤ 申請者の財産の状況その他の事情の変化により猶予を継続することが適当でないと認められないとき。

　納税の猶予をした国税に係る延滞税のうち猶予期間に対応する部分は免除されるが，納税の猶予の取消しの基因となるべき事実が生じた場合には，その日以後に対応する部分の金額については免除されない。

第2章　相互協議の実施状況

　以前は相互協議件数が少なく，場合によっては相互協議事案が特定できる可能性もあったことから，相互協議の実施状況等は公表されていなかったが，近年相互協議の実績が国税庁より公表されている。「平成17事務年度の『相互協議を伴う事前確認の状況（ＡＰＡレポート）』」で，これは国税庁のホームページから入手できる。

　同レポートでは，次のようなデータが示されている。なお，事務年度とは，国税庁におけるビジネス・イヤーで，当年7月1日から翌年6月30日までの期間を指す。

　平成17年事務年度の相互協議事案の発生件数は129件であった。平成7事務年度では32件であったことから，この10年で約4倍に増加している。129件のうち119件が移転価格に関するものであり，92％を占めている。また，129件のうち92件は二国間（多国間を含む）事前確認に係るものである。平成7年事務年度では15件であったことから，この10年間で約6倍に増加している。このことから，相互協議，なかでも事前に移転価格課税を回避するための二国間事前確認に対する納税者の多大な期待が伺われる。

　相互協議を伴う事前確認，すなわち二国間事前確認に係る合意事案の移転価格算定方法についても公表されている。それによると，再販売価格基準法（22件），原価基準法（20件），利益分割法（12件），取引単位営業利益率法（9件），独立価格比準法（4件）となっている。取引単位営業利益率法は，平成16年3月の税制改正で導入されたばかりであるにもかかわらず9件を占めている。また，無形資産取引に係る事前確認が増加していることから，利益分割法も12件となっている。明細は明らかでないが，残余利益分割法が多いと思われる。

　合意事案を地域別に見てみると，米州（29件），アジア・大洋州（27件），その他（9件）となっている。1980～1990年代はほとんど米国であり，その後豪州，

カナダ，欧州諸国が増加したことにより欧米・豪州が多数を占めていたが，最近アジア諸国の増加が見られるようになってきた。平成7事務年度末時点で相互協議を実施している国は11か国であったが，平成17事務年度末では23か国に拡大してきている。

　1件について合意に要する期間が3～4年と長かったことに対する批判を受けて，最近相互協議の処理の迅速化が図られている。

第3章　OECDの動向

第1節　概　　要

　これまで，各国が締結した租税条約は，数にして2,500以上にのぼるといわれる。各国のこれらの租税条約に基づく政府間相互協議のメカニズムは，完璧ではないにしろ，それなりに役割を果たしてきたといわれる。しかし，近年，国際間での紛争の数自体が増加してきた。さらに，それらの紛争の中身が複雑化してきた。主としてこれら2つの理由から，解決に至らない事案の数が増えてきている。増えている事案の具体的な紛争の中身は，たとえば，恒久的施設の認定に関する租税条約の解釈に係る課税問題，無形資産の評価，役務提供の評価に関する課税問題などである。

　未解決事案が増加することによる問題点は，国際間取引にとって税が障害となるという点である。これに対処するために，EUでは，欧州仲裁条約を成立させている。ただし，EU仲裁条約は，移転価格課税事案のみを対象とする点で，適用範囲が狭い。

　そこでOECDは，これらの紛争のより効果的な解決手段のあり方を求めるべく3年間の検討を行い，2007年2月に「租税条約上の紛争の解決手段の改善（2007年2月レポート）」(Improving the Resolution of Tax Treaty Disputes)（2007年1月30日租税委員会採択）を公表した。このレポートには，仲裁規定の導入の提言，現行の相互協議に関する種々の問題点の解説などが盛り込まれている。

第2節　仲裁規定の内容

　2007年2月レポートは，租税条約（第25条の「政府間相互協議」条項）の中に，新第5項として，仲裁による解決という手段を示した。新5項の内容は，「政

府間相互協議の合意が2年以内に行われなかった場合は，一定要件の下に，納税者の申請に基づき仲裁が行われ，仲裁の決定は一定要件の下に実施されなければならない」とするものである。

同5項の規定は，次のとおりである。

［OECDモデル条約25条第5項］
① 一方または双方の締約国の措置により，納税者がこの条約の規定に適合しない課税を受けることになる場合には，当該納税者は，第1項の規定に基づき締約国の権限ある当局に対して相互協議申立てを行い，かつ，
② 当該権限ある当局は，他方の締約国の権限ある当局に対して当該事案に係る相互協議を申し入れてから2年以内に本条第2項に基づく合意をすることができなかったときは，

当該納税者が申請する場合には，当該事案から生ずる未解決の問題を仲裁に付託されなければならない。ただし，当該事案の未解決の問題について，すでに，いずれか一方の締約国の不服申立て機関または裁判所による決定が出されていた場合には，当該未解決の問題は仲裁に付託されない。仲裁の決定を実施するための相互の合意を，当該事案に直接に関係する納税者が受諾しないという場合を除き，当該仲裁決定は両締約国を拘束するとともに，両締約国の国内法の規定に定める期間制限に関わらず，当該合意は実施されなければならない。両締約国の権限のある当局は，この項の規定を実施するための手続きを合意によって解決する。

第3節　今後の動き

2007年2月レポートで提案された仲裁規定の内容は，すべての国にとってそのまま受入れ可能であるというわけではない。というのは，国によっては，たとえば次のような問題を抱えているからである。まず，その国の法律，政策または執行が仲裁を許容していないケースである。具体的には，課税ということ自体が仲裁で行われることをその国の憲法が許さない場合である。さらに，こ

のような規定を締結する相手国は，特別の限られた国に限定される国もあるという。

また，別の国では，仲裁が適用しうるとしても，非常に限定された領域においてのみとされる。具体的には，事実認定のみ議論する仲裁なら可能であるという国である。これに関して，さらに限定的な国もある。すなわち，移転価格課税の事実認定に関する事案のみを仲裁で議論することが可能な国，恒久的施設が存在するか否かの事実認定のみを仲裁で議論する国などである。

したがって，少なくとも近い将来多くの国が仲裁を受け入れる状況にあるとはいいがたい状況にある。仲裁を国際間の課税紛争の解決手段として主要なものとするためには，今後のさらなる議論の高まりが必要となると考えられる。

なお，2007年2月レポートで提案された仲裁規定は，相互協議合意が得られないまま2年が経過したとしても，自動的に仲裁に移行することを規定しているわけではない。たとえば，2年経過後も納税者自身が政府間相互協議という形での解決を望む場合は，相互協議が継続されるという余地を残した規定となっている。また，同レポートでは，現行の相互協議手続の利用の促進の見地から，種々の問題点を解説し，各国に提示している。すなわち，相互協議手続は，今後も当面は，多くの国際二重課税事案の解決の手段として利用されなければならない状況にある。さらに，本件仲裁規定は，各国の国内法に定める国内救済手段を追求する権利を放棄した場合にのみ仲裁に移行できるとしているわけではない。すなわち，国内救済手段の利用可能性が残す考え方を採用している。したがって，なおも，国内救済手段の利用価値がなくなるものでもないといえよう。

QUESTION 112　相互協議とは

相互協議という言葉をよく聞きますが，相互協議とは何ですか。

ANSWER

相互協議は国際課税問題等に関してその解決のために関係当事国間で行われる政府間協議です。

KYEWORD

相互協議，政府間協議

【解説】

二重課税のように租税条約の規定に適合しない課税が行われた場合等に，そのような二重課税を排除するために行われる政府間協議を相互協議という。

移転価格課税が行われた場合，グループ法人間で二重課税が生じるが，このような二重課税を排除するために相互協議が行われる。したがって，移転価格課税が行われたことが終点ではなく，相互協議で合意して二重課税が排除されることが終点である。

政府間協議であるが，協議を行うのは，個別事案に係る協議については国税庁，条約の解釈等については財務省主税局の担当者であり，他省庁の職員が協議に参加することはない。これは，租税条約において相互協議の担当者が直接通信することを規定しているからである。

```
  日 本                    米 国
  政 府    ←―相互協議―→   政 府
 （国税庁）                （IRS）
```

QUESTION 113　相互協議の根拠規定

相互協議は国内法に基づく制度ではないと聞きましたが、それでは何を根拠に実施されるのですか。

ANSWER

相互協議は租税条約に基づく政府間協議であり、法的根拠は租税条約です。

KYEWORD

根拠規定、租税条約

【解説】

　相互協議は租税条約に基づく政府間協議であり、法的根拠は租税条約である。相互協議に関して、OECDモデル条約第25条では、「一方の又は双方の締約国の措置によりこの条約の規定に適合しない課税を受けたと認める者又は受けることになると認める者は、当該事案について、当該一方の又は双方の締約国の法令に定める救済手段とは別に、自己が居住者である締約国の権限ある当局に対して又は当該事案が前条1の規定に関するものである場合には自己が国民である締約国の権限ある当局に対して、申立てをすることができる。……」と規定されている。

　わが国は、OECDモデル条約に基づいて各国と租税条約を締結しており、わが国が締結した租税条約のすべてに相互協議条項が含まれている。

　たとえば、日米租税条約第25条では、「一方の又は双方の締約国の措置によりこの条約の規定に適合しない課税を受けたと認める者又は受けることとなると認める者は、当該事案について、当該一方の又は双方の締約国の法令に定める救済手段とは別に、自己が居住者である締約国の権限ある当局に対して又は当該事案が前条1の規定に関するものである場合には自己が国民である締約国

の権限ある当局に対して，申立てをすることができる。……」と規定されている。

　このように，相互協議の法的根拠は租税条約である。ただし，租税条約の規定だけで相互協議を実施することは困難であり，各国とも国内法において相互協議に係る規定を設けており，わが国の場合，租税条約の実施に伴う所得税法，法人税法及び地方税法の特例等に関する法律（実施特例法）第7条において，「取引の対価の額につき租税条約に基づく合意があった場合の更正の特例」についての規定を置いている。また，具体的な手続きについては，「相互協議手続について（事務運営指針）」に規定されている。

租税条約	国内法
OECDモデル条約 二国間租税条約 （日米租税条約等）	租税条約実施特例法等
	事務運営指針

(注)　相互協議手続に関しては，平成4年3月3日付官際3－1他4課共同「相互協議申立書の様式について（法令解釈通達）」，平成4年3月3日付官際3－2他4課共同「相互協議申立てに関する処理について（事務運営指針）」，が発遣されていたが，廃止され，相互協議の手続の明確化を図るため，平成13年6月25日付官協1－39他7課共同「相互協議の手続について（事務運営指針）」が発遣された。その後，事務運営指針は，連結法人に係る手続を含めるために平成17年6月8日付で改正され，更に納税の猶予規定を設けて平成19年3月30日付で改正された。

QUESTION 114 相互協議の類型

相互協議にはどのような類型がありますか。

ANSWER

相互協議は，その内容に応じ，①租税条約に適合しない課税を受けた場合に納税者の申立てを受けて行われる個別協議，②租税条約の解釈又は適用に関して生じる困難又は疑義を解決するための協議，③租税条約に定めのない場合における二重課税排除を目的として行われる協議，の三つの類型に分類されます。

KYEWORD

相互協議の類型，個別協議，解釈協議，立法協議

【解説】

相互協議には，①租税条約に適合しない課税を受けた場合に納税者の申立てを受けて行われる個別協議，②租税条約の解釈又は適用に関して生じる困難又は疑義を解決するための協議，③租税条約に定めのない場合における二重課税排除を目的として行われる協議，の三つの類型があり，その内容は以下のとおりである。

類　型	内　　　容
個別協議	租税条約の規定に適合しない課税を受けた場合等に納税者の申立てを受けて行われる協議であり，最も多いタイプである。 移転価格課税を受けたことにより二重課税が生じたケース，源泉所得課税を受けたことにより二重課税が生じたケース等が典型である。
解釈協議	個別の課税ケースとは別に，租税条約の解釈や適用に関して困難が生じた場合や，疑義が生じた場合に行われる相互協議。このような相互協議が行われる背景には，租税条約の限られた条文で全てを網羅することは不可能であり，租税条約締結相手国との間で解釈を巡って見解が対立することがあるからである。

	この協議は，納税者の申立てを必要とせず，権限ある当局が必要ありと判断すれば，条約締結相手国に相互協議の実施を申し入れることができる。
立法協議	条約に定めのない場合における二重課税を除去するために行われる相互協議。 　この協議も解釈協議と同様，納税者の申立てを必要とせず，権限ある当局が必要ありと判断すれば，条約締結相手国に相互協議の実施を申し入れることができる。

QUESTION 115　租税条約の規定に適合しない課税

租税条約の規定に適合しない課税とはどのような課税を指すのですか。

ANSWER

租税条約の条文に反する課税や，源泉地国課税と居住地国課税の競合によって生じた二重課税や移転価格課税によって生じた二重課税等が含まれます。

KYEWORD

租税条約の規定に適合しない課税，二重課税，源泉地国課税，居住地国課税，移転価格課税

【解説】

　租税条約の規定に直接反するような課税が行われた場合は，租税条約の規定に適合しない課税が行われたこととなる。租税条約で免税と規定されているにも拘わらず，課税を受けた場合は明らかに租税条約に適合しない課税に該当する。たとえば，日米租税条約第17条に規定する退職年金のように，租税条約により居住地国においてのみ課税することができるとされている特定の所得に対し源泉地国が課税し，かつ，居住地国では当該所得に課税していない場合は，

二重課税は生じていないが，条約の規定に直接違反することとなる。

次に，二重課税が「租税条約の規定に適合しない課税」に該当するとの明文の規定はないが，租税条約が法律的二重課税については外国税額控除方式等によりこれを回避することとしていることから，結果として二重課税が生じるような措置は，「租税条約の規定に適合しない課税」に該当する。

また，一方の締約国の国民であって他方の締約国の居住者である者が，他方の締約国で差別的な課税取扱い（OECDモデル条約24①）を受ける場合も，相互協議の対象となる。

なお，同一の所得に双方が課税する経済的二重課税についても「租税条約の規定に適合しない課税」に該当するとの明文の規定はないが，移転価格課税による企業グループが被る二重課税がこれに該当することは，国際的に受け入れられた解釈である。

これを図で示すと以下のようになる。

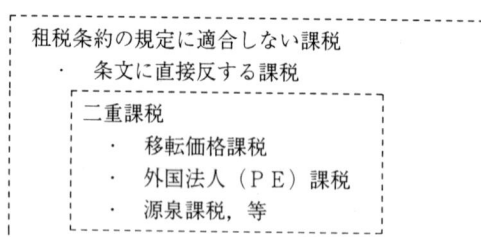

```
┌─────────────────────────────────┐
│ 租税条約の規定に適合しない課税           │
│   ・ 条文に直接反する課税              │
│   ┌─────────────────────────┐   │
│   │ 二重課税                      │   │
│   │   ・ 移転価格課税               │   │
│   │   ・ 外国法人（PE）課税         │   │
│   │   ・ 源泉課税，等              │   │
│   └─────────────────────────┘   │
└─────────────────────────────────┘
```

QUESTION 116 移転価格課税と租税条約の規定に適合しない課税

移転価格課税が行われた場合，租税条約の規定に適合しない課税に該当するのですか。

ANSWER

条約締結相手国との取引について，どちらか一方の国で移転価格課税が行われると，二重課税が生じます。このような二重課税は，租税条約の規定に適合しない課税に該当します。

KYEWORD

租税条約の規定に適合しない課税，二重課税，移転価格課税

【解説】

日本法人A社が米国の国外関連者a社との間で取引を行っており，A社からa社に対する販売に係る取引価格が100であったところ，わが国課税当局が独立企業間価格は120であるとして移転価格課税を行ったと仮定する。この場合，わが国では，売上価格を120に修正するが，米国において自動的に仕入価格が120にはならない。そのため，わが国で増加した利益20については，日米両国で課税され，二重課税となる（次頁参照）。

この場合，所得の配分について規定する日米租税条約第9条の特殊関連企業条項に適合しない課税が行われたこととなり，「租税条約の規定に適合しない課税」が行われたこととなる。

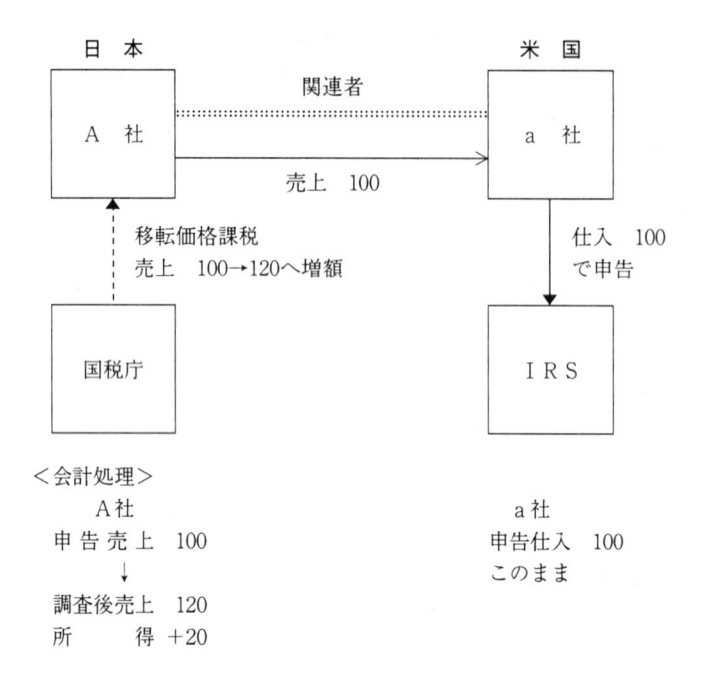

```
        日  本                              米  国
                        関連者
     ┌─────────┐ ·················· ┌─────────┐
     │         │                    │         │
     │  A 社   │──────────────────▶│  a 社   │
     │         │      売上  100      │         │
     └─────────┘                    └─────────┘
          ▲                              │
          │ 移転価格課税                   │ 仕入 100
          │ 売上 100→120へ増額            │ で申告
          │                              ▼
     ┌─────────┐                    ┌─────────┐
     │ 国税庁  │                    │  I R S  │
     └─────────┘                    └─────────┘
```

```
＜会計処理＞
      A社                           a社
  申告売上  100                  申告仕入  100
      ↓                           このまま
  調査後売上 120
  所   得  +20
```

QUESTION 117　外国法人（PE）課税と租税条約の規定に適合しない課税

外国法人（PE）課税が行われた場合，租税条約の規定に適合しない課税に該当するのですか。

ANSWER

支店等の外国法人（PE）に対してその所在地国において課税が行われ，当該課税により納付した税額に関して本店所在地国において外国税額控除を受けられないと二重課税が生じます。このような二重課税は，租税条約の規定に適合しない課税に該当します。

KYEWORD

租税条約の規定に適合しない課税，二重課税，外国法人（ＰＥ）課税

【解説】

　次のようなケースを想定する。米国法人Ｘ社の東京支店がわが国課税当局の調査を受け，申告所得100であったところ，120であるとして課税された。本店は，東京支店の当初申告に基づきわが国で納付した法人税について米国において外国税額控除の適用を受けていたが，わが国課税当局の調査により，東京支店の法人税額が増加したからといって米国の課税当局は，自動的に外国税額控除の額を増加することを認めないため，二重課税が生じる。

　このような場合，わが国課税により二重課税が生じたこととなり，租税条約の規定に適合しない課税が行われたこととなる。

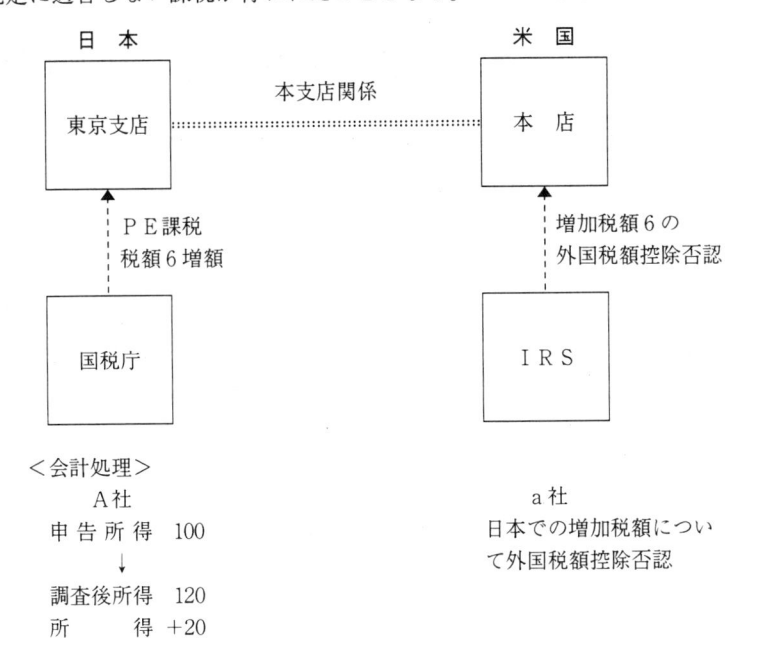

```
       日　本                              米　国
   ┌─────────┐        本支店関係         ┌─────────┐
   │         │                         │         │
   │ 東京支店 │·························│  本　店  │
   │         │                         │         │
   └─────────┘                         └─────────┘
        ↑                                    ↑
        ┆ ＰＥ課税                           ┆ 増加税額６の
        ┆ 税額６増額                         ┆ 外国税額控除否認
   ┌─────────┐                         ┌─────────┐
   │         │                         │         │
   │  国税庁  │                         │   ＩＲＳ  │
   │         │                         │         │
   └─────────┘                         └─────────┘
```

　＜会計処理＞
　　Ａ社
　　申 告 所 得　100
　　　　↓
　　調査後所得　120
　　所　　　得　＋20

　　　ａ社
　日本での増加税額について外国税額控除否認

QUESTION 118 源泉課税と租税条約の規定に適合しない課税

非居住者等に支払った使用料等に関して源泉課税が行われた場合，租税条約の規定に適合しない課税に該当するのですか。

ANSWER

使用料等については源泉地国と居住地国の双方に課税権が認められている場合があります。源泉地国で課税され納付した税額に関して居住地国において外国税額控除を受けられないと二重課税が生じます。このような二重課税は，租税条約の規定に適合しない課税に該当します。

KYEWORD

租税条約の規定に適合しない課税，源泉地国課税，居住地国課税，源泉課税

【解説】

次のようなケースを想定する。日本法人C社が，インド国法人D社に支払った費用について使用料には該当しないとして源泉徴収を行っていなかったが，調査により使用料に該当するとして課税された。D社は，わが国で課税された税額についてインド国で外国税額控除の適用を求めたが，インド国の課税当局は当該支払いは使用料に該当しないとして，当該控除を認めなかったことから二重課税が生じた。

このような場合，わが国課税により二重課税が生じたこととなり，租税条約の規定に適合しない課税が行われたこととなる。

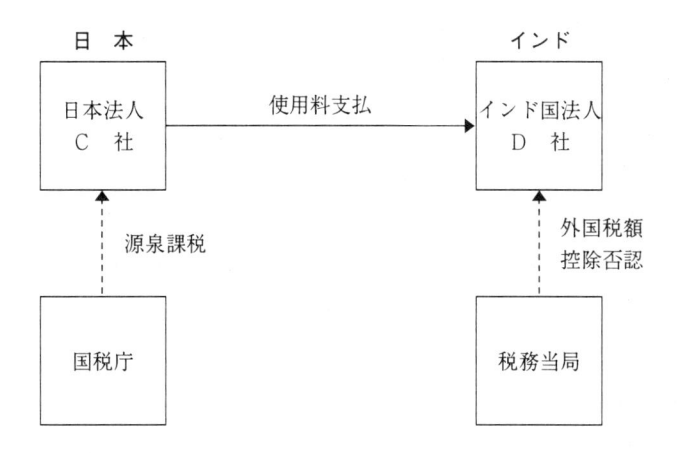

```
    日　本                        インド
  ┌─────────┐   使用料支払   ┌─────────┐
  │ 日本法人 │ ─────────→ │インド国法人│
  │  Ｃ　社  │             │  Ｄ　社  │
  └─────────┘             └─────────┘
       ↑                        ↑
       ┊ 源泉課税               ┊ 外国税額
       ┊                        ┊ 控除否認
  ┌─────────┐             ┌─────────┐
  │  国税庁  │             │ 税務当局 │
  └─────────┘             └─────────┘
```

QUESTION 119　わが国の寄附金課税と租税条約の規定に適合しない課税

わが国の寄附金課税も租税条約の規定に適合しない課税に該当するのですか。

ANSWER

寄附金課税自体は租税条約の規定に適合しない課税には該当しませんが，本来移転価格税制を適用すべきところ，国外関連者に対する寄附金の損金不算入規定を適用して課税された場合等，租税条約の規定に適合しない課税には該当すると思われます。

KYEWORD

租税条約の規定に適合しない課税，寄附金課税

【解説】

わが国の寄附金課税は，金銭その他の資産の贈与及び経済的利益の無償の供与があった場合に行われる。このような国内法による課税によって二重課税が生じても，通常租税条約の規定に適合しない課税には含まれない。

しかし，課税当局による寄附金課税の中には，本来移転価格税制を適用すべきところであるにもかかわらず，国外関連者に対する寄附金の損金不算入規定を適用して課税されることもありうる。こうした課税は，租税条約の規定に適合しない課税に含まれる。

なお，特殊関連者間の取引から生じた所得について，その特殊関連が故に歪んでいることをもって増額更正する場合には，適用条文にかかわらず相互協議の対象とすべきである。わが国の寄附金課税により生じた二重課税について，条約締結相手国の権限ある当局が相互協議を申し入れてきた場合，わが国の寄附金課税は租税条約に適合しない課税ではないとして，相互協議を拒否することは極めて困難であろう。

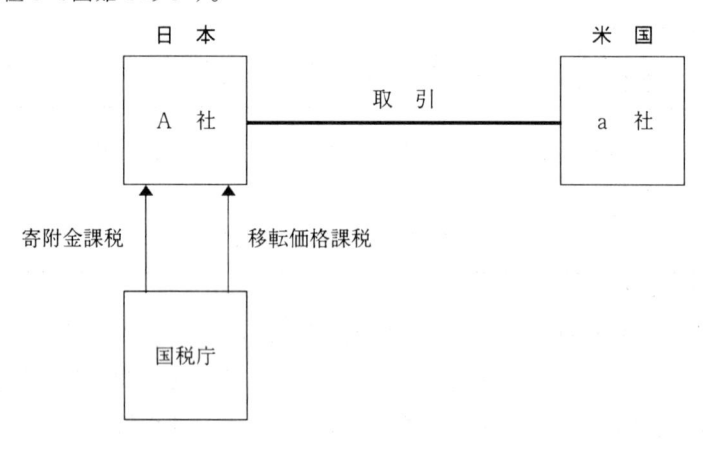

```
        日 本                    米 国
      ┌───────┐     取 引    ┌───────┐
      │ A 社 │─────────│ a 社 │
      └───────┘              └───────┘
        ↑  ↑
 寄附金課税 │ │ 移転価格課税
        │  │
      ┌───────┐
      │ 国税庁 │
      └───────┘
```

QUESTION 120 「課税を受けることとなる」の意味

「課税を受けることとなる」とは、どういうことですか。

ANSWER

わが国における更正の通知書のような文書の発送を待たなくとも、調査において問題点を指摘され、課税に至ると見込まれる場合等を意味します。

KYEWORD

課税を受けることとなる

【解説】

　一方又は他方の租税条約締結国による課税が行われた場合だけでなく、近い将来課税が行われる見込みがある場合でも相互協議を申し立てることができる。

　わが国の場合、調査が行われ、課税標準、納付額に誤りが認められると、法人税については更正通知書、源泉所得税については賦課決定通知書が発せられる。しかし、それ以前に調査官から誤りについて指摘があり、課税が予想される場合は、「課税を受けることとなる」に該当することとなる。

　なお、米国では、調査官が是否認事項を正式文書（Form 5701）として納税者に提示することとなっており、この提示があれば「課税を受けることとなる」に該当することとなる。さらに、その後、わが国の更正通知書に相当する30日レター、90日レターが発出されることとなるが、当然、これらのレター収受後も相互協議の申立てはできる。

　米国の場合は以下のようになる。

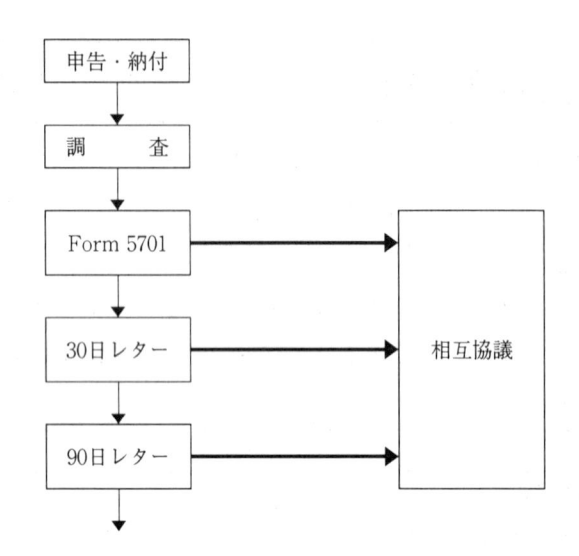

```
   ┌─────────────┐
   │  申告・納付  │
   └──────┬──────┘
          ↓
   ┌─────────────┐
   │   調    査   │
   └──────┬──────┘
          ↓
   ┌─────────────┐          ┌─────────────┐
   │  Form 5701  │────────→ │             │
   └──────┬──────┘          │             │
          ↓                 │             │
   ┌─────────────┐          │  相互協議   │
   │  30日レター  │────────→ │             │
   └──────┬──────┘          │             │
          ↓                 │             │
   ┌─────────────┐          │             │
   │  90日レター  │────────→ │             │
   └──────┬──────┘          └─────────────┘
          ↓
```

QUESTION 121　権限ある当局

相互協議は権限ある当局が行うとされていますが，権限ある当局とは具体的には何を意味するのですか。

ANSWER

租税条約上わが国の場合，財務大臣が権限ある当局と規定されていますが，財務大臣が直接行うことはなく，条文解釈に関しては財務省主計局長，執行に関しては国税庁長官に委任されています。さらに，執行に関しては実質的には国税審議官（国際担当）が権限ある当局として機能しています。なお，国税庁相互協議室がその指揮下にあって外国の権限ある当局との相互協議を担当しています。

KYEWORD

権限ある当局，財務大臣，主計局長，国税庁長官，国税審議官，国際業務課，相互協議室

【解説】

相互協議は自国の権限ある当局に申し立て，権限ある当局が他国の権限ある当局に相互協議の申入れを行い，他国の権限ある当局がそれを受けることによって開始されることとなる。

権限ある当局については，各租税条約に定義が置かれており，たとえば，日米租税条約第3条では，わが国の場合は，「財務大臣又は権限を与えられたその代理者」，米国の場合は，「財務長官又は権限を与えられた代理者」と規定されている。権限を与えられた代理者とは，わが国の場合は執行に関しては国税庁長官，税制に関しては主税局長と解されている。しかし，執行に関しては，実務的には国税庁長官の命を受けた国税審議官（国際担当）が行うこととなる。

国税審議官の氏名は，権限のある当局として条約締結相手国に通知され，相互協議に係る申入れ，合意等のレターには国税審議官がサインしている。

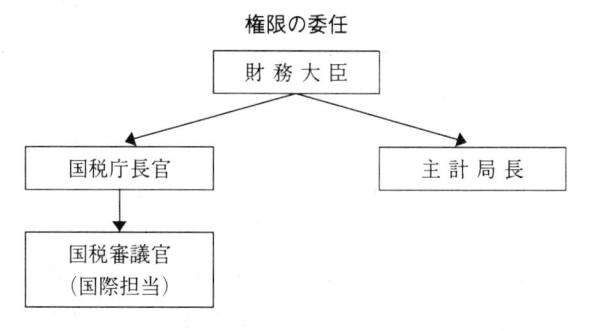

権限の委任

```
          財 務 大 臣
           /      \
   国税庁長官        主 計 局 長
       |
   国税審議官
   （国際担当）
```

国税庁に相互協議室が設置されており，国税審議官の指揮の下，相互協議室長及びスタッフが実質的な相互協議を行っている。相互協議室のスタッフは，いくつかのグループに分かれ，相手国別に個別事案を担当している。

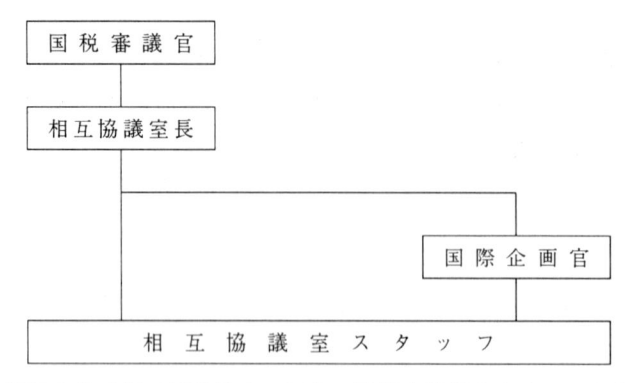

```
        ┌─────────────┐
        │  国税審議官  │
        └──────┬──────┘
               │
        ┌──────┴──────┐
        │  相互協議室長 │
        └──────┬──────┘
               │
               ├──────────────┐
               │        ┌─────┴─────┐
               │        │ 国際企画官 │
               │        └─────┬─────┘
        ┌──────┴──────────────┴──────┐
        │      相互協議室スタッフ      │
        └────────────────────────────┘
```

　なお、租税条約は相互協議規定のほかに情報交換規定を有しており、情報交換に係るレターに権限ある当局がサインすることになっているが、わが国の場合通常国際業務課長が行っている。

＜Column＞

　相互協議室のスタッフは、国際課税に詳しい部内の職員である。相互協議においては、語学力、交渉力、説得力、理解力等が必要であり、職員の中からそれらの適性がある者が任じられる。ある程度の語学力は必須であるが、単に語学ができるだけでは協議は行えない。また、米国等で見られるエコノミスト等のスペシャリストも特に置かれていない。

　わが国の場合、近年崩れてきたとはいえ、終身雇用が原則であり、現在のところ外部の者を協議スタッフとすることは不可能である。しかし、米国では、中途採用が多く、相互協議担当課には、ＩＲＳと会計事務所の間を繰り返し転職する者も散見される。守秘義務の問題があるが、わが国でも外部の人材を活用できるようなシステムを構築すべきである。

QUESTION 122 相互協議の英文名称

租税条約では相互協議の英文名称は Mutual Agreement Procedure と記載されていますが，米国ではC／A協議とも呼ばれているようです。どちらが正しいのでしょうか。

ANSWER

ＯＥＣＤモデル条約では，Mutual Agreement Procedure（ＭＡＰ）の用語を用いており，世界的に通用していますが，米国ではＣ／Ａ(Competent Authority) Consideration が用いられています。

KYEWORD

Mutual Agreement Procedure（ＭＡＰ），Competent Authority Consideration（ＣＡ）

【解説】

ＯＥＣＤモデル条約では，Mutual Agreement Procedure の用語を使用しており，これが一般的である。しかし，米国では，Mutual Agreement Procedure よりむしろＣ／Ａ (Competent Authority) Consideration が用いられている。したがって，米国の当事者との間ではＣ／Ａ (Competent Authority) Consideration を使用することが望ましい。

<Column>

相互協議は Mutual Agreement Procedure 又はＣ／A Meeting, C／A Consideration とも呼ばれる。したがって，相互協議室はＣ／A Office とも呼ばれる。Office of MAP よりも良い響きであると思うのだが。

QUESTION 123 国内救済手続との関係

租税条約締結相手国にある関連者との間の取引についてわが国で移転価格課税を受けました。国内救済手続（異議申立て，審査請求，訴訟）を検討しておりますが，それらと同時に相互協議を申し立てられますか。

ANSWER

わが国で移転価格課税を受けた場合，国内救済手続及び相互協議手続の双方を申し立てることが可能です。

KYEWORD

国内救済手続（異議申立て，不服審査，訴訟），相互協議手続，ダブル・トラック

【解説】

　納税者が自己が受けた課税処分に不服がある場合，各国の国内法は一般的に，納税者が行政段階における救済（不服申立て）と裁判所における救済（訴訟）と二つの救済手続を採ることを認めている。租税条約に基づく相互協議手続は，これらの国内法上の救済手続とは別個の独立した救済手続として設けられている。したがって，納税者は，自己が受けた課税処分についてその国の国内法上の救済手続によらないで相互協議を申し立てることが可能であるし，また，国内法上の救済手続を採るとともに相互協議を申し立てることも可能である。このような場合について，判決が下るまで相互協議の合意を延期するよう納税者が要請することを認めたり，他方，判決と合意との間の相違又は矛盾を回避することも必要であるとし，相互協議の合意の内容を納税者が受け入れること及び納税者が訴訟を取り下げることを条件として，相互協議の合意内容を実施することを規定している国もある。

(1) わが国が課税した場合

　わが国の国内法では，相互協議手続と国内法上の救済手続との関係については何ら規定されていない。法律上は，相互協議が申し立てられた事案が国内法上の不服審査又は訴訟に係争中であっても申立てがそれらの手続の進行を妨げることはなく，また逆に，それらの手続の進行が相互協議手続の進行を妨げることもない。したがって，国内法上の不服申立て又は訴訟と相互協議申立てとが同時に進行する（以下「ダブル・トラック」という）ことがありうる。国内法上の救済手続と相互協議申立てを同時に行う理由は，不服申立て等をしておくことによって申立ての期限徒過を免れ，相互協議が決裂した場合又はその合意に納得できない場合に，国内法による救済の権利を確保しておこうというところにある。

　ダブル・トラックとなった場合，①両手続を並行して進行させるか，又はいずれか一方の手続を優先して進行させるか，②仮に，両手続を並行して進行させるとした場合，相互協議による合意と裁決又は判決が異なる事態が発生しうるが，両者の効力関係はどうなるか，といった問題が生じる。納税者側からすれば，両手続を採ることは認められていることであり，いずれか有利な方を求めたいと思うであろう。しかし，税務当局側からすれば，両手続を並行して行うことは行政効率等の観点からも望ましいことではない。たとえば，相互協議と審査請求が行われている場合，相互協議で合意に達する直前に，裁決で課税処分が取り消された場合には，相互協議に費やした時間がまったく無駄になってしまうこともある。また，相互協議で合意に達したことにより，相手国で対応的調整が行われたにもかかわらず，その後納税者が訴訟を提起し，課税処分取消しの判決が出された場合には，課税の真空地帯が生じることもありうる。

　実際には，相互協議で合意する場合には，申立者に国内救済手続の取下げを求めることから，いずれか有利な方を選択することはできない。もし，申立者が取り下げない場合は，合意がされないこととなる。

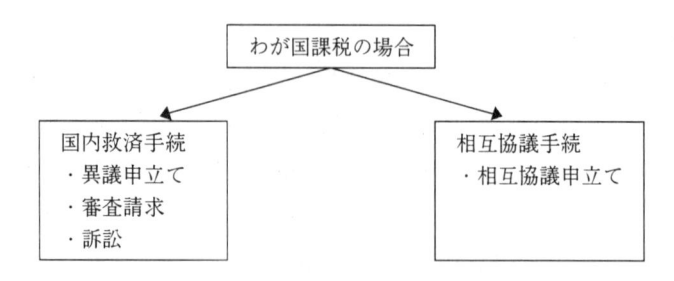

```
        ┌─────────────────┐
        │ わが国課税の場合 │
        └─────────────────┘
          ↙             ↘
┌──────────────┐   ┌──────────────┐
│  国内救済手続  │   │  相互協議手続  │
│ ・異議申立て  │   │ ・相互協議申立て│
│ ・審査請求    │   │              │
│ ・訴訟       │   │              │
└──────────────┘   └──────────────┘
```

(2) 相手国が課税した場合

　相手国が課税した事案について，相手国でダブル・トラックとなる場合がある。もし，先に相互協議で合意に達し，わが国が対応的調整を行ったが，後日，納税者が相手国で訴訟を行い，判決が出て税務当局が敗訴し課税処分が取り消された場合には，課税の真空地帯が生じることになる。また，権限ある当局が相互協議で合意に達したものの，納税者はその合意内容に納得せず，その後相手国で訴訟を進めることもある。

　もし，納税者が敗訴した場合，適合しない課税の存在を理由に再び相互協議の申立てを行うこともありうる。こうしたことから，相手国が課税した事案の場合も両手続を並行して進めることは望ましくない。

QUESTION 124　相互協議の申立てができる者

相互協議を申し立てることができる者とはどのような者ですか。

Answer

　わが国で相互協議の申立てができる者はわが国の居住者，すなわちわが国に本店を置く内国法人です。なお，支店等の外国法人は居住者ではないので，わが国で相互協議の申立てはできず，本店が所在地国の権限ある当局に相互協議の申立てをすることとなります。

KYEWORD
相互協議申立者，居住者，内国法人，外国法人

【解説】

　相互協議の申立てができる者は，租税条約を締結している国の一方の締約国の居住者である。

　わが国の場合，居住者とは，所得税法第2条に規定する居住者及び法人税法第2条第3号に規定する内国法人とされている。

　したがって，わが国の非居住者及び外国法人は，わが国の権限ある当局に対して相互協議の申立てを行うことはできない。

区　分	わが国での相互協議の申立て
居住者	可
非居住者	不可

　たとえば，米国に本店がある銀行の東京支店（わが国では外国法人）がわが国において租税条約の規定に適合しない課税を受け，又は受けるに至ると認められる場合には，米国の本店が米国の権限ある当局に相互協議の申立てを行い，米国の権限ある当局がわが国の権限ある当局に相互協議の申入れを行うこととなる。

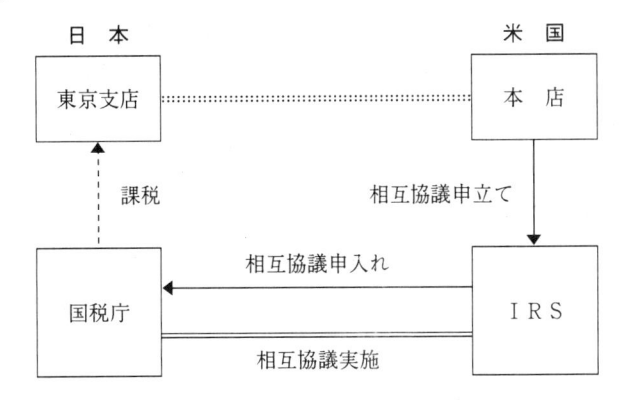

QUESTION 125 相互協議の申立てができる場合

相互協議を申し立てることができる場合とはたとえばどのような場合ですか。

ANSWER

租税条約の規定に適合しない課税が行われた場合や行われそうな場合です。

KYEWORD

相互協議の申立て要件

【解説】

相互協議の申立ては，租税条約の規定に基づき，租税条約実施特例省令第12条《租税条約の規定に適合しない課税に関する申立ての手続》若しくは第13条《双方居住者の取扱いに係る協議に関する申立ての手続》又は相続税条約実施特例省令第3条《二重課税に関する申立ての手続》の規定に従って行うことができると規定されている（事務運営指針3）。

相互協議の申立てを行うことができる場合として次のような場合が例示されている。

イ 内国法人とその国外関連者との間における取引に関し，我が国又は相手国において移転価格課税を受け，又は受けるに至ると認められることを理由として，当該内国法人が，我が国の権限ある当局と相手国の権限ある当局との協議を求める場合

ロ 内国法人とその国外関連者との間における取引に係る事前確認について，当該内国法人が，移転価格事務運営要領又は連結法人に係る移転価格事務運営要領に規定する事前確認の申出を行うとともに，我が国の権限ある当局と相手国の権限ある当局との協議を求める場合

ハ 居住者又は内国法人が，相手国における恒久的施設の有無又は相手国にある恒久的施設に帰属する所得の金額について，相手国において租税条約の規定に適合しない課税を受け，又は受けるに至ると認められることを理由として，我が国の権限ある当局と相手国の権限ある当局との協議を求める場合

ニ 居住者又は内国法人が，相手国において行われる所得税の源泉徴収について，租税条約の規定に適合しない課税を受け，又は受けるに至ると認められることを理由として，我が国の権限ある当局と相手国の権限ある当局との協議を求める場合

ホ 非居住者で日本の国籍を有する者が，相手国において，当該相手国の国民よりも重い課税又は要件を課され，又は課されるに至ると認められることを理由として，我が国の権限ある当局と相手国の権限ある当局との協議を求める場合

ヘ 居住者で相手国の法令により当該相手国の居住者ともされる者が，租税条約の適用上その者が居住者であるとみなされる国の決定について，我が国の権限ある当局と相手国の権限ある当局との協議を求める場合

ト 相続税法に規定する相続税又は贈与税の納税義務者が，相続税条約実施特例省令第3条の規定により，二重課税回避のため，我が国の権限ある当局と相手国の権限ある当局との協議を求める場合

QUESTION 126 相互協議の申立てを行う時期

相互協議はいつでも申立てを行うことができるのですか。

ANSWER

租税条約に相互協議の申立ての期間制限が規定されている場合があります。たとえ，期間制限が規定されていない場合でも無期限と解釈すべきではなく，ある程度の期間内に申し立てるべきです。

KYEWORD

相互協議申立期間制限

【解説】

相互協議の申立てに期間制限のある条約及び期間制限は以下の通りである。

相手国	申立ての期間制限	相手国	申立ての期間制限
アメリカ合衆国	3年以内	ハンガリー	3年以内
イスラエル	3年以内	バングラデシュ	3年以内
インド	3年以内	フィリピン	3年以内
インドネシア	3年以内	フランス	3年以内
ベトナム	3年以内	ブルガリア	3年以内
英国	（注1）	ポーランド	3年以内
カナダ	2年以内	マレーシア	3年以内
シンガポール	3年以内	南アフリカ共和国	3年以内
スウェーデン	3年以内	メキシコ	3年以内
タイ	3年以内	ルクセンブルグ	3年以内
大韓民国	3年以内	旧ソ連邦（注2）	3年以内
中華人民共和国	3年以内		
ノルウェー	3年以内		

（注1） 3年以内又は課税年度終了後6年以内
（注2） 旧ソ連邦条約は，アゼルバイジャン，アルメニア，ウクライナ，ウズベキスタン，キルギス，グルジア，タジキスタン，トルクメニスタン，ベラルーシ，モルドバ，ロシアにそれぞれ適用される。

QUESTION 127 期間制限の起算日

相互協議を申し立てるにあたって3年の期間制限があると言いますが，それはいつから起算するのですか。

ANSWER

租税条約の規定に適合しない課税に係る措置の最初の日から起算します。

KYEWORD

期間制限の起算日，措置の最初の日

【解説】

租税条約の規定に適合しない課税に係る措置の最初の日から起算される。

わが国で移転価格課税が行われた場合は，課税当局から納税者に対し更正通知書が送付される。通常，この通知書の発出日が最初の日になる。

しかし，源泉課税が行われた場合は，源泉徴収義務者に通知書が発せられても，納税者に直接通知書が発せられるわけではない。こうした場合は，納税者が源泉課税を知った日と解すべきである。具体的には，源泉徴収義務者から何らかの連絡があった場合には当該連絡を受けた日となろう。

なお，ＯＥＣＤモデル条約コメンタリーでは，納税者に有利となるよう規定されている。

QUESTION 128 相互協議の流れ

相互協議の全体的な流れはどうなっているのでしょうか。

ANSWER

通常相互協議の申立て以前に事前相談が行われ，その後正式に相互協議申立てが行われます。そして，相手国の権限ある当局に相互協議の申入れがなされ，相手国が相互協議の実施を受諾すると協議が実施されます。協議は合意又は不合意等で終了し，合意の場合は合意内容に沿うよう国内法に基づく手続き（たとえば減額更正の手続）が採られます。

KYEWORD

事前相談，相互協議申立て，相互協議申入れ，相互協議の実施，相互協議の合意

【解説】

相互協議は，納税者からの申立てに基づき，条約締結相手国の権限ある当局への申入れを行い，相手国が協議開始を受け入れることによって始まる。

ただし，通常はいきなり相互協議を申し立てるわけではなく，課税を受けて，又は受けるに至ることが明らかになった段階で，相互協議室に事前相談を行っている。

相互協議は，直接会合，レター交換等の形で実施され，合意又は不合意に至り終了する。合意された場合は，合意文書が交換され，双方の権限ある当局は合意内容を実施すべく国内手続きを行う。

相互協議の全体的な流れは以下のようになっている。

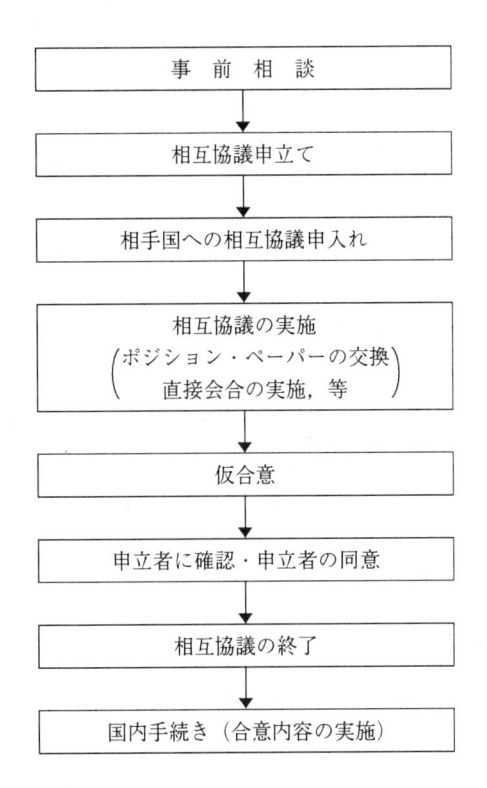

```
         ┌─────────────────┐
         │   事 前 相 談    │
         └────────┬────────┘
                  ▼
         ┌─────────────────┐
         │   相互協議申立て  │
         └────────┬────────┘
                  ▼
         ┌─────────────────┐
         │ 相手国への相互協議申入れ │
         └────────┬────────┘
                  ▼
         ┌─────────────────────┐
         │    相互協議の実施     │
         │ (ポジション・ペーパーの交換) │
         │ ( 直接会合の実施,等    ) │
         └────────┬────────────┘
                  ▼
         ┌─────────────────┐
         │     仮 合 意     │
         └────────┬────────┘
                  ▼
         ┌─────────────────────┐
         │ 申立者に確認・申立者の同意 │
         └────────┬────────────┘
                  ▼
         ┌─────────────────┐
         │   相互協議の終了   │
         └────────┬────────┘
                  ▼
         ┌─────────────────────┐
         │ 国内手続き（合意内容の実施）│
         └─────────────────────┘
```

QUESTION 129　事前相談

　相互協議を申し立てる前に事前相談をしたほうが良いでしょうか。するとしたらどこに相談すれば良いですか。

ANSWER

　事前相談を行わずに相互協議の申立ては可能ですが，いきなり相互協議の申立書を提出するよりできるだけ事前相談を行った方が良いでしょう。事前相談は，課税事案であれば相互協議室へ，事前確認事案であれば事前確認の審査を行う国税局担当課へ連絡すること

となります。

KYEWORD
事前相談

【解説】
　相互協議室は，相互協議の申立て前に相談（代理人を通じた匿名の相談を含む）があった場合には，これに応じることとされている（事務運営指針5－10(1)）。事前相談を行わずに相互協議の申立ては可能であるが，相互協議での迅速な解決を望むのであれば，積極的に事前相談を行うべきである。

　なお，課税事案に係る事前相談を行うにあたっては直接相互協議室へ連絡することとなるが，事前確認に係る事前相談については国税局担当課でも相談に応じている。

　特に，最近の傾向として，二国間事前確認に係る事前相談の場合は，国税局担当課と相互協議室が同時にヒアリングを行い，早期段階から連携して審査にあたり，相互協議の迅速化を図っている。

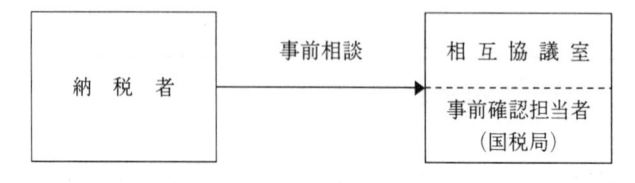

```
                          事前相談      ┌─────────────┐
       ┌─────────┐   ─────────→   │  相互協議室  │
       │ 納税者  │                 ├─────────────┤
       └─────────┘                 │ 事前確認担当者│
                                   │   （国税局）  │
                                   └─────────────┘
```

QUESTION 130 相互協議申立ての手続き

相互協議を申し立てる場合，具体的にどのように行うのですか。

ANSWER
相互協議申立書に必要書類を添付して提出することとなります。

KYEWORD
相互協議申立ての手続き，相互協議申立書

【解説】

　相互協議の申立てを行う場合は，「相互協議申立書」(別紙様式1) 2部及び次に掲げる資料 (以下「添付資料」という) 1部を，納税地の所轄税務署長に提出することにより行う (事務運営指針6(1))。

　なお，連結子会社の取引に対する課税に係る相互協議及び連結子会社とその国外関連者との間における取引を対象とする事前確認の申出に係る相互協議については，その連結子会社の連結親会社が納税地の所轄税務署長に申立てを行う。

　イ　申立てが我が国又は相手国における課税に係るものである場合には，更正通知書等当該課税の事実を証する書類の写し，当該課税に係る事実関係の詳細及び当該課税に対する申立者又はその国外関連者の主張の概要を記載した書面 (課税に至っていない場合には，課税を受けるに至ると認められる事情の詳細及び当該事情に対する申立者又はその国外関連者の主張の概要を記載した書面)

　ロ　申立てが我が国又は相手国における課税に係るものである場合において，申立者又はその国外関連者が当該課税について不服申立て又は訴訟を行っているときはイに掲げる資料に加え，不服申立て又は訴訟を行っている旨及び申立者又はその国外関連者の主張の概要を記載した書面並びに不服申

立書又は訴状の写し

ハ　申立てが我が国又は相手国における移転価格課税に係るものである場合には，イに掲げる資料に加え，当該申立ての対象となる取引の当事者間の直接若しくは間接の資本関係又は実質的支配関係を示す資料

ニ　申立てが租税条約実施特例省令第13条《双方居住者の取扱いに係る協議に関する申立ての手続》に係るものであり，かつ，租税条約又はこれに付属する政府間の取決めにおいて相互協議を行うにあたり考慮すべき事項が定められている場合には，イに掲げる資料に加え，その定められている事項に関する資料

ホ　申立者又はその国外関連者が相手国の権限ある当局に相互協議の申立てを行っている場合には，イに掲げる資料に加え，その旨を証する書類の写し

ヘ　その他協議の参考となる資料

QUESTION 131　納税の猶予

わが国で移転価格税制による更正決定を受けたので相互協議の申立てを行いました。この場合，追徴法人税額について納税の猶予を申請することはできますか。

ANSWER

移転価格税制による更正決定を受けていること，相互協議の申立てをしていること，納税の猶予を受けようとする金額が相互協議の対象となっていること，他の国税に滞納がないこと，担保の提供があることといった一定の要件を充たせば納税の猶予を申請することができます。

KYEWORD
納税の猶予

【解説】

　わが国で移転価格課税を受けた法人が相互協議の申立てをした場合，以下の要件をすべて充たせば納税の猶予を申請することができる（事務運営指針7⑴）。なお，わが国で移転価格課税を受けた法人には，内国法人のほか，外国法人も含まれる。

　イ　申請者である内国法人又は外国法人が租税特別措置法第66条の4第16項第1号又は第68条の88第16項第1号に掲げる更正決定（以下「移転価格税制による更正決定」という）を受けていること。したがって，修正申告をした場合は該当しない。

　ロ　申請者である内国法人又は外国法人が相互協議の申立てをしていること。なお，外国法人の場合は，わが国で相互協議の申立てはできず，本店所在地国で申し立てることとなっている。

　ハ　イにより納付すべき更正決定に係る法人税額の金額のうち納税の猶予を受けようとする金額（以下「納税の猶予に係る法人税」という）がロによる相互協議の申立てに係る相手国との間の相互協議の対象となるものであること。

　ニ　納税の猶予に係る法人税の額以外の国税の滞納がないこと。

　ホ　原則として，納税の猶予に係る法人税の額に相当する担保の提供があること。

QUESTION 132 納税の猶予の申請手続き

わが国で移転価格税制による更正決定を受け，相互協議を申し立てたのですが，納税の猶予を申請する際の具体的な手続を知りたいのですが。

ANSWER

「納税の猶予申請書」に必要な書類を添付して所轄税務署長又は所轄国税局長に提出します。

KYEWORD

納税の猶予申請書

【解説】

　納税の猶予を申請する者は，所轄税務署長（国税局長に徴収の引継ぎがされている場合は，所轄国税局長）に，納税の猶予に係る法人税その他所要の事項を記載した「納税の猶予申請書」（別紙様式6－1）及び添付書類を提出し，かつ，担保を提供しなければならない（事務運営指針7⑵）。なお，納税の猶予申請書は，更正決定後でないと提出できない。

　納税の猶予申請書には以下の書類を添付する（事務運営指針7⑶）。

　　イ　我が国の権限ある当局に提出した相互協議申立書又は相手国の権限ある当局に対する相互協議の申立てをしたことを証する書類（翻訳資料を添付）

　　ロ　納税の猶予に係る法人税が，移転価格税制による更正決定により納付すべき法人税の額であること及び相互協議の申立てに係る相手国との間の相互協議の対象となるものであることを明らかにする書類

QUESTION 133 納税の猶予の申請における担保の提供

納税の猶予を申請する際の担保の提供について具体的な手続を知りたいのですが。

ANSWER

担保提供書等の書類を添えて、一定の種類の担保を提供することとなります。

KYEWORD

担保の提供、担保提供書

【解説】

納税の猶予を申請する者は、次に掲げる場合を除き、納税の猶予申請書の提出に併せて、納税の猶予に係る金額に相当する担保を提供しなければならない（事務運営指針7⑷）。ただし、納税の猶予に係る法人税につき滞納処分により差し押さえられた財産があるときは、その担保の額は、その猶予する金額からその財産の価額を控除した額を限度とする。

イ　納税の猶予に係る法人税が50万円以下である場合

ロ　担保を提供することができない特別の事情がある場合

担保の種類は、次に掲げるものとされている（事務運営指針7⑸）。

① 国債及び地方債

② 社債（特別の法律により設立された法人が発行する債券を含む）その他の有価証券で税務署長又は国税局長が確実と認めるもの

③ 土地

④ 建物、立木及び登記される船舶並びに登録を受けた飛行機、回転翼航空機及び自動車並びに登記を受けた建設機械で、保険に付したもの

⑤ 鉄道財団、工場財団、鉱業財団、軌道財団、運河財団、漁業財団、港湾

運送事業財団，道路交通事業財団及び観光施設財団
⑥　税務署長又は国税局長が確実と認める保証人の保証　（これには銀行保証等が含まれるものと思われる）
⑦　金銭

申請者は，担保の提供に当たっては，次に掲げる書類のほか，担保の種類に応じて所定の書類を提出する。

①　担保提供書（別紙様式6－2）
②　第三者の所有財産を担保とする場合には，担保を提供することについてのその第三者の承諾の文言が記載されている担保提供書及び印鑑証明書
③　担保が，法人又は無能力者の所有物である場合には，代表者又は法定代理人の資格を証する書面及び印鑑証明書

QUESTION 134　納税の猶予の許可

納税の猶予申請が認められた場合，通知書が送付されるのですか。

ANSWER

納税の猶予が認められた場合はその旨記載された通知書が送付されます。

KYEWORD

納税の猶予許可通知書

【解説】

納税の猶予が認められた場合，その旨及び猶予に係る金額等が記載された納税の猶予許可通知書（別紙様式6－3）が国税局長から申請者に送付される（事務運営指針7⑾）。

また，納税の猶予が認められない場合は，納税の猶予不許可通知書（別紙様

式6－4）が国税局長から申請者に送付される（事務運営指針7⑭）。

QUESTION 135　納税の猶予期間

納税の猶予はいつからいつまで認められるのですか。

ANSWER

納税の猶予期間は，更正決定に係る法人税の納期限から相互協議の合意に基づく更正があった日の翌日から1月を経過する日までの期間です。

KYEWORD

納税の猶予期間

【解説】

納税の猶予期間は，更正決定に係る法人税の納期限（納税の猶予の申請が当該納期限後である場合には，当該申請の日）から，相互協議の相手国の権限ある当局との間の合意に基づく更正があった日の翌日から1月を経過する日までの期間である（事務運営指針7⑿）。

ただし，次に掲げる場合にあっては，相互協議の相手国の権限ある当局との間の合意に基づく更正があった日ではなく，国税庁長官がその場合に該当する旨を通知した日となる。

　イ　相互協議を継続した場合であっても合意に至らないと国税庁長官が認める場合において，国税庁長官が当該相互協議に係る相手国の権限ある当局に当該相互協議の終了の申入れをし，当該権限ある当局の同意を得たとき。

　ロ　相互協議を継続した場合であっても合意に至らないと当該相互協議に係る相手国の権限ある当局が認める場合において，国税庁長官が当該権限ある当局から当該相互協議の終了の申入れを受け，国税庁長官が同意したと

ハ 移転価格税制による更正決定に係る法人税の額に関し，相互協議の合意が行われた場合において，当該合意の内容が当該法人税の額を変更するものでないとき。

QUESTION 136 納税の猶予の取消し

納税の猶予が取り消されることはありますか。

ANSWER

納税の猶予を受けた者が，相互協議の申立てを取り下げた，相互協議に必要な書類の提出に協力しない，等の場合は取り消されることがあります。

KYEWORD

納税の猶予の取消し

【解説】

納税の猶予を受けた者が，次のいずれかに該当する場合には，納税の猶予を取り消されることがある（事務運営指針7(15)）。

① 相互協議の申立てを取り下げたとき。
② 相互協議に必要な書類の提出につき協力しないとき。
③ 繰上請求に該当する事実がある場合において，その者がその猶予に係る法人税を猶予期間内に完納することができないと認められるとき。
④ 猶予に係る法人税につき提供された担保について国税局長が担保の変更等を命令したにも拘らず応じないとき。
⑤ 猶予を受けた者の財産の状況その他の事情の変化により，その猶予を継続することが適当でないと認められるとき。

なお，納税の猶予を取り消す場合には，上記①〜③の事由を除き，あらかじめ猶予を受けた者の弁明を聞くこととなっている。

納税の猶予を取り消した場合は，その旨を記載した納税の猶予取消通知書（別紙様式6−5）を納税の猶予を受けた者に送付する。

QUESTION 137　納税の猶予をした場合の延滞税

納税の猶予をした場合，猶予した法人税に係る延滞税の取扱いはどうなるのですか。

ANSWER

納税の猶予をした場合には，その猶予をした法人税に係る延滞税の猶予期間に対応する部分の金額は免除される。

KYEWORD

納税の猶予を受けた場合の延滞税の免除

【解説】

納税の猶予をした場合には，その猶予をした法人税に係る延滞税のうち納税の猶予期間に対応する部分の金額は免除される（事務運営指針7⒀）。ただし，納税の猶予の取消しの基因となるべき事実が生じた場合には，その生じた日後の期間に対応する部分の金額については，免除されないこともある。

なお，納税の猶予の申請が当該法人税の納期限以前である場合には，当該申請の日を起算日として当該納期限までの期間が含まれる。

QUESTION 138 相互協議申立てに関して提出する資料の翻訳

相互協議を申し立てる際に提出する資料はすべて日本語でしょうか。国外関連者に係る英文資料をすべて翻訳する必要がありますか。

ANSWER

提出資料は日本語で記載します。なお，国外関連者にかかる資料も英文の他に日本語訳も添付すべきです。

KYEWORD

相互協議申立書の言語，日本語文，英文

【解説】

相互協議の申立書は当然日本語で記載される。添付資料その他提出資料のうち外国語で記載された資料について日本語訳を添付するよう求められることがある（事務運営指針11）。

ただし，資料が膨大な場合，すべての資料について日本語訳を添付することは合理的でないので，相互協議室に相談するとよい。

QUESTION 139 相互協議申立てに関して提出する資料の説明

相互協議を申し立てる際に提出した資料について相互協議室から説明を求められますか。

ANSWER

提出資料に不明な点があれば，相互協議室は申立者に添付資料その他の提出資料について説明を求めます。

KYEWORD
提出資料の説明

【解説】
　提出資料に不明な点があれば，相互協議室は申立者に添付資料その他の提出資料について説明を求めることとなっている（事務運営指針12）。

QUESTION 140　相互協議申立書の補正

相互協議申立書について補正を求められることはありますか。

ANSWER
　記載内容が不十分であると判断された場合は補正を求められることがあります。

KYEWORD
相互協議申立書の補正

【解説】
　相互協議を行うにあたって，相互協議室は申立者に資料の提供を求めている。しかし，申立者が提出した資料が不十分であると認められる場合に相互協議室は申立者に補正を求めることとなっている（事務運営指針9(1)）。
　なお，仮に相互協議室から補正を求められていなくとも，提出した資料が十分でないと認められる場合や新たな資料が把握された場合には申立者は自主的に補正を行うべきである。

QUESTION 141 相手国の権限ある当局への相互協議の申入れ

相手国の権限ある当局へ相互協議の申入れはどのように行われるのですか。

ANSWER

権限ある当局が署名した申入れレターを相手国の権限ある当局に送付します。

KYEWORD

相互協議申入れレター

【解説】

　相互協議室は，相互協議申立書及び添付資料の提出を受け，その申立てに理由があると認める場合には，次に掲げる場合を除き，相手国の権限ある当局に相互協議を申し入れる。ただし，当該申立てに係る課税，事前確認等について既に相手国の権限ある当局から相互協議の申入れが行われている場合は，相互協議の申入れは行わない（事務運営指針14）。

　イ　相互協議申立書の記載事項又は添付書類に不備があるために，相互協議室が申立者に補正を求めたにもかかわらず，申立者が補正に応じない場合
　ロ　相互協議の申立てが事前確認に係るものである場合において，申立者が移転価格事務運営要領又は連結法人に係る移転価格事務運営要領に規定する事前確認の申出を行っていない場合

　相互協議室は，当該申立てに係る課税，事前確認等について既に相手国の権限ある当局から相互協議の申入れが行われている場合を除き，相手国の権限ある当局に相互協議を申し入れない場合には，その旨を申立者に通知する。

QUESTION 142 相互協議への申立者の参加

相互協議の申立者は協議に参加できますか。

ANSWER
申立者は協議に参加できません。

KYEWORD
申立者の協議参加

【解説】

　相互協議は権限ある当局間で行われるものであり，申立者は協議の場には参加できない。この点において，当事者が法廷で意見を陳述することが可能であり，また誰もが傍聴可能な訴訟と大きく異なる。

　しかし，通常相互協議室が申立者に協議の状況を伝えることとなっているので，たとえ協議の場に参加していなくも，申立者は協議の状況を知ることはできるようになっている。

　二国間事前確認の場合は，協議において申立者が申請内容を説明する等より積極的に協議に参画する道を開くべきである。

QUESTION 143 申立者への相互協議の進捗状況の説明

相互協議申立者は相互協議に参加できないとのことですが，相互協議の進捗状況に係る説明は受けられるのでしょうか。

ANSWER
申立者は相互協議の進捗状況に係る説明を受けられます。

KYEWORD
協議進捗状況の説明

【解説】
　相互協議室は，申立者からの求めにより又は必要に応じ，相互協議の実施に支障のない範囲において，相互協議の進捗状況を申立者に説明することとなっている（事務運営指針16）。
　なお，どの程度まで説明するかは，相互協議室の裁量に任されている。

QUESTION 144　合意に先立っての申立者の意向の確認

　相互協議での合意に先立って申立者に意向を確認されると聞きましたが，どのように行われるのですか。

ANSWER
　相互協議室は合意に先立って，申立者に対して合意が予想される内容（仮合意内容）について受け入れるか否か意向を確認します。

KYEWORD
仮合意，申立者の意向

【解説】
　相互協議室は，相手国の権限ある当局と合意に至ると認められる状況（「仮合意」という）となった場合には，合意に先立ち，合意案の内容を文書で申立者に通知するとともに，申立者が当該合意内容に同意するかどうかを申立者に確認する（事務運営指針17(1)）。
　相互協議室は，申立者が当該合意内容に同意することを確認した後に，相手国の権限ある当局と正式に合意することとなる（事務運営指針17(2)）。

申立者が仮合意内容に同意しない場合は，原則として協議は不合意となり，終了する。

QUESTION 145 相互協議の合意の通知

相互協議で合意した場合，申立者にはどのように通知されますか。

ANSWER
相互協議で合意に至った場合，申立者に文書で通知されます。

KYEWORD
合意の通知

【解説】

相互協議室は，相互協議において合意に至った場合には，申立者に，「相互協議の合意について（通知）」（別紙様式2）により，合意に至った年月日及び合意内容を通知することとなっている（事務運営指針18）。

また，相互協議室は，申立者に合意の通知を行った場合には，その旨を当該通知書の写しを添付して課税部局（納税地の所轄税務署長を含む）に通知することとなっている。

相互協議室から合意の通知を受けた課税部局は，申立者の納税地の租税条約及び法令等の規定に基づき，相互協議の合意内容に沿った処理を行う。

QUESTION 146 相互協議の終了

相互協議が合意に至らず終了することがあると聞きましたが、どのような場合に終了するのですか。

ANSWER

相互協議の申立て要件に合致しないことが判明した場合や申立者の協力が得られない場合等に相手国の権限ある当局に申し入れて終了します。

KYEWORD

申立要件不一致，申立者の非協力

【解説】

次に掲げる場合には，相互協議室は相手国の権限ある当局に相互協議の終了を申し入れることとなる（事務運営指針19）。

イ　相互協議開始後，相互協議の申立てに係る事項が，租税条約において相互協議の対象とされているものでないことが判明した場合

ロ　相互協議の申立てが事前確認に係るものである場合において，申立者が当該事前確認の申出を取り下げた場合

ハ　相互協議申立書又は添付資料その他の提出資料に虚偽の記載等があった場合

ニ　申立者から相互協議に必要な資料の提出等について協力が得られない場合

ホ　我が国又は相手国における課税後相当期間が経過している等の理由から，相互協議に必要な資料を収集することができない場合

ヘ　合意に先立って申立者の意向の確認を行った場合において，申立者が権限ある当局間の合意案に同意しなかった場合

ト　その他相互協議を継続しても適切な解決に至ることができないと認められる場合

　相互協議終了の申入れについて相手国の権限ある当局の同意が得られた場合又は相手国の権限ある当局からの相互協議終了の申入れについて相互協議室が同意した場合には，相互協議を終了した旨を「相互協議の終了について（通知）」（別紙様式3）により申立者に通知することとなる。

```
    日　本           　　　　　  相手国
┌──────────┐  終了申入れ  ┌──────────┐
│ 権限ある当局 │────────→│ 権限ある当局 │
└──────────┘            └──────────┘
```

QUESTION 147　相互協議の取下げ

相互協議を申し立てたのですが，取り下げることはできますか。

ANSWER
申立者はいつでも取り下げることができます。

KYEWORD
相互協議の取下げ

【解説】
　相互協議申立書の提出後，相互協議を申し入れない旨の通知，相互協議の合意の通知又は相互協議の終了の通知を受けるまでは，申立者はいつでも相互協議の申立てを取り下げることができる（事務運営指針20）。
　なお，相互協議申立てを取り下げる場合は，「相互協議申立ての取下書」（別紙様式4）2部を申立者の納税地の所轄税務署長に提出する（その取下書は相互協議室に送付される）。
　相互協議室は，相互協議申立ての取下書の送付を受けた場合には，相手国の

権限ある当局に，相互協議の申立てが取り下げられたために相互協議を終了する旨を通知する。

QUESTION 148 相手国の権限ある当局から相互協議の申入れがあった場合の手続き

相手国の権限ある当局から相互協議の申入れがあった場合，わが国ではどのような手続きが取られるのですか。

ANSWER

わが国の税務当局内で確定申告書の保存措置等を行います。

また，わが国で事前相談等がなく，初めて事案名を把握した場合は，相互協議室の担当者がわが国の関連者から事情を聴取することがあります。

KYEWORD

相手国からの相互協議申入れ，確定申告書の保存措置

【解説】

相手国の権限ある当局から租税条約の規定に基づく相互協議の申入れがあった場合には，相互協議室は原則として次に掲げる事項を課税部局に通知するとともに，確定申告書等の保存措置を講じることを求めることとなっている（事務運営指針22）。

イ　当該申入れを行った相手国の国名

ロ　当該申入れがあった年月日

ハ　当該申入れが，非居住者又は外国法人に対する我が国における課税に係るものである場合（ヘに掲げる場合に該当する場合を除く）には，当該非居住者又は外国法人の氏名又は名称及び住所又は本店若しくは主たる事務所の所在地，相互協議の対象となる期間又は事業年度，課税が行われた年月日，

当該非居住者又は外国法人の納税管理人が定められている場合には当該納税管理人の氏名及び住所等

ニ　当該申入れが，非居住者又は外国法人の我が国にある恒久的施設に対する我が国における課税に係るものである場合には，ハに掲げる事項に加え，当該恒久的施設の名称及び所在地

ホ　当該申入れが，外国法人の我が国にある恒久的施設を取引の当事者とする移転価格課税に係るものである場合には，ハ及びニに掲げる事項に加え，当該課税の対象となった取引の他方の当事者の名称及び所在地

ヘ　当該申入れが，我が国の源泉徴収義務者が行った源泉徴収に係るものである場合には，当該源泉徴収義務者の名称及び所在地，当該源泉徴収に係る支払の相手先である非居住者又は外国法人の氏名又は名称及び住所又は本店若しくは主たる事務所の所在地，支払の内容，相互協議の対象となる期間等

ト　当該申入れが，個人の居住地国の決定に係るものである場合には，当該個人の氏名，住所又は居所，相互協議の対象となる期間等

チ　その他参考となる事項

　（注）ハからヘまでに掲げる場合に該当する場合には，我が国において相互協議の申立ては行われず，相手国の権限ある当局からの申入れにより相互協議が開始される。また，トに掲げる場合に該当する場合には，当該個人から相互協議の申立てが行われない場合がある。

QUESTION 149　居住者・内国法人等からの申立てに基づかない相互協議

相互協議は申立てが行われない限り実施されないのですか。

ANSWER

相互協議の申立てがなくとも相互協議を開始することもあります。

KYEWORD
申立てに基づかない相互協議

【解説】
　相互協議室は，相互協議の申立てがない場合であっても，必要に応じ，相手国の権限ある当局に相互協議の申入れを行うことができる（事務運営指針31）。居住者・内国法人等からの相互協議の申立てによらず相手国の権限ある当局に相互協議の申入れを行うのは，たとえば次のような場合である。

① 先に行われた相互協議の合意について，申立者等から提出され当該合意の基礎となった資料に虚偽の記載があったことなどを理由として，相手国の権限ある当局に当該合意の取消しを求める場合

② 先に行われた事前確認に係る相互協議の合意において設定された重要な前提条件が満たされなかったことを理由として，相手国の権限ある当局に再協議を求める場合

③ 先に行われた事前確認に係る相互協議の合意について，事前確認の取消し（移転価格事務運営要領5－19又は連結法人に係る移転価格事務運営要領5－19に定める取消事由が生じたこと）を理由として，相手国の権限ある当局に当該合意の取消しを求める場合

　なお，相互協議室は，相手国の権限ある当局に上記の申入れを行った場合には，当該相互協議の対象である課税に係る居住者若しくは内国法人等（当該課税の対象である取引の当事者の内国法人等が連結子法人である場合には，その連結親法人）又は当該相互協議の対象である事前確認の申出者である内国法人等に対し以下の事項を通知する（事務運営指針33）。

　イ　当該申入れを行った年月日
　ロ　当該申入れを行った相手国
　ハ　当該申入れの内容
　ニ　当該申入れを行った理由
　ホ　その他参考となる事項

QUESTION 150　相互協議の実施方法

相互協議は具体的にはどのように行われますか。

ANSWER

相互協議はレターの交換によって開始されます。その後は，相互協議室が直接会合を持ち，その場で議論を行います。そのほか，電話で意見交換を行う場合もあります。

KYEWORD

相互協議の実施方法

【解説】

　相互協議は政府間協議であるが，通常の外交ルートを経由することなく租税条約締結国の権限ある当局間で直接行われる。

　初めに一方の国が相手国に申入れ書簡を送付し，相手国が受諾の書簡を返信することにより相互協議が開始される。その後双方のポジション・ペーパーを交換し，担当者による直接会合（Face-to-face meeting）が行われる。

　日米間等では年数回の定期協議が実施され，必要に応じ臨時協議が実施される。

　なお，直接会合だけでは十分に議論する時間を確保することは困難なので，電話による協議，書簡による協議も行われる。

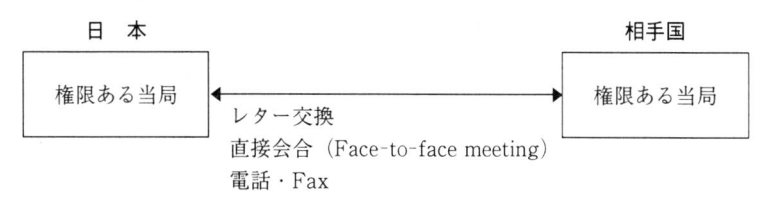

```
     日　本                              相手国
 ┌─────────┐                        ┌─────────┐
 │権限ある当局│ ◄──────────────────► │権限ある当局│
 └─────────┘                        └─────────┘
              レター交換
              直接会合（Face-to-face meeting）
              電話・Fax
```

QUESTION 151 直接会合（Face-to-face meeting）

直接会合は具体的にはどのように行われますか。

ANSWER

直接会合（Face-to-face meeting）は，定期的に行われる場合と臨時に行われる場合があります。

KYEWORD

直接会合（Face-to-face meeting）

【解説】

　米国，豪州のように，多数の個別事案に係る相互協議を行っている条約締結国との間では，年間3回とか2回とか定期的に相互協議が実施されている。さらに，必要に応じて臨時協議が実施されることもある。

　通常直接会合（Face-to-face meeting）は，相互に開催されるが，中には一方の国においてしか実施しない国もある。

<Column>

　相互協議件数が多い国との協議では，直接会合における1件あたりの協議時間が限られてしまうので，事前に電話，Fax等で意見交換をしておく必要がある。ただし，時差があること等から，電話で十分な意見交換をすることは困難である。

QUESTION 152　相互協議申立てにあたっての留意点

相互協議を申し立てるにあたって，何か留意すべき点はありますか。

ANSWER
相互協議の申立書を提出したら，後は相互協議室に任せきりとの態度ではなく，相互協議室と連絡を密にして協力していく必要があります。

KYEWORD
申立者の自助努力，相互協議室への協力

【解説】
　相互協議には申立者は参加できないので，一旦申立てをしたらその後は権限ある当局に任せ切りにすることもあるが，相互協議で合意に達するためには申立者の自助努力や相互協議室への協力が不可欠である。
　なお，以下のような点に留意すべきである。
① 申立者のポリシーの明確化
　申立者が相互協議と国内救済手続きの双方を申し立てている場合，どちらを優先するのかポリシーを明確にしておく必要がある。
　その際，両者の結果を見て，自己に最も都合の良いところを取ることはできないので留意する必要がある。
② 権限ある当局との関係
　相互協議部局に対し，協議に役立つと思われる資料を積極的に提出する等権限ある当局と密接な関係を構築することが必要である。
③ 資料保存
　関係資料の保存に努める。

QUESTION 153 相互協議の合意の範囲

相互協議には合意の範囲がありますか。

ANSWER

明文の規定はありませんが，所得金額，税額等が含まれます。移転価格課税事案（事前確認事案を含む）については，移転価格算定方法，比較対象取引，差異の調整等所得金額の算定の基礎となった項目について合意されます。

KYEWORD

合意の範囲

【解説】

　相互協議での合意の範囲に関しては明文の規定はない。しかし，相互協議の目的が租税条約の規定に適合しない課税の排除であることに鑑みれば自ずと決まってくるわけで，課税事案にあっては，通常，対象年度，所得金額，税額等について合意される。

　なお，移転価格課税事案については，移転価格算定方法，比較対象取引，差異の調整，所得移転額といった項目についても通常合意されるが，ケースによっては所得移転額のみあるいは税額のみの合意もありうる。

QUESTION 154 部分合意

相互協議では部分合意というものがあると聞きましたが，それはどういうものですか。

ANSWER

通常は合意とは完全合意を意味しますが，部分合意となる場合もありえます。

KYEWORD

完全合意，部分合意

【解説】

　そもそも相互協議では両国が課税権を主張することから容易に合意に達しない。通常，双方の主張が対立する中で互譲の精神を発揮してなんとか合意点を見つけ出すこととなるが，中にはどうしても主張が完全に一致しないこともありうる。そのような場合，合意にいたらず，対応的調整が行われないことから，納税者は二重課税が排除されないこととなる。

　しかし，あと一歩のところまで歩み寄っていた場合，歩み寄った部分について対応的調整を行い一部分であれ二重課税を排除することは，租税条約の目的に合致するものである。

　たとえば，わが国の法人と国外関連者の間において100で取引していた場合に，相手国が独立企業間価格は150であるとして移転価格課税を行ったケースを想定する。相互協議で，相手国は130なら合意できるとし，わが国は120なら合意できるとしたものの，それ以上の譲歩をすることができない。この差が埋まらない以上，このまま決裂するしかない。

　しかし，わが国が120を独立企業間価格と確認し，相手国が130を独立企業間価格と確認し，わが国が20について対応的調整を行い，相手国が20について減

額更正を行えば，納税者としては10については二重課税が残るものの，20については二重課税が排除されることとなる。こうした場合，納税者にとってはたとえ10の二重課税が残っても，決裂して50の二重課税が残るよりは有利である。こうした場合に，部分合意が行われる余地がある。

QUESTION 155 相互協議で合意に達しない場合

相互協議で合意に達しない場合もありますか。

ANSWER

多くの事案で合意していますが，中には合意できずに協議を終了する事案もあります。

KYEWORD

不合意

【解説】

租税条約の目的が二重課税の排除であり，そのために行われる相互協議であるから，権限ある当局は合意に向けて努力する。しかし，租税条約上，権限ある当局には，努力義務はあるが，合意に達する義務はない。移転価格課税のように税額が多額な事案においては，各国の課税権の衝突が起こり，合意できない場合も生じうる。

<Column>

国家の課税権を確保することは重要である。一方，それにこだわると合意は極めて困難である。合意のためには双方のコンプロマイズが必要である。もっともバナナの叩き売りのように下げていくものでもない。どこま

でコンプロマイズできるか見極めることが必要とされる。

QUESTION 156 相互協議合意後の国内処理

相互協議で合意に至った後どのような国内処理が行われますか。

ANSWER

合意内容に沿った処理が行われます。たとえば，当初の移転価格課税を減額する内容の合意が行われた場合，二重課税を排除すべく，課税を行った国では減額を行い，他方の国では当初申告から減額を行います（これを「対応的調整」と言います）。

KYEWORD

対応的調整

【解説】

たとえば，移転価格課税事案の場合，わが国課税と相手国課税の場合があり，それぞれ以下のようになる。

(1) わが国課税

わが国において移転価格課税が行われ，所得が100増加したが，相互協議において，わが国での所得が60増加する旨の合意がなされた場合では，わが国で当初課税について所得40減額され，一方相手国で対応的調整により所得60が減額されることとなる。

466　第三編　相互協議

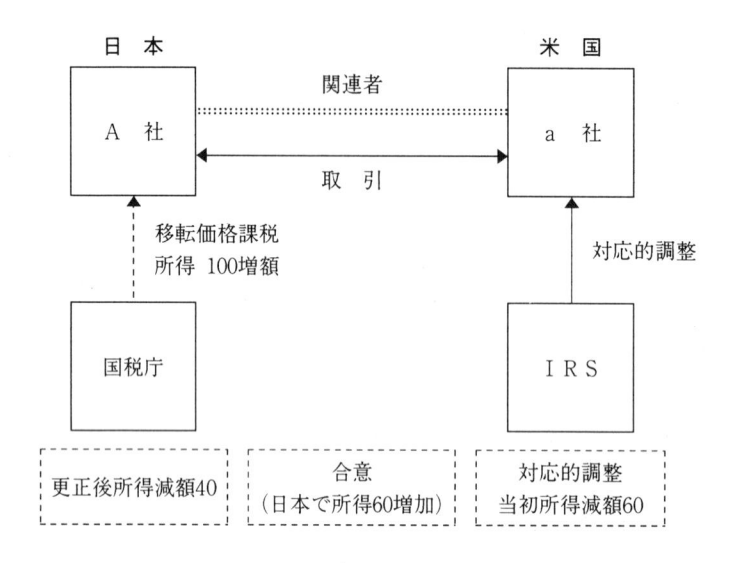

```
    日　本                      米　国
                関連者
  ┌─────┐ ·················· ┌─────┐
  │ Ａ 社 │◄──────────────►│ ａ 社 │
  └─────┘      取　引       └─────┘
      ▲                          ▲
      ╎ 移転価格課税              ╎ 対応的調整
      ╎ 所得 100増額              ╎
  ┌─────┐                    ┌─────┐
  │国税庁│                    │ ＩＲＳ │
  └─────┘                    └─────┘
```

┌─────────────┐ ┌─────────────┐ ┌─────────────┐
│更正後所得減額40│ │   合　意   │ │ 対応的調整   │
│   │ │(日本で所得60増加)│ │当初所得減額60 │
└─────────────┘ └─────────────┘ └─────────────┘

(2)　相手国課税

　相手国において移転価格課税が行われ，所得が100増加したが，相互協議において，相手国での所得が60増加する旨の合意がなされた場合では，相手国で当初課税について所得40減額され，一方わが国で対応的調整により所得60が減額されることとなる。

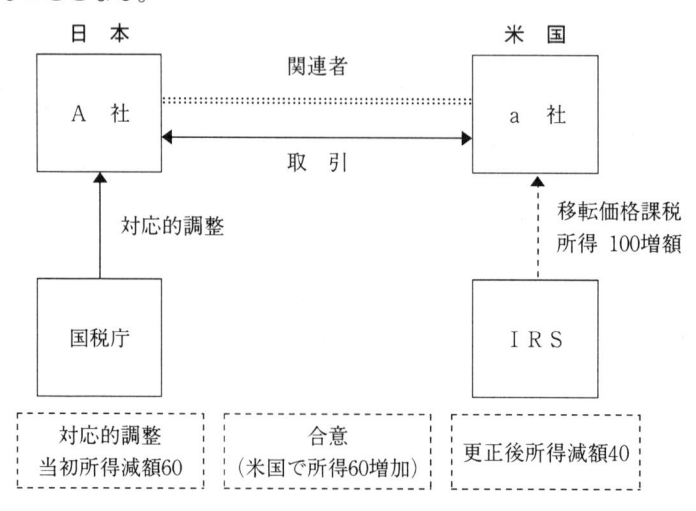

```
    日　本                      米　国
                関連者
  ┌─────┐ ·················· ┌─────┐
  │ Ａ 社 │◄──────────────►│ ａ 社 │
  └─────┘      取　引       └─────┘
      ▲                          ▲
      ╎ 対応的調整                ╎ 移転価格課税
      ╎                          ╎ 所得 100増額
  ┌─────┐                    ┌─────┐
  │国税庁│                    │ ＩＲＳ │
  └─────┘                    └─────┘
```

┌─────────────┐ ┌─────────────┐ ┌─────────────┐
│ 対応的調整   │ │   合　意   │ │更正後所得減額40│
│当初所得減額60 │ │(米国で所得60増加)│ │   │
└─────────────┘ └─────────────┘ └─────────────┘

QUESTION 157　相互協議の合意と国内法上の更正等の期間制限

相互協議で合意しても，国内法で規定する更正等の期間制限を超えている場合は，減額更正されないのではないですか。

ANSWER

通常租税条約において成立したすべての合意は，両締約国の法令上のいかなる期間制限にもかかわらず，実施されなくてはならないと規定されています。したがって，国内法の期間制限にかかわらず合意内容が実施されます。

わが国国内法では更正等の期間制限が規定されていますが，相互協議の合意があった場合には，特例が設けられています。

KYEWORD

合意の実施，更正等の期間制限，更正の期間制限の特例

【解説】

OECDモデル条約第25条第2項では，「成立したすべての合意は，両締約国の法令上のいかなる期間制限にもかかわらず，実施されなくてはならない」と規定されている。わが国が締結した租税条約は，OECDモデル条約に沿った規定を設けており，相互協議で合意に達した場合にその内容の実施を義務付けている。租税条約の中には，OECDモデル条約の条文と同一の規定が置かれていないものもあるが，たとえ租税条約に規定されていなくとも国内法の規定振りから，同様の扱いとすべきである。

わが国では，原則として，更正については，更正に係る国税の法定申告期限（還付請求申告書に係る当該更正については当該申告書を提出した日）から3年を経過した日以後においてはすることができないこととされている（通法70①一）。ただし，納付すべき税額を減少させる更正又は賦課決定については，それにか

かわらず当該法定申告期限等から5年を経過する日までとすることができるとされている（通法70②一）。

　しかし、以下のとおり特例が設けられている。

　申告納税方式による国税については、政令で定める理由に基づいてする更正又は当該更正に伴い当該国税に係る加算税についてする賦課決定については当該理由が生じた日から3年間することができると規定されている（通法71①二）。さらに政令で定める理由に、わが国で締結した租税条約に規定する権限ある当局間の協議により、その申告、更正又は決定に係る課税標準等又は税額等に関し、その内容と異なる内容の合意が行われたことが含められている（措令6，30）。

　したがって、税務署長は相互協議の合意があった場合、合意の日以後3年間は更正を行うことができることとなる。

QUESTION 158　対応的調整

租税条約相手国の税務当局が行った移転価格課税について相互協議が行われ、当該課税を減額する旨の合意がなされると対応的調整が行われると聞きましたが、対応的調整とはどのようなものですか。

ANSWER
わが国において国内法に基づき行われる減額処理のことです。

KYEWORD
対応的調整

【解説】

　租税条約締結相手国の税務当局から移転価格課税を受け、わが国との間で相互協議が行われ、わが国の納税者に係る所得を減額する旨の合意がなされた場

合には，わが国において国内法に基づき減額処理が行われることとなり，これを「対応的調整（correlative adjustment）」という。

対応的調整に関しては，次の要件を満たす場合に限り行われる（実施特例法7）。

① 我が国の居住者又は内国法人と条約相手国の権限ある当局との取引に関し，条約相手国が移転価格課税を行ったこと
② ①の取引の対価の額につき，わが国と条約相手国の権限ある当局との間で租税条約に基づく合意が成立したこと

このように自動的に対応的調整は行えないことに留意する必要がある。

QUESTION 159 対応的調整の方法

移転価格課税事案について対応的調整は具体的にどのような方法で行われるのですか。

ANSWER

わが国の納税者が更正の請求を行い，それに基づき税務署長が減額更正を行います。

KYEWORD

更正の請求，減額更正

【解説】

租税条約締結相手国の税務当局により移転価格課税が行われた事案について，相互協議においてわが国の納税者の所得を減額する旨の合意がなされた場合，わが国の納税者は，更正の請求を行うことが求められる。税務署長は，当該更正の請求に基づき減額を行うこととなる。

QUESTION 160　更正の請求

更正の請求とはどのようなものですか。

ANSWER
納税申告書に記載された課税標準等又は税額等に誤りがあるとき，税務署長がこれを是正するための処分のことです。

KYEWORD
更正の請求

【解説】

　申告納税方式を採る国税において，納税義務者が提出した納税申告書に記載された課税標準等又は税額等に誤りがあるとき，税務署長がこれを是正するための処分を更正という。納税者が税務署長に対し，自らの課税標準等又は税額等が過大であった場合に，それらの減額を請求することを更正の請求という。

　更正の請求をしようとする者は，所定の期限までに，①その請求に係る更正前の課税標準等又は税額等，②その更正後の更正前の課税標準等又は税額等，③その更正を請求する理由，④その請求をするに至った事情の詳細その他参考となるべき事項を記載した「更正請求書」を所轄税務署長宛に提出しなくてはならない。

QUESTION 161 職権による減額更正

わが国税務当局が行った移転価格課税事案について，相互協議で減額する旨の合意がなされた場合，納税者は更正の請求を行うのですか。

ANSWER

わが国課税事案では，納税者は更正の請求を行えず，税務署長が職権で更正を行うこととなります。

KYEWORD

職権による減額更正

【解説】

租税条約締結相手国の税務当局が行った移転価格課税に係る対応的調整については，わが国納税者の更正の請求に基づき減額更正が行われるが，わが国税務当局が行った移転価格課税について相互協議において課税を減額する旨の合意がなされた場合，納税者は更正の請求を行う旨の規定はない。したがって，その場合，税務署長が職権で減額更正を行うこととなる。

QUESTION 162　国外所得移転金額の取扱い

わが国で移転価格課税が行われ相互協議で合意した場合，国外所得移転金額を返還しなければならないのですか。

ANSWER

国外所得移転金額を返還するか否かは任意です。

なお，わが国では返還を受けるか否かにかかわらず利益の社外流出として扱われます。

KYEWORD

国外移転所得金額の返還

【解説】

わが国で移転価格課税が行われた場合，国外所得移転金額は，その全部又は一部を国外関連者から返還を受けるか否かにかかわらず利益の社外流出として扱われることなる（措通66の4(7)−1）。

なお，租税条約締結相手国で移転価格課税を受け，相互協議で合意した場合，わが国納税者が対応的調整により減額された所得金額を返還するか否かは任意である。返還しない場合は，納税者の利益積立金を構成するほか，同族会社の留保金課税の留保金額に含まれることとされる（実施特例法7②）。

QUESTION 163　為替差損益の処理

相互協議合意後，国外移転所得金額の返還を受ける際に生じた為替差損益についてはどのように処理するのですか。

ANSWER

移転価格課税の対象となった課税年度の円換算レートを適用して計上した金額と，返還時における円換算額との差額は，返還時の為替差損益として処理します。

KYEWORD

国外所得移転金額の返還，為替差損益

【解説】

移転価格課税の対象となった課税年度の円換算レートを適用して計上した金額と，返還時における円換算額との差額は，返還時の為替差損益として処理する（措通66の4(8)-2（注））。

QUESTION 164　米国における国外所得移転金額の取扱い

米国子会社が米国で移転価格課税が行われ相互協議で合意した場合，所得移転金額を米国子会社へ送金しなければならないのですか。

ANSWER

送金しないとみなし配当とされ，源泉税が課されることがあります。

KYEWORD
みなし配当，みなし出資，源泉税，第二次調整

【解説】

　米国では，所得移転金額を米国子会社へ送金しないとみなし配当とされ，源泉税が課される（逆の場合はみなし出資とされる）。このような課税は第二次調整と呼ばれる。わが国では，みなし配当に関して米国で納付された源泉税について外国税額控除を認めておらず，問題となる。相互協議の合意に基づき対応的調整が行われることによって二重課税が排除されるが，第二次調整により別の二重課税が生じる場合がある。

　なお，移転価格課税によって生じた二重課税は相互協議の対象となるが，第二次調整により生じた二重課税は相互協議の対象とはならないと解されており，救済されないこととなる。

QUESTION 165　延滞税

わが国で移転価格課税を受け，相互協議の申立てを行いました。納税の猶予は申請していません。この場合移転価格課税に係る延滞税は課されますか。また，相互協議において延滞税を免除する旨の合意をすることはできますか。

ANSWER

移転価格課税も一般の課税同様延滞税が課されます。また，相互協議で延滞税を免除する旨の合意をすることもあります。

KYEWORD
延滞税，延滞税の免除

【解説】

　わが国で移転価格課税が行われた場合，一般の増額更正処分と同様に，国税の法定納期限の翌日から完納する日までの期間に対して延滞税が課される。延滞税の額は，未納期間の日数に応じ，未納税額に年14.6％の割合を乗じて計算された額であるが，納期限までの間又は納期限の翌日から2月を経過する日までの期間については，年7.3％とされている（通法60②）。ただし，この7.3％については，平成12年1月1日以降特例基準割合に変更されている（措法94）。

　なお，延滞税の計算の基礎となる期間については，特例が設けられており，更正の通知書が法定申告期限から1年を経過する日以後に発せられたときは，その法定申告期限から1年を経過する日の翌日からその更正の通知書が発せられた日までの期間は計算期間から除外される（通法61①一）。

　また，わが国移転価格課税が行われた後相互協議で延滞税について免除する旨の合意がなされた場合においては，以下の要件を満たすとき，合意をした期間に対応する部分に相当する金額を免除される（措法66の4⑲，措令39の12⑫⑬）。

① 　国外関連取引に係る独立企業間価格につき，権限ある当局間の合意が成立したこと
② 　租税条約締結相手国が対応的調整を行うこと
③ 　租税条約締結相手国が対応的調整に際し還付する金額に，還付加算金に相当する金額のうちその計算の基礎となる期間で権限ある当局間で合意をした期間に対応する部分に相当する金額を付さないこと

QUESTION 166　米国における延滞利子

米国子会社が日本親会社との取引について米国で移転価格課税を受けましたが，米国で延滞利子は課されますか。また，相互協議で合意し，米国で減額される場合，還付金に利子は付されますか。

ANSWER

移転価格課税を受けた場合も一般の場合と同様延滞利子が課されます。また，相互協議で合意し，減額される場合，還付金に利子が付されます。

KYEWORD

延滞利子，還付金利子

【解説】

米国では，納期限までに納付されなかった場合，納期限から実際に納付された日までの期間について利子（Interest）が課されます（内国歳入法6601(a)）。

また，相互協議の合意により税額が還付される場合は，過大納付の日から還付小切手の日付よりも前の日（30日以内）までの期間につき利子が付されます（内国歳入法6611）。

QUESTION 167 還付加算金

相互協議の合意により当初の移転価格課税が減額される場合，還付された税額について還付加算金は付くのですか。

ANSWER
還付加算金は付されます。

KYEWORD
還付加算金

【解説】

わが国で移転価格課税が行われ，相互協議で課税が減額されることで合意した場合，減額更正が行われる。減額更正により還付されることとなる税額は，わが国による更正により納付すべき税額が確定した国税に係る過納金に該当することとなり，還付加算金が付されることとなる（通法58①一イ）。

なお，相手国課税で相互協議の結果わが国で対応的調整が行われる場合，原則として還付税額に還付加算金は付されない。これは次のような理由による。対応的調整は納税者からの更正の請求に基づき行われる。還付加算金は，更正の請求があった日の翌日から起算して3月を経過する日と更正があった日の翌日から起算して1月を経過する日とのいずれか早い日の翌日から還付のための支払決定の日までの期間の日数に応じて計算される。したがって，わが国では通常更正の請求があれば直ちに更正が行われることから，税務当局が通常の処理を行えば，還付加算金は付されないこととなる。

QUESTION 168 地方税

地方税についても相互協議を申し立てることはできますか。

ANSWER

直接地方税が相互協議の対象となる場合は相互協議を申し立てられるでしょうが、対象となっていなければ申し立てることはできません。法人税に連動する地方税は含まれません。

KYEWORD

地方税

【解説】

　わが国が締結した租税条約では、相手国に地方税がある場合はわが国の住民税を含めるが、相手国に地方税がない場合には含めないこととしている。租税条約で地方税を対象としており、地方税が直接相互協議の対象となる場合は相互協議を申し立てられるであろうが、対象となっていなければ申し立てることはできない。法人税に連動する地方税は含まれない。

　なお、財務大臣は、租税条約の相手国の権限ある当局と地方税に係る相互協議をする場合又は合意する場合には、あらかじめ総務大臣に協議し、その結果に基づいて合意しなくてはならないとされている（実施特例法8①、事務運営指針2⑶(注)）。一見すると、地方税が関係する場合は、すべて総務大臣との協議が必要であるかのように思えるが、ここでいう「地方税に係る相互協議」とは、直接地方税が対象となっている場合をいうのであり、わが国のように地方税が国税に連動していることから、法人税について相互協議を行い、合意すれば地方税にも影響される場合は含まれない。

QUESTION 169　連結加入等法人に係る相互協議

相互協議の申立てを行っているのですが，この度納税方式に異動が生じ，連結法人となりました。相互協議の申立てを継続したいのですが，相互協議の申立てを再度行わなくてはなりませんか。

なお，相互協議は継続中で，まだ合意はされておりません。

ANSWER

相互協議の申立てを行っている法人の納税方式に異動が生じ，連結法人となった場合は，相互協議の申立てを再度行う必要はありませんが，連結法人が納税地の所轄税務署長に「連結加入等法人の相互協議申立ての継続届出書」を提出する必要があります。

KYEWORD

相互協議申立て者の連結加入，連結離脱

【解説】

　相互協議の申立てを行っている法人の納税方式に異動が生じ，連結法人となった場合は，相互協議の申立てを再度行う必要はないが，連結法人が納税地の所轄税務署長に「連結加入等法人の相互協議申立ての継続届出書」を提出する必要がある。

　また，相互協議の申立てを行っている連結法人が，他の連結グループの連結法人となった場合も，同様に連結法人が納税地の所轄税務署長に「連結加入等法人の相互協議申立ての継続届出書」を提出する必要がある。

　さらに，相互協議の申立てを行っている連結法人が連結法人から離脱した場合は，申立ての対象取引等を有する法人が納税地の所轄税務署長に「連結離脱等法人の相互協議申立ての継続届出書」を提出する必要がある。

　なお，「連結加入等法人の相互協議申立ての継続届出書」及び「連結離脱等

法人の相互協議申立ての継続届出書」は同一の様式（別紙様式5）であり，用途に応じて使い分けるようになっている。

QUESTION 170 二国間事前確認に係る相互協議

二国間事前確認についても相互協議が行われるのですか。

ANSWER

二国間及び多国間事前確認については相互協議が行われます。

KYEWORD

二国間事前確認，多国間事前確認

【解説】

　納税者の申請に基づき，納税者と税務当局が，関連企業間取引について，その取引を行う前に，一定の定められた期間（通常3〜5年）における取引に関する価格を決定する目的で，移転価格算定方法等を確認することを事前確認（Advance Pricing Arrangement：APA）という。事前確認には，①一国内でのみ合意されるユニラテラルAPA，②二国間で合意されるバイラテラルAPA，③三国間以上の多国間で合意されるマルチラテラルAPAがある。

　ユニラテラルAPAでは，相互協議を実施する必要はないが，バイラテラルAPA及びマルチラテラルAPAでは，相手国の権限ある当局と相互協議を行い，合意される。

　日本の親会社A社と米国の子会社a社との間の取引について，二国間事前確認に係る相互協議を申し立てる場合は，A社が日本の権限ある当局へ，a社が米国の権限ある当局に各々申し立てる必要がある。

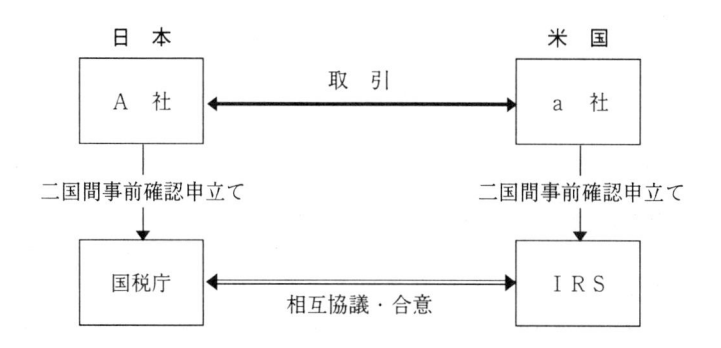

```
        日　本                           米　国
    ┌─────────┐      取　引      ┌─────────┐
    │  A 社   │◄───────────────►│  a 社   │
    └────┬────┘                 └────┬────┘
         │                           │
  二国間事前確認申立て           二国間事前確認申立て
         │                           │
         ▼                           ▼
    ┌─────────┐   相互協議・合意  ┌─────────┐
    │  国税庁 │◄───────────────►│  I R S  │
    └─────────┘                 └─────────┘
```

QUESTION 171　外国法人の事前確認に係る相互協議

米国法人の東京支店ですが，本店との取引について事前確認に係る相互協議を申し立てることはできますか。

ANSWER

支店のような外国法人はわが国で事前確認に係る相互協議の申立てをすることはできませんが，本店が所在地国において事前確認に係る相互協議を申し立てることは可能です。

KYEWORD

外国法人の事前確認に係る相互協議

【解説】

わが国で事前確認に係る相互協議を申し立てることができるのは，居住者である内国法人に限られ，支店のような外国法人はわが国で事前確認に係る相互協議を申し立てることはできない。しかし，本店所在地国において事前確認に係る相互協議を申し立てることは可能であり，この場合米国において事前確認に係る相互協議を申し立てることとなる。

そして，米国の権限ある当局から事前確認に係る相互協議の申入れがあった

場合，支店（恒久的施設）がわが国で事前確認の申出を行っている時又は行う時は相互協議を行うこととなる（事務運営指針25）。

QUESTION 172 相互協議の合意件数

相互協議では年間何件合意されていますか。

ANSWER

合意件数は公表されておりませんが，発生，処理，繰越件数は公表されています。

KYEWORD

相互協議の合意件数

【解説】

平成15事務年度から平成17事務年度における相互協議の実施状況は以下のとおりである。なお，処理件数には，合意件数のほか不合意件数も含まれている。処理件数のうち何件が不合意かは公表されていないが，数件と推測される。

事務年度	発 生	処 理	繰 越
平成15	122	83	203
平成16	90	92	201
平成17	129	93	237

（注） 事務年度とは，当年7月1日から翌年6月30日までの期間をいう。
〈Q172～Q177に係る出典〉「平成17事務年度相互協議を伴う事前確認の状況（APAレポート）」国税庁

QUESTION 173 相互協議を伴う二国間事前確認についての合意件数

相互協議を伴う二国間事前確認については年間何件合意されていますか。

ANSWER

相互協議を伴う二国間事前確認に係る合意件数は公表されておりませんが，発生，処理，繰越件数は公表されています。

KYEWORD

相互協議を伴う二国間事前確認の合意件数

【解説】

平成15事務年度から平成17事務年度における相互協議を伴う二国間事前確認の実施状況は以下のとおりである。なお，処理件数には，合意件数のほか不合意件数も含まれている。処理件数のうち何件が不合意かは公表されていないが，数件と推測される。

事務年度	発生	処理	繰越
平成15	80	39	129
平成16	63	49	143
平成17	92	65	170

QUESTION 174 相互協議の産業別実施状況

相互協議の産業別実施状況はどうなっていますか。

ANSWER

相互協議の産業別実施状況は公表されていませんが，相互協議を伴う二国間事前確認に係る産業別実施状況は公表されています。

KYEWORD

相互協議を伴う二国間事前確認に係る産業別実施状況

【解説】

相互協議を伴う二国間事前確認に係る平成17事務年度処理済65件については更に以下のとおり産業別分析結果が公表されている。

産　業	件　数
製造業	31
卸・小売業	27
その他	7
計	65

QUESTION 175 相互協議で合意した移転価格算定方法

相互協議ではどのような移転価格算定方法で合意されていますか。

ANSWER

相互協議で合意した移転価格算定方法は公表されていませんが，相互協議を伴う二国間事前確認で合意した移転価格算定方法は公表

されています。

KYEWORD
相互協議を伴う二国間事前確認で合意した移転価格算定方法

【解説】
　相互協議を伴う二国間事前確認に係る平成17事務年度処理済65件についての移転価格算定方法は以下のとおりとなっている。

移転価格算定方法	件　数
CUP	4
RP	22
CP	20
PS	12
TNMM	9
計	67

QUESTION 176　相互協議で合意された相手国

相互協議ではどのような国と合意されていますか。

ANSWER
　相互協議で合意した国名は公表されていませんが，相互協議を伴う二国間事前確認に係る処理事案についての地域は公表されています。米州，アジア，オセアニアが多いようです。

KYEWORD
相互協議で合意された相手国・地域

【解説】

相互協議を伴う二国間事前確認に係る平成17事務年度処理済65件についての相手国は公表されていないが，地域は以下のとおりである。

地　域	件　数
米州	29
アジア・オセアニア	27
その他	9
計	65

QUESTION 177　相互協議が実施されている相手国

現在相互協議はどのような国との間で実施されていますか。

ANSWER

相互協議は米州，アジア，オセアニア，欧州等の国との間で実施されています。

KYEWORD

相互協議が実施されている相手国

【解説】

平成17事務年度末に相互協議が実施されている相手国は，以下のとおりである。

地域	国名	国数
北米	アメリカ, カナダ	2
中南米	メキシコ	1
アジア	中国, 韓国, タイ, シンガポール, マレイシア, インド	6
オセアニア	オーストラリア, ニュージランド	2
欧州	イギリス, フランス, ドイツ, オランダ, スイス, オーストリア, デンマーク, ベルギー, アイルランド, スウェーデン, ルクセンンブルグ	11
中近東	イスラエル	1

第四編
資料

資料1

OECDモデル条約第9条・日米租税条約第9条

(1) OECDモデル条約第9条

第9条　特殊関連企業

1.
    a) 一方の締約国の企業が他方の締約国の企業の経営，支配若しくは資本に直接若しくは間接に参加している場合又は
    b) 同一の者が一方の締約国の企業及び他方の締約国の企業の経営，支配若しくは資本に直接若しくは間接に参加している場合

   であって，そのいずれかの場合においても，商業上又は資金上の関係において，双方の企業の間に，独立の企業の間に設けられる条件と異なる条件が設けられ又は課されているときは，その条件がないとしたならば一方の企業の利得となったとみられる利得であってその条件のために当該一方の企業の利得とならなかったものに対しては，これを当該一方の企業の利得に算入して租税を課することができる。

2. 一方の締約国において租税を課された当該一方の国の企業の利得について，他方の国の企業の利得に算入して租税を課する場合において，その算入された利得が，双方の企業の間に設けられた条件が独立の企業の間に設けられる条件であるとしたならば当該他方の国の企業の利得となったとみられる利得である場合には，当該一方の国は，これらの利得に対して当該一方の国で課された租税の額について適当な調整を行う。この調整に当たっては，この条約の他の規定に妥当な考慮を払うものとし，両締約国の権限ある当局は，必要がある場合には，相互に協議する。

(2) 日米租税条約9条

第9条

1　次の(a)又は(b)に該当する場合であって，そのいずれの場合においても，商業上又は資金上の関係において，双方の企業の間に，独立の企業の間に設けられる条件と異なる条件が設けられ又は課されているときは，その条件がないとしたならば一方の企業の利得となったとみられる利得であってその条件のために当該一方の企業の利得とならなかったものに対しては，これを当該一方の企業の利得に算入して租税を課することができる。

(a) 一方の締約国の企業が他方の締約国の企業の経営，支配又は資本に直接又は間接に参加している場合
  (b) 同一の者が一方の締約国の企業及び他方の締約国の企業の経営，支配又は資本に直接又は間接に参加している場合
2 一方の締約国において租税を課された当該一方の締約国の企業の利得を他方の締約国が当該他方の締約国の企業の利得に算入して租税を課する場合において，当該一方の締約国が，その算入された利得が，双方の企業の間に設けられた条件が独立の企業の間に設けられたであろう条件であったとしたならば当該他方の締約国の企業の利得となったとみられる利得であることにつき当該他方の締約国との間で合意するときは，当該一方の締約国は，当該利得に対して当該一方の締約国において課された租税の額について適当な調整を行う。この調整に当たっては，この条約の他の規定に妥当な考慮を払う。
3 1の規定にかかわらず，一方の締約国は，1にいう条件がないとしたならば当該一方の締約国の企業の利得として更正の対象となったとみられる利得に係る課税年度の終了時から7年以内に当該企業に対する調査が開始されない場合には，1にいう状況においても，当該利得の更正をしてはならない。この3の規定は，不正に租税を免れた場合又は定められた期間内に調査を開始することができないことが当該企業の作為若しくは不作為に帰せられる場合には，適用しない。

(3) 日米租税条約議定書

議定書

　所得に対する租税に関する二重課税の回避及び脱税の防止のための日本国政府とアメリカ合衆国政府との間の条約（以下「条約」という。）の署名に当たり，日本国政府及びアメリカ合衆国政府は，条約の不可分の一部を成す次の規定を協定した。

1から4 （省略）
5 条約第9条に関し，企業の利得の決定に当たって，同条にいう独立企業原則は，一般に，当該企業とその関連企業との間の取引の条件と独立の企業の間の取引の条件との比較に基づいて適用されることが了解される。また，比較可能性に影響を与える要因には次のものが含まれることが了解される。
  (a) 移転された財産又は役務の特性
  (b) 当該企業及びその関連企業が使用する資産及び引き受ける危険を考慮した上での当該企業及びその関連企業の機能

(c) 当該企業とその関連企業との間の契約条件
(d) 当該企業及びその関連企業の経済状況
(e) 当該企業及びその関連企業が遂行する事業戦略

6から13（省略）

2003年11月6日にワシントンで，ひとしく正文である日本語及び英語により本書二通を作成した。

資料2

OECDモデル条約第25条・日米租税条約第25条

(1) OECDモデル条約第25条

第25条　相互協議

1. いずれか一方の又は双方の締約国の措置によりこの条約の規定に適合しない課税を受け又は受けることになると認める者は，当該事案について，当該締約国の法令に定める救済手段とは別に，自己が居住者である締約国の権限のある当局に対して又は当該事案が第24条1の規定の適用に関するものである場合には自己が国民である締約国の権限のある当局に対して，申立てをすることができる。当該申立ては，この条約の規定に適合しない課税に係る当該措置の最初の通知の日から3年以内に，しなければならない。
2. 権限のある当局は，1の申立てを正当と認めるが，満足すべき解決を与えることができない場合には，この条約の規定に適合しない課税を回避するため，他方の締約国の権限のある当局との合意によって当該事案を解決するよう努める。成立したすべての合意は，両締約国の法令上のいかなる期間制限にもかからず，実施されなければならない。
3. 両締約国の権限のある当局は，この条約の解釈又は適用に関して生ずる困難又は疑義を合意によって解決するよう努める。両締約国の権限のある当局は，また，この条約に定めのない場合における二重課税を除去するため，相互に協議することができる。
4. 両締約国の権限のある当局は，2及び3の合意に達するため，直接（両締約国の権限のある当局又はその代表者により構成される合同委員会を通じることを含む。）相互に通信することができる。

(2) 日米租税条約第25条

1　一方の又は双方の締約国の措置によりこの条約の規定に適合しない課税を受けたと認める者又は受けることになると認める者は，当該事案について，当該一方の又は双方の締約国の法令に定める救済手段とは別に，自己が居住者である締約国の権限のある当局に対して又は当該事案が前条1の規定の適用に関するものである場合には自己が国民である締約国の権限のある当局に対して，申立てをすることができる。当該申立ては，この条約の規定に適合しない課税に係る措置の最初の通知の日から3年以内

に，しなければならない。
2 権限のある当局は，1の申立てを正当と認めるが，満足すべき解決を与えることができない場合には，この条約の規定に適合しない課税を回避するため，他方の締約国の権限のある当局との合意によって当該事案を解決するよう努める。成立したすべての合意は，両締約国の法令上のいかなる期間制限その他の手続上の制限（当該合意を実施するための手続上の制限を除く。）にもかかわらず，実施されなければならない。
3 両締約国の権限のある当局は，この条約の解釈又は適用に関して生ずる困難又は疑義を合意によって解決するよう努める。特に，両締約国の権限のある当局は，次の事項について合意することができる。
(a) 一方の締約国の企業が他方の締約国内に有する恒久的施設への所得，所得控除，税額控除その他の租税の減免の帰属
(b) 2以上の者の間における所得，所得控除，税額控除その他の租税の減免の配分
(c) この条約の適用に関する相違（次に掲げる事項に関する相違を含む。）の解消
　（ⅰ）特定の所得の分類
　（ⅱ）者の分類
　（ⅲ）特定の所得に対する源泉に関する規則の適用
　（ⅳ）この条約において用いられる用語の意義
(d) 事前価格取決め
　両締約国の権限のある当局は，また，この条約に定めのない場合における二重課税を除去するため，相互に協議することができる。
4 両締約国の権限のある当局は，2及び3の合意に達するため，直接相互に通信することができる。

資料3(1)

移転価格税制本体条文
租税特別措置法・同施行令・同施行規則

1 租税特別措置法

(昭和32年3月31日法律第26号)

第7節の2　国外関連者との取引に係る課税の特例

(国外関連者との取引に係る課税の特例)

第66条の4　法人が，昭和61年4月1日以後に開始する各事業年度において，当該法人に係る国外関連者（外国法人で，当該法人との間にいずれか一方の法人が他方の法人の発行済株式又は出資（当該他方の法人が有する自己の株式又は出資を除く。）の総数又は総額の100分の50以上の数又は金額の株式又は出資を直接又は間接に保有する関係その他の政令で定める特殊の関係（次項及び第6項において「特殊の関係」という。）のあるものをいう。以下この条において同じ。）との間で資産の販売，資産の購入，役務の提供その他の取引を行った場合に，当該取引（当該国外関連者が法人税法第141条第1号から第3号までに掲げる外国法人のいずれに該当するかに応じ，当該国外関連者のこれらの号に掲げる国内源泉所得に係る取引のうち政令で定めるものを除く。以下この条において「国外関連取引」という。）につき，当該法人が当該国外関連者から支払を受ける対価の額が独立企業間価格に満たないとき，又は当該法人が当該国外関連者に支払う対価の額が独立企業間価格を超えるときは，当該法人の当該事業年度の所得及び解散（合併による解散を除く。以下この条において同じ。）による清算所得（清算所得に対する法人税を課される法人の清算中の事業年度の所得及び同法第103条第1項第2号の規定により解散による清算所得とみなされる金額を含む。第7項において同じ。）に係る同法その他法人税に関する法令の規定の適用については，当該国外関連取引は，独立企業間価格で行われたものとみなす。

2　前項に規定する独立企業間価格とは，国外関連取引が次の各号に掲げる取引のいずれに該当するかに応じ当該各号に定める方法により算定した金額をいう。

一　棚卸資産の販売又は購入　次に掲げる方法（ニに掲げる方法は，イからハまでに掲げる方法を用いることができない場合に限り，用いることができる。）

イ　独立価格比準法（特殊の関係にない売手と買手が，国外関連取引に係る棚卸資産と同種の棚卸資産を当該国外関連取引と取引段階，取引数量その他が同様の状

況の下で売買した取引の対価の額(当該同種の棚卸資産を当該国外関連取引と取引段階,取引数量その他に差異のある状況の下で売買した取引がある場合において,その差異により生じる対価の額の差を調整できるときは,その調整を行った後の対価の額を含む。)に相当する金額をもって当該国外関連取引の対価の額とする方法をいう。)

　　ロ　再販売価格基準法(国外関連取引に係る棚卸資産の買手が特殊の関係にない者に対して当該棚卸資産を販売した対価の額(以下この項において「再販売価格」という。)から通常の利潤の額(当該再販売価格に政令で定める通常の利益率を乗じて計算した金額をいう。)を控除して計算した金額をもって当該国外関連取引の対価の額とする方法をいう。)

　　ハ　原価基準法(国外関連取引に係る棚卸資産の売手の購入,製造その他の行為による取得の原価の額に通常の利潤の額(当該原価の額に政令で定める通常の利益率を乗じて計算した金額をいう。)を加算して計算した金額をもって当該国外関連取引の対価の額とする方法をいう。)

　　ニ　イからハまでに掲げる方法に準ずる方法その他政令で定める方法

　二　前号に掲げる取引以外の取引　次に掲げる方法(ロに掲げる方法は,イに掲げる方法を用いることができない場合に限り,用いることができる。)

　　イ　前号イからハまでに掲げる方法と同等の方法

　　ロ　前号ニに掲げる方法と同等の方法

3　法人が各事業年度において支出した寄附金の額(法人税法第37条第8項に規定する寄附金の額をいう。以下この項及び次項において同じ。)のうち当該法人に係る国外関連者に対するもの(同法第141条第1号から第3号までに掲げる外国法人に該当する国外関連者に対する寄附金の額で当該国外関連者の各事業年度の所得の金額の計算上益金の額に算入されるものを除く。)は,当該法人の各事業年度の所得の金額(同法第102条第1項第1号に規定する所得の金額を含む。)の計算上,損金の額に算入しない。この場合において,当該法人に対する同法第37条の規定の適用については,同条第1項中「次項」とあるのは,「次項又は租税特別措置法第66条の4第3項(国外関連者との取引に係る課税の特例)」とする。

4　第1項の規定の適用がある場合における国外関連取引の対価の額と当該国外関連取引に係る同項に規定する独立企業間価格との差額(寄附金の額に該当するものを除く。)は,法人の各事業年度の所得の金額(法人税法第102条第1項第1号に規定する所得の金額を含む。)の計算上,損金の額に算入しない。

5　前項に規定する差額で法人の清算中に生じたものは,当該法人の解散による清算所得の金額の計算上,残余財産の価額に算入する。

6 法人が当該法人に係る国外関連者との取引を他の者(当該法人に係る他の国外関連者,当該国外関連者と特殊の関係のある内国法人並びに当該国外関連者と特定信託(法人税法第2条第29号の3に規定する特定信託をいう。以下この項において同じ。)の信託財産との間に第68条の3の5第1項に規定する特殊の関係がある場合における当該特定信託の受託者である内国法人及び外国法人(当該特定信託の信託財産に係る当該取引を行う場合に限る。)を除く。以下この項において「非関連者」という。)を通じて行う場合として政令で定める場合における当該法人と当該非関連者との取引は,当該法人の国外関連取引とみなして,第1項の規定を適用する。

7 国税庁の当該職員又は法人の納税地の所轄税務署若しくは所轄国税局の当該職員が,法人にその各事業年度における国外関連取引に係る第1項に規定する独立企業間価格を算定するために必要と認められる帳簿書類(その作成又は保存に代えて電磁的記録(電子的方式,磁気的方式その他の人の知覚によっては認識することができない方式で作られる記録であって,電子計算機による情報処理の用に供されるものをいう。)の作成又は保存がされている場合における当該電磁的記録を含む。次項,第9項及び第12項第2号において同じ。)又はその写しの提示又は提出を求めた場合において,当該法人がこれらを遅滞なく提示し,又は提出しなかったときは,税務署長は,次の各号に掲げる方法(第2号に掲げる方法は,第1号に掲げる方法を用いることができない場合に限り,用いることができる。)により算定した金額を当該独立企業間価格と推定して,当該法人の当該事業年度の所得の金額若しくは欠損金額又は解散による清算所得の金額につき法人税法第2条第43号に規定する更正(第16項において「更正」という。)又は同条第44号に規定する決定(第16項において「決定」という。)をすることができる。
 一 当該法人の当該国外関連取引に係る事業と同種の事業を営む法人で事業規模その他の事業の内容が類似するものの当該事業に係る売上総利益率又はこれに準ずる割合として政令で定める割合を基礎とした第2項第1号ロ若しくはハに掲げる方法又は同項第2号イに掲げる方法(同項第1号イに掲げる方法と同等の方法を除く。)
 二 第2項第1号ニに規定する政令で定める方法又は同項第2号ロに掲げる方法(当該政令で定める方法と同等の方法に限る。)に類するものとして政令で定める方法

8 国税庁の当該職員又は法人の納税地の所轄税務署若しくは所轄国税局の当該職員は,法人と当該法人に係る国外関連者との間の取引に関する調査について必要があるときは,当該法人に対し,当該国外関連者が保存する帳簿書類又はその写しの提示又は提出を求めることができる。この場合において,当該法人は,当該提示又は提出を求められたときは,当該帳簿書類又はその写しの入手に努めなければならない。

9 国税庁の当該職員又は法人の納税地の所轄税務署若しくは所轄国税局の当該職員は,

法人が第7項に規定する帳簿書類又はその写しを遅滞なく提示し，又は提出しなかった場合において，当該法人の各事業年度における国外関連取引に係る第1項に規定する独立企業間価格を算定するために必要があるときは，その必要と認められる範囲内において，当該法人の当該国外関連取引に係る事業と同種の事業を営む者に質問し，又は当該事業に関する帳簿書類を検査することができる。

10　前項の規定による質問又は検査の権限は，犯罪捜査のために認められたものと解してはならない。

11　国税庁，国税局又は税務署の当該職員は，第9項の規定による質問又は検査をする場合には，その身分を示す証明書を携帯し，関係人の請求があったときは，これを提示しなければならない。

12　次の各号のいずれかに該当する者は，10万円以下の罰金に処する。

一　第9項の規定による当該職員の質問に対して答弁せず，若しくは偽りの答弁をし，又は同項の規定による検査を拒み，妨げ，若しくは忌避した者

二　前号の検査に関し偽りの記載又は記録をした帳簿書類を提示した者

13　法人の代表者（人格のない社団等の管理人を含む。）又は法人若しくは人の代理人，使用人その他の従業者が，その法人又は人の業務に関して前項の違反行為をしたときは，その行為者を罰するほか，その法人又は人に対して同項の刑を科する。

14　人格のない社団等について前項の規定の適用がある場合には，その代表者又は管理人がその訴訟行為につきその人格のない社団等を代表するほか，法人を被告人又は被疑者とする場合の刑事訴訟に関する法律の規定を準用する。

15　法人は，各事業年度において当該法人に係る国外関連者との間で取引を行った場合には，当該国外関連者の名称及び本店又は主たる事務所の所在地その他財務省令で定める事項を記載した書類を当該事業年度の確定申告書（法人税法第2条第31号に規定する確定申告書をいう。）に添付しなければならない。

16　更正若しくは決定（以下この項において「更正決定」という。）又は国税通則法第32条第5項に規定する賦課決定（以下この項において「賦課決定」という。）で次の各号に掲げるものは，同法第70条第1項から第4項まで（同条第2項第2号及び第3号に掲げる更正（同項に規定する純損失等の金額に係るものに限る。）に係る部分を除く。）の規定にかかわらず，当該各号に定める期限又は日から6年を経過する日まで，することができる。この場合において，同条第5項及び同法第71条第1項の規定の適用については，同法第70条第5項中「前各項」とあるのは「前各項及び租税特別措置法第66条の4第16項（国外関連者との取引に係る課税の特例）」と，同法第71条第1項中「が前条」とあるのは「が前条及び租税特別措置法第66条の4第16項（国外関連者との取引に係る課税の特例）」と，「，前条」とあるのは「，前条及び同項」とする。

一　法人が当該法人に係る国外関連者との取引を第1項に規定する独立企業間価格と異なる対価の額で行った事実に基づいてする法人税に係る更正決定又は当該更正決定に伴い国税通則法第19条第1項に規定する課税標準等若しくは税額等に異動を生ずべき法人税に係る更正決定　これらの更正決定に係る法人税の同法第2条第7号に規定する法定申告期限（同法第61条第1項に規定する還付請求申告書に係る更正については、当該還付請求申告書を提出した日）

二　前号に規定する事実に基づいてする法人税に係る更正決定若しくは国税通則法第2条第6号に規定する納税申告書（同法第17条第2項に規定する期限内申告書を除く。以下この号において「納税申告書」という。）の提出又は当該更正決定若しくは当該納税申告書の提出に伴い前号に規定する異動を生ずべき法人税に係る更正決定若しくは納税申告書の提出に伴いこれらの法人税に係る同法第69条に規定する加算税についてする賦課決定　その納税義務の成立の日

17　法人が当該法人に係る国外関連者との取引を第1項に規定する独立企業間価格と異なる対価の額で行ったことに伴い納付すべき税額が過少となり、又は国税通則法第2条第6号に規定する還付金の額が過大となった法人税に係る同法第72条第1項に規定する国税の徴収権の時効は、同法第73条第3項の規定の適用がある場合を除き、当該法人税の同法第72条第1項に規定する法定納期限から1年間は、進行しない。

18　前項の場合においては、国税通則法第73条第3項ただし書の規定を準用する。この場合において、同項ただし書中「2年」とあるのは、「1年」と読み替えるものとする。

19　第1項の規定の適用がある場合において、法人と当該法人に係る国外関連者（法人税法第139条に規定する条約（以下この項及び次条第1項において「租税条約」という。）の規定により租税条約の我が国以外の締約国（以下この項及び次条第1項において「条約相手国」という。）の居住者又は法人とされるものに限る。）との間の国外関連取引に係る第1項に規定する独立企業間価格につき財務大臣が当該条約相手国の権限ある当局との間で当該租税条約に基づく合意をしたことその他の政令で定める要件を満たすときは、国税局長又は税務署長は、政令で定めるところにより、当該法人が同項の規定の適用により納付すべき法人税に係る延滞税のうちその計算の基礎となる期間で財務大臣が当該条約相手国の権限ある当局との間で合意をした期間に対応する部分に相当する金額を免除することができる。

20　外国法人が国外関連者に該当するかどうかの判定に関する事項その他第1項から第7項までの規定の適用に関し必要な事項は、政令で定める。

2 租税特別措置法施行令

(昭和32年3月31日政令第43号)

第8節の2 国外関連者との取引に係る課税の特例等

(国外関連者との取引に係る課税の特例)

第39条の12 法第66条の4第1項に規定する政令で定める特殊の関係は，次に掲げる関係とする。

一 二の法人のいずれか一方の法人が他方の法人の発行済株式又は出資（自己が有する自己の株式又は出資を除く。）の総数又は総額（以下第3項までにおいて「発行済株式等」という。）の100分の50以上の数又は金額の株式又は出資を直接又は間接に保有する関係

二 二の法人が同一の者（当該者が個人である場合には，当該個人及びこれと法人税法第2条第10号に規定する政令で定める特殊の関係のある個人。第5号において同じ。）によってそれぞれその発行済株式等の100分の50以上の数又は金額の株式又は出資を直接又は間接に保有される場合における当該二の法人の関係（前号に掲げる関係に該当するものを除く。）

三 次に掲げる事実その他これに類する事実（次号及び第5号において「特定事実」という。）が存在することにより二の法人のいずれか一方の法人が他方の法人の事業の方針の全部又は一部につき実質的に決定できる関係（前2号に掲げる関係に該当するものを除く。）

イ 当該他方の法人の役員の2分の1以上又は代表する権限を有する役員が，当該一方の法人の役員若しくは使用人を兼務している者又は当該一方の法人の役員若しくは使用人であった者であること。

ロ 当該他方の法人がその事業活動の相当部分を当該一方の法人との取引に依存して行っていること。

ハ 当該他方の法人がその事業活動に必要とされる資金の相当部分を当該一方の法人からの借入れにより，又は当該一方の法人の保証を受けて調達していること。

四 一の法人と次に掲げるいずれかの法人との関係（前3号に掲げる関係に該当するものを除く。）

イ 当該一の法人が，その発行済株式等の100分の50以上の数若しくは金額の株式若しくは出資を直接若しくは間接に保有し，又は特定事実が存在することによりその事業の方針の全部若しくは一部につき実質的に決定できる関係にある法人

ロ イ又はハに掲げる法人が，その発行済株式等の100分の50以上の数若しくは金

　　　　額の株式若しくは出資を直接若しくは間接に保有し、又は特定事実が存在することによりその事業の方針の全部若しくは一部につき実質的に決定できる関係にある法人
　　　ハ　ロに掲げる法人が、その発行済株式等の100分の50以上の数若しくは金額の株式若しくは出資を直接若しくは間接に保有し、又は特定事実が存在することによりその事業の方針の全部若しくは一部につき実質的に決定できる関係にある法人
　五　二の法人がそれぞれ次に掲げるいずれかの法人に該当する場合における当該二の法人の関係（イに規定する一の者が同一の者である場合に限るものとし、前各号に掲げる関係に該当するものを除く。）
　　　イ　一の者が、その発行済株式等の100分の50以上の数若しくは金額の株式若しくは出資を直接若しくは間接に保有し、又は特定事実が存在することによりその事業の方針の全部若しくは一部につき実質的に決定できる関係にある法人
　　　ロ　イ又はハに掲げる法人が、その発行済株式等の100分の50以上の数若しくは金額の株式若しくは出資を直接若しくは間接に保有し、又は特定事実が存在することによりその事業の方針の全部若しくは一部につき実質的に決定できる関係にある法人
　　　ハ　ロに掲げる法人が、その発行済株式等の100分の50以上の数若しくは金額の株式若しくは出資を直接若しくは間接に保有し、又は特定事実が存在することによりその事業の方針の全部若しくは一部につき実質的に決定できる関係にある法人
2　前項第1号の場合において、一方の法人が他方の法人の発行済株式等の100分の50以上の数又は金額の株式又は出資を直接又は間接に保有するかどうかの判定は、当該一方の法人の当該他方の法人に係る直接保有の株式等の保有割合（当該一方の法人の有する当該他方の法人の株式又は出資の数又は金額が当該他方の法人の発行済株式等のうちに占める割合をいう。）と当該一方の法人の当該他方の法人に係る間接保有の株式等の保有割合とを合計した割合により行うものとする。
3　前項に規定する間接保有の株式等の保有割合とは、次の各号に掲げる場合の区分に応じ当該各号に掲げる割合（当該各号に掲げる場合のいずれにも該当する場合には、当該各号に掲げる割合の合計割合）をいう。
　一　前項の他方の法人の株主等（法人税法第2条第14号に規定する株主等をいう。次号において同じ。）である法人の発行済株式等の100分の50以上の数又は金額の株式又は出資が同項の一方の法人により所有されている場合　当該株主等である法人の有する当該他方の法人の株式又は出資の数又は金額が当該他方の法人の発行済株式等のうちに占める割合（当該株主等である法人が二以上ある場合には、当該二以上の株主等である法人につきそれぞれ計算した割合の合計割合）

二　前項の他方の法人の株主等である法人（前号に掲げる場合に該当する同号の株主等である法人を除く。）と同項の一方の法人との間にこれらの者と発行済株式等の所有を通じて連鎖関係にある一又は二以上の法人（以下この号において「出資関連法人」という。）が介在している場合（出資関連法人及び当該株主等である法人がそれぞれその発行済株式等の100分の50以上の数又は金額の株式又は出資を当該一方の法人又は出資関連法人（その発行済株式等の100分の50以上の数又は金額の株式又は出資が当該一方の法人又は他の出資関連法人によって所有されているものに限る。）によって所有されている場合に限る。）　当該株主等である法人の有する当該他方の法人の株式又は出資の数又は金額が当該他方の法人の発行済株式等のうちに占める割合（当該株主等である法人が2以上ある場合には，当該2以上の株主等である法人につきそれぞれ計算した割合の合計割合）

4　第2項の規定は，第1項第2号，第4号及び第5号の直接又は間接に保有される関係の判定について準用する。

5　法第66条の4第1項に規定する政令で定める取引は，同項に規定する国外関連者が法人税法第141条第1号から第3号までに掲げる外国法人のいずれに該当するかに応じ，当該国外関連者のこれらの号に掲げる国内源泉所得（第1条の2第1項第2号に規定する租税条約の規定により法人税が軽減され，又は免除される所得を除く。）に係る取引とする。

6　法第66条の4第2項第1号ロに規定する政令で定める通常の利益率は，同条第1項に規定する国外関連取引（以下この条において「国外関連取引」という。）に係る棚卸資産と同種又は類似の棚卸資産を，特殊の関係（法第66条の4第1項に規定する特殊の関係をいう。）にない者（以下第8項までにおいて「非関連者」という。）から購入した者（以下この項及び第8項第2号において「再販売者」という。）が当該同種又は類似の棚卸資産を非関連者に対して販売した取引（以下この項において「比較対象取引」という。）に係る当該再販売者の売上総利益の額（当該比較対象取引に係る棚卸資産の販売による収入金額の合計額から当該比較対象取引に係る棚卸資産の原価の額の合計額を控除した金額をいう。）の当該収入金額の合計額に対する割合とする。ただし，比較対象取引と当該国外関連取引に係る棚卸資産の買手が当該棚卸資産を非関連者に対して販売した取引とが売手の果たす機能その他において差異がある場合には，その差異により生ずる割合の差につき必要な調整を加えた後の割合とする。

7　法第66条の4第2項第1号ハに規定する政令で定める通常の利益率は，国外関連取引に係る棚卸資産と同種又は類似の棚卸資産を，購入（非関連者からの購入に限る。），製造その他の行為により取得した者（以下この項及び次項第3号において「販売者」という。）が当該同種又は類似の棚卸資産を非関連者に対して販売した取引（以下こ

の項において「比較対象取引」という。）に係る当該販売者の売上総利益の額（当該比較対象取引に係る棚卸資産の販売による収入金額の合計額から当該比較対象取引に係る棚卸資産の原価の額の合計額を控除した金額をいう。）の当該原価の額の合計額に対する割合とする。ただし、比較対象取引と当該国外関連取引とが売手の果たす機能その他において差異がある場合には、その差異により生ずる割合の差につき必要な調整を加えた後の割合とする。

8　法第66条の４第２項第１号ニに規定する政令で定める方法は、次に掲げる方法とする。
　一　国外関連取引に係る棚卸資産の法第66条の４第１項の法人又は当該法人に係る同項に規定する国外関連者による購入、製造、販売その他の行為に係る所得が、当該棚卸資産に係るこれらの行為のためにこれらの者が支出した費用の額、使用した固定資産の価額その他これらの者が当該所得の発生に寄与した程度を推測するに足りる要因に応じて当該法人及び当該国外関連者に帰属するものとして計算した金額をもって当該国外関連取引の対価の額とする方法
　二　国外関連取引に係る棚卸資産の買手が非関連者に対して当該棚卸資産を販売した対価の額（以下この号において「再販売価格」という。）から、当該再販売価格にイに掲げる金額のロに掲げる金額に対する割合（再販売者が当該棚卸資産と同種又は類似の棚卸資産を非関連者に対して販売した取引（以下この号において「比較対象取引」という。）と当該国外関連取引に係る棚卸資産の買手が当該棚卸資産を非関連者に対して販売した取引とが売手の果たす機能その他において差異がある場合には、その差異により生ずる割合の差につき必要な調整を加えた後の割合）を乗じて計算した金額に当該国外関連取引に係る棚卸資産の販売のために要した販売費及び一般管理費の額を加算した金額を控除した金額をもって当該国外関連取引の対価の額とする方法
　　イ　当該比較対象取引に係る棚卸資産の販売による営業利益の額の合計額
　　ロ　当該比較対象取引に係る棚卸資産の販売による収入金額の合計額
　三　国外関連取引に係る棚卸資産の売手の購入、製造その他の行為による取得の原価の額（以下この号において「取得原価の額」という。）に、イに掲げる金額にロに掲げる金額のハに掲げる金額に対する割合（販売者が当該棚卸資産と同種又は類似の棚卸資産を非関連者に対して販売した取引（以下この号において「比較対象取引」という。）と当該国外関連取引とが売手の果たす機能その他において差異がある場合には、その差異により生ずる割合の差につき必要な調整を加えた後の割合）を乗じて計算した金額及びイ(2)に掲げる金額の合計額を加算した金額をもって当該国外関連取引の対価の額とする方法

イ 次に掲げる金額の合計額
　(1)　当該取得原価の額
　(2)　当該国外関連取引に係る棚卸資産の販売のために要した販売費及び一般管理費の額
ロ　当該比較対象取引に係る棚卸資産の販売による営業利益の額の合計額
ハ　当該比較対象取引に係る棚卸資産の販売による収入金額の合計額からロに掲げる金額を控除した金額
四　前二号に掲げる方法に準ずる方法

9　法第66条の4第6項に規定する政令で定める場合は、同項の法人と同項の非関連者（以下この項及び次項において「非関連者」という。）との間の取引の対象となる資産が同条第6項の当該法人に係る国外関連者に販売、譲渡、貸付け又は提供されることが当該取引を行った時において契約その他によりあらかじめ定まっている場合で、かつ、当該販売、譲渡、貸付け又は提供に係る対価の額が当該法人と当該国外関連者との間で実質的に決定されていると認められる場合及び同項の当該法人に係る国外関連者と非関連者との間の取引の対象となる資産が同項の法人に販売、譲渡、貸付け又は提供されることが当該取引を行った時において契約その他によりあらかじめ定まっている場合で、かつ、当該販売、譲渡、貸付け又は提供に係る対価の額が当該法人と当該国外関連者との間で実質的に決定されていると認められる場合とする。

10　法第66条の4第6項の規定により国外関連取引とみなされた取引に係る同条第1項に規定する独立企業間価格は、同条第2項の規定にかかわらず、当該取引が前項の法人と同項の当該法人に係る国外関連者との間で行われたものとみなして同条第2項の規定を適用した場合に算定される金額に、当該法人と当該国外関連者との取引が非関連者を通じて行われることにより生じる対価の額の差につき必要な調整を加えた金額とする。

11　法第66条の4第7項第1号に規定する売上総利益率又はこれに準ずる割合として政令で定める割合は、同号に規定する同種の事業を営む法人で事業規模その他の事業の内容が類似するものの同号の国外関連取引が行われた日を含む事業年度又はこれに準ずる期間内の当該事業に係る売上総利益の額（当該事業年度又はこれに準ずる期間内の棚卸資産の販売による収入金額の合計額（当該事業が棚卸資産の販売に係る事業以外の事業である場合には、当該事業に係る収入金額の合計額。以下この項において「総収入金額」という。）から当該棚卸資産の原価の額の合計額（当該事業が棚卸資産の販売に係る事業以外の事業である場合には、これに準ずる原価の額又は費用の額の合計額。以下この項において「総原価の額」という。）を控除した金額をいう。）の総収入金額又は総原価の額に対する割合とする。

12 法第66条の4第7項第2号に規定する同条第2項第1号ニに規定する政令で定める方法又は同項第2号ロに掲げる方法（当該政令で定める方法と同等の方法に限る。）に類するものとして政令で定める方法は，国外関連取引が棚卸資産の販売又は購入である場合にあっては第1号から第4号までに掲げる方法とし，国外関連取引が棚卸資産の販売又は購入以外の取引である場合にあっては第1号又は第5号に掲げる方法とする。

一 法第66条の4第7項の法人及び当該法人の同項の国外関連取引に係る国外関連者（同条第1項に規定する国外関連者をいう。）の属する企業集団の財産及び損益の状況を連結して記載した計算書類による当該国外関連取引が行われた日を含む事業年度又はこれに準ずる期間の当該国外関連取引に係る事業に係る所得（当該計算書類において当該事業に係る所得が他の事業に係る所得と区分されていない場合には，当該事業を含む事業に係る所得とする。以下この号において同じ。）が，これらの者が支出した当該国外関連取引に係る事業に係る費用の額，使用した固定資産の価額（当該計算書類において当該事業に係る費用の額又は固定資産の価額が他の事業に係る費用の額又は固定資産の価額と区分されていない場合には，当該事業を含む事業に係る費用の額又は固定資産の価額とする。）その他これらの者が当該所得の発生に寄与した程度を推測するに足りる要因に応じてこれらの者に帰属するものとして計算した金額をもって当該国外関連取引の対価の額とする方法

二 国外関連取引に係る棚卸資産の買手が非関連者（法第66条の4第1項に規定する特殊の関係にない者をいう。）に対して当該棚卸資産を販売した対価の額（以下この号において「再販売価格」という。）から，当該再販売価格にイに掲げる金額のロに掲げる金額に対する割合を乗じて計算した金額に当該国外関連取引に係る棚卸資産の販売のために要した販売費及び一般管理費の額を加算した金額を控除した金額をもって当該国外関連取引の対価の額とする方法

　イ 当該国外関連取引に係る事業と同種又は類似の事業を営む法人で事業規模その他の事業の内容が類似するもの（以下この号において「比較対象事業」という。）の当該国外関連取引が行われた日を含む事業年度又はこれに準ずる期間（以下この号において「比較対象事業年度」という。）の当該比較対象事業に係る棚卸資産の販売による営業利益の額の合計額

　ロ 当該比較対象事業年度の当該比較対象事業に係る棚卸資産の販売による収入金額の合計額

三 国外関連取引に係る棚卸資産の売手の購入，製造その他の行為による取得の原価の額（以下この号において「取得原価の額」という。）に，イに掲げる金額にロに掲げる金額のハに掲げる金額に対する割合を乗じて計算した金額及びイ(2)に掲げる

金額の合計額を加算した金額をもって当該国外関連取引の対価の額とする方法
　　イ　次に掲げる金額の合計額
　　　⑴　当該取得原価の額
　　　⑵　当該国外関連取引に係る棚卸資産の販売のために要した販売費及び一般管理費の額
　　ロ　当該国外関連取引に係る事業と同種又は類似の事業を営む法人で事業規模その他の事業の内容が類似するもの（以下この号において「比較対象事業」という。）の当該国外関連取引が行われた日を含む事業年度又はこれに準ずる期間（以下この号において「比較対象事業年度」という。）の当該比較対象事業に係る棚卸資産の販売による営業利益の額の合計額
　　ハ　当該比較対象事業年度の当該比較対象事業に係る棚卸資産の販売による収入金額の合計額からロに掲げる金額を控除した金額
　四　前二号に掲げる方法に準ずる方法
　五　前三号に掲げる方法と同等の方法
13　法第66条の４第19項に規定する政令で定める要件は，次に掲げる要件とする。
　一　法第66条の４第19項に規定する国外関連取引に係る同項に規定する独立企業間価格につき財務大臣が同項に規定する租税条約の我が国以外の締約国の権限ある当局との間で当該租税条約に基づく合意をしたこと。
　二　前号の我が国以外の締約国が，同号の合意に基づき法第66条の４第19項に規定する国外関連者に係る租税を減額し，かつ，その減額により還付をする金額に，還付加算金に相当する金額のうちその計算の基礎となる期間で財務大臣と当該我が国以外の締約国の権限ある当局との間で合意をした期間に対応する部分に相当する金額を付さないこと。
14　法第66条の４第19項に規定する納付すべき法人税に係る延滞税は，同条第１項の規定を適用した場合に納付すべき法人税の額から同項の規定の適用がなかったとした場合に納付すべき法人税の額に相当する金額を控除した金額に係る延滞税とする。
15　法第66条の４第１項，第２項第１号イ若しくはロ若しくは第６項の規定又は第６項の規定を適用する場合において，これらの規定に規定する特殊の関係が存在するかどうかの判定は，それぞれの取引が行われた時の現況によるものとする。

3 租税特別措置法施行規則

（昭和32年3月31日大蔵省令第15号）

（国外関連者に関する明細書の記載事項）
第22条の10 法第66条の4第15項に規定する財務省令で定める事項は，次に掲げる事項とする。
一 法第66条の4第1項に規定する外国法人が同条第15項の法人に係る国外関連者（同項に規定する国外関連者をいう。以下この条において同じ。）に該当する事情
二 法第66条の4第15項の法人の当該事業年度終了の時における当該法人に係る国外関連者の資本金の額又は出資金の額及び当該国外関連者の営む主たる事業の内容
三 法第66条の4第15項の法人の当該事業年度終了の日以前の同日に最も近い日に終了する当該法人に係る国外関連者の事業年度の営業収益，営業費用，営業利益及び税引前当期利益の額
四 法第66条の4第15項の法人が，当該事業年度において当該法人に係る国外関連者（同条第6項の規定の適用がある場合における同項に規定する非関連者を含む。）から支払を受ける対価の額の取引種類別の総額又は当該国外関連者に支払う対価の額の取引種類別の総額
五 法第66条の4第2項に規定する算定の方法のうち，前号に規定する対価の額に係る同条第1項に規定する独立企業間価格につき同条第15項の法人が選定した算定の方法（一の取引種類につきその選定した算定の方法が二以上ある場合には，そのうち主たる算定の方法）
六 その他参考となるべき事項

資料3(2)

納税猶予条文（19年度改正）
租税特別措置法第66条の4の2，同政令，同省令

1 租税特別措置法

（国外関連者との取引に係る課税の特例に係る納税の猶予）

第66条の4の2　内国法人が租税条約の規定に基づき国税庁長官に対し当該租税条約に規定する申立てをした場合（外国法人が租税条約の規定に基づき当該外国法人に係る条約相手国の権限ある当局に対し当該租税条約に規定する申立てをした場合を含む。）には，税務署長等（国税通則法第46条第1項に規定する税務署長等をいう。以下この条において同じ。）は，これらの申立てに係る前条第16項第1号に掲げる更正決定により納付すべき法人税の額（これらの申立てに係る条約相手国との間の租税条約に規定する協議の対象となるものに限る。）及び当該法人税の額に係る同法第69条に規定する加算税の額として政令で定めるところにより計算した金額を限度として，これらの申立てをした者の申請に基づき，その納期限（同法第37条第1項に規定する納期限をいい，当該申請が当該納期限後であるときは当該申請の日とする。）から当該条約相手国の権限ある当局との間の合意に基づく同法第26条の規定による更正があった日（当該合意がない場合その他の政令で定める場合にあっては，政令で定める日）の翌日から1月を経過する日までの期間（第7項において「納税の猶予期間」という。）に限り，その納税を猶予することができる。ただし，当該申請を行う者につき当該申請の時において当該法人税の額以外の国税の滞納がある場合は，この限りでない。

2　税務署長等は，前項の規定による納税の猶予（以下この条において「納税の猶予」という。）をする場合には，その猶予に係る金額に相当する担保を徴さなければならない。ただし，その猶予に係る税額が50万円以下である場合又は担保を徴することができない特別の事情がある場合は，この限りでない。

3　国税通則法第46条第6項の規定は，前項の規定により担保を徴する場合について準用する。

4　国税通則法第47条及び第48条の規定は，納税の猶予をする場合又は納税の猶予を認めない場合について準用する。この場合において，同法第47条第2項中「前条第1項から第3項まで又は第7項」とあるのは，「租税特別措置法第66条の4の2第1項（国外関連者との取引に係る課税の特例に係る納税の猶予）」と読み替えるものとする。

5　納税の猶予を受けた者が次の各号のいずれかに該当する場合には，税務署長等は，

その猶予を取り消すことができる。この場合においては，国税通則法第49条第2項及び第3項の規定を準用する。
一　第1項の申立てを取り下げたとき。
二　第1項の協議に必要な書類の提出につき協力しないとき。
三　国税通則法第38条第1項各号のいずれかに該当する事実がある場合において，その者がその猶予に係る法人税を猶予期間内に完納することができないと認められるとき。
四　その猶予に係る法人税につき提供された担保について税務署長等が国税通則法第51条第1項の規定によってした命令に応じないとき。
五　前各号に掲げるもののほか，その者の財産の状況その他の事情の変化によりその猶予を継続することが適当でないと認められるとき。

6　納税の猶予を受けた法人税についての国税通則法及び国税徴収法の規定の適用については，国税通則法第2条第8号中「納税の猶予又は」とあるのは「納税の猶予（租税特別措置法第66条の4の2第1項（国外関連者との取引に係る課税の特例に係る納税の猶予）の規定による納税の猶予を含む。）又は」と，同法第52条第1項中「及び納税の猶予」とあるのは「及び納税の猶予（租税特別措置法第66条の4の2第1項（国外関連者との取引に係る課税の特例に係る納税の猶予）の規定による納税の猶予を含む。以下この項において同じ。）」と，同法第55条第1項第1号及び第73条第4項中「納税の猶予」とあるのは「納税の猶予（租税特別措置法第66条の4の2第1項（国外関連者との取引に係る課税の特例に係る納税の猶予）の規定による納税の猶予を含む。）」と，国税徴収法第2条第9号及び第10号中「納税の猶予又は」とあるのは「納税の猶予（租税特別措置法第66条の4の2第1項（国外関連者との取引に係る課税の特例に係る納税の猶予）の規定による納税の猶予を含む。）又は」と，同法第151条第1項中「納税の猶予）」とあるのは「納税の猶予）及び租税特別措置法第66条の4の2第1項（国外関連者との取引に係る課税の特例に係る納税の猶予）」とする。

7　納税の猶予をした場合には，その猶予をした法人税に係る延滞税のうち納税の猶予期間（第1項の申請が同項の納期限以前である場合には，当該申請の日を起算日として当該納期限までの期間を含む。）に対応する部分の金額は，免除する。ただし，第5項の規定による取消しの基因となるべき事実が生じた場合には，その生じた日後の期間に対応する部分の金額については，税務署長等は，その免除をしないことができる。

8　納税の猶予に関する申請の手続に関し必要な事項は，政令で定める。

2　租税特別措置法施行令

（国外関連者との取引に係る課税の特例に係る納税の猶予の申請手続等）

第39条の12の2　法第66条の4の2第1項に規定する法人税の額及び当該法人税の額に係る加算税の額として政令で定めるところにより計算した金額は、次に掲げる金額の合計額とする。

一　法第66条の4の2第1項に規定する申立てに係る更正決定（法第66条の4第16項第1号に掲げる更正決定をいう。以下この号及び第3項第2号において同じ。）により納付すべき法人税の額（次号において「更正決定に係る法人税の額」という。）から、当該更正決定のうち法第66条の4の2第1項に規定する法人税の額に係る部分がなかったものとして計算した場合に納付すべきものとされる法人税の額（次号において「猶予対象以外の法人税の額」という。）を控除した金額

二　更正決定に係る法人税の額を基礎として課することとされる加算税（国税通則法第69条に規定する加算税をいう。以下この号において同じ。）の額から、猶予対象以外の法人税の額を基礎として課することとされる加算税の額を控除した金額

2　法第66条の4の2第1項に規定する合意がない場合その他の政令で定める場合は次の各号に掲げる場合とし、同項に規定する政令で定める日は国税庁長官が当該各号に掲げる場合に該当する旨を通知した日とする。

一　法第66条の4の2第1項に規定する協議（以下この項において「相互協議」という。）を継続した場合であっても同条第1項の合意（次号及び第3号において「合意」という。）に至らないと国税庁長官が認める場合（同条第5項各号に掲げる場合を除く。）において、国税庁長官が当該相互協議に係る条約相手国（第1条の3第1項第2号に規定する租税条約の我が国以外の締約国をいう。次号において同じ。）の権限ある当局に当該相互協議の終了の申入れをし、当該権限ある当局の同意を得たとき。

二　相互協議を継続した場合であっても合意に至らないと当該相互協議に係る条約相手国の権限ある当局が認める場合において、国税庁長官が当該権限ある当局から当該相互協議の終了の申入れを受け、国税庁長官が同意をしたとき。

三　法第66条の4の2第1項に規定する法人税の額に関し合意が行われた場合において、当該合意の内容が当該法人税の額を変更するものでないとき。

3　法第66条の4の2第1項の規定による納税の猶予を受けようとする者は、次に掲げる事項を記載した申請書に、同項の申立てをしたことを証する書類その他の財務省令で定めるものを添付し、これを国税通則法第46条第1項に規定する税務署長等に提出しなければならない。

一　当該猶予を受けようとする法人の名称及び納税地（その納税地と本店又は主たる事務所の所在地とが異なる場合には，名称及び納税地並びにその本店又は主たる事務所の所在地）
　二　納付すべき更正決定に係る法人税の事業年度，納期限及び金額
　三　前号の金額のうち当該猶予を受けようとする金額
　四　当該猶予を受けようとする金額が50万円を超える場合には，その申請時に提供しようとする国税通則法第50条各号に掲げる担保の種類，数量，価額及び所在（その担保が保証人の保証であるときは，保証人の名称又は氏名及び本店若しくは主たる事務所の所在地又は住所若しくは居所）その他担保に関し参考となるべき事項（担保を提供することができない特別の事情があるときは，その事情）
4　法第66条の4の2第1項の規定による納税の猶予を受けた法人税についての国税通則法施行令（昭和37年政令第135号）第23条第1項の規定の適用については，同項中「納税の猶予又は」とあるのは，「納税の猶予（租税特別措置法第66条の4の2第1項（国外関連者との取引に係る課税の特例に係る納税の猶予）の規定による納税の猶予を含む。）又は」とする。

3　租税特別措置法施行規則

（国外関連者との取引に係る課税の特例に係る納税の猶予の申請書類）
第22条の10の2　施行令第39条の12の2第3項に規定する財務省令で定めるものは，次に掲げる書類とする。
　一　法第66条の4の2第1項の申立てをしたことを証する書類
　二　施行令第39条の12の2第1項第1号に掲げる金額が，法第66条の4第16項第1号に掲げる更正決定により納付すべき法人税の額であること及び前号の申立てに係る同条第19項に規定する条約相手国との間の租税条約（法人税法第139条に規定する条約をいう。）に規定する協議の対象であることを明らかにする書類
　三　施行令第39条の12の2第3項第4号に規定する場合に該当するときにあっては，供託書の正本，抵当権を設定するために必要な書類，保証人の保証を証する書面その他の担保の提供に関する書類

資料4 別表十七(三)

国外関連者に関する明細書

				事業年度又は連結事業年度	・ ・	法人名	( )

国外関連者の名称等	名　　　　　称					
	本店又は主たる事務所の所在地					
	主　た　る　事　業					
	資本金の額又は出資金の額					
	特殊の関係の区分		第　　　号該当	第　　　号該当	第　　　号該当	
	株式等の保有割合	保　有	(内　　%)　　　%	(内　　%)　　　%	(内　　%)　　　%	
		被保有	(内　　%)　　　%	(内　　%)　　　%	(内　　%)　　　%	
	直近事業年度の営業収益等	事　業　年　度	平　・　・平　・　・	平　・　・平　・　・	平　・　・平　・　・	
		営業収益又は売上高				
		営業費用　原　　価				
		販売費及び一般管理費				
		営　業　利　益				
		税引前当期利益				
国外関連者との取引状況等	棚卸資産の売買の対価	受　　取	百万円	百万円	百万円	
		支　　払				
		算定方法				
	役務提供の対価	受　　取	百万円	百万円	百万円	
		支　　払				
		算定方法				
	有形固定資産の使用料	受　　取	百万円	百万円	百万円	
		支　　払				
		算定方法				
	無形固定資産の使用料	受　　取	百万円	百万円	百万円	
		支　　払				
		算定方法				
	貸付金の利息又は借入金の利息	受　　取	百万円	百万円	百万円	
		支　　払				
		算定方法				
		受　　取	百万円	百万円	百万円	
		支　　払				
		算定方法				
		受　　取	百万円	百万円	百万円	
		支　　払				
		算定方法				

別表十七(三)　平十八・四・一以後終了事業年度又は連結事業年度分

法　0301－1703

別表十七（三）の記載の仕方

1 この明細書は、法人が措置法第66条の4第15項《国外関連者に関する明細書の添付》の規定の適用を受ける場合又は連結法人が同法第68条の88第14項若しくは第15項《連結法人に係る国外関連者に関する明細書の添付》の規定の適用を受ける場合に記載します。

　なお、連結法人については、適用を受ける各連結法人ごとにこの明細書を作成し、その連結法人の法人名を「法人名」のかっこの中に記載してください。

2 「特殊の関係の区分」欄には、国外関連者との関係が措置法令第39条の12第1項各号又は第39条の112第1項各号《特殊の関係の意義》のいずれに該当するかに応じ、該当号を記載します。

3 「資本金の額又は出資金の額」欄は、国外関連者の所在地国の通貨により記載することとし、円換算する必要はありません。

4 「株式等の保有割合」の「保有」欄には、法人が直接又は間接に保有する国外関連者の株式等の保有割合（措置法令第39条の12第2項又は第39条の112第2項《直接又は間接保有の株式等の保有割合の計算》に規定する合計した割合をいいます。）を記載し、「被保有」欄には、国外関連者により直接若しくは間接に保有されている株式等の保有割合又は同一の者（その法人及び国外関連者が同一の者によってそれぞれ発行済株式等を直接若しくは間接に保有されている場合におけるその同一の者）により直接若しくは間接に保有されているその法人の株式等の保有割合を記載します。

　なお、「保有」欄の内書には法人が直接保有する国外関連者の株式等の保有割合を、「被保有」欄の内書には国外関連者等が直接保有する当該法人の株式等の保有割合をそれぞれ記載します。

5 「直近事業年度の営業収益等」の各欄には、当期の終了の日以前の同日に最も近い日に終了する国外関連者の事業年度の営業収益、営業費用、営業利益及び税引前当期利益の額を国外関連者がその会計帳簿の作成に当たり使用する外国通貨によりそれぞれ記載します。

6 「国外関連者との取引状況等」の各欄は、次により記載します。

(1) 「受取」又は「支払」の各欄には、当期において、国外関連者（措置法第66条の4第6項又は第68条の88第5項《非関連者を通ずる取引への適用》の規定の適用がある場合におけるこれらの規定に規定する非関連者を含みます。以下同じです。）から支払を受ける対価の額の取引の種類別の総額又は国外関連者に支払う対価の額の取引の種類別の総額をそれぞれ記載します。この場合、当期の確定申告書の提出の時までに取引金額の実額を計算することが困難な事情にあるときは、合理的な方法により算定した推計値を記載することとして差し支えありません。

　なお、記載すべき金額の単位は百万円とし、百万円未満の端数は四捨五入します。

(2) 「算定方法」の各欄には、措置法第66条の4第2項又は第68条の88第2項《独立企業間価格の算定》に規定する算定の方法のうち、国外関連者から支払を受ける対価の額又は国外関連者へ支払う対価の額に係る同法第66条の4第1項又は第68条の88第1項《国外関連者との取引に係る課税の特例》に規定する独立企業間価格につき法人が選定した算定の方法（一の取引の種類につきその選定した算定の方法が二以上ある場合には、そのうち主たる算定の方法）をそれぞれ記載します。

　なお、生産拠点の海外移転、取引形態・流通形態の変更、買収・合併等による事業再編など、独立企業間価格の算定に影響を与える特別な事情が生じた場合には、その具体的な内容を別紙に記載して添付してください。

資料5

租税条約実施特例法関係

(1) 租税条約実施特例法（抄）

租税条約の実施に伴う所得税法，法人税法及び地方税法の特例等に関する法律
（昭和44年6月17日法律第46号）

（租税条約に基づく合意があった場合の更正の特例）
第7条　租税条約の相手国の法令に基づき，相手国居住者等又は居住者（所得税法第2条第1項第3号に規定する居住者をいう。以下この条において同じ。）若しくは内国法人に係る租税（当該租税条約の適用があるものに限る。）の課税標準等（国税通則法（昭和37年法律第66号）第2条第6号イからハまでに掲げる事項をいう。）又は税額等（同号ニからへまでに掲げる事項をいう。）につき更正（国税通則法第24条又は第26条の規定による更正をいう。以下この項において同じ。）又は決定（国税通則法第25条の規定による決定をいう。）に相当する処分があった場合において，当該課税標準等又は税額等に関し，財務大臣と当該相手国の権限ある当局との間の当該租税条約に基づく合意が行われたことにより，居住者の各年分の各種所得の金額（所得税法第2条第1項第22号に規定する各種所得の金額をいう。以下この項において同じ。），内国法人の各事業年度の所得の金額（解散（合併による解散を除く。）による清算所得の金額を含む。以下この項において同じ。）若しくは各連結事業年度の連結所得の金額又は相手国居住者等の各年分の各種所得の金額若しくは各事業年度の所得の金額のうちに減額されるものがあるときは，当該居住者若しくは当該内国法人又は当該相手国居住者等の国税通則法第23条第1項又は第2項の規定による更正の請求に基づき，税務署長は，当該合意をした内容を基に計算される当該居住者の各年分の各種所得の金額，当該内国法人の各事業年度の所得の金額若しくは各連結事業年度の連結所得の金額又は当該相手国居住者等の各年分の各種所得の金額若しくは各事業年度の所得の金額を基礎として，更正をすることができる。

2　前項の更正をする場合において，内国法人の同項の規定により減額される所得の金額若しくは連結所得の金額又は特定信託の受託者である法人の特定信託の同項の規定により減額される所得の金額のうちに相手国居住者等に支払われない金額があるときは，当該金額は，法人税法第67条第3項及び第5項，第81条の13第2項及び第4項，第82条の5第3項及び第4項並びに第145条の5第2項及び第3項の規定の適用につ

いてはこれらの規定に規定する所得等の金額又は連結所得等の金額に含まれるものとするほか，同法第2条第18号に規定する利益積立金額及び同条第18号の2に規定する連結利益積立金額の計算に関し必要な事項は，政令で定める。

3　第1項の更正を受けた居住者若しくは内国法人又は相手国居住者等に対する所得税法第153条（同法第167条において準用する場合を含む。）並びに法人税法第80条の2（同法第145条第1項において準用する場合を含む。）及び第82条の規定の適用については，次の表の上欄に掲げる規定中同表の中欄に掲げる字句は，同表の下欄に掲げる字句にそれぞれ読み替えるものとする。

所得税法第153条	修正申告書を提出し，又は更正若しくは決定	租税条約の実施に伴う所得税法，法人税法及び地方税法の特例等に関する法律第7条第1項（租税条約に基づく合意があった場合の更正の特例）の更正
	修正申告書の提出又は更正若しくは決定	更正
	修正申告書を提出した日又はその更正若しくは決定	更正
	修正申告書若しくは更正若しくは決定	更正
法人税法第80条の2	修正申告書を提出し，又は更正若しくは決定	租税条約の実施に伴う所得税法，法人税法及び地方税法の特例等に関する法律（以下「租税条約実施特例法」という。）第7条第1項（租税条約に基づく合意があった場合の更正の特例）の更正
	修正申告書の提出又は更正若しくは決定	更正
	修正申告書を提出した日又はその更正若しくは決定	更正
	修正申告書若しくは更正若しくは決定	更正
法人税法第82条	修正申告書を提出し，又は更正若しくは決定	租税条約実施特例法第7条第1項（租税条約に基づく合意があった場合の更正の特例）の更正
	修正申告書の提出又は更正若しくは決定	更正
	修正申告書を提出した日又はその更正若しくは決定	更正
	修正申告書若しくは更正若しくは決定	更正

4　第1項に規定する課税標準等又は税額等につき財務大臣が租税条約の相手国の権限ある当局との間で当該租税条約に基づく合意をしたことその他の政令で定める要件を満たすときは，国税局長又は税務署長は，同項の規定による更正に係る還付金又は過納金については，国税通則法第58条第1項に規定する還付加算金のうちその計算の基礎となる期間で財務大臣が当該相手国の権限ある当局との間で合意をした期間に対応する部分に相当する金額を付さないことができる。

(2)　条約実施特例法省令（抄）

租税条約の実施に伴う所得税法，法人税法及び地方税法の特例等に関する法律の施行に関する省令（昭和44年6月17日大蔵省・自治省令第1号）

（租税条約の規定に適合しない課税に関する申立ての手続）
第12条　居住者若しくは内国法人で第1条の3第2項第14号に規定する相手国における居住者でないものは，租税条約のいずれかの締約国の租税につき当該租税条約の規定に適合しない課税を受け，若しくは受けるに至ると認める場合又は特定信託の受託者である法人が当該特定信託の信託財産につき，租税条約のいずれかの締約国の租税につき当該租税条約の規定に適合しない課税を受け，若しくは受けるに至ると認める場合において，その課税を受けたこと又は受けるに至ることを明らかにするため当該租税条約の規定による申立てをしようとするときは，次の各号に掲げる事項を記載した申立書を，その者の所得税又は法人税の納税地の所轄税務署長を経由して，国税庁長官に提出しなければならない。
　一　申立書を提出する者の氏名及び住所若しくは居所又は名称（当該申立書を提出する者が特定信託の受託者である法人の場合にあっては，当該法人の名称及び当該特定信託の名称），本店若しくは主たる事務所の所在地及びその事業が管理され，かつ，支配されている場所の所在地
　二　当該租税条約の規定に適合しない課税を受け，又は受けるに至る事実及びその理由
　三　当該租税条約の規定に適合しない課税を受け，又は受けるに至る年，事業年度，計算期間又は年度
　四　その他参考となるべき事項
2　前項の申立書には，当該租税条約の規定に適合しない課税を受けたこと又は受けるに至ることを証明するために必要な書類を添附しなければならない。
3　前二項の規定は，非居住者で日本の国籍を有するものが，租税条約の相手国におい

て，当該相手国の国民よりも重い租税又は要件を課され，又は課されるに至ると認める場合における当該租税条約の規定による申立てについて準用する。

(双方居住者の取扱いに係る協議に関する申立ての手続)
第13条　居住者で，租税条約の相手国の法令により当該相手国の居住者ともされるものは，当該租税条約の適用上その者が居住者であるとみなされる締約国の決定に係る当該租税条約に規定する協議につき申立てをしようとするときは，次の各号に掲げる事項を記載した申立書をその者の所得税の納税地の所轄税務署長を経由して，国税庁長官に提出しなければならない。
　一　申立書を提出する者の氏名，国内における住所又は居所及び申立書を提出する者の当該租税条約の相手国における住所又は通常の滞在地
　二　当該租税条約のそれぞれの締約国の居住者として，それぞれの締約国において課税を受け，又は受けるに至る事実
　三　当該租税条約（これに附属する政府間の取決めを含む。）において当該協議を行うに当たり考慮すべき事項が定められている場合にあっては，その定められている事項
　四　その他参考となるべき事項

資料6

租税特別措置法関係通達（66の4関係通達）

第11章　国外関連者との取引に係る課税の特例

目次

第66条の4　（（国外関連者との取引に係る課税の特例））関係
　第1款　特殊の関係
　第2款　比較対象取引
　第3款　独立企業間価格の算定
　第4款　利益分割法の適用
　第5款　取引単位営業利益法の適用
　第6款　棚卸資産の売買以外の取引における独立企業間価格算定方法の適用
　第7款　申告調整等
　第8款　国外移転所得金額の取扱い等

第11章　国外関連者との取引に係る課税の特例

第66条の4　（（国外関連者との取引に係る課税の特例））関係

第1款　特殊の関係

（発行済株式）

66の4(1)－1　措置法第66条の4第1項の「発行済株式」には，その株式の払込み又は給付の金額（以下「払込金額等」という。）の全部又は一部について払込み又は給付（以下「払込み等」という。）が行われていないものも含まれるものとする。（昭61年直法2－12「二十五」により追加，平5年課法2－1「二十九」，平12年課法2－13「二」，平15年課法2－7「六十九」，平19年課法2－3「四十八」により改正）

（直接又は間接保有の株式）

66の4(1)－2　法人がその取引の相手方である外国法人との間に出資関係を通じて措置法第66条の4第1項に規定する特殊の関係（以下「特殊の関係」という。）にあるかどうかを判定する場合の当該法人又は当該外国法人が直接又は間接に保有する株式には，その払込金額等の全部又は一部について払込み等が行われていないものが含まれるものとする。（昭61年直法2－12「二十五」により追加，平5年課法2－1「二十九」，平12年課法2－13「二」，平19年課法2－3「四十八」により改正）

（注）　名義株は，その実際の権利者が所有するものとして特殊の関係の有無を判定することに留意する。

（実質的支配関係があるかどうかの判定）

66の4(1)－3　措置法令第39条の12第1項第3号に規定する「その他これに類する事実」とは，例えば，次に掲げるような事実をいう。（昭和61年直法2－12「二十五」により追加，平5年課法2－1「二十九」，平12年課法2－13「二」により改正）

(1)　一方の法人が他方の法人から提供される事業活動の基本となる著作権（出版権及び著作隣接権その他これに準ずるものを含む。以下同じ。），工業所有権（特許権，実用新案権，意匠権及び商標権をいう。），ノーハウ等に依存してその事業活動を行っていること。

(2)　一方の法人の役員の2分の1以上又は代表する権限を有する役員が他方の法人によって実質的に決定されていると認められる事実があること。

第2款　比較対象取引

（比較対象取引の意義）

66の4(2)-1　措置法第66条の4第1項に規定する独立企業間価格（以下「独立企業間価格」という。）の算定の基礎となる比準取引（以下「比較対象取引」という。）は，例えば，同条第2項第1号に規定する棚卸資産の販売又は購入の場合にあっては，同条第1項に規定する国外関連取引（以下「国外関連取引」という。）を行った法人が非関連者（同条第6項に規定する非関連者をいう。以下同じ。）との間で行う取引（同項の適用がある取引を除く。）又は非関連者が他の非関連者との間で行う取引（以下これらの取引を「非関連者間取引」という。）のうち，次に掲げる算定の方法の区分に応じ，それぞれ次に掲げる取引となることに留意する。（平12年課法2－13「二」により追加，平14年課法2－1「五十八」，平16年課法2－14「二十八」により改正）

(1)　措置法第66条の4第2項第1号イに掲げる方法（以下「独立価格比準法」という。）国外関連取引に係る棚卸資産と同種の棚卸資産を当該国外関連取引と同様の状況の下で売買した取引（当該取引と国外関連取引とにおいて取引段階，取引数量その他に差異のある状況の下で売買した場合には，その差異により生じる同号イに規定する対価の額の差を調整することができるものに限る。）

(2)　措置法第66条の4第2項第1号ロに掲げる方法（以下「再販売価格基準法」という。）国外関連取引に係る棚卸資産と同種又は類似の棚卸資産を，非関連者から購入した者が当該同種又は類似の棚卸資産を非関連者に対して販売した取引（当該取引と国外関連取引とにおいて売手の果たす機能その他に差異がある場合には，その差異により生じる措置法令第39条の12第6項に規定する割合の差につき必要な調整を加えることができるものに限る。）

(3)　措置法第66条の4第2項第1号ハに掲げる方法（以下「原価基準法」という。）国外関連取引に係る棚卸資産と同種又は類似の棚卸資産を，購入（非関連者からの購入に限る。），製造その他の行為により取得した者が当該同種又は類似の棚卸資産を非関連者に対して販売した取引（当該取引と国外関連取引とにおいて売手の果たす機能その他に差異がある場合には，その差異により生じる措置法令第39条の12第7項に規定する割合の差につき必要な調整を加えることができるものに限る。）

(4)　措置法令第39条の12第8項第2号に掲げる方法　国外関連取引に係る棚卸資産と同種又は類似の棚卸資産を，非関連者から購入した者が当該同種又は類似の棚卸資産を非関連者に対して販売した取引（当該取引と国外関連取引とにおいて売手の果たす機能その他に差異がある場合には，その差異により生じる措置法令第39条の12第8項第2号に規定する割合の差につき必要な調整を加えることができるものに限

る。)

(5) 措置法令第39条の12第8項第3号に掲げる方法　国外関連取引に係る棚卸資産と同種又は類似の棚卸資産を，購入（非関連者からの購入に限る。），製造その他の行為により取得した者が当該同種又は類似の棚卸資産を非関連者に対して販売した取引（当該取引と国外関連取引とにおいて売手の果たす機能その他に差異がある場合には，その差異により生じる措置法令第39条の12第8項第3号に規定する割合の差につき必要な調整を加えることができるものに限る。)

（同種又は類似の棚卸資産の意義）

66の4(2)－2　措置法第66条の4第2項第1号イに規定する「同種の棚卸資産」又は措置法令第39条の12第6項，第7項並びに第8項第2号及び第3号に規定する「同種又は類似の棚卸資産」とは，国外関連取引に係る棚卸資産と性状，構造，機能等の面において同種又は類似である棚卸資産をいう。

　ただし，これらの一部について差異がある場合であっても，その差異が措置法第66条の4第2項第1号イに規定する対価の額若しくは同号ロ及びハに規定する通常の利益率の算定又は措置法令第39条の12第8項第2号及び第3号に規定する割合の算定に影響を与えないと認められるときは，同種又は類似の棚卸資産として取り扱うことができる。（平12年課法2－13「二」により追加，平16年課法2－14「二十八」により改正）

（比較対象取引の選定に当たって検討すべき諸要素）

66の4(2)－3　措置法第66条の4の規定の適用上，比較対象取引に該当するか否かについては，例えば，次に掲げる諸要素の類似性に基づき判断することに留意する。（平12年課法2－13「二」により追加，平14年課法2－1「五十八」により改正）

(1) 棚卸資産の種類，役務の内容等
(2) 取引段階（小売り又は卸売り，一次問屋又は二次問屋等の別をいう。)
(3) 取引数量
(4) 契約条件
(5) 取引時期
(6) 売手又は買手の果たす機能
(7) 売手又は買手の負担するリスク
(8) 売手又は買手の使用する無形資産（著作権，基本通達20－1－21に定める工業所有権等のほか，顧客リスト，販売網等の重要な価値のあるものをいう。以下同じ。)
(9) 売手又は買手の事業戦略

(10) 売手又は買手の市場参入時期
(11) 政府の規制
(12) 市場の状況

第3款 独立企業間価格の算定

(取引単位)

66の4(3)-1 独立企業間価格の算定は，原則として，個別の取引ごとに行うのであるが，例えば，次に掲げる場合には，これらの取引を一の取引として独立企業間価格を算定することができる。(平12年課法2-13「二」により追加)
 (1) 国外関連取引について，同一の製品グループに属する取引，同一の事業セグメントに属する取引等を考慮して価格設定が行われており，独立企業間価格についてもこれらの単位で算定することが合理的であると認められる場合
 (2) 国外関連取引について，生産用部品の販売取引と当該生産用部品に係る製造ノウハウの使用許諾取引等が一体として行われており，独立企業間価格についても一体として算定することが合理的であると認められる場合

(相殺取引)

66の4(3)-2 措置法第66条の4の規定の適用上，一の取引に係る対価の額が独立企業間価格と異なる場合であっても，その対価の額と独立企業間価格との差額に相当する金額を同一の相手方との他の取引の対価の額に含め，又は当該対価の額から控除することにより調整していることが取引関係資料の記載その他の状況からみて客観的に明らかな場合には，それらの取引は，それぞれ独立企業間価格で行われたものとすることができる。(昭61年直法2-12「二十五」により追加，平3年課法2-4「二十九」，平5年課法2-1「二十九」，平12年課法2-13「二」により改正)

(為替差損益)

66の4(3)-3 措置法第66条の4の規定の適用上，取引日の外国為替の売買相場と当該取引の決済日の外国為替の売買相場との差額により生じた為替差損益は，独立企業間価格には含まれないことに留意する。(平12年課法2-13「二」により追加)

(値引き，割戻し等の取扱い)

66の4(3)-4 措置法第66条の4の規定の適用上，国外関連取引と比較対象取引との間で異なる条件の値引き，割戻し等が行われている場合には，当該値引き，割戻し等に

係る条件の差異を調整したところにより同条第4項に規定する差額を算定することに留意する。(昭61年直法2-12「二十五」により追加, 平3年課法2-4「二十九」, 平5年課法2-1「二十九」, 平12年課法2-13「二」により改正)

(会計処理方法の差異の取扱い)
66の4(3)-5 措置法第66条の4の規定の適用上, 国外関連取引と比較対象取引との間で用いられている会計処理方法(例えば, 棚卸資産の評価方法, 減価償却資産の償却方法)に差異があり, その差異が独立企業間価格の算定に影響を与える場合には, 当該差異を調整したところにより同条第4項に規定する差額を算定することに留意する。
(平12年課法2-13「二」により追加)

(原価基準法における取得原価の額)
66の4(3)-6 原価基準法により独立企業間価格を算定する場合において, 国外関連取引に係る棚卸資産をその売手が, 例えば特殊の関係にある者から通常の取引価格に満たない価格で購入しているためその購入価格をその算定の基礎とすることが相当でないと認められるときは, その購入価格を通常の取引価格に引き直して当該国外関連取引に係る独立企業間価格を算定するものとする。(昭61年直法2-12「二十五」により追加, 平3年課法2-4「二十九」, 平5年課法2-1「二十九」, 平12年課法2-13「二」により改正)

(注) この取扱いを適用する場合の「通常の取引価格」は, 措置法第66条の4第2項各号に掲げる方法に準じて計算する。

第4款 利益分割法の適用

(利益分割法の意義)
66の4(4)-1 措置法令第39条の12第8項第1号に掲げる方法(以下「利益分割法」という。)は, 原則として, 国外関連取引に係る棚卸資産の販売等により法人及び措置法第66条の4第1項に規定する国外関連者(以下「国外関連者」という。)に生じた営業利益の合計額(以下「分割対象利益」という。)を措置法令第39条の12第8項第1号に規定する要因により分割する方法をいうことに留意する。(平12年課法2-13「二」により追加, 平16年課法2-14「二十八」により改正)

(分割要因)

66の4(4)-2　利益分割法の適用に当たり，分割対象利益の配分に用いる要因は，国外関連取引の内容に応じ法人又は国外関連者が支出した人件費等の費用の額，投下資本の額等これらの者が当該分割対象利益の発生に寄与した程度を推測するにふさわしいものを用いることに留意する。

　なお，当該要因が複数ある場合には，それぞれの要因が分割対象利益の発生に寄与した程度に応じて，合理的に計算するものとする。(平12年課法2－13「二」により追加)

(為替の換算)

66の4(4)-3　利益分割法の適用に当たり，国外関連者の国外関連取引に係る営業利益等を換算する際に用いる外国為替の売買相場については，基本通達13の2－1－8の取扱いを準用する。(平12年課法2－13「二」により追加)

(比較利益分割法)

66の4(4)-4　利益分割法の適用に当たり，分割対象利益の配分を，国外関連取引と類似の状況の下で行われた非関連者間取引に係る非関連者間の分割対象利益に相当する利益の配分割合を用いて合理的に算定することができる場合には，当該方法により独立企業間価格を算定することができる。(平12年課法2－13「二」により追加)

(残余利益分割法)

66の4(4)-5　利益分割法の適用に当たり，法人又は国外関連者が重要な無形資産を有する場合には，分割対象利益のうち重要な無形資産を有しない非関連者間取引において通常得られる利益に相当する金額を当該法人及び国外関連者それぞれに配分し，当該配分した金額の残額を当該法人又は国外関連者が有する当該重要な無形資産の価値に応じて，合理的に配分する方法により独立企業間価格を算定することができる。
(平12年課法2－13「二」により追加)

(注)　当該重要な無形資産の価値による配分を当該重要な無形資産の開発のために支出した費用等の額により行っている場合には，合理的な配分として，これを認める。

第5款　取引単位営業利益法の適用

(準ずる方法の例示)

66の4(5)−1　措置法令第39条の12第8項第4号に規定する「準ずる方法」とは、例えば、次のような方法がこれに該当する。(平16年課法2−14「二十八」により追加)

(1) 国外関連取引に係る棚卸資産の買手が当該棚卸資産を用いて製品等の製造をし、これを非関連者に対して販売した場合において、当該製品等のその非関連者に対する販売価格から次に掲げる金額の合計額を控除した金額をもって当該国外関連取引の対価の額とする方法

　イ　当該販売価格に措置法令第39条の12第8項第2号に規定する比較対象取引に係る営業利益の額の収入金額に対する割合を乗じて計算した金額

　ロ　当該製品等に係る製造原価の額(当該国外関連取引に係る棚卸資産の対価の額を除く。)

　ハ　当該製品等の販売のために要した販売費及び一般管理費の額

(2) 一方の国外関連者が法人から購入した棚卸資産を他方の国外関連者を通じて非関連者に対して販売した場合において、当該一方の国外関連者と当該他方の国外関連者との取引価格を通常の取引価格に引き直した上で、措置法令第39条の12第8項第2号に掲げる算定方法に基づいて計算した金額をもって当該法人と当該一方の国外関連者との間で行う国外関連取引に係る対価の額とする方法

　(注)　この取扱いを適用する場合の「通常の取引価格」は、措置法第66条の4第2項各号に掲げる方法に準じて計算する。

第6款　棚卸資産の売買以外の取引における独立企業間価格算定方法の適用

(同等の方法の意義)

66の4(6)−1　措置法第66条の4第2項第2号イ及びロに規定する「同等の方法」とは、有形資産の貸借取引、金銭の貸借取引、役務提供取引、無形資産の使用許諾又は譲渡の取引等、棚卸資産の売買以外の取引において、それぞれの取引の類型に応じて同項第1号に掲げる方法に準じて独立企業間価格を算定する方法をいう。(平12年課法2−13「二」、平16年課法2−14「二十八」により改正)

(有形資産の貸借の取扱い)

66の4(6)−2　有形資産の貸借取引について、独立価格比準法と同等の方法を適用する場合には、比較対象取引に係る資産が国外関連取引に係る資産と同種であり、かつ、

比較対象取引に係る貸借時期，貸借期間，貸借期間中の資産の維持費用等の負担関係，転貸の可否等貸借の条件が国外関連取引と同様であることを要することに留意する。また，有形資産の貸借取引について，原価基準法と同等の方法を適用する場合には，比較対象取引に係る資産が国外関連取引に係る資産と同種又は類似であり，かつ，上記の貸借の条件と同様であることを要することに留意する。(平12年課法2－13「二」により追加，平16年課法2－14「二十八」により改正)

(委託製造先に対する機械設備等の貸与の取扱い)

66の4(6)－3　法人が製品等の製造を委託している国外関連者に対して機械設備等の資産を貸与している場合には，当該製品等の製造委託取引と当該資産の貸借取引が一の取引として行われているものとして独立企業間価格を算定することができる。(平12年課法2－13「二」により追加，平16年課法2－14「二十八」により改正)

(金銭の貸付け又は借入れの取扱い)

66の4(6)－4　金銭の貸借取引について独立価格比準法と同等の方法又は原価基準法と同等の方法を適用する場合には，比較対象取引に係る通貨が国外関連取引に係る通貨と同一であり，かつ，比較対象取引における貸借時期，貸借期間，金利の設定方式(固定又は変動，単利又は複利等の金利の設定方式をいう。)，利払方法(前払い，後払い等の利払方法をいう。)，借手の信用力，担保及び保証の有無その他の利率に影響を与える諸要因が国外関連取引と同様であることを要することに留意する。(平12年課法2－13「二」により追加，平16年課法2－14「二十八」により改正)

(注)　独立価格比準法と同等の方法又は原価基準法と同等の方法が適用できない場合には，例えば，国外関連取引の借手が銀行等から当該国外関連取引と同様の条件の下で借り入れたとした場合に付されるであろう利率を比較対象取引における利率として，措置法第66条の4第2項第2号ロに掲げる方法により，独立企業間価格を算定することができる。

(役務提供の取扱い)

66の4(6)－5　役務提供取引について独立価格比準法と同等の方法を適用する場合には，比較対象取引に係る役務が国外関連取引に係る役務と同種であり，かつ，比較対象取引に係る役務提供の時期，役務提供の期間等の役務提供の条件が国外関連取引と同様であることを要することに留意する。また，役務提供取引について，原価基準法と同等の方法を適用する場合には，比較対象取引に係る役務が国外関連取引に係る役務と同種又は類似であり，かつ，上記の役務提供の条件と同様であることを要することに

(無形資産の使用許諾等の取扱い)

66の4(6)-6　無形資産の使用許諾又は譲渡の取引について，独立価格比準法と同等の方法を適用する場合には，比較対象取引に係る無形資産が国外関連取引に係る無形資産と同種であり，かつ，比較対象取引に係る使用許諾又は譲渡の時期，使用許諾の期間等の使用許諾又は譲渡の条件が国外関連取引と同様であることを要することに留意する。また，無形資産の使用許諾又は譲渡の取引について，原価基準法と同等の方法を適用する場合には，比較対象取引に係る無形資産が国外関連取引に係る無形資産と同種又は類似であり，かつ，上記の無形資産の使用許諾又は譲渡の条件と同様であることを要することに留意する。(平12年課法2－13「二」により追加，平16年課法2－14「二十八」により改正)

第7款　申告調整等

(独立企業間価格との差額の申告調整)

66の4(7)-1　措置法第66条の4第1項に規定する「当該国外関連取引は，独立企業間価格で行われたものとみなす」とは，法人が国外関連者から支払を受ける対価の額が独立企業間価格に満たない場合又は法人が国外関連者に支払う対価の額が独立企業間価格を超える場合は，その差額を益金の額に算入し，又は損金の額に算入しないことをいうのであるから留意する。(平12年課法2－13「二」により追加，平16年課法2－14「二十八」により改正)

(注)　この差額の調整が，寄附金の損金算入限度額，外国税額の控除限度額等に影響を及ぼす場合には，それらについても再計算することに留意する。

(独立企業間価格との差額の申告減算)

66の4(7)-2　国外関連取引につき，法人が国外関連者から支払を受ける対価の額が独立企業間価格を超える場合又は国外関連者に支払う対価の額が独立企業間価格に満たない場合における独立企業間価格との差額については，所得の金額の計算上，確定申告書等において減額できないことに留意する。(平12年課法2－13「二」により追加，平15年課法2－7「六十九」，平16年課法2－14「二十八」により改正)

(高価買入れの場合の取得価額の調整)

66の4(7)-3　法人が国外関連取引につき国外関連者に支払う対価の額が独立企業間価格を超える場合において，その対価の額と独立企業間価格との差額の全部又は一部に相当する金額が当該事業年度終了の日において有する資産の取得価額に算入されているため当該事業年度の損金の額に算入されていないときは，その損金の額に算入されていない部分の金額に相当する金額を当該資産の取得価額から減額することができる。
　　（昭61年直法2-12「二十五」により追加，平3年課法2-4「二十九」，平5年課法2-1「二十九」，平12年課法2-13「二」，平15年課法2-7「六十九」，平16年課法2-14「二十八」により改正）

　（注）　この取扱いにより減価償却資産の取得価額を減額した場合には，その減額した後の金額を基礎として各事業年度（その事業年度が連結事業年度に該当する場合には，当該連結事業年度）の償却限度額を計算することに留意する。

第8款　国外移転所得金額の取扱い等

(国外移転所得金額の取扱い)

66の4(8)-1　措置法第66条の4第4項に規定する国外関連取引の対価の額と当該国外関連取引に係る独立企業間価格との差額（以下「国外移転所得金額」という。）は，その全部又は一部を国外関連者から返還を受けるかどうかにかかわらず，利益の社外流出として取り扱う。（昭61年直法2-12「二十五」により追加，平3年課法2-4「二十九」，平5年課法2-1「二十九」，平12年課法2-13「二」，平16年課法2-14「二十八」により改正）

(国外移転所得金額の返還を受ける場合の取扱い)

66の4(8)-2　法人が国外移転所得金額の全部又は一部を合理的な期間内に国外関連者から返還を受けることとし，次に掲げる事項を記載した書面を所轄税務署長（国税局の調査課所管法人にあっては所轄国税局長）に提出した場合において，当該書面に記載した金額の返還を受けたときには，当該返還を受けた金額は益金の額に算入しないことができる。（平12年課法2-13「二」により追加，平15年課法2-7「六十九」，平16年課法2-14「二十八」により改正）
　イ　納税地
　ロ　法人名
　ハ　代表者名
　ニ　国外関連者名及び所在地

ホ　返還を受ける予定の日
ヘ　返還を受ける金額（外貨建取引の場合は，外国通貨の金額を併記する。）
ト　返還方法
(注)　外貨建ての取引につき返還を受けることとして届け出る金額は，その発生の原因となった国外関連取引に係る収益，費用の円換算に用いた外国為替の売買相場によって円換算した金額とし，当該金額とその返還を受けた日の外国為替の売買相場によって円換算した金額との差額は，その返還を受けた日を含む事業年度（その事業年度が連結事業年度に該当する場合には，当該連結事業年度）の益金の額又は損金の額に算入する。

資料7(1)

移転価格税制執行に関する運営指針
移転価格事務運営指針：移転価格事務運営要領の制定について（事務運営指針）

査調7－1
官際3－1
官協1－16
課法6－7
平成13年6月1日

国税局長
沖縄国税事務所長　殿

国税庁長官

沿革

平成13年8月31日査調7－7・官協1－61
平成14年6月20日査調7－11・官際3－2・官協1－22・課法6－11
平成17年4月28日査調7－3・官際1－18・官協1－13・課法6－6
平成18年3月20日査調7－2・官際1－13・官協1－6・課法7－2
平成19年6月25日査調7－21・官際1－52・官協1－35・課法7－5改正

　標題のことについて，別添のとおり定めたから，これにより適切に実施されたい。
　なお，平成11年10月25日付査調8－1ほか3課共同「独立企業間価格の算定方法等の確認について（事務運営指針）」は廃止する。
（趣旨）
　租税特別措置法第66条の4《国外関連者との取引に係る課税の特例》に関し，事務運営の指針を整備し，移転価格税制の適正，円滑な執行を図るものである。
（別添）
　　第1章　定義及び基本方針
　　第2章　調査
　　第3章　独立企業間価格の算定等における留意点
　　第4章　国外移転所得金額等の取扱い
　　第5章　事前確認手続

資料7⑵　別冊　移転価格税制の適用に当たっての参考事例集
資料7⑶－1　国外移転所得金額の返還に関する届出書
資料7⑶－2　独立企業間価格の算定方法等の確認に関する申出書
資料7⑶－3　独立企業間価格の算定方法等の確認通知書
資料7⑶－4　独立企業間価格の算定方法等の確認ができない旨の通知書
資料7⑶－5　独立企業間価格の算定方法等の確認取消通知書
資料7⑶－6　連結加入等法人の事前確認の継続届出書
資料7⑶－7　連結離脱等法人の事前確認の継続届出書
資料7⑶－8　対応的調整に伴う返還に関する届出書

（別添）
移転価格事務運営要領

第1章　定義及び基本方針

（定義）

1－1　この事務運営指針において，次に掲げる用語の意義は，それぞれ次に定めるところによる
⑴　法　法人税法をいう。
⑵　措置法　租税特別措置法をいう。
⑶　基本通達　措置法第66条の4の規定（第3項を除く。）をいう。
⑷　措置法通達　租税特別措置法関係通達（法人税編）をいう。
⑸　移転価格税制　措置法第66条の4の規定をいう。
⑹　連結法人　法第2条第12号の7の4に規定する連結法人をいう。
⑺　連結親法人　法第2条第12号の7の2に規定する連結親法人をいう。
⑻　確定申告書　法第2条第31号に規定する確定申告書及びこれに添付することとされている書類をいう。
⑼　事業年度　法第13条に規定する事業年度をいう。
⑽　連結事業年度　法第15条の2に規定する連結事業年度をいう。
⑾　国外関連者　措置法第66条の4第1項及び第68条の88第1項に規定する国外関連者をいう。
⑿　国外関連取引　措置法第66条の4第1項及び第68条の88第1項に規定する国外関連取引をいう。
⒀　独立企業間価格　措置法第66条の4第1項に規定する独立企業間価格をいう。

⑭ 独立企業間価格の算定方法　措置法第66条の4第2項に規定する独立企業間価格の算定方法をいう。
⑮ 非関連者　措置法第66条の4第1項に規定する特殊の関係にない者をいう。
⑯ 比較対象取引　措置法通達66の4(2)-1に規定する比較対象取引をいう。
⑰ 利益分割法　措置法施行令第39条の12第8項第1号に掲げる方法をいう。
⑱ 取引単位営業利益法　措置法施行令第39条の12第8項第2号から第4号に掲げる方法をいう。
⑲ 無形資産　措置法通達66の4(2)-3の(8)に規定する無形資産をいう。
⑳ 租税条約　我が国が締結した所得に対する租税に関する二重課税の回避又は脱税の防止のための条約をいう。
㉑ 租税条約実施特例法　租税条約の実施に伴う所得税法，法人税法及び地方税法の特例等に関する法律をいう。
㉒ 相互協議　租税条約の規定に基づく我が国の権限ある当局と外国の権限ある当局との協議をいう。
㉓ 事前確認　税務署長又は国税局長が，法人が採用する最も合理的と認められる独立企業間価格の算定方法及びその具体的内容等（以下「独立企業間価格の算定方法等」という。）について確認を行うことをいう。
㉔ 事前確認審査　局担当課が行う事前確認の申出に係る審査をいう。
㉕ 事前相談　事前確認を受けようとする法人が，事前確認の申出前に，事前確認を申し出ようとする独立企業間価格の算定方法等について局担当課（必要に応じて庁担当課及び庁相互協議室を含む。）と行う相談（代理人を通じた匿名の相談を含む。）をいう。
㉖ 局担当課　国税局課税第二部（金沢，高松及び熊本国税局にあっては，課税部）法人課税課及び沖縄国税事務所法人課税課（以下「局法人課税課」という。）又は東京国税局調査第一部国際情報第二課，大阪国税局調査第一部国際情報課，名古屋国税局調査部国際調査課，関東信越国税局調査査察部国際調査課，札幌，仙台，金沢，広島，高松，福岡及び熊本国税局調査査察部調査管理課並びに沖縄国税事務所調査課（以下「局調査課」という。）をいう。
㉗ 庁担当課　国税庁課税部法人課税課又は国税庁調査査察部調査課をいう。
㉘ 庁相互協議室　国税庁長官官房国際業務課相互協議室をいう。
㉙ 連結指針　平成17年4月28日付査調7-4ほか3課共同「連結法人に係る移転価格事務運営要領の制定について」（事務運営指針）をいう。

（基本方針）

1－2　移転価格税制に係る事務については，この税制が独立企業原則に基づいていることに配意し，適正に行っていく必要がある。このため，次に掲げる基本方針に従って当該事務を運営する。

(1)　法人の国外関連取引に付された価格が非関連者間の取引において通常付された価格となっているかどうかを十分に検討し，問題があると認められる取引を把握した場合には，市場の状況及び業界情報等の幅広い事実の把握に努め，算定方法・比較対象取引の選定や差異調整等について的確な調査を実施する。

(2)　独立企業間価格の算定方法等に関し，法人の申出を受け，また，当該申出に係る相互協議の合意がある場合にはその内容を踏まえ，事前確認を行うことにより，当該法人の予測可能性を確保し，移転価格税制の適正・円滑な執行を図る。

(3)　移転価格税制に基づく課税により生じた国際的な二重課税の解決には，移転価格に関する各国税務当局による共通の認識が重要であることから，調査又は事前確認審査に当たっては，必要に応じOECD移転価格ガイドラインを参考にし，適切な執行に努める。

（別冊の活用）

1－3　別冊「移転価格税制の適用に当たっての参考事例集」は，一定の前提条件を置いた設例に基づいて移転価格税制上の取扱いを取りまとめたものである。このため，別冊で取り上げた事例以外の事例があることはもとより，類似の事例であっても，前提条件が異なることにより移転価格税制上の取扱いが異なり得ることに留意の上，これを参考にして当該税制に係る事務を適切に行う。

第2章　調査

（調査の方針）

2－1　調査に当たっては，移転価格税制上の問題の有無を的確に判断するために，例えば次の事項に配意して国外関連取引を検討することとする。この場合においては，形式的な検討に陥ることなく個々の取引実態に即した検討を行うことに配意する。

(1)　法人の国外関連取引に係る売上総利益率又は営業利益率等（以下「利益率等」という。）が，同様の市場で法人が非関連者と行う取引のうち，規模，取引段階その他の内容が類似する取引に係る利益率等に比べて過少となっていないか。

(2)　法人の国外関連取引に係る利益率等が，当該国外関連取引に係る事業と同種で，規模，取引段階その他の内容が類似する事業を営む非関連者である他の法人の当該

事業に係る利益率等に比べて過少となっていないか。
  (3) 法人及び国外関連者が国外関連取引において果たす機能又は負担するリスク等を勘案した結果，法人の当該国外関連取引に係る利益が，当該国外関連者の当該国外関連取引に係る利益に比べて相対的に過少となっていないか。

(調査に当たり配意する事項)
2－2 国外関連取引の検討は，確定申告書及び調査等により収集した資料等を基に行う。
  独立企業間価格の算定を行うまでには，個々の取引実態に即した多面的な検討を行うこととし，例えば次のような方法により，移転価格税制上の問題の有無について検討し，効果的な調査展開を図る。
  (1) 法人の国外関連取引に係る事業と同種で，規模，取引段階その他の内容が概ね類似する複数の非関連取引（以下「比較対象取引の候補と考えられる取引」という。）に係る利益率等の範囲内に，国外関連取引に係る利益率等があるかどうかを検討する。
  (2) 国外関連取引に係る棚卸資産等が一般的に需要の変化，製品のライフサイクル等により価格が相当程度変動することにより，各事業年度又は連結事業年度ごとの情報のみで検討することが適切でないと認められる場合には，当該事業年度又は連結事業年度の前後の合理的な期間における当該国外関連取引又は比較対象取引の候補と考えられる取引の対価の額又は利益率等の平均値等を基礎として検討する。

(別表17(3)の添付状況の検討)
2－3 国外関連取引を行う法人が，その確定申告書に「国外関連者に関する明細書」（法人税申告書別表17(3)）を添付していない場合又は当該別表の記載内容が十分でない場合には，当該別表の提出を督促し，又はその記載の内容について補正を求めるとともに，当該国外関連取引の内容について一層的確な把握に努める。

(調査時に検査を行う書類等)
2－4 調査においては，例えば次に掲げる書類又は帳簿その他の資料（以下2－4において「書類等」という。）から国外関連取引の実態を的確に把握し，移転価格税制上の問題があるかどうかを判断する。
  (1) 法人及び国外関連者ごとの資本関係及び事業内容を記載した書類等
    イ 法人及び関連会社間の資本及び取引関係を記載した書類等
    ロ 法人及び国外関連者の沿革及び主要株主の変遷を記載した書類等

ハ　法人にあっては有価証券報告書又は計算書類その他事業内容を記載した報告書等，国外関連者にあってはそれらに相当する報告書等

　　　ニ　法人及び国外関連者の主な取扱品目及びその取引金額並びに販売市場及びその規模を記載した書類等

　　　ホ　法人及び国外関連者の事業別の業績，事業の特色，各事業年度の特異事項等その事業の内容を記載した書類等

　(2)　法人が独立企業間価格の算定に使用した書類等

　　　イ　法人が採用した比較対象取引の選定過程及び当該比較対象取引の明細を記載した書類等

　　　ロ　法人が複数の取引を一の取引として独立企業間価格の算定を行った場合，その基となった個別の取引の内容を記載した書類等

　　　ハ　法人がその独立企業間価格の算定方法を採用した理由を記載した書類その他法人が独立企業間価格算定の際に作成した書類等

　　　ニ　比較対象取引について差異の調整を行った場合，その調整方法及びその理由を記載した書類等

　(3)　国外関連取引の内容を記載した書類等

　　　イ　契約書又は契約内容を記載した書類等

　　　ロ　価格の設定方法及び法人と国外関連者との価格交渉の内容を記載した書類等

　　　ハ　国外関連取引に係る法人又は国外関連者の事業戦略の内容を記載した書類等

　　　ニ　国外関連取引に係る法人及び国外関連者の損益状況を記載した書類等

　　　ホ　国外関連取引について法人及び国外関連者が果たした機能又は負担したリスクを記載した書類等

　　　ヘ　国外関連取引を行う際に法人又は国外関連者が使用した無形資産の内容を記載した書類等

　　　ト　国外関連取引に係る棚卸資産等に関する市場について行われた分析等に係る書類等

　　　チ　国外関連取引に係る棚卸資産等の内容を記載した書類等

　　　リ　国外関連取引と密接に関連する他の取引の有無及びその内容を記載した書類等

　(4)　その他の書類等

　　　イ　法人及び国外関連者の経理処理基準の詳細を記載したマニュアル等

　　　ロ　外国税務当局による国外関連者に対する移転価格調査又は事前確認の内容を記載した書類等

　　　ハ　移転価格税制に相当する外国の制度にあって同制度の実効性を担保するために適正な資料作成を求める規定（いわゆるドキュメンテーション・ルール）に従っ

ト　国外関連者が書類等を準備している場合の当該書類等
　ニ　その他必要と認められる書類等

（推定規定又は同業者に対する質問検査規定の適用に当たっての留意事項）
２－５　法人に対し措置法第66条の４第７項《推定規定》に規定する書類若しくは帳簿又はこれらの写し（以下２－５において「第７項に規定する書類等」という。）の提示又は提出を求めた場合において、当該法人が第７項に規定する書類等を遅滞なく提示し、又は提出しなかったときには、同項又は同条第９項《同業者に対する質問検査規定》の規定を適用することができるのであるが、これらの規定の適用に当たっては、次の事項に配意する。
　(1)　第７項に規定する書類等の提示又は提出を求める場合には、法人に対し、「当該書類等が遅滞なく提示され又は提出されないときには、措置法第66条の４第７項又は同条第９項の適用要件を満たす」旨を説明するとともに、当該説明を行った事実及びその後の法人からの提示又は提出の状況を記録する。
　(2)　法人が第７項に規定する書類等を遅滞なく提示し、又は提出したかどうかは、当該書類等の提示又は提出の準備に通常要する期間を考慮して判断する。
　(3)　措置法第66条の４第９項の規定を適用して把握した非関連者間取引（措置法通達66の４(2)－１に規定する非関連者間取引をいう。以下同じ。）を比較対象取引として選定した場合には、当該選定のために用いた条件、当該比較対象取引の内容、差異の調整方法等を法人に対し説明するのであるが、この場合には、法第163条《職員の守秘義務規定》の規定に留意するとともに、当該説明を行った事実を記録する。

（金銭の貸借取引）
２－６　金銭の貸借取引について調査を行う場合には、次の点に留意する。
　(1)　基本通達９－４－２《子会社等を再建する場合の無利息貸付け等》の適用がある金銭の貸付けについては、移転価格税制の適用上も適正な取引として取り扱う。
　(2)　国外関連取引において返済期日が明らかでない場合には、当該金銭貸借の目的等に照らし、金銭貸借の期間を合理的に算定する。

（金銭の貸付け等を業としない法人）
２－７　法人及び国外関連者がともに主として金銭の貸付け又は出資を行っていない場合において、当該法人が当該国外関連者との間で行う金銭の貸付け又は借入れについて調査を行うに当たり、措置法通達66の４(6)－４が適用できないときは、次により計算した利率を独立企業間の利率として、当該貸付け又は借入れに付された利率の適否

を検討する。
(1) 国外関連取引の貸手が非関連者である銀行等から通貨,貸借時期,貸借期間等が同様の状況の下で借り入れたとした場合に通常付されたであろう利率
(2) 国外関連取引に係る資金を,当該国外関連取引と通貨,取引時期,期間等が同様の状況の下で国債等により運用するとした場合に得られたであろう利率（(1)に掲げる利率を用いることができる場合を除く。）
　(注) (1)に掲げる利率を適用する場合においては,国外関連取引の貸手における銀行等からの実際の借入れが,(1)で規定する同様の状況の下での借入れに該当するときには,当該国外関連取引とひも付き関係にあるかどうかを問わないことに留意する。

（役務提供）
2－8　役務提供について調査を行う場合には,次の点に留意する。
(1) 役務提供を行う際に無形資産を使用しているにもかかわらず,当該役務提供の対価の額に無形資産の使用に係る部分が含まれていない場合があること。
　(注) 無形資産が役務提供を行う際に使用されているかどうかについて調査を行う場合には,役務の提供と無形資産の使用は概念的には別のものであることに留意し,役務の提供者が当該役務提供時に措置法通達66の4(2)－3の(8)に掲げる無形資産を用いているか,当該役務提供が役務の提供を受ける法人の活動,機能等にどのような影響を与えているか等について検討を行う。
(2) 役務提供が有形資産又は無形資産の譲渡等に併せて行われており,当該役務提供に係る対価の額がこれらの資産の譲渡等の価格に含まれている場合があること。

（本来の業務に付随した役務提供）
2－9　法人が国外関連者と行う本来の業務に付随した役務提供について調査を行うに当たり,措置法通達66の4(6)－5が適用できない場合には,当該役務提供の総原価の額を独立企業間価格として,当該役務提供に係る対価の額の適否を検討する。
　この場合において,本来の業務に付随した役務提供とは,例えば,海外子会社から製品を輸入している法人が当該海外子会社の製造設備に対して行う技術指導等,役務提供を主たる事業としていない法人又は国外関連者が,本来の業務に付随して又はこれに関連して行う役務提供をいう。また,役務提供に係る総原価には,原則として,当該役務に関連する直接費のみならず,合理的な配賦基準によって計算された担当部門及び補助部門の一般管理費等間接費まで含まれることに留意する。
　(注) 本来の業務に付随した役務提供に該当するかどうかは,原則として,当該役務

提供の目的等により判断するのであるが，次の場合には，本文にかかわらず，当該役務提供に係る総原価の額をもって独立企業間価格とする取扱いは適用しない。
　イ　役務提供に要した費用が，法人又は国外関連者の当該役務提供を行った事業年度の原価又は費用の額の相当部分を占める場合
　ロ　役務提供を行う際に無形資産を使用する場合等当該役務提供の対価の額を当該役務提供の総原価とすることが相当ではないと認められる場合

（企業グループ内における役務の提供の取扱い）
2－10
(1)　法人とその国外関連者の間で行われるすべての有償性のある取引は国外関連取引に該当するのであるから，当該取引の調査の実施に当たっては，例えば，法人がその国外関連者のために行う（法人のためにその国外関連者が行う場合も含む。以下同じ。）次に掲げる経営・財務・業務・事務管理上の役務（以下「役務」という。）の提供で，当該法人から当該役務の提供がなければ，対価を支払って非関連者から当該役務の提供を受け，又は自ら当該役務を行う必要があると認められるものは，有償性のある取引に該当することに留意の上，その対価の額の適否を検討する。
　　なお，法人が，その国外関連者の要請に応じて随時役務の提供を行い得るよう人員や設備等を利用可能な状態に定常的に維持している場合には，かかる状態を維持していること自体が役務の提供に該当するので，それぞれの実情に応じ，その対価の額の適否を検討する。
　　また，国外関連者が，非関連者から役務の提供を受け，又は自らこれを行っている場合において，法人が当該国外関連者に対し，当該役務と重複した役務の提供を行っていると認められるときは，当該法人が行う当該役務の提供は有償性がなく，国外関連取引には該当しない。ただし，この場合においても，例えば，当該役務の提供の重複が一時的なものにとどまると認められるもの，又は，事業判断の誤りに係るリスクを減少するため手続上重複してチェックしていると認められるものはこの限りでない。
　イ　企画又は調整
　ロ　予算の作成又は管理
　ハ　会計，税務又は法務
　ニ　債権の管理又は回収
　ホ　情報通信システムの運用，保守又は管理
　ヘ　キャッシュフロー又は支払能力の管理
　ト　資金の運用又は調達

チ　利子率又は外国為替レートに係るリスク管理
リ　製造，購買，物流又はマーケティングに係る支援
ヌ　従業員の雇用又は教育

(2)　他方で国外関連者に対して親会社としての立場を有する法人が行う役務の提供に関連する諸活動であっても，例えば，親会社の株主総会開催のための活動や親会社の証券取引法に基づく有価証券報告書等を作成するための活動で，子会社である国外関連者に対する親会社の株主としての地位に基づくと認められるものについては，子会社である国外関連者の営業上，当該親会社の活動がなければ，対価を支払って非関連者から当該役務の提供を受け，又は自ら当該役務を行う必要があると認められず，有償性がなく，国外関連取引に該当しない。

なお，親会社としての活動が，子会社に対する株主としての地位に基づく諸活動に該当するのか，役務の提供と認められる子会社の監視等に該当するかについては，それぞれの実情に則し，有償性の有無を判定することになる。

（調査において検討すべき無形資産）

2－11　調査において無形資産が法人又は国外関連者の所得にどの程度寄与しているかを検討するに当たっては，例えば，次に掲げる重要な価値を有し所得の源泉となるものを総合的に勘案することに留意する。

イ　技術革新を要因として形成される特許権，営業秘密等
ロ　従業員等が経営，営業，生産，研究開発，販売促進等の企業活動における経験等を通じて形成したノウハウ等
ハ　生産工程，交渉手順及び開発，販売，資金調達等に係る取引網等

なお，法人又は国外関連者の有する無形資産が所得の源泉となっているかどうかの検討に当たり，例えば，国外関連取引の事業と同種の事業を営み，市場，事業規模等が類似する法人のうち，所得の源泉となる無形資産を有しない法人を把握できる場合には，当該法人又は国外関連者の国外関連取引に係る利益率等の水準と当該無形資産を有しない法人の利益率等の水準との比較を行うとともに，当該法人又は国外関連者の無形資産の形成に係る活動，機能等を十分に分析することに留意する。

（注）　役務提供を行う際に無形資産が使用されている場合の役務提供と無形資産の関係については，2－8(1)の(注)に留意する。

(無形資産の形成,維持又は発展への貢献)

2－12　無形資産の使用許諾取引等について調査を行う場合には,無形資産の法的な所有関係のみならず,無形資産を形成,維持又は発展(以下「形成等」という。)させるための活動において法人又は国外関連者の行った貢献の程度も勘案する必要があることに留意する。

　なお,無形資産の形成等への貢献の程度を判断するに当たっては,当該無形資産の形成等のための意思決定,役務の提供,費用の負担及びリスクの管理において法人又は国外関連者が果たした機能等を総合的に勘案する。この場合,所得の源泉となる見通しが高い無形資産の形成等において法人又は国外関連者が単にその費用を負担しているというだけでは,貢献の程度は低いものであることに留意する。

(無形資産の使用許諾取引)

2－13　法人又は国外関連者のいずれか一方が保有する無形資産を他方が使用している場合で,当事者間でその使用に関する取決めがないときには,譲渡があったと認められる場合を除き,当該無形資産の使用許諾取引があるものとして当該取引に係る独立企業間価格の算定を行うことに留意する。

　なお,その使用許諾取引の開始時期については,非関連者間の取引の例を考慮するなどにより,当該無形資産の提供を受けた日,使用を開始した日又はその使用により収益を計上することとなった日のいずれかより,適切に判断する。

(費用分担契約)

2－14　費用分担契約とは,特定の無形資産を開発する等の共通の目的を有する契約当事者(以下「参加者」という。)間で,その目的の達成のために必要な活動(以下「研究開発等の活動」という。)に要する費用を,当該研究開発等の活動から生じる新たな成果によって各参加者において増加すると見込まれる収益又は減少すると見込まれる費用(以下「予測便益」という。)の各参加者の予測便益の合計額に対する割合(以下「予測便益割合」という。)によって分担することを取り決め,当該研究開発等の活動から生じる新たな成果の持分を各参加者のそれぞれの分担額に応じて取得することとする契約をいい,例えば,新製品の製造技術の開発に当たり,法人及び国外関連者のそれぞれが当該製造技術を用いて製造する新製品の販売によって享受するであろう予測便益を基礎として算定した予測便益割合を用いて,当該製造技術の開発に要する費用を法人と国外関連者との間で分担することを取り決め,当該製造技術の開発から生じる新たな無形資産の持分をそれぞれの分担額に応じて取得することとする契約がこれに該当する。

（費用分担契約の取扱い）

2－15　法人が国外関連者との間で締結した費用分担契約に基づく費用の分担（費用分担額の調整を含む。）及び持分の取得は，国外関連取引に該当し，当該費用分担契約における当該法人の予測便益割合が，当該法人の適正な予測便益割合（2－16及び2－18による検討に基づき算定される割合をいう。）に比して過大であると認められるときは，当該法人が分担した費用の総額のうちその過大となった割合に対応する部分の金額は，独立企業間価格を超えるものとして損金の額に算入されないことに留意する。

　（注）　法人が分担した費用については，法人税に関する法令の規定に基づいて処理するのであるから，例えば，研究開発等の活動に要する費用のうちに措置法第61条の4第3項に規定する交際費等がある場合には，適正な予測便益割合に基づき法人が分担した交際費等の額は，措置法通達61の4(1)－23《交際費等の支出の方法》(1)の規定に準じて取り扱うこととなり，当該分担した交際費等の額を基に同条第1項の規定に基づく損金不算入額の計算を行うこととなることに留意する。

（費用分担契約に関する留意事項）

2－16　法人が国外関連者との間で費用分担契約を締結している場合には，次のような点に留意の上，法人の費用分担額等の適否を検討する。

　イ　研究開発等の活動の範囲が明確に定められているか。また，その内容が具体的かつ詳細に定められているか。

　ロ　研究開発等の活動から生じる成果を自ら使用するなど，すべての参加者が直接的に便益を享受することが見込まれているか。

　ハ　各参加者が分担すべき費用の額は，研究開発等の活動に要した費用の合計額を，適正に見積もった予測便益割合に基づいて配分することにより，決定されているか。

　ニ　予測便益を直接的に見積もることが困難である場合，予測便益の算定に，各参加者が享受する研究開発等の活動から生じる成果から得る便益の程度を推測するに足りる合理的な基準（売上高，売上総利益，営業利益，製造又は販売の数量等）が用いられているか。

　ホ　予測便益割合は，その算定の基礎となった基準の変動に応じて見直されているか。

　ヘ　予測便益割合と実現便益割合（研究開発等の活動から生じた成果によって各参加者において増加した収益又は減少した費用（以下「実現便益」という。）の各参加者の実現便益の合計額に対する割合をいう。）とが著しく乖離している場合に，各参加者の予測便益の見積りが適正であったかどうかについての検討が行われているか。

　ト　新規加入又は脱退があった場合，それまでの研究開発等の活動を通じて形成された無形資産等がある場合には，その加入又は脱退が生じた時点でその無形資産等の

価値を評価し，その無形資産等に対する持分の適正な対価の授受が行われているか。

(費用分担契約における既存の無形資産の使用)
2-17 参加者の保有する既存の無形資産(当該費用分担契約を通じて取得・開発された無形資産以外の無形資産をいう。以下同じ。)が費用分担契約における研究開発等の活動で使用されている場合には，その無形資産が他の参加者に譲渡されたと認められる場合を除き，当該無形資産を保有する参加者において，その無形資産に係る独立企業間の使用料に相当する金額が収受されているか，あるいはこれを分担したものとして費用分担額の計算が行われているかについて検討する必要があることに留意する。
(注) 法人が研究開発等の活動において自ら開発行為等を行っている場合や国外関連者である参加者の実現便益がその予測便益を著しく上回っているような場合には，法人の保有する既存の無形資産が当該研究開発等の活動に使用されているかどうかを検討し，その使用があると認められた場合においては，本文の検討を行うことに留意する。

(費用分担契約に係る検査を行う書類等)
2-18 調査においては，2-4に掲げる書類等から国外関連取引の実態を的確に把握するのであるが，費用分担契約に係る調査を行うに当たっては，費用分担契約書(研究開発等の活動の範囲・内容を記載した附属書類を含む。)のほか，主として次のような書類等の提示を求め，移転価格税制上の問題があるかどうかを検討する。
(1) 費用分担契約の締結に当たって作成された書類等
　イ 参加者の名称，所在地，資本関係及び事業内容等を記載した書類等
　ロ 参加者が契約締結に至るまでの交渉・協議の経緯を記載した書類等
　ハ 予測便益割合の算定方法及びそれを用いることとした理由を記載した書類等
　ニ 費用分担額及び予測便益の算定に用いる会計基準を記載した書類等
　ホ 予測便益割合と実現便益割合とが乖離した場合における費用分担額の調整に関する細目を記載した書類等
　ヘ 新規加入又は脱退があった場合の無形資産等の価値の算定に関する細目を記載した書類等
　ト 契約条件の変更並びに費用分担契約の改定又は終了に関する細目を記載した書類等
(2) 費用分担契約締結後の期間において作成された書類等
　イ 各参加者が研究開発等の活動のために要した費用の総額及びその内訳並びに各参加者の費用分担額及びその計算過程を記載した書類等

ロ　研究開発等の活動に関する予測便益割合と実現便益割合との乖離の程度を記載した書類等
　　　ハ　研究開発等の活動を通じて形成された無形資産等に対する各参加者の持分の異動状況（研究開発等の活動を通じて形成された無形資産等の価値の算定方法を含む。）を記載した書類等
　　　ニ　新規加入又は脱退があった場合の事情の詳細を記載した書類等
　(3)　その他の書類等
　　　イ　既存の無形資産を研究開発等の活動に使用した場合における当該既存の無形資産の内容及び使用料に相当する金額の算定に関する細目を記載した書類等
　　　ロ　研究開発等の活動から生じる成果を利用することが予定されている者で，費用分担契約に参加しない者の名称，所在地等を記載した書類等

（価格調整金等がある場合の留意事項）
2－19　法人が価格調整金等の名目で国外関連者との間で金銭の授受を行っている場合には，当該金銭の授受が取引価格の修正によるものかどうか十分に検討する。

（外国税務当局が算定した対価の額）
2－20　独立企業間価格は我が国の法令に基づき計算されるのであるから，外国税務当局が移転価格税制に相当する制度に基づき国外関連者に対する課税を行うため算定した国外関連取引の対価の額は，必ずしも独立企業間価格とはならないことに留意する（相互協議において合意された場合を除く。）。

（事前確認の申出との関係）
2－21
　(1)　調査は，事前確認の申出により中断されないことに留意する。
　(2)　調査に当たっては，事前確認の申出を行った法人（以下「確認申出法人」という。）から事前確認審査のために収受した資料（事実に関するものを除く。）を使用しない。ただし，当該資料を使用することについて当該法人の同意があるときは，この限りではない。

（移転価格課税と所得の内外区分）
2－22　調査に当たり，移転価格税制とともに法第69条第1項《外国税額の控除》の規定を適用するときは，移転価格税制の適用により増加する所得について法第138条《国内源泉所得》から法第140条《国内源泉所得の細目》までの規定の適用により所得

の内外区分を判定した上，同項に規定する控除限度額の計算を行うことに留意する。

（過少資本税制との関係）
2－23　調査に当たり，移転価格税制とともに措置法第66条の5《国外支配株主等に係る負債の利子の課税の特例》の規定を適用するときは，同条第1項に規定する「負債の利子」の算定に当たっては，独立企業間価格を超える部分の「負債の利子」を含めないことに留意する。

（源泉所得税との関係）
2－24　調査の結果，法人が国外関連者に対して支払った利子又は使用料について，法人税の課税上独立企業間価格との差額が生ずる場合であっても，源泉所得税の対象となる利子又は使用料の額には影響しないことに留意する。また，租税条約のうちには当該差額について租税条約上の軽減税率が適用されない定めがあるものがあることに留意する。

（消費税との関係）
2－25　移転価格税制は法人税法その他法人税に関する法令の適用を定めたものであり，調査に当たり同税制が適用された場合であっても，消費税の計算には影響しないことに留意する。

第3章　独立企業間価格の算定等における留意点

（差異の調整方法）
3－1　国外関連取引と比較対象取引との差異について調整を行う場合には，例えば次に掲げる場合に応じ，それぞれ次に定める方法により行うことができることに留意する。
　　なお，差異の調整は，その差異が措置法第66条の4第2項第1号イに規定する対価の額若しくは同号ロ及びハに規定する通常の利益率の算定又は措置法施行令第39条の12第8項第2号及び第3号に規定する割合の算定に影響を及ぼすことが客観的に明らかである場合に行うことに留意する（措置法第66条の4第2項第2号イに掲げる方法において同じ。）。
　(1)　貿易条件について，一方の取引がFOB（本船渡し）であり，他方の取引がCIF（運賃，保険料込み渡し）である場合　比較対象取引の対価の額に運賃及び保険料相当額を加減算する方法

(2) 決済条件における手形一覧後の期間について，国外関連取引と比較対象取引に差異がある場合　手形一覧から決済までの期間の差に係る金利相当額を比較対象取引の対価の額に加減算する方法
   (3) 比較対象取引に係る契約条件に取引数量に応じた値引き，割戻し等がある場合　国外関連取引の取引数量を比較対象取引の値引き，割戻し等の条件に当てはめた場合における比較対象取引の対価の額を用いる方法
   (4) 機能又はリスクに係る差異があり，その機能又はリスクの程度を国外関連取引及び比較対象取引の当事者が当該機能又はリスクに関し支払った費用の額により測定できると認められる場合　当該費用の額が当該国外関連取引及び比較対象取引に係る売上又は売上原価に占める割合を用いて調整する方法

(無形資産の使用を伴う国外関連取引に係る比較対象取引の選定)
3－2　措置法通達66の4(2)－3の規定の適用において，法人又は国外関連者が無形資産の使用を伴う国外関連取引を行っている場合には，比較対象取引の選定に当たり，無形資産の種類，対象範囲，利用態様等の類似性について検討することに留意する。

(比較対象取引が複数ある場合の独立企業間価格の算定)
3－3　措置法通達66の4(2)－3に規定する諸要素に照らしてその類似性の程度が同等に高いと認められる複数の比較対象取引がある場合の独立企業間価格の算定に当たっては，それらの取引に係る価格又は利益率等の平均値を用いることができることに留意する。

(利益分割法における共通費用の取扱い)
3－4　利益分割法の適用に当たり，法人又は国外関連者の売上原価，販売費及び一般管理費その他の費用のうち国外関連取引及びそれ以外の取引の双方に関連して生じたもの(以下3－4において「共通費用」という。)がある場合には，これらの費用の額を，個々の取引形態に応じて，例えば当該双方の取引に係る売上金額，売上原価，使用した資産の価額，従事した使用人の数等，当該双方の取引の内容及び費用の性質に照らして合理的と認められる要素の比に応じて按分し，当該国外関連取引の分割対象利益(措置法通達66の4(4)－1に規定する分割対象利益をいう。以下同じ。)を計算することに留意する。
　　なお，分割要因(分割対象利益の配分に用いる要因をいう。)の計算を費用の額に基いて行う場合にも，共通費用については上記に準じて計算することに留意する。

(残余利益分割法の取扱い)

3－5　措置法通達66の4⑷－5に規定する残余利益分割法の適用に当たり，分割対象利益のうち「重要な無形資産を有しない非関連者間取引において通常得られる利益に相当する金額」については，例えば，国外関連取引の事業と同種の事業を営み，市場，事業規模等が類似する法人（重要な無形資産を有する法人を除く。）の事業用資産又は売上高に対する営業利益の割合等で示される利益指標に基づき計算することに留意する。

(取引単位営業利益法における販売のために要した販売費及び一般管理費)

3－6　取引単位営業利益法により独立企業間価格を算定する場合の「国外関連取引に係る棚卸資産の販売のために要した販売費及び一般管理費」には，その販売に直接に要した費用のほか，間接に要した費用が含まれることに留意する。この場合において，国外関連取引及びそれ以外の取引の双方に関連して生じたものがある場合には，これらの費用の額を，個々の取引形態に応じて，例えば，当該双方の取引に係る売上金額，売上原価，使用した資産の価額，従事した使用人の数等，当該双方の取引の内容及び費用の性質に照らして合理的と認められる要素の比に応じて按分する。

(推定による課税を行う場合の留意事項)

3－7

⑴　措置法施行令第39条の12第12項第1号に掲げる方法の適用に当たっては，措置法通達66の4⑷－1ないし66の4⑷－5を準用することとし，原則として法人及び国外関連者が属する企業集団の財産及び損益の状況を連結して記載した計算書類（以下「連結財務諸表等」という。）における国外関連取引に係る事業に係る営業利益又はこれに相当する金額（以下「営業利益等」という。）を同号に規定する要因で分割することにより当該法人及び国外関連者への配分計算を行うことに留意する。

　(注)　連結財務諸表等において国外関連取引に係る事業に係る営業利益等が他の事業に係る営業利益等と区分されていない場合には，当該国外関連取引に係る事業を含む事業に係る営業利益等に以下のロのイに対する割合を乗じて計算した金額を法人への配分額とすることができる。

　　イ　当該国外関連取引に係る事業を含む事業に係る営業利益等の発生に企業集団が寄与した程度を推測するに足りる要因

　　ロ　イのうち当該国外関連取引に係る事業に係るものとして法人が寄与した程度を推測するに足りる要因

⑵　措置法施行令第39条の12第12項第4号に掲げる方法の適用に当たっては，措置法

通達66の4⑸-1を準用することに留意する。

第4章 国外移転所得金額等の取扱い

（国外移転所得金額の返還を受ける場合の取扱いに関する留意事項）

4-1 措置法通達66の4⑻-2に規定する書面を提出した法人が，当該書面に記載された金額の全部又は一部について返還を受ける予定の日後に返還を受けた場合には，予定日後に返還を受けたことについて合理的な理由があるかどうかを検討した上で，措置法通達66の4⑻-2の規定の適用の有無を判断する。

（注） 措置法通達66の4⑻-2に規定する書面の様式に関し，法人から照会があった場合には，「国外移転所得金額の返還に関する届出書」（別紙様式1）を用いて差し支えない旨法人に回答する。

（対応的調整に伴う返還額の取扱い）

4-2 外国税務当局が国外関連者に対して移転価格税制に相当する制度に基づき課税を行った場合において，相互協議の合意に基づく対応的調整により減額更正を受けた法人が，当該減額更正を受けた金額の全部又は一部を国外関連者に対し返還しているときは，当該返還した金額は損金の額に算入されないことに留意する。

（対応的調整に伴い国外関連者に返還する金額がある場合の取扱い）

4-3 相互協議の合意に基づく対応的調整により減額更正を行う場合において，法人が減額される所得金額の全部又は一部を合理的な期間内に国外関連者に対して返還することとし，租税条約実施特例法第7条第1項《租税条約に基づく合意があった場合の更正の特例》に規定する更正の請求とともに，次に掲げる内容を記載した書面（「対応的調整に伴う返還に関する届出書」（別紙様式7））を所轄税務署長（国税局の調査課所管法人にあっては所轄国税局長）に届け出た場合には，その返還することとした金額を当該国外関連者に対する未払金として処理することに留意する。

イ　法人名
ロ　納税地
ハ　代表者名
ニ　国外関連者名及び所在地
ホ　返還する予定の日
ヘ　返還する金額（外貨建取引の場合は，外国通貨の金額を併記する。）
ト　返還方法

(注) 外貨建ての取引につき返還することとして届け出る金額は，基本通達13の2－1－2《外貨建取引及び発生時換算法の円換算》の規定に基づき円換算した金額とし，当該金額とその返還を行った日の外国為替の売買相場によって円換算した金額との差額は，その返還を行った日の属する事業年度の益金又は損金の額に算入する。

第5章　事前確認手続

（事前確認の方針）

5－1　事前確認が移転価格税制に係る法人の予測可能性を確保し，当該税制の適正・円滑な執行を図るための手続であることを踏まえ，我が国の課税権の確保に十分配意しつつ，事案の複雑性・重要性に応じたメリハリのある事前確認審査を的確・迅速に行う。また，事前確認手続における法人の利便性向上及び事前確認手続の迅速化を図るため，事前相談に的確に対応する。

（事前確認の申出）

5－2
(1)　所轄税務署長　（調査課所管法人（調査査察部等の所掌事務の範囲を定める省令（昭和24年大蔵省令第49号）により調査課が所管する法人をいう。）にあっては，所轄国税局長（沖縄国税事務所長を含む。）とする。以下同じ。）は，法人からその国外関連取引の全部又は一部に係る事前確認の申出がなされた場合には，これを収受する。

(2)　事前確認の申出は，事前確認を受けようとする事業年度（以下「確認対象事業年度」という。）のうち最初の事業年度に係る確定申告書の提出期限（法第75条の2《確定申告書の提出期限の延長の特例》の規定によりその提出期限が延長されている場合には，その延長された期限）までに，確認対象事業年度，国外関連者，事前確認の対象となる国外関連取引（以下「確認対象取引」という。）及び独立企業間価格の算定方法等を記載した「独立企業間価格の算定方法等の確認に関する申出書」（別紙様式2。以下「確認申出書」という。）をその国外関連者の所在地国ごとに法人の納税地の所轄税務署長に提出することにより行うものとする。

(3)　確認申出書の提出部数は，調査課所管法人にあっては2部（相互協議を求める場合には，3部），調査課所管法人以外の法人にあっては3部（相互協議を求める場合には，4部）とする（以下5－3，5－8及び5－9において同じ。）。

(資料の添付)

5－3　所轄税務署長は，確認申出法人に対し，確認申出書に次に掲げる資料を添付するよう求める。

イ　確認対象取引及び当該確認対象取引を行う組織等の概要を記載した資料

ロ　事前確認を求めようとする独立企業間価格の算定方法等及びそれが最も合理的であることの説明を記載した資料

ハ　事前確認を行い，かつ，事前確認を継続する上で前提となる重要な事業上又は経済上の諸条件に関する資料

ニ　確認対象取引における取引及び資金の流れ，確認対象取引に使用される通貨の種類等確認対象取引の詳細を記載した資料

ホ　確認対象取引に係る国外関連者（以下「当該国外関連者」という。）と確認申出法人との直接若しくは間接の資本関係又は実質的支配関係に関する資料

ヘ　確認対象取引において確認申出法人及び当該国外関連者が果たす機能に関する資料

ト　確認申出法人及び当該国外関連者の過去3事業年度分の営業及び経理の状況その他事業の内容を明らかにした資料（確認対象取引が新規事業又は新規製品に係るものであり，過去3事業年度分の資料を提出できない場合には，将来の事業計画，事業予測の資料等これに代替するもの）

チ　当該国外関連者について，その所在地国で移転価格に係る調査，不服申立て，訴訟等が行われている場合には，その概要及び過去の課税状況を記載した資料

リ　事前確認の申出に係る独立企業間価格の算定方法等を確認対象事業年度前3事業年度に適用した場合の結果等確認申出法人が申し出た独立企業間価格の算定方法等を具体的に説明するために必要な資料

ヌ　その他事前確認に当たり必要な資料

（注）ト及びリに掲げる資料については，確認対象取引に係る製品のライフサイクル等を考慮した場合に，3事業年度分に係る資料では十分な事前確認審査を行うことができないと認められるときには，局担当課は，確認申出法人に対し，これらに加え，その前2事業年度分に係る資料の提出を求める。

(翻訳資料の添付)

5－4　確認申出書に添付された資料のうち，外国語で記載されたものについては，日本語訳を添付するよう求める。

（確認申出書の補正）
5-5　署法人課税部門（税務署の法人税の事務を所掌する部門をいう。以下同じ。）又は局調査課は，収受した確認申出書の記載事項について記載誤り若しくは記載漏れがないかどうか又は5-3に規定する資料の添付の有無等について検討し，不備がある場合には，法人に対して補正を求める。

（確認申出書の送付等）
5-6　署法人課税部門は，収受した確認申出書2部（確認申出法人が相互協議を求めている場合には，3部）を，局法人課税課に速やかに送付し，局法人課税課は，うち1部（確認申出法人が相互協議を求めている場合には，2部）を国税庁課税部法人課税課に，速やかに送付する。局調査課は，収受した確認申出書1部（確認申出法人が相互協議を求めている場合には，2部）を国税庁調査査察部調査課に，速やかに送付する。庁担当課は，確認申出法人が相互協議を求めている場合については，確認申出書1部を庁相互協議室に回付する。

（確認対象事業年度）
5-7　確認対象事業年度は，原則として3事業年度から5事業年度とする。

（事前確認の申出の修正）
5-8　確認申出法人から事前確認の申出の修正に係る書類の提出があった場合には，署法人課税部門又は局調査課は，5-5及び5-6の規定に準じて処理を行う。

（事前確認の申出の取下げ）
5-9　確認申出法人から事前確認の申出の取下書の提出があった場合には，署法人課税部門又は局調査課は，5-5及び5-6の規定に準じて処理を行う。

（事前相談）
5-10
(1)　局担当課は，法人から事前相談があった場合には，これに応ずる。この場合，局担当課からの連絡を受け，庁担当課（相互協議を伴う事前確認に係る相談にあっては，庁相互協議室を含む。(2)において同じ。）は，原則として，これに加わる。
(2)　局担当課（事前相談に加わる庁担当課を含む。）は，事前相談が事前確認手続における法人の利便性向上及び事前確認手続の迅速化に資することに留意の上，確認申出法人の事前確認の申出に係る事務の軽減及び申出後の事前確認審査の円滑化が

図られるよう，次の点に配意して相談に応ずる。
　イ　確認申出書の添付資料の作成要領，提出期限など，事前確認手続に必要な事項を事前相談時に十分に説明する。
　ロ　相談対象の国外関連取引の内容を的確に把握し，事前確認の申出を行うかどうか，どのような申出を行うかについて当該法人が適切に判断できるよう必要な情報の提供に努める。
(3)　局担当課は，相談を行おうとする法人が提示又は提出した資料の範囲内で事前相談に応ずる。
　なお，事前相談の内容に応じ必要となる資料の提示又は提出が無い場合には，当該法人に対し十分な相談に応じることができない旨を説明する。
(4)　確認申出法人が確認申出書に5－3に規定する資料の添付を怠った場合には，5－15(4)及び5－15(5)の規定に基づき独立企業間価格の算定方法等を事前確認できない旨の通知を行うのであるが，事前相談において，5－3に規定する資料の添付に係る相談があり，確認申出書の提出期限までに当該資料の一部を提出できないことについて相当の理由があると認められる場合には，局担当課は，当該資料の作成に通常要すると認める期間（長期間を要する場合を除く。以下「提出猶予期間」という。）を限度として5－15(4)及び5－15(5)に規定する取扱いを行わないことができる。
　この場合において，局担当課は，相談を行った法人に対し当該資料に係る提出猶予期間を明示するとともに，当該期間中は原則として事前確認審査を保留する旨を説明する。

（事前確認審査）
5－11　局担当課は，確認申出法人から事前確認の申出があった場合には，次により事前確認審査を行う。
(1)　局担当課は，事前確認の申出を受けた場合には，速やかに事前確認審査に着手し，事案の複雑性・困難性に応じたメリハリのある事前確認審査等を行い，的確・迅速な事務処理に努める。また，庁担当課は，必要に応じ事前確認審査に加わる。
　なお，事前確認審査を迅速に進めるためには，確認申出法人の協力が不可欠であることから，その旨確認申出法人に対し理解を求める。
(2)　局担当課は，原則として2－1及び2－2の規定その他の第2章及び第3章の規定の例により事前確認審査を行う。
　なお，事前確認審査は，法人税に関する調査には該当しないことに留意する。
(3)　局担当課は，事前確認審査のため，5－3に規定する資料以外の資料が必要と認

められる場合には，確認申出法人にその旨を説明し，当該資料の提出を求める。

なお，事前確認審査の迅速化の観点から，局担当課は，当該資料の作成等に通常要する期間について当該確認申出法人の事情等を勘案した上で合理的と認められる当該資料の提出期限を設定する。

(4) 局担当課は，確認申出法人が申し出た独立企業間価格の算定方法等が最も合理的であると認められない場合には，当該確認申出法人に対し，申出の修正を求めることができる。

(5) 庁担当課は，必要に応じ，局担当課に対し事前確認審査の状況等について報告を求める。

（事前確認に係る相互協議）

5－12
(1) 局担当課は，確認申出法人が事前確認について相互協議の申立てを行っていない場合には，二重課税を回避し，予測可能性を確保する観点から，当該確認申出法人がどのような申出を行うかについて適切に判断できるよう必要な情報の提供等を行い，当該確認申出法人が相互協議を伴う事前確認を受ける意向であると確認された場合には，相互協議の申立てを行うよう勧しょうする。

(2) 局担当課は，法人又は当該国外関連者が外国の税務当局に事前相談又は事前確認の申出を行っていることを把握した場合には，当該法人に対し，我が国にも速やかに事前相談又は事前確認の申出を行うよう勧しょうする。

(3) 局担当課は，確認申出法人が事前確認について相互協議を求める場合には，確認申出書のほか，平成13年6月25日付官協1－39ほか7課共同「相互協議の手続について」（事務運営指針）に定める相互協議申立書を提出するよう指導する。

（局担当課又は庁担当課と庁相互協議室との連絡・協議）

5－13 確認申出法人が事前確認について相互協議を求める場合には，局担当課，庁担当課及び庁相互協議室は，必要に応じ協議を行う。

この場合において，局担当課は，事前確認審査を了したときには，庁担当課を通じて事前確認の申出に対する意見を庁相互協議室に連絡し，庁相互協議室は，事前確認の申出に係る相互協議の結果について，庁担当課を通じて局担当課に連絡する。

（事前確認及び事前確認手続を行うことが適当でない場合）

5－14 事前確認審査に当たっては，移転価格税制の適正・円滑な執行を図る観点から，それぞれ(1)又は(2)に定めるところにより適切に対応することに留意する。

(1) 例えば，次に掲げるような場合で，事前確認を行うことが適当でないと認められる事前確認の申出については，局担当課は，庁担当課（相互協議を伴う事前確認にあっては，庁相互協議室を含む。）と協議の上，確認申出法人に対して申出の修正等を求め，当該確認申出法人がこれに応じない場合には，事前確認できない旨を当該確認申出法人に説明する。

　　なお，事前相談の内容がイに掲げる場合には，相談を行った法人に対し，上記の内容について説明する。
　イ　非関連者間では通常行われない形態の取引を確認対象とすること等により，経済上の合理的な理由なく我が国での租税負担が軽減されることとなると認められる場合
　ロ　確認申出法人が，事前確認審査に必要な情報を提供しない等，当該確認申出法人から協力が得られないことにより，事前確認に支障が生じている場合

(2) 例えば，次に掲げるような場合で，事前確認審査を開始又は継続することが適当でないと認められる事前確認の申出については，局担当課は，庁担当課（相互協議を伴う事前確認にあっては，庁相互協議室を含む。）と協議の上，確認申出法人に対し，事前確認審査を開始又は再開できる時期が到来するまでの間事前確認手続を保留する旨を説明する。
　イ　確認申出法人から，移転価格税制に基づく更正等に係る取引と同様の取引を確認対象とする申出がなされている場合において，当該更正等に係る不服申立ての裁決若しくは決定又は裁判の確定を待って事前確認審査を行う必要があると認められるとき。
　ロ　確認申出法人から，確認対象取引以外の国外関連取引に係る事前確認の申出及び相互協議の申立てがなされている場合において，当該相互協議の合意を待って当該確認対象取引に係る事前確認審査を行う必要があると認められるとき。
　ハ　5－3トかっこ書きに規定する将来の事業計画，事業予測の資料等のみでは事業活動の実態を把握できないため，確認対象取引に係る取引実績が得られるのを待って事前確認審査を行う必要があると認められるとき。

（事前確認審査の結果の通知）
5－15
(1) 局担当課は，相互協議の対象となった申出につき，庁担当課を通じて庁相互協議室から相互協議の合意結果について連絡を受けた場合には，当該合意結果に従い，確認申出法人に対し申出の修正を求める等所要の処理を行った上で，当該合意結果に基づき事前確認する旨を速やかに所轄税務署長に連絡する。

⑵　局担当課は，相互協議の対象となった申出につき，庁担当課を通じて庁相互協議室から相互協議の合意が成立しなかった旨の連絡を受けた場合には，確認申出法人から申出を取り下げるか又は相互協議によることなく事前確認を求めるかについて意見を聴取し，5－9又は5－15⑶若しくは5－15⑷に定める処理を速やかに行う。

⑶　局担当課は，相互協議を求めていない申出につき，事前確認審査の結果，申出に係る独立企業間価格の算定方法等が最も合理的であると認められる場合には，当該独立企業間価格の算定方法等を事前確認する旨を速やかに所轄税務署長に連絡する。

⑷　局担当課は，事前確認審査の結果，申出に係る独立企業間価格の算定方法等が最も合理的であると認められない場合，確認申出法人が5－3に規定する資料の添付を怠った場合，5－11⑶の資料の提出に応じない場合又は5－14⑴の規定に基づき事前確認できないと判断した場合には，庁担当課（相互協議を伴う事前確認の申出にあっては，庁相互協議室を含む。）と協議の上，当該独立企業間価格の算定方法等を事前確認できない旨を速やかに所轄税務署長に連絡する。

⑸　所轄税務署長は，局担当課から5－15⑴若しくは5－15⑶又は5－15⑷の連絡を受け，確認申出法人に対し，「独立企業間価格の算定方法等の確認通知書」（別紙様式3）又は「独立企業間価格の算定方法等の確認ができない旨の通知書」（別紙様式4）により事前確認する旨又は事前確認できない旨の通知を速やかに行う。

（事前確認の効果）

5－16　所轄税務署長は，5－15⑸の事前確認する旨の通知を受けた法人（以下「確認法人」という。）が確認事業年度において事前確認の内容に適合した申告を行っている場合には，事前確認を受けた国外関連取引（以下「確認取引」という。）は独立企業間価格で行われたものとして取り扱う。

　なお，事前確認時に既に経過した確認対象事業年度がある場合において，当該確認対象事業年度に係る申告を事前確認の内容に適合させるために確認法人が提出する修正申告書は，国税通則法第65条（過少申告加算税）第5項に規定する「更正があるべきことを予知してされたもの」には該当しないことに留意する。

（報告書の提出）

5－17　所轄税務署長は，確認法人に対し，確認取引に係る各事業年度（以下「確認事業年度」という。）の確定申告書の提出期限又は所轄税務署長があらかじめ定める期間内に，次の事項を記載した報告書を提出するよう求める。

　なお，報告書の提出部数は，調査課所管法人にあっては，2部，調査課所管法人以外の法人にあっては，3部とする。

イ　確認法人が事前確認の内容に適合した申告を行っていることの説明
ロ　確認取引に係る確認法人及び当該国外関連者の損益（事前確認の内容により局担当課が必要と認める場合に限る。）
ハ　事前確認の前提となった重要な事業上又は経済上の諸条件の変動の有無に関する説明
ニ　確認取引の結果が事前確認の内容に適合しなかった場合に，確認法人が行った5－19に規定する価格の調整の説明
ホ　確認事業年度に係る確認法人及び当該国外関連者の財務状況
ヘ　その他確認法人が事前確認の内容に適合した申告を行っているかどうかを検討する上で参考となる事項

(報告書の取扱い)

5－18
(1) 確認法人から，5－17に定める報告書の提出があった場合には，署法人課税部門又は局調査課は5－5及び5－6の規定に準じて処理を行う。
(2) 局担当課は，報告書等から，事前確認の内容に適合した申告が行われているかどうかを検討する。

　　報告書等の検討は，法人税に関する調査に該当することに留意し，局担当課は，報告書等の検討に際してその旨を確認法人に説明する。また，局担当課は，報告書等を検討した結果，事前確認の内容に適合した申告が行われておらず，所得金額が過少となっている事実が判明した場合には，確認法人に対し，検討の結果及び修正申告書の提出が必要となる旨を説明する。

　　(注)　局担当課による報告書等の検討のための確認法人への臨場又は上記事実の指摘等によって当該確認法人が局担当課による報告書等の検討があったことを了知したと認められる以前に，当該事実が判明したことにより，5－19(2)ロの規定に基づいて当該確認法人が自主的に修正申告書を提出する場合には，当該修正申告書は，国税通則法第65条（過少申告加算税）第5項に規定する「更正があるべきことを予知してされたもの」には該当しない。

　　なお，「更正があるべきことを予知してされたもの」に該当するかどうかは，平成12年7月3日付課法2－9ほか3課共同「法人税の過少申告加算税及び無申告加算税の取扱いについて」（事務運営指針）に基づき判断する。
(3) 局担当課は，必要に応じ，報告書等の検討結果を庁担当課に報告し，相互協議の合意が成立した事案について，庁担当課を通じて検討結果を庁相互協議室に連絡する。

（価格の調整）

5－19
(1) 所轄税務署長は，確認法人が事前確認の内容に適合した申告を行うために確定決算において行う必要な調整は，移転価格上適正な取引として取り扱う。
(2) 局担当課は，確認法人のその事前確認に係る価格の調整（以下「補償調整」という。）について，次に掲げる区分に応じ，それぞれ次に掲げる処理を行うよう指導する。
　イ　確認法人は，確認事業年度に係る確定申告前に，確定決算が事前確認の内容に適合していないことにより，所得金額が過少となることが判明した場合には，申告調整により所得金額を修正する。
　ロ　確認法人は，確認事業年度に係る確定申告後に，確定申告が事前確認の内容に適合していないことにより，所得金額が過少となっていたことが判明した場合には，速やかに修正申告書を提出する。
　ハ　確認法人は，確認事業年度に係る確定申告前に，確定決算が相互協議の合意が成立した事前確認の内容に適合していないことにより，所得金額が過大となることが判明した場合には，補償調整に係る相互協議の合意内容に従い，申告調整により所得金額を修正することができる。
　ニ　確認法人は，確認事業年度に係る確定申告後に，確定申告が相互協議の合意が成立した事前確認の内容に適合していないことにより，所得金額が過大となっていたことが判明した場合には，補償調整に係る相互協議の合意内容に従い，租税条約実施特例法第7条第1項に基づき更正の請求を行うことができる。

（事前確認の改定）

5－20　確認法人から，確認事業年度のうちのいずれかの事業年度において，事前確認を継続する上で前提となる重要な事業上又は経済上の諸条件等について事情の変更が生じたことにより改定の申出がなされた場合には，5－1から5－19までの規定に準じて所要の処理を行う。

（事前確認の取消し）

5－21
(1) 局担当課は，次のイからハまでに該当する場合には当該事実の発生した事業年度以後の事業年度（その事業年度が連結事業年度に該当する場合には，当該連結事業年度）について，ニに該当する場合には確認事業年度について，事前確認を取り消す旨を所轄税務署長に連絡する。

イ 確認法人が5-20に規定する事情が生じたにもかかわらず事前確認の改定の申出を行わなかった場合

ロ 確認法人が事前確認の内容に適合した申告を行わなかった場合

ハ 確認法人が5-17に規定する報告書を提出しなかった場合又は報告書に重大な誤りがあった場合

ニ 事前確認の基礎とした事実関係が真実でない場合又は申出の内容に重大な誤りがあった場合

(2) (1)の取消しの連絡を行う場合，局担当課は必要に応じ庁担当課と協議を行う。

(3) 相互協議の合意が成立した事前確認について(1)の取消事由が生じている場合には，局担当課は，庁担当課を通じ，庁相互協議室と協議し，当該事前確認につき事前確認を取り消す旨の相互協議の合意を受け，その旨を所轄税務署長に連絡する。

(4) 所轄税務署長は，局担当課からの連絡を受け事前確認を取り消す場合には，確認法人に対し，「独立企業間価格の算定方法等の確認取消通知書」(別紙様式5) により事前確認を取り消す旨の通知を行う。

（事前確認の更新）

5-22 確認法人から事前確認の更新の申出がなされた場合には，5-1から5-21までの規定に準じて所要の処理を行う。ただし，事前確認の更新の申出は，原則として確認対象事業年度開始の日の前日までに，確認申出書を法人の納税地の所轄税務署長に提出することにより行うものとする。

（確認対象事業年度前の各事業年度への準用）

5-23 確認申出法人から確認対象事業年度における独立企業間価格の算定方法等を確認対象事業年度前の各事業年度（その事業年度が連結事業年度に該当する場合には，当該連結事業年度。以下5-23において同じ。）に準用したい旨の申出があった場合において，その事前確認の申出が相互協議の申立てを伴うものであって，当該独立企業間価格の算定方法等が確認対象事業年度前の各事業年度においても最も合理的と認められるときは，5-15，5-16，5-19及び5-21の規定に準じて所要の処理を行う。

（本支店間取引への準用）

5-24 法施行令第176条第1項第7号に掲げる事業を行う法人の我が国に所在する支店と当該法人の国外にある本店又は支店との間の取引について，当該本店が所在する国の税務当局から事前確認に類する申出に係る相互協議の申入れがあり，かつ，当該

我が国に所在する支店が事前確認の申出に準じた申出を行う場合には，5－1から5－23までの規定に準じて所要の処理を行う。

(法人が連結グループに加入等した場合の取扱い)
5－25
(1) 確認申出法人が連結法人となった場合で，その法人(以下「連結加入等法人」という。)が引き続き事前確認の申出を行うときは，連結加入等法人に係る連結親法人の納税地の所轄税務署長は，当該連結親法人に対し，「連結加入等法人の事前確認の継続届出書」(別紙様式6)を速やかに提出するよう求める。

　なお，届出書の提出部数は，調査課所管法人にあっては，2部(当該連結親法人が相互協議を求めている場合には，3部)，調査課所管法人以外の連結法人にあっては，3部(当該連結親法人が相互協議を求めている場合には，4部)とする。
(2) (1)の連結親法人からその納税地の所轄税務署長に対し，(1)に定める届出書の提出があった場合には，当該税務署長は，当該届出書の写しをその連結加入等法人の本店又は主たる事務所の所在地の所轄税務署長に送付し，署法人課税部門又は局調査課は5－5及び5－6の規定に準じて処理を行う。また，相互協議を求めているものについては，庁担当課は届出書1部を庁相互協議室に回付する。
(3) (1)の連結親法人から(1)に定める届出書の提出があった場合のその連結加入等法人に係る事前確認については，当該連結親法人からその納税地の所轄税務署長に対し，連結指針5－2に規定する事前確認の申出がなされたものとして，その後については連結指針5－1から5－25までの規定を適用する。

資料7(2)

移転価格税制の適用に当たっての参考事例集

別 紙 3 (1)

別　冊

移転価格税制の適用に当たっての参考事例集

資料7　561

【留意事項】

　本事例集は、移転価格事務運営要領（事務運営指針）の適用上のポイントを示す観点から、一定の前提条件を置いた事例の下での移転価格税制上の取扱いを取りまとめたものである。

　事例については、第一章においては、独立企業間価格の算定方法の選択に関する事例、第二章においては、独立企業間価格の算定方法の適用等に係る留意事項に関する事例、第三章においては、事前確認事例を取り上げている。

　なお、各事例は、移転価格事務運営要領の適用上のポイントを示すため、これまでの移転価格課税事例や事前確認事例を参考にしつつ、一定の前提条件を置いた設例であることから、本事例集で取り上げた事例以外の事例があることはもとより、類似の事例であっても、前提条件が異なることにより移転価格税制上の取扱いは異なり得る。

　したがって、実際の移転価格調査又は事前確認審査に当たっては、本事例集の内容を参考としつつ、移転価格事務運営要領 1-2（基本方針）、2-1（調査の方針）、5-1（事前確認の方針）等の規定に基づき、個々の事案ごとに国外関連取引の実態を的確に把握することにより、移転価格税制上の問題の有無を判断し、最も適切な独立企業間価格の算定方法を選定してその的確な適用を図ることに留意する。

【定義】

　本事例集における次の用語の意義は、移転価格事務運営要領 1-1（定義）で定めるほか、次のとおりである。

1　事務運営指針　平成13年6月1日付査調7-1ほか3課共同「移転価格事務運営要領の制定について」（事務運営指針）をいう。
2　独立価格比準法　措置法第66条の4第2項第1号イに掲げる方法をいう。
3　再販売価格基準法　措置法第66条の4第2項第1号ロに掲げる方法をいう。
4　原価基準法　措置法第66条の4第2項第1号ハに掲げる方法をいう。
5　基本三法　独立価格比準法、再販売価格基準法及び原価基準法をいう。
6　基本三法に準ずる方法　措置法第66条の4第2項第1号ニに掲げる方法（その他政令で定める方法を除く。）をいう。
7　基本三法と同等の方法　措置法第66条の4第2項第2号イに掲げる方法をいう。
8　内部比較対象取引　比較対象取引であって、法人又は国外関連者と非関連者との間で行われるものをいう。
9　外部比較対象取引　比較対象取引であって、非関連者と他の非関連者との間で行われるものをいう。
10　寄与度利益分割法　措置法通達66の4(4)-1に規定する利益分割法のうち、比較利益分割法及び残余利益分割法以外の方法をいう。
11　基本的利益　措置法通達66の4(4)-5に規定する「分割対象利益のうち重要な無形資産を有しない非関連者間取引において通常得られる利益に相当する金額」をいう。
12　残余利益　措置法通達66の4(4)-5に規定する「当該配分した金額の残額」をいう。

目次

第一章 独立企業間価格の算定方法の選択に関する事例

- 事例1　独立価格比準法を用いる場合 1
- 事例2　再販売価格基準法を用いる場合 7
- 事例3　原価基準法を用いる場合 9
- 事例4　独立価格比準法に準ずる方法を用いる場合 11
- 事例5　原価基準法に準ずる方法と同等の方法を用いる場合 16
- 事例6　取引単位営業利益法を用いる場合 20
- 事例7　寄与度利益分割法を用いる場合 25
- 事例8　残余利益分割法を用いる場合 29
- 事例9　差異の調整 32

第二章 独立企業間価格の算定方法の適用等に係る留意事項に関する事例

(1) 無形資産の取扱いに関する事例
- 事例10　研究開発及びマーケティング活動により形成された無形資産 34
- 事例11　販売網及び品質管理ノウハウに関する無形資産 38
- 事例12　従業員等の事業活動を通じて企業に蓄積されたノウハウ等の無形資産 40
- 事例13　無形資産の形成・維持・発展への貢献 43
- 事例14　無形資産の形成費用のみ負担している場合の取扱い 45
- 事例15　出向者が使用する法人の無形資産 47

(2) 利益分割法の適用に当たり共通的な留意事項に関する事例
- 事例16　連鎖取引における利益分割法の適用範囲 49
- 事例17　利益分割法の適用範囲から除くことのできる取引 52
- 事例18　分割対象利益の算出 55

(3) 残余利益分割法の適用に当たっての留意事項に関する事例
- 事例19　人件費較差による利益の取扱い 58
- 事例20　市場特性、市況変動等による利益の取扱い 61
- 事例21　基本的利益の計算 63
- 事例22　残余利益の分割要因 66

(4) その他の事例
- 事例23　企業グループ内役務提供 70
- 事例24　複数年度の考慮 73

第三章 事前確認事例

- 事例25　目標利益率に一定の範囲を設定する事例 76
- 事例26　重要な前提条件 80

第一章 独立企業間価格の算定方法の選択に関する事例

【事例1】（独立価格比準法を用いる場合）

≪ポイント≫

　　基本三法の適用の可否を検討した結果、独立価格比準法の適用が妥当と認められる事例。

≪前提条件≫

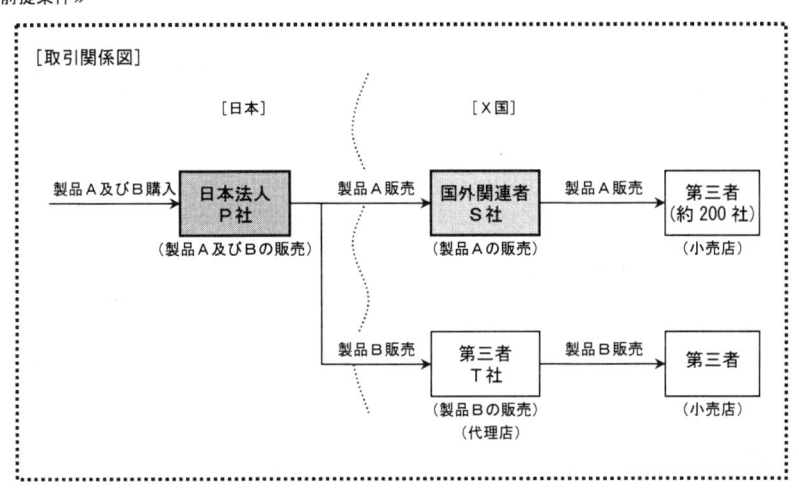

```
［取引関係図］
                    ［日本］              ［X国］
製品A及びB購入    日本法人    製品A販売    国外関連者    製品A販売    第三者
─────────→   P社   ─────────→     S社    ─────────→  （約200社）
                （製品A及びBの販売）    （製品Aの販売）              （小売店）

                            製品B販売    第三者    製品B販売    第三者
                           ─────────→   T社   ─────────→
                                       （製品Bの販売）          （小売店）
                                         （代理店）
```

（法人及び国外関連者の事業概況等）

　　日本法人P社は、製品A及び製品Bの販売会社であり、10年前に製品Aの販売子会社であるX国法人S社を設立した。

（国外関連取引の概要等）

　　P社はS社に対して製品Aを販売し、S社はこれをX国内の第三者の小売店約200社に販売している。

　　P社は、S社の設立と同時期から、X国の第三者の代理店T社に製品Bを販売しており、T社はこれをX国内の小売店に販売している。製品Bは、製品AとP社内における製品区分（型番）は異なるが、性状、構造、機能等の面で同様の製品である。

（法人及び国外関連者の機能・活動等）

　　P社が行うS社への製品Aの販売取引とT社への製品Bの販売取引（以下「両取引」という。）においてP社が果たしている機能は、製品A及び製品Bを仕入れ、これをS社及びT社に販売するというものであるが、独自性のある活動は見られず、機能に差はない。また、いずれにおいても商標等は使用されていない。

（製品Aと製品Bの販売取引に係る契約条件等）

　　両取引については、取引段階は同じであり、取引数量も概ね同様である。また、両取引の契約条件（引渡条件、決済条件、製品保証、返品条件等）は、取引価格を除き同様である。

≪移転価格税制上の取扱い≫
(基本三法の適用可能性の検討)
　独立企業間価格の算定方法の選択に当たっては、措置法第66条の4第2項第1号の規定により基本三法が他の方法に優先することから、措置法通達66の4(2)-1、同66の4(2)-3等に基づき比較対象取引に関して検討した結果は次のとおりである。
・　製品Aと製品Bは、P社内の製品区分が異なるだけで、性状、構造、機能等の面で同種の製品と認められる。
・　S社及びT社はいずれもX国の小売店に対して製品を販売する卸売業者であり、両取引に取引段階の差異はないと認められる。
・　両取引において、取引数量は概ね同様であり、また、契約条件も同様であり、取引数量及び契約条件の差異はないと認められる。
・　P社において、製品A及び製品Bによる事業戦略の相違は認められない。
・　両取引において、P社が果たす機能等に差異は認められず、無形資産も使用されていない。
・　S社もT社もX国所在の法人であることから、市場の状況は同様であり、製品A及び製品Bに係る政府規制はない。

(独立企業間価格の算定方法の選択)
　本事例では、上記の検討結果から、P社からS社への製品Aの棚卸資産の販売取引に対して、P社からT社への製品Bの販売取引を比較対象取引として、基本三法のうち、独立価格比準法(措置法第66条の4第2項第1号イ)を適用し独立企業間価格を算定することが妥当と認められる。

≪解説≫
1　独立企業間価格の算定のためには、個別の事実に即して法の定める要件に適合する合理的な方法を選択する必要がある。
　独立企業間価格の算定方法の選択に当たっては、まず、基本三法(基本三法と同等の方法を含む。以下本事例の解説において同じ。)の適用の可否を検討する必要がある。基本三法適用の可否判断は個別の事実に即して行う必要があるが、一般的には、内部比較対象取引又は外部比較対象取引の有無について、①法人又は国外関連者の取引資料等の内部情報のほか、②有価証券報告書等の企業情報等、③企業の財務情報等が収録されたデータベース及び④業界団体情報などの外部情報等(②～④を以下の事例において「公開情報」という。)を基に検討することとなる。
　独立企業間価格の算定において比較対象取引として採用するためには、国外関連取引の種類ごとに、措置法通達66の4(2)-1(比較対象取引の意義)、同66の4(6)-2(有形資産の貸借の取扱い)、同66の4(6)-4(金銭の貸付け又は借入れの取扱い)、同66の4(6)-5(役務提供の取扱い)又は同66の4(6)-6(無形資産の使用許諾等の取扱い)に基づいて検討する必要があり、さらに、比較対象取引に該当するか否かについては、同66の4(2)-3(比較対象取引の選定に当たって検討すべき諸要素)に例示されている諸要素に関して、非関連者間取引との類似性について十分検討し、判断することになる。
　なお、国外関連取引に無形資産が関係している場合には、措置法通達66の4(2)-3の(8)に掲げる要素(売手又は買手の使用する無形資産)に特に着目して比較可能性の検討を行う必要

がある。この場合において、比較対象取引の選定に当たり、無形資産の種類、対象範囲、利用態様等の類似性に係る検討を行うことに留意する（事務運営指針3‐2）。

2　基本三法の適用を検討する場合、法人又は国外関連者が行う内部比較対象取引については、取引に関する情報を法人又は国外関連者が有していることから、上記1の比較対象取引に該当するかどうかの判断は比較的容易な場合が多いと考えられる。

　これに対して、法人及び国外関連者以外の第三者間で行われる外部比較対象取引については、公開情報だけでは当該判断に十分な情報が得られない場合もある。

　例えば、比較対象取引の売上総利益に係る利益率を用いる再販売価格基準法及び原価基準法については、国外関連者が国外関連取引に係る棚卸資産の買手である場合の再販売価格基準法の適用及び国外関連者が国外関連取引に係る棚卸資産の売手である場合の原価基準法の適用に当たり、各国の企業財務情報の開示制度の違い等により比較対象取引候補に関する十分な情報が得られないことが多い。また、公開情報に基づき企業単位の財務情報から比較可能性の検討に必要な情報を得ようとしても、企業が複数の事業セグメントを有する場合には、特定の事業セグメントの財務情報を全体から抽出しなければならず、必要な情報が得られない場合もある。

　このように、基本三法を適用する上での比較対象取引に該当するか判断するために必要な情報が得られない場合には、基本三法を適用することができないことから、措置法第66条の4第2項第1号ニに規定する基本三法に準ずる方法その他政令で定める方法（又はこれらの方法と同等の方法。同項第2号ロ）の適用を検討することとなる（基本三法に準ずる方法については下記3及び4参照。政令で定める方法については、【事例6】（取引単位営業利益法）、【事例7】（寄与度利益分割法）、【事例8】（残余利益分割法）参照）。

　なお、基本三法を適用する上での比較対象取引を公開情報から選定できず、基本三法以外の算定方法により独立企業間価格を算定する場合であっても、公開情報の範囲内で、一定程度の比較可能性が満たされている取引を把握できるときは、必要に応じそれらの取引を使用して当該算定結果の妥当性を検証することが望ましい。

3　基本三法が適用できない場合に、法令上、基本三法それぞれに準ずる方法が定められており、この基本三法に準ずる方法は基本三法の考え方から乖離しない限りにおいて、取引内容に適合した合理的な方法を採用する途を残したものと解されている。

　法令の規定に従って基本三法を適用した場合には比較対象取引を見いだすことが困難な国外関連取引について、その様々な取引形態に着目し、合理的な類似の算定方法とすることで比較対象取引を選定できる場合、あるいは、合理的な取引を比較対象取引とすることで独立企業間価格を算定できる場合があり、基本三法よりも比較対象取引の選定の範囲を広げ得ることから、基本三法に準ずる方法を適用する可能性も念頭におき、比較可能性の検討を行う必要がある。

（参考1）基本三法に準ずる方法の例
　（1）　国外関連取引と比較可能な実在の非関連者間取引が見いだせない場合において、商品取引所相場など市場価格等の客観的かつ現実的な指標に基づき独立企業間価格を算定する方法

(2) 国外関連取引に係る棚卸資産の買手が、関連者を通じて非関連者に当該棚卸資産を販売した場合において、まず非関連者に販売した当該棚卸資産の価格から再販売価格基準法（【事例2】参照）を適用する場合の通常の利潤の額を控除して当該買手から当該関連者への販売価格を算定し、これに基づき、国外関連取引に係る独立企業間価格を算定する方法
(3) 国外関連取引に係る棚卸資産の買手が当該棚卸資産を用いて製品等の製造をし、これを非関連者に販売した場合において、当該製品等のその非関連者に対する販売価格から再販売価格基準法を適用する場合の通常の利潤の額のほかに、例えば、当該製品等に係る製造原価（当該国外関連取引に係る棚卸資産の対価の額を除く。）や当該製品等の製造機能に見合う利潤の額を控除して独立企業間価格を算定する方法
(4) 他社から購入した製品と自社製品をセットにして国外関連者に販売した場合において、例えば、独立価格比準法（【事例1】参照）と原価基準法（【事例3】参照）を併用して独立企業間価格を算定する方法
(5) 措置法通達66の4(2)-3に規定する諸要素に照らしてその類似性の程度が同等に高いと認められる複数の比較対象取引がある場合において、それらの取引に係る価格又は利益率等の平均値を用いて独立企業間価格を算定する方法
　　（注）類似性の程度が同等に高いと認められる複数の比較対象取引がある場合の独立企業間価格の算定に当たって、それらの取引に係る価格又は利益率等の平均値を用いることができる（事務運営指針3-3）。

（参考2）独立企業間価格の算定方法

	棚卸資産の売買取引	棚卸資産の売買取引以外の取引	備考
①	基本三法 　独立価格比準法 　再販売価格基準法 　原価基準法	基本三法と同等の方法 　独立価格比準法と同等の方法 　再販売価格基準法と同等の方法 　原価基準法と同等の方法	②及び③に優先して適用
②	基本三法に準ずる方法 　独立価格比準法に準ずる方法 　再販売価格基準法に準ずる方法 　原価基準法に準ずる方法	基本三法に準ずる方法と同等の方法 　独立価格比準法に準ずる方法と同等の方法 　再販売価格基準法に準ずる方法と同等の方法 　原価基準法に準ずる方法と同等の方法	②と③の適用に優先劣後関係はない（同順位）
③	その他政令で定める方法 　取引単位営業利益法 　取引単位営業利益法に準ずる方法 　寄与度利益分割法 　比較利益分割法 　残余利益分割法	その他政令で定める方法と同等の方法 　取引単位営業利益法と同等の方法 　取引単位営業利益法に準ずる方法と同等の方法 　寄与度利益分割法と同等の方法 　比較利益分割法と同等の方法 　残余利益分割法と同等の方法	

4 なお、基本三法に準ずる方法は、基本三法において比較対象取引として求められる比較可能性の要件（措置法通達66の4(2)-3に規定する諸要素の類似性）まで緩めることを認めるものでなく、当該要件を満たしていない取引については、基本三法に準ずる方法においても比較対象取引として用いることができないことに留意する必要がある。

5 多様な要因により決定される取引価格の妥当性を問題とする移転価格税制の適正・円滑な運用のためには、検討対象とする取引価格の決定根拠や他の通常の取引価格についての情報、取引の相手方である国外関連者の果たす機能等に関する情報の入手が重要となるため、次の点について納税者に注意を喚起する必要がある（本事例以下の全ての事例においても同様）。

- 納税者が、独立企業間価格の算定に当たり自ら選択した独立企業間価格の算定に必要な帳簿書類等を税務当局の求めに応じて遅滞なく提示又は提出しなければ、推定課税等の適用要件に該当することとなる（措置法第66条の4第7項・第9項）。
- 納税者は、移転価格調査において、税務当局の求めに応じて独立企業間価格の算定に必要な国外関連者の保存する帳簿書類等の入手に努める必要があり（同条第8項）、税務当局から求められた資料の内容が独立企業間価格の算定に必要な資料であって、税務当局の求めに応じて遅滞なく提示又は提出されなければ、推定課税等の適用要件に該当するものと解されている。

　他方、納税者の確定申告の基礎となった事務運営指針2-4に掲げる書類等の検査に当たっては、必要な資料の提出等を求める場合、納税者が採用した独立企業間価格の算定方法による算定結果が独立企業間価格と認められない場合等において、納税者に対し、その理由や調査の結果に基づき納税者が採用した方法に代えて適用する独立企業間価格の算定方法の内容等について十分説明し、納税者の理解を得ていくことに努めることに配意する必要がある。

6 なお、基本三法を適用する上での比較対象取引の有無については、通常可能な範囲において通常の情報入手のための努力を行って検討を行う必要がある。

　基本三法を適用する上での比較対象取引の選定に当たっては、必要な情報の収集において公開情報がない、国外の情報であるなどの一定の制約があることにも留意して、例えば次の図のような手順により検討を行う必要がある。

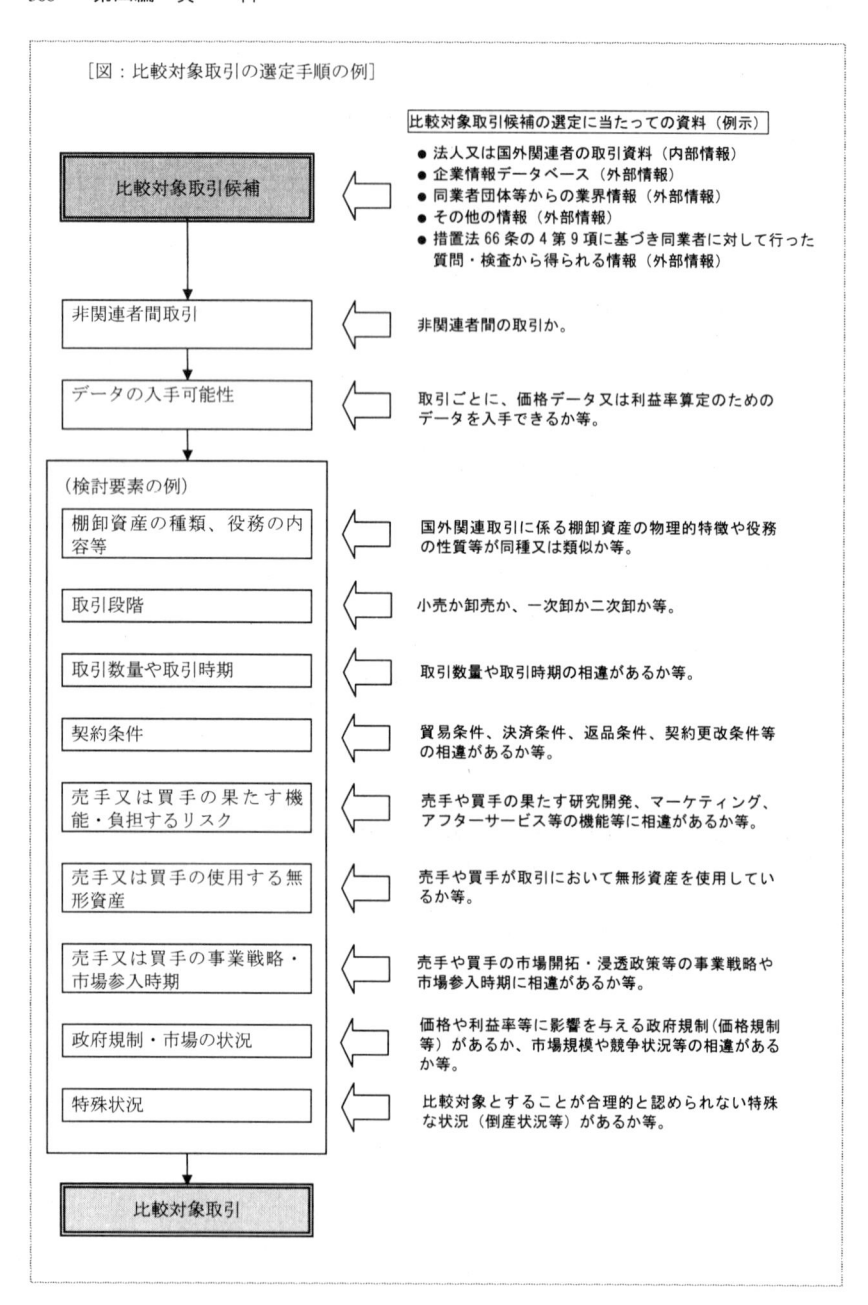

[図：比較対象取引の選定手順の例]

比較対象取引候補の選定に当たっての資料（例示）
● 法人又は国外関連者の取引資料（内部情報） ● 企業情報データベース（外部情報） ● 同業者団体等からの業界情報（外部情報） ● その他の情報（外部情報） ● 措置法66条の4第9項に基づき同業者に対して行った質問・検査から得られる情報（外部情報）

比較対象取引候補 ⇐

非関連者間取引 ⇐ 非関連者間の取引か。

データの入手可能性 ⇐ 取引ごとに、価格データ又は利益率算定のためのデータを入手できるか等。

（検討要素の例）

棚卸資産の種類、役務の内容等 ⇐ 国外関連取引に係る棚卸資産の物理的特徴や役務の性質等が同種又は類似か等。

取引段階 ⇐ 小売か卸売か、一次卸か二次卸か等。

取引数量や取引時期 ⇐ 取引数量や取引時期の相違があるか等。

契約条件 ⇐ 貿易条件、決済条件、返品条件、契約更改条件等の相違があるか等。

売手又は買手の果たす機能・負担するリスク ⇐ 売手や買手の果たす研究開発、マーケティング、アフターサービス等の機能等に相違があるか等。

売手又は買手の使用する無形資産 ⇐ 売手や買手が取引において無形資産を使用しているか等。

売手又は買手の事業戦略・市場参入時期 ⇐ 売手や買手の市場開拓・浸透政策等の事業戦略や市場参入時期に相違があるか等。

政府規制・市場の状況 ⇐ 価格や利益率等に影響を与える政府規制（価格規制等）があるか、市場規模や競争状況等の相違があるか等。

特殊状況 ⇐ 比較対象とすることが合理的と認められない特殊な状況（倒産状況等）があるか等。

比較対象取引

【事例2】（再販売価格基準法を用いる場合）

≪ポイント≫

基本三法の適用の可否を検討した結果、再販売価格基準法の適用が妥当と認められる事例。

≪前提条件≫

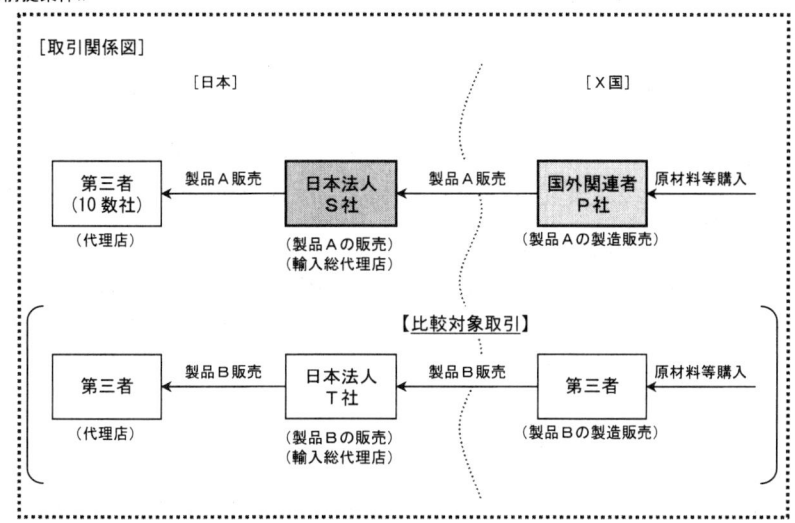

[取引関係図]

[日本]　　　　　　　　　　　　　　[X国]

第三者（10数社）←製品A販売─ 日本法人S社 ←製品A販売─ 国外関連者P社 ←原材料等購入─
（代理店）　　　　　　　　　（製品Aの販売）　　　　　　　（製品Aの製造販売）
　　　　　　　　　　　　　（輸入総代理店）

【比較対象取引】

第三者 ←製品B販売─ 日本法人T社 ←製品B販売─ 第三者 ←原材料等購入─
（代理店）　　　　　（製品Bの販売）　　　　　（製品Bの製造販売）
　　　　　　　　　（輸入総代理店）

(法人及び国外関連者の事業概況等)

日本法人S社は、製品Aを日本国内で販売する法人である。S社の親会社であるX国法人P社は、X国において製品Aの製造販売を行っている。

(国外関連取引の概要等)

S社は、P社の輸入総代理店として製品Aを輸入し、これを日本国内の第三者の代理店10数社に販売している。

(法人及び国外関連者の機能・活動等)

S社は、独自性のある広告宣伝・販売促進活動は行っておらず、販売に当たり自社の商標等を使用することもない。

(日本市場の状況等)

日本市場には製品Aと競合する製品を取り扱う外国メーカー10数社が参入しているが、これら外国メーカーの日本における輸入総代理店のうち、5社については有価証券報告書の閲覧が可能であり、各社のホームページや市場調査会社の分析資料等のその他の資料も入手可能である。これらの資料を検討したところ、T社については、第三者である外国メーカーから輸入した製品を日本国内の第三者の代理店に販売する再販売業者であり、それ以外の事業は行っていないことが判明した。T社の取扱製品Bは製品Aと性状、構造及び機能において類似性が高く、T社は売上規模や取引段階、販売機能（広告宣伝、販売促進、アフターサービス、包装、配達等）の面でもS社と概ね同様であると認められた。

またT社は販売に当たり自社の商標等を使用していない。

≪移転価格税制上の取扱い≫
(基本三法の適用可能性の検討)
　独立企業間価格の算定方法の選択に当たっては、措置法第66条の4第2項第1号の規定により基本三法が他の方法に優先することから、措置法通達66の4(2)‑1、同66の4(2)‑3等に基づき比較対象取引に関して検討した結果は次のとおりである。
・　S社は、購入した製品Aを第三者に再販売していることから、基本三法のうち、再販売価格基準法の適用が考えられる。また、T社に関する公開情報から再販売価格基準法を適用する上で必要な財務情報を入手することができる。
・　T社が第三者から輸入して日本国内の代理店に販売する製品Bについては、製品Aとの類似性が高いほか、T社の再販売業者としての機能等、取引規模及び市場の状況等についてもS社と概ね同様と認められる。

(独立企業間価格の算定方法の選択)
　本事例では、上記の検討結果から、S社がP社から製品Aを輸入する取引に対して、T社が国外の第三者から類似の製品Bを輸入する取引を比較対象取引とすることができると認められるため、基本三法のうち、国外関連取引に係る棚卸資産の買手であるS社を対象とする再販売価格基準法(措置法第66条の4第2項第1号ロ)を適用し独立企業間価格を算定することが妥当と認められる。

≪解説≫
　基本三法(基本三法と同等の方法を含む。)の適用の可否に係る検討及び比較対象取引に該当するか否かの判断を行う場合に留意すべき点等については、【事例1】解説参照。

資料7　571

【事例３】（原価基準法を用いる場合）

≪ポイント≫
　基本三法の適用の可否を検討した結果、原価基準法の適用が妥当と認められる事例。

≪前提条件≫

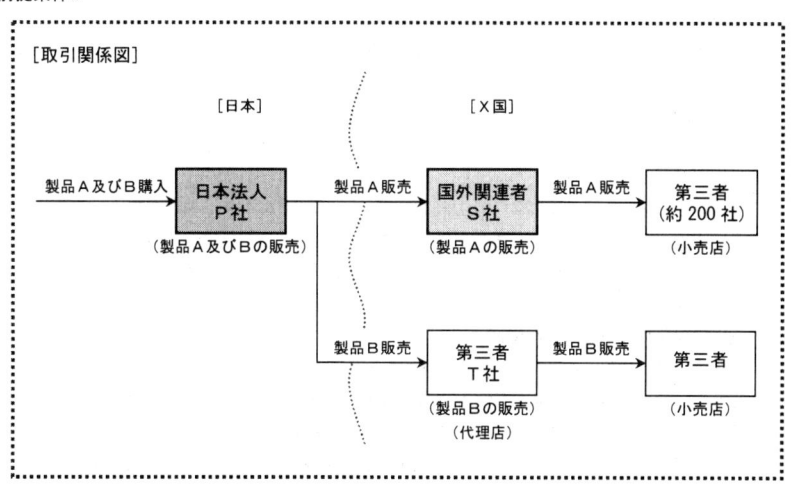

[取引関係図]

```
[日本]                                [X国]
製品A及びB購入   日本法人    製品A販売   国外関連者    製品A販売   第三者
──────────→  P社     ─────────→   S社       ─────────→  （約200社）
              （製品A及びBの販売）    （製品Aの販売）            （小売店）

                         製品B販売   第三者              製品B販売   第三者
                        ─────────→   T社             ─────────→
                                    （製品Bの販売）               （小売店）
                                     （代理店）
```

（法人及び国外関連者の事業概況等）
　日本法人Ｐ社は、製品Ａ及び製品Ｂの販売会社であり、10年前に製品Ａの販売子会社であるＸ国法人Ｓ社を設立した。

（国外関連取引の概要等）
　Ｐ社は製品ＡをＳ社に販売し、Ｓ社はこれをＸ国内の第三者の小売店約200社に販売している。
　また、Ｐ社はＳ社の設立に併せ、Ｘ国の第三者である代理店Ｔ社に製品Ｂの販売を行っており、Ｔ社はこれをＸ国内の小売店に販売している。製品Ｂは、製品Ａと多少規格が異なるが、性状、構造、機能等の面で類似している。
　Ｐ社からＳ社に対する製品Ａの販売数量と、Ｐ社からＴ社に対する製品Ｂの販売数量は概ね同じである。

（法人及び国外関連者の機能・活動等）
　Ｐ社が果たしている機能は、製品Ａ及び製品Ｂを仕入れ、これをＳ社及びＴ社に販売するというものであるが、独自性のある活動は見られず、商標等も使用されていない。
　なお、Ｓ社への販売取引とＴ社への販売取引においてＰ社が果たしている機能に差はない。

（製品Ａと製品Ｂの販売取引に係る契約条件）
　Ｐ社からＳ社への製品Ａの販売取引と、Ｐ社からＴ社への製品Ｂの販売取引の契約条件（引渡条件、決済条件、製品保証、返品条件等）は、取引価格を除き同様である。

≪移転価格税制上の取扱い≫
（基本三法の適用可能性の検討）
　　独立企業間価格の算定方法の選択に当たっては、措置法第66条の4第2項第1号の規定により基本三法が他の方法に優先することから、措置法通達66の4(2)-1、同66の4(2)-3等に基づき比較対象取引に関して検討した結果は次のとおりである。
- 製品Aと製品Bは、性状、構造、機能等の面で類似しており、類似の棚卸資産と認められる。
- S社及びT社はいずれもX国の小売店に対して製品を販売する卸売業者であり、P社からS社への販売取引とT社への販売取引（以下「両取引」という。）には取引段階の差異はないと認められる。
- 両取引において、取引数量は概ね同様であり、また、契約条件も同様であり、取引数量及び契約条件の差異はないと認められる。
- P社において、製品A及び製品Bによる事業戦略の相違は認められない。
- 両取引において、P社が果たす機能等に差異は認められず、無形資産も使用されていない。
- S社もT社もX国所在の法人であることから、市場の状況は同様であり、製品A及び製品Bに係る政府規制はない。

（独立企業間価格の算定方法の選択）
　　本事例では、上記の検討結果から、P社からS社への製品Aの棚卸資産の販売取引に対して、P社からT社への製品Bの販売取引を比較対象取引とすることができると認められるため、基本三法のうち、国外関連取引に係る棚卸資産の売手であるP社を対象とする原価基準法（措置法第66条の4第2項第1号ハ）を適用し独立企業間価格を算定することが妥当と認められる。

≪解説≫
　　基本三法（基本三法と同等の方法を含む。）の適用の可否に係る検討及び比較対象取引に該当するか否かの判断を行う場合に留意すべき点等については、【事例1】解説参照。

【事例4】（独立価格比準法に準ずる方法を用いる場合）

≪ポイント≫
　基本三法（又は基本三法と同等の方法）の適用の可否を検討した結果、基本三法（又は基本三法と同等の方法）は適用できないが、独立価格比準法に準ずる方法（又は独立価格比準法に準ずる方法と同等の方法）の適用が妥当と認められる事例（前提条件1は棚卸資産の売買取引の場合、前提条件2は金銭の貸借取引の場合）。

≪前提条件1：棚卸資産の売買取引の場合≫

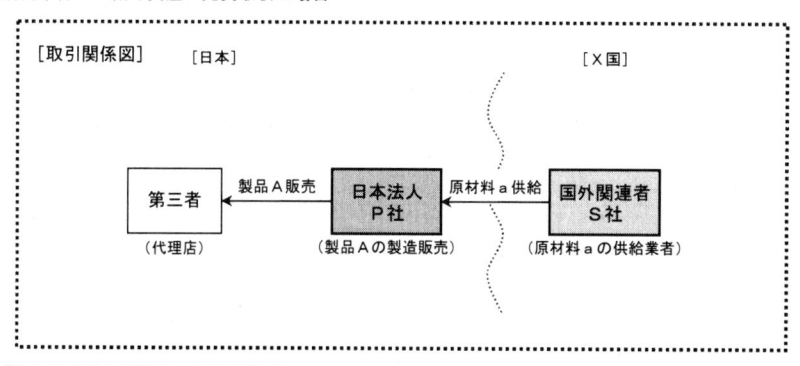

[取引関係図]　[日本]　　　　　　　　　　　　　　　　　　　　　[X国]

第三者 ←製品A販売— 日本法人P社 ←原材料a供給— 国外関連者S社
（代理店）　　　　（製品Aの製造販売）　　（原材料aの供給業者）

（法人及び国外関連者の事業概況等）
　日本法人P社は、製品Aの製造販売会社であり、10年前に製品Aの原材料aの供給子会社であるX国法人S社を設立した。
（国外関連取引の概要等）
　S社は、原材料aをすべてP社に販売し、P社はこれを基に製品Aを製造して日本国内の第三者の代理店に販売している。
（法人及び国外関連者の機能・活動等）
　P社は、S社以外からは原材料aの供給を受けていない。
（市場の状況その他）
　製品Aの原材料aは、商品取引所で世界的に取引されており、取引所の相場価格（市場価格）が存在する。

≪移転価格税制上の取扱い≫
（基本三法の適用可能性の検討）
　独立企業間価格の算定方法の選択に当たっては、措置法第66条の4第2項第1号の規定により基本三法が他の方法に優先することから、措置法通達66の4(2)-1、同66の4(2)-3等に基づき比較対象取引に関して検討した結果は次のとおりである。
・　P社は、S社以外からの原材料aの供給を受けておらず、また、S社も原材料aをすべてP社に供給しているため、独立価格比準法を適用する上での内部比較対象取引を見いだすことができない。また、公開情報からは、独立価格比準法を適用する上での外部比較対象取引につい

ても見いだすことができない。
- P社はS社から供給を受けた原材料aを基に製品Aを製造する製造機能を果たしていることから、P社を対象とする再販売価格基準法を適用することはできない。
- 基本三法のうち、S社を対象とする原価基準法の適用が考えられるが、その場合の比較対象取引はX国における非関連者間取引であり、売上総利益に係る利益率に影響を与える差異の調整（【事例9】参照）に必要かつ十分な情報が得られないことから、原価基準法を適用することができない。

（基本三法に代替する算定方法の選択）

本事例では、上記の検討結果から、基本三法を適用することができないが、措置法第66条の4第2項第1号ニに規定する基本三法に準ずる方法の適用を検討したところ、原材料aは世界的に商品取引所において取引され、市場価格が存在するため、これを基に個別の取引条件に係る差異（例えば、輸送コストの差異）の調整を加えた上で、独立価格比準法に準ずる方法を適用し独立企業間価格を算定することが妥当と認められる（措置法第66条の4第2項第1号ニ）。

≪解説≫

1　基本三法（基本三法と同等の方法を含む。）の適用の可否に係る検討及び比較対象取引に該当するか否かの判断を行う場合に留意すべき点等については、【事例1】解説参照。

2　国外関連取引と比較可能な非関連者間の取引の存在が認められず、基本三法を適用することができない場合において、市場価格等の客観的かつ現実的な指標（例えば、本事例における取引所相場）が入手可能なときは、そのような取引を比較対象取引として基本三法に準ずる方法を適用し独立企業間価格を算定することができる（基本三法に準ずる方法については、【事例1】解説参照。）。

≪前提条件2:金銭の貸借取引の場合≫

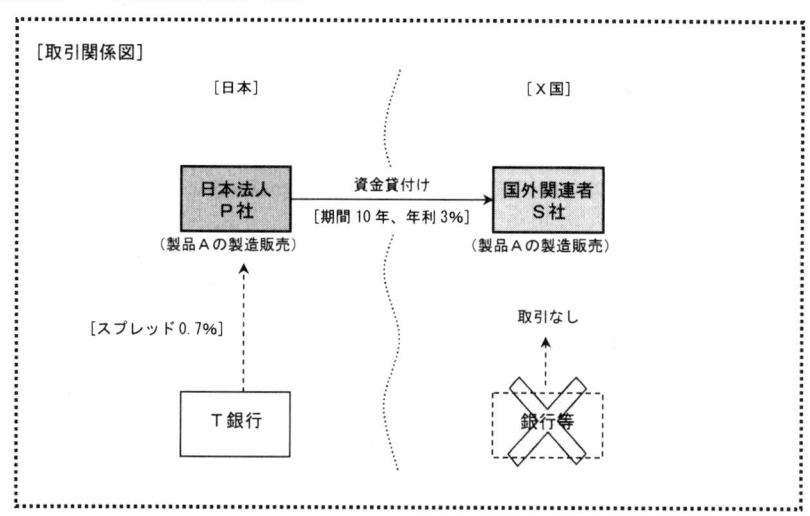

[取引関係図]

[日本]　　　　　　　　　　　　　　　　[X国]

日本法人P社（製品Aの製造販売）　―資金貸付け［期間10年、年利3%］→　国外関連者S社（製品Aの製造販売）

［スプレッド0.7%］

T銀行

取引なし
銀行等（×）

(法人及び国外関連者の事業概況等)

　日本法人P社は、製品Aの製造販売会社である。X国法人S社は、製品Aの製造販売を行うP社の子会社である。P社及びS社の業務内容はいずれも製品Aの製造販売であり、金銭の貸付け等を業としていない。なお、S社の業績は好調であり、P社からの支援を必要とするような状況にはない。

(国外関連取引の概要等)

　P社は、7年前にS社の製造ライン増設に必要な設備投資資金について、P社の手持資金を原資として期間10年、年利3%の条件で、X国通貨建てによりS社に貸付けを行った。

(法人及び国外関連者の資金調達実績等)

　P社及びS社とも、金融機関以外の非関連者との間で金銭貸借取引を行ったことはない。また、S社はこれまでに銀行等からの借入れがなく、S社に係るスプレッド情報を得られる見込みはない。

　一方、P社は、過去に主取引銀行であるT銀行から長期借入れを行ったことがあり、P社がS社に貸付けを行った条件と同様の条件でT銀行から借り入れた場合のスプレッド（注1）については、0.7%との回答が同行から得られている。

　また、金融情報提供会社の情報によると、貸付日における期間10年のX国通貨に係る金利スワップのスワップレート（注2）は5%となっている。

(注1) スプレッドとは、金融機関等が得るべき利益に相当する金利であり、金融機関等の事務経費に相当する部分や借手の信用リスクに相当する部分を含む。

(注2) 金利スワップにおけるスワップレートとは、国際金融市場において示された、短期金利と交換可能な長期金利の水準を示すものである。

≪移転価格税制上の取扱い≫
(基本三法と同等の方法の適用可能性の検討)
　本事例のP社とS社との間の金銭貸借取引については、独立企業間価格の算定方法の選択に当たり、措置法第66条の4第2項第2号の規定により基本三法と同等の方法が他の方法に優先することから、措置法通達66の4(6)-4、同66の4(2)-3等に基づき比較対象取引に関して検討した。
　この結果、収集できる範囲の情報からは、独立価格比準法と同等の方法及びP社を対象とする原価基準法と同等の方法を適用する上での比較対象取引を見いだすことができない。
　また、S社には銀行借入れの実績がなく、S社が同様の条件で銀行等から借り入れた場合に付されるであろう利率に関する情報が得られないため、措置法通達66の4(6)-4(注)に規定する方法も適用できない。

(独立企業間価格の算定方法の選択)
　P社には銀行借入れの実績があり、銀行からP社に係るスプレッド情報が得られるため、事務運営指針2-7(1)により計算した利率を用いて独立企業間価格を算定することが妥当と認められる（措置法第66条の4第2項第2号ロ（独立価格比準法に準ずる方法と同等の方法））。
　これによると、P社とS社との金銭貸借取引に係る独立企業間価格（利率）は、5.7％となる（スワップレート5％＋スプレッド0.7％）。

≪解説≫
1　基本三法（基本三法と同等の方法を含む。）の適用の可否に係る検討及び比較対象取引に該当するか否かの判断を行う場合に留意すべき点等については、【事例1】解説参照。

2　国外関連取引と比較可能な非関連者間の取引が見いだせず、基本三法を適用することができない場合において、市場価格等の客観的かつ現実的な指標（例えば、本事例における市場金利）が入手可能なときは、そのような取引を比較対象取引として基本三法に準ずる方法（又は基本三法に準ずる方法と同等の方法）により独立企業間価格を算定することができる（基本三法に準ずる方法については、【事例1】解説参照。）。

3　金銭の貸付け等を業としない法人の金銭貸借取引に係る独立企業間価格の算定方法は、次の図のとおり選択することとなる。

［図］

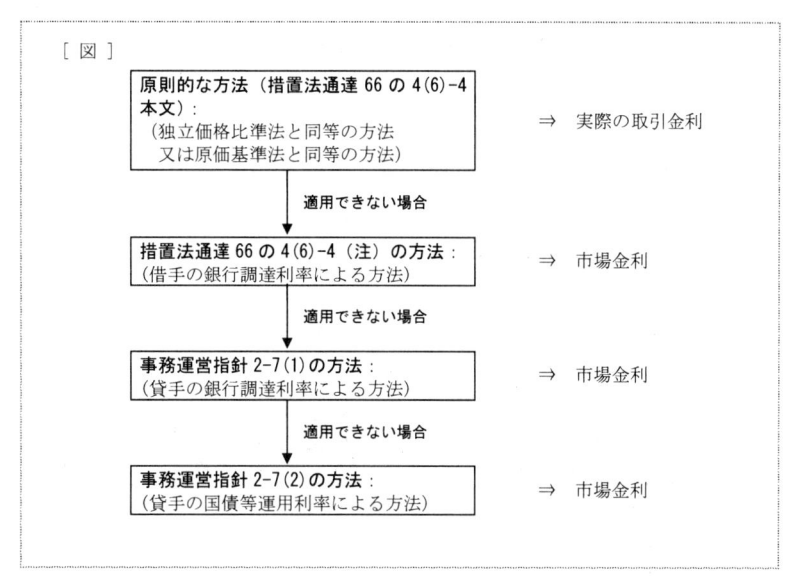

| 原則的な方法（措置法通達 66 の 4(6)-4 本文）：
（独立価格比準法と同等の方法
又は原価基準法と同等の方法） | ⇒ 実際の取引金利 |

↓ 適用できない場合

| 措置法通達 66 の 4(6)-4（注）の方法：
（借手の銀行調達利率による方法） | ⇒ 市場金利 |

↓ 適用できない場合

| 事務運営指針 2-7(1)の方法：
（貸手の銀行調達利率による方法） | ⇒ 市場金利 |

↓ 適用できない場合

| 事務運営指針 2-7(2)の方法：
（貸手の国債等運用利率による方法） | ⇒ 市場金利 |

・　金銭の貸付けが、手持資金によるものか、借入資金によるものかの違いによる取扱いの差はない。
・　同一通貨の同一条件による金融取引である場合には、各金融市場における金利水準は、ほぼ同一と考えられることから、基本的に市場の違いによる差異を考慮する必要はない。

578　第四編　資　料

【事例5】（原価基準法に準ずる方法と同等の方法を用いる場合）

≪ポイント≫

　基本三法と同等の方法の適用の可否を検討した結果、基本三法と同等の方法は適用できないが、原価基準法に準ずる方法と同等の方法の適用が妥当と認められる事例。

≪前提条件≫

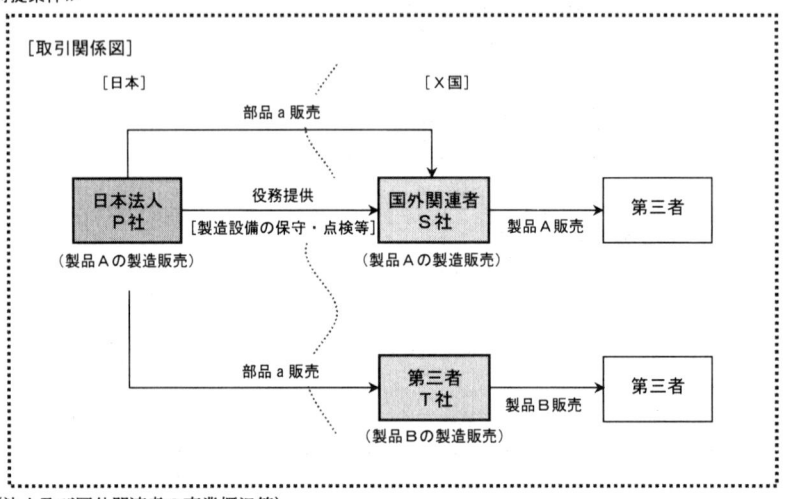

[取引関係図]

[日本]　　　　　　　　　　　　[X国]

部品a販売

日本法人P社　──役務提供──→　国外関連者S社　──製品A販売──→　第三者
（製品Aの製造販売）　[製造設備の保守・点検等]　（製品Aの製造販売）

部品a販売　──→　第三者T社　──製品B販売──→　第三者
（製品Bの製造販売）

（法人及び国外関連者の事業概況等）

　日本法人P社は、製品Aの製造販売会社であり、10年前に製品Aの製造販売子会社であるX国法人S社を設立した。S社は、P社が製造した部品aを購入し、これに他の部品を加えて製品Aの製造を行い、X国内で第三者に販売している。また、P社は、S社へ製品Aの製造設備に係る役務提供を行っている。

　P社はX国の第三者であるT社にも部品aを販売している。T社はP社から部品aを購入し、T社はこれに他の部品を加えて製品Bの製造を行い、X国内で第三者に販売している。

　P社の業務内容は製品Aの製造販売及び部品aの販売であり、役務提供を主たる事業とするものではない。

（国外関連取引の概要等）

(1) 部品aの販売取引

　P社はS社とT社に同じ部品aを同一価格で販売しており、販売取引に係る取引段階、取引数量等の取引条件も同様である。

(2) 役務提供取引

　P社は、S社の製品A製造設備に係る保守・点検やオペレーターの教育訓練等のため、自社製造部門の技術社員3名を年に延べ2ヶ月程度S社に出張させている。P社の3名の技術社員が行う保守・点検等の役務は独自性のあるものではなく、P社の製造ノウハウ等も使用されて

いない。当該役務提供に関しては、S社からP社へ対価の支払はなされていない。

P社、S社のいずれも、非関連者との間で同様の役務提供取引を行っていない。また、非関連者間における同様の役務提供取引は把握されていない。

≪移転価格税制上の取扱い≫
(1) 部品aの販売取引
(基本三法の適用可能性の検討)
独立企業間価格の算定方法の選択に当たっては、措置法第66条の4第2項第1号の規定により基本三法が他の方法に優先することから、措置法通達66の4(2)-1、同66の4(2)-3等に基づき比較対象取引に関して検討し、P社とS社との部品aの販売取引について、P社とT社との部品aの販売取引を比較対象取引とする独立価格比準法を適用した結果、移転価格税制上の問題は認められなかった。
(2) 役務提供取引
(基本三法と同等の方法の適用可能性の検討)
独立企業間価格の算定方法の選択に当たっては、措置法第66条の4第2項第2号の規定により基本三法と同等の方法が他の方法に優先することから、措置法通達66の4(6)-5、同66の4(2)-3等に基づき比較対象取引に関して検討した。

この結果、収集できる範囲の情報からは、独立価格比準法と同等の方法及びP社を対象とする原価基準法と同等の方法を適用する上での比較対象取引を見いだすことができない。

また、取引内容から、再販売価格基準法と同等の方法を適用することは困難である。

(独立企業間価格の算定方法の選択)
このため、基本三法に準ずる方法と同等の方法の適用について検討したところ、P社がS社に対して行う役務提供は、本来の業務（本事例においては、部品aの販売）に付随して行われるものであり、また、役務提供に要した費用は、役務提供を行った事業年度のP社の原価の額の相当部分を占めるとは認められない。さらに、当該役務提供には、無形資産は使用されていない。

したがって、原価基準法と同等の方法ではなく、当該役務提供の総原価の額を独立企業間価格とする原価基準法に準ずる方法と同等の方法を適用することが妥当と認められる（事務運営指針2-9）。

なお、この場合の総原価の額は、出張に係る旅費・交通費、滞在費、出張者の出張期間に対応する給与・賞与・退職給付費用、その他出張に要した費用等の直接費と、合理的な基準で配賦される間接費（担当部門及び補助部門の一般管理費等）の合計額となる。

≪解説≫
1 基本三法（基本三法と同等の方法を含む。）の適用の可否に係る検討及び比較対象取引に該当するか否かの判断を行う場合に留意すべき点等については、【事例1】解説参照。

2 基本三法に準ずる方法（基本三法に準ずる方法と同等の方法を含む。）に関しては、【事例1】解説参照。

3 役務提供取引に対して独立価格比準法と同等の方法又は原価基準法と同等の方法を用いる場合の留意事項は措置法通達66の4(6)－5のとおりであり、後者の方法では、当該役務提供に要した費用の額にマークアップを行うこととなるが、本来の業務に付随した役務提供取引については、比較対象取引を非関連者間取引から見いだすことが一般的には困難と考えられ、当該通達に定める算定方法を適用できない場合がある。

　このため、このような場合には、当該役務提供に要した費用の額にマークアップを行わず、その総原価の額を独立企業間価格として取り扱うことができる（事務運営指針2－9）。

　なお、本来の業務に付随した役務提供でない場合、役務提供に要した費用が法人若しくは国外関連者の原価若しくは費用の相当部分を占める場合又は役務提供を行う際に無形資産を使用している場合には、役務提供に要した総原価の額を独立企業間価格とする取扱いは適用できないことから（事務運営指針2－9（注））、その他の適用可能な独立企業間価格の算定方法について検討を行うこととなる。

4 法人が国外関連者と行う本来の業務に付随した役務提供について、当該役務提供の総原価の額を独立企業間価格とすることができるかどうかの判定手順は次の図のとおりである。

資料7

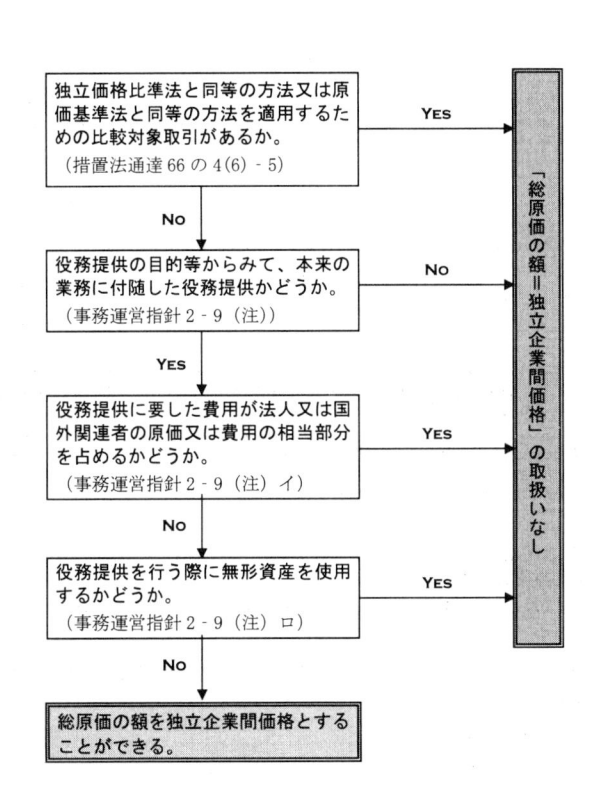

[図]

```
┌─────────────────────────────┐
│ 独立価格比準法と同等の方法又は原    │
│ 価基準法と同等の方法を適用するた   │──YES──┐
│ めの比較対象取引があるか。        │       │
│ （措置法通達66の4(6)-5）         │       │
└─────────────────────────────┘       │
         │ NO                          │
         ▼                             │
┌─────────────────────────────┐       │
│ 役務提供の目的等からみて、本来の    │       │
│ 業務に付随した役務提供かどうか。   │──NO───┤
│ （事務運営指針2-9（注））        │       │
└─────────────────────────────┘       │
         │ YES                         │
         ▼                             │ ┌──────────┐
┌─────────────────────────────┐       │ │「         │
│ 役務提供に要した費用が法人又は国    │       │ │ 総        │
│ 外関連者の原価又は費用の相当部分   │──YES──┤ │ 原        │
│ を占めるかどうか。              │       │ │ 価        │
│ （事務運営指針2-9（注）イ）      │       │ │ の        │
└─────────────────────────────┘       │ │ 額        │
         │ NO                          │ │ ＝        │
         ▼                             │ │ 独        │
┌─────────────────────────────┐       │ │ 立        │
│ 役務提供を行う際に無形資産を使用    │       │ │ 企        │
│ するかどうか。                 │──YES──┘ │ 業        │
│ （事務運営指針2-9（注）ロ）      │         │ 間        │
└─────────────────────────────┘         │ 価        │
         │ NO                             │ 格        │
         ▼                                │ 」        │
┌─────────────────────────────┐         │ の        │
│ 総原価の額を独立企業間価格とする    │         │ 取        │
│ ことができる。                 │         │ 扱        │
└─────────────────────────────┘         │ い        │
                                          │ な        │
                                          │ し        │
                                          └──────────┘
```

(注) 国外関連者との間で、棚卸資産の売買取引と役務提供取引を行っている場合には、双方について移転価格税制上の問題があるか否かを検討する必要がある。

582　第四編　資　　料

【事例６】（取引単位営業利益法を用いる場合）

≪ポイント≫
　基本三法の適用の可否を検討した結果、基本三法の適用はできないが、取引単位営業利益法を適用する上での比較対象取引を見いだせることにより、取引単位営業利益法の適用が妥当と認められる事例。また、基本三法と同等の方法の適用の可否を検討した結果、取引単位営業利益法に準ずる方法と同等の方法の適用が妥当と認められる事例（前提条件１は棚卸資産の売買取引の場合、前提条件２は無形資産の使用許諾取引の場合）。

≪前提条件１≫

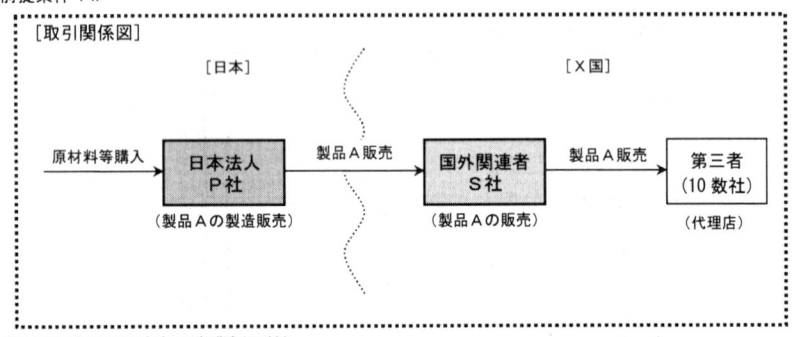

[取引関係図]

```
           [日本]                    [Ｘ国]
原材料等購入   日本法人    製品Ａ販売   国外関連者   製品Ａ販売   第三者
 ────→    Ｐ社      ────→    Ｓ社      ────→   (10数社)
          (製品Ａの製造販売)         (製品Ａの販売)           (代理店)
```

（法人及び国外関連者の事業概況等）
　日本法人Ｐ社は、製品Ａの製造販売会社であり、10年前に製品Ａの販売子会社であるＸ国法人Ｓ社を設立した。
　製品Ａは、Ｐ社の研究開発活動の成果である独自技術が用いられて製造された製品である。
（国外関連取引の概要等）
　Ｐ社はＳ社に対して製品Ａを販売し、Ｓ社は購入した製品ＡをＸ国の第三者の代理店10数社に販売している。
（法人及び国外関連者の機能・活動等）
　Ｓ社は、独自性のある広告宣伝・販売促進活動を行っていない。
（その他）
　Ｘ国の企業財務情報開示制度では、原価項目の記載が必要とされていない（ただし、日本における営業利益に相当する項目は表示される。）。

≪移転価格税制上の取扱い≫
（基本三法の適用可能性の検討）
　　独立企業間価格の算定方法の選択に当たっては、措置法第66条の４第２項第１号の規定により基本三法が他の方法に優先することから、措置法通達66の４(2)-1、同66の４(2)-3等に基づき比較対象取引に関して検討した結果は次のとおりである。
　・　Ｐ社がＳ社に販売する製品Ａは、Ｐ社の研究開発活動によって生み出された独自技術を使用した製品であり、収集できる範囲の情報からは、独立価格比準法及びＰ社を対象とする原

価基準法を適用する上での比較対象取引を見いだすことができない。
- S社は、独自性のある広告宣伝・販売促進活動を行っておらず、所得の源泉となる無形資産を有しているとは認められない（無形資産と所得の源泉との関係については、【事例１０～１５】参照）。X国における公開情報からは売上総利益及び売上原価の金額を把握することができず、また、売上総利益率に影響を与える差異の調整に必要な情報が得られないことから、S社を対象とする再販売価格基準法を適用する上での比較対象取引を見いだすことができない。

（基本三法に代替する算定方法の選択）
　本事例では、上記の検討結果より、基本三法を適用することができないことから、措置法第66条の4第2項第1号ニに規定する基本三法に準ずる方法及びその他政令で定める方法について検討し、その結果は次のとおりである。
　基本三法に準ずる方法を適用する上での比較対象取引を見いだすことができない。
　営業利益率ベースでは公開情報からS社に係る比較対象取引を把握することができることから、本事例においては、S社を対象とする取引単位営業利益法を適用し独立企業間価格を算定することが妥当と認められる（措置法施行令第39条の12第8項第2号）。

≪解説≫
1　基本三法（基本三法と同等の方法を含む。）の適用の可否に係る検討及び比較対象取引に該当するか否かの判断を行う場合に留意すべき点については、【事例1】解説参照。

2　基本三法に準ずる方法（基本三法に準ずる方法と同等の方法を含む。）に関しては、【事例1】解説参照。

3　なお、取引単位営業利益法は、取引当事者の一方に係る比較対象取引を選定して独立企業間価格を算定する方法であるが、法人及び国外関連者の果たす機能等に照らした場合には、法人及び国外関連者双方が利益の発生に対して寄与した程度に基づき独立企業間価格を算定する利益分割法の適用が適切なケースがある。

（参考１）取引単位営業利益法について
- 取引単位営業利益法は、営業利益ベースでの比較に基づく算定方法であり、国外関連取引から得られる営業利益の水準に着目して国外関連取引に係る独立企業間価格を算定する方法である。取引単位営業利益法を適用する場合の比較対象取引の選定においても、基本三法と同様に措置法通達66の4(2)-3に掲げる諸要素の類似性について検討することとなる。
- 棚卸資産の価格そのものを比較する独立価格比準法においては、棚卸資産についての厳格な類似性（同種性）が要求され、また、売上総利益に係る利益率を比較する再販売価格基準法や原価基準法においては、主として売手又は買手の果たす機能の類似性が要求される。
　価格は製品の差異による影響を受ける傾向があり、売上総利益に係る利益率は機能の

差異による影響を受ける傾向があるが、他方で、営業利益率は、そのような差異によって影響を受けにくい面があると考えられることから、例えば、比較対象取引候補に関する情報の入手に限界があること等により、基本三法を適用する上で必要な比較可能性が認められない場合であっても、取引単位営業利益法においては、比較対象取引として採用し得る場合がある。

- なお、取引単位営業利益法は、平成 16 年度税制改正で導入され、平成 16 年 4 月 1 日以後に開始する事業年度から適用できる。

(参考2) 利益分割法について

　利益分割法には、寄与度利益分割法、比較利益分割法及び残余利益分割法の 3 つの種類がある。寄与度利益分割法の適用事例については【事例7】を、残余利益分割法の適用事例については【事例8】を参照のこと。比較利益分割法とは、利益分割法の適用に当たり、国外関連取引と類似の状況の下で行われた非関連者間取引に係る非関連者間の分割対象利益に相当する利益の配分割合を用いて分割対象利益の配分を合理的に行う方法である(措置法通達66の4(4)-4)。

(参考3) 利益分割法と取引単位営業利益法

　取引単位営業利益法と利益分割法は、法令上同順位であり、適用に係る優先劣後関係はないことに留意する。

　また、移転価格税制は、法人と国外関連者の取引を通じた所得の海外移転に対処するための税制であり、国外関連取引から生じた利益が国外関連取引において果たされた双方の機能等に見合ったものとなっているかにも配意して、移転価格税制上の問題の有無を検討することとしている(事務運営指針2-1(3))。

　独立企業間価格の算定に当たっては、法令に従い、個々の事例における事実関係に即して、最も適合する合理的な方法を選択する必要があり、その際には、このような観点からの検討も行う必要がある。

≪前提条件2≫

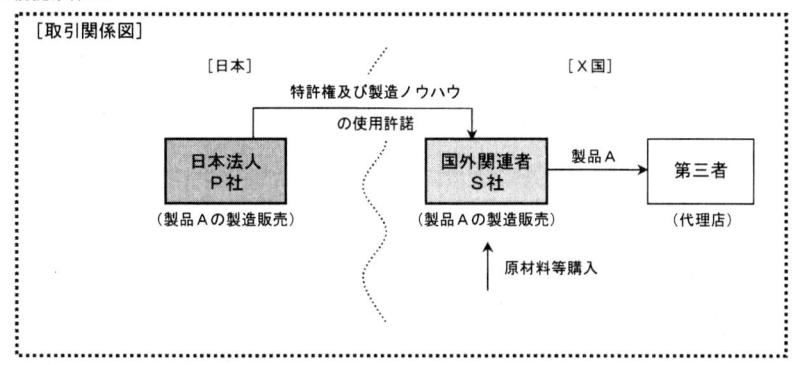

[取引関係図]

[日本]　特許権及び製造ノウハウの使用許諾　[X国]

日本法人P社（製品Aの製造販売） → 国外関連者S社（製品Aの製造販売） → 製品A → 第三者（代理店）

↑ 原材料等購入

(法人及び国外関連者の事業概況等)

　日本法人P社は、製品Aの製造販売会社であり、10年前に製品Aの製造販売子会社であるX国法人S社を設立した。
　製品Aは、P社の研究開発活動の成果である独自技術が用いられて製造された製品である。

(国外関連取引の概要等)

　P社は、S社に対して製品Aの製造に係る特許権及び製造ノウハウ（P社の研究開発活動により生み出された独自技術）の使用許諾を行っている。
　S社は、X国で原材料等を購入して製品Aの製造を行い、X国の第三者の代理店に販売している。
　なお、P社とS社との間では棚卸資産の売買取引はない。

(国外関連者の機能・活動等)

　S社には研究開発部門はなく、S社が行う製品Aの製造はP社から供与されたP社の独自技術に基づいて行われている。
　他の状況は前提条件1に同じ。

(その他)

　前提条件1に同じ。

≪移転価格税制上の取扱い≫

(基本三法と同等の方法の適用可能性の検討)

　独立企業間価格の算定方法の選択に当たっては、措置法第66条の4第2項第2号の規定により基本三法と同等の方法が他の方法に優先することから、措置法通達66の4(6)-6、同66の4(2)-3等に基づき比較対象取引に関して検討した結果は次のとおりである。

- P社がS社に対して使用許諾する特許権等は、P社の研究開発活動によって生み出された独自技術であり、収集できる範囲の情報からは、独立価格比準法と同等の方法及びP社を対象とする原価基準法と同等の方法を適用する上での比較対象取引を見いだすことができない。
　また、取引内容から、S社を対象とする再販売価格基準法と同等の方法を適用することは困難である。

(基本三法と同等の方法に代替する算定方法の選択)

　本事例では、上記の検討結果より、基本三法と同等の方法を適用することができないことから、措置法第66条の4第2項第2号ロに規定する基本三法に準ずる方法と同等の方法及びその他政令で定める方法と同等の方法について検討し、その結果は次のとおりである。

　基本三法に準ずる方法と同等の方法を適用する上での比較対象取引を見いだすことができない。

　公開情報からＳ社が行う製造販売取引と比較可能な比較対象取引の営業利益率を得ることができる。

　このような場合には、Ｐ社とＳ社との間の無形資産の使用許諾取引に係る対価を直接算定することに代え、当該営業利益率によりＳ社の機能に見合う通常の利益を計算し、これを超えるＳ社の残余の利益を特許権及び製造ノウハウの使用許諾に係る対価の額として間接的に独立企業間価格を算定できる。

　したがって、本事例においては、Ｓ社を対象とする取引単位営業利益法に準ずる方法と同等の方法を適用し独立企業間価格を算定することが妥当と認められる（措置法施行令第39条の12第8項4号）。

≪解説≫

1　基本三法（基本三法と同等の方法を含む。）の適用の可否に係る検討及び比較対象取引に該当するか否かの判断を行う場合に留意すべき点については、【事例1】解説参照。

2　基本三法に準ずる方法（基本三法に準ずる方法と同等の方法を含む。）に関しては、【事例1】解説参照。）

3　取引単位営業利益法の基本概念については、前提条件1の解説参照。

　　法人が特許権等の使用許諾により無形資産を国外関連者に供与している場合において、国外関連者が、国外関連取引の事業と同種の事業を営み、市場、事業規模等が類似する他の法人（重要な無形資産を有する法人を除く。）と同程度の製造機能又は販売機能のみを有するときには、取引単位営業利益法を適用して国外関連者の機能に見合う通常の利益を計算し、これを超える国外関連者の残余の利益を無形資産の供与に係る対価の額として間接的に算定することが可能である。この場合の独立企業間価格の算定方法は「取引単位営業利益法に準ずる方法と同等の方法」となる。

　　（注）本事例においては、契約に基づき無形資産の使用許諾を行っているとの前提条件を置いているが、Ｐ社とＳ社の間で無形資産の使用に関し取決めがない場合であっても、取引実態等から判断して使用許諾取引があると認められるときには、同様の取扱いがなされることとなる（事務運営指針2-13）。

4　なお、取引単位営業利益法は、取引当事者の一方に係る比較対象取引を選定して独立企業間価格を算定する方法であるが、法人及び国外関連者の果たす機能等に照らした場合には、法人及び国外関連者双方が利益の発生に対して寄与した程度に基づき独立企業間価格を算定する利益分割法の適用が適切なケースがある。

【事例7】（寄与度利益分割法を用いる場合）

≪ポイント≫

基本三法の適用の可否を検討した結果、基本三法の適用ができず、寄与度利益分割法の適用が妥当と認められる事例。

≪前提条件1≫

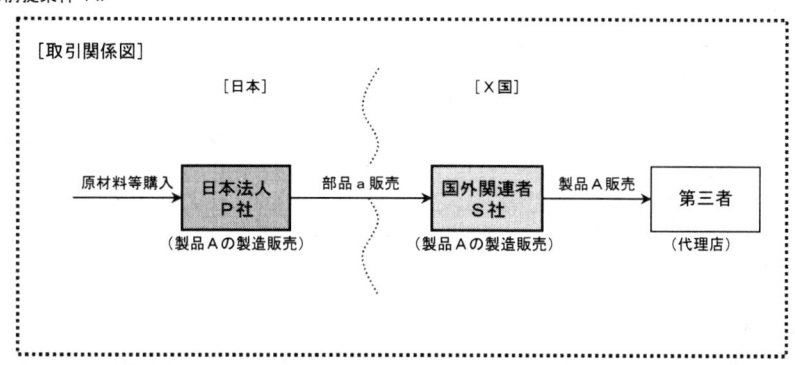

［取引関係図］

［日本］　　　　　　　　　　［X国］

原材料等購入 → 日本法人P社（製品Aの製造販売） ─部品a販売→ 国外関連者S社（製品Aの製造販売） ─製品A販売→ 第三者（代理店）

(法人及び国外関連者の事業概況等)

日本法人P社は、製品Aの製造販売会社であり、10年前に製造販売子会社であるX国法人S社を設立した。

(国外関連取引の概要等)

P社は、S社に対して製品A用の部品aを販売し、S社は、部品aに他の部品を加えて製品Aの製造を行い、X国の第三者の代理店に販売している。

(法人及び国外関連者の機能・活動等)

S社には研究開発部門はない。また、S社は、独自性のある広告宣伝・販売促進活動は行っておらず、販売に当たり自社の商標等を使用することもない。

(その他)

S社は、X国の第三者に製品Aを販売しているが、X国の法人2社（X国以外の国に所在する法人を親会社とする製造子会社。以下「当該2社」という。）も製品Aの類似製品を製造販売している。このため、X国市場ではS社を含む3社の寡占が続いている。

製品Aは当該2社の類似製品とマーケットシェアを均等に分け合っており、製品性能や価格面も当該2社の類似製品とほぼ同等である。

日本国内でも、P社の製品Aと類似する製品を製造販売する法人は1社しかなく、その取引はすべて関連者間取引である。

≪移転価格税制上の取扱い≫

(基本三法の適用可能性の検討)

独立企業間価格の算定方法の選択に当たっては、措置法第66条の4第2項第1号の規定によ

り基本三法が他の方法に優先することから、措置法通達66の4(2)-1、同66の4(2)-3等に基づき比較対象取引に関して検討した結果は次のとおりである。

- P社については、日本国内に製品Aの類似製品を製造販売する法人が1社しかなく、その取引はすべて関連者間取引であり、収集できる範囲の情報からは、独立価格比準法及びP社を対象とする原価基準法を適用する上での比較対象取引を見いだすことができない。
- S社についても、類似の製品を扱う当該2社の取引が関連者間取引であることから、S社の販売取引に再販売価格基準法を適用する上での比較対象取引を見いだすことができない。

(基本三法に代替する手法の選択)

本事例では、上記の検討結果より、基本三法を適用することができないことから、措置法第66条の4第2項第1号ニに規定する基本三法に準ずる方法及びその他政令で定める方法について検討したところ、基本三法に準ずる方法を適用する上での比較対象取引を見いだすことができず、本事例においては、寄与度利益分割法を適用しP社とS社との国外関連取引の独立企業間価格を算定することが妥当と認められる。

なお、取引単位営業利益法を適用する上での比較対象取引は見いだすことができない。また、P社及びS社双方が重要な無形資産を有していないと認められることから、残余利益分割法を適用することはできない。

≪解説≫

1 基本三法（基本三法と同等の方法を含む。）の適用の可否に係る検討及び比較対象取引に該当するか否かの判断を行う場合に留意すべき点等については、【事例1】解説参照。

2 基本三法に準ずる方法（基本三法に準ずる方法と同等の方法を含む。）に関しては、【事例1】解説参照。

3 寡占等の市場の状況により、比較対象取引を見いだすことが困難な場合においては、比較対象取引を用いない寄与度利益分割法を独立企業間価格の算定方法とすることが妥当な場合がある。

なお、法人及び国外関連者双方が重要な無形資産を有していない場合には、残余利益分割法を適用することはできない（残余利益分割法が適合する場合については、【事例8】解説参照）。

4 寄与度利益分割法を適用する場合の分割要因については、国外関連取引の内容に応じ法人又は国外関連者が支出した人件費等の費用の額、投下資本の額等、これらの者が当該分割対象利益の発生に寄与した程度を推測するにふさわしいものを用いることとしている（措置法通達66の4(4)-2）。

例えば、製造、販売等経常的に果たされている機能が利益の発生に寄与している場合には、当該機能を反映する人件費等の費用の額や減価償却費などを用いるのが合理的と考えられる。

≪前提条件2≫

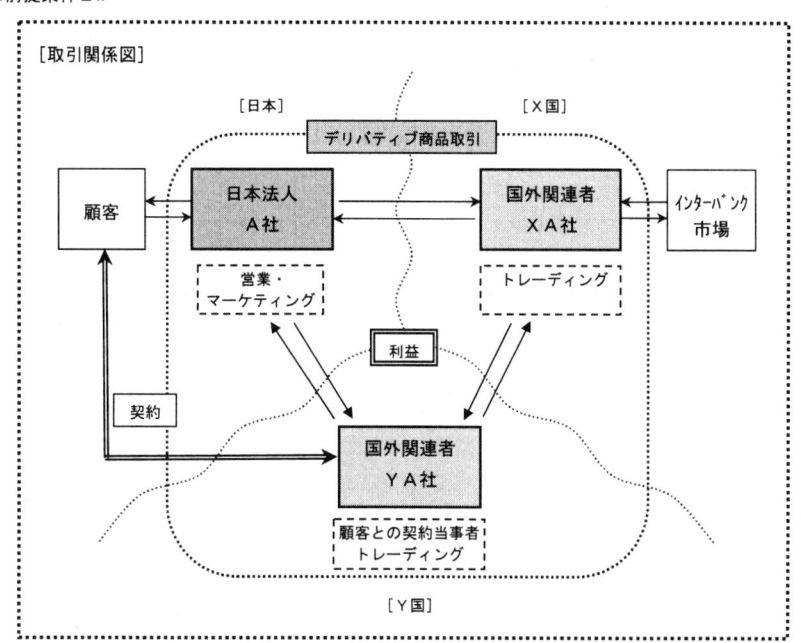

[取引関係図]

[日本] [X国]

デリバティブ商品取引

顧客 ── 日本法人A社 ── 国外関連者XA社 ── インターバンク市場

営業・マーケティング　　　トレーディング

利益

契約

国外関連者YA社

顧客との契約当事者トレーディング

[Y国]

(法人及び国外関連者の事業概況等)

　日本法人A社は、国際的に業務を展開する金融機関であり、X国及びY国にそれぞれ国外関連者としてXA社とYA社があり、A社、XA社及びYA社は、グループ一体としてデリバティブ取引を行っている。

(法人及び国外関連者の機能・活動等)

　A社は、日本の顧客に対してデリバティブ商品の営業活動を行い、顧客から注文を受けるほか、顧客の要望に基づいてデリバティブ商品の組成・開発（マーケティング）を行っている。

　XA社は、A社からの求めに応じて、与えられた権限内でインターバンク取引を通じ当該デリバティブ商品の値決めに関する情報をA社に提供するとともに、XA社が取り扱う全金融商品についての収益・リスクの管理を含むトレーディング業務を行っている。

　YA社は顧客からのニーズに基づき顧客との契約当事者になるとともに、トレーディング業務を行っている。

≪移転価格税制上の取扱い≫

(基本三法と同等の方法の適用可能性の検討)

　独立企業間価格の算定方法の選択に当たっては、措置法第66条の4第2項第2号の規定により基本三法と同等の方法が他の方法に優先することから、措置法通達66の4(6)‐5、同66の4(2)‐3等に基づき比較対象取引に関して検討した結果は、次のとおりである。

- 本事例のようなデリバティブ商品の販売において、営業、マーケティング、トレーディングなどの一連の機能を、非関連者との役務提供取引により非関連者間で分散しているようなケースはなく、収集できる範囲の情報からは、Ａ社、ＸＡ社及びＹＡ社の間の取引と役務提供の内容が同種又は類似であり、役務提供の条件が同様である非関連者間取引を把握できなかったことから、基本三法と同等の方法を適用する上での比較対象取引を見いだすことができない。

(独立企業間価格の算定方法の選択)

本事例では、上記の検討結果より、基本三法と同等の方法を適用することができないことから、措置法第66条の4第2項第2号ロに規定する基本三法に準ずる方法と同等の方法及びその他政令で定める方法と同等の方法について検討し、その結果は次のとおりである。

基本三法に準ずる方法と同等の方法を適用する上での比較対象取引を見いだすことができない。

Ａ社の行っている業務は、企業グループが一体として顧客にデリバティブ商品を販売する中において果たしている一機能であると認められることから、本事例においては、Ａ社、ＸＡ社及びＹＡ社間で行われる取引全体から生じた利益を、各国外関連者の貢献度に応じて配分する寄与度利益分割法の適用が妥当と認められる。

なお、取引単位営業利益法を適用する上での比較対象取引は見いだすことができない。

≪解説≫

1 基本三法（基本三法と同等の方法を含む。）の適用の可否に係る検討及び比較対象取引に該当するか否かの判断を行う場合に留意すべき点については、【事例1】解説参照。

2 基本三法に準ずる方法（基本三法に準ずる方法と同等の方法を含む。）に関しては、【事例1】解説参照。

3 法人と国外関連者に機能が分散され、これらの者が共助的に一体として事業を行っているような高度に統合されたグローバルトレーディング等の取引形態については、基本三法と同等の方法により各国外関連者の収益を決定することは困難と考えられ、措置法第66条の4第2項第2号ロに規定する基本三法に準ずる方法その他政令で定める方法と同等の方法の適用を検討することとなる。基本三法に準ずる方法と同等の方法は、基本三法と同等の方法と同様の理由で適用は困難と考えられ、利益分割法と同等の方法又は取引単位営業利益法と同等の方法の適用を検討することとなるが、本事例のような取引については、取引単位営業利益法と同等の方法を適用する上での比較対象取引を見いだせないことが多いため、一般的には、取引全体からの利益を各拠点の貢献に応じて配分する利益分割法と同等の方法（この事例では寄与度利益分割法と同等の方法）の適用が妥当である。

【事例8】（残余利益分割法を用いる場合）

≪ポイント≫

　基本三法（基本三法と同等の方法を含む。）の適用の可否を検討した結果、基本三法の適用はできないが、法人又は国外関連者の研究開発活動や販売促進活動等によって形成された無形資産が所得の源泉になっていることにより、残余利益分割法の適用が妥当と認められる事例。

≪前提条件≫

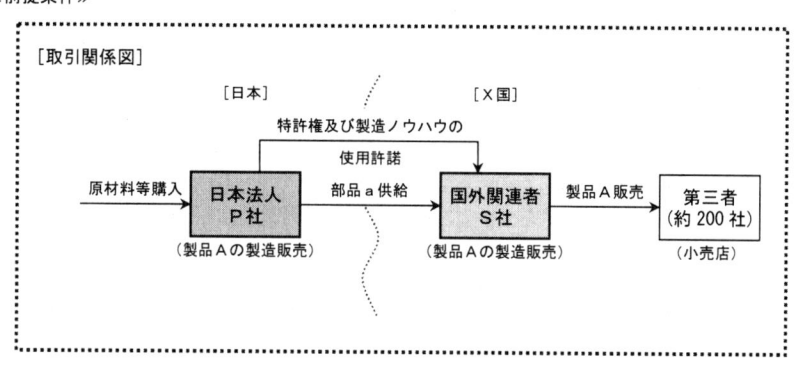

```
[取引関係図]
                    [日本]              [X国]
                  特許権及び製造ノウハウの
                     使用許諾
  原材料等購入    ┌──────┐ 部品a供給 ┌──────┐ 製品A販売 ┌──────┐
  ─────→  │日本法人 │─────→│国外関連者│────→│第三者　 │
                  │　P社　 │           │　S社　　│           │（約200社）│
                  └──────┘           └──────┘           └──────┘
                  （製品Aの製造販売）    （製品Aの製造販売）    （小売店）
```

（法人及び国外関連者の事業概況等）

　日本法人P社は、製品Aの製造販売会社であり、10年前に製品Aの製造販売子会社であるX国法人S社を設立した。
　製品Aは、P社の研究開発活動の成果である独自技術が用いられて製造された製品である。

（国外関連取引の概要等）

　P社は、S社に対して製品A用の部品a（P社の独自技術が集約された主要部品）を販売するとともに、製品Aの製造に係る特許権及び製造ノウハウ（P社の研究開発活動により生み出された独自技術）の使用許諾を行っている。
　S社は、部品aに他の部品を加えて製品Aの製造を行い、X国の第三者の小売店約200社に対して販売している。

（法人及び国外関連者の機能・活動等）

　S社には研究開発部門はなく、S社が行う製品Aの製造は、P社から供与された独自技術に基づいて行われている。
　一方、S社は、多数の営業担当者を配置し、小売店や最終消費者向けに独自の広告宣伝・販売促進活動を行っている。
　製品Aは、製品そのものの独自の技術性能のほか、広告宣伝・販売促進活動を通じた高い製品認知度や充実した小売店舗網等により、X国において一定のマーケットシェアを確保するとともに、概ね安定した価格で販売されている。

≪移転価格税制上の取扱い≫
(基本三法及び基本三法と同等の方法の適用可能性の検討)
　　独立企業間価格の算定方法の選択に当たっては、措置法第66条の4第2項の規定により基本三法及び基本三法と同等の方法が他の方法に優先することから、措置法通達66の4(2)-1、同66の4(6)-6、同66の4(2)-3等に基づき比較対象取引に関して検討した結果は次のとおりである。

- P社がS社に対して使用許諾する特許権等は、P社の研究開発活動によって生み出された独自技術であり、また、販売する部品aもこの独自技術を用いて製造された部品であり、収集できる範囲の情報からは、独立価格比準法(又はこれと同等の方法)及びP社を対象とする原価基準法(又はこれと同等の方法)を適用する上での比較対象取引を見いだすことができない。
- S社は、広告宣伝・販売促進活動によって形成された、「基本的活動のみを行う法人」(注)よりも高い製品認知度や充実した小売店舗網を用いて事業を行っている。収集できる範囲の情報からは、こうしたS社の取引と同様の条件下で行われている非関連者間取引を把握することができず、S社の販売取引に係る再販売価格基準法を適用する上での比較対象取引を見いだすことができない。

　(注)　本事例集においては、国外関連取引の事業と同種の事業を営み、市場、事業規模等が類似する法人のうち、基本的な製造・販売等の活動だけでは生み出すことができない利益の発生に貢献する無形資産を有しない法人を「基本的活動のみを行う法人」とする。
　　　　なお、本事例以下の事例における、「高い」製品認知度、「充実した」小売店舗網、「独自」の技術、「低い」製造原価、等の表現は、すべて基本的活動のみを行う法人との比較において用いている。

(基本三法及び基本三法と同等の方法に代替する算定方法の選択)
　　本事例では、上記の検討結果より、基本三法及び基本三法と同等の方法を適用することはできないことから、措置法第66条の4第2項第1号ニ及び同項第2号ロに規定する基本三法に準ずる方法その他政令で定める方法及びこれらと同等の方法について検討し、その結果は次のとおりである。
　　基本三法に準ずる方法及び基本三法に準ずる方法と同等の方法を適用する上での比較対象取引を見いだすことができない。
　　P社の研究開発活動及びS社の広告宣伝・販売促進活動により形成された無形資産が、基本的活動のみを行う法人との比較において、P社及びS社の国外関連取引に係る所得の源泉になっていると認められる(無形資産と所得の源泉との関係については、【事例10～15】参照。)。
　　したがって、本事例においては、残余利益分割法を適用し独立企業間価格を算定することが妥当と認められる(措置法施行令第39条の12第8項第1号、措置法通達66の4(4)-5)。
　　なお、取引単位営業利益法を適用する上での比較対象取引は見いだすことができない。

≪解説≫

1 基本三法(基本三法と同等の方法を含む。)の適用の可否に係る検討及び比較対象取引に該当するか否かの判断における留意点並びに国外関連取引に無形資産が使用されている場合の留意点については、【事例1】解説参照。

2 基本三法に準ずる方法(基本三法に準ずる方法と同等の方法を含む。)に関しては、【事例1】解説参照。

3 無形資産は、その独自性・個別性(いわゆるユニークさ)により基本的活動のみを行う法人に比較して経済競争上の優越的な立場をもたらし得るという特徴を有しているために、無形資産が関係する国外関連取引に係る比較対象取引を選定することは困難な場合が多く、特に、法人及び国外関連者の双方が重要な無形資産を有しているような場合には、残余利益分割法を選択することができる(措置法通達66の4(4)-5)。

594　第四編　資　料

【事例9】（差異の調整）

≪ポイント≫

比較対象取引に係る差異の調整に関する事例。

≪前提条件≫

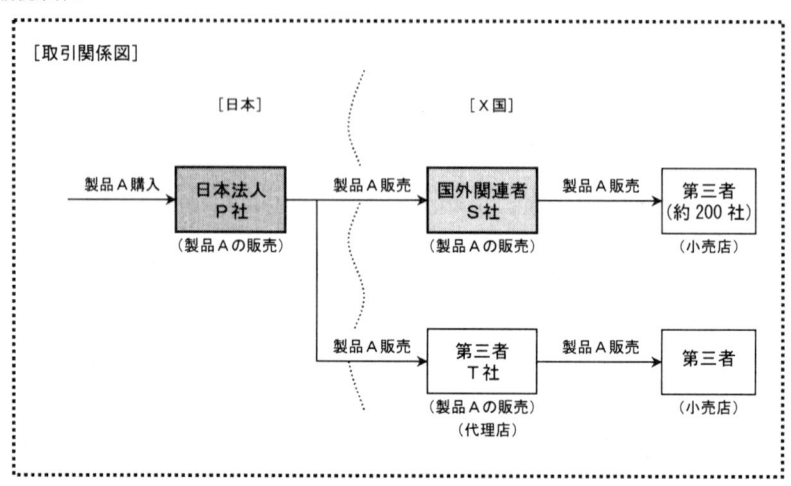

[取引関係図]

```
                  [日本]                    [X国]
                 ┌──────┐   製品A販売   ┌──────┐   製品A販売   ┌──────┐
  製品A購入      │日本法人│ ───────────→ │国外関連者│ ───────────→ │第三者  │
 ─────────────→ │ P社   │              │ S社    │              │(約200社)│
                 └──────┘              └──────┘              └──────┘
                 (製品Aの販売)          (製品Aの販売)          (小売店)
                      │                      
                      │   製品A販売   ┌──────┐   製品A販売   ┌──────┐
                      └────────────→ │第三者  │ ───────────→ │第三者  │
                                      │ T社   │              │        │
                                      └──────┘              └──────┘
                                      (製品Aの販売)          (小売店)
                                      (代理店)
```

（法人及び国外関連者の事業概況等）

日本法人P社は、製品Aの販売会社であり、10年前に製品Aの販売子会社であるX国法人S社を設立した。

（国外関連取引の概要等）

P社はS社に対して製品Aを販売し、S社は購入した製品AをX国内の第三者の小売店約200社に販売している。

P社は、S社設立以前はX国の第三者の代理店T社を通じて製品Aを販売していたため、現在も、X国内にS社経由の販売ルートとT社経由の販売ルートが併存している。

P社が行うS社及びT社との取引については、以下の点を除き、取引段階、取引数量、取引条件等は概ね同様である。
① S社との取引の引渡条件がCIF（運賃、保険料込み渡し）であるのに対し、T社との取引はFOB（本船渡し）で行われていること。
② S社との取引における決済サイトが30日であるのに対し、T社取引においては90日であること。（ユーザンス金利はいずれも5％）
（注）ユーザンス金利：支払猶予期間に対する適用金利

≪移転価格税制上の取扱い≫

本事例においては、P社はS社に製品Aを販売するほか、同一の製品Aを非関連者であるT社に対しても販売しており、両取引は、引渡条件など一部差異が認められるものの高い比較可能性を有していることから、この差異を調整した上で独立価格比準法を適用することが考えられる。

両取引については、①引渡条件及び②決済条件に差異があり、これが両者の価格に影響を与えると認められたが、①についてはT社との取引価格に運賃と保険料を加算（T社仕入価格＋運賃＋保険料）することにより、②についてはT社との取引における取引価格の金利部分をS社との条件に引き直す（T社仕入価格÷｛1＋0.05×(90日/365日)｝×｛1＋0.05×(30日/365日)｝）ことにより、差異調整が可能である。

本事例においては、当該差異調整後のP社とT社との製品Aの販売取引に係る対価の額が独立企業間価格となる。

≪解説≫

基本三法及び取引単位営業利益法（基本三法と同等の方法及び取引単位営業利益法と同等の方法を含む。）の適用上、比較対象取引候補として選定された非関連者間取引と国外関連取引との間の差異により価格又は利益率等の差が生じていても、その差異を調整することができる場合には、独立企業間価格を算定する上で比較対象取引とすることができる（措置法66条の4第2項第1号、措置法施行令第39条の12第6項、第7項及び第8項、措置法通達66の4(2)-1)。

差異調整は、比較対象取引候補として選定された非関連者間取引について、比較対象取引としての合理性を確保するために行われるものであるから、調整の対象となる差異は、対価の額に「影響を及ぼすことが客観的に明らか」である場合に行うもので（事務運営指針3-1なお書き）、「対価の額の差」を生じさせ得るものすべてを対象とするものではない。

（参考）高松高裁平成18年10月13日判決参照。なお同事件は、最高裁平成19年4月10日決定（上告棄却）で確定。

なお、国外関連取引と比較対象取引との差異が価格又は利益率等に及ぼす影響が無視できず、かつ、その差異による具体的影響額を算定できない場合には、比較可能性自体に問題がある点に留意する必要がある。

596　第四編　資　料

第二章　独立企業間価格の算定方法の適用等に係る留意事項に関する事例

(1)　無形資産の取扱いに関する事例

【事例１０】（研究開発及びマーケティング活動により形成された無形資産）

≪ポイント≫
　　研究開発活動や販売・マーケティング活動により形成された無形資産の取扱いに関する事例。

≪前提条件≫

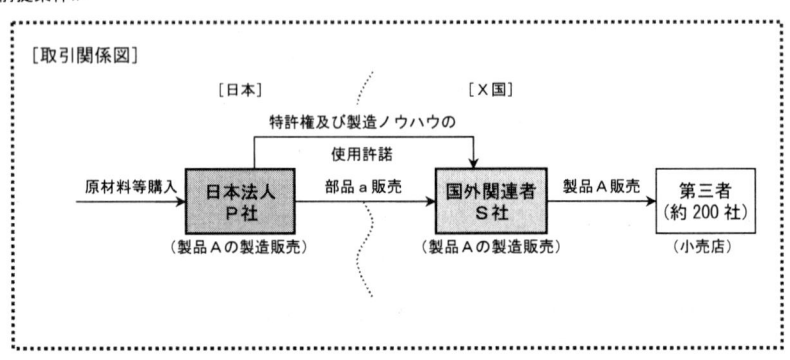

[取引関係図]

[日本]　　　　　　　　　　　　　　[X国]
　　　　　特許権及び製造ノウハウの
　　　　　　　使用許諾
原材料等購入　　日本法人　　部品a販売　　国外関連者　　製品A販売　　第三者
　　　　　　　　P社　　　　　　　　　S社　　　　　　　　　（約200社）
　　　　　（製品Aの製造販売）　　（製品Aの製造販売）　　（小売店）

(法人及び国外関連者の事業概況等)
　　日本法人P社は、製品Aの製造販売会社であり、10年前に製品Aの製造販売子会社であるX国法人S社を設立した。
　　製品Aは、P社の研究開発活動の成果である独自技術が用いられて製造された製品である。
(国外関連取引の概要等)
　　P社は、S社に対して、製品A用の部品a（P社の独自技術が集約された主要部品）を販売するとともに、製品Aの製造に係る特許権及び製造ノウハウ（P社の研究開発活動により生み出された独自技術）の使用許諾を行っている。使用許諾契約の中では、S社に技術指導を行うことが規定されている。
　　S社は、部品aに他の部品を加えて製品Aの製造を行い、X国の第三者の小売店約200社に対して製品Aを販売している。
(法人及び国外関連者の機能・活動等)
　　P社は、これまでの研究開発活動を通じて形成した製造ノウハウに基づいて、効率的な製造方法を実現している。S社の工場レイアウト等製造プロセス全般にわたるP社からの技術指導を通じて、S社もP社と同様の効率的な製造方法を採用し、低い製造原価が実現している。
　　P社の企画により、全世界的に大規模な会社イメージ広告が行われており、その社名や会社ロゴマークは各国で一般に広く知られている。また、P社の企画により、製品Aについて全世界でＴＶ・雑誌・インターネット等による大規模な広告宣伝活動が行われており、X国でも製品Aの

認知度は高い。

S社には研究開発部門はなく、S社が行う製品Aの製造は、P社から供与されたP社の独自技術に基づいて行われている。

一方、S社は、多数の営業担当者を配置し、小売店や最終消費者向けに様々な販売促進活動を行い、相当数の取引先小売店を有し、充実した小売店舗網を形成している。

製品Aは、製品の独自の技術性能、広告宣伝・販売促進活動を通じた高い製品認知度や充実した小売店舗網により、X国において一定のマーケットシェアを確保するとともに、概ね安定した価格で販売されている。

≪移転価格税制上の取扱い≫

本事例の国外関連取引については、①P社の有する独自技術・製造ノウハウ、②高い製品認知度（＝ブランド又は商標）、③充実した小売店舗網という無形資産が関連していると認められる。

これらの無形資産については、P社の研究開発活動、P社の企画に基づく大規模な広告宣伝活動及びS社の販売促進活動により形成されたものと認められる。

製品Aは、独自の技術性能、高い製品認知度及び充実した小売店舗網により、一定のマーケットシェアを確保するとともに、安定した価格による販売が実現され、原価面ではP社の製造ノウハウに基づくS社の効率的な製造方法により低い製造原価が実現されている。このようにP社及びS社は基本的活動のみを行う法人とは異なる独自の研究開発・広告宣伝・販売促進活動を行っていると考えられる。

したがって、①～③の無形資産は、基本的活動のみを行う法人との比較において、P社及びS社の国外関連取引に係る所得の源泉になっていると認められる。

(注) 第二章(1)の事例10から事例15は、無形資産に関する取扱いを示すことを目的としており、具体的な独立企業間価格の算定方法を選択するために必要な前提条件までは設定していない。

≪解説≫

1 法人又は国外関連者の利益水準の検討に当たっては、それが何によって生み出されたものか、特に法人又は国外関連者が有する無形資産によるものかどうか検討する必要がある。

移転価格税制上、無形資産については、「著作権、基本通達20－1－21に定める工業所有権等のほか、顧客リスト、販売網等の重要な価値のあるもの」と定義しているが（措置法通達66の4(2)－3）、無形資産として「重要な価値」を有するかどうかの判断に当たっては、国外関連取引の内容や法人及び国外関連者の活動・機能、市場の状況等を十分に検討する必要がある。

そこで、調査に当たっては、例えば、次に掲げる重要な価値を有し所得の源泉となるものを幅広く検討対象とし、国外関連取引にこれらの無形資産が関連しているか、また、所得の源泉になっているかを総合的に勘案する必要がある（事務運営指針2－11前段部分）。

① 技術革新を要因として形成される特許権、営業秘密等
② 従業員等が経営、営業、生産、研究開発、販売促進等の企業活動における経験等を通じて形成したノウハウ等
③ 生産工程、交渉手順及び開発、販売、資金調達等に係る取引網等

なお、①は技術革新に関する無形資産、②は人的資源に関する無形資産、③は組織に関する

無形資産としてそれぞれ分類することができる。
(注) 事務運営指針2－11の前段部分は、無形資産が関係する取引が複雑・多様化してきていることから、調査に当たり、無形資産と法人が得る利益との関係を多角的に検討するため、無形資産の形態等に着目して分類したものであり、無形資産の定義を新たに設けたものではない。

　また、法人又は国外関連者の有する無形資産が所得の源泉となっているかどうかの検討に当たっては、例えば、国外関連取引の事業と同種の事業を営み、市場、事業規模等が類似する法人のうち、所得の源泉となる無形資産を有しない法人を把握できる場合には、法人又は国外関連者の国外関連取引に係る利益率等の水準と当該無形資産を有しない法人の利益率等の水準との比較を行うとともに、法人又は国外関連者の無形資産の形成に係る活動、機能等（例えば、本事例における研究開発や広告宣伝に係る活動・機能など）を十分に分析する必要がある（事務運営指針2－11後段部分）。
　なお、国外関連取引の事業と同種の事業を営み、市場、事業規模等が類似し、所得の源泉となる無形資産を有しない法人の把握については、基本的には事務運営指針3－5に規定する法人の選定を行う場合の手順によることとなる。ただし、この検討により得られる情報は、所得の源泉となる無形資産が存在するかどうかを判断する際の要素の1つであるから、当該法人の選定には必ずしも厳密な比較可能性が求められるものではない。

2　こうした検討を経て、法人又は国外関連者の有する無形資産が、基本的活動のみを行う法人との比較において、所得の源泉になっていると認められ、基本三法（基本三法と同等の方法を含む。）が適用できない場合には、残余利益分割法を適用することができる。この方法では、第1段階で「重要な無形資産を有しない非関連者間取引において通常得られる利益に相当する金額を当該法人及び国外関連者それぞれに配分」し、第2段階で当該配分した金額の残額を「当該法人又は国外関連者が有する当該重要な無形資産の価値に応じて配分」することになる（措置法通達66の4(4)－5）。
　なお、広告宣伝活動のほか、原価低減等の活動・努力などは、ほとんどの企業が何らかの形で行っており、基本的には、単にこうした活動・努力を行っているということのみでは、基本的活動のみを行う法人との比較において、所得の源泉となる無形資産を形成していると直ちに認めることはできないことに留意する必要がある。

(参考)
　移転価格税制上の無形資産は、措置法通達66の4(2)－3の(8)において定義されているが、次の表のとおり、OECD移転価格ガイドライン第6章（1996年公表）に記述されている無形資産の内容と同義である。
　なお、米国の財務省規則§1.482－4(b)の定義規定と比較した場合においても乖離するものではない。

無形資産に係る定義規定の比較

措置法通達（法令解釈通達）66の4(2)-3の(8)	OECD移転価格ガイドライン	米国財務省規則§1.482-4(b)
・著作権 ・特許権、実用新案権、意匠権、商標権 ・特許権、実用新案権、意匠権及び商標権の実施権等 ・生産その他の業務に関し繰り返し使用し得るまでに形成された創作（独自の考案又は方法を用いた生産についての方式、これに準じる秘けつ、秘伝その他特別に技術的価値を有する知識及び意匠等をいい、ノウハウや機械、設備等の設計及び図面等に化体された生産方式、デザインを含む。） ・顧客リスト、販売網 ・上記のほか、重要な価値のあるもの	（パラグラフ6.2） ・特許、商標、商号、意匠、形式 ・文学上・芸術上の財産権、ノウハウ、企業秘密 （パラグラフ6.3） ・コンピュータソフトウェア （パラグラフ6.4） ・マーケティング上の無形資産（商標、商号、顧客リスト、販売網、重要な宣伝価値を有するユニークな名称・記号・写真） （パラグラフ6.5） ・ノウハウや企業秘密は商業上の活動を助け、又は向上させる財産としての情報又は知識である。 ・ノウハウは経験から得られるものであり、製造者が単なる製品の検査や技術の進歩に関する知識から知ることができないものを意味する。 ・ノウハウは特許権によりカバーされない秘密工程、秘密方式及び産業上、商業上又は学術上の経験に関するその他の秘密情報を含むかもしれない。	無形資産とは以下のものを含み、かつ、個人の役務とは関係なく重要な価値を有する資産をいう。 ・特許、発明、方式、工程、意匠、様式、ノウハウ ・著作権、文学作品、音楽作品、芸術作品 ・商標、商号、ブランドネーム ・一手販売権、ライセンス、契約 ・方法、プログラム、システム、手続、キャンペーン、調査、研究、予測、見積り、顧客リスト、技術データ ・その他の類似項目（あるものの価値がその物理的属性でなく、その知的内容又は他の無形資産から派生している場合、上記の各項目に類似しているとみなされる。）

（注）上記の比較表は、無形資産の定義項目等を分かりやすく羅列したものであり、各規定の内容をそのまま引用したものではない。

600　第四編　資　料

【事例11】（販売網及び品質管理ノウハウに関する無形資産）

≪ポイント≫
　グローバルな販売網や独自の品質管理ノウハウの取扱いに関する事例。

≪前提条件≫

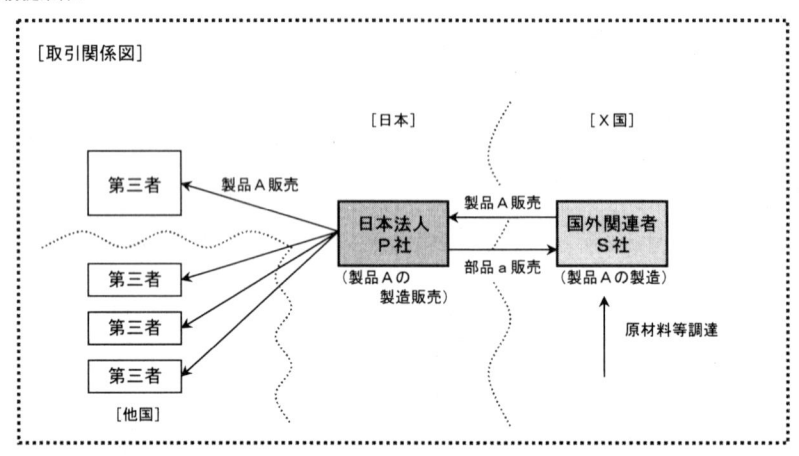

[取引関係図]

```
                          [日本]           [X国]
                                 製品A販売
   第三者 ←──製品A販売──  日本法人   ←──────   国外関連者
                          P社                    S社
   第三者 ←──              (製品Aの    ──部品a販売→  (製品Aの製造)
                           製造販売)
   第三者 ←──                              ↑
                                          原材料等調達
   第三者 ←──
   [他国]
```

（法人及び国外関連者の事業概況等）
　日本法人P社は、製品Aの製造販売会社であり、20年前に製品Aの製造子会社であるX国法人S社を設立した。

（国外関連取引の概要等）
　P社はS社に対して製品A用の部品aを販売し、S社はX国内で原材料等を調達して製品Aの製造を行い、製造した製品をすべてP社に販売している。P社はS社から購入した製品Aを日本国内及び全世界で販売している。
　製品Aの製造は装置産業的側面が強く、製造原価に占める固定費部分が大きいため、規模の利益が得られる構造となっている。

（法人の機能・活動等）
　P社は、早くから海外展開を開始し、綿密な市場調査を行って世界各地で有望な販売市場と見込まれた国に販売支店等を設置するとともに、自社販売拠点のない国でも代理店経由で販売している。基本的活動のみを行う法人よりも広範に構築されたP社のグローバルな販売網により、P社グループは全世界で高いマーケットシェアを確保している。
　P社では、新規販売国を開拓して販売網をさらに拡張するため、営業企画部門が中心となって各国それぞれのマーケットニーズに適した営業戦略を策定している。

（国外関連者の機能・活動等）
　S社には製造部門とは別に品質管理部門が設けられており、S社の1割以上の社員が製品Aの品質管理のための製品チェックや製造ラインの点検等を行っている。

S社の品質管理部門は、これまでの20年間の製造活動の中で発生した品質上の問題点とその改善方法をノウハウとして蓄積しており、独自開発した検査技術や検査機器により製造過程の主要段階で品質及び製造ライン自体をチェックし、製造過程に問題が生じた場合、こうしたノウハウを基に直ちに改善を指示するなどの独自の品質管理体制を採っている。
　このような品質管理体制により、検査効率が大幅に改善されるとともに、S社の仕損じ品発生の減少による製造原価の低減や製品Aに対する最終ユーザーからの製品クレームの減少により、故障の少ない製品との評価が確立され、それが販売面での優位性を形成している。

≪**移転価格税制上の取扱い**≫
　本事例の国外関連取引については、P社が形成したグローバルな販売網により大量の販売量を実現していること（製造原価は固定費の割合が高いために売上が伸びるほど多くの利益が得られる）、S社が形成した独自の品質管理ノウハウにより製造原価における仕損品発生損失を引き下げるとともに故障等の発生が少ない点で販売面での優位性を築き上げたことが、基本的活動のみを行う法人との比較において、P社及びS社の国外関連取引に係る所得の源泉になっていると認められる。

≪**解説**≫
　無形資産に関する移転価格税制上の取扱いについては、【事例１０】解説参照。
　基本的活動のみを行う法人を含め企業は通常何らかの販売網を有し、また、製造に当たっては何らかの品質管理を行っていると考えられ、販売網の存在や品質管理業務の実施が直ちに基本的活動のみを行う法人との比較において、国外関連取引に係る所得の源泉になっていると認めることはできない。ただし、その販売網が他には見られない広範なものやユニーク（独自）なものであること、また、品質管理ノウハウについても基本的活動のみを行う法人と比較した独自性があることにより、国外関連取引に係る所得の源泉になっている場合がある。

【事例12】（従業員等の事業活動を通じて企業に蓄積されたノウハウ等の無形資産）

≪ポイント≫
　従業員等の事業活動を通じて企業に蓄積されたノウハウ等の無形資産の取扱いに関する事例。

≪前提条件≫

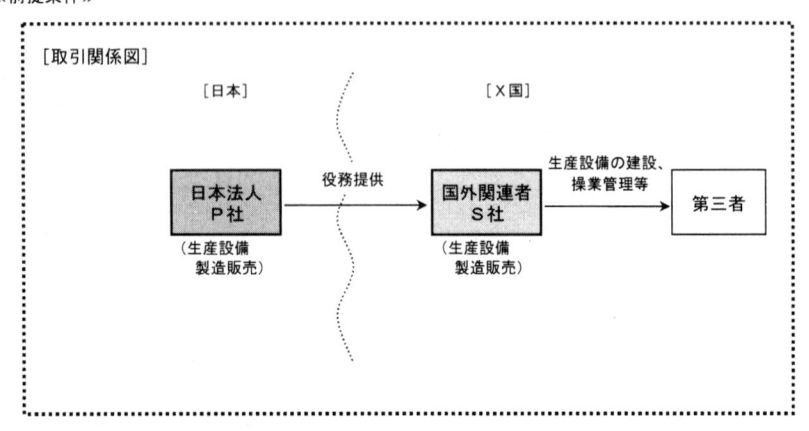

[取引関係図]

[日本] 日本法人P社（生産設備製造販売） ──役務提供──▶ [X国] 国外関連者S社（生産設備製造販売） ──生産設備の建設、操業管理等──▶ 第三者

（法人及び国外関連者の事業概況等）
　日本法人P社は生産設備の製造販売会社であり、設立以来、日本及び世界各地で各種生産設備に係る計画、設計、調達、建設、メンテナンス等を行ってきている。P社は、10年前にX国における設備建設の契約・実施主体として子会社であるX国法人S社を設立し、S社はP社の支援を得て大型の生産設備の受注に成功した。S社の事業は順調に推移して5年前に当該設備が完成し、その後の操業管理、メンテナンス等の業務も請け負っている。

（国外関連取引の概要等）
　P社は、S社に対し経営指導等の役務提供を行っている。

（法人及び国外関連者の機能・活動等）
(1) 情報収集及び受注に係る機能・活動等
　　P社は、世界各地に支店、駐在事務所等の情報収集拠点を置き、各地の生産設備の建設計画に係る情報を収集、蓄積しており、当該情報の中からX国における大型の生産設備建設計画を他社に先駆け把握した。また、P社の海外営業の担当者は、これまでの生産設備の製造販売活動を通じて築き上げた顧客との良好な関係や、受注交渉に係るノウハウ、事業の採算性に係る分析ノウハウ等を蓄積している。
　　S社は、P社が有するこれらの利点及びノウハウ等を最大限に活用し、P社の設計、機器調達、建設等の各部署の担当者と連携しながらX国の顧客との折衝を重ねて受注獲得に至った。
(2) 生産設備の建設、操業管理等に係る機能・活動等
　　生産設備の設計、機器の選定・調達、建設計画の策定、施工業者の選定、施工管理等にお

ける判断には、P社の各部署の担当者がこれまでの生産設備の製造販売活動を通じて蓄積した独自のノウハウや取引網等が活用されている。また、S社が生産設備完成後に行う操業管理、メンテナンス等につき、P社が支援を行っているが、当該支援にはP社がこれまでに実施してきたアフターサービス事業において蓄積されたノウハウが活用されている。
(3) P社がS社に対して行う事業判断等の内容
　　S社は、P社の海外営業、設計、機器調達、建設、操業管理等の各部署の担当者と連絡を取り、助言を受けた上で受注活動を行い、建設作業についてもP社から必要な指示、質問に対する回答及び資料提供等を受けている。

≪移転価格税制上の取扱い≫
　S社がX国において行う大型生産設備の建設に係る情報収集・受注交渉、当該設備の設計、建設、操業管理等に係る事業判断やリスク管理等に関し、P社はS社に役務の提供を行っているが、これらがなければS社単独では事業は成り立たず、S社の事業の収益性を左右する要素と認められる。
　X国における大型生産設備関連事業の遂行に当たっては、P社がこれまで世界各地で行った生産設備の製造販売活動から社員が個々に蓄積した事業判断やリスク管理に係るノウハウ（生産設備事業関連ノウハウ）と、P社が有する情報網・交渉手順及び受注・機器発注・建設・管理に係る取引網等が有機的に結びつき、上記の役務提供とともにP社から組織的にS社に供与されることによって、当該事業の推進が可能となっている。
　以上のことから、過去の事業経験からP社の社員が培ったノウハウとP社が有する情報網、交渉手順、取引網等がS社の国外関連取引に係る所得の源泉になっていると認められる。

≪解説≫
1　役務提供取引については、役務提供を行う際に無形資産を使用している場合には、無形資産の使用に係る対価を考慮することとしている（事務運営指針2－8(1)本文）。
　　本事例のように、従業員等の事業活動を通じて企業に蓄積されたノウハウ等が役務の提供に併せて一体的に供与される場合や、組織において形成された取引網、交渉手順等を通じ、又は用いて役務の提供が行われる場合があることから、無形資産が役務提供を行う際に使用されているかどうかについて調査を行う場合には、役務の提供と無形資産の使用は概念的には別のものであることに留意し、当該役務の提供者が役務提供時に措置法通達66の4(2)-3の(8)に掲げる無形資産を用いているか、当該役務提供が当該役務の提供を受ける法人の活動、機能等にどのような影響を与えているか等について検討を行う（事務運営指針2－8(1)（注））。
　　また、無形資産を伴う取引の調査に当たっては、無形資産が所得にどの程度寄与しているかについて幅広く検討するとしている（事務運営指針2－11）。
（参考）事務運営指針2－11（抄）
　　調査に当たっては、例えば、次に掲げる重要な価値を有し所得の源泉となるものを幅広く検討対象とし、総合的に勘案する必要がある。
　　イ　技術革新を要因として形成される特許権、営業秘密等
　　ロ　従業員等が経営、営業、生産、研究開発、販売促進等の企業活動における経験等を通

じて形成したノウハウ等
　ハ　生産工程、交渉手順及び開発、販売、資金調達等に係る取引網等
　　（注）役務提供を行う際に無形資産が使用されている場合の役務提供と無形資産の関係については、事務運営指針2-8(1)の注書きの規定に留意する。

2　このような検討の結果、従業員等の事業活動を通じて企業に蓄積されたノウハウ等が法人から国外関連者に組織的に供与され、国外関連者の事業活動での重要な要素となり、基本的活動のみを行う法人との比較において、国外関連取引に係る所得の源泉になっている場合においては、これらは重要な無形資産と認められる。

資料7　605

【事例13】（無形資産の形成・維持・発展への貢献）

≪ポイント≫

　無形資産の形成・維持・発展に対する法人及び国外関連者の貢献の程度に関する事例。

≪前提条件≫

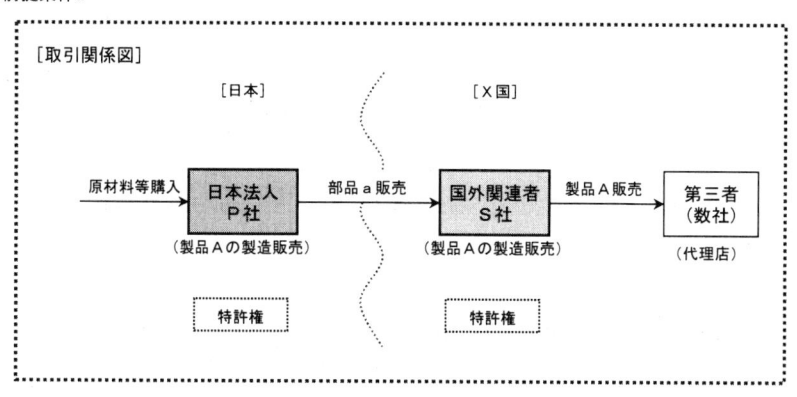

```
[取引関係図]
         [日本]                    [X国]
原材料等購入  ┌─────┐  部品a販売  ┌─────┐  製品A販売  ┌─────┐
─────→ │日本法人 │ ────→ │国外関連者│ ────→ │第三者  │
          │ P社   │          │ S社   │          │(数社) │
          └─────┘          └─────┘          └─────┘
       (製品Aの製造販売)      (製品Aの製造販売)         (代理店)

           特許権                 特許権
```

（法人及び国外関連者の事業概況等）

　日本法人P社は、製品Aの製造販売会社であり、10年前に製品Aの製造販売子会社であるX国法人S社を設立した。

　製品Aは、P社を中心とした研究開発活動の成果である独自技術が用いられて製造された製品である。

（国外関連取引の概要等）

　P社は、S社に対して製品A用の部品a（P社の独自技術が集約された主要部品）を販売している。S社は、部品aに他の部品を加えて製品Aを製造し、X国内の第三者の代理店数社に対して販売している。

（法人及び国外関連者の機能・活動等）

　製品Aの開発は、その大部分はP社の研究開発部門によって行われたが、S社にも約10名の研究者が所属する製品開発部門があり、一部はS社の製品開発部門が担当した。P社及びS社では、製品Aの発売後も性能改善等のための研究開発を続けている。

　P社及びS社の間では、研究開発における研究開発方針の策定、具体的担当分野の割当て、研究開発の進捗管理と継続（又は中止）の判断、研究者の業績評価等については、すべてP社研究開発部門の業務管理担当が行うこととされており、S社の製品開発部門の業務は、P社の研究開発業務管理担当者の管理下で行われている。

　製品Aは、その独自の技術性能が売上の拡大をもたらし、X国において一定のマーケットシェアを確保するとともに、概ね安定した価格で販売されている。

(特許権の取得等)

製品AにはP社及びS社の研究開発の成果である独自技術が集約されており、日本においてはP社名義で、X国においてはS社名義で、特許登録されている。

≪移転価格税制上の取扱い≫

本事例においては、特許権は、P社及びS社の双方が行った研究開発の成果であり、それを使用して製造された製品Aの独自の技術性能が、基本的活動のみを行う法人との比較において、P社及びS社の国外関連取引に係る所得の源泉になっていると認められる。

本事例では、製品Aに係る特許権がP社とS社の双方の名義で登録されているが、その形成・維持・発展に係る活動における双方の貢献の程度には違いがあり、P社は研究開発活動の大部分と開発の意思決定及びリスク管理を行っており、S社は研究開発活動の一部のみを行っている。

したがって、P社とS社が行った製品Aに係る特許権の形成・維持・発展のためのこれらの活動・機能に着目して所得への貢献の程度を勘案することが適当と認められる（事務運営指針2-12）。

≪解説≫

無形資産に関する移転価格税制上の取扱いについては、【事例10】解説参照。

無形資産の法的所有者とその形成・維持・発展への貢献を行った者とが必ずしも一致しないケースも見受けられるため、無形資産の所得への貢献の程度を検討する場合には、無形資産の法的な所有関係のみならず、無形資産の形成、維持又は発展への貢献の程度も勘案することが必要である。また、実際の役務提供や費用負担の状況だけでなく、研究開発に係る意思決定やリスク管理において法人又は国外関連者が果たした機能等を総合的に勘案する必要がある（事務運営指針2-12）。

なお「意思決定」とは、具体的開発方針の策定・指示、意思決定のための情報収集等の準備業務などを含む判断の要素であり、「リスク管理」とは、例えば、無形資産の形成等の活動に内在するリスクを網羅的に把握し、継続的な進捗管理等の管理業務全般を行うことによってこれらのリスクを一元的に管理する業務等である。

【事例14】（無形資産の形成費用のみ負担している場合の取扱い）

≪ポイント≫
　国外関連者が、法人の研究開発費用の一部を負担している場合において、その費用負担と無形資産の形成・維持・発展への貢献との関係に関する事例。

≪前提条件≫

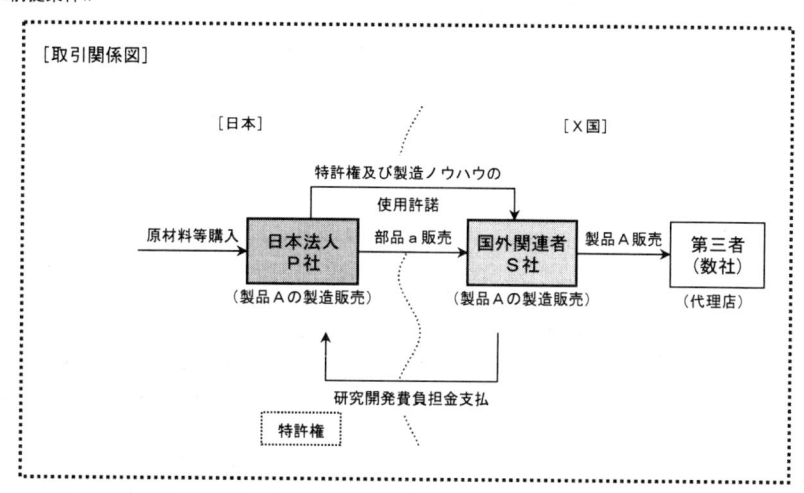

[取引関係図]

[日本]　　　　　　　　　　　　　　[X国]

　　　　　　　特許権及び製造ノウハウの
　　　　　　　　　使用許諾

原材料等購入 → 日本法人P社 ─部品a販売→ 国外関連者S社 ─製品A販売→ 第三者（数社）
　　　　　　　（製品Aの製造販売）　（製品Aの製造販売）　　　　　　（代理店）

　　　　　　　研究開発費負担金支払

　特許権

(法人及び国外関連者の事業概況等)
　日本法人P社は、製品Aの製造販売会社であり、10年前に製品Aの製造販売子会社であるX国法人S社を設立した。
　製品Aは、P社の研究開発活動の成果である独自技術が用いられて製造された製品である。

(国外関連取引の概要等)
　P社は、S社に対して製品A用の部品a（P社の独自技術が集約された主要部品）を販売するとともに、製品Aの製造に係る特許権及び製造ノウハウ（P社の研究開発活動により生み出された独自技術）の使用許諾を行っている。
　S社は、部品aに他の部品を加えて製品Aの製造を行い、X国内の第三者の代理店数社に対して販売している。

(法人及び国外関連者の機能・活動等)
　P社の研究開発活動の成果である製品Aは、その独自の技術性能が売上の拡大をもたらし、X国において一定のマーケットシェアを確保するとともに、概ね安定した価格で販売されている。
　S社が行う製品Aの製造は、P社から供与されたP社の独自技術に基づいて行われている。
　S社は、研究開発部門を設置しておらず、研究開発活動を行っていないが、P社が行っている製品Aの品質向上や製造ライン改良等に係る研究開発費用の一部を負担している。しかし、研究開発方針の決定やリスク管理はすべてP社が行い、S社はその決定等に関与していない。また、

研究開発の結果としての特許権等はすべてＰ社が登録することとされており、Ｓ社は特許権等を保有していない。

≪移転価格税制上の取扱い≫

製品Ａは、Ｐ社の行う研究開発活動の成果である独自技術を使用して製造された製品であり、その独自の技術性能が基本的活動のみを行う法人との比較において、Ｐ社及びＳ社の国外関連取引に係る所得の源泉になっていると認められる。

本事例においては、Ｓ社は、既に独自技術が形成された製品Ａの品質向上や製造ライン改良等の研究開発費用の一部を負担しているが、研究開発業務を行う部署は存在せず、当該研究開発に係る機能を果たしていない。

以上より、Ｐ社の研究開発活動は無形資産の形成・維持・発展に貢献していると認められるが、Ｓ社の当該無形資産の形成・維持・発展への貢献は低いものと認められる。

≪解説≫

無形資産に関する移転価格税制上の取扱いについては、【事例１０】解説参照。

無形資産の形成・維持・発展への貢献の程度を検討するに当たっては、当該無形資産の形成・維持・発展のための意思決定、役務の提供、費用の負担及びリスクの管理において果たした機能等を勘案する必要がある（事務運営指針２－12）。

本事例においては、研究開発活動に係る機能を果たす者と費用の負担者が一致していないことから、Ｓ社の費用負担をもって、そのまま無形資産の形成・維持・発展に貢献しているものと取り扱うことはできない。所得の源泉となる見通しが高い無形資産の形成・維持・発展において、単にその費用を負担しているのみでは、貢献の程度は低いものとなる（事務運営指針２－12）。

なお、仮に本事例において、Ｓ社が別に重要な無形資産を有しているとの前提条件を置いた上で、残余利益分割法の適用が妥当と認められる場合には、このような研究開発の機能を伴わない単なる費用負担については、残余利益の分割要因とはならず、他の一般的な費用と同じように基本的利益の算定の中で考慮されることとなる（残余利益の分割要因については、【事例２２】参照。）。

【事例１５】（出向者が使用する法人の無形資産）

≪ポイント≫

法人の社員が国外関連者に出向し、法人の無形資産を使用して業務を行う場合の法人の貢献に関する事例。

≪前提条件≫

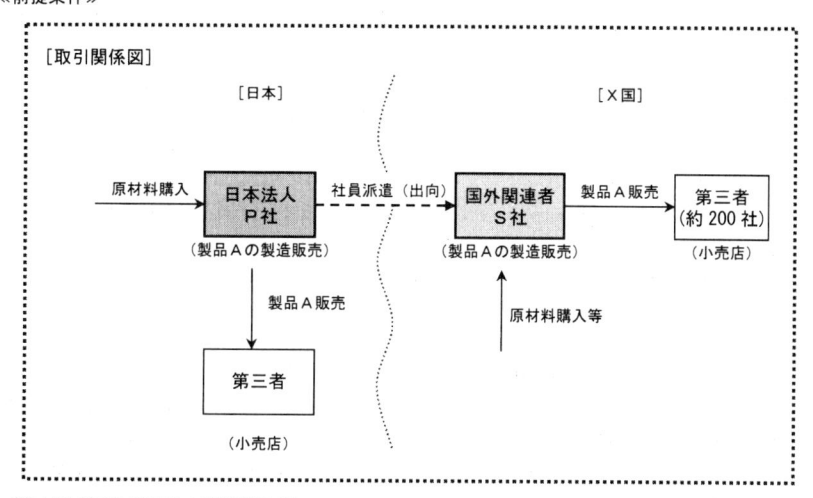

[取引関係図]

[日本]　　　　　　　　　　　[X国]

原材料購入 → 日本法人P社 — 社員派遣（出向）→ 国外関連者S社 — 製品A販売 → 第三者（約200社）（小売店）
（製品Aの製造販売）　　　　　（製品Aの製造販売）

日本法人P社 — 製品A販売 → 第三者（小売店）

国外関連者S社 ← 原材料購入等

(法人及び国外関連者の事業概況等)

日本法人Ｐ社は、製品Ａの製造販売会社であり、10年前に製品Ａの製造販売子会社であるＸ国法人Ｓ社を設立した。

製品Ａは、Ｐ社の研究開発活動の成果である独自技術が用いられて製造された製品である。

(法人及び国外関連者の機能・活動等)

Ｐ社は、過去にＳ社に製品Ａ用の部品を販売していたが、現在は、Ｓ社が原材料等をすべてＸ国内で現地調達して製品Ａの製造を行い、Ｘ国の小売店約200社に対して製品Ａを販売している。ただし、日本国内向けの製品ＡについてはＰ社が自ら製造販売している。

Ｐ社は、Ｓ社に対して、製造技術担当として５名、営業企画担当として５名のＰ社社員を出向させている。

製造技術担当の出向者は、いずれもＰ社の技術開発部門において新たな製造技術の開発等の業務に従事し、高度な技術開発知識や経験を有しており、この出向はＰ社が有する製造ノウハウをＳ社に提供するために行われている。

Ｓ社は、Ｐ社からの出向者の指導の下、Ｐ社が有する製造ノウハウを用いて製造技術部門の製造ラインの改善等を行った結果、効率的製造により、低い製造原価が実現されている。

なお、Ｓ社製造技術部門には、Ｐ社からの出向者５名のほか、補助的業務を行うだけで特に高度な技術的知識を有していない現地社員が在籍している。

S社製造技術部門のP社からの出向者は、業務を行うに当たって、従前所属していたP社技術開発部門の同僚研究者に資料提供を依頼したり、アドバイスを受けたりするため、メールやFAX等でP社と頻繁に連絡を取り合っている。
　なお、営業企画担当の出向者は、高度なマーケティング知識や営業知識を有しておらず、S社の営業企画部門の現地社員の指示の下、定型業務を行っている。

≪移転価格税制上の取扱い≫

　本事例においては、P社からの製造技術担当出向者が行うS社従業員に対する指導によって、S社は効率的な製造活動が可能となり低い製造原価を実現していることから、P社が有する製造ノウハウは、基本的な活動のみを行う法人との比較において、S社の国外関連取引に係る所得の源泉になっていると認められる。この場合において、当該製造ノウハウはP社のこれまでの製造技術の開発活動により形成されたものであり、それがP社からS社への出向者を介して供与されていると認められる。
　一方、営業企画担当の出向者は、営業やマーケティングに関する高度な能力、知識等をP社在籍中の業務を通じて身につけていない段階であり、P社で形成されたマーケティング上のノウハウなどの無形資産の供与がS社に対して行われているとは認められない。

≪解説≫

　無形資産に関する移転価格税制上の取扱いについては、【事例10】解説参照。
　親会社が海外子会社に自社社員を出向させ、その社員を通じて親会社が形成・維持・発展した無形資産を国外関連者に供与し、その供与された無形資産が、基本的活動のみを行う法人との比較において、国外関連取引に係る所得の源泉になっていると認められる場合には、当該無形資産の形成・維持・発展への貢献は親会社側にあることとなる。

(2) 利益分割法の適用に当たり共通的な留意事項に関する事例

【事例16】(連鎖取引における利益分割法の適用範囲)

≪ポイント≫
　取引が連鎖している場合において、複数の国外関連者をまとめて利益分割法の適用対象に含めることが妥当と認められる事例。

≪前提条件≫

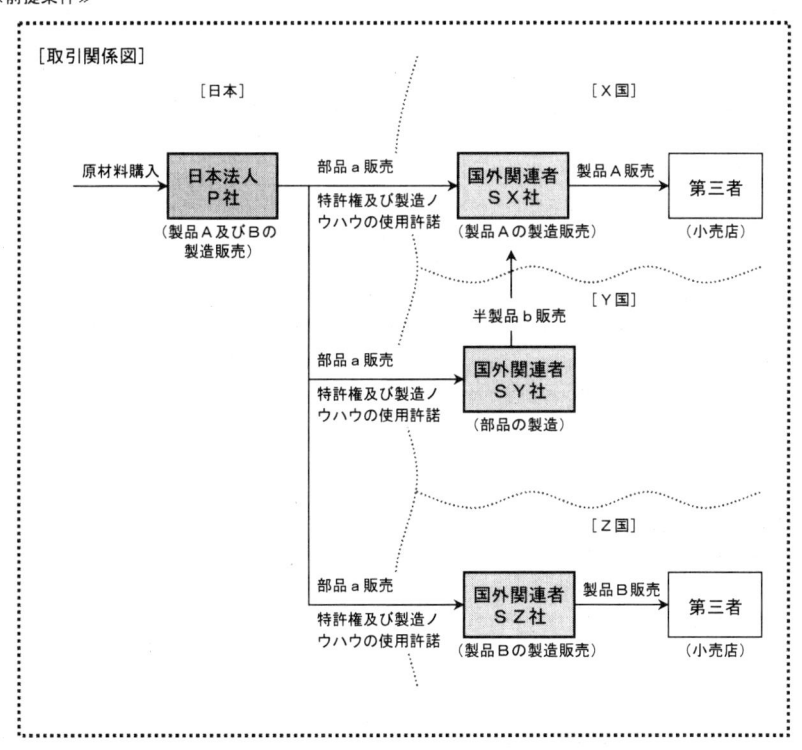

[取引関係図]

[日本]
日本法人P社（製品A及びBの製造販売）
←原材料購入

[X国]
国外関連者SX社（製品Aの製造販売）
P社→部品a販売、特許権及び製造ノウハウの使用許諾→SX社
SX社→製品A販売→第三者（小売店）

[Y国]
国外関連者SY社（部品の製造）
P社→部品a販売、特許権及び製造ノウハウの使用許諾→SY社
SY社→半製品b販売→SX社

[Z国]
国外関連者SZ社（製品Bの製造販売）
P社→部品a販売、特許権及び製造ノウハウの使用許諾→SZ社
SZ社→製品B販売→第三者（小売店）

(法人及び国外関連者の事業概況等)
　日本法人P社は、製品A及び製品Bの製造販売会社であり、X国及びY国に製品Aの製造販売子会社等としてそれぞれSX社及びSY社を、Z国に製品Bの製造販売子会社としてSZ社を有している。
　製品A及び製品Bは、P社の研究開発活動の成果である独自技術が用いられて製造された製品である。

（国外関連取引の概要等）

　Ｘ国法人ＳＸ社は、Ｐ社から部品ａ（Ｐ社の独自技術が集約された主要製品）を購入するとともに、特許権及び製造ノウハウ（Ｐ社の研究開発活動により生み出された独自技術）の使用許諾を受けて製品Ａを製造しているが、生産能力が不足しているため、一部ＳＹ社（後述）から半製品ｂの形で購入して製品Ａに加工している。ＳＸ社は製品Ａを自社の販売部門を通じてＸ国内で第三者の小売店に販売している。

　Ｙ国法人ＳＹ社は、同じくＰ社から部品ａを購入するとともに、特許権及び製造ノウハウの使用許諾を受け、製品Ａ製造のために必要となる半製品ｂを製造しており、これをすべて関連者ＳＸ社に販売している。

　Ｚ国法人ＳＺ社は、同じくＰ社から部品ａを購入するとともに、特許権及び製造ノウハウの使用許諾を受けて製品Ｂを製造しており、これを自社の販売部門を通じてＺ国内で第三者の小売店に販売している。なお、製品Ｂは、形状・用途・販路等の点で製品Ａと相違がある。

（法人及び国外関連者の機能・活動等）

　製品Ａ及び製品Ｂは、その独自の技術性能が売上の拡大をもたらし、Ｘ国及びＺ国において一定のマーケットシェアを確保するとともに、概ね安定した価格で販売されている。

　ＳＸ社、ＳＹ社及びＳＺ社はいずれも研究開発部門を有しておらず、製品Ａ、半製品ｂ及び製品Ｂの製造は、Ｐ社から供与されたＰ社の独自技術に基づいて行っている。

　一方、ＳＸ社及びＳＺ社は、それぞれ多くの営業担当者を有して活発な営業活動を行うとともに、大規模な広告宣伝・販売促進活動を行っており、それぞれの国内において基本的活動のみを行う法人に比較して、販売面で優位な立場を築き上げている。

　なお、ＳＹ社は、製造する半製品ｂすべてをＳＸ社に対して販売するため、営業活動等を行っていない。

≪移転価格税制上の取扱い≫

　Ｐ社とＳＸ社間の部品ａの販売取引及び特許権等の使用許諾取引については、基本三法及び基本三法と同等の方法の適用の可否について検討した結果、比較対象取引を見いだすことができない（基本三法（基本三法と同等の方法を含む。）の適用可能性の検討等については【事例１】参照。）。このため、基本三法に準ずる方法及びこれと同等の方法並びにその他政令で定める方法及びこれと同等の方法について検討し、その結果は次のとおりである。

　基本三法に準ずる方法及びこれと同等の方法を適用する上での比較対象取引を見いだすことができない（基本三法に準ずる方法（基本三法に準ずる方法と同等の方法を含む。）に関しては、【事例１】参照。）。

　Ｐ社及びＳＸ社は、基本的活動のみを行う法人との比較において、国外関連取引に係る所得の源泉となる無形資産を有していると認められることから本事例においては、Ｐ社とＳＸ社間の取引について、残余利益分割法を適用することが妥当と認められる（Ｐ社とＳＹ社及びＳＺ社との間の各取引において、基本三法及び基本三法と同等の方法等の適用の可否については同じ。）。

　また、Ｐ社とＳＹ社間の部品ａの販売取引、特許権等の使用許諾取引及びＳＹ社とＳＸ社間の半製品ｂの販売取引は、いずれもＳＸ社が販売する製品Ａの製造に係る一連の連鎖取引であることから、これらを一体として検討することが合理的であると考えられる。

以上の状況から、本事例におけるＰ社、ＳＸ社及びＳＹ社間の取引については、Ｐ社、ＳＸ社及びＳＹ社の３社を利益分割対象とする残余利益分割法を適用し独立企業間価格を算定することが妥当と認められる。
　なお、この残余利益分割法の適用に当たり、ＳＹ社は重要な無形資産を有していないと認められることから、ＳＹ社には基本的利益のみが配分されることとなる。
　他方、Ｐ社とＳＺ社間の部品ａの販売取引及び特許権等の使用許諾取引は、製品Ａとは異なる製品Ｂの製造に係る取引であり、Ｐ社とＳＸ社間の取引とは別個に検討する必要がある。Ｐ社及びＳＺ社の有する無形資産は、基本的活動のみを行う法人との比較において、Ｐ社とＳＺ社との間の国外関連取引に係る所得の源泉になっていると認められることから、Ｐ社とＳＺ社間の取引については、Ｐ社及びＳＺ社の２社を対象に残余利益分割法を適用し独立企業間価格を算定することが妥当と認められる（基本三法（基本三法と同等の方法を含む。）の適用可能性の検討等については【事例１】参照。）。

≪解説≫
　利益分割法の適用に当たり、複数の国外関連者の間で一連の取引（連鎖取引）が行われている場合、これらを対象範囲に含めるか否かについては、一つの製品に係る一連の取引かどうか等により判断され、連鎖する関連取引が独立企業間価格での取引でないと認められる場合には、国外関連取引に係る分割対象利益の計算に影響するため、原則的には、非関連者間取引に挟まれる関連取引全体を検討対象にする必要がある（例外については【事例１７】参照。）。
　なお、連鎖する取引をすべて利益分割法の適用対象範囲に含め、残余利益分割法を適用する場合において、その中に重要な無形資産を有しない関連者が含まれるときには、当該関連者にはその機能に応じた基本的利益のみが配分されることとなる。

（参考）
　独立企業間価格の算定は、原則として、個別の取引ごとに行うのであるが、例えば、国外関連取引について、同一の製品グループに属する取引等を考慮して価格設定が行われており、独立企業間価格についてもこれらの単位で算定することが合理的であると認められる場合や、生産用部品の販売取引とそれに係る製造ノウハウの使用許諾取引等が一体として行われており、独立企業間価格についても一体として算定することが合理的であると認められる場合には、これらの取引を一の取引として独立企業間価格を算定することができることとしている（措置法通達66の4(3)-1）。この規定は、複数の国外関連取引がある場合に、独立企業間価格の算定上合理的と認められるときには、それらを１つの取引単位として取り扱うことができることを述べたものである。
　この取扱いに従って独立企業間価格の算定単位として合理的と判断されたそれぞれの取引単位について、法令の規定に従い独立企業間価格の算定方法の適用の検討を行うこととなる。その結果、基本三法を適用するための比較対象取引が見いだせないこと等により、利益分割法を適用する場合には、上記の解説に留意して利益分割法の対象範囲を決めることとなる。

614　第四編　資　料

【事例１７】（利益分割法の適用範囲から除くことのできる取引）

≪ポイント≫
　取引が連鎖している場合において、通常の取引価格で取引が行われていると認められる国外関連取引を利益分割法の適用対象から除くことが可能な事例。

≪前提条件≫

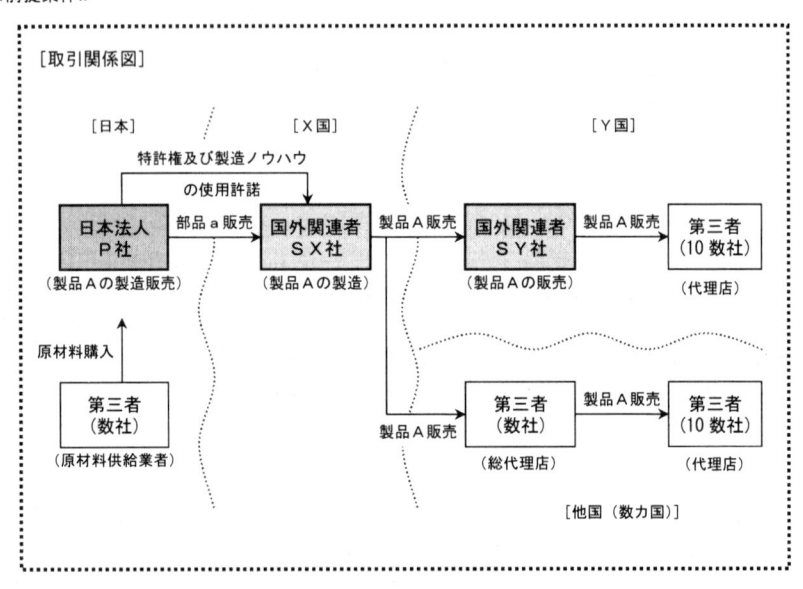

[取引関係図]

[日本]　　　　　　[Ｘ国]　　　　　　[Ｙ国]

特許権及び製造ノウハウの使用許諾

日本法人Ｐ社 ──部品ａ販売→ 国外関連者ＳＸ社 ──製品Ａ販売→ 国外関連者ＳＹ社 ──製品Ａ販売→ 第三者（10数社）
（製品Ａの製造販売）　　　（製品Ａの製造）　　　（製品Ａの販売）　　　（代理店）

原材料購入
第三者（数社） →（原材料供給業者）

製品Ａ販売 → 第三者（数社）（総代理店）──製品Ａ販売→ 第三者（10数社）（代理店）

[他国（数カ国）]

（法人及び国外関連者の事業概況等）
　日本法人Ｐ社は、製品Ａの製造販売会社であり、Ｘ国に製品Ａの製造子会社であるＸ国法人ＳＸ社、Ｙ国に製品Ａの販売子会社であるＹ国法人ＳＹ社を設立した。
　製品Ａは、Ｐ社を中心とした研究開発活動の成果である独自技術が用いられて製造された製品である。

（国外関連取引の概要等）
　Ｐ社は、製品Ａ用の部品ａ（Ｐ社の独自技術が集約された主要部品）をＳＸ社に販売するとともに、製品Ａの製造に係る特許権及び製造ノウハウ（Ｐ社の研究開発活動により生み出された独自技術）の使用許諾を行っている。
　ＳＸ社は、部品ａに他の部品を加えて製品Ａの製造を行い、製造した製品をＹ国のＳＹ社のほか、他国（数カ国）の第三者の総代理店に輸出販売している。
　なお、当該製品はＸ国内では販売していない。
　ＳＹ社は、ＳＸ社の総代理店としてＳＸ社から輸入した製品ＡをＹ国の第三者の代理店 10 数社向けに販売している。

SX社の製品Aの販売数量等は、SY社向けと各国の総代理店向けとで大きな違いはなく、その販売価格は、概ね同様に設定され、Y国及び他国での小売価格にも大きな差はない。

(法人及び国外関連者の機能・活動等)

P社の研究開発活動の成果である製品Aは、その独自の技術性能が売上の拡大をもたらし、Y国及び他国において一定のマーケットシェアを確保するとともに、概ね安定した価格で販売されている。

SX社も技術者10名程度から成る技術開発部門を有して、製品Aに係る一部の開発業務を行っており、P社の研究開発と合わせて製品Aの独自の技術・性能の実現に貢献している。

なお、SX社の販売機能は、各国の総代理店に対する単純な営業活動である。

SY社の販売機能は、単純な再販売機能である。

(SY社の損益状況等)

Y国と他国（数カ国）を含む地域は、経済水準等が比較的類似している。

SY社及び他国の総代理店は、規模や業務内容等の面でそれぞれほぼ同様であり、利益率も概ね3～4%と同程度である。

なお、これは各国における同業種企業の平均的な利益率の水準である4%と比較して、ほぼ同水準となっている。

≪移転価格税制上の取扱い≫

基本三法及び基本三法と同等の方法の適用の可否について検討した結果、比較対象取引を見いだすことができない（基本三法（基本三法と同等の方法を含む。）の適用可能性の検討等については【事例1】参照）。このため、基本三法に準ずる方法及びこれと同等の方法並びにその他政令で定める方法及びこれと同等の方法について検討し、その結果は次のとおりである。

基本三法に準ずる方法及びこれと同等の方法を適用する上での比較対象取引を見いだすことができない（基本三法に準ずる方法（基本三法に準ずる方法と同等の方法を含む。）に関しては、【事例1】参照。）。

P社及びSX社は、基本的活動のみを行う法人との比較において、P社及びSX社の国外関連取引に係る所得の源泉となっている無形資産を有していると認められることから、本事例におけるP社とSX社間の取引については、残余利益分割法を適用し独立企業間価格を算定することが妥当と認められる。

SX社とSY社間の関連者間取引の取扱いについては、
① SX社が他国の非関連者（総代理店）と行う取引と同様の価格設定が行われている
② SY社の利益水準は業界平均的な利益水準と同水準であり、また、SX社が同様の取引を行っている他国の非関連者と同程度である

ことから、移転価格税制上の問題があるとは認められないため、SX社とSY社間の取引を利益分割法の適用対象範囲から除いて、P社とSX社のみを対象に残余利益分割法を適用することが可能である。

≪解説≫

利益分割法の適用に当たっては、連鎖する関連者間取引が独立企業間価格による取引でない場合には、国外関連取引に係る分割対象利益の計算に影響するため、原則的には非関連者間取引に

挟まれる法人と国外関連者間又は国外関連者同士の取引を検討対象にする必要がある。

ただし、連鎖する関連者間取引がある場合であっても、業界平均的な利益水準の比較などの検証に基づき移転価格税制上の問題があるとは認められない場合や、取引規模が少額のために国外関連取引に係る分割対象利益の計算に与える影響が小さいと認められる場合には、利益分割の対象範囲に含めないこととしても差し支えない。これらの判断に当たっては、事務運営指針2-1、2-2等を基に検討していくこととなる。

資料7　617

【事例18】（分割対象利益の算出）

≪ポイント≫
　利益分割法における分割対象利益の算出に関する事例。

≪前提条件≫

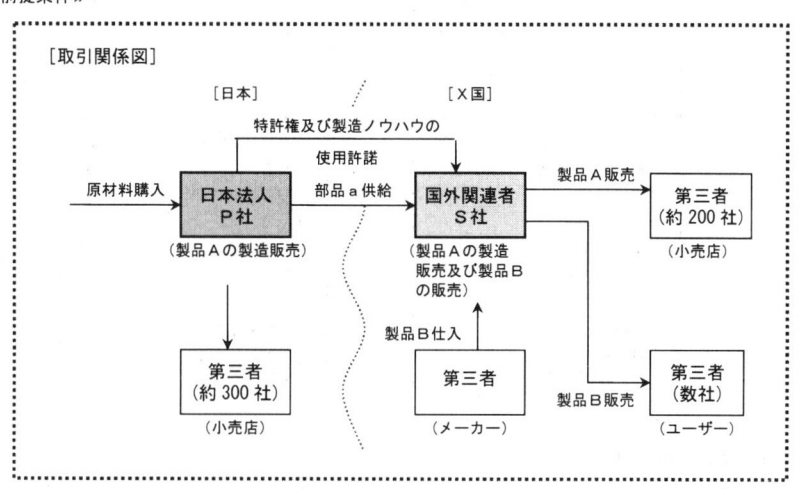

[取引関係図]

```
                    [日本]              [X国]
              ┌─ 特許権及び製造ノウハウの ─┐
              │      使用許諾              │
  原材料購入  ┌──────┐  部品a供給  ┌──────┐  製品A販売   ┌──────┐
  ─────→│日本法人│───────→│国外関連者│───────→│第三者　　│
              │ P社  │              │ S社  │              │(約200社)│
              └──────┘              └──────┘              └──────┘
           (製品Aの製造販売)      (製品Aの製造           (小売店)
                    │             販売及び製品B
                    │             の販売)
                    ↓                 ↑          ┌──────┐
              ┌──────┐          製品B仕入       │第三者　　│
              │第三者　│          ┌──────┐  製品B販売  │(数社)　│
              │(約300社)│         │第三者　│───────→└──────┘
              └──────┘          │        │          (ユーザー)
              (小売店)            └──────┘
                                  (メーカー)
```

（法人及び国外関連者の事業概況等）
　日本法人P社は、製品Aの製造販売会社であり、日本国内で製品Aを販売しており、10年前に製品Aの製造販売子会社であるX国法人S社を設立した。
　S社は、製品Aの製造販売のほかに、X国内のメーカーから製品Bを仕入れてX国内のユーザーに販売している。
　製品Aは、P社の研究開発活動の成果である独自技術が用いられて製造されている。

（国外関連取引の概要等）
　P社は、S社に対して製品A用の部品a（P社の独自技術が集約された主要部品）を販売するとともに、製品Aの製造に係る特許権及び製造ノウハウ（P社の研究開発活動により生み出された独自技術）の使用許諾を行っている。

（法人及び国外関連者の機能・活動等）
　S社は、多数の営業担当者を雇用して様々な販売促進活動を行うほか、X国内で大規模な広告宣伝活動を行っている。
　製品Aは、製品そのものの独自の技術性能、広告宣伝・販売促進活動を通じた高い製品認知度や充実した取扱い小売店舗網等により、X国において一定のマーケットシェアを確保するとともに、概ね安定した価格で販売されている。

(その他)

P社の社内組織は、部品aや製品Aを製造する製造部門のほか、研究開発部門、製品Aの国内販売に係る営業部門、一般管理部門に区分されている。

P社及びS社の損益資料は、以下のとおりである。

P社損益資料

製品A売上高	200
部品a売上高	35
受取ロイヤルティ	5
売上高合計	240
製品A売上原価	95
部品a売上原価	25
売上原価合計	120
売上総利益	120
製品A販売費	48
部品a販売費	2
研究開発費	25
一般管理費	15
販売管理費合計	90
営業利益	30

S社損益資料

製品A売上高	110
製品B売上高	500
売上高合計	610
部品a仕入高	35
製品Aその他原価	10
製品B仕入高	480
支払ロイヤルティ	5
売上原価合計	530
売上総利益	80
製品A販売費	15
製品B販売費	5
一般管理費	10
販売管理費合計	30
営業利益	50

≪移転価格税制上の取扱い≫

基本三法及び基本三法と同等の方法の適用の可否について検討した結果、いずれの国外関連取引（部品a販売取引及び特許権等の使用許諾取引）に対しても比較対象取引を見いだすことができず、これらの方法は適用することはできない（基本三法（基本三法に同等の方法を含む。）の適用可能性の検討等については【事例1】参照。）。このため、基本三法に準ずる方法及びこれと同等の方法並びにその他政令で定める方法及びこれと同等の方法について検討し、その結果は次のとおりである。

基本三法に準ずる方法及びこれと同等の方法を適用する上での比較対象取引を見いだすことができない（基本三法に準ずる方法（基本三法に準ずる方法と同等の方法を含む。）に関しては、【事例1】参照。）。

P社及びS社は、基本的活動のみを行う法人との比較において、国外関連取引に係る所得の源泉となっている無形資産を有していると認められることから、本事例においては、残余利益分割法を適用し独立企業間価格を算定することが妥当と認められる。

このため、P社及びS社それぞれの全社損益から国外関連取引に係る損益を抽出して営業利益の金額を計算し、残余利益分割法の適用に必要な分割対象利益を以下のように算出する。

（P社とS社との間の国外関連取引に係るP社の損益）

P社の全社損益から国外関連取引に係る損益を計算するために、P社製造部門の売上総利益を原価計算データ等により、①S社向け部品aに係る部分（部品a売上高35－部品a売上原価25＝10）と②国内販売向け製品Aに係る部分（製品A売上高200－製品A売上原価95＝105）に区分する。

P社の研究開発部門の費用については、直接配賦されるものを除き適切な按分基準により①又は②に配賦する必要があるが、関連者間取引であるS社に対する部品aの売上高35を基準に用いるのは適当ではなく、例えば、製品Aの日本向け売上200とX国向け売上110などを用いることが適当である。
　また、販売費及び一般管理費については、まず、個別に①又は②に関係付けられるものは個別に配賦（製品A販売費48と部品a販売費2）し、共通費用については、例えば、P社のS社向け部品aの売上原価25とP社の日本国内向け製品Aの売上原価95のような合理的な按分基準を用いることが適当である。
　この結果P社の国外関連取引に係る損益は、

　　　（部品a売上高　　　35）
　－（部品a売上原価　　　25）
　＋（受取ロイヤルティ　　 5）
　－（配賦後研究開発費　　 9［＝研究開発費総額25×{110/(110+200)}］）
　－（部品a販売費　　　　 2）
　－（配賦後一般管理費　　 3［＝一般管理費総額15×{25/(25+95)}］）
　＝P社の国外関連取引に係る営業利益　1

となる。

（P社とS社との間の国外関連取引に係るS社の損益）
　S社の国外関連取引に係る損益については、製品A事業部門が対象となることから、製品B事業部門と共通して支出された費用（一般管理費10）がある場合には、合理的な基準で製品A事業部門に配賦する必要がある。この場合の配賦基準としてS社の仕入高比（35+10＝45 対 480）を使用すると関連者間取引の対価を含んでしまうことから適当でなく、例えば、それぞれの事業部門固有の販売費の比率（15対5）等を用いる必要がある。
　この結果S社の国外関連取引に係る損益は、

　　　（製品A売上高　　　110）
　－（部品a仕入高　　　　35）
　－（製品Aその他原価　　10）
　－（支払ロイヤルティ　　 5）
　－（製品A販売費　　　　15）
　－（配賦後一般管理費　　 8［＝一般管理費総額10×{15/(15+5)}］）
　＝S社の国外関連取引に係る営業利益　37

となる。

≪解説≫
　分割対象利益の計算に当たり、収益と直接結びつく費用（売上原価や一部の販管費）については、可能な限り個々に区分して計算し、間接費用（共通費用）については、事務運営指針3-4に基づいて最も合理的と考えられる按分基準により配賦計算する必要がある。ただし、親会社からの仕入れがある場合の子会社の売上原価など関連者間取引の対価が含まれるものや、按分割合の変更を恣意的に行えるようなものは按分基準として適当ではないと考えられる。
　なお、法人と国外関連者の会計上の損益区分等が異なる場合には、原則としてこれを調整する必要がある。

620　第四編　資　料

(3) 残余利益分割法の適用に当たっての留意事項に関する事例

【事例19】（人件費較差による利益の取扱い）

≪ポイント≫
　　生産拠点を人件費等の低い外国に移管することにより、国内での製造に比較して製造原価が減少した状況において、残余利益分割法を適用する事例。

≪前提条件≫

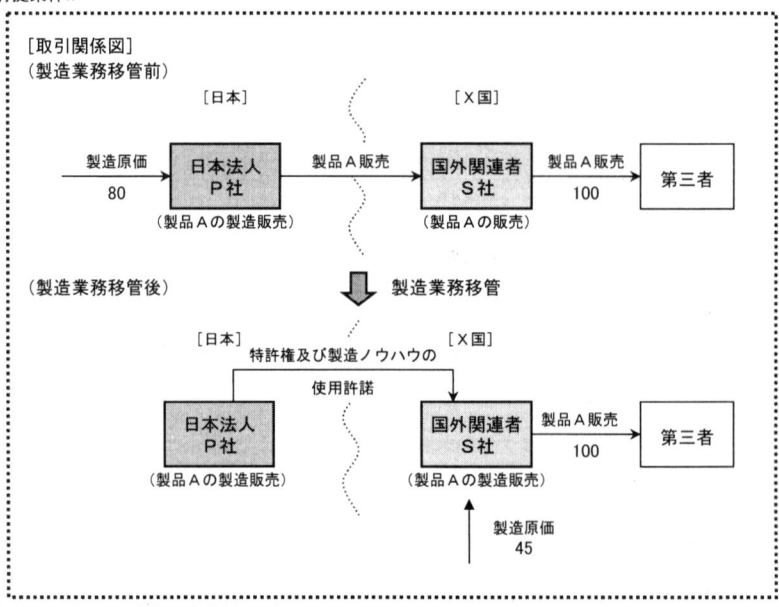

```
[取引関係図]
（製造業務移管前）
                    [日本]                      [X国]
     製造原価    日本法人    製品A販売   国外関連者   製品A販売
       80        P社                     S社                    第三者
              （製品Aの製造販売）    （製品Aの販売）    100

（製造業務移管後）              ⇓  製造業務移管

                    [日本]  特許権及び製造ノウハウの  [X国]
                            使用許諾
                 日本法人                国外関連者   製品A販売
                   P社                      S社                第三者
              （製品Aの製造販売）    （製品Aの製造販売）    100
                                          ↑
                                       製造原価
                                          45
```

（法人及び国外関連者の事業概況等）
　　日本法人P社は、製品Aの製造販売会社であり、10年前に製品Aの販売子会社であるX国法人S社を設立し、国内で製造した製品AをS社経由でX国の第三者に販売していたが、X国の低い人件費等を理由に、5年前にX国での現地生産に切り替えることを決定し、国内で行っていた製造業務をS社に移管した。
　　製品Aは、P社の研究開発活動の成果である独自技術が用いられて製造された製品である。
（国外関連取引の概要等）
　　製造業務移管後は、P社は、S社に対して製品Aの製造に係る特許権及び製造ノウハウ（P社の研究開発活動により生み出された独自技術）の使用許諾を行っている。
　　S社はX国で原材料を現地調達し、P社から供与された技術に基づいて製品Aを製造し、製造した製品をX国の第三者に販売している。

58

(法人及び国外関連者の機能・活動等)

　Ｐ社の研究開発活動の成果である製品Ａは、その独自の技術性能が売上の拡大をもたらし、Ｘ国において一定のマーケットシェアを確保するとともに、概ね安定した価格で販売されている。

　Ｓ社には研究開発部門はなく、Ｓ社が行う製品Ａの製造は、Ｐ社から供与されたＰ社の独自技術に基づいて行われている。一方、Ｓ社は、従来から販売会社として大規模な広告宣伝・販売促進活動を行ってきた結果、高い製品認知度や大規模な販売網などによる販売競争上の優位性を有している。

(製造業務移管前後の損益状況の変化等)

　製造業務移管前のＰ社の製造原価は80だったが、製造業務移管後のＳ社の製造原価は45に減少し、Ｐ社及びＳ社の合算利益は、移管前の20から55へと増加している。

　なお、製造業務移管前後で、Ｘ国における製品Ａの販売価格は変わっておらず、それ以外の変化もない。

≪移転価格税制上の取扱い≫

　基本三法と同等の方法の適用の可否について検討した結果、比較対象取引を見いだすことができず、適用することはできない(基本三法と同等の方法の適用可能性の検討等については【事例１】参照。)。このため、基本三法に準ずる方法と同等の方法及びその他政令で定める方法と同等の方法について検討し、その結果は次のとおりである。

　基本三法に準ずる方法と同等の方法を適用する上での比較対象取引を見いだすことができない(基本三法に準ずる方法(基本三法に準ずる方法と同等の方法を含む。)に関しては、【事例１】参照。)。

　Ｐ社及びＳ社が有する無形資産(Ｐ社の技術力に基づく製品の独自の技術性能及びＳ社の広告宣伝・販売促進活動によりもたらされた製品の高い認知度や販売網)は、基本的活動のみを行う法人との比較において、それぞれＰ社及びＳ社の国外関連取引に係る所得の源泉となっていると認められることから、本事例においては、残余利益分割法を適用し独立企業間価格を算定することが妥当と認められる。

　Ｓ社の営業利益率に影響を与える要因として、Ｘ国の低い人件費水準があるが、これは、残余利益分割法の適用上、Ｓ社の基本的利益の計算過程において、Ｓ社と同様に低い人件費水準の恩恵を受けている法人(事務運営指針 3-5 に規定する法人。)を選定することにより反映されることとなる。

≪解説≫

　人件費水準等の低い国外関連者の所在国に製造拠点を移管した場合に、国内で製造する場合と比較して製造原価が低くなることがあるが、これは、Ｐ社の事業判断の結果としてＰ社グループにもたらされた外生的なものである。本事例のように、製造業務移管前と同程度の価格で同じ品質・ブランドの製品が同程度の数量で販売可能となっていれば、製造原価が低くなった分、製造業務移管後の利益は増加することになるが、こうした製造業務の移管に伴う利益については、品質、ブランド、販売価格及び数量の維持並びに生産効率向上のための活動やノウハウの使用が行われていることが通例であり、こうした企業内部の要因と人件費較差等の外生的要因が複合的に

絡み合って生じるものであることから、利益分割法の適用に当たって、分割対象利益から区分することは困難である。

非関連者間取引においては、人件費水準が相対的に低い国で基本的な製造活動を行うだけであれば、その機能に見合った利益を確保できる程度の取引価格を付されることが通常であり、低い人件費水準等は、市場、事業内容等が類似する法人であれば同様に享受するものである。したがって、製造業務の移管により低い人件費の恩恵を受けるとしても、基本的な製造活動に見合う利益は同様の製造機能を同様の経済状況下で果たす非関連者と同水準となることから、残余利益分割法の適用において、製造業務移管前と移管後の人件費較差は、基本的利益の計算過程において適切な法人（事務運営指針 3-5 に規定する法人。）を選定することにより考慮されることとなる。

本事例において、分割対象利益から基本的利益を控除した後の利益については、その利益の獲得に対する重要な無形資産の貢献の程度に応じて法人及び国外関連者にそれぞれ配分されることになる。

資料7　623

【事例20】（市場特性、市況変動等による利益の取扱い）

≪ポイント≫

　法人又は国外関連者の利益に対して、市場の特性や市況の変動等の影響が認められる場合に、残余利益分割法を適用する事例。

≪前提条件≫

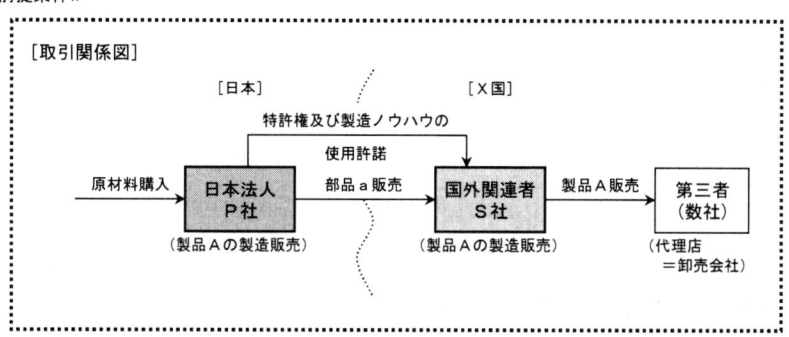

[取引関係図]

```
          [日本]                    [X国]
          特許権及び製造ノウハウの
               使用許諾
 原材料購入  日本法人    部品a販売   国外関連者   製品A販売   第三者
          P社    ────→    S社    ────→   （数社）
        (製品Aの製造販売)        (製品Aの製造販売)       (代理店
                                                =卸売会社)
```

(法人及び国外関連者の事業概況等)

　日本法人P社は、製品Aの製造販売会社であり、10年前に製品Aの製造販売子会社であるX国法人S社を設立した。
　製品Aは、P社を中心とした研究開発活動の成果である独自技術が用いられて製造されたものである。

(国外関連取引の概要等)

　P社は、S社に対して部品a（P社の独自技術が集約された主要部品）を販売するとともに、製品Aの製造に係る特許権及び製造ノウハウ（P社の研究開発活動により生み出された独自技術）の使用許諾を行っている。
　S社は、部品aに他の部品を加えて製品Aの製造を行い、X国の第三者の代理店数社に対して販売している。

(法人及び国外関連者の機能・活動等)

　P社を中心とした研究開発活動の成果である製品Aは、その独自の技術性能が売上の拡大をもたらし、X国において一定のマーケットシェアを確保している。
　S社も技術者10名程度から成る技術開発部門を有して、製品Aに係る一部の開発業務を行っており、P社の研究開発と合わせて製品Aの独自の技術性能の実現に貢献している。なお、S社は、独自性のある広告宣伝・販売促進活動は行っておらず、販売に当たり自社の商標等を使用することはない。

(市場の状況等)

　P社グループの属する製品A業界は世界的に需要の変動の大きい業界として知られており、需要変動によって各社の損益状況に一定のサイクルが生じると言われている。

実際に、直近10期のS社の実績営業利益率と、企業情報データベースによって得た日本、全世界及びX国における同じ業界に属する企業の営業利益率は概ね同様のサイクルを示している。

なお、X国における業界平均の利益水準は世界平均よりも高くなっているが、これは、政府の価格規制によりX国における製品Aの市場価格が国際的な水準から見て相当程度高く維持されていることによるものである。

≪移転価格税制上の取扱い≫

基本三法及び基本三法と同等の方法の適用の可否について検討した結果、比較対象取引を見いだすことができず、これらの方法は適用できない（基本三法（基本三法と同等の方法を含む。）の適用可能性の検討等については【事例1】参照。）。このため、基本三法に準ずる方法及びこれと同等の方法並びにその他政令で定める方法及びこれと同等の方法について検討し、その結果は次のとおりである。

基本三法に準ずる方法及びこれと同等の方法を適用する上での比較対象取引を見いだすことができない（基本三法に準ずる方法（基本三法に準ずる方法と同等の方法を含む。）に関しては、【事例1】参照。）。

P社及びS社は、基本的活動のみを行う法人との比較において、それぞれP社及びS社の国外関連取引に係る所得の源泉となっている無形資産を有していると認められることから、本事例においては、残余利益分割法を適用し独立企業間価格を算定することが妥当と認められる。

S社の営業利益率に影響を与える要因として、①P社及びS社の研究開発活動により形成された無形資産、②市況サイクルの中で生じた需要の変動、及び、③X国の市場価格の水準が考えられる。

ただし、②は業界平均の利益率が、日本、X国及び世界でも同じような趨勢を示しており、同じ業界に属する企業も平均して等しく享受し、また、③はX国の業界平均の利益率が世界的な水準に比較して高くなっており、X国内の同じ業界に属する企業も等しく享受するものであると考えられる。

以上から、需要の変動や市場価格の水準による影響は、残余利益分割法の適用において、同様の影響を受けていると考えられるX国の法人（事務運営指針3-5に規定する法人。）を選定してS社の基本的利益を計算する過程で反映されることになる。

≪解説≫

需要・市場価格の変動、市場の特殊性による価格水準は、同じ市場で事業を行う者が同様に影響を受けるものと考えられる。

したがって、残余利益分割法の適用上、需要・市場価格の変動や市場の特殊性（顧客の嗜好、政府の価格規制等）による価格への影響については、適切な法人（事務運営指針3-5に規定する法人。）を選定し、同時期の財務数値を使用する限りにおいて基本的利益の計算の中で反映されることとなる。

【事例２１】（基本的利益の計算）

≪ポイント≫

　重要な無形資産を有しない非関連者間において通常得られる利益（基本的利益）の計算に用いる法人の選定に関する事例。

≪前提条件≫

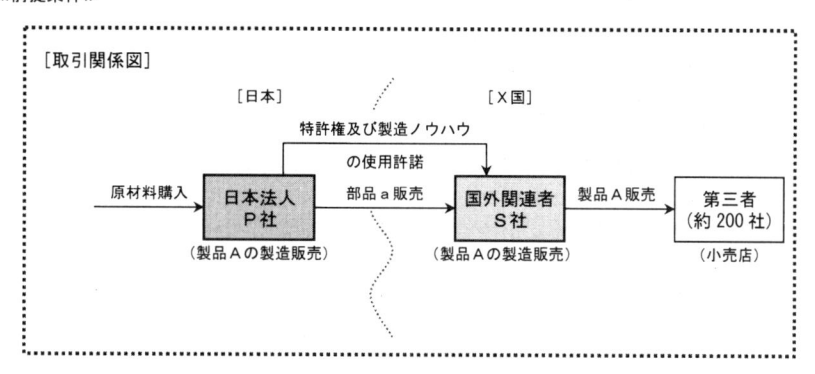

[取引関係図]

原材料購入 → 日本法人Ｐ社（製品Ａの製造販売）[日本] — 特許権及び製造ノウハウの使用許諾、部品ａ販売 → 国外関連者Ｓ社（製品Ａの製造販売）[Ｘ国] — 製品Ａ販売 → 第三者（約200社）（小売店）

（法人及び国外関連者の事業概況等）

　日本法人Ｐ社は、製品Ａの製造販売会社であり、10 年前に製品Ａの製造販売子会社であるＸ国法人Ｓ社を設立した。

　製品Ａは、Ｐ社の研究開発活動の成果である独自技術が用いられて製造された製品である。

（国外関連取引の概要等）

　Ｐ社は、Ｓ社に対して製品Ａ用の部品ａ（Ｐ社の独自技術が集約された主要部品）を販売するとともに、製品Ａの製造に係る特許権及び製造ノウハウ（Ｐ社の研究開発活動により生み出された独自技術）の使用許諾を行っている。

　Ｓ社は、部品ａに他の部品を加えて製品Ａの製造を行い、Ｘ国の第三者の小売店約 200 社に対して製品Ａを販売している。

（法人及び国外関連者の機能・活動等）

　Ｐ社の研究開発の成果である製品Ａは、その独自の技術性能が売上の拡大をもたらし、Ｘ国において一定のマーケットシェアを確保するとともに、概ね安定した価格で販売されている。

　Ｓ社は、研究開発部門を有さず、Ｐ社から供与される独自技術により製造を行っているが、販売面においては、大規模で独自の広告宣伝・販売促進活動により形成した高い製品認知度や大規模な販売網などにより優位性を有している。

≪移転価格税制上の取扱い≫

　基本三法及び基本三法と同等の方法の適用の可否について検討した結果、比較対象取引を見いだすことができず、これらの方法は適用できない（基本三法（基本三法と同等の方法を含む。）の適用可能性の検討等については【事例１】参照。）。このため、基本三法に準ずる方法及びこれと

同等の方法並びにその他政令で定める方法及びこれと同等の方法について検討し、その結果は次のとおりである。

基本三法に準ずる方法及びこれと同等の方法を適用する上での比較対象取引を見いだすことができない（基本三法に準ずる方法（基本三法に準ずる方法と同等の方法を含む。）に関しては、【事例１】参照。）。

Ｐ社及びＳ社が有する無形資産は、基本的活動のみを行う法人との比較において、それぞれＰ社及びＳ社の国外関連取引に係る所得の源泉となっていると認められることから、本事例においては、残余利益分割法を適用し独立企業間価格を算定することが妥当と認められる。

残余利益分割法の適用においては、国外関連取引に係る分割対象利益からＰ社及びＳ社にそれぞれ基本的利益を配分して、重要な無形資産を要因とする利益（残余利益）を算出する必要がある。

Ｐ社に配分する基本的利益の計算に当たっては、Ｐ社の部品ａ製造販売事業と同種で、市場、事業規模等が類似する法人の中から重要な無形資産を有しない法人を選定し、当該法人の財務情報を用いて基本的利益の計算に必要な利益指標の算出を行うこととなる。

一方、Ｓ社に配分する基本的利益の計算に当たっては、Ｓ社の製品Ａ製造販売事業と同種で、市場、事業規模等が類似する法人の中から重要な無形資産を有しない法人を選定し、当該法人の財務情報を用いて基本的利益の計算に必要な利益指標の算出を行うこととなる。

≪解説≫

残余利益分割法を適用する際に分割対象利益から控除する基本的利益は、法人及び国外関連者に係る国外関連取引の事業と同種の事業を営み、市場、事業規模等が類似する法人（重要な無形資産を有する法人を除く。この解説において「比較対象法人」という。）の事業用資産又は売上高に対する営業利益の割合等で示される利益指標に基づき計算される（事務運営指針３−５）。

当該利益指標の妥当性については、より比較可能性の高い法人を選ぶプロセスを通じて個々の状況に基づいて判断することとなるが、十分な比較可能性が確保される場合には、公開情報から得られる企業単位による数値を用いることも可能である。

比較対象法人は、法人及び国外関連者に係る国外関連取引と事業が同種で市場、事業規模等が類似し、重要な無形資産を有しない法人について選定するのであるが、例えば、業種コード、取扱製品、取引段階（小売か卸売か等）、海外売上比率、売上規模、設備（有形固定資産）規模、従業員数、無形固定資産の有無、研究開発費や広告宣伝費の水準等を選定の基準として用いることが適当である。また、倒産等により通常の事業状況にないと認められる法人は除く必要がある。

なお、基本的利益とは、重要な無形資産を有しない非関連者間取引において通常得られる利益に相当する金額（措置法通達66の4(4)-5）をいうから、比較的単純な製造・販売活動を行う法人の財務情報を用いることとなる。

基本的利益計算における比較対象法人の選定に当たっては、必要な情報の収集において公開情報がない、国外の情報であるなどの一定の制約があることにも留意して、例えば、次の図のような手順により検討を行う必要がある。

資料7

[図：比較対象法人の選定手順の例]

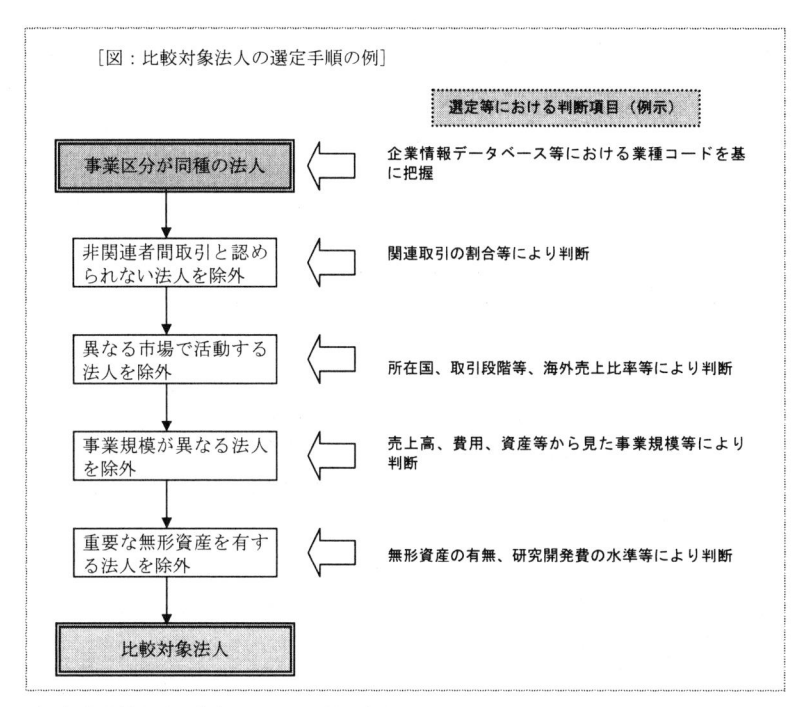

```
┌─────────────────────┐
│ 事業区分が同種の法人 │ ⇐ 選定等における判断項目（例示）
└─────────────────────┘    企業情報データベース等における業種コードを基
         ↓                 に把握
┌─────────────────────┐
│ 非関連者間取引と認め │ ⇐ 関連取引の割合等により判断
│ られない法人を除外   │
└─────────────────────┘
         ↓
┌─────────────────────┐
│ 異なる市場で活動する │ ⇐ 所在国、取引段階等、海外売上比率等により判断
│ 法人を除外           │
└─────────────────────┘
         ↓
┌─────────────────────┐
│ 事業規模が異なる法人 │ ⇐ 売上高、費用、資産等から見た事業規模等により
│ を除外               │    判断
└─────────────────────┘
         ↓
┌─────────────────────┐
│ 重要な無形資産を有す │ ⇐ 無形資産の有無、研究開発費の水準等により判断
│ る法人を除外         │
└─────────────────────┘
         ↓
┌─────────────────────┐
│     比較対象法人     │
└─────────────────────┘
```

（注）基本的利益の算定のための比較対象法人については、比較可能性が確保される限りにおいて、できるだけ多くの法人を選定することが望ましいと考えられる。

628　第四編　資　料

【事例２２】（残余利益の分割要因）

≪ポイント≫
　無形資産の形成・維持・発展のために支出した各期の費用を、残余利益の分割要因として用いることが合理的な事例。

≪前提条件≫

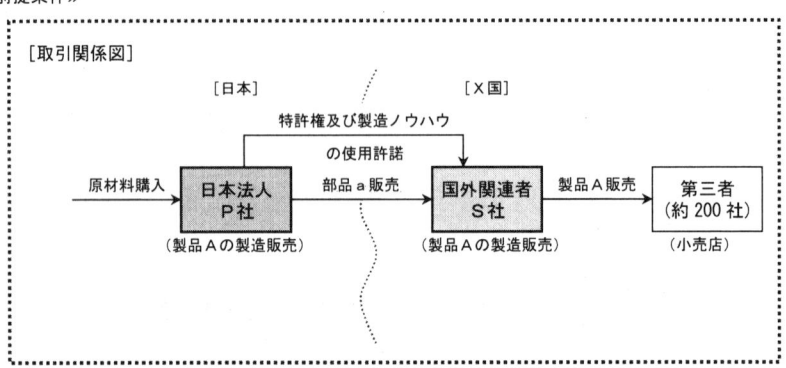

［取引関係図］

［日本］　　　　　　　　［Ｘ国］
　　　　特許権及び製造ノウハウ
　　　　　の使用許諾
原材料購入　日本法人　部品ａ販売　国外関連者　製品Ａ販売　第三者
　　　　　　Ｐ社　　　　　　　　　Ｓ社　　　　　　　　（約200社）
　　　　（製品Ａの製造販売）　（製品Ａの製造販売）　　（小売店）

（法人及び国外関連者の事業概況等）
　日本法人Ｐ社は、製品Ａの製造販売会社であり、10年前に製品Ａの製造販売子会社であるＸ国法人Ｓ社を設立した。
　製品Ａは、Ｐ社の研究開発活動の成果である独自技術が用いられて製造された製品である。

（国外関連取引の概要等）
　Ｐ社は、Ｓ社に対して製品Ａ用の部品ａ（Ｐ社の独自技術が集約された主要部品）を販売するとともに、製品Ａの製造に係る特許権及び製造ノウハウ（Ｐ社の研究開発活動により生み出された独自技術）の使用許諾を行っている。
　Ｓ社は、部品ａに他の部品を加えて製品Ａの製造を行い、Ｘ国の第三者の小売店約200社に対して製品Ａを販売している。また、Ｓ社は、Ｘ国内でテレビ・雑誌ＣＭ等の広告宣伝活動を大規模に行っている。

（法人及び国外関連者の機能・活動等）
　製品Ａは、製品そのものの独自の技術性能、広告宣伝活動を通じた高い製品認知度等により、Ｘ国において一定のマーケットシェアを確保するとともに、概ね安定した価格で販売されている。
　これら無形資産の形成に関して参考となる情報は以下のとおりである。
　・　Ｐ社の研究開発部門では、製品Ａに係る研究開発（結果的に成果物に結び付かなかった研究開発を含む。）を継続的に行っているが、管理会計上、個々の特許権や製造ノウハウの開発のために要した研究開発費の個別管理は行っていない。
　・　Ｓ社が行う広告宣伝活動はすべて製品Ａに係るものであり、Ｓ社のマーケティング上の無

形資産の形成に貢献していると認められる。
- P社の過去の損益計算書によれば、P社の研究開発活動に係る支出は毎期売上高の7％程度で概ね一定している。
- S社の過去の損益計算書によれば、S社の広告宣伝活動に係る支出は毎期売上高の8％程度で概ね一定している。

≪移転価格税制上の取扱い≫

基本三法及び基本三法と同等の方法の適用の可否について検討した結果、比較対象取引を見いだすことができず、これらの方法は適用することはできない（基本三法（基本三法と同等の方法を含む。）の適用可能性の検討等については【事例1】参照。）。このため、基本三法に準ずる方法及びこれと同等の方法並びにその他政令で定める方法及びこれと同等の方法について検討し、その結果は次のとおりである。

基本三法に準ずる方法及びこれと同等の方法を適用する上での比較対象取引を見いだすことができない（基本三法に準ずる方法（基本三法に準ずる方法と同等の方法を含む。）に関しては、【事例1】参照。）。

P社の研究開発活動及びS社の広告宣伝活動により形成された無形資産は、基本的活動のみを行う法人との比較において、P社及びS社の国外関連取引に係る所得の源泉になっていると認められることから、本事例においては、残余利益分割法を適用し独立企業間価格を算定することが妥当と認められる。

残余利益のP社及びS社への配分については、両社が重要な無形資産の開発のために支出した費用等の額を用いることができる（措置法通達66の4(4)-5(注)）が、個々の特許権・製造ノウハウ及びマーケティング上の無形資産の形成費用を特定できず、また、無形資産の形成活動に係る支出費用の額が毎期概ね一定していることから、単年度ごとの支出費用の額をもって残余利益の分割要因とすることが妥当と認められる。

≪解説≫

1 残余利益の法人及び国外関連者への配分は、残余利益に対する重要な無形資産の寄与の程度に応じて行うことから、残余利益の分割要因には所得の源泉となっている重要な無形資産の価値を用いることになる（措置法通達66の4(4)-1及び5）。

ただし、無形資産の寄与の程度を測るためには、法人又は国外関連者が有する無形資産の価値の絶対額を求めることは必ずしも必要ではなく、それぞれが有する無形資産の相対的な価値の割合で足りるから、「当該重要な無形資産の価値による配分を当該重要な無形資産の開発のために支出した費用等の額により行っている場合には、合理的な配分としてこれを認め」ており（措置法通達66の4(4)-5(注)）、無形資産の取得原価のほか、無形資産の形成・維持・発展の活動を反映する各期の支出費用等の額を用いることが考えられる。

2 分割要因として無形資産の取得原価を用いる場合には、研究開発活動による特許権や製造ノウハウ等の形成・維持・発展に係る費用を個別に特定することが困難な場合も少なくないと思われる。また、無形資産の価値が時の経過とともに減少する場合には、個々の無形資産

の価値が持続すると見込まれる期間を合理的、客観的に見積もることが必要になる。

3　また、例えば、無形資産の形成・維持・発展の活動に着目して、当該活動が継続的に行われ、活動を反映する各期の費用の発生状況が比較的安定している状況においては、活動を反映する各期の費用の額を分割要因として残余利益を配分することも合理的と考えられる。

　なお、各期の無形資産の形成・維持・発展の活動の支出費用等の額に大きな変動がある場合など、各期の費用を分割要因として用いることに弊害があると認められる場合には、合理的な期間の支出費用等の額の平均値を使用する方法や、合理的な期間の支出額を集計し、一定の年数で配分するとした場合の配分額を使用する方法等によることも可能である。

（注）各期の支出費用等の額を分割要因とする場合において、分割要因が合理的に決定され、重要な無形資産の相対的な価値の割合が適切に算出されているときには、残余利益の金額に比し分割要因の金額が相対的に少額であったとしても、残余利益分割法の適用は適当であると認められる。

4　残余利益の分割要因として、重要な無形資産の形成のために支出した費用等の額を使用する場合には、例えば、重要な無形資産の形成活動との関係が深い次のような費用の中から関係する費用を特定することとなる。
　①　特許権、製造ノウハウ等、製造活動に用いられる無形資産：研究開発部門、製造部門の関係費用等
　②　ブランド、商標、販売網、顧客リスト等マーケティング活動に用いられる無形資産：広告宣伝部門、販売促進部門、マーケティング部門の関係費用等
　③　事業判断、リスク管理、資金調達、営業に関するノウハウ等、上記①②以外の事業活動に用いられる無形資産：企画部門、業務部門、財務部門、営業部門等、活動の主体となっている部門の関係費用等

5　残余利益分割法の計算過程をイメージで示すと次の図のようになる。

[図：残余利益分割法の計算例]

前提条件
- 法人の国外関連取引に係る損益　　　　　　：40
- 国外関連者の国外関連取引に係る損益　　　：60
- 法人の基本的利益（計算後）　　　　　　　：8
- 国外関連者の基本的利益（計算後）　　　　：12
- 残余利益の配分要因
  - 法人の分割要因　研究開発活動　　　：相対比　80%
  - 国外関連者の分割要因　広告宣伝活動：相対比　20%

① 分割対象利益の計算

法人の国外関連取引に係る損益	国外関連者の国外関連取引に係る損益
40	60

② 基本的利益の計算

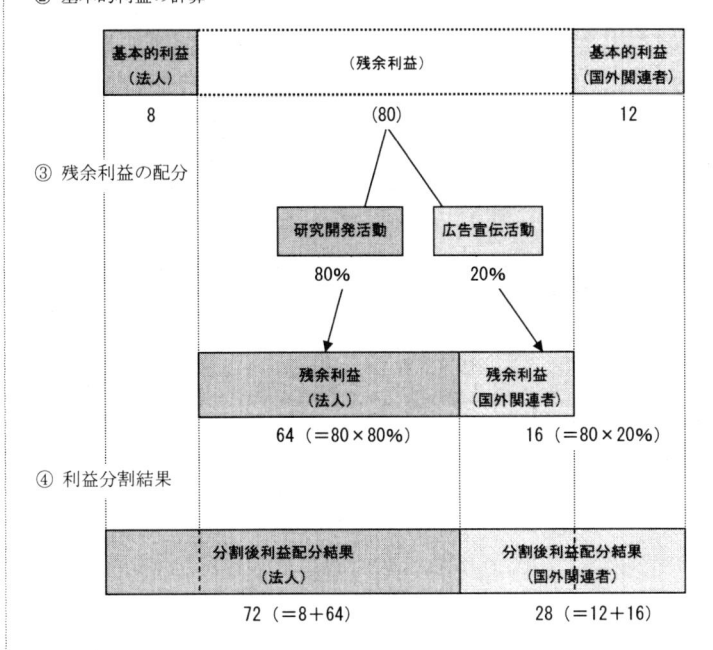

基本的利益（法人）	（残余利益）	基本的利益（国外関連者）
8	(80)	12

③ 残余利益の配分

研究開発活動　80%　　広告宣伝活動　20%

残余利益（法人）	残余利益（国外関連者）
64（＝80×80%）	16（＝80×20%）

④ 利益分割結果

分割後利益配分結果（法人）	分割後利益配分結果（国外関連者）
72（＝8+64）	28（＝12+16）

(4) その他の事例

【事例23】（企業グループ内役務提供）

≪ポイント≫
　　企業グループ内役務提供における有償性の有無に関する事例。

≪前提条件≫

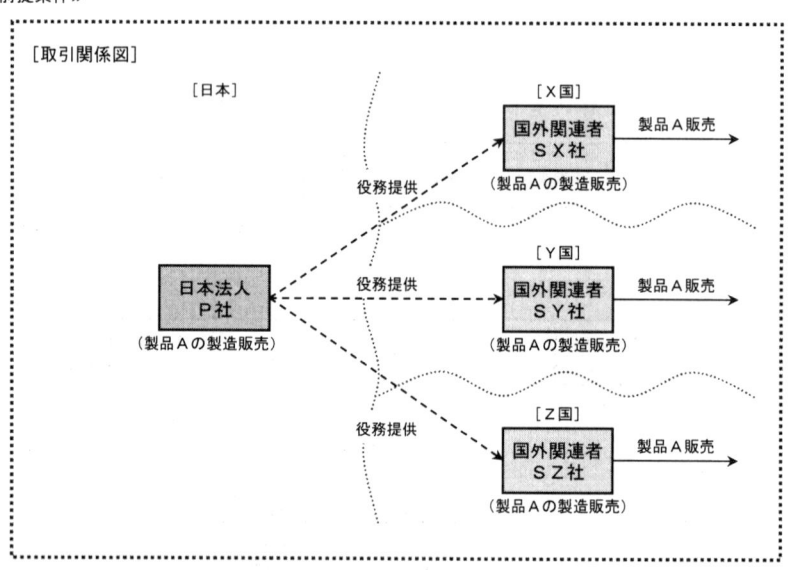

[取引関係図]

[日本]　日本法人P社（製品Aの製造販売）
　→役務提供→
[X国] 国外関連者SX社（製品Aの製造販売）→製品A販売
[Y国] 国外関連者SY社（製品Aの製造販売）→製品A販売
[Z国] 国外関連者SZ社（製品Aの製造販売）→製品A販売

（法人及び国外関連者の事業概況等）
　　日本法人P社は、製品Aの製造販売会社であり、10年前に製品Aの製造販売子会社であるX国法人SX社、Y国法人SY社及びZ国法人SZ社を設立した（以下、これら3社をまとめて「S社」という。）。

（国外関連取引の概要等）
　　S社は、原材料・部品等をすべて現地調達して製品Aの製造を行い、各国内で販売している。
　　P社は、S社に係る様々な業務を担当する部署を有しており、S社に対し以下の役務を提供している。
　　イ　S社の人事政策の決定、S社役員候補者の選考のための面接等
　　ロ　週1回定期的に行われるTV会議を通じて行うS社の事業運営の管理等
　　ハ　S社が原案を作成する予算案に係るチェックと事業運営上問題がある場合の修正指示
　　ニ　P社の社内報告資料を作成するために必要なS社の月次財務・管理（生産・販売状況）データの収集
　　ホ　S社から送信される連結決算用データのチェック及び軽微な数値上の誤りがある場合の修

正指示
　へ　P社の社内監査役による業務監査への同行と業務改善指示書の作成等
　ト　外部監査法人がP社の連結決算監査のために行うS社監査への同行（S社はX国における法令に従って別の監査法人に監査を依頼している。）
　チ　S社の環境関連法令の遵守状況の監査及び問題点への改善指導
　リ　S社が非関連者と締結する契約書等のチェック、S社からの法務に関する相談への回答
　ヌ　製品クレームに即時対応するためのコンピュータシステム（P社とS社をオンラインで接続）の開発及び保守
　ル　S社の新規設備投資に対する判断、リスク分析及び資金調達のアレンジ等
　ヲ　S社からの業務上の相談等に係る社内連絡業務（実際の相談事例はない。）
　ワ　S社の主要取引先との関係構築、取引条件の交渉等のサポート等
　カ　S社の主要な契約に係る締結交渉・意思決定、契約条件の履行等

≪移転価格税制上の取扱い≫

　上記の各役務がP社からS社に対する有償性のある役務の提供かどうかについては、P社から当該役務の提供がなければ、①S社が対価を支払って非関連者から当該役務の提供を受け、又は②S社自ら当該役務を行う必要があるか等、事務運営指針2-10における有償性の判断基準に基づき検討する必要がある。

　本事例においては各役務の有償性を判断するための事実関係が十分には与えられておらず、実際にはより詳細な事実関係に基づいて検討する必要があるが、ニ、ホ及びトは、P社の株主としての地位に基づくと認められる活動として有償性がない取引と考えられる一方、その他の役務については、有償性があると判断される場合も多いと考えられるが、その場合においても、株主としての地位に基づく諸活動に該当するか否かを含め事務運営指針2-10の要件について十分検討する必要がある。

≪解説≫

1　法人と国外関連者との間で行われるすべての有償性のある取引は国外関連取引に該当し、国外関連者である子会社が親会社から経営・財務・業務・事務管理上の役務の提供を受ける場合に、親会社から当該役務の提供がなければ、対価を支払って非関連者から当該役務の提供を受け、又は子会社自ら当該役務を行う必要があると認められるものは、有償性のある取引に該当する。

　また、法人が、その国外関連者の要請に応じて随時役務の提供を行い得るよう人員や設備等を利用可能な状態に定常的に維持している場合には、かかる状態を維持していること自体が役務の提供に該当する。

　他方、子会社が、非関連者から役務の提供を受け、又は自らこれを行っている場合において、親会社が子会社に対し当該役務と重複した役務の提供を行っていると認められるとき（ただし、例えば、当該役務の提供の重複が一時的なものにとどまると認められるもの、又は、事業判断の誤りに係るリスクを減少するため手続上重複してチェックしていると認められるものを除く。）や、子会社に対する親会社の株主としての地位に基づくと認めら

れるいわゆる株主活動（例えば、親会社の株主総会開催のための活動や親会社の証券取引法に基づく有価証券報告書等を作成するための活動等）については、有償性がなく、国外関連取引に該当しない。親会社としての活動が、株主活動に該当するのか、役務の提供と認められる子会社の監視等に該当するかについては、それぞれの実情に則し、有償性の有無を判定することになる（事務運営指針2‐10）。

2　事務運営指針2‐10（企業グループ内における役務の提供の取扱い）に係る役務提供取引について独立企業間価格を算定する場合においても、法令上の適用順位に従い、まず、基本三法と同等の方法である独立価格比準法と同等の方法又は原価基準法と同等の方法（措置法通達66の4(6)‐5参照）について検討することとなり、後者の方法では当該役務提供に要した費用の額にマークアップを行うこととなる。ただし、当該役務提供が法人又は国外関連者の本来の業務に付随して行われる場合には、当該役務提供の総原価の額を独立企業間価格とすることができる場合もある（事務運営指針2‐9。【事例5】参照）。

　なお、子会社への有償性のある役務提供が、親会社の無形資産を使用して行われている場合には、当該役務提供の対価の額に無形資産の使用に係る部分が含まれているか否かを検討する必要がある（事務運営指針2‐8）。その結果、当該役務提供対価に無形資産の使用に係る部分が含まれていない場合には、本来の親会社の業務がどのようなものかという観点も含め、使用された無形資産が寄与する子会社の事業活動を見極めて適切な所得配分結果となるような対価を算定する必要がある。

資料7　635

【事例２４】（複数年度の考慮）

≪ポイント≫
　複数年度の市況を検討した上で単年度ごとに独立企業間価格の算定を行う事例。

≪前提条件≫

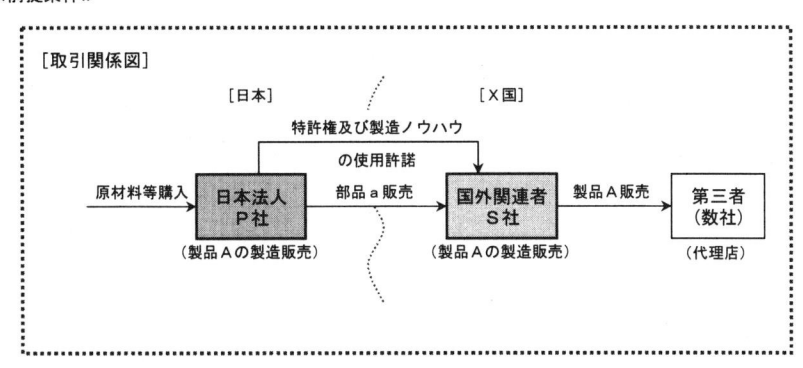

[取引関係図]

　　　　　　　　　　　［日本］　　　　　　　［Ｘ国］
　　　　　　　　　　　　　特許権及び製造ノウハウ
　　　　　　　　　　　　　　の使用許諾
　原材料等購入　　　　　　　　部品ａ販売　　　　　　　　製品Ａ販売
　　　　　　　　　日本法人　　　　　　　　国外関連者　　　　　　　第三者
　　　　　　　　　　Ｐ社　　　　　　　　　　Ｓ社　　　　　　　　　（数社）
　　　　　　　　（製品Ａの製造販売）　　　（製品Ａの製造販売）　　　（代理店）

(法人及び国外関連者の事業概況等)
　日本法人Ｐ社は、製品Ａの製造販売会社であり、10年前に製品Ａの製造販売子会社であるＸ国法人Ｓ社を設立した。
　製品Ａは、Ｐ社の研究開発活動の成果である独自技術が用いられて製造された製品である。

(国外関連取引の概要等)
　Ｐ社は、Ｓ社に対して製品Ａ用の部品ａ（Ｐ社の独自技術が集約された主要部品）を販売するとともに、製品Ａの製造に係る特許権及び製造ノウハウ（Ｐ社の研究開発活動により生み出された独自技術）の使用許諾を行っている。
　Ｓ社は、部品ａに他の部品を加えて製品Ａの製造を行い、Ｘ国の第三者の代理店数社に対して販売している。

(法人及び国外関連者の機能・活動等)
　Ｐ社の研究開発の成果である製品Ａは、その独自の技術性能が売上の拡大をもたらし、Ｘ国において一定のマーケットシェアを確保している。
　Ｓ社は、研究開発機能を有しておらず、また、独自性のある広告宣伝・販売促進活動も行っていない。

(製品市場の状況等)
　Ｐ社グループの属する製品Ａ業界は世界的に需要の変動の大きい業界として知られ、需要変動によって各社の損益状況に一定のサイクルが生じると言われており、直近10期のＳ社の営業利益率の実績値及びＸ国の企業情報データベースから得られた製品Ａ業界に属する企業の営業利益率を見ても一定のサイクルが認められる。直近10期におけるＳ社の営業利益率と製品Ａ業界に属する企業の営業利益率の平均値を比較すると、単年度比較では、Ｓ社の方が製品Ａ業界を概ね

各年度で上回っており、直近10年の平均値ベースでも同様にS社の方が上回っている。
(その他)
X国における企業財務情報開示制度では、原価項目の記載が必要とされていない(ただし、日本における営業利益に相当する項目は表示される。)。

≪移転価格税制上の取扱い≫
S社の営業利益率は、市場の需要サイクルの影響を受けていると認められたが、直近10年の概ね各年度において同じ業界に属する企業の利益水準を上回っており、複数年度の平均で見ても上回っていることから、P社とS社の間の国外関連取引には移転価格税制上の問題があり得ると認められる(事務運営指針2-2(2))。

そこで、独立企業間価格の算定方法の選択に当たり、基本三法及び基本三法と同等の方法の適用の可否について検討した結果、基本三法及び基本三法と同等の方法を適用する上での比較対象取引を見いだすことができず、これらの方法を適用することはできない(基本三法(基本三法と同等の方法を含む。)の適用可能性の検討等については【事例1】参照。)。このため、基本三法に準ずる方法及びこれと同等の方法並びにその他政令で定める方法及びこれと同等の方法について検討し、その結果は次のとおりである。

基本三法に準ずる方法及びこれと同等の方法を適用する上での比較対象取引を見いだすことができない(基本三法に準ずる方法(基本三法に準ずる方法と同等の方法を含む。)に関しては、【事例1】参照。)。

公開情報から、機能が比較的単純なS社に係る営業利益ベースによる比較対象取引を把握することができることから、本事例においては、取引単位営業利益法(取引単位営業利益法と同等の方法を含む。)を用いることが妥当と認められる

この場合、同じX国市場で活動する業界企業も同じ需要サイクルの下にあると認められることから、適切な比較対象取引を選定して同じ時期の財務データを用いる限り、取引単位営業利益法を適用する上で市場の需要のサイクルは特段考慮する必要はなく、単年度ごとに独立企業間価格を算定することが適当である。

≪解説≫
移転価格税制上の問題を検討するに当たっては、事務運営指針2-1に掲げる事項(法人と国外関連者の利益配分状況等)に配意するとともに、個々の取引実態に即した多面的な検討を行って移転価格税制上の問題の有無を判断し、効率的な調査展開を図ることとしている(事務運営指針2-2本文)。例えば、国外関連取引に係る棚卸資産等が一般的に需要の変化、製品のライフサイクル等により価格が相当程度変動することにより、各事業年度又は連結事業年度ごとの情報のみで検討することが適切でないと認められる場合には、当該事業年度又は連結事業年度の前後の合理的な期間における当該国外関連取引又は比較対象取引の候補として考えられる取引の対価の額又は利益率等の平均値等を基礎として検討し、移転価格税制上の問題の有無を検討する際の資料として活用することとなる(事務運営指針2-2(2))。これは事務運営指針2-2(1)の規定の取扱いにおいても同様である。

国外関連取引に相当の価格変動が認められる一方で、比較対象取引の候補と考えられる取引が

一定の水準を保っているような場合や国外関連取引と異なる価格変動を示している場合には、国外関連取引や比較対象取引の候補と考えられる取引に係る複数年度の対価の額又は利益率等の平均値等を用いて移転価格税制上の問題があるか否かを検討する必要がある。

　ただし、本事例のように、複数の比較対象取引の候補と考えられる取引が国外関連取引と概ね同様の価格変動を示している場合には、国外関連取引に係る市況サイクルについて特段考慮する必要はない。

　また、国外関連取引に係る製品のライフサイクルを特定することが可能な場合で、かつ、比較対象取引の候補と考えられる取引に係る製品のライフサイクルを公開情報から特定することが可能な場合には、それらも考慮に入れて検討する。

　なお、移転価格税制上の問題の有無の検討のため、その判断材料として複数年度の対価の額又は利益率等の平均値等を用いる場合であっても、移転価格税制上の問題があると判断されるときは、措置法第66条の4の定めに従い、移転価格税制上の問題が認められる事業年度のみについて、独立企業間価格の算定（課税）を行うことになる。

638　第四編　資　料

第三章　事前確認事例

【事例２５】（目標利益率に一定の範囲を設定する事例）

≪ポイント≫
　確認申出法人が確認対象事業年度において目標とする利益率に一定の範囲を設定する事例。

≪前提条件≫

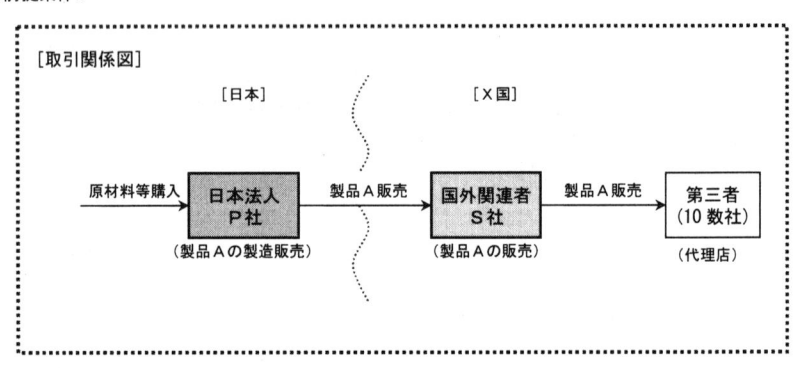

[取引関係図]

原材料等購入 → 日本法人P社（製品Aの製造販売）［日本］ → 製品A販売 → 国外関連者S社（製品Aの販売）［X国］ → 製品A販売 → 第三者（10数社）（代理店）

（法人及び国外関連者の事業概況等）
　日本法人P社は、製品Aの製造販売会社であり、10年前に製品Aの販売子会社であるX国法人S社を設立した。
　製品Aは、P社の研究開発活動の成果である独自技術が用いられて製造された製品である。

（国外関連取引の概要等）
　P社はS社に対して製品Aを販売し、S社は購入した製品Aを第三者の代理店10数社に販売している。

（法人及び国外関連者の機能・活動等）
　P社の研究開発の成果である製品Aは、その独自の技術性能が売上の拡大をもたらし、X国において一定のマーケットシェアを確保している。
　S社は、独自性のある広告宣伝・販売促進活動を行っていない。

（市況の状況等）
　P社グループの属する製品A業界は世界的に需要の変動の大きな業界であり、需要の変動によって各社の損益状況に変動の大きなサイクルが生じている。

（事前確認の申出の状況）
　P社及びS社は、両国の税務当局に相互協議を伴う事前確認の申出を行っている。
　当該申出においては、S社を検証対象とする取引単位営業利益法を独立企業間価格の算定方法として、企業情報データベースからS社と比較可能なX国企業4社を選定し、これら企業の売上高営業利益率の過去5期平均値で構成される一定の範囲（確認対象事業年度を通じて固定）を、

S社が目標とする利益率の水準としている。
　比較対象とされた4社はいずれも、単一の事業セグメントしか有しない販売業者であり、取扱製品や市場、販売機能等の面でS社との比較可能性があると認められる。

≪移転価格税制上の取扱い≫
　本事例の事前確認審査において、独立企業間価格の算定方法の選定について検討したところ、製品Aは、P社の研究開発活動による独自技術が用いられて製造されており、P社について基本三法を適用する上での比較対象取引を見いだすことができず、基本三法を適用することはできない。S社は国外関連取引に係る所得の源泉となっている無形資産を有しているとは認められないものの、企業情報データベースの公開情報からは基本三法を適用する上での比較対象取引を選定するために必要な情報を入手することができず、基本三法を適用することはできない（基本三法（基本三法と同等の方法を含む。）の適用可能性の検討等については【事例1】参照。）。
　このため、P社及びS社について、基本三法に準ずる方法及びその他政令で定める方法について検討し、その結果は次のとおりである。
　P社又はS社を対象とする基本三法に準ずる方法を適用する上での比較対象取引を見いだすことができない（基本三法に準ずる方法（基本三法に準ずる方法と同等の方法を含む。）に関しては、【事例1】参照。）。
　S社を対象とする取引単位営業利益法を適用する上での比較対象取引を見いだすことができる。以上の状況から、事前確認の申出内容においてP社が採用した、相対的に機能の単純なS社を検証対象とする取引単位営業利益法の適用、及び選定された比較対象取引は妥当と認められる。
　ただし、P社グループの属する製品A業界各社の損益に変動の大きなサイクルが生じることから、本事例においては、そのサイクルの影響を目標利益率の範囲の設定に反映させることが適当である。
　また、製品A業界における通常の市況変動を超えるような極端な市況の変化に備えて、重要な前提条件を付しておく必要がある（重要な前提条件の設定については【事例26】参照）。

≪解説≫
1　事前確認は、移転価格税制に関する納税者の予測可能性を確保するため、納税者の申出に基づき、その申出の対象となった国外関連取引に係る独立企業間価格の算定方法等について、税務署長等が事前に確認を行うことをいい、昭和62年に我が国が世界に先駆け導入したものである。
　事前確認を受けた法人が確認事業年度において事前確認の内容に適合した申告を行っている場合には、当該確認取引は独立企業間価格で行われたものとして取り扱う。また、事前確認時に既に経過した確認対象事業年度がある場合において、当該確認対象事業年度に係る申告を事前確認の内容に適合させるために確認法人が提出する修正申告書は、国税通則法第65条（過少申告加算税）第5項に規定する「更正があるべきことを予知してされたもの」には該当しない（事務運営指針5-16）。
　なお、事前確認の申出から事前確認通知が行われるまでの間に、確認対象事業年度に係る申告期限の到来により当該事業年度に係る申告が行われた場合において、事前確認手続が行われ

ている間は、当該申告に係る確認対象取引は移転価格調査の対象とはならない。

2 事前確認における独立企業間価格の算定においては、法人が入手できる情報、すなわち、法人若しくは国外関連者が行う内部比較対象取引又は企業情報データベース等の公開情報を基にした外部比較対象取引を用いるか、あるいは、法人及び国外関連者の内部情報を使用した利益分割法を適用し独立企業間価格を算定する。外部比較対象取引については、企業情報データベースの情報のみならず、他の入手可能な情報を検討して比較可能性を十分に確保する必要がある。また、事前確認審査においても事務運営指針2－1の規定の例により検討を行うこととしており（事務運営指針5-11(2)）、その際、利益分割法の適用を前提とする場合でなくとも法人と国外関連者との所得配分状況等が確認できる資料の提出を求める場合があることに留意する必要がある。

　なお、局担当課は、相互協議を伴う事前確認の申出に係る審査を了した場合には、局担当課の審査意見を、庁担当課を通じて庁相互協議室に連絡するとともに、確認申出法人に伝える。

3 事前確認は、確認申出法人の将来における国外関連取引から生じる利益を予測するものであり、事前確認を行うに当たって、移転価格税制に関する納税者の予測可能性を確保する観点から、特定の水準（ポイント）ではなく、利益率等による一定の範囲（四分位レンジ等の一定の範囲）で確認を行うことができる場合がある。この点で、過去の事業年度の所得金額を決定するため独立企業間価格を特定の一点で算定する必要がある調査とは取扱いが自ずと異なる。

　なお、一定の範囲を設ける場合には、四分位法によるレンジのほか、比較対象取引のすべてから構成されるレンジの使用が適当と認められる場合もある。

（注１）相互協議を伴わない我が国のみによる事前確認の場合、検証の対象とした法人が国外関連者又は確認申出法人であるかに応じ、それぞれの範囲の上限又は下限のみを用いて確認することとなる。

（注２）一般的に四分位法によるレンジとは、比較対象取引群の利益率等を高い順に四つに区分し、上位1/4と下位1/4を除き、1/4と3/4の値をそれぞれ上限値、下限値として設けられる範囲をいう。

4 目標利益率の範囲の設定に使用するデータとしては、次の２つの方法が考えられる。

(1) 各確認対象事業年度の検証に当たり、比較対象取引の利益率データを順次、最新のものに更新して目標利益率の範囲を設定する方法

　各確認対象事業年度において、使用する比較対象取引の利益率データに関し、当該確認対象事業年度に対応するものを加え、その代わり一番古い期間に対応するものを除外することにより、直近期間の利益率データに更新し、この更新された利益率の平均値を使用して目標利益率の範囲を設定する方法である。

　この方法では、事前確認の対象となっている国外関連取引と比較対象取引との期間対応が可能となり、市況変動を目標利益率の範囲に反映させることができる。

　ただし、このような方法を採る場合には、更新すべき比較対象取引の利益率データが公開される時期まで目標利益率が確定しないこと、確認時点で用いた比較対象取引が存在しなく

なった場合に目標利益率の範囲の設定に歪みが生じる可能性もあることを勘案する必要がある。

(2) 比較対象取引に係る固定された期間のデータを用いて目標利益率の範囲を設定する方法

比較対象取引に係る過去の一定期間における利益率の平均値に基づいて目標とする利益率の範囲を設定し、確認対象事業年度全期間にわたって固定して適用する方法である。

これは、業況の変動があまり大きくない場合に一般的に用いられる方法であり、あらかじめ目標とする利益率の範囲が固定されることとなる。

【事例26】（重要な前提条件）

≪ポイント≫

事前確認における重要な事業上又は経済上の諸条件を付すことが妥当と認められる事例。

≪前提条件≫

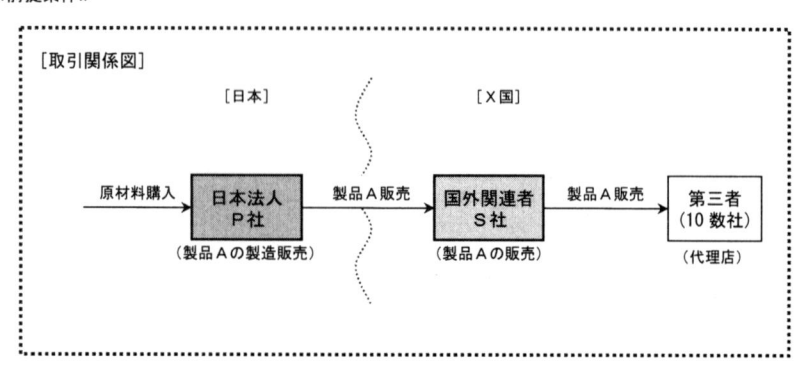

[取引関係図]

[日本]　　　　　　　　[X国]

原材料購入 → 日本法人P社（製品Aの製造販売）→ 製品A販売 → 国外関連者S社（製品Aの販売）→ 製品A販売 → 第三者（10数社）（代理店）

（法人及び国外関連者の事業概況等）

　日本法人P社は、製品Aの製造販売会社であり、10年前に製品Aの販売子会社であるX国法人S社を設立した。
　製品Aは、P社の研究開発活動の成果である独自技術が用いられて製造された製品である。

（国外関連取引の概要等）

　P社はS社に対して製品Aを販売し、S社は購入した製品Aを第三者の代理店10数社に販売している。

（法人及び国外関連者の機能・活動等）

　P社の研究開発の成果である製品Aは、その独自の技術性能が売上の拡大をもたらし、X国において一定のマーケットシェアを確保している。
　S社は、独自性のある広告宣伝・販売促進活動は行っていない。

（市況等）

　製品A及びその類似製品は、世界的に市場価格の変動が激しいという特徴があり、市場価格の変動によって企業の損益状況も大きく変動する。また、この業界では売れ筋の製品の規格が急に変わることが多い。
　なお、X国では、現在、会計制度の大きな見直しが進められており、今後大規模な改正が見込まれる。

（事前確認の申出の状況）

　P社及びS社は、S社を検証対象とした取引単位営業利益法を独立企業間価格の算定方法とする相互協議の申出を伴う事前確認の申出を両国の税務当局に行っている。なお、申出の内容（独立企業間価格の算定方法の選択や比較対象取引の選定等）については妥当と認められるものとする。

≪移転価格税制上の取扱い≫

　本事例においては、将来の時点において市場価格が大きく変動したり、取扱製品の規格が変更されるような場合に、Ｓ社の利益率の実績値が大きく変動する可能性があるが、このような状況が生じた場合に、現時点での状況を基に確認した独立企業間価格の算定方法等をそのまま適用することは妥当でないと考えられる。また、会計制度の変更によりＳ社の利益率の計算方法が変更されると、Ｓ社の利益率の実績値と確認内容に基づく計算結果との間に齟齬が生じ、実績値が事前確認の内容に適合しているかどうか判断できなくなる可能性が生じる。

　本事例の事前確認審査においては、こうした事態に備え、確認対象事業年度において、①Ｓ社の売上高が現時点の状況から大きく乖離しないこと、②Ｓ社の取扱製品の内訳が大きく変化しないこと、③Ｘ国の会計制度が大きく変更しないこと等を、事前確認を行い、かつ、確認を継続する上で前提となる重要な事業上又は経済上の条件とする必要がある。

≪解説≫

　事前確認は、過去及び現在の国外関連取引に係る事業状況を踏まえ、将来年度の独立企業間価格の算定方法等として合理的と認められる場合に確認を行うものである。

　仮に、各確認対象事業年度において、市場価格の大きな変動など予測できない重要な状況の変化が生じた場合には、事前確認の前提とした条件が変わるため、事前確認をそのまま継続することが適当でなくなる場合がある。このため、事前確認においては、あらかじめ「事前確認を行い、かつ、事前確認を継続する上で前提となる事業上又は経済上の諸条件（以下「重要な前提条件」という。）」を定めることとしており、そのために必要な資料を、事前確認の申出書に添付するよう求めている（事務運営指針５-３ハ）。

　重要な前提条件の設定については、事前確認の継続に影響を及ぼす要因をあらかじめ網羅的に決定しておくことが困難なため、「事業上又は経済上の諸条件に重大な変化がないこと」、あるいは「関係当事者の果たした機能等や使用した資産等に本質的な変更が生じないこと」といった一般的な設定をすることが多い。ただし、重要な前提条件として設定された要件に該当するかどうか明確に予測できるよう、「為替レートの一定幅以上の変動が生じないこと」等の、より具体的な条件が設定される場合もある。

　重要な前提条件に定める事情の変化が生じた場合には、当該状況の下で改めて独立企業間価格の算定方法等を検討する必要があり、確認法人は原則として事前確認の改定の申出を行う必要があるが（事務運営指針５-20）、確認法人から改定の申出がない場合は、当該状況の発生した事業年度以後の事業年度に係る事前確認は取り消されることとなる（事務運営指針５-21(1)イ）。

　（注）相互協議を伴う事前確認の場合、事前確認の改定には、税務当局間が相互協議を行い、当初と異なる独立企業間価格の算定方法等について合意する必要がある。

　なお、確認法人は確認事業年度ごとに「事前確認の前提となった重要な事業上又は経済上の諸条件の変動の有無に関する説明」を報告書に記載して提出する必要がある（事務運営指針５-17ハ）。

資料7(3)－1

国外移転所得金額の返還に関する届出書（様式1）

様式1

国外移転所得金額の返還に関する届出書

受付印

※整理番号
※連結グループ整理番号

平成　年　月　日

	提出法人 □　□ 連結親法人　単体法人	（フリガナ） 法　人　名	
		納　税　地	〒 電話（　）　－
国税局長 税務署長　殿		（フリガナ） 代表者氏名	印

次のとおり国外関連者から国外移転所得金額の返還を受けることとしますので届出ます。

連結子法人 （届出の対象が連結子法人である場合に限り記載）	（フリガナ） 法　人　名	
	本店又は主たる事務所の所在地	（　　局　　署） 電話（　）　－
	（フリガナ） 代表者氏名	

国外関連者名		所　在　地	

返還予定日	返　還　額	返還予定日	返　還　額
平成　年　月　日	（　　　　） 円	平成　年　月　日	（　　　　） 円
平成　年　月　日	（　　　　） 円	平成　年　月　日	（　　　　） 円

返　還　方　法	

発生（連結） 事業年度	年　月期	年　月期	年　月期	年　月期	年　月期	年　月期	合　　計
国外移転所得金額	円	円	円	円	円	円	円

独立企業間価格の算定方法	
その他の特記事項	

税理士署名押印　　　　　　　　　　　　　　　　　　　　　　　印

（注）各欄に記載できない場合には、適宜の用紙に記載して添付して下さい。

※税務署処理欄	部門	決算期	業種番号	整理簿	備考	回付先	□ 親署⇒子署 □ 子署⇒親署

国外移転所得金額の返還に関する届出書の記載要領

1 この届出書は、租税特別措置法第 66 条の 4 又は第 68 条の 88 に規定する国外関連取引の対価の額とその国外関連取引に係る独立企業間価格との差額（以下「国外移転所得金額」といいます。）の全部又は一部を租税特別措置法関係通達（法人税編）66 の 4 (7) － 2 又は同通達（連結納税編）68 の 88(7) － 2 に基づきその国外関連者から返還を受けることとした場合に使用します。

2 この届出書は、正本及び副本 2 部の計 3 部を納税地の所轄税務署長に提出しますが、連結子法人の国外関連者に係るものの届出である場合には、当該連結子法人の連結親法人がその納税地の所轄税務署長に提出して下さい。

　なお、提出法人が調査課所管法人である場合には、正本及び副本の計 2 部をその納税地の所轄国税局長に提出して下さい。

3 各欄の記載は、次によります。

(1) 「提出法人」欄には、連結申告法人以外の法人（単体法人）がその国外関連者に係るものの届出を行う場合は「□　単体法人」にレ印を付した上、その法人（単体法人）に係る事項を記載して下さい。

　また、連結親法人が自己の国外関連者に係るものの届出を行う場合又はその連結子法人の国外関連者に係るものの届出を行う場合は「□　連結親法人」にレ印を付した上、その連結親法人に関する事項を記載して下さい。

(2) 「連結子法人」欄には、連結子法人の国外関連者に係るものの届出を行う場合にのみ記載を要し、それ以外の場合は記載不要です。記載を要する場合は、その連結子法人の名称、その本店又は主たる事務所の所在地、代表者氏名、国外関連者の名称等、当該連結子法人に関する事項を記載して下さい。

(3) 「返還予定日」欄には、国外関連者から国外移転所得金額の返還を受ける予定日を記載して下さい。

　なお、返還を受ける予定日が複数ある場合には、その予定日ごとに記載して下さい。

(4) 「返還額」欄には、返還を受ける金額を円貨で記載しますが、その返還を受ける金額が外貨である場合は、その外貨による金額をかっこ内に併せて記載して下さい。

(5) 「発生（連結）事業年度」及び「国外移転所得金額」欄には、事業年度又は連結事業年度ごとにその国外移転所得金額を記載して下さい。

(6) 「独立企業間価格の算定方法」欄には、租税特別措置法第 66 条の 4 第 2 項又は第 68 条の 88 第 2 項に規定する独立企業間価格の算定方法のうち、採用したいずれかの算定方法の名称を記載して下さい。

(7) 「税理士署名押印」欄には、この届出書を税理士が作成した場合は、その税理士が署名押印して下さい。

資料7(3)-2

独立企業間価格の算定方法等の確認に関する届出書（様式2）

様式2

独立企業間価格の算定方法等の確認に関する申出書

受付印				※整理番号	
平成　年　月　日	申出人 □単体法人 □連結親法人	（フリガナ）法人名		※連結グループ整理番号	
		納税地	〒　　　　　　　　　電話（　）　－		
		（フリガナ）代表者氏名			印
国税局長税務署長　殿		（フリガナ）責任者氏名			
		事業種目		資本金	百万円

租税特別措置法第66条の4第2項又は第68条の88第2項に定める独立企業間価格の算定方法、その具体的内容等について、次のとおり確認を受けたいので申出をします。
申出の後、添付した資料のほかに審査のために必要な資料の提出を求められた場合には、速やかに提出します。

（申出の対象が連結子法人である場合）連結子法人	（フリガナ）法人名		※税務署処理欄	整理番号	
				部門	
	本店又は主たる事務所の所在地	〒　　　　　（　局　署）電話（　）　－		決算期	
				業種番号	
	（フリガナ）代表者氏名			整理簿	
	責任者氏名			回付先	□親署⇒子署 □子署⇒親署
	事業種目		資本金　　百万円		

国外関連者	名称	
	本店又は主たる事務所の所在地	
	代表者氏名	
	事業種目	

確認対象（連結）事業年度	平成　年　月　日 自　　　　　　　　（連結）事業年度至 平成　年　月　日	平成　年　月　日 （連結）事業年度 平成　年　月　日	
確認対象国外関連取引			
独立企業間価格の算定方法			
相互協議の希望の有無	有・無	相手国名	
確認対象（連結）事業年度前の各（連結）事業年度への適用の希望の有無	有・無	確認対象（連結）事業年度	平成　年　月　日　平成　年　月　日 自　　　　　　　　至 平成　年　月　日　平成　年　月　日
（その他特記事項）			

税理士署名押印　印

（注）各欄に記載できない場合には、適宜の用紙に記載して添付して下さい。

※税務署処理欄	部門	決算期	業種番号	整理簿	備考

独立企業間価格の算定方法等の確認に関する申出書の記載要領

1　この申出書は、独立企業間価格の算定方法等の確認に関する申出をする場合に使用します。
2　この申出書は、正本及び副本2部（相互協議を求める場合には、副本3部）を納税地の所轄税務署長に提出しますが、連結子法人の国外関連取引に係る申出については、当該連結子法人の連結親法人がその納税地の所轄税務署長に提出して下さい。確認の対象となる取引（以下「確認対象取引」といいます。）に係る連結子法人が複数ある場合や国外関連者が複数でその所在する国が異なる場合には、その連結子法人ごと、その国ごとに提出して下さい。
　　なお、申出法人が調査課所管法人である場合には、正本及び副本1部（相互協議を求める場合には、副本2部）をその納税地の所轄国税局長に提出して下さい。
3　各欄の記載は、次によります。
　(1)　「申出法人」欄には、連結申告法人以外の法人（単体法人）がその国外関連取引に係る申出を行う場合には「口　単体法人」にレ印を付した上、その法人（単体法人）に関する事項を記載して下さい。
　　　また、連結親法人が自己の国外関連取引に係る申出を行う場合又はその連結子法人の国外関連取引に係る申出を行う場合には「口　連結親法人」にレ印を付した上、その連結親法人に関する事項を記載して下さい。
　(2)　「連結子法人」欄には、連結子法人の国外関連取引に係る申出である場合にのみ記載し、それ以外の場合は記載不要です。記載を要する場合は、その連結子法人の名称、その本店又は主たる事務所の所在地、代表者氏名、国外関連者の名称等、当該連結子法人に関する事項を記載して下さい。
　(3)　申出法人、連結子法人又は国外関連者の各「事業種目」欄には、それぞれの者が営む事業の種目を記載し、一の者が複数の事業を営む場合には、主たる事業の種目を記載して下さい。
　(4)　「確認対象（連結）事業年度」欄には、確認の対象とすべき事業年度又は連結事業年度を記載して下さい。
　(5)　「確認対象国外関連取引」欄には、棚卸資産の売買、役務提供、有形固定資産の使用、無形固定資産の使用、貸付金その他確認を受けようとする取引の種類及び取引対象品目、役務の内容、貸付金の内容等を記載して下さい。
　(6)　「独立企業間価格の算定方法」欄には、租税特別措置法第66条の4第2項又は第68条の88第2項に規定する独立企業間価格の算定方法のうち、採用しようとするいずれかの算定方法の名称を記載して下さい。
　(7)　「税理士署名押印」欄には、この申出書を税理士が作成した場合は、その税理士が署名押印して下さい。
4　この申出書には、次に掲げる資料のほか、確認にあたり必要と認められる資料を必ず添付して下さい。
　(1)　確認対象取引及び当該確認対象取引を行う組織等の概要
　(2)　確認を求めようとする独立企業間価格の算定方法等及びそれが最も合理的であることの説明
　(3)　確認を行い、かつ、確認を継続する上で前提となる重要な事業上又は経済上の諸条件
　(4)　確認対象取引における取引及び資金の流れ、確認対象取引に使用される通貨の種類等確認対象取引の詳細
　(5)　審査対象法人（事前確認の対象となる取引を行う法人をいいます。以下同じ。）とその国外関連者との間の直接若しくは間接の資本関係又は実質的支配関係
　(6)　確認対象取引において審査対象法人及びその国外関連者が果たす機能
　(7)　審査対象法人及びその国外関連者の過去3事業年度分（又は連結事業年度分）の営業及び経理の状況その他事業の内容に関する資料（確認対象取引が新規事業又は新規製品に係るものであり、過去3事業年度分（又は連結事業年度分）の資料を提出できない場合には、将来の事業計画、事業予測の資料等これに代替するもの）
　(8)　国外関連者について、その所在地国で移転価格に係る調査、不服申立て、訴訟等が行われている場合には、その概要及び過去の課税状況
　(9)　申出に係る独立企業間価格の算定方法等を確認対象（連結）事業年度前3（連結）事業年度に適用した場合の結果等、申し出た独立企業間価格の算定方法等を具体的に説明するために必要な資料

資料7(3)-3

独立企業間価格の算定方法等の確認通知書（様式3）

様式3

第　　号
平成　年　月　日

納　税　地	
法　人　名	
代表者名	殿

国 税 局 長
税 務 署 長

独立企業間価格の算定方法等の確認通知書（通知）

　貴法人から平成　年　月　日付で確認の申出のあった下記の法人に係る独立企業間価格の算定方法等については、下記の事業年度分及び連結事業年度分について申出のとおり確認したので通知します。

　なお、本件確認に係る報告書については、確認事業年度の各事業年度又は確認連結事業年度の各連結事業年度終了の日から　カ月以内に提出して下さい。

記

1　確認対象取引を行う法人

本店又は主たる事務所の所在地	
法　人　名	
代　表　者　名	

2　確認事業年度及び確認連結事業年度

確認事業年度	平成　年　　月期から平成　年　　月期
確認連結事業年度	平成　年　　月期から平成　年　　月期

独立企業間価格の算定方法等の確認通知書

1 使用目的
　「独立企業間価格の算定方法等の確認通知書」（様式3）は、法人から申出のあった独立企業間価格の算定方法等の確認に関する申出について確認を行う場合に使用する。

2 記載要領

項　目	内　　容
国税局長 税務署長	通知先法人に応じ、発信者を特定するとともに「国税局長」又は「税務署長」のいずれかの文字を抹消する。
本　文	「貴法人から」の文字は、申出法人と確認通知法人が異なる場合には抹消する。 　「下記の法人に係る」の文字は、確認の対象となる取引を行う法人が連結子法人でない場合は抹消する。 　「事業年度分及び連結事業年度分」の箇所は、必要に応じ、「事業年度及び」又は「及び連結事業年度」のいずれかの文字を抹消する。 　「確認事業年度の各事業年度又は確認連結事業年度の各連結事業年度終了の日から　カ月以内」の箇所は、空白部分に（連結）確定申告書の提出期限又は所轄税務署長が定めた提出期限を記載するとともに、必要に応じ、「確認事業年度の各事業年度又は」又は「又は確認連結事業年度の各連結事業年度」のいずれかの文字を抹消する。
確認対象取引を行う法人	独立企業間価格の算定方法等の確認の対象となる取引を行う法人が連結子法人である場合に当該連結子法人に関する事項を記載する。 　それ以外の場合は当該欄を抹消する。
確認事業年度及び確認連結事業年度	確認事業年度及び確認連結事業年度を記載する。 　なお、確認事業年度又は確認連結事業年度前の各事業年度又は各連結事業年度について確認を行う場合には、当該各事業年度又は各連結事業年度を含めた期間を記載する。

資料7(3)-4

独立企業間価格の算定方法等の確認ができない旨の通知書（様式4）

様式4

第　　号
平成　年　月　日

納　税　地	
法　人　名	
代表者名	殿

国 税 局 長
税 務 署 長

独立企業間価格の算定方法等の確認ができない旨の通知書（通知）

貴法人から平成　年　月　日付で確認の申出のあった下記の法人に係る独立企業間価格の算定方法等については、下記の理由により確認できませんので通知します。

記

1　確認対象取引を行う法人

本店又は主たる事務所の所在地	
法　人　名	
代　表　者　名	

2　理由

独立企業間価格の算定方法等の確認ができない旨の通知書

1　使用目的

　「独立企業間価格の算定方法等の確認ができない旨の通知書」（様式4）は、法人から申出のあった独立企業間価格の算定方法等の確認に関する申出について確認できない旨を通知する場合に使用する。

2　記載要領

項　目	内　　　容
国税局長 税務署長	通知先法人に応じ、発信者を特定するとともに「国税局長」又は「税務署長」のいずれかの文字を抹消する。
本　文	「貴法人から」の文字は、申出法人と確認ができない旨の通知を行う法人が異なる場合には抹消する。 「下記の法人に係る」の文字は、確認の対象となる取引を行う法人が連結子法人でない場合は抹消する。
確認対象取引を行う法人	独立企業間価格の算定方法等の確認の対象となる取引を行う法人が連結子法人である場合に当該連結子法人に関する事項を記載する。 それ以外の場合は当該欄を抹消する。
理　由	確認できない理由を簡潔具体的に、例えば、「貴法人の申出内容では最も合理的な独立企業間価格を算定することができません。」等のように記載する。

資料7(3)-5

独立企業間価格の算定方法等の確認取消通知書（様式5）

様式5

第　　　号
平成　年　月　日

納　税　地	
法　人　名	
代表者名	殿

国 税 局 長
税 務 署 長

独立企業間価格の算定方法等の確認取消通知書（通知）

　平成　年　月　日付で確認した下記の法人に係る独立企業間価格の算定方法等については、平成　年　月　日終了（連結）事業年度以降の（連結）事業年度分につき下記の理由により取り消したので通知します。

記

1　確認対象取引を行う法人

本店又は主たる事務所の所在地	
法　人　名	
代　表　者　名	

2　理由

独立企業間価格の算定方法等の確認取消通知書

1 使用目的
「独立企業間価格の算定方法等の確認取消通知書」（様式5）は、確認を行った独立企業間価格の算定方法等について取消しを行う場合に使用する。

2 記載要領

項　目	内　　　容
国税局長 税務署長	通知先法人に応じ、発信者を特定するとともに「国税局長」又は「税務署長」のいずれかの文字を抹消する。
本　文	「下記の法人に係る」の文字は、確認の対象となる取引を行う法人が連結子法人でない場合は抹消する。 「平成　年　月　日終了（連結）事業年度以降の（連結）事業年度分」の箇所は、事業年度又は連結事業年度の区分に応じ、補正するとともに、その終了の日を記載する。
確認対象取引を行う法人	独立企業間価格の算定方法等の確認の対象となる取引を行う法人が連結子法人である場合に当該連結子法人に関する事項を記載する。 それ以外の場合は当該欄を抹消する。
理　由	平成13年6月1日付「移転価格事務運営要領」5－19（1）又は平成17年4月28日付「連結法人に係る移転価格事務運営要領」5－19（1）に規定する取消理由を記載する。

資料7(3)-6

対応的調整に伴う返還に関する届出書（様式7）

様式7

対応的調整に伴う返還に関する届出書

		※整理番号	
		※連結グループ整理番号	

受付印

平成 年 月 日

国税局長 殿
税務署長

提出法人	（フリガナ）	
□ □ 連結親法人 単体法人	法 人 名	
	納 税 地	〒　　　　電話（　）－
	（フリガナ）代表者氏名	印

次のとおり対応的調整に伴い減額される所得金額のうち国外関連者に返還することとした金額を届け出ます。

連結子法人 （届出の対象が連結子法人である場合に限り記載）	（フリガナ）法 人 名	
	本店又は主たる事務所の所在地	（　局　署）電話（　）－
	（フリガナ）代表者氏名	

国外関連者名		所 在 地	

相互協議の合意が成立した日	平成　年　月　日

対応的調整の対象（連結）事業年度	年 月期	年 月期	年 月期	年 月期	年 月期	合　計
対応的調整金額	（　）円	（　）円	（　）円	（　）円	（　）円	（　）円
返還予定日	年 月 日	年 月 日	年 月 日	年 月 日	年 月 日	合　計
返　還　額	（　）円	（　）円	（　）円	（　）円	（　）円	（　）円

返 還 方 法	
その他の特記事項	

税理士署名押印	印

（注）各欄に記載できない場合には、適宜の用紙に記載して添付して下さい。

※税務署処理欄	部門	決算期	業種番号	整理簿	備考	回付先	□ 親署⇒子署 □ 子署⇒親署

対応的調整に伴う返還に関する届出書の記載要領

1　この届出書は、租税条約実施特例法第7条第1項に規定する更正により減額される所得金額（以下「対応的調整金額」といいます。）の全部又は一部を同条第2項の規定に基づきその国外関連者に対して返還することとした場合に使用します。

2　この届出書は、正本及び副本2部の計3部を納税地の所轄税務署長に提出しますが、連結子法人の国外関連者に対するものの届出である場合には、当該連結子法人の連結親法人がその納税地の所轄税務署長に提出して下さい。

　なお、提出法人が調査課所管法人である場合には、正本及び副本の計2部をその納税地の所轄国税局長に提出して下さい。

3　各欄の記載は、次によります。

(1)　「提出法人」欄には、連結申告法人以外の法人（単体法人）がその国外関連者に対するものの届出を行う場合は「□　単体法人」にレ印を付した上、その法人（単体法人）に係る事項を記載して下さい。

　また、連結親法人が自己の国外関連者に対するものの届出を行う場合又はその連結子法人の国外関連者に対するものの届出を行う場合は「□　連結親法人」にレ印を付した上、その連結親法人に関する事項を記載して下さい。

(2)　「連結子法人」欄は、連結子法人の国外関連者に対するものの届出を行う場合にのみ記載を要し、それ以外の場合は記載不要です。記載を要する場合は、その連結子法人の名称、その本店又は主たる事務所の所在地、代表者氏名等の当該連結子法人に関する事項を記載して下さい。

(3)　「対応的調整金額」欄には、「対応的調整の対象（連結）事業年度」ごとにその対応的調整金額を円貨で記載して下さい。

　なお、その対応的調整金額が外貨である場合は、その外貨による金額をかっこ内に併せて記載して下さい。

(4)　「返還予定日」欄には、対応的調整金額の全部又は一部を国外関連者に対して返還する予定の日を記載して下さい。

　なお、届出日までに返還した金額がある場合には、その返還した日を記載して下さい。

(5)　「返還額」欄には、「対応的調整の対象（連結）事業年度」ごとの対応的調整金額のうち返還することとした金額（上記(4)の届出日までに返還した金額を含みます。）を「返還予定日」ごとに円貨で記載して下さい。

　なお、その返還することとした金額が外貨である場合は、その外貨による金額をかっこ内に併せて記載して下さい。

(6)　「税理士署名押印」欄には、この届出書を税理士が作成した場合は、その税理士が署名押印して下さい。

資料7(4) ご意見の概要及びご意見に対する国税庁の考え方

別紙1

区分	御意見の概要	御意見に対する国税庁の考え方
指針2章	課税当局において納税者が採用する独立企業間価格と異なる方法を採用する場合には、納税者に十分に説明する必要があることに留意する旨を事務運営指針第2章に記載すべきである。	調査の結果、納税者が採用した独立企業間価格の算定方法では独立企業間価格の適切な算定ができないと認められる場合には、その理由や納税者が採用した算定方法に代えて採用する方法の内容等について説明を行っているところですが、ご意見を踏まえ、その旨を事例1の《解説》に記述します。
指針2-2(1)	比較可能性が同等な複数の比較対象取引が存在し、検証対象の国外関連取引の価格・利益率が複数の比較対象取引が形成する価格・利益率の幅の範囲内に存在する場合は、当該検証対象取引は独立企業間価格である蓋然性が高いと考えられる旨を追記すべきである。	事務運営指針2-2(1)では、比較対象取引の候補と考えられる複数の取引の利益水準との比較を行うこととしていますが、これは、個々の取引実態に即した多面的な検討を行うための方法を例示しているものです。このため、移転価格税制上の問題の有無の検討は、事務運営指針2-2(1)の規定のみにより行うものではないことに留意する必要があります。 なお、ご意見を踏まえ、事務運営指針2-2の本文について、「例えば事務運営指針2-2(1)や同2-2(2)のような方法により、移転価格税制上の問題の有無について検討し、効果的な調査展開を図る」旨の規定に修正します。
指針2-2(2)	価格の変動要因として、製品のライフサイクル、為替変動が複数年度に及ぶ場合については、単年度ごとに損益を認識するのではなく、その影響が及ぶ期間を考慮した損益認識が適切であり、需給の変化による価格の相当程度の変動がある場合と同様、複数年度にわたる対価の額、利益率等の平均値を用いることが適切である。また、比較対象取引についても、その平均値を適用できるようにするとともに、対象事業年度以降の年度についても適用できるよう範囲を拡大すべきである。	事務運営指針2-2(2)は、関連取引に係る棚卸資産等の価格が相当程度変動し、単年度の情報のみで検討することは適切でないと認められる場合に、複数年度の情報も加味して移転価格税制上の問題の有無を判断しようとするものです。このため、棚卸資産等の価格が相当程度変動する場合には、需要の変化を要因とするものに限定することなく、検討を行っているところですが、ご意見を踏まえ、「一般的に需要の変化、製品のライフサイクル等により価格が相当変動する場合に、各事業年度又は連結事業年度の前後の合理的な期間における国外関連取引又は比較対象取引の候補と考えられる取引の対価の額又は利益率等の平均値等を基礎として検討する」旨の規定に修正します。
指針2-8	事務運営指針2-11において無形資産を具体的に列挙する必要があると考えることから、改正案の事務運営指針2-8の(注)については削除すべきである。また、所得の源泉となる無形資産の供与の有無については、「当該無形資産が個人的な役務の提供から独立しており、かつ第三者間で取引を行うために必要かつ不可欠なノウハウ等の資産であるか否かにより判断すべきである」旨を事務運営指針2-8の(注)として記載し、併せて事例10、12の解説にも反映させるべきである。 　無形資産取引と同様、独立企業間価格の算定上問題とする役務提供取引は、所得の重要な源泉として寄与しているもののみに限定すべきであるため、事務運営指針2-8の(3)として、「独立企業間価格算定上考慮する役務提供とは、国外関連取引において所得の重要な源泉として寄与している役務の提供のことをいう。」という規定を新設すべきである。 　役務提供取引に係る独立企業間価格の算定は、基本三法を原則とする旨を追加していただきたい。 　一般的に、人的無形資産や組織的無形資産を利用せずに有償性のある役務の提供を行うことは難しいといえる。よって、今回追加された事務運営指針2-8(注)については、通常の役務提供では利用されない水準で無形資産が利用されている場合に限定するために、「重要な無形資産」としたほうが適当である。 　人的資源に関する無形資産及び組織に関する無形資産の存在を否定しないが、その評価は容易でない。実際の調査において、これら無形資産の評価を行うにあたり、課税側、納税者側双方にとって納得感のある評価指針を示していただきたい。	ご意見を踏まえ、事務運営指針2-8(の)(注)を「無形資産が役務提供を行う際に使用されているかどうかについて調査を行う場合には、役務の提供と無形資産の使用は概念的には別のものであることに留意し、役務の提供者が当該役務提供時に措置法通達66の4(2)-3の(8)に掲げる無形資産を用いているか、当該役務提供を受ける法人の機能、活動等にどのような影響を与えているか等について検討を行う」旨の規定に修正し、その考え方を事例12の《解説》に追記します。 　なお、役務の提供と無形資産の使用は概念的には別のものであることから、「無形資産と同様に、独立企業間価格算定上問題とする役務提供は、所得の重要な源泉となっているもののみに限定すべき」との考え方は採っていません。 　役務提供取引に係る独立企業間価格の算定方法の選択については、他の種類の取引と同様、基本三法と同等の方法が優先します。

区分	御意見の概要	御意見に対する国税庁の考え方
指針2-11	事務運営指針2-11で規定されている無形資産の範囲は、OECDガイドライン、米国等諸外国と比べて広範かつ包括的となっていることから、現実の企業活動において所得の重要な源泉となっている可能性がある無形資産を具体的に列挙した規定とし、併せて事例10、12の解説にも反映させるべきである。 無形資産の定義が明確で無いので、「例えば、企業の経営、営業、生産、研究開発、販売促進等の活動によって形成された従業員等の能力、知識等の人的資源に関する無形資産並びにプロセス、ネットワーク等の組織に関する無形資産」の部分は削除いただきたい。 無形資産の明確かつ具体的な定義が置かれ、それにより無形資産そのものとその源泉、その使用者が混同されないような記載とすることが望まれる。	ご意見を踏まえ、事務運営指針2-11については、措置法通達66の4(2)-3の(8)の無形資産の定義規定に対応する表現に修正することとし、調査において検討すべき無形資産の例示として「イ 技術革新を要因として形成された特許権、営業秘密等、ロ 従業員等が経営、営業、生産、研究開発、販売促進等の企業活動における経験等を通じて形成したノウハウ等、ハ 生産工程、交渉手順及び開発、販売、資金調達等に係る取引網等」を掲げるとともに、「役務提供を行う際に無形資産が使用されている場合の役務提供と無形資産の関係については、事務運営指針2-8(1)の(注)に留意する」旨を注記し、その考え方を事例10及び12の《解説》に追記します。 なお、我が国移転価格税制上の無形資産は、OECD移転価格ガイドライン第6章(1996年公表)に記述されている無形資産の内容と同義であると考えています。 また、米国の財務省規則§1.482-4(b)の無形資産の定義規定との比較においても、乖離する内容となっていません。
	国外関連取引の事業と同種の事業を営み、市場、事業規模が類似する法人のうち、所得の源泉となる無形資産を有しない法人を把握できる場合には、比較対象とする法人との利益率等の水準の比較を行うとされているが、比較にあたっては、措置法通達66の4(2)-3に規定されている要素における差異について調整を行うことが望ましい旨を規定すべきである。 「所得の源泉となる無形資産を有しない法人を把握できる場合」と判定するに際しての、合理的かつ具体的な判定基準を明確にしていただきたい。 無形資産の調査に当たり、所得への寄与度、独立企業間で対価が収受されているものか、超過収益の発生要因となっているか等を検討して無形資産の特定及び貢献度の判定を行う旨を記載するとともに、貢献度の判定については、無形資産の形成費用だけでなく、機能、リスク等を考慮する旨を記載していただきたい。 無形資産以外の要因により、超過収益を稼得している場合を想定して、他の要因についても十分考慮する必要がある。また、事務運営指針2-11の後段部分の方法により、法人又は国外関連者の有する無形資産が所得の源泉となっているかどうかの検討を行う際に、複雑かつ膨大な量の分析となることが懸念される。 無形資産が所得の源泉となっているかどうかの判断方法(のひとつ)が示されているが、いわゆるインカムアプローチをもって判定するという意味ならば、現在認容されている方法論のどれに対応するのか不明である上、そもそも基本三法優先の考え方と矛盾すると思われる。また、インカムアプローチをとるのであれば、損失が発生している事業についての考え方を明確化してほしい。	ご意見を踏まえ、事例10の《解説》に、事務運営指針2-11の後段部分に規定する「国外関連取引の事業と同種の事業を営み、市場、事業規模が類似する法人のうち、所得の源泉となる無形資産を有しない法人」の把握との比較は、「基本的には、事務運営指針3-5に規定する法人の選定を行う場合の手順によることとなる」旨を記載します。 この検討により得られる情報は、所得の源泉となる無形資産が存在するかどうかを判断する資料の1つであり、これのみをもって当該無形資産の存否を判定するものではないことから、当該法人の選定時に必ずしも厳密な比較可能性が求められるものではないと考えています。 また、所得の源泉となる無形資産が存在するか否かの判断において、無形資産を有しない類似法人の利益水準との比較という形式的な検討にとどまらず、法人又は国外関連者の無形資産の形成に係る活動、機能その他を十分に分析して所得を生み出しているものが何であるかを的確に把握する必要があります。 なお、無形資産を有しない類似法人との比較の結果が、判断材料の1つであることは前述のとおりですが、無形資産を有する者は、そうでない者より高い所得を得る機会があるという点にかんがみれば、その比較結果は検討の方向性を示す重要な判断基準となり得る可能性が高いと考えられます。
	「所得の源泉となる無形資産を有しない法人を把握できる場合」と調査において実際に判定する場合においては、その根拠を明示するよう指針に盛り込んでいただきたい。	調査の結果、納税者が採用した独立企業間価格の算定方法では独立企業間価格の適切な算定ができないと認められる場合には、その理由や納税者が採用した独立企業間価格の算定方法に代えて採用する方法の内容等について説明を行っているところですが、ご意見を踏まえ、事例1の《解説》にその旨を記述します。無形資産が所得の源泉となっていると判定し、それを前提とした独立企業間価格の算定方法を採用する場合には、その具体的な内容について説明を行うことになります。
指針2-12	事務運営指針2-12では、「単にその費用を負担しているのみでは、貢献の程度は低い」としているが、「貢献していない」と言っていない。事例14では国外関連者の負担した費用は分割要因となっていないが事務運営指針2-12との齟齬はないのか。「単にその費用を負担しているのみでは、貢献の程度は低い」という考え方自体が非現実的であり、費用負担=貢献とするアプローチがより実務的な割切りである。	事務運営指針2-12で「貢献の程度は低い」としている趣旨は、所得の源泉となる見込が高い無形資産の形成等において、単に費用を負担しているというだけでは、それにより得られる利益は利子などのルーティン利益を得る程度の低いものになるということです。このため、事例14において仮に残余利益分割法を適用するとすれば、当該費用負担は残余利益の配分を受ける要因(分割要因)にはならず、基本的利益の配分のみを受けることになります。

区分	御意見の概要	御意見に対する国税庁の考え方
指針3-1	差異の調整について差異が価格等に影響を与えていることが客観的に明らかな場合に限定するとされており、極めて限定的にしか差異調整されないこととなる。差異による影響が認められる場合は、可能な限り差異調整ができるようにすべきである。 差異の影響が極めて小さく限定的な場合において、調整しないことも出来るとすべきと考える。 差異調整の必要性（客観的に差異があると認められる場合）と差異調整の定量化の可能性（実際にその差異を調整する手法）に区分して考える必要があり、その点を明確に記述すべきである。	差異調整は、比較対象取引候補として選定された非関連者間取引について、比較対象取引としての合理性を確保するために、対価の額に影響を及ぼすことが客観的に明らかな場合に行うものであり、対価の額の差を生じさせ得るものすべてを対象とするものではなく、抽象的なものや観念的なものは調整対象にならないと考えています。 調整対象の差異が対価の額に影響を及ぼすことが客観的に明らかで、その影響額を定量化できる場合には差異調整を行うことになりますので、「極めて限定的にしか差異調整されない」ということはありませんが、ご意見を踏まえ、「影響を及ぼすことが客観的に明らかである場合に行う」という表現に修正します。 なお、対価の額に影響を及ぼすことが客観的に明らかであっても、その影響額を定量化できないときには、調整ができないことから、比較可能性に問題が生じることになります。 また、この規定は、高松高裁平成18年10月13日判決（最高裁平成19年4月10日決定（上告棄却））を基にしたものであり、事例9の《解説》にその旨を追記します。
指針3-3	複数の比較対象取引候補があり、検証対象取引に係る価格、利益率等が、当該比較対象取引候補の範囲内に入っている場合には、当該検証対象取引に係る価格、利益率等は独立企業間価格である蓋然性が高いことを踏まえて移転価格課税が行われるべきではない旨を追加していただきたい。	事務運営指針3-3は、措置法通達66の4(2)-3に規定する諸要素に照らしてその類似性の程度が同等に高いと認められる複数の比較対象取引がある場合に、それらの取引に係る価格又は利益率等の平均値を用いて独立企業間価格を算定することができるという規定であり、比較対象取引候補の数値を用いて移転価格税制上の問題の有無を検討することを目的としたものではありません。 他方、事務運営指針2-2(1)に基づき、比較対象取引の候補と考えられる複数の取引の利益率等の範囲内に国外関連取引の利益率等があるかどうかを検討し、移転価格税制上の問題の有無を検討して効果的な調査展開を図ることとしています。
指針3-7	利益分割法もしくは残余利益分割法に類する推定課税を行う場合には、課税庁が採用した指標については課税庁に立証責任がある旨を明記すべきと考える。また、寄与した程度を推測するに足りる要因については例示列挙すべきであり、その際、法人の株主活動等から切り離した寄与度分析が行われることが織り込まれた内容として頂きたい。 自動車部品製造業では基本三法が適用できる取引はむしろ稀である。推定課税が多用されるとそれを覆す独立企業間価格の存在を立証するのは大変困難であるため、推定課税は、特に、慎重に、納税者の予見可能性に十分に配慮し、納得の得られる形で行っていただきたい。 具体的にどのような手法が適用されるのか不明確であり、恣意性の高い運用を許容する内容となることを懸念している。	推定による課税は、措置法第66条の4第7項の要件を満たさない場合には適用されません。 推定課税が行われた場合には、納税者は、自己の主張する価格が法定された方法による独立企業間価格であることを立証しない限り、当局の算定した価格が独立企業間価格になるとの考え方を採っています。 また、利益分割法の方法及び単位営業利益法に類する推定課税の方法は、措置法施行令第39条の12第12項に規定されているとおりです。
指針5章	事前確認手続中は、納税者が移転価格調査及び更正処分を逃れる等の目的で事前確認申請した場合以外は、原則、移転価格調査及び更正処分を行わないことが適当であること、また、事前相談中においても同様の目的で事前相談をした場合以外は、原則、移転価格調査及び更正処分を行わないことが適当である旨を事務運営指針第5章に追加すべきである。 納税者が申し出た独立企業間価格の算定方法以外の方法（例えば利益分割法）による検証を精緻に求めて申請者に過度の負担を求めることがないよう留意する旨を事務運営指針第5章に規定すべきである。	事前確認の申出から事前確認通知が行われるまでの間に、確認対象事業年度に係る申告期限の到来により当該事業年度に係る申告が行われた場合において、事前確認手続が行われている間は、当該申告に係る確認対象取引は移転価格調査の対象としていませんが、ご意見を踏まえ、事例25の《解説》にその旨を記述します。 なお、事前相談中は、確認を受けようとする事業年度に係る申告は行われていないことから、事前相談中に確認を受けようとする事業年度に係る調査又は更正が行われることはありません。 事前確認審査においても、事務運営指針2-1の規定の例により検討を行うこととしており（事務運営指針5-11(2)）、その際、法人と国外関連者との所得配分状況等が確認できる資料の提出を求める場合があります。 なお、事例25の《解説》に上記の旨を記述します。

区分	御意見の概要	御意見に対する国税庁の考え方
指針5-1	二国間事前確認においては、独立企業原則に則り適正な国際課税の実現によって二重課税の予防・排除がなされるべきであることから、「独立企業原則に則った適正な国際課税の実現」という旨の内容を追加すべきである。	国際的な二重課税の解決のため、OECD移転価格ガイドラインを参考に、適切な執行に努める旨を事務運営指針1-2(3)に規定しています。
指針5-3ト、リ	納税者の負担を増加させないため、また、事前確認制度の利用を促進させるため、資料提出はこれまで通り、原則過去3年分としてほしい。製品のライフサイクル等を考慮する上で長期にわたる期間について検証することが適当であり、かつ申請者の同意がある場合に限り、例外的に過去5年分とするべきである。あるいは、時効期限との整合性も図り、納税者の選択により5事業年度分を選択することも差し支えないとすべきと考える。	ご意見を踏まえ、原則は「3事業年度分」に修正します。ただし、確認対象取引に係る製品のライフサイクル等を考慮した場合に、3事業年度分に係る資料では十分な事前確認審査を行うことができないと認められるときにおいて、局担当課はそれ以前の2事業年度分に係る資料を追加で求めることを注記します。
指針5-10	事前確認の申出者の法的安定性をできる限り実現すべく、事前相談時に事前確認結果の事前確認対象年度前の事業年度への準用を行う旨の意思表明を申請者が行った場合、その希望を尊重する旨を事務運営指針5-10に規定すべきである。	相互協議を伴う事前確認の申出において、確認対象事業年度における独立企業間価格の算定方法等(以下「確認対象事業年度の方法等」といいます。)に準用したい旨の申出があった場合には、確認対象事業年度の方法等がロールバック期間においても合理的であるか審査を行うことになります。 なお、相互協議の合意で認められた場合にのみ、確認対象事業年度の方法等をロールバック期間に遡及して適用することとなります(事務運営指針5-23)。
指針5-10(1)	改正案では匿名の事前相談ができなくなったと解されるが、特定の取引に関して事前確認の申出の可能性を確認する際に代理人を通じて匿名の相談を行う場合も想定されるため、当該相談方法を排除すべきでないと思料。	事務運営指針1-1(25)の事前相談の定義において、「代理人を通じた匿名の相談を含む」としています。
指針5-10(3)	納税者が事前相談において提示した書類が不十分なため十分なアドバイスが得られない場合に追加の書類を提示し更なるアドバイスを求めるか、そのまま事前確認申請を行うかの判断は納税者に委ねられていることを明らかにしていただきたい。また、資料は最小限にとどめるべきである。	ご意見を踏まえ、「相談を行おうとする法人が提示又は提出した資料の範囲内で事前相談に応じる」旨の規定に修正します。
指針5-10(4)	事前相談のない事前確認申請について、納税者から申請手続に定める資料の提出があっても調査官の裁量により十分な資料の提出には当たらないとして申請を門前払いとすることを可能とする規定であり、特定の移転価格算定方法(利益分割法)を事実上強制する行政指導を可能とする規定であることから、削除を含む修正を要する。また、通常要すると認められる期間は、企業の事情が考慮されるべきであり、例えば、1ヶ月では短すぎ合理性を欠く。	事務運営指針5-10(4)は、事前確認の申出期限までに事務運営指針5-3に掲げる申出書の添付資料の一部について、その作成等が間に合わず、そのままでは事務運営指針5-15(4)に規定する「確認申出法人が事務運営指針5-3に掲げる資料の添付を急った場合」に該当するおそれがあるケースに対し、事務運営指針5-15(4)の特例として適用することとしています。このため、本規定に係る猶予を行うためには、申出前に事前相談においてその理由を把握し、資料の提出期限を猶予するのが相当であるかあらかじめ確認する必要があると考えています。 本規定は、このような趣旨によるものであること、また、事前相談は、納税者がどのような申出を行うか適切に判断できるよう必要な情報の提供を行うものであり、納税者の申出内容を拘束するものではないことから、本規定が「事前相談のない申出の場合、調査官の裁量により十分な資料に当たらないとして門前払いを可能とする」とのご意見は当たらないものと考えています。
指針5-11	事前確認の申出者の負担を軽減するために、相互協議室の担当者も二国間事前確認手続の最初の段階から加わるように事務運営指針第5章において規定すべきである。	相互協議を伴う事前確認の申出については、事務運営指針5-13に基づき、局担当課と庁相互協議室は必要に応じて協議を行い、事前確認審査の段階から緊密な連携をとって対応しています。今後も納税者の負担が軽減されるよう局担当課と庁相互協議室との連携の強化を図り、事前確認審査等の効率化に努めてまいりたいと考えています。

区分	御意見の概要	御意見に対する国税庁の考え方
指針5-11(1)	「メリハリのある」の意図するところが不明確であり、複雑・困難なものは後回しにされる懸念があるので「事案の複雑性・困難性に応じたメリハリのある事前確認審査等を行い」を削除していただきたい。	事案の内容（複雑性・困難性）に応じて投入する事務量にメリハリをつけて事前確認審査を効率的に行い、迅速な処理を図ることとしています。このため、複雑・困難な事案は、簡易な事案と比較して多くの日数を要することになると考えられますが、簡易な事案から優先して審査を行うという趣旨ではありません。
指針5-11(3)	局担当課が事前確認審査に必要な資料の提出期限を設定することとなっているが、その際、納税者が提出可能な期限を設定することについて配慮する旨を記載すべきである。	ご意見を踏まえ、「資料の作成等に通常要する期間について納税者の事情等を勘案した上で合理的と認められる期限を設定する」旨の規定に修正します。
	合理的な提出期限についての解釈が明確ではなく、納税者に過度な責務を負わせる可能性があることから、予見可能性の観点からも当該記載は削除すべきと考える。	
	提出を求められる資料は、事前確認審査に直接必要な資料のみに限定すべきである。	ご意見を踏まえ、「事前確認審査のため、事務運営指針5-3に規定する資料以外の資料が必要と認められる場合には、確認申出法人にその旨を説明し、当該資料の提出を求める」旨の規定に修正します。
	事務運営指針5-3に規定する資料のほか、事前確認審査のために必要と認められる資料の提出を求める際には、必要と認められる理由の説明を行い、納税者から十分理解を得るべく努めるという趣旨の文言の追加をお願いしたい。	
	事前確認審査に必要な情報に関して、その具体的な説明を納税者に十分に理解を得るべく留意する旨の文言の追加をしていただきたい。	
指針5-13	相互協議を伴う事前確認において、局担当課の意見について納税者に伝達することにより、納税者が我が国当局の相互協議の方針を明確に把握できるように、事前確認手続の透明性を図るべきである。	局担当課は、相互協議を伴う事前確認の申出に係る審査を了した場合には、局担当課の審査意見を、庁担当課を通じて庁相互協議室に連絡するとともに、確認申出法人に伝えていますが、ご意見を踏まえ、事例25の《解説》にその旨を記述します。
指針5-14(1)	相互協議を伴う事前確認においては、相互協議以前の審査の段階において日本の観点からのみの修正が行われた場合には相互協議が困難となることも考えられる。したがって、本項においては、審査後の相互協議に鑑み、修正が慎重に行われるような通達としていただきたい。	相互協議を伴う事前確認の申出に関しては、事務運営指針5-14(1)に基づき申出の修正等を求める場合及び確認申出法人が申出の修正等に応じず事前確認できない旨を説明する場合並びに事務運営指針5-15(4)に基づき事前確認できない旨の通知を行う場合において、いずれも庁相互協議室との協議を経た上で判断することとしています。
	相互協議を伴う事前確認を申請する上で、経済上の合理性の有無や必要情報の提出状況に基づき、一方の課税庁の見解のみで事前確認を取り下げられると二重課税が発生する可能性が高まるので、当該規定の適用は慎重に行われるべきと考える。	
	本項では「事前相談においても上記に準じた取り扱いとする」とあるが、本来、事前相談は審査ではなく、あくまで納税者がどのような申出を行うか適切に判断できるよう必要な情報の提供を行うものであるから、「相談」であるのだから、この段階で判断が加えられることには疑問がある。事前相談の位置付けとして、あくまで判断は行わない「相談」であることを明確にしていただきたい。	事前相談は、納税者がどのような申出を行うか適切に判断できるよう必要な情報の提供を行うものであることから、ご意見を踏まえ、「なお、事前相談の内容が事務運営指針5-14(1)イに該当する場合には、上記の内容を説明する」旨の規定に修正します。
指針5-14(1)イ	我が国での租税回避を目的としているか否かの判定は極めて困難であるため、どのような基準で租税回避あるいは税負担の軽減が認められたかを提示することなしに事前確認できない旨の通知がなされないようにすることに留意する旨の文言を追加していただきたい。	事務運営指針5-14(1)イは、経済上の合理的な理由がないにもかかわらず、通常非関連者間では想定し得ないような取引として仕組まれることにより、結果として我が国での租税負担が軽減されるような、いわゆる租税回避的な取引に確認を求める申出に対し、厳正な対応をとっていくことを明らかにしたものです。
	「非関連者間では通常行われない形態の取引」などのような事例を想定しているのか、不明確であり、恣意的な運用を招きかねない。	事前確認できない旨の通知を行う際には、併せてその理由も説明することとしています。

資料7

区分	御意見の概要	御意見に対する国税庁の考え方
指針5-14(2)イ	「必要があると認められる時」とはどのような場合か不明確であり、結果として恣意的な運用を招き得る。このような曖昧な規定は納税者から事前確認の選択肢を奪うがための恣意的な運用をも招きかねないのではないかと懸念される。 不服申立や裁判の結果が出るまで事前確認審査を保留することになると、事前確認を望む場合には不服申立等の手続きを事実上放棄せざるを得なくなることが危惧されるため、事前確認審査の保留は明記すべきではない。 更正との関連が不明確である。	・事務運営指針5-14(2)イについて 争訟の対象となっている取引と同様の取引を確認対象とする事前確認の申出については、争訟手続に優先して相互協議手続を行う場合を除き、争訟が完結するまで事実関係が確定しないこと等により、事前確認審査の実施が困難と認められる状況が生じることが想定されるため、本規定を設けることとしました。 ・事務運営指針5-14(2)ロについて 他の事前確認に係る相互協議の合意結果を反映させなければ事前確認審査の実施が困難と認められる事前確認の申出が想定されるため、本規定を設けることとしました。 ・事務運営指針5-14(2)ハについて 例えば、新規事業の立上げのために作成した事業計画や予測の根拠資料が、合理的で客観性のあるものと認められないような場合には、事業内容を的確に把握することができず、事前確認審査が困難であることから、本規定を設けることとしました。 相互協議を伴う事前確認の申出に係る対応については、庁相互協議室と協議した上で判断するとともに、審査を保留する理由について説明を行うこととしています。
指針5-14(2)ロ	「必要があると認められる時」とはどのような場合か不明確であり、結果として恣意的な運用を招き得る。	
指針5-14(2)ハ	事業計画、事業予測の資料を用いても、なお事業活動の実態を把握できないとの実態は通常考えられず、如何なる状況を指すのか不明確であり、実績が出るまで新規取引の事前確認を拒絶するとの安易な運用を招きかねない。そのような運用は事前確認の本来の趣旨を損なうものであり、事業活動の実態が計画・予測どおりに推移するかが不透明な部分は重要な前提条件で担保するなどして対処すべきものである。	
指針5-15	事前確認審査の結果の通知において、事前確認結果が申請と異なる独立企業間価格算定方法を採用する場合には、事務運営指針5-15においてその理由を文書にて交付すべきである旨を規定すべきである。その際には現在行われている修正申出書の提出を要しないものとすべきである。	事前確認は、納税者が申し出た内容について、課税当局が事前確認するという性格のものであり、当局側が何らかの処分を行うものではありません。したがって、申出と異なる内容に修正するか否かは、納税者の判断に委ねられており、その意思を確認するものとして修正申出書を提出していただく手続を設けています。
指針5-16	事務運営指針5-16は、二国間事前確認に限り遡及適用（ロールバック）を容認するとともに過去事業年度に係る修正申告について過少申告加算税を免除することとしているが、わが国のみの事前確認についても同様の取り扱いをすべきであり、修正を要する。	事務運営指針5-16のなお書きは、相互協議を伴う事前確認の申出に係る事務運営指針5-23の取扱いに関連するものではなく、確認対象事業年度のうち事前確認の申出から事前確認通知までの間に経過した事業年度に関する取扱いを留意的に規定したものですので、我が国のみの事前確認の申出においても同様の取扱いとなります。
指針5-18	指針5-18では、報告書の検討は法人税に関する調査に該当するとして、局担当課の検討前後で過少申告加算税の賦課の有無が異なることになっているが、報告書の検討の有無は事前確認の申出者が認識するのは困難なため、申出者から認識することが容易な事項を過少申告加算税の賦課の基準とすべきである。	ご意見を踏まえ、確認事業年度に係る修正申告が加算税の対象となるかどうかの判定は、「局担当課による報告書等の検討のための確認法人への臨場又は当該事実の指摘等によって確認法人が局担当課による報告書等の検討があったことを了知したと認められる以前に修正申告がなされたかどうか」による旨の規定に修正します。
指針5-19ハ、ニ	事務運営指針5-19ハ及びニにおいては、確定決算もしくは確定申告が相互協議が成立した事前確認の内容に適合しないために所得を減算する場合には再度補償調整にかかる相互協議を要するとされているが、所得の加算を行う場合と同様、事前確認の合意内容をもって申告調整ができるようにすべきである。	措置法第66条の4は、所得移転額の増額調整のみを行う規定であることから、事前確認後の補償調整のうち、減額調整に係るものは、相互協議の合意に基づくものでなければ実施することができません。
指針5-23	我が国のみでの事前確認において現在はロールバックが認められていないが、相互協議の申出がなされた事業年度前の事業年度分については当該年度に係る資料の提出がされているためロールバックを認めるべきであり、その旨を事務運営指針5-23に規定すべきである。また、所得が過大であった場合においては申告調整を認めるべきである。	事前確認は、本来、将来の事業年度に適用する独立企業間価格の算定方法等に対して事前に確認を行うものであるということ、及び措置法第66条の4が所得移転額の増額調整のみを行う規定であることから、その準用においては、相互協議を伴う事前確認の申出において、相互協議の合意で認められた場合にのみ、確認対象事業年度における独立企業間価格の算定方法等を確認対象事業年度前の事業年度に遡及して適用することとなります（事務運営指針5-23）。 なお、仮に我が国のみの事前確認において遡及適用を認めたとしても、措置法第66条の4に基づいて所得の減額調整を行うことはできません。 また、所得が過大であった場合の申告調整についても、同様の理由から相互協議の合意がない限り認められていません。

区分	御意見の概要	御意見に対する国税庁の考え方
事例1	措置法では、国外関連者の保存する帳簿書類等の入手努力義務に留まっており、こうした資料が税務当局の求めに応じて遅滞なく提示又は提出されなければ、推定課税等の適用要件に該当すると拡大解釈されている。	国外関連者の保存する資料の内容が法人と国外関連者との取引に係る独立企業間価格の算定に必要な資料であって、納税者がそれをも含め独立企業間価格を算定するために必要となる資料を提出しなかった場合には、課税当局は、一定の条件を満たす同業者の利益率等を用いて算定した価格を独立企業間価格と推定して更正、決定できるとの考え方の下、適正な執行に努めています。
	平均値が優先されるべき最適な方法であるという必然性はなく、合理的な他の算出方法も容認されるべきである。 比較対象取引の類似性が同程度であれば、そのいずれもが比較対象取引となり、平均値という実際には存在しない数値を独立企業間価格とすることは合理的ではなく、むしろ、複数の比較対象取引により構成される価格又は利益率等の幅が独立企業間価格というべきである。 類似性の程度が同等に高いと認められる比較対象取引が複数存在する場合には、四分位による幅をもって独立企業間価格とし、平均値ではなく第一四分位を用いて更正を行うのが相当であると考える。	類似性の程度が同等に高いと認められる複数の比較対象取引がある場合の独立企業間価格の算定に当たっては、それらの取引に係る価格又は利益率等の平均値を用いることができる（事務運営指針3-3）としており、事例1の《解説》にその旨を追記します。 なお、措置法第66条の4の規定上、独立企業間価格は、特定の金額により一義的に算定されることを前提としており、独立企業間価格幅は認められていません。
	基本三法に準ずる方法の適用について、比較対象取引と同等の比較可能性を要求しているが、かかる見解は、基本三法に準ずる方法における比較可能性を狭く解している。国税不服審判所の裁決に記述されている基本的に準ずる方法について、「比較対象取引の選定に当たっては、その範囲を広げる方法」及び「比較対象取引をより広く求めることを許容したもの」となっており、基本三法に準ずる方法における比較対象取引の比較可能性は基本三法のそれと比べても広く解することを解説において記載すべきである。 「基本三法に準ずる方法」及び「その他政令で定める方法」は、比較可能性の厳格な基本三法が適用できない場合に備えた規定であるから、適用要件の緩和の余地があることを示すのが実務的ではないかと考える。 基本三法と同法に準じる方法では、本来的に適用すべき要件は異なるべきであることから、より明確な説明が必要と思われる。	基本三法に準ずる方法については、基本三法の考え方から乖離しない限りにおいて、取引内容に適合した合理的な方法を採用する途を残したものとの考え方を採っており、その旨を事例集に記述したものです。 基本三法の考え方から乖離しないとは、比較可能性の程度を緩めるわけではないと考えており、本事例の《解説》にその旨を追記します。 ご意見で引用された裁決において採用された基本三法に準ずる方法と同等の方法は、「合理的な取引を比較対象取引とすることで独立企業間価格を算定できる場合」に該当することから、ご意見を踏まえ、基本三法に準ずる方法は基本三法よりも比較対象取引の選定の範囲を広げ得るという裁決の考え方についても、本事例の《解説》に追記します。 なお、当該裁決においても、基本三法において比較対象取引として求められる比較可能性の程度を緩めて基本三法に準ずる方法と同等の方法が採用されたものではないと考えています。
	基本三法に準ずる方法の例示として、「利益率等の平均値」としているが、事務運営指針2-2(1)及び(2)の平仄から考えると「利益率の平均値等」と読むべきである。	事務運営指針3-3において、措置法通達66の4(2)-3に規定する諸要素に照らしてその類似性の程度が同等に高いと認められる複数の比較対象取引がある場合の独立企業間価格の算定に当たっては、それらの取引に係る価格又は利益率等の平均値を用いることができるとしており、これを基本三法に準ずる方法の一例として示したものです。
	本事例の比較対象取引の選定の図において、「政府規制－市場の状況」の矢印の右側にのみ「価格や利益率等に影響を与える」とあるが、「価格や利益率等に影響を与える」要素かどうかはすべての検討要素に当てはまることである。	「図：比較対象取引の選定手順の例」における検討要素の例示における「政府規制・市場の状況」の補足説明の記載は、政府規制の1つとして、価格や利益率等に影響を与える政府規制である価格規制等を例示したものであり、説明の記載をより分かりやすく、「政府規制（価格規制等）」に修正します。
事例1 事例2	独立価格比準法により算定される独立企業間価格に幅の概念を反映させるべきである。 再販売価格基準法により算定される独立企業間価格に幅の概念を反映させるべきである。	措置法第66条の4の規定上、独立企業間価格は、特定の金額により一義的に算定されることを前提としており、独立企業間価格幅は認められていません。
事例1 事例2 事例3	基本三法の適用可能性の検討で示されている内容は、製品、取引形態、数量、契約条件の全てが「同様」の前提であるが、実際のケースでは、ある程度の差異があるのが必然であり、このような場合でも一定の幅あるいは「適切な調整」を容認した上で、当該手法の適用を容認すべきであることを明記する必要がある。また、どの程度の差異があれば、当該手法の適用が不適切と判断されるかの参考になる事例が望ましい。	事例9において、貿易条件や決済条件の差異の具体的調整の事例を示すとともに、調整の対象となる差異の程度などについて解説しています。 なお、差異が対価の額に影響を及ぼすことが客観的に明らかであっても、差異による具体的影響額を算定できない場合には、比較可能性自体に問題があることに留意することとしています。

資料7　663

区分	御意見の概要	御意見に対する国税庁の考え方
事例5	「P社の技術社員が行う保守・点検などの役務は独自性のあるものではなく、P社の製造ノウハウ等も使用されていない」との前提が記載されているが、「どのような基準・根拠をもって、どの判断が下せるか」という点に関する記載が望ましい。	ご意見の箇所は、事務運営指針2-9（注）ロに掲げる「役務提供を行う際に無形資産を使用する場合」に該当しないことを示すための条件として設定したものです。こうした場合に該当するか否かについては、個々の事実に基づき、関係法令等に照らして、判断することになります。
	役務提供のうち、総原価の額を独立企業間価格とする取扱いをしないものについて、どのように独立企業間価格を算定すべきなのかを明らかにすべきである。	本来の業務に付随した役務提供でない場合、役務提供に要した費用が法人又は国外関連者の原価又は費用の相当部分を占める場合あるいは役務提供を行う際に無形資産を使用している場合には、役務提供に要した総原価の額を独立企業間価格とする取扱いは適用できないことから（事務運営指針2-9（注））、その他の適用可能な独立企業間価格の算定方法について検討を行うこととなります。 役務提供取引に係る独立企業間価格の算定方法の取扱いに係る留意点は、本事例の《解説》の「図」に示していますが、本事例の《解説》に同旨を追記します。
事例6	P社の有する特許権等について独立価格比準法と同等の方法等を適用する上での比較対象取引を見いだすことができないと仮定しているが、P社の製造ノウハウ等の特許データベースなどから比較対象取引が特定できる可能性が十分にあり、それらの点に触れることなく断定的に説明することは、誤解を招く恐れがあるので、あくまでも仮定であることを明示的にすべき。	本事例は、独自技術が用いられている製品Aの販売取引について、独立価格比準法や原価基準法の適用を検討した結果、比較可能性が見いださせなかったという前提条件の下での移転価格税制上の検討結果を記述したものです。
	比較対象取引については、措置法通達66の4(2)-3（比較対象取引の選定に当たって検討すべき諸要素）に規定する諸要素を検討した結果判断する必要があるが、本事例の解説では取引単位営業利益法の比較対象取引の比較可能性が過度に広範に解釈されることとなることから、取引単位営業利益法の適用においても措置法通達66の4(2)-3に従って比較対象取引を選定することを明記すべきである。	取引単位営業利益法の適用において、法令上、求められる比較可能性を確保できる比較対象取引を選定すべきであり、その選定に当たっては、措置法通達66の4(2)-3に掲げる諸要素の類似性に基づき判断する必要があると考えており、ご意見を踏まえ、本事例の《解説》にその旨を追記します。
	売上総利益及び売上総原価並びに売上総利益率に影響を与える差異の調整に必要な情報が得られないとしながら、営業利益率ベースでは公開情報から5社に係る比較対象取引を把握することができるとある。この設定によれば、売上高と営業利益の2つのデータしかない状況で比較対象取引を選定することになるが、適切な比較対象取引を選定することが可能なのか疑問である。	本事例では、S社に係る比較対象取引の選定に必要な情報が得られたことが前提となっています。
	「比較対象取引」が存在し、本来取引単位営業利益法を適用すべき事案についても利益分割法の適用がありうるとするのは矛盾しており、安易な利益分割法の適用を招く懸念がある。「法人及び国外関連者の果たす機能等に照らした場合」という記述は寄与度利益分割を適用すべき基準を示しておらず、明確にすべきである。	取引単位営業利益法と利益分割法は、法令上、同順位にあり、適用の優先劣後関係はありません。 また、移転価格税制は、取引を通じた所得の海外移転に対処するための税制であり、国外関連取引に係る法人及び国外関連者の利益が、国外関連取引において果たされる双方の機能等に見合ったものとなっているかに配意して、移転価格税制上の問題の有無を検討することとしています（事務運営指針2-1(3)参照）。 独立企業間価格の算定に当たっては、法令に従い、個々の事例における事実関係に即して、最も適する合理的な方法を選択する必要があり、その際には、このような観点からの検討も行う必要があります。 本事例の《解説》に、その旨を追記します。
	「売上総利益率は機能の差異を受けやすいが、他方、営業利益率は、そのような差異によって影響を受けにくい面がある」との記述において、「機能」とは主として「事業戦略」「経営方針」等によるものと推測するが、比較可能性の基準を緩和できる機能はある一定の機能のみであることを明記し、当該一定の機能を示す必要がある。	我が国の法令上、原価基準法や再販売価格基準法と取引単位営業利益法とで、比較対象取引に求められる比較可能性の程度に違いはありません。ただし、本事例の《解説》に記述しているように、営業利益レベルで比較を行う取引単位営業利益法の場合には、売上総利益レベルで比較を行う場合に比較して、販売費及び一般管理費に表れてくる機能の差異による影響を受けにくい面があると考えられます。

区分	御意見の概要	御意見に対する国税庁の考え方
事例6	残余利益分割法は、法人及び国外関連者がともに無形資産を有している場合に限るという整理をしたように思われるが、その旨を明らかにしてほしい。	独立企業間価格の算定方法は、法令に従って適用するものであり、本事例の《解説》では、比較対象取引が見いだせない場合には、比較対象取引を用いない寄与度利益分割法を適用することが妥当な場合がある旨を記述しています。 ご意見を踏まえ、事例7の《移転価格税制上の取扱い》及び《解説》に、法人及び国外関連者双方に無形資産を有していないと認められる場合には残余利益分割法を適用することはできない旨、追記するとともに、残余利益分割法を適用する場合を説明した事例8の《解説》を参照する旨を追記します。
事例7	利益分割法ではなく、基本三法（及びそれに準ずる方法）や取引単位営業利益法による、比較対象取引に関する価格、利益率等を用いた算定方法をできるだけ使用することが望まれる。特に寄与度利益分割法の使用については慎重に行うべきであり、残余利益分割法が適用できない理由（当該事例においては所得の源泉となる無形資産が双方にないことがその理由と考える）を示すとともに、寄与度利益分割法による算定にあたって、適切な分割指標、当該指標と発生利益の相関関係があるとされる根拠等を記載すべきである。	寄与度利益分割法を適用する場合の分割要因については、措置法通達66の4(4)-2（分割要因）において、国外関連取引の内容に応じ法人又は国外関連者が支出した人件費等の費用の額、投下資本の額等、これらの者が当該分割対象利益の発生に寄与した程度を推測するにふさわしいものを用いることとしています。 例えば、製造、販売等経常的に果たされている機能が利益の発生に寄与している場合には、当該機能を反映する人件費等の費用の額や減価償却費などを用いるのが合理的と考えられます。 本事例（前提条件1）の《解説》にその旨を追記します。
事例7	「取引単位営業利益法を適用する上での比較対象取引は見いだすことができない」と述べているが、比較対象が見いだせなかった状況が説明されていないので、仮に、「移転価格税制上の取扱い」の中での説明が事例を述べるための単なる仮定だとしても、その点について十分な説明がなされるべきである。	本事例は、法令に従い独立企業間価格の算定方法の検討を行った結果、X国及び日本における市場の状況が寡占状態となっている等の事情があり、基本三法等の比較対象取引が見いだせなかったという前提条件の下での移転価格税制上の検討結果を示しているものです。
事例7 前提条件1	解説3の「寡占等の市場の状況により、比較対象取引を見いだすことが困難な場合においては、比較対象取引を用いない寄与度利益分割法を独立企業間価格の算定方法とすることが妥当な場合がある」という記述は、取引単位営業利益法を適用する場合の比較対象が比較的狭い同業種でなければならないという誤解を生む恐れがあり適切でない。	ご意見で引用されている記述は、比較対象取引を見いだすことが困難な場合の例示を挙げたもので、取引単位営業利益法を適用する上での比較対象取引に関して説明したものではありません。 なお、取引単位営業利益法を適用する上での比較対象取引については、措置法施行令第39条の12第8項に規定されています。
事例7 前提条件2	金融商品のグローバルトレーディングに該当する取引については、OECD新GTレポート並みの詳細な運用基準を設けるべきである。 「金融機関のグローバルトレーディングに関し、移転価格の算定方法の検討に当たっては、OECDのレポート（2006年12月公表）に記載されている手法を尊重する」といった文言を入れるべき。 OECDレポート（2006年12月）との齟齬を避けるためにも、営業・マーケティング機能を一括りにして利益分割法を適用するべきではなく、詳細な機能・リスク分析が必要とされるものである。 本事例のような利益分割法が適用される前提条件を、「共助的に一体として事業を行っているような高度に統合されたグローバルトレーディング」であることを明確にする必要あり。 契約当事者YA社の機能（及びリスク）に関する具体的な記述が欠落しており、3社間でのデリバティブ業務の寄与度利益分割法が妥当とする合理的な説明を欠くものである。	OECDでの議論の反映については、事務運営指針1-2（基本方針）(3)において、「移転価格税制に基づく課税により生じた国際的な二重課税の解決には、移転価格に関する各国税務当局による共通の認識が重要であることから、調査又は事前確認審査に当たっては、必要に応じOECD移転価格ガイドラインを参考にし、適切な執行に努める」こととしています。 本事例の取引形態については、《移転価格税制上の取扱い》の中で、「A社の行っている業務は、企業グループが一体として顧客にデリバティブ商品を販売する中において果たしている一機能である」との事実認定を記載しており、本事例は、《解説》において利益分割法の適用が妥当と認められる取引形態としては「法人及び国外関連者に機能が分散され、これらの者が共助的に一体として事業を行っているような高度に統合されたグローバルトレーディング」に該当するとの前提です。したがって、A社、XA社及びYA社の果たす機能は、このような高度に統合されたグローバルトレーディングの中での一機能との前提ですが、ご意見を踏まえ、YA社の機能をより明確にするため、トレーディング機能を追記します。

区分	御意見の概要	御意見に対する国税庁の考え方
事例7 前提条件2	「デリバティブ商品の開発において営業・マーケティング・トレーディングなどの一連の機能を、非関連者との役務提供取引において非関連者間で分散しているケースはない」という記述があるが、本事例で採り上げたケースにおいてとの限定を付すべきである。	本事例集の《移転価格税制上の取扱い》は、個々の事例における前提条件の下での移転価格税制上の検討結果を記述しているもので、本事例のようなデリバティブ商品の販売においては、営業、マーケティング、トレーディングなどの一連の機能を、非関連者との役務提供取引により非関連者間で分散しているようなケースはなく、基本三法と同等の方法を適用する上での比較対象取引を把握できなかったことを記述しているものですが、ご意見を踏まえ、本事例に限定する表現にします。
	「デリバティブ商品の組成・開発」がデリバティブ商品の組成・開発のみか、それとも通常の債券にデリバティブを組み込む行為を指しているのか、本事例はどちらの事例であるのかを明確にし、機能や負担するリスクがどのように貢献度の判定に勘案されるのかを明示しつつ、独立企業間価格の算定過程を具体的に記載する必要がある。	日本法人A社の機能については、営業活動や顧客から注文を受けるだけでなく、「顧客の要望に基づいてデリバティブ商品の組成・開発(マーケティング)を行っている」と記述しており、定型商品の取次のような単純な営業機能ではなく、顧客のニーズを満たすような役務提供取引への関与や顧客との条件交渉等、高度に専門化し、商品開発や商品の構築プロセスに深く関与する機能を果たしていることを前提としています。また、債券にデリバティブを組み込む行為は、デリバティブ商品の組成・開発行為の中の一部であると考えられます。
	デリバティブ取引はリスクを取ること自体がビジネスであるということもできる。そのため、リスク資本に関する対価については、各社の収益獲得への貢献度を検証する際に、適切に考慮されるべきである。 利益分割法を用いる事例において、分割対象利益が粗利益の場合と営業利益の場合の区分、各拠点の貢献はどのように測定されるのか、リスクはどのように評価するのかについての基準を示してほしい。 利益分割法の適用にあたり、分割対象利益を「原則として国外関連取引に係る棚卸資産の販売等により生じた営業利益の合計額」とされているが、金融機関においては、全社ベースとなってしまうため、会社全体の損益比が国外関連者の損益比と比較して遜色がない場合には、柔軟な対応が必要である。	本事例集の第一章には独立企業間価格の算定方法の選択に関する事例を記述しており、各事例の前提条件の下での算定方法の選択までを示しています。 なお、本事例において寄与度利益分割法を適用する場合の分割要因については、措置法通達66の4(4)-2(分割要因)に基づき、各当事者が分割対象利益の発生に寄与した程度を推測するにふさわしいものを用いることとなります。 分割対象利益は、「原則として、国外関連取引に係る棚卸資産の販売等により法人及び国外関連者に生じた営業利益の合計額」(措置法通達66の4(4)-1)としていますが、合理的であれば営業利益以外についても例外的に、使用することもありうると考えられます。
事例8	「基本的活動のみを行う法人」について定義しているが、結局は、基本的な製造・販売等の活動だけを行う法人を「基本的活動のみを行う法人」というに定義しているだけではないのか。また、「基本的な製造・販売等の活動」の定義も置くべきである。	本事例集の《移転価格税制上の取扱い》の注書きに、「基本的活動のみを行う法人」とは、国外関連取引の事業と同種の事業を営み、市場、事業規模等が類似する法人のうち、基本的な製造・販売等の活動だけでは生み出すことができない利益の発生に貢献する無形資産を有しない法人をいう旨を記述しています。
事例8、10	所得の源泉となる無形資産について「独自の」という表現がなされているところ、所得の源泉であるか否かの判断において、「独自」の意味は基本的活動のみを行う法人との関係で意味を持ち、所得の源泉となる類似の無形資産を有している同業他社との関係で「独自」という意味ではない旨を規定すべきである。	ご意見の点を明らかにするため、事例8に、国外関連取引に無形資産が関係する事例においては、基本的活動のみを行う法人との比較である旨を追記します。
事例10、15	製造原価については、何と比較して「低い」のか明確にすべきである。	
事例9	「客観的に明確」の意図するところが不明確であり、その要件を明記すべき。	差異調整は、比較対象取引候補として選定された非関連者間取引について、比較対象取引としての合理性を確保するために、対価の額に影響を及ぼすことが客観的に明らかな場合に限り行うものと記述していましたが、ご意見を踏まえ、本事例の《解説》に、対価の額の差を生じさせ得るものすべてを対象とするものではない旨を追記します。 また、調整対象の差異が対価の額の差に表れていることが客観的に明らかで、その差を定量化できる場合には差異調整を行うことになります。 他方、差異が対価の額に影響を及ぼすことが客観的に明らかであっても、その差異による具体的影響額を算定できない場合には、比較可能性自体に問題がある点に留意する必要がある旨を本事例の《解説》に記述しています。 なお、この考え方は、高松高裁平成18年10月13日判決(最高裁平成19年4月10日決定(上告棄却))を基にしたものであり、本事例の《解説》にその旨を追記します。

区分	御意見の概要	御意見に対する国税庁の考え方
事例10	経費削減方法については、各社各様であるはずであり、広告宣伝や経費削減の成否によって、海外事業会社の存続にかかわる重要なものであるケースも存在する。よって、単にこうした活動・努力を行っているということのみでは、基本的活動を行う法人との比較において、所得の源泉となる無形資産を形成していると直ちに認めることはできないというのは、合理的ではないと考える。	ご意見のように、広告宣伝活動のほか、原価低減等の活動・努力などのうち、無形資産に該当するものもあると考えられますが、無形資産に該当するか否かについては、個々の事実に基づき、関係法令等に照らして、判断することになります。
	広告宣伝活動については、P社の企画であるが、費用負担と企画の実行を行っているS社の貢献が考慮されておらず、「総合的に勘案」としている運営指針と矛盾している。	本事例は、大規模な会社イメージ広告や製品Aの広告宣伝活動に係る企画、実施及び費用負担の一部をS社が行っているという前提を置いておらず、これらの機能は全てP社が行っていることを前提としています。
	「低い」製造原価がP社と同様の製造方法のみからもたらされたものであると直ちに認めることはできないと考えられる。	本事例は、製造プロセス全般にわたるP社からの技術指導を通じ、P社の製造ノウハウがS社に供与されたことによって、S社に効率的な製造方法による低い製造原価が実現していることを前提条件として記述しています。
事例10、11	販売網を無形資産と判断する場合の基準について、一般的な販売網は通常の販売を確保するものに過ぎず、単に販売店舗(＝有形資産)が展開されているだけでは、売上結果は個別店舗の販売努力の結果に過ぎず、販売網が付加的価値を有し、基本的活動のみを行う法人との比較において所得の源泉となっていると認められる場合に初めて、独立企業間価格算定上考慮される無形資産とすべきであり、その旨を事例10、11において記載すべきである。	措置法通達66の4(2)-3の(8)では、比較対象取引の選定に当たって考慮すべき諸要素の1つである無形資産の例示の中に「販売網」を挙げています。また、OECD移転価格ガイドラインのパラグラフ6.4でも、マーケティング上の無形資産の中に「販売網」が挙げられており、販売網は無形資産に該当すると考えています。 販売会社であれば何らかの販売網を有していることが通常であることから、事例11の解説では、特に、販売網が基本的活動のみを行う法人との比較において所得の源泉になっているケースの一つとして、「他には見られない広範なもの」を挙げています。ただし、ご意見のように、他社に比べ独自性のある販売網を展開して、それが所得の源泉となっているケースも考えられることから、同《解説》に、「販売網が他には見られない広範なもの」に加え、「ユニーク(独自)なもの」を追加します。
事例10	販売網そのものが無形資産に該当するか否かは、販売網の仕組みそのものに他に例をみない自己開発、独自性が認められるか否かによって限定的に解釈されるべきであることを明記していただきたい。	
	販売店網は基本的には無形資産に該当しないが、他に例をみない独自の販売ノウハウを一定のコストをかけて積み上げている場合において、例外的に販売店網が無形資産に該当する場合がある旨記載していただきたい。	
	「充実した店舗網」が、マーケティング無形資産の事例として妥当かどうかは疑問である。店舗網が無形資産である可能性があるのは、他社にはないユニークな店舗網で、他社が簡単に真似できないもの(初期投資も含め)と思われる。新市場開拓や新製品導入時における、マーケティング投資、啓蒙活動等に係る努力と関連費用(結果を出すためにある程度の年月が必要となるような投資とみることができる)などを例示したほうが妥当と思われる。	
事例11	販売網が無形資産として認識できるか否かについては、具体的な要素単位のノウハウの独自性を検証することが必要である。	
事例11	販売網の構築は営業戦略の立案に伴うブランド構築の要素があり、構築されたブランドに係る無形資産性との差別化が重要なので「独自ブランド戦略展開における販売網構築の寄与度・戦略性を考慮する必要がある」との記載を追加いただきたい。	本事例は、P社の活動により形成されたグローバルな販売網が基本的活動のみを行う法人との比較において国外関連取引に係る所得の源泉になっていることを前提としています。 なお、個別の事例においては、所得の源泉となっている要因とその形成等に貢献した活動との関係について、事実関係に基づき個別に判断する必要があると考えています。

区分	御意見の概要	御意見に対する国税庁の考え方
事例12	所得の源泉となる要因として無形資産以外のものも十分に検討し、対象とする国外関連取引において法人と国外関連者が何を源泉に利益を稼得しているかを検討することに留意する旨の文言を追加していただきたい。	無形資産が所得の源泉となっているかについては、十分に検討することとしています(事務運営指針2-11)。事例19も併せてご参照下さい。
事例13、14	無形資産による所得への貢献の判断基準として、「意思決定」「リスク管理」「総合的に勘案」という文言が極めて曖昧である。	無形資産の形成等に当たっては、意思決定、役務の提供、費用の負担及びリスクの管理において法人又は国外関連者が果たした機能等を総合的に勘案することとしていますが(事務運営指針2-12)、ご意見を踏まえ、事例13の《解説》に、「意思決定」は、具体的開発方針の策定・指示、意思決定のための情報収集等の準備業務などを含む判断要素、「リスク管理」は、例えば、無形資産の形成等の活動に内在するリスクを網羅的に把握し、継続的な進捗管理等の管理業務全般を行うことによってこれらのリスクを一元的に管理する業務等である旨を追記します。なお、定量的なガイドラインを一律に設けることは困難であると考えています。
	事例13、14において、事務運営指針2-12において規定している無形資産の貢献度判定要素としての「意思決定」「リスク管理」の概念が不明確なため、これらの概念がどのように独立企業間価格算定上考慮され、どのような判断のもとに貢献度を判定しているか具体的に記載すべきである。	
事例13	無形資産の形成・維持・発展への貢献については、「意思決定やリスク管理等を総合的に勘案する」とあるが、仮に、残余利益分割法を適用する場合には、分割要因としてどのように数量化するのか明示してほしい。	
事例13、14	本事例では定性的な記述のみであり、定量化にあたっての考え方を明示すべきである。	
事例13、14	無形資産の貢献度判定要素の規定に関連して、事業が失敗した場合、子会社は損失を被ることになるにも関わらず、事業が成功した場合には子会社の貢献度が低く評価されることとなっており、不適切である。逆に、本国の親会社が海外子会社に研究開発・製造・販売を委託し、海外子会社が自ら費用及びリスク負担を行っている場合、本国の親会社の貢献分は低くなってしまう。従って、貢献度の判定要素において、事務運営指針2-12にリスク負担を追加しつつ、事例13、14に子会社の費用やリスク負担がどのように考慮されているかを記載するとともに、これらの要素について一定の評価をすべきである。	ご意見を踏まえ、事例13の《解説》に、無形資産の形成等に当たっては、意思決定、役務の提供、費用の負担及びリスクの管理において法人又は国外関連者が果たした機能等を総合的に勘案する(事務運営指針2-12)旨を追記します。なお、法人又は国外関連者のリスク負担については、こうした意思決定、役務の提供、費用の負担及びリスクの管理において果たした機能等を勘案する中で考慮されることになるものと考えていますが、リスク負担が取引の経済実態に一致しているか否かの検討が必要です。ご意見のような場合にも、個々の事実関係に即して判断することになります。
	海外の研究開発拠点において、国内企業が開発費を全額負担して研究開発を実施するケースがあるが、その場合において海外での無形資産形成につながらない旨を追記いただきたい。委託研究開発との整合性が必要である。費用のみの負担であっても、受託者の委託研究開発の活動とその役務提供に見合う十分な対価を委託者が支払うことで創出された無形資産を、資金の負担者(委託者)がすべて保有することは、一般に独立第三者間でも行われている。費用負担のみがすなわち無形資産の保有とならない、もしくは実際に研究開発している主体であれば当該活動から生じる無形資産を有するという誤解を与えないために、通常の委託研究開発による無形資産の保有者についての概念も併せて言及すべき。	事務運営指針2-12では、無形資産の使用許諾取引等については、法的な権利関係のみならず、無形資産の形成等への貢献の程度も勘案する必要があるとしており、委託研究についても、同様に考えています。
事例14	「費用を負担しているのみでは、貢献の程度は低い」とあるが、費用を負担することによる貢献(ゼロでないとすれば)とは、何をさしているのか。	事務運営指針2-12では、所得の源泉となる見通しが高い無形資産の形成等において、単にその費用を負担しているのみでは、貢献の程度は低いものとしています。本事例は、S社には研究開発業務を行う部署がなく、S社は、既に独自技術が形成された製品Aの品質向上や製造ライン改良等、所得の源泉となる見通しが高い無形資産の形成等に係る研究開発費用の一部のみを負担していることを前提としており、同指針に従い、S社の貢献の程度は低いものと判断されることとなります。
	費用負担者はリスクテイクに対し相応のリターンを要求していることから、必ずしも貢献の程度が低いとするのでなく、相応の貢献を認めるべきである。	
	S社が研究開発の機能を果たしていない前提で、解説中に残余利益分割法が適用されるという設例が示されること自体の意味合いが不明である。このケースでは、研究開発以外の、例えばマーケティング無形資産をS社が所有していることを前提としているのか。	ご意見を踏まえ、本事例の《解説》に、S社が別に重要な無形資産を保有していると仮定を置いた場合であることを追加します。

区分	御意見の概要	御意見に対する国税庁の考え方
事例10～15	事例10～15において、独立企業間価格の算定方法が記載されていないので、算定方法を記載すべきである。 事例14において、残余利益分割法が最も適切な方法と考えられる理由を明示すべきである。 また、事例10、13、15についても残余利益分割法の適用が前提となっているが、それぞれの場合に残余利益分割法が最も適切な算定方法となる理由を明示すべきである。 特に、無形資産の扱いについての解説が記載されている事例10の解説には、利益に寄与する無形資産が存在する場合の独立企業間価格算定方法について解説した事例8解説3を追記すべきである。	第二章(1)に掲げた事例10から事例15は、無形資産に関する取扱いを示すことを目的とした事例であり、具体的な独立企業間価格の算定方法を選択するために必要な前提条件までは設定していないため、ご意見を踏まえ、事例10の《移転価格税制上の取扱い》に、その旨の注書きを追加します。
事例15	出向者に応じてノウハウの対価を算定する際、その算定方法を事例に織り込むべきである。	
事例11	品質管理部門費用総額を無形資産算定のベースとすることには問題があると考えられ、定量化に当たっての考え方を示すべきである。	各事例において残余利益分割法を適用するとした場合の残余利益の分割要因については、事例22を参照して下さい。
事例15	残余利益分割法を適用する場合に、出向者の給与等が分割要因としてどのように取り扱われるのか明確にすべきである。	
事例12	「個人に付着したノウハウは、その独自性が企業として標準化されていなければ、単に個人ノウハウの発揮に過ぎず、また組織的な提供についてもそのプロセス・ネットワークに独自性が認識されるノウハウを契約上の対価性として認めうる標準化が検証される必要がある」旨を追加記載いただきたい。 無形資産そのものと、その運用者、運び手が混同されているのではないかと懸念される。 他国の定義と整合性がない無形資産に基づく事例であり不適切。 P社の有する経営ノウハウ・リスク管理ノウハウといった人的資源及び組織に関する無形資産を供与しているということは否定できないが、当該無形資産が重要か否か、所得の源泉となっているか否かは再考の余地がある。 役務提供の独立企業間価格を求める際に、そのマークアップにどのような形で無形資産の評価分を盛り込むかの解説が必要である。このような事例で、必ずしも利益分割法が最適とは限らない点についても留意が必要と思われる。 事業の収益性を左右する程度について具体的に(例えば税引後損益へのインパクトが20%上下あるとか)示唆すべき。判断基準に一定の定量的なガイドラインを設けて頂きたい。 「社員のノウハウ」に注目しているが、必ずしも本社勤務で培ったノウハウか判らない。 情報網等の組織に関する無形資産についても、本社単独で組成したものではない。 本事例の国外関連取引である役務提供取引に係る所得とは何かが判然としないことから、その定義を明らかにすべきである。 PEの問題が懸念されるため「受注活動」は削除すべきである。 従業員の能力、知識等は従業員の給与等に反映されていると考えるのが自然であり、経営指導料に無形資産の要素を含めることについて国際的な認知があるとは考えられず、修正が必要である。	ご意見を踏まえ、事務運営指針2-8(1)の(注)を「無形資産が役務提供を行う際に使用されているかどうかについて調査を行う場合には、役務の提供と無形資産の使用は概念的には別のものであること、役務の提供者が当該役務提供時に措置法通達66の4(2)-3の(8)に掲げる無形資産を用いているか、当該役務提供が役務を受ける法人の機能、活動等にどのような影響を与えているか等について検討を行う旨の規定に修正します。 また、事務運営指針2-11の前段部分の規定については、措置法通達66の4(2)-3の(8)の無形資産の定義規定に対応する表現に修正することとし、調査において検討すべき無形資産の例示として、「イ 技術革新を要因として形成される特許権、営業秘密等、ロ 従業員等が経営、営業、生産、研究開発、販売促進等の企業活動における経験等を通じて形成したノウハウ等、ハ 生産工程、交渉手順及び開発、販売、資金調達等に係る取引網等」を掲げるとともに、「役務提供を行う際に無形資産が使用されている場合の役務提供と無形資産の関係については、事務運営指針2-8(1)の(注)に留意する」旨を事務運営指針2-11に(の解説)に追記するとともに、本事例の表題を「従業員等の事業活動を通じて企業に蓄積されたノウハウ等の無形資産」と変更します。 定量的なガイドラインを一律に設けることは困難であると考えています。 なお、収益性を左右することの説明として、本事例の《移転価格税制上の取扱い》に、P社の役務提供がなければS社単独で事業が成り立たない旨を追記します。 個別の事実に基づき判断すべき事項と考えられます。 役務提供を介して無形資産の移転・供与等が生じていれば、その対価についても、適切に検討する必要があります。 ご意見を踏まえ、P社ではなく、S社が受注活動を行う等に修正します。 経営指導料という名目であっても、その中に各種ノウハウや営業秘密等の提供が含まれていることもあるため、個別にその内容を確認することが必要であり、一律に無形資産の要素はないとは言えないと考えます。

区分	御意見の概要	御意見に対する国税庁の考え方
事例14	「所得の源泉となる見通しが高い」とはあまりに曖昧な定義であり、なぜ「所得の源泉となる見通しが高い」と判断されたかについての記載をすべき。	個別の事実・ケースを踏まえ判断されるもので、一律に適用可能な判断基準が設けられるものではないと考えています。
	S社に研究開発部門がないこと、機能がないことを取り立てて言及しているが、これによりすなわち無形資産への形成-維持-発展への貢献が少ないとする誤解を与えかねないため、現在の文言は変更していただきたい。	本事例の《移転価格税制上の取扱い》において、「S社は、既に独自技術が形成された製品Aの品質向上や製造ライン改良等の研究開発費用の一部を負担しているが、研究開発業務を行う部署は存在せず、当該研究開発に係る機能を果たしていない」としているとおり、S社の果たす機能が費用負担のみであることを理由としているものであり、研究開発部門がないこと等を理由に貢献の程度が低いと判断しているものではありません。
	コストシェアリングとの整合性が必要である。コストシェアリング契約においてコスト負担者による研究開発コストのリスク分担が無形資産の保有と関連してくることについても併せて言及すべき。	費用分担契約の下では、契約締結当初からの参加者は、所得の源泉となる見通しが低い段階から費用を負担し、途中で参加した参加者は、それまでに形成された無形資産等の価値を評価して対価の授受を行うことになることから、所得の源泉となる見通しが高い無形資産の形成等において単にその費用を負担するというケースとは異なると考えられます。
事例15	出向者は一義的には出向先法人の業績に貢献しているものであり、出向先の法人の支払う報酬に正しく反映されているべきである。 個人に属するノウハウ以外に、特許や図面等の使用が供与される場合には、当然何らかの対価が別途支払われているはずである。 個人に属するノウハウについては、他社に転職する可能性を考えたときに、本人に支払われる報酬を上回る価値を法人として認めることは困難であることに留意するべきである。 出向者は原則として、出向先の指揮命令系統下で業務を遂行する点が何ら考慮されないまま、出向を通じてノウハウが国外関連者へ移転している前提での事例となっており、移転価格税制上での出向の取扱いも含めて明確化すべき。 会社は出向者の頭の中にある個人の所有するノウハウまで立ち入ることができるのかも検討すべき。 法人のノウハウを習熟したP社に所属した者がその技術を利用して子会社S社で勤務したことにより親法人の技術が供与されたとの事実判断は極めて難しいと考える。そのため、法人の無形資産の移転の判断を出向者が当該法人の無形資産を習得していることのみでは移転とならないことに留意するなどの記述が必要である。 将来に掛けてはS社が出向者の給与等の費用を負担し、これらの元P社職員は既にS社の従業員としてS社における生産活動に対して発展・維持・形成に貢献している事実にも留意すべき。 法人の無形資産の使用については、出向者の派遣に関連する技術に関する技術供与契約・技術支援契約や、当該出向者の出向形態、P社での勤務期間、S社への派遣期間等を複合的に考慮しなければならない旨の文言も含めるべき。 出向者がS社においてP社の無形資産を使用することによってP社の無形資産がS社に移転した（使用された）と認定しうるのか、についての特段の検討要素、判断は示されていない。	本事例においては、前提条件として、出向の目的をP社の製造ノウハウをS社に提供するためと記述しており、また、その目的通り、製造ノウハウが移転していることを前提とした事実関係の下での無形資産に関する移転価格税制上の取扱い等を示したものです。
	何の取引に対する移転価格の問題なのかを明らかにすべきである。	出向者を介した無形資産の移転に係る移転価格税制上の取扱いを示したものです。

区分	御意見の概要	御意見に対する国税庁の考え方
事例15	無形資産の説明として「高度な（役務提供）」という概念が用いられているが、かかる概念は不明瞭であるため、所得の源泉となる無形資産の判定の説明としてはこれを用いるべきでない。	本事例における「高度な」という用語は、出向者がP社の製造ノウハウ等をS社に供与できるだけの技術開発知識等を有しているという前提条件を表現したものです。
	本事例における「高度な」技術開発知識等というものはどのような判断によるものなのか具体的な例示をあげるべき。	
事例16	PZ社が製品Aを製造していたとしても、取引が連鎖していないので、P社、SX社及びSY社の利益分割法からは切り離すことができるのではないか。P社、SX社及びSY社と、P社及びPZ社という2つの利益分割法を行う場合、P社の分割要因をどのように区分するのか、設例をもって示してほしい。	SZ社がSX社と同じ製品Aを製造・販売しているとしても、連鎖していない別の製品販売取引であることから、ご意見のとおり、それぞれ別の連鎖取引として、利益分割計算を行うこととなります。 本事例集は、事例ごとにそれぞれ説明するポイントを明確にし、一定の前提条件の下での取扱いを示したものであり、各事例で全ての論点を網羅することは意図していません。
	取引単位認識の基準、考慮要素等、取引単位判断過程及びその際の算定方法について説明すべきである。	ご意見を踏まえ、本事例の《解説》に、独立企業間価格の算定は、原則として、個別の取引ごとに行うが、例えば、国外関連取引について、同一の製品グループに属する取引等を考慮して価格設定が行われている場合や生産用部品の販売取引とそれに係る製造ノウハウの使用許諾取引等が一体として行われている場合で、独立企業間価格を一体として算定することが合理的であると認められる場合には、これらの取引を一の取引として独立企業間価格を算定することができる（措置法通達66の4(3)－1）旨を、参考として追記します。 また、本取扱いに従って独立企業間価格の算定単位として合理的と判断されたそれぞれの取引単位について、法令の規定に従い独立企業間価格の算定方法の適用の検討を行うこととなり、基本三法を適用するための比較対象取引が見いだせないこと等により、利益分割法を適用する場合には、本事例の《解説》に留意して利益分割法の対象範囲を決めることとなる旨も併せて記述します。
	独立企業間価格の算定における取引単位に関し、①独立企業間価格の算定については個別の取引毎に行うこと、②各取引を一つの取引として独立企業間価格を算定する場合は個別取引毎の算定が行えない場合に限るものとし、課税当局は、その妥当性を慎重に検討するとともに、算定を個別の取引毎に行わない場合はその挙証責任を負うことを明記していただきたい。	
事例17	①国外関連者が他国の非関連者と行う取引と同様の価格設定が行われていることや、②国外関連取引の利益水準が業界平均的であること等を理由として、利益分割法の適用対象範囲から除くことができることが説明されているが、②の記載の後に、「よって分割対象利益の計算に影響が少ないと判断される」と加筆すべきである。	連鎖する国外関連取引に含まれる関連者を利益分割の対象範囲に含めないことが許容される判断基準については、本事例の《解説》で説明しています。本事例は、業界平均的な利益水準の比較などの検証に基づき、「移転価格税制上の問題があるとは認められない場合」に該当するケースであり、ご意見を踏まえ、本事例の《移転価格税制上の取扱い》にその旨追記します。
	他国の非関連者及び他国の非関連者との取引における価格、利益率を比較対象として用いるにあたっては、確認までに差異の調整が必要な旨を言及すべきである。	比較対象取引の選定に当たって検討すべき諸要素の一つとして、「市場の状況」を挙げています（事例1の解説参照）。 本事例は、利益分割法を適用する際の対象範囲の検討に当たり、移転価格税制上の問題の有無を判断するための比較対象取引候補としての合理性の判断であり、「Y国と他国を含む地域は、経済水準等が比較的類似している」ことを前提としているため、市場の違いは、当該判断に大きく影響しないものと考えています。

区分	御意見の概要	御意見に対する国税庁の考え方
事例19	製造移管に伴う利益は「外生的なもの」として、残余利益分割法の基本的利益算出の際に基本的利益に含まれるとしているが、同じく製造移管に伴う利益を享受している比較対象取引が存在しない場合に、本事例のように、製品価格・製造原価が変化せず、製造原価の低減分と製造移管に伴う利益が算術的に同一な場合等、製造移管に伴う利益の算出が可能な場合などは、製造移管に伴う利益を残余利益から区別して個別に認識することを認めるべきである。また、本事例に、製造移管に伴う利益の算定が可能で、かつ基本的利益の算定にあたって比較対象取引が見つからない場合、かかる利益を残余利益から区別して扱う事例を加えるべきである。	製造業務の移管に伴う利益については、品質、ブランド、販売価格及び数量の維持並びに生産効率向上のための活動やノウハウの使用が行われていることが通例であり、こうした企業内部の要因と人件費較差等の外生的要因が複合的に絡み合って生じるものであることから、利益分割法の適用に当たって、分割対象利益から区分することは困難である旨を、本事例の《解説》に追記します。
	製造業務の移管に伴う利益の意味及び帰属について議論をすべきであり、製造業務の移管に伴う利益を分割対象利益から容易に区分できる場合、その区分された利益は残余利益分割法においてどのように取り扱われるのか明らかにしてほしい。	
	製品価格が一定で、販売費も一定とすれば、製造原価の低減分と製造業務の移管に伴う利益は算術的に同値であり、進出前後の製造原価さえ分かれば、当該利益は簡単に算出することができる。	
	基本的利益の計算過程においてS社と同様に低い人件費水準の恩恵を受けている比較可能企業が存在すると仮定されており、この情報を用いれば人件費節減に起因する利益水準の推定は可能であろうし、アームスレングス基準からはこうした利益はS社に帰属するべきものとして分割対象利益から除外することが適当と考えられる。	
	低い人件費水準等は、市場、事業内容等が類似する法人であれば同様に享受するとあるが、製品価格の水準について言及しておらず、要は競合会社が、低い人件費等を同様に享受すれば対応する製品価格が下落し、一方S社だけがその恩恵を享受している状況であれば、Pグループとして追加的な利益が発生している、ということを設例の前提とすべきである。この際、競合会社が非関連者であるとは限らないので、本事例で想定している「基本的利益の計算過程における適切な法人」の中に、P社と比較可能な状況が発生しているとは極めて想定しがたい。基本的利益の算定のために選定される法人は、通常の場合、競合状況で事業を行っており、上記の追加的利益の評価目的では不適切である。	
	ロケーションセービングは、無形資産によって生み出されたものとは考えにくく、まさに「外生的要因」であり、分割対象の合算利益と考えるにはなじまない面もあり、その取り扱いについて安易な一般化を招くことは避けるべき。	
	海外進出に伴い、現地子会社等が補助金や税制上の優遇措置を受けている場合なども、製造移管に伴う製造原価の低減の場合と同様に扱うべきであり、その旨を事例19に加えるべきである。	
	X国に製造販売会社を設立するという事業判断は移転価格税制の範囲外であるから、P社における事業判断は移転価格の算定にあたって影響を与えないと考えるべきである。	
	特許権及び製造ノウハウの価値が現地の人件費の高低により変動するのは合理的でないと考えられる（現地の人件費上昇→残余利益減少→ロイヤルティ減少となる）。	残余利益の配分額とロイヤルティとは、概念的には別のものであると考えられます。 　なお、ロイヤルティについては、利益水準に応じた料率が設定されている場合など、人件費を含め費用項目の変動によりロイヤルティが変動するようなケースもあり、一概に、合理的でないとは言えないと考えられます。

区分	御意見の概要	御意見に対する国税庁の考え方
事例20 事例24	市況サイクルについては、1サイクルを包括的に見る必要があり、市況の良い時だけを捉えた移転価格課税は不適切である。	移転価格税制上の問題の有無の検討のため、その判断材料として複数年度の対価の額又は利益率等の平均値を用いる場合であっても、移転価格税制上の問題があると判断されるときは、措置法第66条の4に従い、移転価格税制上の問題が認められる事業年度のみについて、課税を行うこととなります。
事例20	市況サイクルの変動や市場の特性による影響を子会社であるS社も独立第三者と同様に受けなければならないことはなく、当該事業において市場リスク等のリスク負担、価格付けの取極めを十分に検討し、その上でS社が稼得すべき利益水準や市況サイクルにそのまま関連付けることができるのかを検討しなければならない。 また、同じ市場で事業を行う者は、平等に需要・市場価格の変動、市場の特殊性の影響を受けたとしても、すべての者はそれを同じように影響を受けるか否かは十分な配慮が必要となる。	本事例は、基本的利益の計算に必要な比較対象とする法人を選定するに当たり、選定された法人の合理性を判断する場合に検討すべき問題・留意点について解説したものです。
事例21	基本的利益の計算の際の比較対象取引の選定手順において、機能の差異が考慮されていないため、これを考慮した比較対象取引の選定を行った説明をすべきである。	基本的利益とは、重要な無形資産を有しない非関連者間取引において通常得られる利益に相当する金額であり、例えば、国外関連取引の事業と同種で、市場、事業規模等が類似する法人(重要な無形資産を有する法人を除く。)の利益指標に基づき計算することとしています(事務運営指針3-5)。本事例の《解説》では、かかる取扱いに従い、一般的な比較対象法人の選定手順の例を示しています。
	企業単位で捉えた場合、その企業の財務情報に異常値が含まれるリスクが排除される為、充分なサンプルを取ることにより統計的信頼性を担保すべきである。	基本的利益の算定のための比較対象法人については、比較可能性が確保される限りにおいて、できるだけ多くの比較対象法人を選定することが望ましいと考えており、ご意見を踏まえ、本事例の《解説》に、その旨を追記します。
事例22	一般的には広告宣伝活動と比べて、研究開発活動のほうが、より長期間便益が持続すると考えられる。研究開発費用や広告宣伝費用を資産化して推定される無形資産の価値の比率と、単年度ごとの費用の比率は大きく異なる。従って、措置法通達68の4(4)-5(注)の解釈として、費用の比率を認める場合は、双方の関連者が開発した無形資産が類似したものであることを注記すべきである。	無形資産の形成等の活動が継続的に行われている場合、個々の無形資産の形成等に係る費用や価値の持続期間を個別に特定することが困難な場合も少なくないと考えています。本事例は、こうした点を踏まえ、無形資産の形成等の活動に着目して、当該活動が継続的に行われ、その費用の発生状況が比較的安定している場合には、当該活動を反映する各期の費用を分割要因とすることにも一定の合理性があるとの考え方を示したものです。 なお、併せて、各期の費用の支出状況に大きな変動がある場合などは、合理的な期間の支出費用の平均値を使用する方法等も示しています。
	残余利益の分割要因として両社が重要な無形資産の開発のために支出した費用等の額を用いる場合、当該費用が形成した無形資産の耐用年数も考慮されることが望まれる。	
	資産の価値を支出費用のみで捉えることに問題があることを認識した上で、慎重な運用をはかることが望まれる。	
	費用の全てもしくは一部を無形資産化の対象とすべきか等についても慎重に検討されるべきである。	
	措置法通達66の4(4)-5(注)のいう「無形資産の開発のために支出した費用」と「無形資産の形成・維持・発展の活動を反映する各期の支出費用」とは明らかに異なる。	本事例の《解説》における「無形資産の形成・維持・発展の活動のために支出した各期の費用の額」は、無形資産の形成等の活動のために支出した各期の費用の額の意味で用いており、これは、措置法通達66の4(4)-5の(注)の「無形資産の開発のために支出した費用等の額」という概念に含まれるものです。
	赤字の年の場合など、単年度ごとの支出費用の額だけで無形資産の形成、残余利益の分割をすることが適切でない場合があり、プロダクトサイクルの観点から多年度での検証も追加していただきたい。	本事例の《解説》で、「各期の無形資産の形成等の活動の支出費用の額に大きな変動がある場合などに、各期の費用を分割要因として用いることに弊害があると認められる場合は、合理的な期間の支出費用の額の平均値を使用する方法や、合理的な期間の支出額を集計し、一定の年数で配分するとした場合の配分額を使用する方法によることも可能である」として、複数年度での検証も説明しています。
	事業判断を無形資産とすることが国際的に認知されているとは考えられない。	本事例の《解説》では、残余利益の具体的な分割要因を無形資産の類型別に整理して例示しており、その中で無形資産の一つとして、「事業判断に関するノウハウ」を挙げているものです。

区分	御意見の概要	御意見に対する国税庁の考え方
事例23	本事例における役務提供の有償性の判断が、事務運営要領2-10に照らしてどのようになされているかの判断基準、考慮要素等を踏まえつつ、具体的に記載すべきである。また、事例で有償性がないとはされてない役務提供のうち、役務ロ・ハ・ヘ・チ・リ・ルは株主として投下資本を保護するための活動として有償性がないと考えられることから、このような役務提供については、株主活動の観点からの有償性の有無についてより詳細に説明すべきである。	企業グループ内役務提供の有償性の有無については、個々の事案ごとに、的確に事実関係を把握し、個別に判断していくこととなります。 ご意見を踏まえ、本事例の《移転価格税制上の取扱い》において、有償性の判断基準について、①S社が対価を支払って非関連者から当該役務の提供を受け、又は②S社自ら当該役務を行う必要があるか等、より具体的に記述するとともに、有償性の判断を行うためにはより詳細な事実関係が必要との前提の下、株主としての地位に基づくと認められる活動として有償性がない取引と考えられる取引、有償性があると判断される場合も多いと考えられる取引を区分し、後者の場合であっても、株主としての地位に基づく諸活動に該当するか否かを含め事務運営指針2-10の要件について十分検討する必要がある旨を追記します。 また、事務運営指針2-10にある有償性の判断基準、株主活動の範囲及び役務提供が重複している場合等の取扱いについて、本事例の《解説》に追記します。
	P社の監査役にとって同業務はP社の利害関係者の利益を維持・向上させることが主たる目的と考えられるため、「ヘ P社の社内監査役による業務監査への同行と業務改善指示書の作成等」に有償性があると判断するのは困難と思われる。	
	株主活動に該当したり、日本法人と国外関連者で重複している場合等、有償性がないケースがあることを明記すべきである。	
	3事例を除き有償性があると判断されているが、それらが国際的にも有償的な取引と認められるのか、役務提供を過大評価することにつながらないか等を含めて慎重に検討すべき旨を追加すべきである。	
	二、ホ及びト以外について何も言及していないのは、不親切であり、正面から有償性のある取引の例を示すべきである。また、株主活動に当たるかどうかは有償性の判断の重要な要素であるため、株主活動に該当する事例を示すべきである。	
	S社では経営管理部署（人事や経営企画等）を一切もたず、P社に一切依存しているという前提を明確に出す必要がある。また、事例集に記載したのは一例であり、有償性の判定は個別の状況もよく調査された上で判断されるべきであることを追記願いたい。	
	親会社から海外子会社になされる役務提供が移転価格税制の対象となるか寄附金となるかの判断基準を事務運営要領及び本事例において明確にし、また、判断する際の考慮要素として相手国における損金性についても明記すべきである。	移転価格課税と寄附金課税との判断基準をより明確にするよう、今後、検討してまいりたいと考えています。
	最後の「なお書き」部分は事例をもって解説すべきある。	親会社から海外子会社への役務提供に親会社の無形資産が使用されている具体的な事例として、事例12を設けて説明しています。
事例24	法律上課税（更正）については単年度ごとになることは致し方ないしても、調査の初期において所得移転の蓋然性があるか否かの判断前には需要サイクルのみならず納税者個々の事業サイクルによる収益変動を十分に配慮し、複数年度による利益水準の比較を考慮することに留意する旨の文言を入れるべき。	移転価格税制上の問題を検討する場合には、国外関連取引に係る棚卸資産等が需要の変動等により価格が相当程度変動する場合に、合理的な期間における当該国外関連取引の対価の額の平均値等を基礎として検討することが重要となっており、また、本事例の《解説》においても、一定の場合には、国外関連取引に係る製品のライフサイクルも考慮に入れて検討することを記述していましたが、ご意見を踏まえ、事務運営指針2-2(2)を「一般的に需要の変化、製品のライフサイクル等により価格が相当変動する場合に、各事業年度又は連結事業年度の前後の合理的な期間における国外関連取引又は比較対象取引の候補と考えられる取引の対価の額又は利益率等の平均値等を基礎として検討する」旨の規定に修正するとともに、本事例の《解説》にも反映します。
	「複数年度の考慮」という事例を設けるのであれば、単年度での検討に代えて複数年度の検討を行うと、移転価格上の問題はないという事例を示すべきである。	本事例の《解説》において、「国外関連取引に相当の価格変動が認められる一方で、比較対象取引の候補と考えられる取引が一定の水準を保っているような場合や国外関連取引と異なる価格変動を示している場合」として、損益状況のサイクルにずれがある場合を示し、この場合には、「国外関連取引及び比較対象取引の候補と考えられる取引に係る複数年度の対価の額又は利益率等の平均値等を用いて移転価格税制上の問題があるか否かを検討する必要がある」として、複数年度での検証を行うことを示しています。

区分	御意見の概要	御意見に対する国税庁の考え方
事例24	移転価格の取扱いにおいて、平均値、中位値、四分位値も検討に値し、「利益率の平均値等」と読むべきである。	事務運営指針2-2(2)の修正に併せ、本事例の《解説》の注書きを「対価の額又は利益率等の平均値等」と修正します。
事例25	下線部分を追加していただきたい。 「…(略)事前確認を行うに当たって、移転価格税制に関する納税者の予測可能性を確保する観点から、特定の水準(ポイント)ではなく、利益率等による一定の範囲(四分位幅等の一定の幅)で確認を行うことができる場合がある。この点で、過去の事業年度の所得金額を決定するため独立企業間価格を、特定の一点で算定する必要がある調査とは取扱いが自ずと異なり、当該国外関連取引に係る利益率等が当該複数の非関連取引の利益率の範囲内にある場合には、当該国外関連取引の利益率等は独立企業間価格である蓋然性が高いと考えられることを踏まえ、原則所得移転は無いものとする。」 解説中の「この点で、過去の事業年度の所得金額を決定するため独立企業間価格を、特定の一点で算定する必要がある調査とは取扱いが自ずと異なり、」の部分を削除すべき。	ご意見の部分は事前確認に関する記述であり、過去における移転価格税制上の問題等について言及したものではありません。 なお、措置法第66条の4の規定上、独立企業間価格は、特定の金額により一義的に算定されることを前提としており、独立企業間価格幅は認められておりません。
その他	事務運営指針及び事例集の改定内容は、OECDや諸外国の移転価格税制の運用ルール等との整合性が取られた内容でなければクロスボーダー取引を行う企業にとって二重課税に係わる不安が解消されない。したがって、出来る限り具体的な(ガイドライン的な記述も含む)記載がなされる様に配慮された上で、改定されるべきである。 少なくとも米国IRSが公表している「APA Study Guide」の水準でガイドラインを明確にすべきである。 残余利益分割法は、無形資産の貢献利益の相対的な定量化であり、そのために検討すべき点をより明確にしている改正案は一定の評価ができるものの、具体的な手法が事例集では依然として足りないことから、更なる充実を求める。	いただいたご意見や今後の事例の集積を基に、事務運営指針の規定の整備を引き続き行うとともに、事例集の内容を充実させ、適用基準の一層の明確化及び事前確認手続の迅速化を図ることによって、移転価格税制に関する納税者の予測可能性のさらなる向上に取り組んでまいりたいと考えています。
	無形資産という場合に、現在の移転価格税制は第三者間取引の価格をすなわち公正な価格としているが、この点は企業グループの有する価格支配力が影響してくる要素も企業の有する無形資産であるものとして、対象利益切り出しの際の調整要素に加えるべきである。	ご意見の趣旨が、「利益分割法の適用における分割対象利益又はその分割要因として、国外関連取引における価格支配力を考慮すべきである」ということであれば、国外関連取引における価格支配力が国外関連取引に係る所得の発生に寄与しているとは通常考えられないことから、分割要因として考慮する必要はないと考えます。
	事例集には基本三法の適用の可否を検討する必要性を明示しているが、実際の調査において、これが十分実践されているかどうか疑問である。基本三法の検討以前に、利益分割法ありきで議論が始まることのないよう事務運営指針の中で明確化を図られたい。	移転価格税制の執行上、最も合理的な独立企業間価格の算定方法を選択することとなりますが、その際、基本三法の適用が優先することは法令に規定されているとおりであり、基本三法適用の可否判断を行わずに利益分割法の検討を行うことはないと考えています。

(参考) 今回の意見募集の対象である「移転価格事務運営要領」(事務運営指針)の一部改正(案)及び「連結法人に係る移転価格事務運営要領」(事務運営指針)の一部改正(案)の内容に関係する御意見のみ掲載させていただいております。

資料7(5) 移転価格事務運営指針改正案（平成19年4月13日に国税庁が公表）

移転価格事務運営要領（事務運営指針）新旧対照表（案）

(注)アンダーラインを付した部分は、新設又は改正部分である。

改正後	改正前
別添 **第1章 定義及び基本方針** （定義） 1-1 (5) 移転価格税制　措置法第66条の4の規定（第3項を除く。）をいう。 (23) 事前確認　税務署長又は国税局長が、法人が採用する最も合理的と認められる独立企業間価格の算定方法及びその具体的内容等（以下「独立企業間価格の算定方法等」という。）について確認を行うことをいう。 (24) 事前確認審査　局担当審査が行う事前確認の申出に係る審査をいう。 (25) 事前相談　事前確認を受けようとする法人が、事前確認の算定方法等について局担当課（必要に応じて庁担当課及び庁相互協議室を含む。）と行う相談（代理人を通じた匿名のものを含む。）をいう。 (26) 局担当課　国税局課税第二部（金沢、高松及び熊本国税局においては、課税部）法人課税課（以下「局法人課税課」という。）又は東京国税局調査第一部国際情報第二課、大阪国税局調査第一部調査審理課、名古屋国税局調査部国際調査課、関東信越国税局調査査察部国際調査課、札幌、仙台、金沢、広島、高松、福岡国税局調査査察部調査管理課並びに沖縄国税事務所調査課（以下「局国際調査課」という。） (27) 庁担当課　国税庁課税部法人税課又は国税庁調査査察部調査課をいう。 (28) 庁相互協議室　国税庁長官官房国際業務課相互協議室をいう。 (29) 連結指針　平成17年4月28日付査調7-4ほか3課共同「連結法人に係る移転価格事務運営要領の制定について」（事務運営	**第1章 用語の意義及び基本方針** （用語の意義） 1-1 (5) 移転価格税制　措置法第66条の4の規定をいう。 (23) 事前確認　税務署長又は国税局長が、独立企業間価格の算定方法等について確認を行うことをいう。 (新設) (新設) (新設) (新設) (新設) (24) 連結指針　平成17年4月28日付査調7-4ほか3課共同「連結法人に係る移転価格事務運営要領の制定について」（事務運営

改正後	改正前
指針」をいう。 (別冊の活用) 1-3 <u>別冊「移転価格税制の適用に当たっての参考事例集」が、一定の前提条件の下における移転価格税制上の取扱いを取りまとめたものであることに留意の上、これを参考にして当該税制に係る事務を適切に行う。</u> 第2章 調査 (役務提供) 2-8 (1) 役務提供を行う際に無形資産を使用しているにもかかわらず、当該役務提供の対価の額に無形資産の使用に係る部分が含まれていない場合があること。 (注)<u>役務提供を行う際に2-11に規定する人的資源に関する無形資産及び組織に関する無形資産を使用している場合には特に留意する。</u> (調査において検討すべき無形資産) 2-11 調査において無形資産が法人又は国外関連者の所得にどの程度寄与しているかを検討するに当たっては、特許権、営業秘密等の技術革新に関する無形資産のみならず、例えば、企業の経営、営業、生産、研究開発、販売促進等の活動に関する無形資産並びにプロセス、ネットワーク等の人的資源に関する無形資産並びにプロセス、ネットワーク等の組織に関する無形資産についてもその検討範囲に含め、これら所得の源泉となるものを総合的に勘案することに留意する。<u>なお、法人又は国外関連者の有する無形資産が所得の源泉となっているかどうかの検討に当たり、例えば、国外関連取引の事業と同</u>	指針」をいう。 (新設) 第2章 調査 (役務提供) 2-8 (1) 役務提供について調査を行う場合には、次の点に留意する。 役務提供を行う際に無形資産を使用しているにもかかわらず、当該役務提供の対価の額に無形資産の使用に係る部分が含まれていない場合があること。 (調査において検討すべき無形資産) 2-11 調査において無形資産が法人又は国外関連者の所得にどの程度寄与しているかを検討するに当たっては、特許権、営業秘密等の技術革新に関する無形資産のみならず、例えば、企業の経営、営業、生産、研究開発、販売促進等の活動によって形成された、従業員等の能力、知識等の人的資源に関する無形資産並びにプロセス、ネットワーク等の組織に関する無形資産についてもその検討範囲に含め、これら所得の源泉となるものを総合的に勘案することに留意する。

資料7　677

改正後	改正前
種の事業を営み、市場、事業規模等が類似する法人のうち、所得の源泉となる無形資産を有しないで把握できる場合には、当該法人又は国外関連者の国外関連取引に係る利益率等の水準と当該無形資産を有しない法人又は国外関連者の利益率等の水準との比較を行うとともに、当該法人又は国外関連者の無形資産の形成に係る活動、機能等を十分に分析することに留意する。 (事前確認の申出との関係) 2-21 (2) 調査に当たっては、事前確認の申出を行った法人(以下「確認申出法人」という。)から事前確認の審査のために収受した資料(事実に関するものを除く。)を使用しない。ただし、当該資料を使用することについて当該法人の同意があるときは、この限りでない。 第3章　独立企業間価格の算定等における留意点 (差異の調整方法) 3-1 国外関連取引と比較対象取引との差異について調整を行う場合には、例えば次に掲げる場合に応じ、それぞれ次に定める方法により行うことができることに留意する。 なお、差異の調整は、その差異が措置法第66条の4第2項第1号イに規定する対価の額若しくは同号ロ及びハに規定する通常の利益率又は同号ニに規定する割合の算定に影響を及ぼすことが客観的に明らかである場合に限り行うことに留意する(措置法66条の4第2項第2号イに掲げる方法において同じ。)。 (無形資産の使用を伴う国外関連取引に係る比較対象取引の選定) 3-2 措置法通達66の4(2)-3の規定の適用において、法人又は国外関	(事前確認の申出との関係) 2-21 (2) 調査に当たっては、事前確認の申出を行った法人(以下「確認申出法人」という。)から事前確認の審査のために収受した資料(事実に関するものを除く。)を使用しない。ただし、当該資料を使用することについて当該法人の同意があるときは、この限りではない。 第3章　独立企業間価格の算定等における留意点 (差異の調整方法) 3-1 国外関連取引と比較対象取引との差異について調整を行う場合には、例えば次に掲げる場合に応じ、それぞれ次に定める方法により行うことができることに留意する。 (新設)

改　正　後	改　正　前
連者が無形資産の使用を伴う国外関連取引を行っている場合は、比較対象取引の類似性について、無形資産の種類、対象範囲、利用態様等の類似性についても検討することに留意する。	
（比較対象取引が複数ある場合の独立企業間価格の算定） 3-3	（比較対象取引が複数ある場合の独立企業間価格の算定） 3-2
（利益分割法における共通費用の取扱い） 3-4	（利益分割法における共通費用の取扱い） 3-3
（残余利益分割法の取扱い） 3-5 措置法通達66の4(4)-5に規定する残余利益分割法の適用に当たり、分割対象利益のうち「重要な無形資産を有しない非関連者間取引において通常得られる利益に相当する金額」については、例えば、国外関連取引の当該通常取引に類似する事業を営み、市場、事業規模等が類似する法人（重要な無形資産を有する法人を除く。）の事業用資産又は売上高に対する営業利益の割合等で示される利益指標に基づき計算することに留意する。	（残余利益分割法の取扱い） 3-4 措置法通達66の4(4)-5に規定する残余利益分割法の適用に当たり、分割対象利益のうち「重要な無形資産を有しない非関連者間取引において通常得られる利益に相当する金額」については、例えば、国外関連取引の当該通常取引に類似する事業を営む、市場、事業規模等が類似する法人（重要な無形資産を有する法人を除く。）の事業用資産又は売上高に対する営業利益の割合等で示される利益指標に基づき計算することに留意する。
（取引単位営業利益法における販売のために要した販売費及び一般管理費） 3-6	（取引単位営業利益法における販売のために要した販売費及び一般管理費） 3-5
（推定による課税を行う場合の留意事項） 3-7 (1) 措置法施行令第39条の12第12項第1号に掲げる方法の適用に当たっては、措置法通達66の4(4)-1ないし66の4(4)-5を準用することとし、原則として法人の66の4(4)-5を準用する企業集団の財産及び損益の状況を連結して記載した計算書類（以下「連結財務諸表等」という。）による国外関連取引に係る事業に係る営業利益又はこれに相当する金額（以下「営業利益等」という。）を同号に規定する要因で分割する要因で当該法人及び当該国外関	（新設）

改正後	改正前
連者への配分計算を行うことに留意する。 (注) 連結財務諸表等の事業に係る営業利益等が他の事業に係る営業利益と区分されていない場合には、当該国外関連取引に係る営業利益を含む事業に係る営業利益への配分額とすることができる。 イ 当該国外関連取引に係る事業を含む事業に係る営業利益等に係る割合に対する口のイに係る割合に対する口のロのイに対する割合を乗じて計算した金額とすることができる。 ロ イのうち当該国外関連取引に係るものとして法人が寄与した程度を推測するに足りる要因の発生に企業集団が寄与した程度を推測するに足りるものとしての要因 (2) 措置法施行令第39条の12第4項第4号に掲げる方法の適用に当たっては、措置法通達66の4(5)-1を準用することに留意する。 **第4章 国外移転所得金額等の取扱い** (省略) **第5章 事前確認手続** (事前確認の方針) 5-1 事前確認が移転価格税制に係る法人の予測可能性を確保し、当該税制の適正・円滑な執行を図るための手続であることを踏まえ、我が国の課税権の確保につつ、事案の複雑性・重要性に応じたメリハリのある事前確認審査を的確に・重点的に行う。また、事前確認手続における法人の利便性向上及び事前相談手続の迅速化を図るため、事前相談に的確に対応する。 (事前確認の申出) 5-2 (3) 確認申出書の提出部数は、調査課所管法人にあっては2部（相互協議を求める場合には、3部）、調査課所管法人以外の法人にあ	**第4章 国外移転所得金額等の取扱い** (省略) **第5章 事前確認手続** (新設) (事前確認の申出) 5-1 (3) 確認申出書の提出部数は、調査課所管法人にあっては2部（相互協議を求める場合には、3部）、調査課所管法人以外の法人にあ

改正後	改正前
っては3部(相互協議を求める場合には、4部)とする(以下5-3、5-8及び5-9において同じ。)。 (資料の添付) 5-3 所轄税務署長は、確認申出法人に対し、確認申出書に次に掲げる資料を添付するよう求める。 イ 事前確認を求めようとする独立企業間価格の算定方法等びてそれが最も合理的であることの説明 ロ 確認申出法人及び当該国外関連者の過去5事業年度分の営業及び経理の状況その他事業の内容に関する資料(確認対象事業又は新規製品に係るものであり、過去5事業年度分の資料を提出できない場合には、将来の事業計画、事業予測分の資料こ れに代替するもの) ハ 事前確認の申出法人及び独立企業間価格の算定方法等を確認対象事業年度に適用した場合の結果等確認申出法人が申し出た独立企業間価格の算定方法等を具体的に説明するために必要な資料 (翻訳資料の添付) 5-4 (確認申出書の補正) 5-5 署法人課税部門(税務署の法人税の事務を所掌する部門をいう。以下同じ。)又は局調査課は、収受した確認申出書の記載事項について、同じく又は記載漏れがないかどうか又は5-3に規定する資料の添付の有無等について検討し、不備がある場合には、法人に対して補正を求める。	っては3部(相互協議を求める場合には、4部)とする(以下5-2、5-8及び5-9において同じ。)。 (資料の添付) 5-2 所轄税務署長は、確認申出法人に対し、確認申出書に次に掲げる資料を添付するよう求める。 イ 事前確認を求めようとする独立企業間価格の算定方法及びその具体的内容(以下「独立企業間価格の算定方法等」という。)並びにそれが最も合理的であることとの説明 ロ 確認申出法人及びその他事業の内容に関する資料(確認対象事業又は新規製品に係るものであり、過去3事業年度分の資料、事業計画、事業予測の資料こ れに代替するもの) ハ 申出に係る独立企業間価格の算定方法等を確認対象事業年度前3事業年度に適用した場合の結果等確認申出法人が申し出た独立企業間価格の算定方法等を具体的に説明するために必要な資料 (翻訳資料の添付) 5-3 (確認申出書の補正) 5-4 署法人課税部門(税務署の法人税の事務を所掌する部門をいう。以下同じ。)又は局調査部門(東京及び大阪国税局課税第一部国際情報課、名古屋国税局調査部国際調査課、関東信越国税局調査部調査課、札幌、仙台、金沢、広島、高松、福岡国税局調査査察部調査管理課並びに沖縄国税事務所調査課をいう。以下同じ。)

改正後	改正前
(確認申出書の送付等) 5-6 署法人課税部門は、収受した確認申出書 2 部（確認申出法人が相互協議を求めている場合には、3 部）を、局法人課税課に送付し、局法人課税課は、うち 1 部（確認申出法人が相互協議を求めている場合には、2 部）を国税庁課税部調査課に、速やかに送付する。庁担当課は、確認申出書 1 部を庁相互協議室に回付する。 (4 つ後に移動) (事前確認の申出の修正) 5-8 確認申出法人から事前確認の申出の修正に係る書類の提出があった場合には、署法人課税部門又は局調査課は、5-5 及び 5-6 の規定に準じて処理を行う。	じ。）は、収受した確認申出書の記載事項について記載漏れ若しくは記載誤りがないかどうか又は資料の添付の有無等について検討し、不備がある場合には、法人に対して補正を求める。 (確認申出書の送付等) 5-5 署法人課税部門は、収受した確認申出書、3 部）を、局法人課税課（国税局課税第二部（金沢、高松及び熊本国税局にあっては、課税部）及び沖縄国税事務所法人課税課をいう。以下同じ。）を経由して国税庁課税部調査課法人調査課に、収受した確認申出書 1 部（確認申出法人が相互協議を求めている場合には、2 部）を国税庁調査査察部調査部調査課又は国税庁調査査察部調査部調査課を経由して庁担当課（国税庁長官官房官房国際業務課相互協議室（国税庁長官官房官房国際業務課相互協議室をいう。以下同じ。）に回付する。 (事前相談) 5-6 (1) 局担当課（局法人課税課又は調査課をいう。以下同じ。）は、事前確認を受けようとする法人から確認の申出前に相談（独立企業間価格の算定方法等について事前確認の申出方法等について事前確認の申出を含む。）（代理人を通じた匿名の相談を含む。）があった場合、これに応ずる。この場合、局担当課からの連絡を受け、庁担当課と事前確認に係る協議があっては、庁相互協議室を含む。）は、原則として、これに加わる。 (事前確認の申出の修正) 5-8 確認申出法人から事前確認の申出の修正に係る書類の提出があった場合には、署法人課税部門又は局調査課は、5-4 及び 5-5 の規定に準じて処理を行う。

改 正 後	改 正 前
（事前確認の申出の取下げ） 5-9　確認申出法人から事前確認の申出の取下書の提出があった場合には、署法人課税部門又は局調査課は、5-5及び5-6の規定に準じて処理を行う。 （事前相談） 5-10 (1)　局担当課は、法人から事前相談があった場合には、これに応ずる。この場合、局担当課からの連絡を受け、庁担当課（相互協議を伴う事前確認に係る相談にあっては、庁相互協議室を含む。）は、原則として、これに加わる。 (2)　局担当課（事前相談に加わる庁担当課（相互協議を伴う事前確認に係る相談にあっては、庁相互協議室を含む。）は、事前相談が事前確認手続における法人の利便性向上及び確認申出人の事前確認審査の円滑化が図られるよう、次の点に配意して相談に応ずる。 イ　確認申出書の添付資料の作成要領、提出期限など、事前確認手続に必要な事項を事前相談時に十分に説明する。 ロ　相談対象の国外関連取引の内容を的確に把握し、事前確認の申出を行うかどうか、どのような情報提供に努めるか、当該法人が適切に判断できるよう必要な情報提供に努める。 (3)　局担当課は、相談を行おうとする法人に対し、事前相談に応じ必要な資料の提示又は提出を求める。 (4)　確認申出法人が確認申出書に5-3の資料の添付を意図した場合に定、5-15(4)及び5-15(5)の規定に基づき独立企業間価格の算定方法等を事前確認できない旨の通知を行うのであるが、事前相談において、5-3の資料の添付を行う相談があり、確認申出書の提出期限までに当該資料の一部を提出できないことについて相当の理由があると認められる場合には、局担当課は、当該資料の作成に応じ通常要すると認める期間（長期間を要する場合を除く。以下	（事前確認の申出の取下げ） 5-9　確認申出法人から事前確認の申出の取下書の提出があった場合には、署法人課税部門又は局調査課は、5-4及び5-5の規定に準じて処理を行う。 （4つ前から移動）

8

改正後	改正前
「提出猶予期間」という。）を限度とすることができる。この場合において、局担当課は、相談を行った法人に対し当該資料に係る提出猶予期間を明示するとともに、当該期間中は原則として事前確認審査を保留する旨を説明する。 **（事前確認審査）** 5-11 局担当課は、確認申出法人から事前確認の申出があった場合には、次により事前確認審査を行う。 (1) 局担当課は、事前確認の申出を受けた場合には、速やかに事前確認審査に着手し、事案の複雑性・困難性に応じてメリハリのある事前確認審査等を行い、的確・迅速な事務処理に努める。また、庁担当課は、必要に応じて事前確認審査に加わる。 なお、事前確認審査を迅速に進めるためには、確認申出法人の協力が不可欠であることから、確認申出法人に対し理解を求める。 (2) 局担当課は、2-1 及び 2-2 の規定の例により事前確認審査及び第 3 章の規定により事前確認審査を行う。 なお、事前確認に関する調査には該当しないことに留意する。 (3) 局担当課は、確認申出法人に対し、5-3 に規定する資料のほか、事前確認のために必要と認められる資料の提出を求め、当該資料の提出について合理的と認められる提出期限を設定する。 (5) 庁担当課は、必要に応じ、局担当課に対し事前確認審査の状況等について報告を求める。 **（事前確認に係る相互協議）** 5-12 (1) 局担当課は、確認申出法人が事前確認について相互協議の申立てを行っていない場合には、二重課税を回避し、予測可能性を確	局担当課は、確認申出法人から事前確認の申出があった場合には、次により審査を行う。 (1) 局担当課は、事前確認の申出を受けた場合には、速やかに審査に着手する。また、庁担当課は、必要に応じて審査に加わる。 (2) 局担当課は、2-1 及び 2-2 の規定の例により事前確認の申出の審査を行う。 なお、事前確認の申出の審査は、法人税に関する調査には該当しないことに留意する。 (3) 局担当課は、確認申出法人に対し、5-2 に規定する資料のほか、事前確認の申出の審査のために必要と認められる資料の提出を求める。 (5) 庁担当課は、必要に応じ、局担当課に対し審査状況等について報告を求める。 **（事前確認に係る相互協議）** 5-11 (1) 局担当課は、確認申出法人から事前確認の申出について相互協議の申立てを確認した場合には、二重課税を回避し、予測可能性を確

改正後	改正前
保する観点から、当該確認申出法人などのような申出を行うかについて判断できるよう必要な情報の提供等を行い、当該確認申出法人が事前確認を伴う事前確認の申立てを行う場合には、相互協議の申出を行うよう勧しょうする。 (2) 局担当課は、法人又は当該国外関連者が外国の税務当局に事前相談又は確認の申出を行っていることを把握した場合には、相談又は確認の申出人に対し、我が国にも相談又は事前確認の申出を行うよう勧しょうする。 (3) 局担当課は、確認申出法人が事前確認について相互協議を求める場合のほか、平成13年6月25日付官協1-39ほか7課共同「相互協議の手続について」（事務運営指針）に定める相互協議申立書を提出するよう指導する。 （局担当課又は庁相当課と庁相互協議室との連絡・協議） 5-13 確認申出法人が事前確認について相互協議を求める場合には、局担当課、庁相当課及び庁相互協議室は、必要に応じ協議を行う。 この場合において、局担当課は、事前確認審査をしたときには、庁相当課を通じて事前確認に対する意見を庁相互協議室に連絡し、庁相互協議室は、事前確認の申出に係る相互協議の結果について、庁相当課を通じて局担当課に連絡する。 （事前確認及び事前確認手続を行うことが適当でない場合） 5-14 事前確認審査に当たっては、移転価格税制の適正・円滑な執行を図る観点から、それぞれ(1)又は(2)に定めるところにより適切に対応することに留意する。 (1) 例えば、次に掲げるような事前確認の申出があった場合で、事前確認を行うことが適当でないと認められる事前確認（相互協議を伴う事前確認の申出にあっては、庁相互協議室を含	保する観点から、局担当課は、法人が当該国外関連者が外国の税務当局に事前相談又は確認の申出を行っていることを把握した場合には、当該法人に対し、我が国にも速やかに相談又は申出を行うよう勧しょうする。 (2) 局担当課は、確認申出法人が事前確認について相互協議を求める場合のほか、平成13年6月25日付官協1-39ほか7課共同「相互協議の手続について」（事務運営指針）に定める相互協議申立書を提出するよう指導する。 （局担当課又は庁相当課と庁相互協議室との連絡・協議） 5-12 確認申出法人が確認について相互協議を求める場合には、局担当課、庁相当課及び庁相互協議室は、必要に応じ協議を行う。 この場合において、局担当課は、審査をしたときは、庁相当課を通じて事前確認に対する意見を庁相互協議室に連絡し、庁相互協議室は、事前確認の申出に係る相互協議の結果について、庁相当課を通じて局担当課に連絡する。 （新設）

改正後	改正前
む。）と協議の上、確認申出法人に対して申出の修正等を求め、当該確認申出法人がこれに応じない場合には、事前確認できない旨を当該確認申出法人に説明する。 なお、事前相談においても上記に準じた取扱いとする。 イ 非関連者間では通常行われない形態の取引を確認対象とすることにより、経済上の合理的な理由なく我が国での租税負担が軽減されることとなると認められる場合 ロ 確認申出法人が、事前確認審査に必要な情報を提供しない等、当該確認申出法人から協力が得られないことにより、事前確認に支障が生じている場合 (2) 例えば、次に掲げるような場合で、事前確認審査を開始又は継続することが適当でないと認められる事前確認の申出については、局担当課室、庁担当課（相互協議を伴う事前確認にあっては、相互協議室を含む。）と協議の上、確認申出法人に対し、事前確認審査を開始又は再開できる時期が到来するまでの間事前確認手続を保留する旨を説明する。 イ 確認申出法人から、移転価格税制に基づく更正等に係る取引と同様の取引を確認対象とする申出がなされている場合において、当該更正等に係る不服申立て又は決定若しくは裁判の確定を待って事前確認審査を行う必要があると認められるとき。 ロ 確認申出法人から、確認対象取引以外の国外関連取引に係る事前確認の申出及び相互協議の申立てがなされている場合において、当該相互協議の合意を待って当該確認対象取引に係る事前確認審査を行う必要があると認められるとき。 ハ 5-3 ただし書に規定する将来の事業計画、事業予測の資料等のみでは事業活動の実態を把握できないため、確認対象取引に係る取引実績が得られるのを待って事前確認審査を行う必要があると認められるとき。 （事前確認審査の結果の通知） 5-15 (1) 局担当課は、相互協議の対象となった申出について、庁担当課を	

（審査結果の通知）
5-13 (1) 局担当課は、相互協議の対象となった申出について、庁担当課を

11

改正後	改正前
通じて庁相互協議室から相互協議の合意結果について連絡を受けた場合には、当該合意結果に従い、確認申出法人に対し申出の修正を求める等所要の処理を速やかに行った上で、当該合意結果に基づき事前確認する旨を所轄税務署長に連絡する。 (2) 局担当課は、相互協議の対象となった申出について、庁担当課を通じて庁相互協議室から相互協議の合意が成立しなかった旨の連絡を受けた場合には、確認申出法人から申出を取り下げるか又は相互協議によることなく事前確認を求めるかについて意見を聴取し、5-9又は5-15(3)若しくは5-15(4)により事前確認等を速やかに行う。 (3) 局担当課は、相互協議を求めていない申出について、事前確認審査の結果、独立企業間価格の算定方法等が最も合理的であると認められる場合には、当該独立企業間価格の算定方法等を事前確認する旨を速やかに所轄税務署長に連絡する。 (4) 局担当課は、事前確認審査の結果、申出に係る独立企業間価格の算定方法等が最も合理的と認められない場合又は5-11(3)の資料申出法人が5-3の場合に応じない場合には、庁担当課(相互協議を含む。)と協議の上、当該独立企業間価格の算定方法等を事前確認を行う事前確認できない旨を速やかに所轄税務署長に連絡する。 (5) 所轄税務署長は、局担当課から5-15(1)若しくは5-15(3)又は5-15(4)の連絡を受け、確認申出法人に「独立企業間価格の算定方法等の確認通知書(別紙様式3)又は「独立企業間価格の算定方法等の確認ができない旨の通知書」(別紙様式4)により事前確認する旨又は事前確認できない旨の通知を速やかに行う。 (事前確認の効果) 5-16 所轄税務署長は、事前確認の通知において事前確認の内容に適合した申告(以下「確認法人」という。)が確認の通知を受けた法人(以下「確認法人」という。)が確認の対象事業年度に事前確認を行っている場合には、事前確認を受けた国外関連取引(以下「確認	通じて庁相互協議室から相互協議の合意結果について連絡を受けた場合には、当該合意結果に従い、確認申出法人に対し申出の修正を求める等所要の処理を行った上で、当該合意結果に基づき事前確認する旨を所轄税務署長に連絡する。 (2) 局担当課は、相互協議の対象となった申出について、庁担当課を通じて庁相互協議室から相互協議の合意が成立しなかった旨の連絡を受けた場合には、確認申出法人から申出を取り下げるか又は相互協議によることなく事前確認を求めるかについて意見を聴取し、5-13(3)若しくは5-13(4)に定める処理を行う。 (3) 局担当課は、相互協議を求めていない申出について、審査の結果、独立企業間価格の算定方法等が最も合理的であると認められる場合には、当該独立企業間価格の算定方法等を事前確認する旨を所轄税務署長に連絡する。 (4) 局担当課は、審査の結果、申出に係る独立企業間価格の算定方法等が、審査の提出に応じない場合又は5-10(3)の資料申出法人が5-2の資料の添付を怠った場合には、当該独立企業間価格の算定方法等を事前確認できない旨を所轄税務署長に連絡する。 (5) 所轄税務署長は、局担当課からの審査結果の連絡を受け、確認申出法人に対し、「独立企業間価格の算定方法等の確認通知書(別紙様式3)又は「独立企業間価格の算定方法等の確認ができない旨の通知書」(別紙様式4)により事前確認する旨又は事前確認できない旨の通知を行う。 (2つ後から移動)

12

資料7　687

改正後	改正前
（報告書の提出） 5-17 　所轄税務署長は、事前確認の通知を受けた法人（以下「確認法人」という。）に対し、確認取引に係る各事業年度（以下「確認事業年度」という。）の確定申告書の提出期限又は所轄税務署長があらかじめ定める期間内に、次の事項を記載した報告書を提出するよう求める。 ニ　確認取引の結果が事前確認の内容に適合しなかった場合に、確認法人が行った5-19に規定する価格の調整の説明 （報告書の取扱い） 5-18 (1) 確認法人から、5-17に定める報告書の提出があった場合には、署法人課税部門又は局調査課は局の規定に準じて処理を行う。 (2) 局担当課は、報告書等から、事前確認の内容に適合した申告が行われているかどうかを検討する。 　報告書等の検討は、法人税に関する報告書等に該当することに留意し、また、局担当課は、報告書等を検討した結果、事前確認の内容に適合した申告が行われておらず、所得金額が過少となっている事実が判明した場合には、確認法人に対し、検討の結果及び修正申告が必要となる報告書等を説明する。 （注）局担当課による報告書の提出前に上記の検討により判明した	（報告書の提出） 5-14 　所轄税務署長は、事前確認の通知を受けた法人（以下「確認法人」という。）に対し、確認を受けた国外関連取引（以下「確認取引」という。）に係る各事業年度（以下「確認事業年度」という。）の確定申告書の提出期限又は所轄税務署長があらかじめ定める期間内に、次の事項を記載した報告書を提出するよう求める。 ニ　確認取引の結果が事前確認の内容に適合しなかった場合に、確認法人が行った5-17に規定する価格の調整の説明 （報告書の取扱い） 5-15 (1) 確認法人から、5-14に定める報告書の提出があった場合には、署法人課税部門又は局調査課は5-4及び5-5の規定に準じて処理を行う。 (2) 局担当課は、報告書から、事前確認の内容に適合した申告が行われているかどうかを検討する。
取引という。）は独立企業間価格で行われたものとして取り扱う。 なお、当該確認時に既に経過した確認対象事業年度の内容に適合させるために確認法人が提出する修正申告書は、国税通則法第65条（過少申告加算税）第5項に規定する「更正があるべきことを予知してされたもの」には該当しないことに留意する。	

13

改　正　後	改　正　前
ことより、5-19(2)ロの規定に基づいて確認法人が自主的に修正申告書を提出する場合には、当該修正申告書（法第65条（過少申告加算税）第5項に規定する「更正があるべきことを予知してされたもの」には該当しない。 (3) 局担当課は、必要に応じ、報告書等の検討結果を庁担当課に報告し、相互協議の合意が成立した事案について、庁担当課を通じて検討結果を庁相互協議室に連絡する。 （２つ前に移動） （価格の調整） 5-19 （事前確認の改定） 5-20 　確認法人から、確認事業年度のうちのいずれかの事業年度において、事前確認を継続する上で前提となる重要な事業上又は経済上の諸条件等について事情の変更が生じたことにより改定の申出がなされた場合には、5-1から5-19までの規定に準じて所要の処理を行う。 （事前確認の取消し） 5-21 (1) 局担当課は、次のイからハまでに該当する場合には当該事実の発生した事業年度以後の事業年度（その事業年度が連結事業年度に該当する場合には、当該連結事業年度）について、当該確認を取り消す旨を所轄税務署長に連絡する。 イ　確認法人が5-20に規定する事情が生じたにもかかわらず事前確認の改定の申出を行わなかった場合	なお、局担当課は、必要に応じ、庁担当課に検討結果を報告し、相互協議の合意が成立した事案について、庁担当課を通じて検討結果を庁相互協議室に連絡する。 （事前確認の効果） 5-16 　所轄税務署長は、確認法人が確認事業年度において事前確認の内容に適合した申告を行っている場合には、確認取引は独立企業間価格で行われたものとして取り扱う。 （価格の調整） 5-17 （事前確認の改定） 5-18 　確認法人から、確認事業年度のうちのいずれかの事業年度において、事前確認を継続する上で前提となる重要な事業上又は経済上の諸条件等について事情の変更が生じたことにより改定の申出がなされた場合には、5-1から5-17までの規定に準じて所要の処理を行う。 （事前確認の取消し） 5-19 (1) 局担当課は、次のイからハまでに該当する場合には当該事実の発生した事業年度以後の事業年度（その事業年度が連結事業年度に該当する場合には、当該連結事業年度）について、当該確認を取り消す旨を所轄税務署長に連絡する。 イ　確認法人が5-18に規定する事情が生じたにもかかわらず事前確認の改定の申出を行わなかった場合

改正後	改正前
（確認法人が 5-17 に規定する報告書を提出しなかった場合又は報告書に重大な誤りがあった場合 **（事前確認の更新）** 5-22 確認法人から事前確認の更新の申出がなされた場合には、5-1 から 5-21 までの規定に準じて所要の処理を行う。ただし、事前確認の更新の申出は、原則として確認対象事業年度開始の日の前日までに、確認申出書を法人の納税地の所轄税務署長に提出することにより行うものとする。 **（確認対象事業年度前の各事業年度への準用）** 5-23 確認申出法人から確認対象事業年度における独立企業間価格の算定方法等を確認対象事業年度前の各事業年度（その事業年度が連結事業年度に該当する場合には、当該連結事業年度。以下 5-22 において同じ。）に準用したい旨の申出があった場合において、その申出確認の申出が相互協議の申立てを伴うものであって、当該独立企業間価格の算定方法等が確認対象事業年度前の各事業年度においても最も合理的と認められるときは、5-15、5-16、5-19 及び 5-21 の規定に準じて所要の処理を行う。 **（本支店間取引への準用）** 5-24 法施行令第 176 条第 1 項第 7 号に掲げる事業を行う法人の我が国に所在する支店と当該法人の国外にある本店又は支店との間の取引について、当該本店が所在する国の税務当局から事前確認に類する申出に係る相互申入れがあり、かつ、当該我が国所在する支店が事前確認の申出に準じた申出を行う場合には、5-1 から 5-23 までの規定に準じて所要の処理を行う。	（確認法人が 5-14 に規定する報告書を提出しなかった場合又は報告書に重大な誤りがあった場合 **（事前確認の更新）** 5-20 確認法人から事前確認の更新の申出がなされた場合には、5-1 から 5-19 までの規定に準じて所要の処理を行う。ただし、事前確認の更新の申出は、原則として確認対象事業年度開始の日の前日までに、確認申出書を法人の納税地の所轄税務署長に提出することにより行うものとする。 **（確認対象事業年度前の各事業年度への準用）** 5-21 確認申出法人から確認対象事業年度における独立企業間価格の算定方法等を確認対象事業年度前の各事業年度（その事業年度が連結事業年度に該当する場合には、当該連結事業年度。以下 5-21 において同じ。）に準用したい旨の申出があった場合において、その申出確認の申出が相互協議の申立てを伴うものであって、当該独立企業間価格の算定方法等が確認対象事業年度前の各事業年度においても最も合理的と認められるときは、5-13、5-16、5-17 及び 5-19 の規定に準じて所要の処理を行う。 **（本支店間取引への準用）** 5-22 法施行令第 176 条第 1 項第 7 号に掲げる事業を行う法人の我が国に所在する支店と当該法人の国外にある本店又は支店との間の取引について、当該本店が所在する国の税務当局から事前確認に類する申出に係る相互申入れがあり、かつ、当該我が国所在する支店が事前確認の申出に準じた申出を行う場合には、5-1 から 5-21 までの規定に準じて所要の処理を行う。

改　正　後	改　正　前
(法人が連結グループに加入等した場合の取扱い) 5-<u>25</u> (2) (1)の連結親法人からその納税地の所轄税務署長に対し、(1)に定める届出書の提出があった場合には、当該税務署長は、当該届出書の写しをその連結加入等法人の本店又は主たる事務所の所在地の所轄税務署長に送付し、署法人課税部門又は局調査課は<u>5-5</u>及び<u>5-6</u>の規定に準じて処理を行う。また、相互協議を求めているものについては、届出書1部を庁相互協議室に回付する。 (3) (1)の連結加入等法人から(1)に定める事前確認について、その連結親法人に係る事前確認については、当該連結親法人からその納税地の所轄税務署長に対し、連結指針<u>5-2</u>に規定する事前確認の申出がなされたものとして、連結指針<u>5-2</u>から<u>5-25</u>までの規定を適用する。 別冊　移転価格税制の適用に当たっての参考事例集	(法人が連結グループに加入等した場合の取扱い) 5-<u>23</u> (2) (1)の連結親法人からその納税地の所轄税務署長に対し、(1)に定める届出書の提出があった場合には、当該税務署長は、当該届出書の写しをその連結加入等法人の本店又は主たる事務所の所在地の所轄税務署長に送付し、署法人課税部門又は局調査課は<u>5-4</u>及び<u>5-5</u>の規定に準じて処理を行う。また、相互協議を求めているものについては、届出書1部を庁相互協議室に回付する。 (3) (1)の連結加入等法人から(1)に定める事前確認に係る事前確認について、その連結親法人に係る事前確認については、当該連結親法人からその納税地の所轄税務署長に対し、連結指針<u>5-1</u>に規定する事前確認の申出がなされたものとして、連結指針<u>5-1</u>から<u>5-23</u>までの規定を適用する。

資料8

事前確認に関する提出書類一覧表

【事前確認に関する提出書類一覧表】

No.	文書名	申出の種類	提出部数	提出期限等	関連規定
1	国外移転所得金額の返還に関する届出書（様式1）	バイのみ	2部	国外関連者から独立企業間価格との差額の全部又は一部が返還されることとなった場合に提出	措置法関係通達（法人税編）66の4(7)-2及び措置法関係通達（連結納税編）68の88(7)-2
2	（新規の場合）独立企業間価格の算定方法等の確認に関する申出書（様式2）	ユニ	2部	確認を受けようとする最初の事業年度に係る確定申告書の提出期限	移転価格事務運営要領（事務運営指針）5-1～5-4
		バイ	3部		
3	（更新の場合）独立企業間価格の算定方法等の確認に関する申出書（様式2）	ユニ	2部	原則として確認対象事業年度開始の日の前日まで	移転価格事務運営要領（事務運営指針）5-20
		バイ	3部		
4	連結加入等法人の事前確認の継続届出書・連結離脱等法人の事前確認の継続届出書（様式6）	ユニ	2部	連結グループ内で審査対象法人の加入・離脱により連結法人又は単体法人となり異動があった場合に提出	移転価格事務運営要領（事務運営指針）5-23
5	連結加入等法人の相互協議申立の継続届出書・連結離脱等法人の相互協議申し立ての継続届出書（別紙様式5）	バイのみ	3部	連結グループ内で審査対象法人の加入・離脱により連結法人又は単体法人となり異動があった場合に提出 相互協議の申立てを行った後に、「相互協議を申し入れない旨の通知」、「相互協議の合意の通知」、「相互協議の終了の通知」を受けるまでの間に提出	相互協議の手続きについて（事務運営指針）14

6	相互協議申立書 （別紙様式1）	バイのみ	3部	原則として独立企業間価格の算定方法等の申出書と同時に提出	相互協議の手続きについて（事務運営指針）6
7	相互協議申立ての取下書 （別紙様式4）	バイのみ	2部	相互協議の申立てを行った後に、「相互協議を申し入れない旨の通知」、「相互協議の合意の通知」、「相互協議の終了の通知」を受けるまでの間に提出	相互協議の手続きについて（事務運営指針）19
8	事前確認申出書の取下書 （所定の様式なし）	ユニ	2部	事前確認申出書を提出後、不確認通知が発出される前までに、必要となった場合速やかに提出	移転価格事務運営要領（事務運営指針）5－9
9	事前確認に係る修正の申出書 （所定の様式なし）	ユニ	2部	必要となった場合速やかに提出	移転価格事務運営要領（事務運営指針）5－8
		バイ	3部		
10	年次報告書 （所定の様式なし）	ユニ	2部	確認通知書に記載された提出期限	移転価格事務運営要領（事務運営指針）5－14
		バイ	3部		

(注1) **ユニとバイの区分**：ユニは国内事前確認、バイは二国間事前確認を示す。

(注2) **提出部数**：上記の提出部数は局所管法人の場合。署所管法人の場合は提出部数が各1部ずつ増える。

(注3) **提出先**：1から5の文書の提出先（局所管法人の場合）は、国際情報課（東京局・大阪局）、国際調査課（名古屋局・関東信越局）、調査管理課（その他の局）である。署所管法人の場合は所轄税務署の法人課税部門へ提出する。

(注4) **相互協議申立書及び相互協議申立ての取下書**：局所管であっても署へ提出する点に留意。

資料9

事前確認に関する通知文書一覧表

【事前確認に関する通知文書一覧表】

No.	文書名	申出の種類	内容	関連規定
1	（確認通知書）独立企業間価格の算定方法等の確認通知書（様式3）	ユニ	審査結果に添った形での修正の申出書を提出する。申出法人が修正の申出書を提出した後，修正の申出内容を確認する形で確認通知書が申出法人に発出される。	移転価格事務運営要領（事務運営指針）5－13
		バイ	相互協議の合意内容に添った形での修正の申出書を提出する。申出法人が修正の申出書を提出した後，修正の申出内容を確認する形で確認通知書が申出法人に発出される。	
2	（不確認通知書）独立企業間価格の算定方法等の確認ができない旨の通知書（様式4）	ユニ	申出法人が審査結果に納得できず，当初申出の取下げ書を提出しない場合は，不確認通知書が申出法人に発出される。	
		バイ	申出法人が相互協議の合意内容に納得できず，当初申出の取下げ書を提出しない場合は，不確認通知書が申出法人に発出される。	
3	（取消通知書）独立企業間価格の算定方法等の確認取消通知書（様式5）	ユニ	移転価格事務運営要領（事務運営指針）5－19に列挙されている取消事由に該当した場合，取消通知書が申出法人に発出される。	移転価格事務運営要領（事務運営指針）5－19
		バイ	移転価格事務運営要領（事務運営指針）5－19に列挙されている取消事由に該当し，取り消す旨の相互協議の合意に基づき取消通知書が申出法人に発出される。	
4	（相互協議の合意通知）相互協議の合意について（別紙様式2）	バイのみ	相互協議の最終合意が成立した後，国税庁長官名で申出法人に対して発出される。	相互協議の手続きについて（事務運営指針）17
5	（相互協議の終了通知）相互協議の終了について（別紙様式3）	バイのみ	相互協議の手続きについて（事務運営指針）18（相互協議の終了）に列挙された事由で相互協議の終了の申し入れがなされ，相手国税務当局の同意が得られた場合又は相手国税務当局から相互協議終了の申し入れに同意した場合には，相互協議を終了した旨の通知書が発出される。	相互協議の手続きについて（事務運営指針）19

（注1）　ユニとバイの区分：ユニは国内事前確認，バイは二国間事前確認を示す。

資料10

移転価格税制に関する事前確認の申出及び事前相談について

【 よくあるご質問とその回答 】

1 事前確認関係

【質問1-イ】 事前確認には，どのような類型があるのですか。

〔回答〕 事前確認の類型としては，(1)相互協議を伴う事前確認と(2)我が国のみによる事前確認があります。

(1) 相互協議を伴う事前確認

　相互協議を伴う事前確認は，独立企業間価格の算定方法等について，日本の税務当局と外国税務当局との間で相互協議を行い，その合意に基づいて確認するものです。外国税務当局による課税についての予測可能性も確保されます。

　このようなメリットがあるため，日本を含む多くの国で相互協議を伴う事前確認が行われています。

【基本的な手続の流れ（イメージ）】

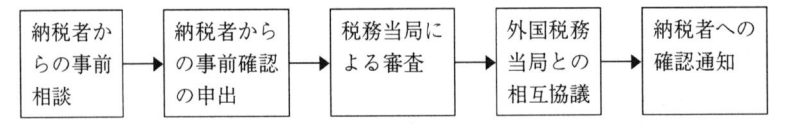

納税者からの事前相談 → 納税者からの事前確認の申出 → 税務当局による審査 → 外国税務当局との相互協議 → 納税者への確認通知

　なお，相互協議を伴う事前確認の場合には，事前確認の申出とは別に，相互協議の申立てが必要となります。相互協議の申立てについては，平成13年6月25日官協1-39ほか7課共同「相互協議の手続について（事務運営指針）」をご覧ください。また，相互協議を伴う事前確認の概要については，「相互協議を伴う事前確認の状況（APAレポート）」をご覧ください。

(2) 我が国のみによる事前確認

　我が国のみによる事前確認は，日本の税務当局が外国税務当局との相互協議を行わずに独立企業間価格の算定方法等について確認するものです。国外関連者が外国税務当局により課税されるリスクの回避までは保証されませんが，相互協議を伴う事前確認に比べ，通常，処理が早くなります。

【基本的な手続の流れ（イメージ）】

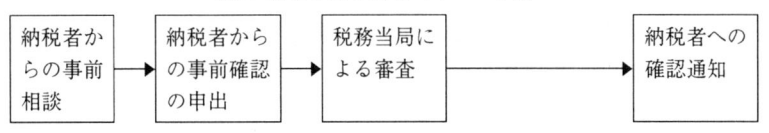

納税者からの事前相談 → 納税者からの事前確認の申出 → 税務当局による審査 → 納税者への確認通知

【質問１－ロ】　国外関連取引の規模が小さいため、移転価格課税を受けるリスクが小さいと考えられる場合でも、事前確認の申出を行った方がよいのですか。

〔回答〕　事前確認を受けることにより、移転価格課税の回避や予測可能性の確保が図られるのは確かですが、他方で書類作成等のための事務や費用等もかかることになりますので、仮に納税者の皆様が移転価格課税を受けるリスクが小さいとお考えになるのであれば、事前確認の申出を行わないという選択肢もあります。

　ご質問に関して、移転価格課税を受けるリスクが小さいと考えられるような場合に、事前確認の申出を行うべきかどうかについては、あくまで納税者の皆様ご自身のご判断になりますが、事前相談においては、このようなご相談も受け付けています。

【質問１－ハ】　国外関連取引の規模が小さいため、外国税務当局から移転価格課税を受けるリスクが小さいと考えられる場合でも、相互協議を伴う事前確認の申出を行った方がよいのですか。

〔回答〕　【質問１－イ】の回答のとおり、我が国のみの事前確認の場合には外国税務当局からの課税リスクが残ることになりますが、相互協議を伴う事前確認と比較して、一般的に、処理期間が短縮され、書類作成等のための事務や費用等が軽減されますので、仮に納税者の皆様が外国税務当局から移転価格課税を受けるリスクが小さいとお考えになるのであれば、我が国のみの事前確認の申出を行うという選択肢もあります。

　ご質問に関して、外国税務当局から移転価格課税を受けるリスクが小さいと考えられるような場合に、相互協議を伴う事前確認の申出と我が国のみの事前確認の申出のいずれを行うべきかについては、あくまで納税者の皆様ご自身のご判断になりますが、事前相談においては、このようなご相談も受け付けています。

【質問１－ニ】　事前確認の申出書を書いたり、提出資料を準備するのは難しそうですが、税理士などに依頼しなければいけないのですか。

〔回答〕　事前確認の申出書や提出資料を準備していただくためには、独立企業間価格の算定方法等をご理解頂いた上で資料の作成等を行っていただくことが必要になります。事前相談の際に、国税局の担当者が説明いたしますが、不安な方は、税務代理を委嘱した税理士にご相談されるのも一案です。

【質問１－ホ】　事前確認審査はどのように行われるのですか。

〔回答〕　事前確認審査においては，国税局の審査担当者が実際に会社や事業所に臨場し，独立企業間価格の算定方法等に関する説明をお聞きすることになります。その際，事前確認申出書の添付資料（後述の「事前確認申出時の提出書類」をご覧ください。）以外の各種のデータや分析資料の提出及び説明をお願いすることもありますが，的確かつ迅速な審査のために，ご理解・ご協力をお願いいたします。

【質問１－ヘ】　事前確認審査においてポイントとなるのはどのような項目ですか。

〔回答〕　事前確認審査のポイントは，個々の申出内容によって異なりますが，基本的に以下のような項目を中心に審査を行うことになります。（以下の用語については，「用語の解説」をご覧ください。）

- ・　独立企業間価格の算定方法と検証対象法人
- ・　確認対象取引の範囲と取引単位
- ・　比較対象法人の選定と差異調整
- ・　利益分割要因の決定と測定
- ・　利益率等の範囲の設定と補償調整
- ・　重要な前提条件

【質問１－ト】　事前確認にはどれくらいの期間がかかるのですか。

〔回答〕　事前確認に要する期間については，我が国のみによる事前確認か相互協議を伴う事前確認か，新規申出か更新申出か，更には内容の複雑性や納税者の皆様の資料の提出状況などによって異なるほか，外国税務当局との関係もありますので一概には言えませんが，これまでの実績によれば１件当たりの処理期間は平均２年程度です。

納税者の皆様のご理解をいただくとともに，的確かつ迅速な審査のため，資料の早期提出にご協力をお願いいたします。

【質問１－チ】　確定申告の内容が事前確認の内容と異なった場合は，どのように取り扱われるのですか。

〔回答〕　事前確認の対象となる事業年度に関しては，確定申告の内容が当該事前確認の内容に適合せず，確認対象取引に係る所得が増加する場合には，自主的に修正申告書を提出していただくこととなります。この修正申告書については，国税通則法第65条（過少申告加算税）第５項に規定する「更正があるべきことを予知してされたもの」には該当しないこととなるため，加算税は賦課されません。これは，確認通知前になされた確定申告であっても同様です。

なお，上記の取扱いは，あくまで事前確認の対象となる確認対象取引に係る加算税に関するものであり，修正申告に伴い増加する本税額の納付が必要であるこ

とはもとより，確認対象取引以外の取引に係る修正申告については加算税が賦課されることにご留意ください。

2 事前相談関係

【質問2－イ】 事前相談は，個人でも行うことができるのですか。

〔回答〕 移転価格税制は「法人」のみに適用されますので，事前相談を行うことができるのは「法人」のみです。

【質問2－ロ】 事前相談は，どのような法人でも利用できるのですか。

〔回答〕 事前相談ができるのは，国外関連者との取引を行っており，これについて事前の確認を受けようとする法人です。

【質問2－ハ】 事前相談はいつまでに行う必要があるのですか。

〔回答〕 事前相談については，期限等はありません。しかし，事前確認の申出は，事前確認を受けようとする最初の事業年度に係る確定申告書の提出期限まで（事前確認の更新の申出の場合は，原則として確認対象事業年度開始の日の前日まで）に行っていただく必要があります。申出に当たっては，独立企業間価格の算定等のために必要な資料を提出していただく必要があるため，それらの準備に要する期間を考慮していただき，できるだけ早めに相談されることをお勧めします。

なお，事前相談は，原則として予約制としておりますので，相談を希望される方は管轄の国税局の担当部署に事前にご連絡の上，予約をお願いいたします。

【質問2－ニ】 事前相談の際には，どのような資料を用意する必要があるのですか。

〔回答〕 事前相談の際には，相談をより円滑に行うため，例えば，法人の財務諸表，資本関係図，事業概況，確認対象取引及び確認対象取引を行う組織の概要などに関する資料をできるだけご用意ください。また，資料のうち，外国語で記載されているものについては，日本語訳を添付してください。

(注) 事前確認申出時の提出書類について

事前確認の申出時において必要となる資料については「事前確認申出時の提出書類」をご参照いただき，申出時までにご準備ください。なお，事前相談においては，ここに掲げる全ての資料が揃わない場合でも，お気軽にご相談ください。

【質問2－ホ】 事前相談の内容は公開されるのですか。

〔回答〕 事前相談の内容は非公開です。また，この相談は，税務代理を委嘱した税理士を通じた匿名の相談でも構いません。ただし，匿名の相談の場合には，事実関係の説明が不十分となり，実質的に事前相談ができなくなってしまうこともありますので，実際に事前確認を予定している取引について具体的に説明してください。

【質問2-ヘ】 事前相談を行った場合，必ず事前確認の申出を行わなくてはならないのですか。

〔回答〕 事前確認の申出を行う必要があるかどうかは，あくまでも納税者の皆様の判断によります。したがって，事前相談を行ったからといって必ず事前確認の申出を行わなければならないということはありません。

【質問2-ト】 事前相談を行った場合，税務調査は実施されないのですか。

〔回答〕 税務当局との間で事前相談を行ったとしても，移転価格に関する税務調査を妨げるものではありません。ただし，仮に税務調査が行われた場合であっても，納税者の皆様の同意を得ることなしに，事前相談において提出された資料（事実に関する資料を除きます。）を調査に使用することはありません。

3 その他共通

【質問3-イ】 事前相談や事前確認審査はどの部署が担当することとなりますか。

〔回答〕 事前相談は，原則として，国税局審査担当部署及び国税庁担当課の担当者が対応し，相互協議を伴う事前確認の場合には，この二者に国税庁相互協議室の担当者が加わります。

　　また，事前確認申出後の事前確認審査は，国税局の審査担当部署が担当することになります。

【質問3-ロ】 事前相談及び事前確認審査には手数料が必要ですか。

〔回答〕 事前相談及び事前確認については，手数料は不要です。

【質問3-ハ】 文書回答手続と移転価格税制上の事前相談及び事前確認手続とはどのように違うのですか。

〔回答〕 文書回答手続は，納税者の皆様から，申告期限等の前に「具体的な取引等に係る税務上の取扱い」に関して，文書による回答を求める旨の申出があった場合に，一定の要件の下に，文書により回答するとともに，他の納税者の皆様の予測可能性の向上に役立てていただくために，その照会及び回答の内容等を公表するという納税者サービスです。詳しくは，「事前照会に対する文書回答等について」をご参照ください。

　　一方，移転価格税制に係る事前確認及びこれに関する事前相談は，個別性・秘密性が極めて高いという事情があるため，文書回答手続とは別の手続として設けられています。

(ご参考)　事前確認申出時の提出書類
　イ　確認対象取引及び当該確認対象取引を行う組織等の概要
　　（確認の対象となる国外関連取引の概要に関する取引規模を記載した取引関係図等，申出法人及び当該国外関連者の法人組織の概要に関する組織図等の資料です。確認対象取引以外の取引についても確認対象取引に関連する場合には，これらに含めてください。）
　ロ　事前確認を求めようとする独立企業間価格の算定方法及びその具体的内容等並びにそれが最も合理的であることの説明
　　（確認を求めようとする独立企業間価格の算定方法，対象となる取引，対象となる国外関連者，対象となる事業年度，報告書の記載事項等について，比較対象取引の選定過程，差異の調整等当該算定方法等が最も合理的であることについての説明資料です。）
　ハ　事前確認を行い，かつ，事前確認を継続する上で前提となる重要な事業上又は経済上の諸条件
　　（事前確認を行い，継続する上で前提となる重要な事業上，経済上の諸条件に関する資料です。例えば，確認を行う上で前提となる事業内容，売上規模，新製品等の導入，市場の状況，為替変動などが考えられます。）
　ニ　確認対象取引における取引及び資金の流れ，確認対象取引に使用される通貨の種類等確認対象取引の詳細
　　（確認対象取引について，取引価格の決定方法，取引条件（取引通貨，引渡条件，決済条件，値引き・割戻しの有無），契約関係，資金の流れ，為替リスクの負担状況等についての説明資料です。）
　ホ　確認対象取引に係る国外関連者と確認申出法人との直接若しくは間接の資本関係又は実質的支配関係
　　（確認対象取引に係る確認申出法人と国外関連者との資本関係又は実質的支配関係についての説明資料です。当該国外関連者以外の法人が確認対象取引に関連する場合には，それも含めてください。）
　ヘ　確認対象取引において確認申出法人及び当該国外関連者が果たす機能
　　（確認対象取引において，確認申出法人及び当該国外関連者が果たす機能及びリスクの負担状況についての説明資料です。例えば研究開発機能であれば，基礎研究，製品開発等についての説明，製造機能であれば，生産計画，設備投資，工程管理，品質管理，在庫管理，ＰＬ負担等についての説明，販売機能であれば，販売戦略，販売計画，広告宣伝，販売活動，顧客管理，価格決定，受注・発注，物流業務，在

庫管理，製品保証等についての説明をお願いします。また，確認対象取引において，無形資産が使用されている場合には，併せてその内容等についての説明をお願いします。）

ト　確認申出法人及び当該国外関連者の過去3事業年度分の営業及び経理の状況その他事業の内容に関する資料（確認対象取引が新規事業又は新規製品に係るものであり，過去3事業年度分の資料を提出できない場合には，将来の事業計画，事業予測の資料等これに代替するもの）

（確認申出法人及び当該国外関連者の過去3事業年度分の有価証券報告書又は類似の資料です。確認対象取引が新規事業である等の理由により，これらの資料を用意できない場合には，将来の事業計画，事業予測の資料等，これに代替するものをご用意ください。）

チ　当該国外関連者について，その所在地国で移転価格に係る調査，不服申立て，訴訟等が行われている場合には，その概要及び過去の課税状況

（国外関連者について，その所在地国で移転価格に係る調査等が行われている場合には，その概要及び過去の課税状況について簡潔に説明する資料です。）

リ　申出に係る独立企業間価格の算定方法等を確認対象事業年度前3事業年度に適用した場合の結果等確認申出法人が申し出た独立企業間価格の算定方法等を具体的に説明するために必要な資料

（上記「ロ」において説明された独立企業間価格の算定方法について，当該算定方法を確認対象事業年度前3事業年度に適用した場合の結果等についての具体的な説明資料です。）

ヌ　その他事前確認に当たり必要な資料

（確認申出法人及び当該国外関連者の事業の概要の説明等，確認の審査に参考となるその他の資料があればご用意ください。）

資料11(1)
相互協議の手続について（事務運営指針）

官協 1 － 39
官際 3 － 3
課総 1 － 23
課個 4 － 24
課資 2 － 314
課法 6 － 8
徴管 3 － 22
査調 7 － 2
平成13年 6 月25日

国税局長
沖縄国税事務所長　殿

国税庁長官

相互協議の手続について（事務運営指針）

　租税条約に規定する相互協議の手続について，下記のとおり定めたから，今後はこれによられたい。
　なお，平成 4 年 3 月 3 日付官際 3 － 1 他 4 課共同「相互協議申立書の様式について（法令解釈通達）」及び平成 4 年 4 月 3 日付官際 3 － 2 他 4 課共同「相互協議申立てに関する処理について（事務運営指針）」は廃止する。

（趣旨）
　租税条約に規定する相互協議の手続の明確化を図るものである。

記

目次
第 1　通則
第 2　居住者・内国法人等からの申立てに係る相互協議
第 3　相手国の権限ある当局からの申入れに係る相互協議
第 4　居住者・内国法人等からの申立てに基づかない相互協議の申入れ
別表　相互協議の申立てに期間制限のある条約

第1 通則

1 用語の意義

この事務運営指針において，次に掲げる用語の意義は，それぞれ次に定めるところによる。

イ 租税条約 我が国が締結した，所得に対する租税に関する二重課税の回避又は脱税の防止のための条約並びに遺産，相続及び贈与に対する租税に関する二重課税の回避及び脱税の防止のための条約をいう。

ロ 相手国 我が国が締結した租税条約が適用される国をいう。

ハ 相互協議 租税条約の規定に基づく，我が国の権限ある当局と相手国の権限ある当局との協議をいう。

ニ 租税条約実施特例省令 租税条約の実施に伴う所得税法，法人税法及び地方税法の特例等に関する法律の施行に関する省令（昭和44年大蔵・自治省令第1号）をいう。

ホ 相続税条約実施特例省令 遺産，相続及び贈与に対する租税に関する二重課税の回避及び脱税の防止のための日本国とアメリカ合衆国との間の条約の実施に伴う相続税法の特例等に関する法律の施行に関する省令（昭和44年大蔵省令第36号）をいう。

ヘ 移転価格課税 我が国における租税特別措置法第66条の4《国外関連者との取引に係る課税の特例》第1項若しくは第68条の88《連結法人の国外関連者との取引に係る課税の特例》第1項の規定に基づく課税又は相手国におけるこれらに類する課税をいう。

ト 移転価格事務運営要領 平成13年6月1日付査調7－1ほか3課共同「移転価格事務運営要領の制定について（事務運営指針）」において定める移転価格事務運営要領をいう。

チ 連結法人に係る移転価格事務運営要領 平成17年4月28日付査調7－4ほか3課共同「連結法人に係る移転価格事務運営要領の制定について（事務運営指針）」において定める連結法人に係る移転価格事務運営要領をいう。

リ 納税の猶予 租税特別措置法第66条の4の2《国外関連者との取引に係る課税の特例に係る納税の猶予》第1項又は第68条の88の2《連結法人の国外関連者との取引に係る課税の特例に係る納税の猶予》第1項に規定する納税の猶予をいう。

ヌ 納税の猶予等の取扱要領 昭和51年6月3日付徴徴3－2他1課共同「納税の猶予等の取扱要領の制定について（法令解釈通達）」において定める納税の猶予等の取扱要領をいう。

ル　事前確認　移転価格事務運営要領1－1(23)に規定する事前確認（移転価格事務運営要領5－22において本支店間取引について準用する場合を含む。）若しくは連結法人に係る移転価格事務運営要領1－1(24)に規定する事前確認又は相手国におけるこれらに類するものをいう。

ヲ　確定申告書　所得税法第2条第1項第37号及び法人税法第2条31号に規定する確定申告書，相続税法第1条の2第2号及び第3号に規定する申告書並びにこれらに添付することとされている書類をいう。

ワ　連結確定申告書　法人税法第2条第31号の3に規定する連結確定申告書及びこれに添付することとされている書類をいう。

カ　個別帰属額等の届出書　法人税法第81条の25第1項及び第2項の規定により連結子法人がその本店又は主たる事務所の所在地の所轄税務署長に提出することとされている書類をいう。

ヨ　居住者　所得税法第2条第1項第3号に規定する居住者をいう。

タ　非居住者　所得税法第2条第1項第5号に規定する非居住者をいう。

レ　内国法人　法人税法第2条第3号に規定する内国法人をいう。

ソ　外国法人　法人税法第2条第4号に規定する外国法人をいう。

ツ　連結親法人　法人税法第2条第12号の7の2に規定する連結親法人をいう。

ネ　連結子法人　法人税法第2条第12号の7の3に規定する連結子法人をいう。

ナ　連結法人　法人税法第2条第12号の7の4に規定する連結法人をいう。

ラ　申立者　我が国において相互協議の申立てを行った個人又は内国法人をいう。

ム　国外関連者　租税特別措置法第66条の4第1項若しくは第68条の88第1項に規定する国外関連者又は相手国の移転価格課税に関する法令上これらに類する者をいう。

ウ　庁相互協議室　国税庁長官官房国際業務課相互協議室をいう。

ヰ　庁徴収課　国税庁徴収部徴収課をいう。

ノ　庁主管課　国税庁課税部課税総括課，個人課税課，資産課税課若しくは法人課税課，国税庁徴収部管理課又は国税庁調査査察部調査課をいう。

オ　局特別整理部門　国税局徴収部特別整理総括第一課（関東信越及び名古屋国税局にあっては特別整理総括課，札幌，仙台，広島，高松，福岡及び熊本国税局にあっては特別整理第一部門，金沢国税局にあっては特別整理部門）又は沖縄国税事務所特別整理部門をいう。

ク　局関係課　国税局課税第一部（金沢，高松及び熊本国税局にあっては課税部）課税総括課，個人課税課若しくは資産課税課，国税局課税第二部（金沢，高松及び熊本国税局にあっては課税部）法人課税課，国税局徴収部管理課若しくは徴収

課，国税局調査査察部（東京及び大阪国税局にあっては調査第一部，名古屋国税局にあっては調査部）調査管理課又は沖縄国税事務所課税総括課，個人課税課，資産課税課，法人課税課，徴収課若しくは調査課をいう。
ヤ　管理・徴収担当部門　税務署において管理・徴収事務を所掌している部門（管理・徴収部門が設置されていない税務署においては総務課）をいう。
マ　法人担当部門　税務署において，法人税，源泉所得税，法人の資産の譲渡等に係る消費税，酒税及び間接諸税事務を所掌している部門をいう。

2　相互協議の実施
 (1)　庁相互協議室は，個別事案に係る相互協議を行う。なお，1リで定める納税の猶予の事務は，局特別整理部門が行う。
　（注）　租税条約の一般的解釈に係る相互協議は，財務省主税局が行うものであることに留意する。
 (2)　庁相互協議室は，租税条約の規定に適合しない課税の排除を目的として，事案の適切かつ迅速な解決に努める。
 (3)　庁相互協議室は，相互協議の実施に当たり，必要に応じ，庁主管課その他の関係部局と意見交換を行う。
　（注）　相互協議又は相互協議の合意の内容が地方公共団体が課する租税に係るものであるときは，租税条約の実施に伴う所得税法，法人税法及び地方税法の特例等に関する法律（昭和44年法律第46号）第8条《租税条約に基づく協議等で地方税に係るものに関する手続》第1項の規定に従い，あらかじめ総務省との協議が必要であることに留意する。

第2　居住者・内国法人等からの申立てに係る相互協議

3　相互協議の申立てができる場合
　相互協議の申立ては，租税条約の規定に基づき，租税条約実施特例省令第12条《租税条約の規定に適合しない課税に関する申立ての手続》若しくは第13条《双方居住者の取扱いに係る協議に関する申立ての手続》又は相続税条約実施特例省令第3条《二重課税に関する申立ての手続》の規定に従って行うことができる。
　（注）　相互協議の申立てを行うことができるのは，例えば次のような場合である。
　　イ　内国法人とその国外関連者との間における取引に関し，我が国又は相手国において移転価格課税を受け，又は受けるに至ると認められることを理由として，当該内国法人が，我が国の権限ある当局と相手国の権限ある当局との協議を求める

場合
- ロ　内国法人とその国外関連者との間における取引に係る事前確認について，当該内国法人が，移転価格事務運営要領又は連結法人に係る移転価格事務運営要領に規定する事前確認の申出を行うとともに，我が国の権限ある当局と相手国の権限ある当局との協議を求める場合
- ハ　居住者又は内国法人が，相手国における恒久的施設の有無又は相手国にある恒久的施設に帰属する所得の金額について，相手国において租税条約の規定に適合しない課税を受け，又は受けるに至ると認められることを理由として，我が国の権限ある当局と相手国の権限ある当局との協議を求める場合
- ニ　居住者又は内国法人が，相手国において行われる所得税の源泉徴収について，租税条約の規定に適合しない課税を受け，又は受けるに至ると認められることを理由として，我が国の権限ある当局と相手国の権限ある当局との協議を求める場合
- ホ　非居住者で日本の国籍を有する者が，相手国において，当該相手国の国民よりも重い課税又は要件を課され，又は課されるに至ると認められることを理由として，我が国の権限ある当局と相手国の権限ある当局との協議を求める場合
- ヘ　居住者で相手国の法令により当該相手国の居住者ともされる者が，租税条約の適用上その者が居住者であるとみなされる国の決定について，我が国の権限ある当局と相手国の権限ある当局との協議を求める場合
- ト　相続税法に規定する相続税又は贈与税の納税義務者が，相続税条約実施特例省令第3条の規定により，二重課税回避のため，我が国の権限ある当局と相手国の権限ある当局との協議を求める場合

4　期間制限

租税条約によっては，相互協議の申立ての期間制限があることに留意する（別表参照）。

5　事前相談

(1)　庁相互協議室は，相互協議の申立て前に相談（代理人を通じた匿名の相談を含む。）があった場合には，これに応じる。

(2)　事前確認に係る申立て前の相談については，庁相互協議室からの連絡を受け，庁主管課又は局担当課（移転価格事務運営要領5－6又は連結法人に係る移転価格事務運営要領5－6に規定する局担当課をいう。）は，必要に応じこれに加わる。

　　（注）　事前確認については，審査担当部局である局担当課においても確認申出前の相談に応じているので（移転価格事務運営要領5－6又は連結法人に係る移転

価格事務運営要領5－6参照），相互協議を求める事前確認については，庁相互協議室と局担当課のいずれもが相談窓口となり得ることに留意する。
  (3) 庁相互協議室は，(1)の相談に応じた場合には，必要に応じ，庁主管課に，相互協議の実施又は相互協議の合意内容に沿った処理の実施に当たり必要となる確定申告書（連結法人に係る場合には，連結確定申告書及び個別帰属額等の届出書），更正決議書，源泉所得税調査簿，一件別徴収カード等の書類（以下「確定申告書等」という。）の保存措置を講じることを求める。
  (4) 庁相互協議室は，(1)の相談に応じた場合に，相談者が納税の猶予申請の意思を有していることを把握した場合には，必要に応じ，その旨庁主管課及び庁徴収課に連絡する。
  (5) 庁主管課は，庁相互協議室から(3)により確定申告書等の保存措置を講じることを求められた場合には，国税庁の行政文書の取扱いに関する訓令（平成12年国税庁訓令第1号）別表4に定める保存期限を経過しても当該確定申告書等を廃棄しないよう局関係課に指示する。
  (6) 庁主管課及び庁徴収課は，庁相互協議室から(4)により納税の猶予申請の意思の連絡を受けた場合には，必要に応じ，局関係課及び局特別整理部門に必要な指示を行う。
  (7) 局関係課は，庁主管課及び庁徴収課から(5)又は(6)の指示を受けた場合には，所轄税務署長に必要な指示を行う。

6 相互協議の申立ての手続
  (1) 相互協議の申立ては，「相互協議申立書」（別紙様式1）2部及び次に掲げる資料（以下「添付資料」という。）1部を，納税地の所轄税務署長に提出することにより行われるものとする。
      なお，連結子法人の取引に対する課税に係る相互協議及び連結子法人とその国外関連者との間における取引を対象とする事前確認の申出に係る相互協議については，その連結子法人の連結親法人が納税地の所轄税務署長に申立てを行うことにより行われるものとする。
      イ 申立てが我が国又は相手国における課税に係るものである場合には，更正通知書等当該課税の事実を証する書類の写し，当該課税に係る事実関係の詳細及び当該課税に対する申立者又はその国外関連者の主張の概要を記載した書面（課税に至っていない場合には，課税を受けるに至ると認められる事情の詳細及び当該事情に対する申立者又はその国外関連者の主張の概要を記載した書面）
      ロ 申立てが我が国又は相手国における課税に係るものである場合において，申立

者又はその国外関連者が当該課税について不服申立て又は訴訟を行っているときは，イに掲げる資料に加え，不服申立て又は訴訟を行っている旨及び申立者又はその国外関連者の主張の概要を記載した書面並びに不服申立書又は訴状の写し
　　　ハ　申立てが我が国又は相手国における移転価格課税に係るものである場合には，イに掲げる資料に加え，当該申立ての対象となる取引の当事者間の直接若しくは間接の資本関係又は実質的支配関係を示す資料
　　　ニ　申立てが租税条約実施特例省令第13条《双方居住者の取扱いに係る協議に関する申立ての手続》に係るものであり，かつ，租税条約又はこれに付属する政府間の取決めにおいて相互協議を行うに当たり考慮すべき事項が定められている場合には，イに掲げる資料に加え，その定められている事項に関する資料
　　　ホ　申立者又はその国外関連者が相手国の権限ある当局に相互協議の申立てを行っている場合には，イに掲げる資料に加え，その旨を証する書類の写し
　　　ヘ　その他協議の参考となる資料
　⑵　申立者の納税地の所轄税務署長は，収受した相互協議申立書の１部を保管するとともに，他の１部及び添付資料を庁相互協議室に送付する。
　　（注）　相互協議の申立てが事前確認に係るものである場合には，関係資料は，確認申出書又は連結確認申出書に添付され，確認申出法人又は確認申出連結法人の納税地の所轄税務署長（確認申出法人又は確認申出連結法人が調査課所管法人である場合には，所轄国税局長又は沖縄国税事務所長）から庁主管課経由で庁相互協議室に回付されることに留意する（移転価格事務運営要領５－１から５－５又は連結法人に係る移転価格事務運営要領５－１から５－５まで参照）。

７　納税の猶予

　　内国法人が３に掲げる相互協議の申立てをした場合又は外国法人が相手国の権限ある当局に対し相互協議の申立てをした場合には，当該内国法人又は外国法人は，当該申立てに係る租税特別措置法第66条の４第16項第１号又は第68条の88第16項第１号に掲げる更正決定により納付すべき法人税の額及び当該法人税の額に係る加算税の額として租税特別措置法施行令第39条の12の２《国外関連者との取引に係る課税の特例に係る納税の猶予の申請手続等》第１項又は第39条の112の２《連結法人の国外関連者との取引に係る課税の特例に係る納税の猶予の申請手続等》第１項で定めるところにより計算した金額を限度として，１リで定める納税の猶予を申請することができる。
　⑴　納税の猶予の要件
　　　租税特別措置法第66条の４の２又は第68条の88の２の規定に基づき納税の猶予を認めることができるのは，次に掲げる要件のすべてに該当する場合である。

イ 申請者である内国法人又は外国法人が租税特別措置法第66条の4第16項第1号又は第68条の88第16項第1号に掲げる更正決定を受けていること。
ロ 申請者である内国法人又は外国法人が相互協議の申立てをしていること。
ハ イにより納付すべき更正決定に係る法人税の金額のうち納税の猶予を受けようとする金額(以下「納税の猶予に係る法人税」という。)がロによる相互協議の申立てに係る相手国との間の相互協議の対象となるものであること。
ニ 納税の猶予に係る法人税の額以外の国税の滞納がないこと。
ホ 原則として,納税の猶予に係る法人税の額に相当する担保の提供があること。

(2) 申請手続

イ 納税の猶予を受けようとする内国法人又は外国法人は,所轄税務署長(当該内国法人又は外国法人に係る国税について国税通則法第43条《国税の徴収の所轄庁》第3項の規定に基づき国税局長に徴収の引継ぎがされている場合は,所轄国税局長)に,納税の猶予に係る法人税その他所要の事項を記載した「納税の猶予申請書」(別紙様式6-1)2部(正本及びその写し),(3)に掲げる添付書類2部を提出するとともに,併せて(4)及び(5)に定めるところにより担保を提供しなければならない。

(注) 納税の猶予の申請は,納税の猶予に係る法人税について租税特別措置法第66条の4第16項第1号又は第68条の88第16項第1号に掲げる更正決定がされた後でなければできないことに留意する。

ロ 収受した納税の猶予申請書の正本((3)に掲げる添付書類1部を含む。)及び担保は管理・徴収担当部門に,当該申請書の写し((3)に掲げる添付書類1部を含む。)は法人担当部門に回付する。ただし,納税の猶予申請書が国税局長に提出された場合は,この限りでない。

(3) 添付書類

納税の猶予申請書には,次の書類各2部を添付する。

イ 3に掲げる相互協議又は相手国の権限ある当局に対する相互協議の申立てをしたことを証する書類(相手国の権限ある当局に対する相互協議を申し立てている場合には,当該申立ての翻訳資料を添付する。)

ロ 納税の猶予に係る法人税が,租税特別措置法第66条の4第16項第1号又は第68条の88第16項第1号に掲げる更正決定により納付すべき法人税の額であること及び相互協議の申立てに係る相手国との間の相互協議の対象となるものであることを明らかにする書類

(4) 担保の提供

納税の猶予を受けようとする内国法人又は外国法人は,次に掲げる場合を除き,

納税の猶予申請書の提出に併せて，納税の猶予に係る金額に相当する担保を提供しなければならない。ただし，納税の猶予に係る法人税につき滞納処分により差し押さえられた財産があるときは，その担保の額は，その猶予する金額からその財産の価額（当該財産のうち国税への充当見込額に限る。）を控除した額を限度とする。
　　イ　納税の猶予に係る法人税が50万円以下である場合
　　ロ　担保を提供することができない特別の事情がある場合
(5)　担保の種類及び提供手続
　　イ　担保の種類
　　　納税の猶予の担保は，国税通則法第50条《担保の種類》各号に規定する次に掲げるものとする（具体的には，納税の猶予等の取扱要領第4章第2節参照）。
　　　①　国債及び地方債
　　　②　社債（特別の法律により設立された法人が発行する債券を含む。）その他の有価証券で税務署長又は国税局長が確実と認めるもの
　　　③　土地
　　　④　建物，立木及び登記される船舶並びに登録を受けた飛行機，回転翼航空機及び自動車並びに登記を受けた建設機械で，保険に付したもの
　　　⑤　鉄道財団，工場財団，鉱業財団，軌道財団，運河財団，漁業財団，港湾運送事業財団，道路交通事業財団及び観光施設財団
　　　⑥　税務署長又は国税局長が確実と認める保証人の保証
　　　⑦　金銭
　　ロ　担保の提供手続
　　　申請者は，担保の提供に当たっては，次に掲げる書類のほか，担保の種類に応じて納税の猶予等の取扱要領第4章第2節に掲げる書類を併せて提出する。なお，管理・徴収担当部門又は局特別整理部門は，担保及び関係書類を受領した場合には，納税の猶予等の取扱要領に定める担保整理簿に担保の明細等を記載し，その事績を明らかにしておくものとする。
　　　①　担保提供書（別紙様式6－2）
　　　②　第三者の所有財産を担保とする場合には，担保を提供することについてのその第三者の承諾の文言が記載されている担保提供書及び印鑑証明書
　　　③　担保が，法人又は無能力者の所有物である場合には，代表者又は法定代理人（その代理行為が民法第826条《利益相反行為》の規定に該当するときは特別代理人）の資格を証する書面及び印鑑証明書
(6)　国税局長への徴収の引継ぎ
　　管理・徴収担当部門は，納税の猶予申請書の提出を受けた場合には，当該申請を

した者に係る国税について速やかに局特別整理部門に対し国税通則法第43条第3項に基づく徴収の引継ぎを行う。
(7) 納税の猶予関係書類の回付
　イ　管理・徴収担当部門は，(2)ロにより回付を受けた納税の猶予申請書の正本（(3)に掲げる添付書類1部を含む。）及び担保を局特別整理部門に引き継ぐとともに，納税の猶予に係る法人税の額以外の国税の滞納の有無について連絡する。ただし，納税の猶予申請書が国税局長に提出された場合には，この限りでない。
　ロ　法人担当部門は，(2)ロにより回付を受けた納税の猶予申請書の写し（(3)に掲げる添付書類1部を含む。）を庁相互協議室に送付する。ただし，納税の猶予申請書が国税局長に提出された場合には，この限りでない。
　ハ　局特別整理部門は，イ及びロのただし書に掲げる場合には，納税の猶予申請書の正本（(3)に掲げる添付書類1部を含む。）及び担保を保管するとともに，当該申請書の写し（(3)に掲げる添付書類1部を含む。）を庁徴収課を通じて庁相互協議室に送付する。
(8) 納税の猶予の対象となる額の連絡
　イ　法人担当部門及び局調査課（国税局調査査察部（東京及び大阪国税局にあっては調査第一部，名古屋国税局にあっては調査部）調査管理課及び沖縄国税事務所調査課をいう。以下7において同じ。）は，移転価格調査に当たって内国法人又は外国法人が納税の猶予の意思を有していることを把握した場合には，当該納税の猶予の対象となる額を，徴収の引継ぎを受ける局特別整理部門及び庁主管課（法人担当部門においては，局法人課税課（国税局課税第二部（金沢，高松及び熊本国税局にあっては課税部）法人課税課及び沖縄国税事務所法人課税課をいう。以下7において同じ。）経由）に通知する。
　ロ　庁主管課（国税庁課税部法人課税課又は国税庁調査査察部調査課をいう。以下7において同じ。）は，局関係課（局調査課又は局法人課税課をいう。以下7において同じ。）からイの通知を受けた場合には，当該通知に係る納税の猶予の対象となる額を庁相互協議室に通知する。
　ハ　庁相互協議室は，(7)ロ又はハにより納税の猶予申請書の写しの送付を受けた場合において，必要と認められるときは，庁主管課に対して納税の猶予の対象となる額を確認する。
　ニ　庁主管課は，庁相互協議室からハによる連絡を受けた場合は，局調査課又は法人担当部門（局法人課税課経由）に対して，納税の猶予の対象となる額を庁相互協議室（庁主管課経由）及び局特別整理部門に通知するよう指示を行う。
(9) 相手国の権限ある当局への相互協議の申立ての確認等

外国法人から納税の猶予の申請が行われた場合には，庁相互協議室は，外国法人が相互協議の申立てを行ったとされる相手国の権限ある当局に対し，当該納税の猶予の申請に係る法人税についての相互協議の申立ての有無につき照会するとともに，その後の状況についても適時に確認する。
　（注）　当該納税の猶予に係る国税について相手国で相互協議の申立てが行われたか否かは，原則として相手国からの相互協議の申入れにより確認し，庁徴収課を通じて局特別整理部門へ連絡する。
　　　　　当該連絡は，原則として22(1)及び(3)による通知により行うものとする。
(10)　納税の猶予要件の調査等
　イ　徴収の引継ぎを受けた局特別整理部門は，内国法人又は外国法人から提供された担保が納税の猶予に係る金額に相当するものか否か及び納税の猶予に係る法人税以外の国税の滞納の有無について調査する。
　　　なお，担保の評価については，納税の猶予等の取扱要領第4章第2節によることとする。
　ロ　庁相互協議室は，(7)ロ又はハにより納税の猶予申請書の写しの送付を受けた場合には，当該申請について，(1)イ，ロ及びハの要件に該当しているか否かを確認の上，庁徴収課を通じて局特別整理部門に連絡する。
　　（注）　当該連絡は，原則として14(3)及び(4)による相互協議を申し入れる旨の通知又は22(1)及び(3)による通知により行うものとする。
(11)　納税の猶予の許可
　イ　局特別整理部門は，納税の猶予の申請があった場合において，(1)に掲げる要件を充足しているときは，納税の猶予の申請に係る法人税について納税を猶予する。この場合において，局特別整理部門は，納税の猶予をした旨，猶予に係る金額その他必要な事項を申請者（保証人及び物上保証人を含む。）に通知する（別紙様式6－3）。
　　　なお，納税の猶予申請書に記載した法人税の額及びその加算税の額が(8)に掲げる局関係課から連絡を受けた納税の猶予の対象となる額を超える場合は，当該納税の猶予の対象となる額を限度として納税を猶予する。
　ロ　イに該当する場合には，局特別整理部門は，局関係課及び庁相互協議室（庁徴収課経由）にその旨を通知する。
　ハ　ロの通知を受けた局関係課は，その旨を庁主管課に通知する（局法人課税課は，法人担当部門にも併せて通知する。）。
(12)　納税の猶予期間
　　納税の猶予の期間は，租税特別措置法第66条の4第16項第1号又は第68条の88第

16項第1号に掲げる更正決定に係る法人税の納期限（納税の猶予の申請が当該納期限後である場合は，当該申請の日）から，相互協議の相手国の権限ある当局との間の合意に基づく更正があった日（次に掲げる場合にあっては，国税庁長官がその場合に該当する旨を通知した日）の翌日から1月を経過するまでの期間（以下「納税の猶予期間」という。）である。

　　イ　相互協議を継続した場合であっても合意に至らないと国税庁長官が認める場合において，国税庁長官が当該相互協議に係る相手国の権限ある当局に当該相互協議の終了の申入れをし，当該権限ある当局の同意を得たとき。

　　ロ　相互協議を継続した場合であっても合意に至らないと当該相互協議に係る相手国の権限ある当局が認める場合において，国税庁長官が当該権限ある当局から当該相互協議の終了の申入れを受け，国税庁長官が同意したとき。

　　ハ　租税特別措置法第66条の4第16項第1号又は第68条の88第16項第1号に掲げる更正決定に係る法人税の額に関し，合意が行われた場合において，当該合意の内容が当該法人税の額を変更するものでないとき。

(13)　延滞税の免除

　　納税の猶予をした場合には，その猶予をした法人税に係る延滞税のうち納税の猶予期間（納税の猶予の申請が当該法人税の納期限以前である場合には，当該申請の日を起算日として当該納期限までの期間を含む。）に対応する部分の金額は，免除する。ただし，(15)に掲げる納税の猶予の取消しの基因となるべき事実が生じた場合には，その生じた日後の期間に対応する部分の金額については，免除しないことができる。

(14)　納税の猶予の不許可

　　イ　局特別整理部門は，納税の猶予の申請があった場合において，(1)に掲げる納税の猶予の要件を充足していないときは，納税の猶予の申請に係る法人税について納税を猶予しないこととする。この場合において，局特別整理部門は，納税の猶予をしない旨を申請者（保証人及び物上保証人を含む。）に通知する（別紙様式6－4）。

　　ロ　イに該当する場合には，局特別整理部門は，局関係課及び庁相互協議室（庁徴収課経由）にその旨を通知する。

　　ハ　ロの通知を受けた局関係課は，その旨を庁主管課に通知する（局法人課税課は，法人担当部門にも併せて通知する。）。

(15)　納税の猶予の取消し

　　イ　局特別整理部門は，納税の猶予を受けた者が次のいずれかに該当する場合には，その猶予を取り消すことができる。

① 相互協議の申立てを取り下げたとき。
② 相互協議に必要な書類の提出につき協力しないとき。
③ 国税通則法第38条《繰上請求》第1項各号のいずれかに該当する事実がある場合において、その者がその猶予に係る法人税を猶予期間内に完納することができないと認められるとき。
④ 猶予に係る法人税につき提供された担保について国税局長が国税通則法第51条《担保の変更等》第1項の規定によってした命令に応じないとき。
⑤ 猶予を受けた者の財産の状況その他の事情の変化により、その猶予を継続することが適当でないと認められるとき。
　　(注) 庁相互協議室、局調査課又は法人担当部門は、納税の猶予を受けた内国法人若しくは外国法人について財産の状況その他の事情の変化があったことを把握した場合には、遅滞なく局特別整理部門（庁相互協議室においては、庁徴収課経由。法人担当部門においては、局法人課税課経由。）にその旨を連絡する。
ロ　局特別整理部門は、イの規定により納税の猶予を取り消す場合には、イ及びニに該当するときを除き、あらかじめ、その猶予を受けた者の弁明を聞かなければならない。ただし、その者が正当な理由なくその弁明をしないときは、この限りでない。
ハ　局特別整理部門は、イの規定により納税の猶予を取り消したときは、その旨を納税の猶予を受けた者（保証人及び物上保証人を含む。）に通知する（別紙様式6－5）。この場合において、局特別整理部門は、局関係課及び庁相互協議室（庁徴収課経由）にその旨を通知する。
ニ　ハの通知を受けた局関係課は、その旨を庁主管課に通知する（局法人課税課は、法人担当部門にも併せて通知する。）。

(16) 相互協議の合意等に伴う処理

イ　法人担当部門又は局調査課は、納税の猶予の対象となっている法人税に係る相互協議が複数あり、その一部の相互協議につき、次に掲げる事実に係る連絡を受けた場合には、他の継続する相互協議に係る納税の猶予額を再計算し、徴収の引継ぎを受けた局特別整理部門及び庁主管課（法人担当部門においては、局法人課税課経由）に通知する。
① 18相互協議の合意
② 19相互協議の終了
③ 20相互協議申立ての取下げ
④ 28相互協議の合意

⑤ 29相互協議の終了
ロ　庁主管課は，局関係課からイの通知を受けた場合には，当該通知に係る納税の猶予の対象となる額を庁相互協議室に通知する。
ハ　イの通知を受けた局特別整理部門は，一部の相互協議の合意等による担保の一部解除等の必要な処理を行うとともに，他の継続する相互協議に係る納税の猶予の対象となる額を納税の猶予を受けた者に通知する（別紙様式6－6）。この場合において，局特別整理部門は，局関係課及び庁相互協議室（庁徴収課経由）にその旨を通知する。
ニ　ハの通知を受けた局関係課は，その旨を庁主管課に通知する（局法人課税課は，法人担当部門にも併せて連絡する。）。

8　確定申告書等の保存措置等
(1)　庁相互協議室は，6(2)により相互協議申立書及び添付資料の送付を受けた場合には，相互協議の申立てがあった旨を相互協議申立書の写しを添付して庁主管課に通知するとともに，申立者（当該申立ての対象となる取引等が連結子法人に係るものである場合には，申立者及び当該連結子法人）の確定申告書等の保存措置を講じることを求める。
(2)　庁主管課は，庁相互協議室から(1)により確定申告書等の保存措置を講じることを求められた場合には，5(5)に定めるところにより局関係課に指示する。
(3)　局関係課は，庁主管課から(2)の指示を受けた場合には，申立者の納税地の所轄税務署長（当該申立ての対象となる取引等が連結子法人に係るものである場合には，申立者の納税地の所轄税務署長及び当該連結子法人の所轄税務署長）に必要な指示を行う。

9　相互協議申立書の記載事項の検討等
(1)　庁相互協議室は，相互協議申立書の記載事項又は添付資料に不備があるときは，申立者に補正を求める。
(2)　庁相互協議室は，申立てが我が国における課税に係るものである場合には，庁主管課に，当該課税の内容（課税に至っていない場合には，事実関係の概要）を記載した書類の提出を求める。

10　資料の提出
庁相互協議室は，申立者に，相互協議の実施のために必要と認められる資料の提出を求める。

11　翻訳資料の提出

　　庁相互協議室は，必要に応じ，申立者に，添付資料その他の提出資料のうち外国語で記載された資料について，日本語訳を添付するよう求める。

12　提出資料等の説明

　　庁相互協議室は，必要に応じ，申立者（当該申立ての対象となる取引等が連結子法人に係るものである場合には，申立者又は連結子法人）に，添付資料その他の提出資料についての説明を求める。

13　提出資料等の変更等の連絡
　(1) 庁相互協議室は，申立者に，相互協議申立書又は添付資料その他の提出資料に誤り又は重要な変更があった場合には遅滞なく連絡するよう求める。
　(2) 庁相互協議室は，申立者に，相手国における課税処分，不服審査又は事前確認審査の進ちょく状況等について遅滞なく連絡するよう求める。

14　相手国の権限ある当局への相互協議の申入れ
　(1) 庁相互協議室は，6(2)より相互協議申立書及び添付資料の送付を受け，その申立てに理由があると認める場合には，次に掲げる場合を除き，相手国の権限ある当局に相互協議を申し入れる。ただし，当該申立てに係る課税，事前確認等について既に相手国の権限ある当局から相互協議の申入れが行われている場合は，相互協議の申入れは行わない。
　　イ　相互協議申立書の記載事項又は添付書類に不備があるために，庁相互協議室が申立者に補正を求めたにもかかわらず，申立者が補正に応じない場合
　　ロ　相互協議の申立てが事前確認に係るものである場合において，申立者が移転価格事務運営要領又は連結法人に係る移転価格事務運営要領に規定する事前確認の申出を行っていない場合
　(2) 庁相互協議室は，(1)ただし書の場合を除き，相手国の権限ある当局に相互協議を申し入れない場合には，その旨を申立者に通知する。
　(3) 庁相互協議室は，申立者に(2)の通知を行った場合には，その旨を庁主管課及び所轄税務署長に通知する。（なお，当該通知に係る相互協議の対象となっている法人税が納税の猶予に係るものである場合には，庁徴収課にも併せて通知する。）
　(4) 庁主管課及び庁徴収課は，庁相互協議室から(3)の通知を受けた場合には，その旨を局関係課及び局特別整理部門に通知する。

15 法人が連結グループへ加入等又は連結法人が連結グループから離脱等若しくは他の連結グループへ加入した場合の取扱い

(1) 相互協議申立書を提出した法人が連結法人となった場合,又は相互協議申立ての対象となった取引等を有する連結法人が他のグループの連結法人となった場合で,その法人が引き続き相互協議の申立てを行うときは,庁相互協議室は,当該連結法人の連結親法人に対し,速やかに「連結加入等法人の相互協議申立ての継続届出書」(別紙様式5)3部を連結親法人の納税地の所轄税務署長に提出するよう求める。

(2) 相互協議申立ての対象となった取引等を有する連結法人が,連結法人以外の法人となった場合で,その法人が引き続き相互協議の申立てを行うときは,庁相互協議室は当該法人に対し,速やかに「連結離脱等法人の相互協議申立ての継続届出書」(別紙様式5)3部を納税地の所轄税務署長に提出するよう求める。

(3) (1)又は(2)により届出書の提出を受けた場合には,所轄税務署長は,当該届出書1部を保管するとともに,相互協議申立書の提出を行った法人の納税地の所轄税務署長及び庁相互協議室へ各1部送付する。

(4) 庁相互協議室は(3)により届出書の送付を受けた場合には,写しを添付して庁主管課に通知するとともに相手国の権限ある当局へも通知する。

(5) 庁主管課は(4)により通知を受けた場合には,局関係課に通知する。

(6) 届出書の提出があった場合には,当該届出書の提出を行った法人から,その納税地の所轄税務署長に対し相互協議の申立てがなされたものとして,当該法人に対し,その後については相互協議の事務運営指針の規定を適用する。

16 申立者への相互協議の進ちょく状況の説明

庁相互協議室は,申立者(当該申立ての対象となる取引等が連結子法人に係るものである場合には,申立者又は当該連結子法人。以下17において同じ。)からの求めにより又は必要に応じ,相互協議の実施に支障のない範囲において,相互協議の進ちょく状況を申立者に説明する。

17 合意に先立っての申立者の意向の確認

(1) 庁相互協議室は,相手国の権限ある当局と合意に至ると認められる状況となった場合には,合意に先立ち,合意案の内容を文書で申立者に通知するとともに,申立者が当該合意内容に同意するかどうかを申立者に確認する。

(2) 庁相互協議室は,申立者が当該合意内容に同意することを確認した後に,相手国の権限ある当局と合意する。

18 相互協議の合意の通知

(1) 庁相互協議室は，相互協議において合意に至った場合には，申立者に，「相互協議の合意について（通知）」（別紙様式2）により，合意に至った年月日及び合意内容を通知する。

(2) 庁相互協議室は，申立者に(1)の通知を行った場合には，その旨を当該通知書の写しを添付して庁主管課及び申立者の納税地の所轄税務署長に通知する。（なお，当該通知に係る相互協議の対象となっている法人税が納税の猶予に係るものである場合には，庁徴収課にも併せて通知する。）

(3) 庁主管課及び庁徴収課は，庁相互協議室から(2)の通知を受けた場合には，申立者の納税地の租税条約及び法令等の規定に基づき，相互協議の合意内容に沿った処理及び納税の猶予に係る処理を行うよう局関係課及び局特別整理部門に指示する。

(4) 局関係課は，庁主管課から(3)の指示を受けた場合には，申立者の納税地の所轄税務署長に，相互協議の合意内容に沿った処理を行うために必要な指示を行う。

19 相互協議の終了

(1) 庁相互協議室は，次に掲げる場合には，相手国の権限ある当局に，相互協議の終了を申し入れる。

　イ　相互協議開始後，相互協議の申立てに係る事項が，租税条約において相互協議の対象とされているものでないことが判明した場合

　ロ　相互協議の申立てが事前確認に係るものである場合において，申立者が当該事前確認の申出を取り下げた場合

　ハ　相互協議申立書又は添付資料その他の提出資料に虚偽の記載等があった場合

　ニ　申立者から相互協議に必要な資料の提出等について協力が得られない場合

　ホ　我が国又は相手国における課税後相当期間が経過している等の理由から，相互協議に必要な資料を収集することができない場合

　ヘ　17(1)の確認を行った場合において，申立者が権限ある当局間の合意案に同意しなかった場合

　ト　その他相互協議を継続しても適切な解決に至ることができないと認められる場合

(2) 庁相互協議室は，(1)の相互協議終了の申入れについて相手国の権限ある当局の同意が得られた場合又は相手国の権限ある当局からの相互協議終了の申入れについて同意した場合には，相互協議を終了した旨を「相互協議の終了について（通知）」（別紙様式3）により申立者に通知する。

(3) 庁相互協議室は，申立者に(2)の通知を行った場合には，その旨を庁主管課及び申

立者の納税地の所轄税務署長に通知する。（なお，当該通知に係る相互協議の対象となっている法人税が納税の猶予に係るものである場合には，庁徴収課にも併せて通知する。）

(4) 庁主管課及び庁徴収課は，庁相互協議室から(3)の通知を受けた場合には，法令等の規定に基づき，納税の猶予に係る処理を行うよう局特別整理部門に指示する。

20 相互協議の申立ての取下げ

(1) 相互協議申立書の提出後，14(2)の通知（相互協議を申し入れない旨の通知），18(1)の通知（相互協議の合意の通知）又は19(2)の通知（相互協議の終了の通知）を受けるまでは，申立者は相互協議の申立てを取り下げることができるものとして取り扱う。

(2) 相互協議申立ての取下げは，「相互協議申立ての取下書」（別紙様式4）2部を，申立者の納税地の所轄税務署長に提出することにより行われるものとする。

(3) 申立者の納税地の所轄税務署長は，収受した相互協議申立ての取下書1部を法人担当部門にて保管し，写しを管理・徴収担当部門へ回付するとともに，他の1部を庁相互協議室に送付する。この場合において，管理・徴収担当部門は，局特別整理部門への徴収の引継ぎの有無を調査し，徴収の引継ぎをしている場合には，取下書の写しを局特別整理部門に送付する。

(4) 庁相互協議室は，(3)により相互協議申立ての取下書の送付を受けた場合には，相手国の権限ある当局に，相互協議の申立てが取り下げられたために相互協議を終了する旨を通知するとともに，庁主管課に，相互協議の申立てが取り下げられた旨を取下書の写しを添付して通知する。

21 確定申告書等の保存措置の解除

(1) 庁相互協議室は，5(3)又は8(1)により庁主管課に確定申告書等の保存措置を講じることを求めた後，相互協議の申立てが行われなかったこと，相手国の権限ある当局に相互協議の申入れを行わなかったこと，相互協議において合意に至ったこと，相互協議が合意に至らず終了したこと又は相互協議の申立てが取り下げられたことにより当該確定申告書等の保存措置が必要でなくなった場合には，その旨を庁主管課に通知する。

(2) 庁主管課は，庁相互協議室から(1)の通知を受けたときは，当該保存措置を解除するよう局関係課に指示する。

(3) 局関係課は，庁主管課から(2)の指示を受けたときは，申立者の納税地の所轄税務署長（当該申立ての対象となる取引等が連結子法人に係るものである場合には，申

立者の納税地の所轄税務署長及び当該連結子法人の所轄税務署長）に必要な指示を行う。

第3 相手国の権限ある当局からの申入れに係る相互協議

22 相互協議の申入れがあった場合の手続

(1) 相手国の権限ある当局から租税条約の規定に基づく相互協議の申入れがあった場合には，庁相互協議室は，当該申入れが23から25までに定める場合に該当する場合を除き，次に掲げる事項を庁主管課に通知するとともに，確定申告書等の保存措置を講じることを求める。（なお，当該通知に係る相互協議の対象となっている法人税が納税の猶予に係るものである場合には，庁徴収課にも併せて通知する。）

　イ　当該申入れを行った相手国の国名

　ロ　当該申入れがあった年月日

　ハ　当該申入れが，非居住者又は外国法人に対する我が国における課税に係るものである場合（ヘに掲げる場合に該当する場合を除く。）には，当該非居住者又は外国法人の氏名又は名称及び住所又は本店若しくは主たる事務所の所在地，相互協議の対象となる期間又は事業年度，課税が行われた年月日，当該非居住者又は外国法人の納税管理人が定められている場合には当該納税管理人の氏名及び住所等

　ニ　当該申入れが，非居住者又は外国法人の我が国にある恒久的施設に対する我が国における課税に係るものである場合には，ハに掲げる事項に加え，当該恒久的施設の名称及び所在地

　ホ　当該申入れが，外国法人の我が国にある恒久的施設を取引の当事者とする移転価格課税に係るものである場合には，ハ及びニに掲げる事項に加え，当該課税の対象となった取引の他方の当事者の名称及び所在地

　ヘ　当該申入れが，我が国の源泉徴収義務者が行った源泉徴収に係るものである場合には，当該源泉徴収義務者の名称及び所在地，当該源泉徴収に係る支払の相手先である非居住者又は外国法人の氏名又は名称及び住所又は本店若しくは主たる事務所の所在地，支払の内容，相互協議の対象となる期間等

　ト　当該申入れが，個人の居住地国の決定に係るものである場合には，当該個人の氏名，住所又は居所，相互協議の対象となる期間等

　チ　その他参考となる事項

　　（注）ハからヘまでに掲げる場合に該当する場合には，我が国において相互協議の申立ては行われず，相手国の権限ある当局からの申入れにより相互協議が

開始されることに留意する。また，トに掲げる場合に該当する場合には，当該個人から相互協議の申立てが行われない場合があることに留意する。
(2) 庁主管課は，庁相互協議室から(1)により確定申告書等の保存措置を講じることを求められた場合には，5(5)に定めるところにより，保存期限を経過しても当該確定申告書等を廃棄しないよう局関係課に指示する。
(3) 庁徴収課は，庁相互協議室から(1)の通知を受けた場合には，その旨を局特別整理部門に通知する。
(4) 局関係課は，庁主管課から(2)の指示を受けた場合には，所轄税務署長に必要な指示を行う。

23 移転価格課税等に係る相互協議の申入れがあった場合の手続
(1) 相手国の権限ある当局から租税条約の規定に基づく相互協議の申入れがあった場合において，当該申入れが内国法人を取引の当事者とする移転価格課税に係るものであるとき等，相互協議の結果内国法人の所得金額等が変更される可能性があるときは，庁相互協議室は，当該申入れに係る事項が租税条約において相互協議の対象とされているものでない場合を除き，当該内国法人が本事務運営指針の規定に基づく相互協議の申立てを行っているかどうかを確認する。
(2) (1)の確認を行った場合において，当該内国法人が既に相互協議の申立てを行っているとき又は行うときは，その後の手続は第2に定めるところによる。
(3) (1)の確認を行った場合において，当該内国法人が相互協議の申立てを行わないときは，その後の手続は29に定めるところによる。

24 事前確認に係る相互協議の申入れがあった場合の手続（内国法人の場合）
(1) 相手国の権限ある当局から租税条約の規定に基づく相互協議の申入れがあった場合において，当該申入れが内国法人を取引の当事者とする事前確認に係るものであるときは，庁相互協議室は，当該内国法人が本事務運営指針の規定に基づく相互協議の申立てを行っているかどうか及び移転価格事務運営要領又は連結法人に係る移転価格事務運営要領の規定に基づく事前確認の申出を行っているかどうかを確認する。
(2) (1)の確認を行った場合において，当該内国法人が既に相互協議の申立て及び事前確認の申出の双方を行っているとき又は行うときは，その後の手続は第2に定めるところによる。
(3) (1)の確認を行った場合において，当該内国法人が相互協議の申立て又は事前確認の申出のいずれか一方又はその双方を行わないときは，その後の手続は29に定める

ところによる。

25 事前確認に係る相互協議の申入れがあった場合の手続（外国法人の場合）
(1) 相手国の権限ある当局から租税条約の規定に基づく相互協議の申入れがあった場合において，当該申入れが外国法人の我が国にある恒久的施設を取引の当事者とする事前確認に係るものであるときは，庁相互協議室は，当該外国法人の恒久的施設が移転価格事務運営要領の規定に基づく事前確認の申出を行っているかどうかを確認する。
(2) (1)の確認を行った場合において，当該外国法人が既に事前確認の申出を行っているとき又は行うときは，庁相互協議室は，22(1)イ及びロに掲げる事項並びに当該外国法人の恒久的施設の名称及び所在地を庁主管課に通知するとともに，確定申告書等の保存措置を講じることを求め，その後の手続は22(2)及び(3)並びに27から30までに定めるところによる。
(3) (1)の確認を行った場合において，当該外国法人の恒久的施設が事前確認の申出を行わないときは，その後の手続は29に定めるところによる。

26 源泉所得税に係る相互協議の申入れがあった場合の源泉徴収義務者への連絡
相手国の権限ある当局から租税条約の規定に基づく相互協議の申入れがあった場合において，当該申入れが我が国の源泉徴収義務者が行った源泉徴収に係るものであるときは，庁相互協議室は，相手国の権限ある当局から相互協議の申入れがあった旨を，源泉徴収義務者に通知する。

27 資料の提出等
(1) 庁相互協議室は，必要に応じ，相互協議の対象とされる課税を受けた者等に，資料の提出及び当該提出された資料についての説明を求める。
なお，当該相互協議の対象とされる課税を受けた者等が相互協議の実施のために必要と認められる資料の提出に応じない場合に，その者が納税の猶予を受けており，かつ，7 (15イ②に該当するとして当該納税の猶予を取り消すことが相当と判断されたときは，庁相互協議室は，庁徴収課を通じて局特別整理部門に対し，その旨を通知する。
(2) 庁相互協議室は，必要に応じ，(1)により提出された資料のうち外国語で記載された資料については，日本語訳を添付するよう求める。

28 相互協議の合意の通知

(1) 庁相互協議室は，相互協議において合意に至った場合には，合意に至った年月日及び合意内容を庁主管課に通知する。（なお，当該通知に係る相互協議の対象となっている法人税が納税の猶予に係るものである場合には，庁徴収課にも併せて通知する。）

(2) 庁主管課及び庁徴収課は，庁相互協議室から(1)の通知を受けた場合には，租税条約及び法令等の規定に基づき，相互協議の合意内容に沿った処理及び納税の猶予に係る処理を行うよう局関係課及び局特別整理部門に指示する。

(3) 局関係課は，庁主管課から(2)の指示を受けた場合には，申立者の納税地の所轄税務署長に，相互協議の合意内容に沿った処理を行うために必要な指示を行う。

(4) 庁相互協議室は，我が国の源泉徴収義務者が行った源泉徴収に係る相互協議において合意に至った場合には，源泉徴収義務者に合意内容を説明する。

(5) 相互協議の合意により我が国の源泉徴収義務者が納付した源泉所得税の全部又は一部を還付することとなった場合の還付処理については，対象となった源泉所得税が自主納付によるものであるときは，原則として，源泉徴収義務者から提出された「源泉所得税の誤納額還付請求書」に基づいて還付する。この場合，庁相互協議室は，源泉徴収義務者に「源泉所得税の誤納額還付請求書」の提出を求める。また，対象となった源泉所得税が納税告知を受けて納付されたものであるときは，「源泉所得税の誤納額還付請求書」の提出を求めることなく，職権還付によるものとする。

29 相互協議の終了

(1) 庁相互協議室は，次に掲げる場合には，相手国の権限ある当局に，相互協議の終了を申し入れる。

　イ　相互協議の申入れに係る事項が，租税条約において相互協議の対象とされているものでない場合

　ロ　23(1)の確認を行った場合において，当該内国法人（連結子法人にあっては，その連結親法人）が，相互協議の申立てを行わない場合

　ハ　24(1)の確認を行った場合において，当該内国法人（連結子法人にあっては，その連結親法人）が，相互協議の申立てと事前確認の申出のいずれか一方又はその双方を行わない場合

　ニ　25(1)の確認を行った場合において，当該外国法人の恒久的施設が，事前確認の申出を行わない場合

　ホ　相互協議の対象とされる課税を受けた者等から，相互協議に必要な資料の提出等について協力が得られない場合

ヘ　我が国又は相手国における課税後相当期間が経過している等の理由から，相互協議に必要な資料を収集することができない場合
　　ト　その他相互協議を継続しても適切な解決に至ることができないと認められる場合
　(2)　庁相互協議室は，(1)の相互協議終了の申入れについて相手国の権限ある当局の同意が得られた場合又は相手国の権限ある当局からの相互協議終了の申入れについて同意した場合には，相互協議を終了した旨を庁主管課に通知する。(なお，当該通知に係る相互協議の対象となっている法人税が納税の猶予に係るものである場合には，庁徴収課にも併せて通知する。)
　(3)　庁徴収課は，庁相互協議室から(2)の通知を受けた場合には，法令等の規定に基づき，納税の猶予に係る処理を行うよう局特別整理部門に指示する。
　(4)　庁相互協議室は，相互協議を終了した場合において，当該相互協議が我が国の源泉徴収義務者が行った源泉徴収に係るものである場合には，相互協議を終了した旨を源泉徴収義務者に連絡する。

30　確定申告書等の保存措置の解除
　(1)　庁相互協議室は，22(1)により庁主管課に確定申告書等の保存措置を講じることを求めた後，相互協議において合意に至ったこと又は相互協議が合意に至らず終了したことにより当該確定申告書等の保存措置が必要でなくなった場合には，その旨を庁主管課に通知する。
　(2)　庁主管課は，庁相互協議室から(1)の通知を受けたときは，当該保存措置を解除するよう局関係課に指示する。
　(3)　局関係課は，庁主管課から(2)の指示を受けたときは，所轄税務署長に必要な指示を行う。

第4　居住者・内国法人等からの申立てに基づかない相互協議の申入れ

31　居住者・内国法人等からの申立てに基づかない相互協議の申入れ
　　庁相互協議室は，第2の6に定める相互協議の申立てがない場合であっても，必要に応じ，相手国の権限ある当局に相互協議の申入れを行う。
　(注)　居住者・内国法人等からの相互協議の申立てによらず相手国の権限ある当局に相互協議の申入れを行うのは，例えば次のような場合である。
　　イ　先に行われた相互協議の合意について，申立者等から提出され当該合意の基礎となった資料に虚偽の記載があったことなどを理由として，相手国の権限ある当

局に当該合意の取消しを求める場合
- ロ　先に行われた事前確認に係る相互協議の合意において設定された重要な前提条件が満たされなかったことを理由として，相手国の権限ある当局に再協議を求める場合
- ハ　先に行われた事前確認に係る相互協議の合意について，移転価格事務運営要領5－19又は連結法人に係る移転価格事務運営要領5－19に定める取消事由が生じたことを理由として，相手国の権限ある当局に当該合意の取消しを求める場合

32　確定申告書等の保存措置等
(1)　庁相互協議室は，31の申入れを行った場合には，その旨及び当該申入れの概要を庁主管課に通知するとともに，確定申告書等の保存措置を講じることを求める。
(2)　庁主管課は，庁相互協議室から(1)により確定申告書等の保存措置を講じることを求められた場合には，5⑸に定めるところにより局関係課に指示する。
(3)　局関係課は，庁主管課から(2)の指示を受けた場合には，相互協議の申入れの対象となった居住者・内国法人等（当該申入れが連結子法人に係るものである場合には，その連結親法人及び当該連結子法人）の所轄税務署長に必要な指示を行う。
(4)　27から30までは，31の申入れにより開始される相互協議に準用する。

33　相互協議の申入れを行った旨の通知等
(1)　庁相互協議室は，相手国の権限ある当局に31の申入れを行った場合には，当該相互協議の対象である課税に係る居住者若しくは内国法人等（当該課税の対象である取引の当事者の内国法人等が連結子法人である場合には，その連結親法人。以下33において同じ。）又は当該相互協議の対象である事前確認の申出者である内国法人等に対し，次の事項を通知する。
- イ　当該申入れを行った年月日
- ロ　当該申入れを行った相手国
- ハ　当該申入れの内容
- ニ　当該申入れを行った理由
- ホ　その他参考となる事項

(2)　庁相互協議室は，相互協議において合意に至った場合には，(1)の通知を行った居住者又は内国法人等に対し，当該合意の内容を通知する。
(3)　庁相互協議室は，相互協議が合意に至ることなく終了した場合には，(1)の通知を行った居住者又は内国法人等に対し，その旨を通知する。

別表
相互協議の申立てに期間制限のある条約

相手国	申立ての期間制限
アメリカ合衆国	3年以内
イスラエル	3年以内
インド	3年以内
インドネシア	3年以内
ベトナム	3年以内
英国	3年以内又は課税年度終了後6年以内
カナダ	2年以内
シンガポール	3年以内
スウェーデン	3年以内
タイ	3年以内
大韓民国	3年以内
中華人民共和国	3年以内
ノルウェー	3年以内

相手国	申立ての期間制限
ハンガリー	3年以内
バングラデシュ	3年以内
フィリピン	3年以内
フランス	3年以内
ブルガリア	3年以内
ポーランド	3年以内
マレーシア	3年以内
南アフリカ共和国	3年以内
メキシコ	3年以内
ルクセンブルグ	3年以内
旧ソ連邦	3年以内

注1：上記の申立ての期間制限は，条約に適合しない課税に係る措置の最初の通知の日から起算する。

注2：旧ソ連邦条約は，アゼルバイジャン，アルメニア，ウクライナ，ウズベキスタン，キルギス，グルジア，タジキスタン，トルクメニスタン，ベラルーシ，モルドバ，ロシアにそれぞれ適用される。

資料11(2)

相互協議申立書（様式１）

別紙様式１

相互協議申立書

※ 整理番号
※ 連結グループ整理番号

税務署受付印	申立法人	（フリガナ）	
	□連結親法人 □単体法人 □結休親法人	法人名又は氏名	印
		納税地	〒 －
平成　年　月　日		（フリガナ）	
		法人の代表者氏名	印
		（フリガナ）	（役職名）
国税庁長官　殿		責任者氏名	電話（　）　－　（内線　）
		事業種目	資本金　　百万円

租税条約の規定に基づき、権限ある当局間の相互協議を申し立てます。

連結子法人	（フリガナ）法人名	
	本店又は主たる事務所の所在地	〒 －　　　　　　（　局　署）
	（フリガナ）代表者氏名	
	責任者氏名	（役職名）電話（　）　－
	事業種目	

相互協議申立ての理由	□事前確認　□我が国課税　□相手国課税（課税年月日：西暦　年　月　日）　□その他
相互協議の相手国	

国外関連者	名称	
	本店所在地	
	申立ての対象となる取引等を有する国内の者との関係	
	相手国での相互協議申立ての有無	□有（西暦　年　月　日）　□無

申立ての対象となる所得金額等

（連結）事業年度（年分）	円貨による表示（我が国課税及び相手国課税の場合）		相手国通貨による表示（相手国課税の場合）	
	所得金額	税額	所得金額	税額
西暦　年　月　日～　年　月　日・・・・	百万円	百万円	通貨単位	通貨単位
合計				

租税特別措置法第66条の4の2《国外関連者との取引に係る課税の特例に係る納税の猶予》第1項又は第68条の88の2《連結法人の国外関連者との取引に係る課税の特例に係る納税の猶予》第1項に規定する納税の猶予の希望の有無　　□有　□無

資料11

(次葉)

(申立ての対象となる事実の概要及び申立ての理由等)

(添付書類)

(連結子法人又は国外関連者が複数ある場合の追加記入欄)

連結子法人	（フリガナ）法人名	
	本店又は主たる事務所の所在地	〒　－　　　　　　　　（　　局　　署）
	（フリガナ）代表者氏名	
	責任者氏名	（役職名） 電話（　　）　－
	事業種目	
国外関連者	名称	
	本店所在地	
	申立ての対象となる取引等を有する国内の者との関係	
	相手国での相互協議申立ての有無	□ 有（西暦　　年　　月　　日）　□ 無

(注) 各欄に記載できない場合には、適宜の用紙に記載して添付してください。

税理士署名押印							印
※税務署処理欄	部門	決算期	業種番号	整理簿	国税局協議室への発送	備考	

※相互協議室処理欄	整理番号		備考	

相互協議申立書の記載要領等

1 この申立書は、租税条約の規定に基づき、租税条約の実施に伴う所得税法、法人税法及び地方税法の特例等に関する法律の施行に関する省令(昭和44年大蔵・自治省令第1号)(以下、「租税条約実施特例省令」といいます。)第12条《租税条約の規定に適合しない課税に対する申立ての手続》若しくは第13条《双方居住者の取扱いに係る協議に関する申立ての手続》又は遺産、相続及び贈与に対する租税に関する二重課税の回避及び脱税の防止のための日本国とアメリカ合衆国との間の条約の実施に伴う相続税法の特例等に関する法律の施行に関する省令(昭和44年大蔵省令第36号)(以下、「相続税条約実施特例省令」といいます。)第3条《二重課税に関する申立ての手続》の規定に従って、我が国の居住者、内国法人、日本国籍を有する非居住者又は相続税法に規定する相続税又は贈与税の納税義務者が、我が国の権限ある当局と外国の権限ある当局との相互協議の申立てを行うときに使用します。

2 相互協議の申立てに当たっては、この申立書2部及び添付資料1部を、申立者の納税地の所轄税務署長に提出してください。

3 各欄の記載は次によります。
(1) 「申立法人」欄は、申立者が法人である場合のみ、「連結親法人」又は「単体法人」のいずれか一つを選択し、「レ」印等を記載してください。連結法人に係る申立人は「連結親法人」となります。
(2) 「責任者氏名」欄は、この申立てに係る責任者の氏名、役職名及び電話番号を記載してください。
(3) 申立ての対象となる取引の当事者が「連結子法人」であるときには、「連結子法人」欄に、当該連結子法人の本店又は主たる事務所の所在地、法人名等を記載してください。
「連結法人」と「申立法人」との関係は、以下の通りとなります。「連結子法人」が複数ある場合には、次葉に記載してください。

相互協議の理由	対象取引の当事者	「申立法人」欄	「連結子法人」欄
課税・事前確認	連結親法人	連結親法人	記載不要
	連結子法人		要 記 載

(4) 「国外関連者」欄には、この申立てが移転価格課税又は事前確認に係るものである場合には当該移転価格課税又は事前確認に係る国外関連者について記載してください。「国外関連者」が複数ある場合には、次葉に記載してください。
(5) 「申立ての対象となる所得金額等」欄は、我が国又は相手国における課税により増加した所得金額及び税額(その事案が源泉徴収に関するものである場合には、源泉徴収対象金額及び税額。以下同じ。)を(連結)事業年度(年分)ごとに区分して記載してください。
なお、源泉所得税額については金額の頭部に「(源)」と表示してください。
 (注) この申立てが相手国における課税に係るものである場合には、その課税により増加した所得金額及び税額を(連結)事業年度終了の日(個人にあっては、その年の12月31日)における外国為替銀行の対顧客直物電信売相場と対顧客直物電信買相場の仲値(以下「電信売買相場の仲値」といいます。)により円換算し、その円換算額を「相手国通貨による表示」欄に通貨単位と共に記載してください。
(6) 相互協議の申立てが、我が国における移転価格課税に起因している場合、当該移転価格課税により納付すべき法人税の額(当該相互協議の申立てに係る相手国の権限ある当局との間の相互協議の対象となるものに限ります。)及び当該法人税の額に係る加算税の額に係る納税の猶予申請についての希望の有無を記載してください。(なお、納税の猶予の申請を行うに当っては、別途、「納税の猶予申請書」等を提出する必要があります。)
(7) (次葉)の「申立ての対象となる事実の概要及び申立ての理由等」欄には、この申立ての対象となる事実、申立ての理由を、また、「連結子法人又は国外関連者が複数ある場合の追加記入欄」には連結子法人又は国外関連者が複数ある場合に記載してください。

4 この申立書には次の資料を添付してください。なお、国税庁相互協議室は、次に掲げる資料以外にも相互協議の実施のために必要と認められる資料の提出をめることがあります。
(1) 申立てが我が国又は相手国における課税に係るものである場合には、更正通知書等当該課税の事実を証する書類の写し、当該課税に係る事実関係の詳細及び当該課税に対する申立書又はその国外関連者の主張の概要を記載した書面(課税に至っていない場合には、課税を受けるに至ると認められる事情の詳細及び当該事情に対する申立者又はその国外関連者の主張の概要を記載した書面)
(2) 申立者又はその国外関連者が当該課税について不服申立て又は訴訟を行っている場合には、(1)に掲げる資料に加え、不服申立て又は訴訟を行っている旨及び申立者又はその国外関連者の主張の概要を記載した書面並びに不服申立書又は訴状の写し
(3) 当該課税が移転価格課税に係るものである場合には、(1)に掲げる資料に加え、当該申立ての対象となる取引の当事者間の直接若しくは間接の資本関係又は実質的支配関係を示す資料
(4) 申立てが租税条約実施特例省令第13条《双方居住者の取扱いに係る協議に関する申立ての手続》に係るものであり、かつ、租税条約又はこれに付属する政府間の取決めにおいて相互協議を行うに当たり考慮すべき事項が定められている場合には、(1)に掲げる資料に加え、その定められている事項に関する資料
(5) 申立者又はその国外関連者が相手国の権限ある当局に相互協議の申立てを行っている場合には、その旨を証する書類の写し
(6) その他協議の参考となる資料

5 この申立書に添付する書類のうち外国語のものについては、日本語訳を添付してください。

6 国税庁相互協議室への連絡
(1) この申立書又は添付書類その他の提出資料に誤り又は重要な変更があった場合には、遅滞なく国税庁相互協議室に連絡してください。
(2) 相手国における課税処分、不服審査又は事前確認審査の進ちょく状況等については、遅滞なく国税庁相互協議室に連絡してください。

7 その他
(1) 相互協議の申立てについては、国税庁相互協議室(相互協議第一係:03−3581−4161(代表))で事前相談に応じています。
(2) 相互協議は、平成13年6月25日付官務1−39他7課共同「相互協議の手続について」(事務運営指針)(平成19年3月30日改正)により行われています。この事務運営指針は、国税庁相互協議室で入手でき、また、国税庁のホームページ(http://www.nta.go.jp)でも閲覧できます。

資料11(3) 相互協議の合意について(通知)(様式2)

別 紙 様 式 2

官 協 ○ - ○

平成○年○月○日

法人名及び法人の代表者氏名
　　　氏　　又は　　名　　殿

国 税 庁 長 官
○　○　○　○

相 互 協 議 の 合 意 に つ い て (通 知)

　貴社(あなた)から平成　年　月　日付で申立てのあった下記1の法人に係る相互協議については、下記2のとおり合意が成立しましたから通知します。

記

1　相互協議の申立て
　(1)　申立て対象取引を有する法人名
　(2)　相手国
　(3)　申立ての内容

2　合意内容

資料11(4)
相互協議の終了について（通知）（様式3）

別　紙　様　式　3

官　協　○　－　○

平成○年○月○日

法人名及び法人の代表者氏名
　　　氏　　又　　は　　名　　殿

国　税　庁　長　官
○　○　○　○

相互協議の終了について（通知）

　貴社（あなた）から平成　　年　月　　日付で申立てのあった下記1の法人に係る相互協議については、下記2の理由により合意に至ることなく相互協議を終了しましたから通知します。

記

1　相互協議の申立て
　　(1)　申立て対象取引を有する法人名
　　(2)　相手国
　　(3)　申立ての内容

2　相互協議を終了した理由

資料11(5)

相互協議申立の取下書（様式４）

別紙様式４

相互協議申立ての取下書

※ 整理番号	
※ 連結グループ整理番号	

税務署受付印	単体法人 □□ 連結親法人 連結子法人	（フリガナ）法人名又は氏名		印
平成　年　月　日		納　税　地	〒　－	
		（フリガナ）法人の代表者氏名		印
		（フリガナ）責任者氏名	（役職名）電話（　）－　（内線　）	
国税庁長官　殿		事業種目		資本金　　百万円

租税条約の規定に基づき、平成　年　月　日付で提出した、権限ある当局間の相互協議の申立ての（全部・一部）を取り下げます。

連結子法人	（フリガナ）法人名	
	本店又は主たる事務所の所在地	〒　－　　　　　　　　　　　　　（　局　署）
	（フリガナ）代表者氏名	
	責任者氏名	（役職名）電話（　）－
	事業種目	

（一部取下げの場合の取り下げる事項）

（全部取下げ又は一部取下げの理由）

（注）各欄に記載できない場合には、適宜の用紙に記載して添付してください。

税理士署名押印		印

※税務署処理欄	部門	決算期	業種番号	整理簿	国際相互協議分への発送		備考

※相互協議室処理欄	整理番号		備　考	

相互協議申立ての取下書の記載要領等

1 この取下書は、租税条約の規定に基づき、租税条約の実施に伴う所得税法、法人税法及び地方税法の特例等に関する法律の施行に関する省令（昭和44年大蔵・自治省令第1号）（以下、「租税条約実施特例省令」といいます。）第12条《租税条約の規定に適合しない課税に対する申立ての手続》若しくは第13条《双方居住者の取扱いに係る協議に関する申立ての手続》又は遺産、相続及び贈与に対する租税に関する二重課税の回避及び脱税の防止のための日本国とアメリカ合衆国との間の条約の実施に伴う相続税法の特例等に関する法律の施行に関する省令（昭和44年大蔵省令第36号）（以下、「相続税条約実施特例省令」といいます。）第3条《二重課税に関する申立ての手続》の規定に従って、我が国の居住者、内国法人、日本国籍を有する非居住者又は相続税法に規定する相続税又は贈与税の納税義務者が、我が国の権限ある当局と外国の権限ある当局との相互協議の申立てを行った後に、「相互協議を申し入れない旨の通知」、「相互協議の合意の通知」、及び「相互協議の終了の通知」を受けるまでの間、申立者が相互協議の申立てを取り下げるときに、使用します。

2 相互協議の申立ての取下げに当たっては、この取下書2部を、申立者の納税地の所轄税務署長に提出してください。

3 各欄の記載は次によります。
  (1) 「提出法人」欄は、申立者が法人であった場合のみ、「連結親法人」又は「単体法人」のいずれか一つを選択し、「レ」印等を記載してください。連結法人に係る提出法人は「連結親法人」となります。
  (2) 「責任者氏名」欄は、この申立てに係る責任者の氏名、役職名及び電話番号を記載してください。
  (3) 申立ての対象となった取引の当事者が「連結子法人」であるときには、「連結子法人」欄に、当該連結子法人の本店又は主たる事務所の所在地、法人名等を記載してください。なお、「連結子法人」が複数ある場合には、適宜の用紙に記載してください。
  (4) 「権限ある当局間の相互協議申立ての（全部・一部）を取り下げます」欄は、「全部」又は「一部」のいずれか一つを選択し、不必要なものを二重線にて削除してください。
  (5) 「一部取下げの場合の取り下げる事項」欄には、この取下書の提出によって取り下げる取引について簡記してください。
  (6) 「全部取下げ又は一部取下げの理由」欄については、取下げを行う理由を簡記してください。

4 その他
  相互協議は、平成13年6月25日付官協1-39他7課共同「相互協議の手続について」（事務運営指針）（平成19年3月30日改正）により行われています。この事務運営指針は、国税庁相互協議室で入手でき、また、国税庁のホームページ（http://www.nta.go.jp/）でも閲覧できます。

資料11(6) 連結加入等法人の相互協議申立の継続届出書・連結離脱等法人の相互協議申立の継続届出書（様式5）

別紙様式5

☐ 連結加入等法人の相互協議申立ての継続届出書
☐ 連結離脱等法人の相互協議申立ての継続届出書

※整理番号
※連結グループ整理番号

税務署受付印

平成　年　月　日

国税庁長官　殿

届出人

☐☐ 連結単体 結体 親法 法人 人

（フリガナ）
法　人　名

納　税　地　〒　－

（フリガナ）
代表者氏名　　　　　　　印

（フリガナ）
責任者氏名
(役職名)
電話（　）　－　(内線　)

事業種目　　資本金　　百万円

連結法人となった日又は連結法人以外の法人となった日　　年　月　日

相互協議申立ての対象取引に関して、相互協議の申立てを継続します。

相互協議申立て時の状況	申立法人 ☐☐単連体結法法人人	（フリガナ）法　人　名	
		本店又は主たる事務所の所在地	〒　－　（　局　署）
		（フリガナ）代表者氏名	
		責任者氏名	(役職名)　電話（　）　－
		事業種目	資本金　　百万円
	相互協議申立書提出年月日		年　月　日
	相互協議申立ての理由		☐事前確認　☐我が国課税　☐相手国課税（課税年月日：西暦　年　月　日）☐その他
	相互協議の相手国		
国外関連者	名　称		
	本店所在地		
	申立ての対象となる取引等を有する国内の者との関係		

(注) 各欄に記載できない場合には、適宜の用紙に記載して添付してください。

税理士署名押印　　　　　　　　　　　　　印

※税務署処理欄　部門　決算期　業種番号　整理簿　国税庁相互協議室への送付　備考

※相互協議室処理欄　整理番号　　　備　考

第四編　資　　料

連結加入等法人の相互協議申立ての継続又は連結離脱等法人の相互協議申立ての継続届出書の記載要領

1　この届出書は、租税条約の規定に基づき、租税条約の実施に伴う所得税法、法人税法及び地方税法の特例等に関する法律の施行に関する省令(昭和44年大蔵・自治省令第1号)(以下、「租税条約実施特例省令」といいます。)第12条《租税条約の規定に適合しない課税に対する申立ての手続》の規定に従って、我が国の内国法人又は連結法人が、我が国の権限ある当局と外国の権限ある当局との相互協議の申立てを行った後に、「相互協議を申し入れない旨の通知」、「相互協議の合意の通知」、及び「相互協議の終了の通知」を受けるまでの間に、納税方式に異動が生じ、連結法人となった場合、若しくは他の連結グループの連結法人となった場合、又は連結法人から連結法人以外の法人(単体法人)となった場合で、これらの変更後の法人が引き続きその相互協議の申立てを行うときに使用します。

2　この届出書は、相互協議申立書を提出した法人が連結法人となった場合、又は相互協議申立書を提出した連結法人が他の連結グループの連結法人となった場合には、その連結親法人が納税地の所轄税務署長に、また相互協議申立書を提出した連結法人が連結法人以外の法人となった場合には、当該申立ての対象となった取引等を有する法人が納税地の所轄税務署長に速やかに3部提出してください。

3　記載上の注意事項
  (1)　表題の「連結加入等法人の相互協議申立ての継続届出書」又は「連結離脱等法人の相互協議申立て継続届出書」については、該当するいずれかの□にレ印を付してください。なお、他の連結グループの連結法人となった場合には双方の□にレ印を付してください。また、「連結法人となった又は連結法人以外の法人となった日」欄には、変更が生じた日付を記載願います。
  (2)　相互協議の申立書を提出した内国法人が連結法人となった場合、又は他の連結グループの連結法人となった場合の届出については、「届出法人」欄の「□連結親法人」にレ印を付し、連結親法人に係る事項を記載するとともに、「相互協議申立て時の状況」欄には、当初相互協議申立書を提出した連結法人又は単体法人に係る事項を記載してください。なお、連結法人が他の連結グループの連結法人となった場合には、「相互協議申立て時の状況」欄の「申立法人」欄の「□連結法人」にレ印を付し、連結親法人に係る事項を記載するとともに、当該連結法人の連結子法人が相互協議の対象となった取引を有する場合には適宜の用紙に当該連結子法人の概要を記載し、本件届出書に添付して提出してください。
  (3)　相互協議の申立書を提出した内国法人が連結法人以外の法人となった場合の届出については、「届出法人」欄の「□単体法人」にレ印を付し、単体法人に係る事項を記載するとともに、「相互協議申立て時の状況」には、「申立人」欄の「□連結法人」にレ印を付し、当初相互協議申立書を提出した連結親法人に係る事項を記載してください。

4　その他
　　相互協議は、平成13年6月25日付官協1-39他7課共同「相互協議の手続について」(事務運営指針)(平成19年3月30日改正)により行われています。この事務運営指針は、国税庁相互協議室で入手でき、また、国税庁のホームページ(http://www.nta.go.jp/)でも閲覧できます。

資料11(7)

納税の猶予申請書（様式6-1）

納税の猶予申請書の記載要領等

1　この申請書は、租税特別措置法第66条の4の2又は同法第68条の88の2の規定に基づき、内国法人が租税条約の規定に従って、国税庁長官に対し、相互協議の申立てをした場合（外国法人が租税条約の規定に基づき当該外国法人に係る相手国の権限ある当局に対し相互協議の申立てをした場合を含みます。）に、当該相互協議の申立てに係る租税特別措置法第66条の4《国外関連者との取引に係る課税の特例》第16項第1号又は同法第68条の88《連結法人の国外関連者との取引に係る課税の特例》第16項第1号の更正決定により納付すべき法人税の額（当該相互協議の申立てに係る相手国の権限ある当局との間の相互協議の対象となるものに限ります。）及び当該法人税の額に係る加算税の額として租税特別措置法施行令第39条の12の2《国外関連者との取引に係る課税の特例に係る納税の猶予の申請手続等》又は同令第39条の112の2《連結法人の国外関連者との取引に係る課税の特例に係る納税の猶予の申請手続等》に定めるところにより計算した金額を限度として、その納期限（納税の猶予の申請が当該納期限後であるときは当該申請の日）から、相互協議の合意に基づく更正があった日(注)の翌日から1月を経過する日までの期間について、納税の猶予の申請を行うときに使用します。

　　(注)　相互協議の終了等により、合意に基づく更正がない場合等の猶予期間の終期は、国税庁長官がその旨を通知した日の翌日から1月を経過する日となります。

2　納税の猶予の申請に当たっては、申請者の納税地の所轄税務署長（国税局長に国税通則法第43条《国税の徴収の所轄庁》第3項の徴収の引継ぎがされているときは、当該国税局長）に、この申請書2部（正本及びその写し）及び4に掲げる添付書類2部を提出するとともに、納税の猶予に係る金額に相当する担保を提供してください。

3　各欄の記載は次によります。
　(1)　納税の猶予申請の根拠条文については、必要のない条項を二重線で抹消してください。
　(2)　「申請者」欄は、納税の猶予を受けようとする法人の名称、所在地（その納税地と本店又は主たる事務所の所在地とが異なる場合には、名称及び納税地並びにその本店又は主たる事務所の所在地）及び代表者名を記載してください。
　(3)　「更正決定により納付すべき法人税の額」欄は、相互協議の申立てに係る租税特別措置法第66条の4第16項第1号又は同法第68条の88第16項第1号の更正決定に係る法人税の年度、納期限及び金額を記載し、備考欄にその法人税の事業年度を記載してください。
　(4)　「上記のうち納税の猶予を受けようとする金額」欄は、(3)の金額のうち納税の猶予を受けようとする法人税の年度、納期限及び金額を記載し、備考欄にその法人税の事業年度を記載してください。
　(5)　「担保」欄には、納税の猶予を受けようとする金額が50万円を超える場合には、その申請時に提供しようとする国税通則法第50条各号に掲げる担保の種類、数量、価額及び所在（その担保が保証人の保証であるときは、保証人の氏名又は名称及び住所又は居所（事務所及び事業所を含む。））その他担保に関し参考となるべき事項（担保を提供することができない特別の事情があるときは、その事情）を記載してください。

4　この申請書には次の資料を添付してください。
　(1)　相互協議の申立てをしたことを証する書面（相手国の権限ある当局に相互協議を申し立てている場合には、当該申立ての日本語訳を添付してください。）
　(2)　納税の猶予を受けようとする金額が租税特別措置法第66条の4第16項第1号又は同法第68条の88第16項第1号に掲げる更正決定により納付すべき法人税の額であること及び当該法人税の額が相互協議の対象となるものであることを明らかにする書類

資料11(8)

担保提供書（様式6－2）

別紙様式6－2

担保提供書

税務署長　殿

　　　　　　　　　　　　年　月　日

担保提供者（納税者）
所在地
法人の名称
代表者氏名　　　　　　　㊞

納税の猶予に係る下記税金の担保として、次の物件を提供します。

年度	税目	納期限	本税	加算税	延滞税	利子税	滞納処分費	備考
	法人税	・・	円	円	法律による金額　円	法律による金額　円	法律による金額　円	
		・・			〃	〃	〃	
		・・			〃	〃	〃	
		・・			〃	〃	〃	
		・・			〃	〃	〃	

担保物件の表示

納税の猶予に係る上記税金の納税担保として、上記物件の提供を承諾します。

　　　　　　　年　月　日

担保物件の所有者
住所（所在地）
氏名（名称）　　　　　　　㊞

添付書類

担保提供書の記載要領等

1　この担保提供書は、租税特別措置法第66条の4の2第1項又は同法第68条の88の2第1項に規定する納税の猶予を受けるため担保を提供する場合に、担保提供者（納税者）が作成し、納税の猶予申請書と併せて提出してください。
2　この担保提供書は、担保の種類ごとに別紙に記載してください。また、担保の種類に応じて、供託書の正本、抵当権を設定するために必要な書類、保証人の保証を証する書面（納税保証書）その他の担保の提供に関する書類をこの担保提供書に併せて提出してください。
3　担保提供者と担保物件の所有者が異なる場合には、担保物件の所有者の署名押印を受け、かつ、その所有者の印鑑証明書を添付してください。
　　なお、担保が保証人の保証の場合には、この担保提供書への保証人の署名押印は必要ありません。
4　「猶予税額」欄の「備考」欄は、納税の猶予に係る法人税の事業年度を記載してください。

資料11　739

資料11(9)　納税の猶予許可通知書（様式6－3）

別紙様式6－3

所在地	
名称	

納税の猶予許可通知書

　年　月　日付で納税の猶予申請があったあなた（貴社）の国税については下記のとおり許可しましたから、租税特別措置法第66条の4の2第4項、租税特別措置法第68条の2第4項の規定により通知します。

　年　月　日

国税局長　㊞

あなた（貴社）が、この納税の猶予許可について不服があるときは、この通知を受けた日の翌日から起算して2月以内に、○○国税局長に対する審査請求と国税不服審判所長に対する審査請求とのいずれかを選択することができます。
なお、この処分に対する行政事件訴訟の提起に関する事項については、裏面の○○国税局審判所の教示をご覧ください。

年度	税目	納期限	本税	加算税	延滞税	利子税	滞納処分費	備考
	法人税	年　月　日から	円	円	円	円	円	
			〃	〃	〃	〃	〃	
			〃	〃	〃	〃	〃	
猶予期間		租税特別措置法第66条の4の2第1項 租税特別措置法第68条の2第2第1項				に定める日までの期間		
該当条項		租税特別措置法第66条の4の2第1項 租税特別措置法第68条の2第1項				該当		

担保

担当
電話
連絡先（　　　　　）　　　　内線

備考：「滞納処分費」欄に掲げた金額は、この通知書作成の日までのものです。

資料11(10) 納税の猶予不許可通知書（様式6-4）

別紙様式6-4

納税の猶予不許可通知書

年　月　日

国税局長　㊞

年　月　日付で納税の猶予の申請があったあなた（貴社）の国税については、下記の理由により許可できません。
租税特別措置法第66条の4の2第4項
租税特別措置法第68条の88の2第4項　の規定により通知します。

年度	税目	納期限	本税	加算税	延滞税	利子税	滞納処分費	備考
	法人税		円	円	円	円	円	
				〃	〃	〃	〃	
				〃	〃	〃	〃	
				〃	〃	〃	〃	

納税の猶予申請税額

不許可理由

備考：「滞納処分費」欄に掲げた金額は、この通知書作成の日までのものです。

連絡先（　　　）
担当
電話　　　内線

所在地
名称

あなた（貴社）が、この納税の猶予不許可の処分について不服があるときは、この通知を受けた日の翌日から起算して2月以内に、これに対する異議申立てと国税不服審判所長に対する審査請求とのいずれかを選択することができます。
なお、この処分に対する行政訴訟の提起に関する事項について裏面に記載しておりますので、ご覧ください。

資料11(11) 納税の猶予取消通知書（様式6-5）

別紙様式6-5

納税の猶予取消通知書

　　年　月　日付で納税の猶予を許可しましたあなた（貴社）の国税については、下記のとおり納税の猶予を取り消しましたから直ちに納付してください。

租税特別措置法第66条の4の2第5項
租税特別措置法第68条の88の2第5項の規定により通知します。

国税局長　㊞

あなた（貴社）が、この納税の猶予取消について不服があるときは、この通知を受けた日の翌日から起算して2月以内に、税務署長に対する異議申立てと国税不服審判所長に対する審査請求とのいずれかを選択することができます。
なお、この処分に対する行政事件訴訟の提起に関する事項については、裏面をご覧ください。

所在地	
名称	

納税の猶予取消税額	年度	税目	納期限	本税	加算税	延滞税	利子税	滞納処分費	備考
		法人税		円	円別表による金額	円別表による金額	円別表による金額	円別表による金額	
				〃	〃	〃	〃	〃	
				〃	〃	〃	〃	〃	
				〃	〃	〃	〃	〃	

該当条項	租税特別措置法第66条の4の2第5項第　　号該当
	租税特別措置法第68条の88の2第5項第　　号該当

取消理由	

備考：滞納処分費」欄に掲げた金額は、この通知書作成の日までのものです。

担当　　　　　　　　　電話（　　　　　）　　　内線
連絡先

△

資料11(12) 納税の猶予変更通知書（様式6-6）

索引

【欧文等】

Advance Pricing Agreement (APA) ……………………… 221, 347
Advance Pricing Arrangement (APA) ……………………… 222, 480
Amadeus ……………………… 359
APA ……………………… 221
APA一次調整（APA primary adjustments） ……… 351
APA歳入手続処理（APA Revenue Procedure Treatment） ……………………… 352
APA申請 ……………………… 347
APA申請費用 ……………………… 349
APA政策委員会 ……………………… 348
APA部門（APA Office） ……………………… 353
Berry ratio ……………………… 358
Competent Authority Consideration (CA) ……………………… 427
Compustat ……………………… 359, 381
CPM ……………………… 152, 358
CP法 ……………………… 95
CUP法 ……………………… 95
Disclosure ……………………… 359
EDGAR ……………………… 381
Face-to-Face meeting ……………………… 459
FIFO ……………………… 360
Form5701 ……………………… 423
Initial Adjustment ……………………… 400
Japan Company Book ……………………… 359
LIFO ……………………… 360
Mergent ……………………… 381
Mergent FIS ……………………… 359
Moody's ……………………… 359
Mutual Agreement Procedure (MAP) ……………………… 388, 427
Non-startup or start-up ……………………… 360
OECD移転価格ガイドライン ……………………… 5, 52, 93, 151, 230
OECD租税委員会 ……………………… 4
OECDモデル租税条約9条 ……………………… 6
PATA ……………………… 254
PATA二国間事前確認手続執行ガイダンス・付録B ……………………… 318
PLI ……………………… 360
PP&E ……………………… 360
Prefiling Conferences (PFC) ……… 348
PS法 ……………………… 95, 358
R&D ……………………… 360
ROA ……………………… 358
ROCE ……………………… 358
RPSM ……………………… 358
RP法 ……………………… 95
SGA ……………………… 360
TNMM ……………………… 27, 95
Transfer Price ……………………… 3, 92
Worldscope ……………………… 359

【あ】

後入先出法（LIFO） ……………………… 305
粗利益 ……………………… 358

【い】

意義申立て ……………………… 216
意匠権 ……………………… 37, 180
移転価格算定方法 ……………………… 283
移転価格税制 ……………………… 9
移転価格調査 ……………………… 52, 130, 209
移転価格と多国籍企業 ……………………… 5
インタークオータイルレンジ ……… 361

【う】

売上 …………………………………… 360
売上原価マークアップ率 ………… 286
売上総利益率 ………………………… 286
運転資本調整（アセット・インテンシティ
　・アジャストメント）……………… 302

【え】

営業資産営業利益率 ………………… 286
営業費用営業利益率 ………………… 286
営業費用の差異調整 …………… 302, 304
営業利益 ………………………… 159, 358
役務提供 ……………… 33, 169, 356
エッジ …………………………………… 335
エッジ（レンジの端）……………… 311
延滞税 …………………………… 447, 474
延滞税の免除 ………………………… 474
延滞利子 ……………………………… 476

【お】

オーストラリア国税庁（ATO）………… 363

【か】

会計処理の差異調整 …………… 302, 307
外国税務当局 ………………………… 371
外国法人 ……………………………… 105
外国法人（PE）課税 ……………… 419
外資系企業 …………………………… 205
解釈協議 …………………………… 389, 414
価格調整金 ……………………… 49, 133
価格の調整 …………………………… 330
確認ができない旨の通知書 ………… 326
確認対象期間 ………………………… 266
確認対象事業年度 ………… 265, 315, 344
確認対象事業年度前の各事業年度への
　準用（ロールバック）……………… 339
確認対象取引と算定方法の選択 …… 287
確認対象取引の範囲 …… 271, 276, 286, 377

確認通知 ………………………… 328, 365
確認通知書 …………………… 326, 329
確認申出書の補正 …………………… 271
確認申出法人 ………………………… 367
下限値 ………………………………… 247
過去年度への遡及適用（ロールバック）
　………………………………………… 247
加算税 ………………………………… 218
加算税の不適用 ……………………… 333
加重平均法 …………………………… 308
過少資本税制 ………………………… 51
合算営業利益 ………………………… 286
合算損失の場合の取扱い …………… 311
株主活動 ………………………… 171, 173
仮合意 ………………………………… 452
為替変動リスクの調整 ……………… 305
為替リスクの調整 …………………… 302
環太平洋税務長官会合 ……… 254, 372
還付加算金 …………………………… 477
還付金利子 …………………………… 476
関連取引と非関連取引の区分 ……… 290

【き】

期間制限 ……………………………… 398
期間制限の起算日 …………………… 435
企業グループ内役務提供（IGS）……… 35
企業財務データ ……………………… 382
機能・リスク分析 …………………… 278
機能分析 ……………………………… 271
寄附金課税 …………………………… 421
基本三法 ………………………… 13, 95, 212
基本的利益 ………………………… 25, 193
基本的利益（通常利益）…………… 315
期末在庫 ……………………………… 104
協議段階 ………………………… 256, 260
行政上の事実行為 …………………… 227
共通経費の配賦 ……………………… 290
共通費用 ……………………………… 22
局担当課 ……………………………… 263

索引 745

寄与度(貢献度)利益分割法 ………… 22
切出し計算 ……………………………… 379
金銭の貸付け ……………………… 32, 163
金銭の貸付け等を業としない法人 … 32
金融業を業としない者が行う貸付け … 166

【け】

経営システム ………………………… 188
形式基準 ………………………………… 99
決済条件 ……………………………… 20
決算調整 ……………………………… 333
原価基準法(CP法) … 13, 17, 95, 113, 278
原価基準法と同等の方法 …………… 175
研究開発 ……………………………… 189
研究開発機能 ………………………… 279
研究開発等の活動 … 40, 194, 198, 201
権限ある当局(Competent Authority)
 ………………………………… 388, 391
検証対象法人 ………………………… 271
検証対象法人の機能分析 …………… 293
検証対象法人の選択 ……… 276, 282, 283
源泉課税 ……………………………… 420
源泉所得税 …………………………… 51
現年度調整 …………………………… 404

【こ】

合意の通知 …………………………… 453
公開財務情報 ………………………… 380
公開データ ……………………… 271, 366
公開データの使用 …………………… 276
公開データベース …………………… 382
公開データベースによる業種検索 … 295
高価買入れ …………………………… 104
工業所有権 …………………………… 37, 180
更新手数料 …………………………… 349
更新の申出 …………………………… 266
更新方式 ……………………………… 310
更正の請求 …………………………… 470
顧客リスト ……………………… 37, 180, 181

国外移転所得金額 ………………… 48, 215
国外移転所得金額の返還 …………… 472
国外関連者 ………………………… 9, 11, 97
国外関連者が保存する帳簿書類 ……… 58
国外関連者に関する明細書 ……… 50, 150
国外関連者に対する寄附金 ……… 49, 134
国外関連取引 ………… 10, 57, 96, 120, 208
国際的二重課税 ………………………… 9
国税局審査部局 ……………………… 233
国税審議官 ……………………… 391, 425
国税庁調査課 ……………… 233, 257, 264
国税庁法人税課 ……………………… 264
国内救済手続 ………………………… 428
国内事前確認 ………… 225, 245, 260, 370
コストシェアリング ………………… 356
コスト・シェアリング契約 ………… 41
固定方式 ……………………………… 310
個別協議 ………………………… 389, 414
コンパラブル ………………………… 349
コンプライアンス …………………… 62
コンマニ ……………………………… 357

【さ】

差異の調整 ………… 19, 136, 272, 276, 301
再販売価格基準法(RP法)
 ………………………… 13, 95, 110, 278
先入先出法(FIFO) ………………… 305
差押えの猶予 ………………………… 66
残余利益(超過利益) ………………… 315
残余利益分割法 ……… 24, 161, 193, 315

【し】

シークレット・コンパラブル ……… 62
事業形態 ……………………………… 131
事業戦略 ……………………………… 140
事業内容 ……………………………… 119
事実に関するもの …………… 239, 277
事前確認 ………………………… 52, 221

事前確認の概況
　（2006年・平成18年10月） ……… 276
事前確認の更新 …………………………… 338
事前確認の取消し ……………… 331, 336
事前確認の申出期限 …………………… 268
事前確認申出書 …………………………… 256
事前相談 ………… 262, 365, 373, 436, 438
事前相談の費用 …………………………… 265
実現便益割合 ……………………………… 199
実質支配基準 ……………………………… 98
実質所有要件 ……………………………… 100
実質的な差異 ……………………………… 301
実用新案権 …………………………… 37, 180
自動的調整 ………………………………… 400
四分位レンジ ……………………………… 309
修正申告書 ………………………………… 351
重要な事業上又は経済上の前提条件 … 374
重要な前提条件 ………… 277, 316, 336, 358
重要な無形資産 ………… 24, 193, 285, 315
取得価額の調整 …………………………… 47
守秘義務 ……………………………… 62, 130
準ずる方法 …………………………… 18, 167
小規模納税者（a small business taxpayer
　：SBT） ………………………………… 350
消去法 ……………………………………… 291
上限値 ……………………………………… 247
消費税 ……………………………………… 51
商標 …………………………………… 37, 38, 181
商標権 ………………………………… 37, 180
職権による減額更正 …………………… 471
所得移転の意思 …………………………… 102
所得調整 …………………………………… 403
所得の海外移転 …………………………… 8
所得の創造 ………………………………… 313
書類の入手努力義務 …………………… 123
資料の添付 ………………………………… 268
資料の返還 ………………………………… 369
信義則上の義務 …………………………… 227
申告調整 …………………………………… 333

審査段階 ……………………………… 256, 260
審査部局 …………………………………… 257

【す】

推定課税 ………………………… 56, 122, 124
推定規定 …………………………………… 63
スタートアップ調整 ………………… 302, 307

【せ】

税額調整 …………………………………… 403
生産方式 …………………………………… 180
製造機能 ……………………………… 192, 279
製造拠点の移転 …………………………… 189
製造ノウハウ ……………………………… 192
製造無形資産 ……………………………… 279
製品のライフサイクル …………………… 55
政府間協議 …………………………… 387, 411
政府の規制 …………………………… 145, 203
税務当局の部内資料 …………………… 282
セグメント損益 …………………………… 289

【そ】

相関関係 …………………………………… 313
総原価＋マークアップ ………………… 358
総原価の額 ………………………………… 173
相互協議 ………………………… 50, 52, 216, 411
相互協議室 …………………………… 257, 425
相互協議手続 ……………………………… 249
相互協議の合意 …………………………… 436
相互協議の合意件数 …………………… 482
相互協議の合意に基づく更正の請求 … 333
相互協議の実施 …………………………… 436
相互協議の取下げ ……………………… 455
相互協議部局 ………………………… 233, 366
相互協議ポジション …………………… 355
相互協議申入れ …………………………… 436
相互協議申入れレター ………………… 450
相互協議申立て …………………………… 436
相互協議申立期間制限 ………………… 434

索　引　747

相互協議申立者 …………………… 431
相互協議申立書 ……………… 256, 439
相互協議申立書の補正 …………… 449
相互協議申立ての手続き ………… 439
相互協議を伴う事前確認 ………… 256
相互協議を伴わない事前確認 …… 260
相殺取引 …………………………… 139
総費用営業利益率 ………………… 286
双方居住者 ………………………… 388
遡及適用（ロールバック） … 339, 375
遡及年度調整 ……………………… 404
租税条約 …………………… 370, 412
租税条約に定めのない二重課税 … 390
租税条約の規定に適合しない課税
　………………………………… 388, 396
措置の最初の日 …………………… 435
損益管理の一体性 ………………… 377

【た】

対応的調整（Correlative Adjustment）
　………………… 247, 249, 321, 352, 394
　　　　　　　　　　　　400, 465, 468
対応的調整規定 …………………… 321
対子会社の売上高 ………………… 159
第二次調整 ………………… 352, 474
多国間事前確認 …………………… 480
多国籍企業 ………………………… 92
タックスヘイブン国 ……………… 370
棚卸資産の評価方法の差異調整 … 302, 305
ダブル・トラック ………………… 428
単純平均法 ………………………… 309

【ち】

遅滞なく …………………………… 127
地方税 ……………………………… 478
中位値 ……………………………… 335
中央値 ……………………………… 361
仲裁 ………………………………… 408
超過収益 …………………… 188, 191, 214

超過利益 …………………………… 314
徴収の猶予 ………………………… 66, 217
庁担当課 …………………… 263, 264
著作権 ……………………… 37, 180, 181

【つ】

追加資料 …………………… 271, 373, 375
通常の利益率 ……………………… 16, 17

【て】

定性的条件 ………………………… 293
定性的条件による絞込み ………… 300
定性的な差異 ……………………… 302
定性的分析 ………………………… 293
定量的条件による絞込み ………… 299
定量的な差異 ……………………… 302
定量的分析 ………………………… 293
データベース ……………………… 380
デザイン …………………………… 180
添付資料 …………………… 271, 373

【と】

同業者に対する質問検査規定 …… 64
同業者への反面調査 ……………… 129
統計的手法 ………………………… 319
同時文書化 ………………………… 116
同種 ………………………………… 108
同種又は類似 ……………………… 112
同種又は類似の棚卸資産 ………… 17
ドキュメンテーション …………… 362
特殊関連企業条項 ………………… 249
匿名の相談 ………………………… 265
独立価格比準法 …… 13, 14, 95, 106, 278
独立価格比準法と同等の方法 …… 175
独立企業間価格 …… 9, 13, 119, 126, 172
独立企業間価格との差額 ………… 47
独立企業間価格の算定 …………… 222
独立企業間価格の算定方法 …… 276, 282

独立企業間価格の算定方法等の
　確認に関する申出書 ……… 256, 281
独立企業間価格レンジ ………… 308
独立企業間レンジ ……………… 56
独立企業原則 …………………… 6
特許 ………………………… 37, 38, 181
特許権 ……………………… 37, 39, 180
取消通知 ………………………… 338
取下げ …………………………… 369
取下げ書 ………………………… 327
取引価格 ………………………… 148
取引関係の密接性 ……………… 377
取引条件 ………………………… 112
取引数量 …………………… 110, 147
取引単位営業利益法 … 13, 27, 95, 151, 212
取引単位営業利益法に準ずる方法 …… 29
取引単位営業利益率 …………… 286
取引単位ごとの損益データ …… 290
取引単位の設定 …………… 271, 288
取引単位の選択 ………………… 276
取引段階 ………………………… 107

【な】

内資系企業 ……………………… 205
内部データ ……………………… 366

【に】

二国間事前確認 …… 225, 245, 256, 370, 480
二重課税 ………………………… 396
二重課税の排除 ………………… 387
日米租税条約 …………………… 6
日米租税条約9条 ……………… 93

【ね】

値引き ……………………… 20, 149
年次報告書 ……………… 329, 351, 362

【の】

納税者の参加 …………………… 398

納税の猶予 ………… 66, 216, 404, 441
納税の猶予期間 ………………… 445
納税の猶予許可通知書 ………… 444
納税の猶予申請書 ……………… 442
納税の猶予制度 ………………… 241
納税の猶予の取消し …………… 446
納税の猶予不許可通知書 ……… 444
ノウハウ …………… 37, 39, 177, 180

【は】

バイAPA ………………………… 225
ハイブリッド・レンジ ………… 311
バイラテラルAPA …………… 225, 480
バスケット ……………………… 138
幅の概念 …………………… 162, 308
販売価格基準法 ………………… 16
販売機能 ………………………… 279
販売無形資産 …………………… 279
販売網 ……………………… 37, 180, 181

【ひ】

比較対象取引 ……… 15, 16, 18, 56, 137, 144
比較対象取引の事業年度 ……… 271
比較対象取引の選定にあたって
　検討すべき要素 ……………… 294
比較対象法人 …………………… 291
比較対象法人の決定 …………… 301
比較対象法人の選定 …………… 276
比較対象法人の選定方法 ……… 271
比較法 …………………………… 283
比較法と利益分割法の選択 …… 282
比較利益分割法 …………… 23, 161
非公開データ …………………… 238
標準偏差レンジ ………………… 309
費用分担契約 ………… 40, 42, 194

【ふ】

ファイア・ウォール ……… 232, 367
プーリング法 …………………… 309

索　引　749

不確認通知 …………………………… 328
不確認通知書 ……………………… 327, 329
不合意 ………………………………… 464
不服審査 ……………………………… 216
部分合意 ……………………………… 463
フルレンジ …………………………… 309
分割対象利益（合算利益） …………… 315
文書化 …………………………… 116, 127

【へ】

平均値の求め方 ……………………… 308
米国内国歳入庁（Rev. Proc. 96-53） … 318
別表17(3) ………………… 50, 150, 208, 210

【ほ】

貿易条件 ……………………………… 19
報告段階 …………………………… 256, 260
法的安定性 …………………………… 365
法令に定めのない算定方法 ………… 284
ポジション …………………………… 349
補償調整（Compensating Adjustment）
……………………………… 247, 331, 332
補償調整の方法 ……………………… 277
本支店間取引への準用 ……………… 340
本来の業務に付随した役務提供 …… 176

【ま】

マーケティング無形資産
………………………… 37, 179, 190, 314
マルチラテラルAPA ………………… 480

【み】

ミッドポイント（中位値） ………… 312, 335
みなし出資 …………………………… 474
みなし配当 …………………………… 474

【む】

無形資産 …………………… 41, 157, 177
180, 214, 356

無形資産の形成等 …………………… 183
無形資産の使用許諾 ………… 38, 185, 189
無形資産の使用許諾取引 ……………… 39
無調整領域の設定 …………………… 311

【も】

申立者の協議参加 …………………… 451
申出の修正 ………………………… 275, 327
申出書の修正・取下げ・確認通知 …… 325
申出段階 …………………………… 256, 260
目標利益率レンジ ………………… 272, 307
最も合理的な方法 …………………… 285
モデルAPA契約書 ………………… 353, 363

【ゆ】

有形資産の貸借 ……………………… 31
有償性 ………………………………… 173
ユニAPA ……………………………… 225
ユニラテラルAPA ………… 225, 348, 480

【よ】

予測可能性 ………………………… 221, 365
予測便益 …………………………… 40, 194
予測便益割合 ……………………… 194, 199

【り】

リーズキャッスルグループ会合 …… 255
利益指標 ……………………………… 286
利益水準指標 ………………………… 308
利益比較法（CPM） ………………… 351
利益分割ファクター ………………… 272
利益分割ファクターの決定と測定
……………………………………… 277, 313
利益分割ファクターの合理性 ……… 313
利益分割ファクターの選択 ………… 313
利益分割法 ……… 13, 21, 95, 160, 212, 283
利益法 ………………………………… 20
立法協議 …………………………… 389, 414

【れ】

連結親法人 …………………………… 341
連結会計ベース ……………………… 382
連結加入 ……………………………… 479
連結加入等法人の事前確認の
　継続届出書 …………………… 341,342
連結加入等法人 ……………………… 341
連結加入法人 ………………………… 342
連結グループ ………………………… 341
連結グループからの離脱 …………… 344
連結グループへの加入 ……………… 344
連結データの制約 …………………… 298
連結離脱 ……………………………… 479
連結離脱等法人 ……………………… 343
連結離脱等法人の事前確認の
　継続届出書 ……………………… 343
連鎖取引 ……………………………… 379
レンジの概念 ………………………… 308
レンジの設定 …………………… 277,307
レンジの設定と補償調整の方法 …… 311
レンジの設定方法 …………………… 309

【ろ】

ロールバック ………… 240,247,348,350

【わ】

割戻し …………………………… 22,149

＜編著者＞
佐藤　正勝
　　　1952年福島県生まれ。東京都立大学経済学部卒業
　現　　在：青山学院大学大学院会計プロフェッション研究科教授，中央大学大学院兼任講師，税務大学校非常勤講師等
　専　　門：租税法，国際租税法
　経　　歴：1975年東京国税局江戸川税務署，1979年大蔵省主税局国際租税課，1988年東京国税局調査第一部国際調査課，1990年国税庁国際業務室，1998年亜細亜大学法学部教授，2004年 UC Berkeley, School of Law 客員研究員，2005年青山学院大学大学院教授，現在にいたる。
　著書等：『移転価格税制の理論と適用－日米両国法制の比較研究－』（1998年，税務経理協会）単著，『セメスター法人税法』（2005年，税務経理協会）共著，『基本テキストシリーズ　租税法』（2005年，同文舘出版）単著，など。

＜著　者＞
髙久　隆太
　　　1956年埼玉県生まれ。早稲田大学商学部卒業
　現　　在：慶應義塾大学商学部准教授，中央大学法学部兼任講師
　専　　門：税務会計，租税法，国際租税法
　経　　歴：1980年東京国税局浅草税務署，1986年国税庁国際業務室，1992年東京国税局調査第一部，1995年国税庁国際業務室，1999年国税庁相互協議室，2004年税務大学校研究部教授，2006年慶應義塾大学商学部助教授，現在に至る。
　論文等：『移転価格税制を巡る諸問題－移転価格課税に係る訴訟の増加の中で－(1)(2)(3)』税経通信Vol.62　No.3－5（2007年），『移転価格課税における無形資産の使用により生じた利益の帰属及びその配分』税大論叢No.49（2005年），『租税条約に基づく政府間協議（相互協議）手続について』税大論叢No.23（1993年）など。

望月　文夫
　　　1957年神奈川県生まれ。明治大学法学部卒業，明治大学大学院経営学研究科博士後期課程修了。博士（経営学）
　現　　在：税理士，青山学院大学大学院会計プロフェッション研究科客員教授，明治大学大学院会計専門職研究科兼任講師及び同教育補助講師，日本税務会計学会国際部門委員
　専　　門：租税法，国際租税法
　経　　歴：1981年東京国税局総務課，1988年国税庁国際業務室，1991年国税庁調査課，1995年国税庁国際業務課，1999年東京国税局調査第一部国際情報課，2006年税理士登録，現在にいたる。
　著書等：『日米移転価格税制の制度と適用－無形資産取引を中心に』（2007年，大蔵財務協会），「アメリカ内国歳入法典482条における1968年財務省規則の成立に関する考察」（第29回日税研究賞受賞），『ＯＥＣＤ新移転価格ガイドライン』（1998年，共訳，日本租税研究協会）など。

著者との契約により検印省略

平成19年11月1日　初　版　発　行	Q＆A移転価格税制 制度・事前確認・相互協議

編著者　佐　藤　正　勝

著　者　髙　久　隆　太
　　　　望　月　文　夫

発行者　大　坪　嘉　春

印刷所　税経印刷株式会社

製本所　株式会社　三森製本所

発行所	〒161-0033 東京都新宿区 下落合２丁目５番13号 振替　00190-2-187408 ＦＡＸ(03)3565-3391 ＵＲＬ　http://www.zeikei.co.jp/ 乱丁・落丁の場合は、お取り替えいたします。	株式 会社　税務経理協会 電話(03)3953-3301(編集部) 　　(03)3953-3325(営業部)

Ⓒ　佐藤正勝・髙久隆太・望月文夫　2007　　　　　　　Printed in Japan

本書の内容の一部又は全部を無断で複写複製(コピー)することは、法律
で認められた場合を除き、著者及び出版社の権利侵害となりますので、
コピーの必要がある場合は、あらかじめ当社あて許諾を求めてください。

ＩＳＢＮ978-4-419-05008-5　C2032